惠水县志

HUI SHUI XIAN ZHI

1978—2015

惠水县地方志编纂委员会　编

下　册

方志出版社

第八篇　农业　农村　农民

第一章　农村经济体制改革

第一节　生产关系改革

一、第一轮农村土地承包

1979年，贯彻《中共中央关于加快农业发展若干问题的决定》，县推行联产计酬责任制。1980年，在雅水区场坝村、葡萄村试行包产到组。1981年，逐步发展到包产到户或包干到户生产承包责任制，是年，全县基本完成了土地承包到户的改革。签订承包合同的农户63862户，承包人口291134人，劳动力153539个，承包耕地267236.62亩，其中，田187590.18亩，土79646.44亩。

实行生产承包责任制后，对国家生产计划任务的完成，由公社向县政府承包，大队向公社承包，生产队向大队承包，社员向生产队承包，逐层签订承包合同书。

实行包产到户和包干到户后，个别社队中的部分社员，将自己所承包的耕地视为个人私有财产，随意自由处理。出现出租、买卖或转让责任田土、将责任田改作非农业生产经营的现象。县委、县政府查明后，按政策规定及时分别给予了纠正，并对劳动力困难户采取了请人代耕等办法解决。

1984年，根据省委有关延长土地承包期和“大稳定、小调整”的指示精神，明确承包集体土地的承包期，从1980年起到2000年止，20年不变，对死亡绝户、农转非户、外迁户的责任地，以及荒芜弃耕的土地或因无劳力耕种转为从事其他行业的土地，由集体收回作为机动或转包给种田能手经营。对生、死、嫁娶等人口正常增减，只要不是悬殊过大而非调整不可的，一般都不作调整。

实行包产到户和包干到户责任制后，农民获得生产经营自主权，农村中开始出现了从事某一行业生产的“专业户”，多为种植业或养殖业；随着农业多种经营的发展及社会对农副产品需求量的不断增加，专业户的行业逐渐扩大到林业、畜牧业、渔业、运输业、建筑业、加工业、商业服务业等方面。

二、第二轮农村土地承包

1998年6月28日，印发《关于稳定和完善农村土地承包关系的若干问题的处理意见》，在全县农村开展土地延包工作。县、乡镇成立稳定和完善农村土地管理办公室，由土地承包管理办公室负责农村土地承包合同日常管理工作。全县抽调25个乡镇和县直相关部门145人组成20个工作队，1998年7月6日至8月20日，在大龙乡完成了20个村、105个村民组，4968户，耕地面积10701亩的土地承包延期合同签订试点工作。同年11月6日，县农村土地顺延承包工作全面铺开，全县组建429个工作队，2145人到村组开展延长土地承包工作，1998年12月31日完成第二轮农村土地承包工作。

全县共收回“四户一人”689户（死亡绝户274户，外迁户112户，荒芜闲置户13户，农转非户290户），占原有承包户的1%；4189人，占原承包人口的1.44%；耕地3715.69亩，其中：田2843.76亩、土871.93亩。至是年底，全县完成所辖25个乡镇，428个行政村，2626个村民组，76579户农户，承包人口355822人，186592个劳动力，262123.44亩（其中：田183542.45亩，土78580.99亩）耕地面积顺延承包期工作。428个村民委员会为延长土地承包期的发包方，与76579户农户签订三个合同（土地承包合同、耕地招标发标合同书、开荒地使用合同），颁发《土地经营权证书》76579本，颁发率100%。

第二轮农村土地承包主要采取以下措施：重申土地除法律规定属于国家所有的以外，属于集体所有。集体土地所有者的代表为村民委员会，由村民委员会依法进行管理。延长土地承包期工作，发包方为村民委员会。农户承包土地只有经营使用权，没有所有权。这次延长土地承包期，是在第一轮土地承包经营基础上，承包地使用期限的延长。基本要求是“坚持稳定不调整”，不准将原来承包地打乱按现有人口重新发包；继续实行“在承包期内，增人不增地，减人不减地”的政策，不准以权谋私、假公济私、阻碍、干扰延长土地承包期工作。在延长土地承包中，按政策规定，认真清理并由集体收回“四户一人”（即死亡绝户、外迁户、荒芜闲置户、农转非户和农转非人）的承包土地，并由村委会优先发包给种田能手或人多地少户。对农户承包的土地情况，乡镇、村、组分别造册登记，建立档案，以便对承包地进行动态管理；在坚持土地集体所有和不改变土地承包时规定用途的前提下，经村委会同意，农户对土地的经营权和使用权可以自愿有偿转包、转让、互换、入股。土地流转要签订书面合同，并报村委会和乡镇政府备案。对开荒地按照“保护生态、承认现实、集体所有、有偿使用”的原则处理。即对影响生态造成水土流失的开荒地限期还林还草；对符合耕种要求的开荒地，原则上由开荒者耕种，但须向村委会办理有偿承包手续，承包费参照责任地承包费执行，若国家、集体用地需要这份地时，原则上不给予补偿。此次农村土地承包合同是第一轮合同的延续。耕地有效期延长至2044年，非耕地资源开发的承包使用期延长至2054年。以拍卖等形式转让的非耕地使用权，不得超过承包使用期的最高年限60年。除国家征用外，集体土地使用权不得出让，也不得转让，出租用于非农业建设。依法征缴农业税、农林特产税、乡统筹村提留。加强土地承包使用费的管理。对征收土地承包使用费的乡镇，按照土地承包使用费“取之于地，用之于地”的原则，严格管理使用，纳入农民上交的提留统筹范围合并计算，不准将土地使用费挪作他用。

2002年8月29日《中华人民共和国农村土地承包法》颁布，首次以法的形式对土地承包问题作出具体、详细的规定；2003年3月1日起，根据《中华人民共和国农村土地承包法》规定，县内实行土地承包经营。

三、“三荒”拍卖

“三荒”是指荒山、荒地、荒水，到1994年全县尚有“三荒”面积1300327.9亩，其中：荒山838993.8亩，荒地459202亩，荒水2132.1亩。为了有效加快“三荒”资源的开发和利用，县委、县政府本着先试点，后推开的指导思想，参照外地经验，于七月初对拍卖“三荒”使用权试点工作进行全面安排和部署，选择要求拍卖“三荒”意愿较高，有一定群众基础的雅水镇作为试点。建立拍实“三荒”领导小组和试点工作组，从县农工委、农业局、国土资源管理局、林业局、水电局、财政局、司法局、畜牧局、雅水镇等9个部门选抽工作组成员18人，负责组织实施试点工作。整个过程分为宣传、发动、拍卖和签约发证三个阶段，实际拍卖荒山荒坡336.87亩，其中：国有荒山256.7亩，集体荒山80.17亩。共收取拍卖金额9992元，其中：国有荒山5482元，集体荒山4510元。参加竞争农户20余户及雅水镇供销社1家单位。有9户农户及雅水供销社中标。拍卖价格为国有荒山每亩最低价20元，最高价30元；集体荒山每亩最低价30元，最高价75元。农民岑荣锦和何吉光分别以每亩30元和每亩75元的最高价购买国有荒山34.8亩，集体荒山40亩。1996年，“三荒”拍卖工作在25个乡镇全面铺开，共拍卖荒山、荒坡面积2770亩。

四、农村税费改革

2001年前，县内农民主要负担农业税、政府性基金、村级三项提留（公积金、公益金和管理费）和五项乡统筹（教育费附加、计划生育、优抚、民兵训练、修建乡村道路）等税费。根据党中央、国务院、省、州关于农村税费改革的安排部署，2002年4月19日，惠水县委以惠委［2002］9号文件成立惠水县农村税费改革领导小组，4月23日，全县农村税费改革启动，主要内容为“三取消、两调整、一改革”。三取消是取消乡统筹和农村教育集资等专门向农民征收的行政事业性收费和政府性基金、集资；取消屠宰税；逐步取消统一规定的劳动积累工和义务工。“两调整”是调整现行农业税政策和调整农业特产税政策。“一改革”是改革村提留征收和使用办法。同时制定相关系列配套措施保证税费改革工作的顺利完成。9月起，县内各乡镇按照惠水县农村税费改革领导小组批准的方案组织实施农村税费改革工作。2002年11月，税费改革工作结束。改革后，县内的乡统筹、农村教育费附加、屠宰税取消，农业税率执行7%及农业税附加比例按20%征收，计税价格一定三年不变，村提留改为农业税附加，随农业税一并征收，调整后的农业特产税征收税率略高于农业税税率，农业特产税附加比例按8%征收。改革前，县内农民各项负担共计2639万元，人均负担64.67元，两工688万个；改革后，县内农民各项负担共计1048.33万元，人均负担26.89元，两工344万个。农村税费改革是农村继实行家庭承包经营、土地承包改革之后又一重大改革。改革后，县内农民负担得到明显减轻，税收严格实行依率计征，“有地有税、无地无税”，规范农村税费制度，调动农民的生产和主动纳税的积极性。2004年起，县落实国家惠农政策发放粮食直补和粮种补贴；2005年按照国家政策，免征农业税，2006年1月1日，根据2005年第46号国家主席令，县全面取消农业税，延续千年的农业税成为历史。

2004年，国家对农民种植杂交水稻良种进行补贴，每亩5元，2008年后增加到每亩15元，2008年补贴品种增加到玉米、小麦、油菜等品种，每亩分别补贴10元。到2015年，补贴资金总额达4711.77余万元，涉及全县201个行政村、赤土农场、七里冲农场和斗底畜牧场种植上述品种的农户和农工。

2005年对农民实行购置农机具补贴至2015年，补贴金额共计4069.48余万元，补贴农机具类型从抽水机到大型拖拉机、收割机，除农村村民外，涉及各类农民专业合作社、公司等共计20396台套。

五、农村土地承包经营确权登记

2015年6月15日，成立惠水县农村土地承包经营权确权登记颁证工作领导小组，下设办公室在县农村工作局。9月，通过招投标与四川永鸿测绘有限公司签订《惠水县农村土地承包经营权确权登记颁证项目技术服务合同》，选取好花红镇作为试点。至年底，完成好花红镇28个行政村的航拍及权属调查工作，完成权属调查面积5846.67公顷，完成实测的面积7145.77公顷；完成权属调查户数12464户；宣传培训资料发放15000余份，培训人数250人；清理土地承包档案12464册；入户调查12464户。

第二节　林业经营体制改革

一、集体林权制度改革

1981年5月，由县农业局31名农村经济管理员组成县委工作队，在雅水区洛平公社进行林业“三定”（即：稳定山权、林权；划定自留山；确立林业生产责任制）试点。次年，全县各区、社普遍建立林业“三定”领导小组，在全县范围内开展林业“三定”工作，全部工作于1983年3月结束，经验收，惠水县林

长田乡发放林权证（2009摄）

业“三定”工作被黔南州人民政府表彰，获三等奖。县林业“三定”工作中，全县抽调区、社干部1134人，在42个公社有任务的2378个生产队完成了林业“三定”工作，占应开展“三定”2378个队的100%，其中，对2246个生产队进行了检查验收，并发给林业“三证”和验收“合格证”，占完成队数的95.7%。工作中，解决山林纠纷706起，占发生742起的95.1%；给有宜林荒山或少量疏林地的1401个生产队的26921户社员划定自留山，面积达80656亩，户均达3亩；给荒山较多的446个队划定造林任务山，面积达83913亩；有集体山林的1824个队建立了林业生产责任制，面积达47.3万亩，其中70.2%是分户管理，29.8%是由集体管，即队有组管、队有专人管或由社办林场、大队办林场管。全县2378个生产队建立护林制度，订立乡规民约及奖惩制度。

1981年林业“三定”工作，受限于专业技术人员匮乏、测量勘察设备及技术落后等原因，逐渐暴露出界定权属不清晰、权属人变化大、四至范围不清楚、争议山林地块多等问题，2008年1月，全县集体林权制度实行改革，12月结束。全县集体林权制度改革工作范围为25个乡镇的201个行政村2129个村民小组，共10.4万农户，涉及集体林权制度改革的林地229.3万亩，发放林权证25641本，面积确权到户率达100%；以单户发证的面积86.7万亩、宗地18205宗、占集体林地的39.7%，以均股、联户等方式发证的面积127.3万亩、宗地19443宗、占集体林地的60.3%；林权面积发证率100%。全县集体林权制度改革期间，共发生林权纠纷198件，面积4.8万亩，已调处185件，面积4.5万亩，调处率为93.4%。

2010年7月31日至8月2日，州集体林权制度改革工作检查验收组，对惠水县集体林权制度改革工作进行检查验收。经验收，惠水县集体林权制度改革确权发证工作中，面积确权率达到97.1%，面积确权到户率达100%。以单户发证的面积83.7万亩，宗地18205宗，占集体林地的38.5%；以均股、联户等方式发证的面积133.6万亩，宗地19443宗，占集体林地的61.5%；林权证面积发证率100%，林权纠纷发生185起，面积4.4757万亩，调处185起，面积4.4757万亩，纠纷起数和纠纷面积调处率均为100%，其中协议调处184起，面积4.4692万亩。经综合检查，惠水县集体林权制度确权发证工作通过州级检查验收。

通过改革，对集体林地211万亩明确四至界限，落实经营主体，发放林权证26541本，建立了林权档案。对70.40万亩林地由集体统一经营，签订股权协议，制订利益分配方案，保证经营收益的70%以上明确分配给集体内部成员，林权证发给归属的集体经济组织，兼顾集体与个人的利益。对个人责任山、自留山140.59万亩，重新登记予以确认，责任山重新签订合同，收回原有山林权证书，发、换统一林权证；集体林权制度改革前流转及承包的山林1.27万亩，按统一要求规范合同，将合同载明的山林权利发证给承包人。

二、森林分类经营

2002年开展县公益林区划界定工作，根据国家实施森林分类经营工作要求，将山体坡度36度以上（含36度）、土层瘠薄、岩石裸露，水土流失和石漠化严重地区的林地，区划界定为公益林，实行生态效益补偿。2008年，结合集体林权制度改革和2010年林地保护利用规划，对部分地块进行了调整。

第一次森林分类经营区划界定工作

2002年9月13日，成立惠水县森林分类经营区划界定工作领导小组，10月28日，召开分类区划界定培训会，组织各乡镇政府工作人员、林业技术人员分7个工作小组，开展外业区划界定工作。外业调查工作于2003年10月结束。2004年8月，完成森林分类经营区划界定工作成果上报，并通过州级评审；2005年3月，开展首次重点公益林补偿基金兑现，并完成公益林林权证核发。2007年，完成重点公益林固定样地监测工作，调查样地418个，经省厅、州局检查，样地全部合格，并完成公益林管护核查58.8万亩。2008年11月，省林业厅检查惠水县公益林区划和管护情况，全部合格达标。

2004年4月，再次对全县森林分类区划工作进行修改和调整。参加的工程技术人员17人，投入资金17.5万元，共区划界定重点公益林66.38万亩，地方公益林89.44万亩，商品林63.23万亩，分别占全县林业用地面积21.9万亩的30.3%、40.83%和28.87%。签订重点公益林现场界定书1315份，界定面积66.38万亩，界定率100%。重点公益林按权属分：国有公益林1.12万亩，占重点公益林面积1.68%；集体公益林65.26万亩，占重点公益林面积98.32%。

第二次森林分类经营区划界定工作

2008年，开展集体林权制度改革过程中，按政策规定，公益林不在集体林权制度改革范围，但须落实管护，发放林权证。实际操作中，有许多自留山、责任山也在公益林范围，实际也纳入集体林权制度改革，省厅要求集体林权制度改革工作和公益林区划界定工作同步推进。在此次集体林权制度改革过程中，对全县公益林重新进行了区划界定，由拥有公益林林地所有权的集体组织落实管护，林权证发给归属的集体经济组织或个人，落实管护主体。

是年，开展的区划界定工作，主要根据惠水县集体林权制度改革和林地保护利用规划（2010—2020年），结合惠水县林地的实际变化，以及社会经济发展需要来进行公益林区划界定。共区划公益林面积148.5万亩，占全县林业用地面积207.58万亩的71.54%，其中：区划界定国家级公益林66.79万亩，占林业用地的32.18%、占公益林面积44.98%；区划地方公益林81.71万亩，占林业用地的39.36%、占公益林的55.02%。

按权属分：国有公益林2.95万亩，占公益林1.99%，其中：国有国家级公益林2.24万亩，占公益林面积1.51%，国有地方公益林0.71万亩，占公益林面积0.48%；集体所有公益林面积41.99万亩，占公益林面积28.27%，其中，集体所有国家级公益林21.27万亩，占公益林面积14.33%，集体所有地方公益林20.71万亩，占公益林面积13.95%；个人经营管理的公益林面积103.56万亩，占公益林面积69.74%，其中个人经营管理的国家级公益林43.28万亩，占公益林面积29.14%，个人经营管理的地方公益林60.29万亩，占公益林面积40.60%。

公益林管护合同签订情况：国家级公益林签订管护合同的小班数8737个，面积66.79万亩，签订率100%，其中：国有国家级公益林签订管护合同的小班数81个，面积2.24万亩；集体所有国家级公益林签订界定管护合同小班数1098个，面积21.27万亩；个人经营管理的国家级公益林签订管护合同的小班数7558个，面积43.28万亩。

公益林林权证发证情况：在集体林权制度改革中，已对区划的公益林全部发放了林权证，发证率100%。其中，国家级公益林发放林权证6614本，发证面积66.79万亩；地方公益林发放林权证8165本，发证面积81.71万亩。

表8-1

惠水县国家公益林分乡镇面积统计表

单位	兑现总面积（公顷）	国有补偿面积（公顷）	集体补偿面积（公顷）	个人补偿面积（公顷）
惠水县	44526.67	1493.33	15020	28013.33
和平镇	1733.33	—	—	1733.33
高镇镇	740	—	740	—
三都镇	953.33	—	20	933.33
好花红乡	1253.33	—	—	1253.33
大龙乡	2666.67	—	1066.67	1600
摆金镇	2286.67	—	740	1546.67
甲烈乡	160	—	26.67	133.33
岗度乡	1986.67	—	640	1346.67
宁旺乡	513.33	—	80	433.33
斗底乡	1540	—	920	620
摆榜乡	1246.67	—	200	1046.67
雅水镇	1426.67	—	400	1026.67
鸭绒乡	1386.67	—	253.33	1133.33
太阳乡	2740	—	626.67	2113.33
抵麻乡	980	—	73.33	906.67
断杉镇	4506.67	—	946.67	3560
甲戎乡	2020	—	573.33	1446.67
抵季乡	6733.33	—	3466.67	3266.67
羡塘乡	3280	—	1720	1560
王佑镇	1333.33	—	486.67	846.67
芦山镇	1766.67	—	1080	686.67
长安乡	733.33	—	333.33	400
打引乡	1026.67	—	626.67	400
祥摆采育林场	1493.33	1493.33	—	—

三、国家级公益林补偿资金兑现

2004至2005年，每年补偿公益林面积13.8万亩，补偿资金62.1万元，补偿标准4.5元/亩。按照《中央森林生态效益补偿基金管理办法》，将补偿资金兑现到分布有公益林的村组集体，县林业局与村组集体签订《重点公益林管护合同》，补偿资金由村组集体根据林农承包管护面积统筹安排，村组集体和护林员签订《护林员管护合同》，县林业局监督资金使用情况，护林员的管护报酬根据其管护面积确定，管护费用不低于每亩3元，其他补植和抚育补助，由所在乡镇林业工作站和村集体共同提出具体使用计划。

2006年，公益林补偿面积58.8万亩，补偿基金264.6万元，补偿标准4.5元/亩。补偿资金由林业局设置专账统一管理，采取报账制方式拨付，共聘请护林员481人对全县公益林进行统一管护。

2007年，公益林补偿面积58.8万亩，补偿基金279.3万元，补偿标准4.75元/亩。兑现方式：属村集体的，0.75元/亩兑现到村集体，4元/亩兑现到全村农户；属村民小组集体的，0.75元/亩兑现到村集体，4元/亩兑现到该村民小组农户。村集体与农户个人签订管护合同。

2008年，公益林补偿面积58.8万亩，补偿基金279.3万元，补偿标准4.75元/亩。其中：0.75元/亩留在村集体，村财乡管，用于森林防火、有害生物防治、补植、抚育等方面；4元/亩全部执行一卡通兑现到农户账上。属村集体的，全村农户按户平均分配，属组民小组集体的，该小组内农户按户平均分配。

2009年，公益林补偿面积66.38万亩，补偿基金315.31万元，补偿标准4.75元/亩。其中：0.75元/亩留在村集体，村财乡管，用于森林防火、有害生物防治、补植、抚育等方面；4元/亩全部执行一卡通兑现到农户账上。

2010至2011年，每年补偿面积66.38万亩，补偿基金636.005万元，根据权属实行不同的补偿标准：国有的国家级公益林平均补偿标准为4.75元/亩；集体和个人所有的国家级公益林补偿标准为9.75元/亩。属村集体的补助资金，村财乡管，用于森林管护费用的开支；属补助给农户的，全部执行一卡通兑现到农户账上。

2012年，补偿面积66.79万亩，补偿基金640万元，根据权属实行不同的补偿标准：国有的国家级公益林平均补偿标准为4.75元/亩；集体和个人所有的国家级公益林补偿标准为9.75元/亩。集体所有的管护补助支出用于集体管护国家公益林的经济补偿，补助资金村财乡管，聘请专职护林员对公益林进行管护，补偿基金主要用于支付管护区管护人员劳务报酬、森林防火、林业有害生物防治、补植补造、抚育等相关支出项目；个人所有的管护补助支出，用于个人管护国家公益林的经济补偿，每亩9.75元全部执行“一折通”补偿给林农个人，林农按照签订的管护合同承担管护、森林防火、林业有害生物防治、补植和抚育等责任。

2013至2015年，个人、集体所有的国家公益林管护补偿上升到每亩14.75元，共66.79万亩计979.45万元，每年及时兑现到位。

2013年，补偿面积为66.79万亩，补偿基金640万元。依据国家级公益林权属实行不同的补偿标准，是年的国有国家级公益林平均补偿标准为每年每亩5元，其中，管护补助支出4.75元，集体和个人所有的国家级公益林补偿标准提高到每亩14.75元。属村组集体的补助资金，实行村财乡管，用于森林管护费用的开支，不得挪作他用；属补助给农户的，全部执行“一折通”兑现到农户账上。

2014年，补偿面积为66.79万亩，补偿基金962.75万元。依据国家级公益林权属实行不同的补偿标准，权属为集体和个人的国家级公益林生态效益补偿标准为14.75元/亩，兑现给权属的农户个人或村组集体；权属国有的国家级公益林生态效益补偿标准为4.75元/亩，兑现给承担管护责任的国有林场，属补助给农户的，已通过“一折通”全部兑现到农户账户；属村组集体的补助资金，实行村财乡管，用于森林管护费用的开支。

2015年，补偿面积为66.79万亩，补偿基金总计964.99万元。按照国家相关规定，权属为集体和个人的国家级公益林生态效益补偿标准为14.75元/亩，兑现给权属的农户个人或村组集体；权属国有的国家级公益林生态效益补偿标准提高到5.75元/亩，兑现给承担管护责任的国有林场，属补助给农户的，已通过“一折通”全部兑现到农户账户；属村组集体的补助资金，实行村财乡管，用于森林管护费用的开支。

地方公益林管理：2009年，对全县公益林部分地块进行调整，重新进行区划工作，共区划地方公益林81.71万亩。2014年10月，落实地方公益林森林生态效益补偿惠民政策，组织开展与农户签订地方公益林界定书和管护合同工作。截至2015年12月，未完成扫尾工作。2009至2011年，补偿面积为81.71万亩，补偿标准为5元/亩·年，补偿资金由省、州、县按4：3：3比例进行配套，每年省级财政分别下达到县地方公益林森林生态效益补偿资金为163.42万元，州、县财政未有配套。2012年，省、州下达到县地方公益林森林生态效益补偿资金共计166.36万元（省级配套163.42万元、州级财政配套2.94万元），县级未配套。2013年，根据《关于研究发放地方公益林补偿资金相关事宜的专题会议纪要》，为凸显地方公益林补偿资金的整合效果，同意由县林业局根据划定的地方公益林区，按照林区面积将2011年、2012年度地方公益林补偿资金整合兑现到村，兑现两个年度补偿资金分别为154.59万元，共计309.18万元。是年，省、州下达到县地方公益林森林生态效益补偿资金共计166.36万元（省级配套163.42万元、州级财政配套2.94万元），县级未配套，补偿资金未兑现。2013年以后，地方公益林生态效益补偿基金补偿标准提高为每年每亩8元，由省、州、县三级财政按4：3：3比例分级安排。2014年，县地方公益配套到位资金共计468.709万元（其中省级财政配套到位资金261.47万元、州级财政配套到位资金11.14万元、县级财政配套资金196.099万元）；因区划界定未完成未兑现。2015年度，县地方公益配套到位资金共计499.579万元（其中省级财政配套到位资金261.48万元、州级财政配套到位资金42万元、县级财政配套资金196.099万元）。因区划界定未完成未兑现。2009～2015年，上级下拨补助奖金1399.07万元，县匹配392.2万元，兑现309.18万元，结余1482.09万元，再扣财政转结时对县2014年度省、州地方公益林森林生态效益补偿资金272.61万元，实际结余1209.48万元。

惠水县地方公益林历年资金配套兑现结余情况表

表8-2

年度	省级到位资金（万元）	州级到位资金（万元）	县级到位资金（万元）	已兑现（万元）	结余（万元）	元/亩
2009	163.42	0	0	0	163.42	5
2010	163.42	0	0	0	163.42	5
2011	163.42	0	0	154.59	8.83	5
2012	163.42	2.94	0	154.59	11.77	5
2013	163.42	2.94	0	0	166.36	8
2014	261.47	11.14	196.10	0	468.71	8
2015	261.48	42	196.10	0	499.58	8

第三节　水利经营管理体制改革

一、水利企业事业单位改革

事业单位改革

（1）片区水利站

1978至2014年，惠水县摆金水利管理站、雅水水利管理站、断杉水利管理站、王佑水利管理站、高镇水利管理站和三都水利管理站的人权、工资管理隶属惠水县水利局。

2015年起惠水县摆金水利管理站等6个水利站人权、工资隶属当地人民政府，同年2月设立涟江、好花红、雅水、摆金、断杉、王佑6个水务分局，隶属县水务局所属股级事业单位。

（2）灌区管理所

1978年前，由于工程建设的运行管理需要，设立有涟江管理所、小龙灌区管理所、水头水库灌区管理，隶属县水利电力局，人员由县水利电力局派遣。

1984年，水头水库灌区管理所更名为水头水库工程管理公司，升为副科级管理机构。1986年，惠水县小龙灌区管理所、惠水县涟江灌区管理所和惠水县水头水库工程管理公司，列为自收自支事业管理单位，主要经费来源为征收农灌水费。

2007年，水头水库更名为水头水库管理所，并将三个灌区管理所列为差额拨款事业管理单位。

2012年为解决职工居住和改善办公环境，经县人民政府同意，将位于和平镇上马路处的470平方米老旧办公房与万顺房地产开发公司合作，采取原地置换的方式，置换成全产权的11套商品房，面积约1300平方米。

（3）企业单位改革

2007年水管体制改革后，小龙灌区管理所和小龙电站分开。小龙灌区管理所为差额拨款事业单位，小龙电站为国有企业，小龙灌区管理所代管。

1978至2014年惠水县马黄花塘水电站、马槽塘水电站、水源水电站由水利局负责运行管理，2014年11月将马黄花塘水电站、马槽塘水电站、水源水电站的资产划转到惠水县国有资本运营有限责任公司，同年12月11日，惠水县国有资本运营有限责任公司将三个水电站的经营权租赁给瓮安县岩根河水电站有限责任公司，租赁期限26年。

县自来水公司，1978年前，隶属城乡建设环境保护局管理，1982年经惠水县人民政府批准挂牌成立惠水县自来水公司，公司注册资金：522万元；属国有独资企业。1992年前历经水利局、和平镇、城建局管理。

1992年后至今隶属县水利局管理。主要负责程番水厂、东郊水厂、土桥水厂运行管理和城区供水。其间，土桥水厂2008年划归县国有资本运营有限责任公司负责运行管理。

乡镇供水公司，2011年成立，属于县水务局管理的国有资产公司，主要负责1000人以上农村饮水工程、跨乡镇、跨村农村饮水工程运行管理。将县水务局管理的摆金自来水站、鸭绒自来水站、雅水自来水站、断杉自来水站、三都自来水站、王佑自来水站、芦山自来水站划到乡镇供水公司。公司成立后，有职工42人。

二、水利工程产权制度改革

1987年，对滴水岩引水渠和河西电灌站两工程实行两权分离，承包管护，滴水岩引水渠发包给水电局离休职工张海约承包；河西电灌站发包给马道村农民罗恩平承包。

1999年，惠水县母猪水库经营权采取公开方式拍卖，断杉镇董朗村村民罗德凡以人民币1100元竞得，经营期限30年，主要负责水库大坝安全管理。开展水面养殖、农灌水费征收所得归罗德凡所有。

2014年12月，县制定《惠水县农村小型水利工程产权制度改革实施方案》，截至2015年，完成小型水库摸底调查24处，山塘摸底调查123处，规模以上农村饮水安全工程摸底调查319处，完成小型农田水利工程调查2977处（其中水池水窖2628处，水利工程349处），泵站调查49处，中小河流工程调查7处，机电井34处；农业水价综合改革工程项目摸底调查86处，山区现代化水利摸底调查12处；农业综合水价改革成立农民用水协会2处；山区现代化水利成立农民用水合作组织1处。

三、农灌用水制度改革

1983年省人民政府出台《贵州省水利工程供水收费和使用管理办法》，根据办法全县农灌用水执行2.6元/亩计收至1988年。

1989年6月惠政【1989】34号文件通知，规定农灌用水实行以粮计征的办法，农灌水费每亩征收大米6.5公斤，由管水单位根据用水户是年实灌情况，造册交当地政府和粮管所，一并填入农户的定购粮食合同发给农户，与定购粮食同时入库，粮食入库完成后一起割票结算，水管部门按是年实收数额的3%付给代收部门作劳务费，每年的征收率在95%以上。

2000年施行水价改革，农灌用水由过去的福利水转变为商品水，分三年逐步执行到成本水价按亩计征；第一年执行24元/亩、第二年执行36元/亩、第三年执行48元/亩。水价改革执行到第二年36元/亩。2002年由于农户反映农灌水费过高，难以承担，48元/亩未得到执行，经协调后，执行成本水价的60%（28.8元/亩）计征至2011年。全县只有涟江灌区管理所、小农灌区管理所、水头水库灌区管理所收取农灌水费，三所每年收取农灌水费68万元左右。其他工程均未收取农灌水费。

2012年为减轻农民负担，县政府同意减免农灌水费，由县财政全额补贴。

第二章　农业开发

第一节　农业综合开发

1990年，省委、省政府确定惠水县三年（1990~1993年）立项进行农业综合开发，涉及21个乡镇，180个村，1164个村民组。根据惠政发（1990）12号文件，县农业综合开发领导小组及办公室成立，负责农业综合开发工作。农业综合开发第一批项目六项，三年总投资386万元。分别为水头水库渠系配套、渠道防渗50千米，总投资50万元；东方水轮泵站恢复扩建，总投资12万元，20处电灌站维修改造，总投资8万元；坡改梯666.67公顷，总投资130万元；营造水土保持林1533.33公顷，总投资123万元；农机服务体系建设，购机37台套，新增机耕面积733.33公顷，总投资63万元。1992年，省农发办批准农业开发综合项目19个，投资320万元。1994年，惠水列入第二期农业综合开发县，省批准实施项目4个，投资140万元，1995年，实施茶叶基地配套设施等5个项目，总投资112万元。1997至2002年，惠水县未被列入第三期、第四期农业综合开发县。

2003年，惠水县被列入第五期农业综合开发新增县。是年，调整县农业综合开发领导小组，下设办公室，定为常设机构，编制8人，与县农业办公室合署办公。2011年，县机构改革后，农业综合开发管理职能划归县财政局，从2013年起，由县财政局负责实施农业综合开发项目。

2003至2011年，共实施土地治理、高标准农田建设、产业化经营3大类型13个农业综合开发项目。其中，以田间道路、水利渠系和农业科技三大措施配套投入为主的土地治理项目（含中低产田改造和高标准农田建设）10个，累计总投资10109.26万元；财政资金8487万元（中央财政资金6007万元，省级财政资金1996万元，州级财政资金242万元，县级配套财政资金242万元），群众投工投劳折资1662.26万元。工程治理农田面积10.51万亩（其中：2003至2009年中低产田改造项目5.88万亩，2009至2011年高标准农田建设4.63万亩），项目共涉及高镇、和平、三都、好花红、羡塘5个乡镇，累计实施水利灌溉干渠52.47公里，支渠123.42公里，排洪渠35.54公里，机耕道建设194.84公里，整修拦河坝1座，提灌站1座，沼气三改配套360口，设施农业配套建设建蔬菜育苗中心一个，建无公害蔬菜检测室1个，农机具购置28台（套），科技推广1.70万亩，农业适用技术培训6027人（次），购置农业检测仪器设备110台（套）。建成基本实现“旱能灌、涝能排、渠相通、路相连、品种结构优化、农业科技含量较高”的园田化农业综合开发示范区。

实行年度分项目实施：

2003年度，总投资342万元。其中：财政资金258万元，群众自筹84万元，改造中低产田0.9万亩，涉及和平镇惠明村。实施新建涟江水利灌排渠道13.32公里，新建机耕道7公里，沼气生态工程建设200口，科技示范推广2000亩。

2004年度，总投资491万元，其中：财政资金327万元，改造中低产田0.86万亩，涉及和平镇惠明、大坡、星光、大兴、杨番、九龙等6个村52个组，覆盖人口1662户7680人。实施新建水利灌排渠系12.29公里，渠系建筑物23座；新建2.5～3.5米宽机耕道5公里；新建设施农业育苗中心连体钢架大棚1栋540平方米，单体钢架大棚10个1800平方米，建优质蔬菜基地200亩，示范带动3000亩；建设“四位一体”沼气池160口，配套圈、厕、厨改造160间，建设猪品改点1个；优质饲草基地建设种植优质饲草200亩，饲养能繁母牛70头；科技推广共计开展农民技术培训1200人（次），购置农技推广仪器设备10台（套），良种示范及推广3000亩。

2005年度，总投资544万元，其中财政资金362万元，改造中低产田0.97万亩，涉及和平镇惠明、大坡、大兴3个村60个组，覆盖人口2063户8487人。实施新建水利灌排渠道15.74公里，新建田间步道8.46公里，渠系建筑物6座；新建2.5～3米机耕道8.06公里；优质无公害蔬菜服务体系建设共购置检测设备13台（套）；农机具购置42台，上海50—4型拖拉机2台；开展农民技术培训800人（次），购置农技推广仪器设备37台（套），良种示范及推广2200亩。

2006年度，总投资499万元，其中财政资金388万元，改造中低产田0.88万亩，涉及和平镇杨番、大坡2个村22个组857户3932人。实施新建水利灌排渠系19.72公里；新建3～3.5米宽机耕道9公里，建交通桥4座、路涵4座，开展农民技术培训900人（次），购置仪器设备6台（套），良种示范及推广1500亩。

2007年度，总投资607万元，其中财政资金472万元，改造中低产田0.89万亩，涉及三都镇九门、栗木2个村共985户4965人。实施新建水利灌排渠系20.17公里，配套建筑物35座；新建3～3.5米宽机耕道19条共11.7公里，生产便道1.84公里；建设“一池三改”沼气池50口；开展农民技术培训900人（次），示范推广0.25万亩。

2008年度，总投资566万元，其中财政资金440万元，改造中低产田0.69万亩，涉及好花红乡辉岩、兴涟2个行政村共1104户4999人。实施新建水利灌排渠系13.42公里；新建机耕道8条共6.15公里、生产便道2.805公里；科技示范推广0.15万亩，技术培训800人（次），购置设备6台（套）。

2009年度（中低产田改造），总投资676万元，其中财政资金556万元，改造中低产田0.69万亩，涉及三都镇九门村16个村民组620户3200人。实施新建水利灌排渠系15条共12.06公里，配套渠系建筑物83座；新建3～3.5米宽机耕道11条共7.36公里，机耕桥3座；农民技术培训1000人（次），农业科技示范推广0.18万亩，购置节水喷灌等设备4台（套）。

2009年度（高标准农田建设），总投资2050万元，其中财政资金1800万元，治理高标准农田建设面积

1.52万亩，涉及高镇、和平、三都3个乡镇6个行政村1.29万人。实施新建水利灌排渠系97条共49.64公里，配套渠系建筑物304座（处）；新建3～3.5米宽机耕道60条共30.96公里，配套路涵47座（处）；实施土地平整250亩；开展农民技术培训2000人（次），良种选育推广示范种植1000亩，科技示范推广4050亩。

2010年度（高标准农田建设），总投资2743万元，其中财政投资2400万元，治理高标准农田建设面积2万亩，涉及鸭绒、雅水、摆金、好花红4个乡镇17个村。实施新建、改造、防渗水利灌排渠系55条共76.7公里，配套渠系建筑物110座（处），新建提灌站1座22平方米，配套安装变压器、水泵等设备3台，架设输电线路140米；新建3～4米宽机耕道39条共25.21公里，其中硬化2.3公里。

2011年度（高标准农田建设），总投资1591.26万元，其中财政资金1484万元，治理高标准农田建设面积1.11万亩，共涉及羡塘乡红旗、龙虎、洛浩3个行政村1972户9287人。实施新建、改造水利灌排渠系63条共23.79公里，配套渠系建筑物123座（处），路涵61处，放水口62处，新建便民设施139处，整修拦河坝1座，新建提灌站1座17平方米，配套安装变压器、配电柜、水泵4台（套），新建机耕道路21条共16.70公里，其中硬化5.62公里，新建机耕桥10座。

按照农业综合开发产业化经营项目“扶大、扶优、扶强”的原则，九年间对2家重点龙头企业进行扶持，开展实施产业化经营年度项目3个，总投资2300.87万元，其中：财政资金1124万元，企业自筹资金1176.87万元。其中，2004年，对国家级重点龙头企业“贵州永红食品有限公司”扶持“牛肉系列食品加工技改项目”，总投资751.08万元；财政资金420万元，企业自筹331.08万元。实施新建、改造牛肉系列食品生产车间2995平方米，购置设备230台，实现年产1100吨牛肉系列食品生产加工能力。2006年，总投资1105.09万元；财政资金500万元，企业自筹605.09万元。实施新建生产车间、冻库、原料库等共计4829平方米，购置安装加工及化验、检测设备等53台（套），实现新增年产1200吨特色牛肉系列食品生产加工的能力。2007年，对省级龙头企业“贵州贵丰实业发展有限公司”扶持“惠水县年产15000吨有机复合肥生产线扩建项目”，总投资444.7万元。其中：财政资金204万元，企业自筹240.7万元。实施新建生产厂房、锅炉房、配电房共计2202平方米，购输送、供电、烘干设备6台（套），实现年产15000吨有机复合肥的生产能力。

2013年度，总投资520万元。其中：财政资金486万元，群众自筹34.7万元，改造中低产田0.4万亩，涉及岗度乡石烧村、本底村、岗度村。实施新建引水渠9.38公里，机耕道6.07公里，田间渠道1.63公里，排涝沟0.93公里，科技示范推广400亩。

2014年度，总投资450万元，其中：财政资金420万元，群众自筹30万元，改造中低产田0.35万亩，涉及雅水镇太阳社区（摆王、摆俄、）村。实施新建水利设施6.88公里，机耕道5.95公里。水稻示范推广620亩。

2015年度，总投资311.8万元，其中：财政资金291万元，群众自筹20.8万元，实施一般高标准农田0.27万亩，涉及芦山镇花鱼村和格我村。实施新建引水渠5.9公里，田间渠1.7公里，排涝渠0.35公里，机耕道4.56公里。

2015年开展实施产业化经营项目1个，总投资425万元，其中：财政资金140万元（中央财政资金100万元，地方财政配套资金40万元），企业自筹资金285万元。扶持重点龙头企业贵州黔红食品有限公司实施年产80万公斤辣椒加工扩建项目，新增建设总面积1200平方米，主要生产工程生产厂房1栋，建筑面积576平方米；辅料加工车间1栋，建筑面积300平方米；其他辅助工程配电房面积36平方米；办公综合楼面积264平方米（含中心化验室）；值班室面积24平方米；改造综合库1栋，建筑面积483平方米，新增生产设备和检测仪器34台（套）。

第二节　农业结构调整与产业化经营

一、“185”农业产业化工程建设

“185工程”是黔南州委、州政府在学习实践科学发展观活动中创新推出的一项农业工程，其含义是通过政府引导和激励、投入技术和资金帮扶，将1亩田地的产值分别提高到1万元、8000元、5000元。

2009年，围绕州委、州政府提出的“五业双千八基地”“五新十化万元田”的总体思路，为实现到2012年全县分别建成万元田（土）1万亩、八千元（土）1.5万亩、五千元田（土）3万亩的目标，县开始实施“185农业种植业产业化工程”。

2009年规划建设万元田7000亩，八千元田9000亩，五千元田18000亩。全县建成万元田7500亩（其中涟江坝区5000亩，其他乡镇共计2500亩）；建成八千元田9800亩（其中涟江坝区4850亩，其他乡镇共计4950亩）；建成五千元田19700亩（其中涟江坝区11700亩，其他乡镇共计8000亩）。

2010年，以涟江坝区为重点，实施“185工程”5万亩，其中万元田0.8万亩，八千元田1.1万亩、五千元田3.1万亩。

2011年，实施“185工程”12.156万亩，其中：万元田完成3.02万亩，八千元田完成4.06万亩，五千元田完成4.52万亩，养殖业完成0.505万亩，水产业完成0.051万亩。

2012年，在全县25个乡镇198个村实施“185”工程25.427万亩，其中：万元田4.927万亩，八千元田7.505万亩，五千元田12.995万亩。超额完成2009年定的“全县分别建成万元田（土）1万亩、八千元（土）1.5万亩、五千元田（土）3万亩”目标。2013年后，在之前实施“185”工程建设基础上，县启动建设现代高效农业示范园区。

二、现代农业示范园区建设

2013年，在“185”富民增收工程建设的基础上，县建设惠水县涟江现代高效农业示范园区，园区完成投资10.13亿元。发展花卉苗木、精品蔬菜基地共10100亩，一、二、三产实现经营收入5.4亿元，销售利润1.58亿元。惠水县涟江现代高效农业示范园区在全省现代农业示范园区年终考评中获得第十名的成绩，被认定为省级重点农业示范园区，并获300万元园区建设奖励资金。

2014年，惠水县建设惠水县雅水特色优质米产业示范园区、惠水县佰草园中药材种植高效农业示范园区、惠水县摆金生态茶叶产业示范园区，成功申报为省级农业示范园区。2014年惠水县涟江现代高效农业示范园区在全省现代农业示范园区年终考评中成绩靠前，获得200万元园区建设奖励资金。2014年园区建设共投资14.54086亿元，占任务数14.5亿元的100.28%，一、二、三产实现总产值14.13985亿元，占任务数13.5亿元的104.74%，销售收入11.19748亿元。

农业产业调整，农民不用出门打工便能增加收入（2014年摄）

充满生机的现代农业产业园（2012年摄）

2015年，惠水县涟江现代高效农业示范园区在全省现代农业示范园区年终考评中获得第七名的成绩。全县4个省级园区规划均获州政府批复。园区建设累计完成投资21.78亿元，占州下达任务数16亿元的136%，一、二、三产总产值实现31.03亿元，占任务数19亿元的163%，销售收入达到19.1亿元，占任务数12亿元的159%。

三、农业产业化

1998年，县委，县政府开始对农业结构进行调整，实施农业产业化建设。2000年开展第一批农业产业化龙头企业认定工作；至2005年，县农业产业形成蔬菜、烤烟、优质米和杂交玉米、畜牧业、劳务输出业五大主导产业；2007年，县农业产业化龙头企业有9家；2010年，县农业产业化龙头企业共14家，其中国家级1家：贵州永红食品有限公司；州级9家，分别为：贵州黔红食品有限公司、贵州博方民族药业开发有限公司、贵州神康原生态食品有限公司、涟江花卉林木有限公司、惠水粮食购销公司、惠水县好花红农业产业化发展有限责任公司、贵州好媳妇食品有限公司、贵州贵丰实业发展有限公司、贵州省花溪王脱酸牛肉食品有限公司；县级3家，分别为：贵州阿乐食品有限公司、贵州美福生态农业有限公司、惠水县兴强种养殖农民专业合作社。2011年，县委、县政府成立惠水县农业产业化工作领导小组，下设办公室在县农村工作局，出台《关于加快农业结构调整增比进位跨越发展的意见》《关于加快全县花卉苗木产业发展的意见》等优惠政策，县财政每年投入1000万元以上资金，专项用于农业产业化发展和结构调整。成立县农业产业化发展担保公司，为产业化龙头企业、农民合作组织等提供融资担保服务。

是年新增州级龙头企业3家，分别为：贵州阿乐食品有限公司、贵州黄金叶实业有限公司、贵州省惠水县金芳畜革贸易有限责任公司。农业产业化县级以上龙头企业增加到15家。

2012年新增州级龙头企业2家，分别是：惠水县阿乐食品有限公司、惠水县美福生态农业有限公司；新增省级龙头企业2家，分别是：贵州黔红食品有限公司、贵州博方民族药业开发有限公司。由于部分龙头企业停产，从龙头企业中除名，农业产业化县级以上龙头企业仍为15家。

2013年新增州级龙头企业3家，分别是：贵州省惠水县兴绿洲农业发展有限公司、贵州省惠水县好花红酒厂、贵州惠水县涟江农业科技有限公司。农业产业化县级以上龙头企业增加到21家。

2014年新增州级龙头企业2家，分别是：贵州三月天茶业有限公司、贵州永红酒业有限公司；新增省级龙头企业3家，分别是：其中贵州阿乐食品有限公司和贵州金晨农产品开发有限公司是新申报，贵阳味莼园食品股份有限公司为招商引资落户惠水。农业产业化县级以上龙头企业增加到34家。

2015年新增州级龙头企业3家，分别是：惠水县佰草园中药材种植开发有限公司、贵州省惠水县嘉其水产品养殖有限公司；新增省级龙头企业1家，为贵州惠水县涟江农业科技有限公司。农业产业化县级以上龙头企业增加到38家。

第三章　扶贫开发

第一节　机　构

1994 年，成立惠水县扶贫开发领导小组，下设办公室在农村经济工作委员会，与农业综合开发办公室合署办公，明确农业综合开发办公室 1 名副主任分管扶贫工作，无人员编制。

2001 年 12 月，将农业综合开发办公室、扶贫开发办公室明确为农业办公室下设事业机构，实行一套人员、两块牌子体制，核定事业编制 6 人，2011 年，不再保留县扶贫办公室，县农村工作局加挂扶贫开发局牌子。2012 年，设置惠水县扶贫开发局，核定编制 15 人。2015 年，调整惠水县扶贫开发局为县政府直属正科级机构，其中，设置行政编制 4 人，分别是局长 1 人，副局长 2 人，纪检组组长 1 人。设立惠水县扶贫开发指导中心，为县扶贫开发局所属副科级事业单位。年底惠水县扶贫开发局所属惠水县扶贫开发指导中心一个副科级事业单位，惠水县扶贫开发指导中心下设扶贫项目指导站、扶贫统计监测站两个股级机构。年末有干部职工 14 人。

第二节　贫困状况及原因

一、贫困概定

贫困人口。1978年，全县多数农村人口处于贫困状况。到1984年，家庭承包经营制度取代人民公社制度，农民生产积极性得到调动，生产力得到空前的解放和提高，农村贫困现象逐渐减少。1986 年后，县由救济式扶贫转向开发式扶贫；1991 年，县开始实施以工代赈模式扶贫。由于县农业基础设施差，人口多，耕地少，中低产田土占的比重大，缺资金、缺技术、经济结构单一，发展缓慢不平衡，以及历史、自然、社会等原因，群众生活仍然艰难，到 1994 年，县仍有 10.7 万人口尚未解决温饱问题。其中人均年收入不到 200 元，吃粮水平不到 200 公斤的极贫人口有 3.04 万人，占贫困人口的 28.5%，贫困人口主要分布在王佑、长安、打引、摆榜、抵麻、鸭绒、抵季等乡镇。2000 至 2005 年，县内贫困人口分别为 2.59 万人、2.54 万人、2.58 万人、2.45 万人、2.34 万人、2.25 万人。2007 年后，随着贫困标准线的不断提高，县内贫困人口随之增加。2011 年年底，全县有贫困人口 11.18 万，贫困发生率为 27.24%。2012 年年底，全县有贫困人口 8.79 万人，贫困发生率为 21.18%。2013 年年底，全县有贫困人口 7.39 万人，贫困发生率为 17.59%。以 2013 年农民人均纯收入 2736 元（相当于 2010 年 2300 元不变价）的国家农村扶贫标准为识别（此项工作为 2014 年开展），农民人均纯收入低于 2736 元的列为贫困户。2014 年年底，全县有贫困人口 6.26 万人，贫困发生率为 15.48%。2015 年年底，全县有贫困人口 5.17 万人，贫困发生率为 12.93%。

贫困村情。1997 年 2 月，中共黔南州委、黔南州人民政府在《关于确保如期完成扶贫攻坚计划的实施意见》中公布，全州共有 787 个贫困村。按县（市）区域分布，惠水县有贫困村 70 个；2002 年 3 月，省扶贫开发办公室确定黔南州扶贫工作重点村 1467 个，按县（市）区域分布惠水县有贫困村 192 个，其中，一类贫困村 90 个，二类贫困村 92 个，三类贫困村 10 个；2014 年 12 月，根据省扶贫开发领导小组办公室下发《关于确认全省国家扶贫开发工作重点贫困村的通知》（黔扶领办通〔2014〕27 号）文件要求，全县有 201 个行政村，贫困村总数为 108 个，其中，一类贫困村 66 个，一类村贫困发生率高于 37.5%（含）；二类贫困村 26 个，二类贫困村贫困发生率为 31%（含 31%）~ 37.5%；三类贫困村 16 个，三类贫困村贫困发生率为 27%（含 27%）~ 31%（注：贫困发生率 = 当地贫困人口数 / 当地农村人口数）。

贫困乡镇：根据贫困情况，综合考虑基础设施建设，当地经济发展状况等。惠水县有25个乡镇（区域规划前），有贫困乡镇共13个，其中，一类贫困乡镇1个（抵季乡），二类贫困乡镇7个（抵麻乡、甲戎乡、宁旺乡、大坝乡、打引乡、斗底乡、摆榜乡），三类贫困乡镇5个（长安乡、甲烈乡、岗度乡、王佑镇、鸭绒乡）。2012年，“减贫摘帽”有王佑、鸭绒、岗度3个乡镇；2013年，“减贫摘帽”有甲戎、甲烈、抵麻3个乡镇；2014年，“减贫摘帽”有大坝、宁旺2个乡镇；2015年，“减贫摘帽”有长安、打引2个乡镇。至2015年年底，全县贫困乡镇发生率为12%，较2012年的52%下降40个百分点。

惠水县贫困乡镇“减贫摘帽”情况统计表

表8-3

摘帽与类别 / 年度	减贫摘帽乡镇	贫困乡镇类型	摘帽状况
2012	王佑镇	三类	已摘帽
	鸭绒乡	三类	已摘帽
	岗度乡	三类	已摘帽
2013	甲戎乡	二类	已摘帽
	甲烈乡	三类	已摘帽
	抵麻乡	二类	已摘帽
2014	大坝乡	二类	已摘帽
	宁旺乡	二类	已摘帽
2015	打引乡	二类	已摘帽
	长安乡	三类	已摘帽
2016	斗底乡	二类	计划摘帽
2017	摆榜乡	二类	计划摘帽
	抵季乡	一类	计划摘帽

惠水县贫困村情统计表

表8-4

镇（街道）	原乡镇名	村名	贫困村类别
摆金镇	摆榜乡	高寨村	1
	摆榜乡	甲坝村	1
	摆榜乡	蛮河村	1
	摆榜乡	盘井村	1
	摆榜乡	冗拱村	1

续表8-4

镇（街道）	原乡镇名	村名	贫困村类别
摆金镇	摆榜乡	石板村	1
	摆金镇	大华村	2
	摆金镇	关山村	1
	摆金镇	甲浪村	2
	摆金镇	扪摆村	3
	摆金镇	杨茂村	3
	斗底乡	白龙村	1
	斗底乡	党古村	2
	斗底乡	斗底村	2
	斗底乡	旁才村	1
	斗底乡	掌满村	3
	鸭绒乡	谷把村	3
	鸭绒乡	毛栗村	1
	鸭绒乡	上田村	3
	鸭绒乡	水冲村	1
断杉镇	抵季乡	代京村	1
	抵季乡	抵塘村	1
	抵季乡	定里村	2
	抵季乡	花山村	2
	抵季乡	蛮纳村	1
	抵季乡	青山村	1
	抵季乡	上坝村	1
	抵季乡	翁平村	1
	抵季乡	新民村	1
	抵季乡	雅州村	2
	断杉镇	光荣村	1
	断杉镇	木兴村	3
	断杉镇	翁址村	1
岗度镇	岗度乡	柏栗村	1
	岗度乡	本底村	3
	岗度乡	黄土村	2
	岗度乡	火阳村	1

续表8-4

镇（街道）	原乡镇名	村名	贫困村类别
岗度镇	宁旺乡	白水河村	1
	宁旺乡	龙泉村	3
	宁旺乡	龙塘村	2
	宁旺乡	龙田村	1
	宁旺乡	宁旺村	3
	宁旺乡	新摆村	2
好花红镇	好花红乡	六马村	2
	好花红乡	石头关村	1
	好花红乡	幺关村	1
	甲戎乡	河坝村	2
	甲戎乡	吉安村	1
	甲戎乡	龙上村	1
	甲戎乡	青藤村	2
	甲戎乡	水源村	1
	甲戎乡	翁金村	1
	三都镇	百鸟河村	3
	三都镇	小龙村	2
涟江街道	大龙乡	九龙村	1
	大龙乡	龙瓦村	1
	大龙乡	民中村	1
	大龙乡	山口村	2
	和平镇	高坪村	1
	和平镇	龙井村	1
	和平镇	三合村	1
芦山镇	芦山镇	河心村	2
	芦山镇	水井坡村	1
	芦山镇	响水村	1
	芦山镇	小石村	1
濛江街道	长田乡	双庆村	1
	长田乡	合兴村	1
	大坝乡	板长村	1
	大坝乡	大保村	1

续表8-4

镇（街道）	原乡镇名	村名	贫困村类别
濛江街道	大坝乡	绿化村	1
	大坝乡	上龙村	1
	高镇镇	长岩村	1
	高镇镇	半坡村	2
	高镇镇	山后村	2
	甲烈乡	新哨村	1
	甲烈乡	新坝村	1
	甲烈乡	兴章村	1
王佑镇	长安乡	长腊村	3
	长安乡	伙塘村	1
	长安乡	新华村	3
	长安乡	新然村	1
	打引乡	场坝村	1
	打引乡	打永村	1
	打引乡	董上村	1
	打引乡	和平村	2
	打引乡	建华村	3
	打引乡	团坡村	1
	王佑镇	昌明村	1
	王佑镇	红星村	3
	王佑镇	平贡村	1
	王佑镇	王佑村	2
羡塘镇	太阳乡	岗金村	1
	太阳乡	和平村	2
	太阳乡	英桥村	1
	羡塘乡	白硐村	1
	羡塘乡	桃源村	2
	羡塘乡	瑶山村	2
雅水镇	抵麻乡	摆亚村	1
	抵麻乡	地关村	2
	抵麻乡	硐房村	1
	抵麻乡	公朋村	1

续表8-4

镇（街道）	原乡镇名	村名	贫困村类别
雅水镇	太阳乡	摆俄村	3
	太阳乡	播哨村	3
	太阳乡	西牛村	1
	雅水镇	道力村	2
	雅水镇	街上村	2
	雅水镇	下兴村	1
	雅水镇	新民村	1

二、贫困原因

县贫困问题产生的根本原因：基础设施落后。乡村交通运输系统、水利供给系统、教育系统、卫生文化福利系统、邮政通信信息系统、物资仓储系统等不够完善。部分镇（街道）地理位置偏僻，以王佑镇“麻山”贫困地区，为远离县城，通信、交通不发达，导致局域性贫困。自然灾害严重。大部分贫困群众生活在深石山区，灾害性气候主要有旱灾、洪灾、冰雹等，凡农户庄稼遭到灾害，导致部分农户因灾致贫。需求供给不足，农村人口众多。

至2015年底，全县人口45.87万人，其中，农村人口40.04万人，占全县总人口87.29%。由于农村地区自然条件差，人口多造成需求大，即出现贫困现象；农业生产技术落后，多地农业机械应用率极低，在生产动力上，春种夏锄秋收主要为人力、畜力；在生产工具使用上，所需的是锄、犁、耙等手工和畜力。劳动效率不高，是导致贫困的原因之一；生产出的产品或是成本太高，或是质量差，或是花样品种单一，导致农产品竞争能力差；少部分群众自生动力不强。存在等、靠、要思想，不愿劳作，坐等国家兜底。

第三节　扶贫资金与项目管理

一、资金投入情况

“八七”扶贫攻坚资金投入（1994—2000年）。1994年，国家实施“八七”扶贫攻坚计划，惠水县遵循省委对“麻山”贫困乡镇“特事特办”的指示，加大扶贫攻坚力度，“八七”扶贫攻坚共计投入中央财政专项扶贫资金1600多万元，主要用于水利、电力、公路、通信、产业等方面的扶贫。

新阶段扶贫开发资金投入（2001—2010年）。2001年起，为新阶段扶贫工作，国家投入中央财政专项扶贫资金9049.44万元，主要用于马铃薯产业、蔬菜栽培、种草养牛、安全饮水、道路修建等领域的民生工程。

新一轮扶贫开发资金投入（2011—2020年）。2011至2015年，中央投入财政专项扶贫资金1.38亿元，主要用于林下养鸡、佛手瓜种植、马铃薯种植、黑猪养殖等项目。

二、项目与资金管理

加强管理。按照《贵州省财政扶贫资金项目管理暂行办法》及《惠水县财政扶贫资金项目管理办法》

等规定，在项目选择上严格按照财政扶贫资金投向规定，充分征求项目实施农户意见，前期调研准备工作充分合理。在项目实施中，严格按照批复内容完成项目建设，严禁实施单位擅自调整或改变项目建设性质、规模、内容、地点，严禁偷工减料、优亲厚友、垒大户、扶富不扶贫等现象发生。在组织管理方面，让群众明白项目实施的规模、投资、建设期限等，同时严格实行项目公示公告制，提高群众的知情权、参与权和监督权。在项目后续管理方面，督促项目实施单位做好项目移交及后期管护工作。

加强资金管理。严格按照《贵州省财政专项扶贫资金管理办法》及《惠水县财政扶贫资金报账制管理实施细则》要求，实行专账专户管理制度、县级报账及镇（街道）报账相结合，按项目进度及时报账，报账凭证合法有效，手续完备、账目清楚、严禁以拨代支。加强廉政管理，严禁转移、挤占、挪用、拖欠、贪污等违法违纪的现象发生。项目竣工后，及时决算、及时报账。

加强档案管理。根据项目申报—资金文件下达—实施方案拟定—项目实施—竣工验收等环节，按要求建立项目资料档案，坚持“一项目一档案”的原则，提高档案管理的规范性、系统性和完整性。

第四节　扶贫措施和成效

一、扶贫措施

加强组织领导。建立和坚持党政一把手亲自抓、负总责任制。扶贫攻坚战开始，县委成立一把手负责抓，分管领导具体抓的县、乡镇两级扶贫工作领导小组及办公室（扶贫工作站）。同时，明确四家班子（县委、县政府、人大、政协）包片，县直部门包乡包村，干部党员进村建立联系点，与贫困户结对帮扶的责任机制。

发扬自力更生。在改善贫困地区生产生活条件等基础设施建设中，群众集资投劳为主，国家集体扶持为辅。由农业局、扶贫办、畜牧局等单位实施的800余口沼气池建设，多以补助水泥、灶具等物资为主，“麻山”地区每个沼气池（600 ~ 800立方米）补助800元，其他地区贫困户每个水池补助500元。坝区只提供模具、技术。由水电局、农建办、扶贫办实施的小水池、小水窖扶贫工程，一般每60立方米水池补助价值2000元的水泥、炸药等物资。

扶贫办在斗蓬片区的高坪、电光、水岩等7个村实施人畜饮水扶贫工程，投专项扶贫资金15万元，修建水池水窖90个4800立方米，平均每60立方米扶持500元，初步缓解了斗蓬片区7个村、300户、1450人及700头大牲畜的饮水困难。羡塘乡的瑶山、磨冉等村修建的10个水池容量400立方米，国家仅奖励300元/个。

确保资金投入。惠水县属非国家贫困县，投放境内的扶贫专项资金有限。1978至2015年，中央投入财政专项扶贫资金2.44亿元。

强化攻坚力量。凡报送的扶贫项目必须经认真考察、论证、评估。组织农民培训，组织文化、科技下乡活动。7年间，由农委、科委、妇联、支边及农、林、水、牧、农机、乡镇等部门组织各类技术培训2546期28.3万人次。共有10万个农村劳动力分别掌握了两段育秧、两杂制种、病虫害防治、薄膜保护栽培、化学除草、饲料氨化、猪生料饲养、孵化及科学饲养疫情防治，食用菌人工栽培、果树嫁接、修枝整形、茶叶加工、农机具修理花卉无性繁殖及栽培管理，花、菜工厂化栽培等适用技术。获得农民技术员以上职称735人，获得“绿色证书”的1610人，获得农用车驾照的510人。科委、科协、植保，种子、卫生防疫、畜牧防治等部门组织科技下乡赶场300期次，发放科技资料3万份，乡镇组建农村技术培训夜校

10所，入校学员2万人次。发挥科技人员作用。乡镇扶贫工作站有农林，水、牧技术人员参与，主要负责为农户选定种养项目，对项目实施进行跟踪服务。大力推广各项农业适用技术。全县杂交水稻种植面积占95%，杂交玉米种植占65%，瘦肉型杂交猪饲养占10%。

二、扶贫成效

“八七”扶贫攻坚成效（1994—2000年） 水利设施建设得到加强。共维修病险水库4处，容量65万立方米，渠道防渗58千米，新增灌面1200亩，恢复灌面2300亩，维修恢复提灌站213处，建小水窖700个，容量平均42000立方米。实施改水工程6处，人畜饮水工程6处，利用业务部门专项资金150万元，修建“麻山”地区、斗蓬片区等小水池（窖）188个，总容量为24250立方米，累计解决人畜饮水3.86万人/3.57万头，增灌213亩。“麻山”三乡镇及斗蓬等乡村饮水难、灌溉难的矛盾得到缓解。

电力设施建设、农村电网改造。引进资金新建海里水力发电站1座，装机容量16000瓦，并入国家电网。同时，建成洪番150万千伏安输变电站、龙岗26.3万千伏安输变电站及七里冲工业小区5万千伏安输变电站。通过农村电网改造及“麻山”董上村，高低压线路的架设，实现农村电网延伸，实现村村通电、组组通电。农村照明用电覆盖率达98.6%。

完善道路修建。改造惠罗公路、摆西公路（摆金至西关），以工代赈经费改造并延伸了宁旺公路，利用财政扶贫资金及深圳对口扶贫资金改造了长安公路，接通了打引至敦操（长顺县），打引至董上，长安至代化（长顺县）、西茂、伙塘，新然至幸福，王佑至纳任、兴义、团坡煤厂（打引）等断头路。农用车由1993年的1137辆上升到2000年底的2058辆。

实现“村村通”广播电视。全县共建成地面卫星接收站356个，广播覆盖达85%；电视覆盖农户达73.4%，实现了“村村通”广播电视。

程控电话延伸到农户。程控电话开通乡镇有23个，占92%，全县有52个村。开通程控电话11270门，其中，农话1694门，有1625户农户安装电话。

教育医疗条件大有改善。全县共修建乡、村学校9幢，共2800平方米。适龄儿童入学率由1993年的87.6%上升到2000年的97.65%；中小学生巩固率由1993年的91.2%上升到2000年的98.2%；7年间，录取大、中专学生3161名，其中，大专以上学生696名。2000年，大、中专升学学生695名。

全县共修建乡村计划生育、医疗卫生用房3幢600平方米；新建村级卫生室224个；新增X光机、B超机、心电图仪等医疗设备13台，投资35.2万元；其中，“麻山”三乡镇共建乡、村医疗卫生用房7幢676平方米，配套100毫安X光机、B超机、心电图仪各1台，投资2.7万元，改善农村计划生育、医疗卫生条件，改变农村缺医少药的状况。

新阶段扶贫开发措施及成效（2001—2010年） 2001年，投入财政扶贫资金284.5万元。实施项目26个，共完成通电村里程574.176千米，涉及250个村1475个组46333户；新建和改造乡村公路52千米，涉及7个乡14个村2573户；新开通程控电话3个乡3个村；新建小水窖、小水池、小山塘360个，蓄水量2.065万立方米；新增恢复农田灌溉面积0.45万亩，解决人畜饮水困难1.08万人、0.55万头；新建或改造乡村校舍4所、1100平方米，涉及4个乡村；新建或改建乡村卫生室25所，面积875平方米，涉及8个乡25个村；新建广播电视接收点5个，涉及5个村1563户；新建乡村文化室3个；新建沼气池1230口，涉及45个村1230户；完成移民搬迁91户290人；完成劳务输出23698人次。共建小水池（窖）213口8886.9立方米，涉及3个乡镇13个村，解决13个村708户3321人839头大牲畜饮水困难，灌溉田土 215 亩，其中，田 67 亩、土 148 亩。

2002 年，投入财政扶贫资金 384.2 万元，实施项目 39 个，共完成改造中低产田 1600 亩，推广脱毒马铃薯 2020 亩，推广金优“404”水稻良种 3120 亩，修建沼气池 150 口，解决群众耕牛 70 头，建简易牛舍 36 间 485 平方米，建冻配房 44 平方米，购二元母猪 80 头，种公猪 2 头，养鸡 6300 只，养竹鼠 30 对，建提灌站 2 座 75 千瓦，渠道防渗 3 条，长 4740 米，建水池水窖 37 个，蓄水 2720.8 立方米，解决 7298 人 /3613 头大牲畜的饮水困难；修拦水坝 62 米，解决 171.6 亩稻田灌溉；新建和维修乡村公路 38.5 千米，架设公路桥梁 2 座，跨径 30 米；新增通路到村 4 个，新建计生服务站 3 个 720 平方米，新建村级文化室 3 个 211.1 平方米，增设电视网站 10 个，新建学校 2 所 599.24 平方米，累计各类新技术培训 234 期 49786 人次。项目惠及 17 个乡镇 326 个村，3.43 万户 16.59 万人。

2003 年，投入财政扶贫资金 512.6 万元，实施项目 78 个，是年完成中低产田土改造 900 亩，稻瘟病综合防治 2000 亩，脱毒马铃薯种植 7584 亩，脱毒马铃薯一级种扩繁 1000 亩，中药材种植 100 亩，金优 404 良种推广 7000 亩，优质玉米示范推广 3060 亩，新技术示范推广 900 亩；牧草种植 806 亩，建牛品种改良点 4 个，建冻配房 280 平方米，年输配母牛 550 头，饲养二元杂交母猪 110 头，种公猪 1 头，饲养家禽 23500 只，大牲畜养殖 405 头；实施人饮工程 4 处，建提水机房 15 平方米，安输水管道 29.75 千米，解决 4 村 176 户 745 人的饮水困难，建成水池水窖 226 口，蓄水 6417.32 立方米，解决 3390 人 2034 头大牲畜的饮水困难，灌溉农田 186 亩；毛楠竹示范种植 386 亩，完成“三改”户 400 户，发展庭院经济 200 户，建成沼气池 185 口；完成农村电网改造 2 处，架设 10 千伏输电线路 7 千米，共解决 2 个村 84 户 293 人的用电困难；新修和改造乡村公路 6 处，新增通公路村 4 个，完成通车里程 21.6 千米，架设公路桥梁 1 处 20 余米；建村级卫生室 60 平方米，文化室 70 平方米，村级小学 395 平方米，脱毒马铃薯仓库建设 360 平方米，完成农民技术培训 30500 人次，干部培训 500 人次，绿色证书培训 300 人，发放各类技术资料 11.2 万份。项目惠及 17 个乡镇 39 个村，27657 户 118937 人。

2004 年，投入财政扶贫资金 548.1 万元，实施项目 113 个，是年完成新建和改造村级公路 20.2 千米；村寨道路硬化 7 千米；架设输电线路 12.1 千米，新建小水池（窖）374 口；沼气池 170 口等基础设施项目。完成新增养牛 340 头、种植牧草 750 亩、建猪品改点 7 个、种兔 400 套、家禽 3.6 万只、养猪 1075 头、种植脱毒马铃薯 3300 亩、推广蔬菜、杂交玉米新品种试验示范 650 亩，完成稻瘟病防治 3000 亩，推广使用新型营养液肥 1 万亩；新建乡村小学一幢 616 平方米；建远程教育接收点 5 个；新增坡改梯 1000 亩，新建 1 个乡农经网。项目惠及 25 个乡镇，45 个村，受益 18701 户，8.6 万人。

2005 年，投入财政扶贫资金 749.43 万元，实施项目 220 个，是年完成金优 404 良种推广 5000 亩，烤烟种植 300 亩，辣椒栽培示范 280 亩，冷凉蔬菜示范 150 亩，脱毒马铃薯种植 4814 亩，种植优质牧草 1520 亩，推广杂交玉米 6390 亩，推广通丰植物营养液 2 万亩，完成发放 Z 型北京鸭 5200 只，发放朗德鹅 1300 只，发展二元杂母猪 778 头，购能繁母牛 416 头，发展养鸡 12000 只，完成圈舍改造 400 户；修建小水池 535 口，可蓄水 16650 立方米，完成人畜饮水工程 2 处；新增公路里程 4 千米，修建 1 米宽水泥道路 24 千米；修建村级综合服务室 5 栋 600 平方米。

2006 年，投入财政扶贫资金 1001.85 万元，实施项目 247 个，是年完成道路建设 91.8 千米；道路硬化 11 千米；桥梁建设 1 座；渠道建设 8.5 千米；输水管 23.5 千米；人饮工程 8 处，解决 4665 人的饮水困难；提灌站建设 1 座；修拦水堤 1 处，水库维修 1 座 6000 立方米；小水池建设 609 口，蓄水 18270 立方米；

架设输电线路 14.15 千米。建成村级综合服务室 3 栋，面积 360 平方米；学校建设及维修改造 3 所 1123 平方米。完成小水池建设 609 口，覆盖 6 个乡 29 个村，受益 605 户 3125 人。完成杂交玉米种植 3700 亩，脱毒马铃薯 2700 亩。

2007 年，投入财政扶贫资金 1507.5 万元，实施项目 199 个，是年完成杂交玉米种植 4160 亩，旱玉米种植 750 亩，种植脱毒马铃薯 820 亩，种植脱毒红薯 300 亩，蔬菜 250 亩，辣椒 1709.3 亩，生姜示范 706.3 亩，西瓜 750 亩，佛手瓜栽培 100 亩，梨子栽培 6000 株；完成购买二元杂母猪 780 头，购买优良种公猪 3 头，扶持发展农户养猪 6533 头，养牛 1999 头，其中，能繁母牛 1763 头，种植牧草 70 亩，猪品改点建设 10 个，是年发展家禽养殖 34600 羽；完成乡村公路改造 138.6 千米，道路硬化 13333.7 平方米，桥涵建设 1 座，修建渠道 11 千米，建提灌站 3 座，人饮工程 7 处，有 1823 人受益，架设输电线路 6.5 千米，修建村级综合服务室 3 所 360 平方米，改造乡村小学 1 所 200 平方米，小学附属工程建设 4500 平方米，桌椅购置 150 套，茅草房改造 33 户；完成小水池建设 440 口，可蓄水 13200 立方米，惠及 6 个乡 16 个村，受益 705 户 3625 人。

2008 年，投入财政扶贫资金 1693.2 万元，实施项目 130 个，是年完成“滇杂 31”杂交水稻种植 1065 亩，脱毒马铃薯种植 350 亩，扩繁 2000 亩，蔬菜 275 亩，茶叶栽培 80 亩，佛手瓜栽培 2950 亩，经果林种植 200 亩，种植牧草 3100 亩。新增养殖二元杂母猪 514 头，优良种公猪 7 头，能繁母牛 1085 头，家禽养殖 50500 羽。完成乡村公路修建和改造 56.2 千米，道路硬化 37500 平方米，修建渠道 2 千米，人饮工程 5 处，有 2270 人受益，完成小水池建设 830 口，可蓄水 24900 立方米，架设输电线路 4.5 千米，新增通电村 3 个，新建乡村校舍 1 所 130 平方米，茅草房改造 26 户 1560 平方米。完成劳动力转移培训 1250 人。

2009 年，投入财政扶贫资金 988.76 万元，实施项目 52 个，是年完成脱毒马铃薯原种扩繁 2000 亩，脱毒马铃薯示范 512 亩，生姜种植 120 亩，佛手瓜栽培 200 亩，经果林种植 430 亩，辣椒种植 108 亩，“滇杂 31”水稻高产种植 10000 亩。发展家禽养殖 17000 羽，能繁母猪养殖 185 头，人工种草 600 亩，建青贮池 500 平方米，建孵化室 50 平方米。购孵化设备 2 套，建牛品改点 1 个 70 平方米。完成村寨道路硬化 28505 平方米，修建渠道 2 千米，建小水池 550 口，可蓄水 16500 立方米，实施茅草房改造 25 户 2400 平方米。完成贫困地区劳动力转移培训 1400 人。

2010 年，投入财政扶贫资金 1379.3 万元，实施项目 31 个，是年完成脱毒马铃薯原种种植 84 亩，扩繁 400 亩，脱毒马铃薯示范种植 300 亩；完成标准牛舍 8470.48 平方米，建青贮池 3218 立方米，建植草地 3093 亩，购基础母牛 1500 头，购进种公牛 10 头；完成劳动力培训转移 1400 人。

新一轮扶贫开发成效（2011—2020 年） 2011 年，投入财政扶贫资金 2552 万元，实施项目 83 个，是年完成采购基础母牛 2300 头，完成草地种草 17541 亩，新修牛舍 17600 平方米，修建青贮池 4231.8 立方米。完成核桃种植 13872 亩，林下养鸡 30 万羽。脱毒马铃薯大田推广 7142 亩，种植佛手瓜 400 亩，种桑养蚕 300 亩，共完成“雨露计划”培训 1459 人。

2012 年，投入财政扶贫资金 1998.45 万元，实施项目 54 个，是年完成核桃种植 3 万亩，蔬菜种植 1.32 万亩，脱毒马铃薯扩繁 276 亩，新增基础母牛 520 头，建牛舍 5200 平方米，建植草地 520 亩，金钱橘栽培 140 亩，中药材种植 200 亩，购鸡苗 7000 羽，“雨露计划”培训 2682 人，生态移民搬迁 300 户。实现王佑镇、鸭绒乡、岗度乡“减贫摘帽”。

2013 年，共争取上级财政扶贫资金 2735.84 万元，较 2012 年度 1998.45 万元增加了 737.39 万元，增幅 36.9%，完成核桃种植 5000 亩；建牛圈 2938 平方米，生态养牛 310 头，人工种草 618 亩；建鹅舍 10000 平方米，养殖鹅群 5.01 万羽；完成马铃薯一级原种扩繁 225 亩，二级原种扩繁 1600 亩，一级种扩繁 4000 亩，优质薯种植 3190 亩；完成种植白芨 200 亩，完成“雨露计划”培训 2225 人。实现甲烈乡、甲戎乡、抵麻乡“减贫摘帽”。

县四家班子领导走访摆榜贫困户（2014年摄）

2014 年，争取上级财政专项扶贫资金 2823.35 万元，较 2013 年度 2735.84 万元增加了 87.51 万元，增幅 3.2%，涉及 16 类资金 48 个项目。完成种植核桃 2.5 万亩，机耕道建设 1.48 千米，生产步道 3 千米，小水池 10 口；新建牛舍 1648 平方米，建植高产草地 412 亩，购品种改良设施设备 1 套，生态养殖基础母牛 206 头，生态养殖育肥牛 206 头；完成中药材（皂角刺）种植 3280 亩；完成“雨露计划”培训 3740 人。另争取广州对口帮扶项目资金 100 万元，完成摆金镇大华村太阳能路灯安装 80 盏，硬化 4 米宽道路 2060 米。实现大坝乡、宁旺乡“减贫摘帽”。

2015 年，争取上级财政专项扶贫资金 3697.6 万元，较 2014 年度 2823.35 万元增加了 874.25 万元，增幅 30.96%，共涉及项目 81 个，其中：完成 3731 人“雨露计划”培训；修建牛舍 4200 平方米、养牛 1050 头、建植高产草地 1050 亩；种植优质茶叶 2000 亩，硬化 4 米宽机耕道 1500 米，ф40PE 管道安装 3000 米，安装太阳能杀虫灯 60 盏；生态鸡养殖 14.25 万羽；养鹅 8750 羽；生态黑猪养殖 1330 头；完成 7264 亩马铃薯种植；标准化葡萄种植 80 亩；佛手瓜种植 660 亩；中药材重楼种植 35 亩；晚秋黄梨种植 500 亩等。

2010—2015年省外城市与惠水县对口帮扶情况统计表

表8-5

年度	对口帮扶城市	帮扶内容	资金总计（万元）	实施地点
2010	深圳市	村寨道路硬化安排资金 88 万元	100	高镇镇山后村
		茅草房改造资金 12 万元		
2011	深圳市	村寨主干道路硬化 1100 米，安排资金 55 万元	100	甲戎乡平九村
		串户路硬化 5300 平方米，安排资金 22 万元		
		机耕道建设 1300 米，安排资金 23 万元		
2012	深圳市	建设县级蔬菜育苗基地	80	和平镇星光村
		新建露地喷灌 80 亩		
		机耕道路面硬化 2 条 2352 平方米		
		新建排水明渠 5 条 763 米		
		新建排水暗渠 1 条 470 米		
		大棚及喷灌设施改造升级完成单体大棚 18 个		
		联体钢架大棚改造 1 栋		
		露天及大棚喷灌系统改造 60 亩		
2014	广州从化市	摆金镇大华村太阳能路灯及通组道路硬化项目 80 万元	100	摆金镇大华村
		羡塘镇桃源村太阳能路灯及通组道路硬化项目 20 万元		羡塘镇桃源村
2015	广州从化市	岗度镇龙泉村（二类贫困村）道路硬化 4915 平方米，步道建设 3947 平方米，文化广场建设 988 平方米，休闲（含品茶）凉亭 5 座	100	岗度镇龙泉村

2013—2015年惠水县小额到户贷款贴息情况统计表

表8-6

年度	资金性质	帮扶内容	资金总计（万元）	实施地点
2013	中央财政专项扶贫资金	对全县行政辖区内贫困农户，生产发展的项目均可申请贴息。2 万元以下，1 年期以内，按照年利率 5% 的标准给予贴息。对通过能人（大户）带动贫困户共同致富的项目，5 万元以下，1 年期以内，按照年利率 5% 的标准给予贴息	43	全县
2014	中央财政专项扶贫资金	对全县行政辖区内贫困农户，生产发展的项目均可申请贴息。2 万元以下，1 年期以内，按照年利率 5% 的标准给予贴息。对通过能人（大户）带动贫困户共同致富的项目，5 万元以下，1 年期以内，按照年利率 5% 的标准给予贴息	30	全县
2015	中央财政专项扶贫资金	对全县行政辖区内建档立卡的贫困户，凡可以创收增收的项目均可申请贴息。5 万元以下、3 年期以内，在中央和省规定的贴息期内，按贴息基准利率标准给予贴息	202	全县

表8-7

惠水县各阶段扶贫资金投入情况统计表

时间阶段划分	各级资金投入（万元）						分类项目资金投入（万元）							
	小计	国家级	省级	州级	县级	社会帮扶	工业项目	农业项目	交通项目	水利	教育卫生	文化广电	农村电网	其他
“八七”扶贫攻坚（1994年初至2000年年底）	12186.6	1461.6	700	350	10495	180	609.33	2437.32	1218.66	1827.99	1218.66	731.196	1218.66	2924.784
新阶段扶贫开发（2001年初至2012年年底）	53663.73	13125.73	3700	610	35200	1028	2683.1865	10732.746	5366.373	8049.5595	5366.373	3219.8238	5366.373	12879.295
合　计	65850.33	14587.33	4400	960	45695	1208	3292.5165	13170.066	6585.033	9877.5495	6585.033	3951.0198	6585.033	15804.079

表8-8

惠水县各阶段扶贫投入农村基础设施建设情况表

时间阶段划分	新（改）建公路		新（改）建农村电网				农田水利					粮、猪、沼“三位一体”工程					
	通乡公路	通村公路	线路长度	覆盖村数	覆盖组数	覆盖户数	新建“三小”数	新建“三小”蓄水量	新增或恢复灌溉面积	新（改）建沟渠	解决人畜饮水	新建工程数	覆盖村数	覆盖农户数	坡改梯面积	退耕还林面积	退耕还草面积
	千米	千米	千米	个	个	户	个	立方米	公顷	千米	人/头	个	个	户	公顷	公顷	公顷
“八七”扶贫攻坚（1994年初至2000年年底）	78	35	510	112	661	1825	700	42000	80	22	2100/1250	40	4	40	3104.97	0	0
新阶段扶贫开发（2001年初至2012年年底）	829	490.6	1362.6	201	2012	21100	5115	161390	380.87	39.5	8817/4516	445	57	445	1028.87	2733.33	0
合　计	907	525.6	1872.6	313	2673	22925	5815	203390	460.87	61.5	10917/5766	485	61	485	4133.83	2733.33	0

表8-9

各阶段社会事业发展情况表

时间阶段划分	新（改）建学校情况				新（改）建乡村卫生院（室）情况				新建广播电视接收点情况			新建乡村文化室情况			开通程控电话情况	
	新（改）建数	面积	覆盖村数	覆盖人数	新（改）建数	面积	覆盖村数	覆盖人数	新建接收点数	覆盖村数	覆盖人数	新建个数	覆盖村数	覆盖人数	通乡数	通村数
	所	平方米	个	个	个	平方米	个	个	个	个	个	个	个	个	个	个
“八七”扶贫攻坚（1994年初至2000年年底）	52	32625	76	71539	10	820	56	20186	356	356	321644	0	0	0	23	52
新阶段扶贫开发（2001年初至2012年年底）	9	3279	9	17204	227	5080	224	21085	56	56	107050	23	23	43967	25	201
合　计	61	35904	85	88743	237	5900	280	41271	412	412	428694	23	23	43967	48	253

表8-10

惠水县各阶段扶贫投入其他情况表

时间阶段划分	粮食生产情况			农民收入情况	县级财政情况	脱贫户数	脱贫人数	经果林种植面积	畜禽饲养量	劳动力输出人数
	粮食种植面积	粮食产量	农民人均占有粮食	人均纯收入	县级财政收入					
	公顷	千克	千克	元	万元	户	人	公顷	头、匹、只、羽	人
“八七”扶贫攻坚（1994年初至2000年年底）	240900	921000	369	1353.1	20219	16826	72199	120.13	34082	9628
新阶段扶贫开发（2001年初至2012年年底）	4166370	1716760	331	2736.8	131384.3	30752	124368	2911.33	41526	9628
合　计	4407270	2637760	700	4089.9	151603.3	47578	196567	3121.47	75608	19256

专记一："麻山""八七"扶贫攻坚

麻山属贵州省闻名的6大山系之一（即梵净山、雷公山、月亮山、麻山、花山、乌蒙山）。生活在这一带的人们，大部分为苗、布依族等少数民族。该地区相当部分均属深山区、石山区，地形切割，岩石裸露，水土流失严重，交通不便，文化落后，长期与世隔绝。受到自然、地理环境等不利因素的制约，人们的生活水平处于温饱线下。

麻山地区西起望谟，经长顺、惠水、罗甸，东抵平塘，横跨3个地区，6个县25个乡镇。中共十一届三中全会后，省政协牵头深入该地区开展实地调查研究，贵州省委、省政决定把"麻山"范围内的25个乡镇列入贫困乡镇作重点扶持。惠水原王佑镇、长安乡、打引乡3个乡镇列入其中。

惠水3个"麻山"乡镇，位于惠水县城西南部，北与本县的芦山镇交界，东抵断杉镇，南面及西南面分别与罗甸县的董王和长顺县的睦化、代化、敦操接壤，均属于惠水、长顺、罗甸三县结合部。王佑距惠水县城50千米，长安、打引距惠水县城65千米，3个"麻山"乡镇总面积192.7平方千米，总耕地面积为24160亩，其中田16400亩、土7760亩。海拔一般在800～900米之间，最低666米。年均气温16.8℃，年降雨量1330毫米。

赴麻山扶贫工作队员培训会（1997年摄）

3个"麻山"乡镇共辖30个行政村224个村民组，1993年底共有5986户28735人，少数民族占总人口98%以上；粮食总产量42.95万千克，工农业总产值2082.5万元，财政收入41.9万元；人均占有粮食298.8千克，人均纯收入422元；未越过温饱线的人口占相当大比例；未解决人畜饮水困难的有15793人和8315头畜；不通电的7个村，不通公路的18个村。

1994年，《国家八七扶贫攻坚计划》启动"麻山"扶贫攻坚以来，惠水县把打好扶贫攻坚战，加快脱贫攻坚战列为推动全县经济社会发展的重要内容之一，制订计划，安排部署，从县直机关抽调干部充实到3个乡镇挂职扶贫。

1993至1997年底，共投入以工代赈资金80余万元，在3个"麻山"乡镇开展坡改梯6715亩。1994至1998年，共投入扶贫专项贷款700万元，实施项目13个。1996至1997年深圳捐赠80万元支持惠水"麻山"扶贫攻坚；中央统战部、团省委、省财政厅、省民委、省改水办、北京部队等单位对3个"麻山"乡镇均作投入和资助；省政协副主席王思明给长安乡西茂村捐赠1000元解决修桥费用等。据不完全统计，各级各部门、各单位、社会各界人士捐赠的现金共200余万元，各种衣物、用具28万件。这些捐赠和投入均用于基础设施建设及种植业、养殖业，解决群众的"吃、穿、住、水、电、路"问题。

惠水县的"麻山"扶贫工作，1997年底，3个"麻山"乡镇粮食总产量94.2万千克，比1993年增加9.7%；工农业总产值28292万元，比1993年增加38.9%；财政收入84.7万元，比1993年增加102.2%；农民人均纯收入1107元，比1993年增加162.3%；农民人均占有粮食319千克，比1993年增加6.8%。3个"麻山"乡镇外出打工人员3400余人，做到了"一人打工、全家脱贫"。据不完全统计，3个"麻山"

乡镇劳务输出年总收入 200 万元以上。

2000 年，全县贫困人口由 1993 年的 10.73 万人下降到 2000 年的 2.66 万人，下降 75.2%；3 个“麻山”乡镇贫困人口由 2.15 万下降到 2895 人，下降 86.5%，其中，需要实施搬迁的有 80 户 400 余人。全县粮食总产量由 1994 年的 12.05 万吨曾至 2000 年的 13.82 万吨，增 14.69%；3 个“麻山”乡镇由 0.853 万吨增至 1.0758 万吨，增 26.19%。全县农民人均占有粮食由 1994 年的 327.5 千克增至 2000 年的 365.6 千克，增 11.63%；3 个“麻山”乡镇农民人均占有粮食由 299.7 千克增至 355.3 千克，增 18.55%。全县财政总收由 1993 年的 3100.7 万元增至 2000 年的 5842.5 万元，增 88.4%；三个“麻山”乡镇由 53.9 万元增至 77.324 万元，增 43.46%。全县农民人均纯收入 724 元，到 2000 年，全县农民人均纯收入 1367 元，增长 88.8%；3 个“麻山”乡镇由 422 元增至 1200.6 元，增长 184.5%。

围绕教育、医疗方面扶贫，共在 3 个“麻山”乡镇投入修建乡村学校 9 幢，面积 2800 平方米；修建医疗卫生用房 7 幢 676 平方米，配套 100 毫安 X 光机、B 超机、心电图仪器各 1 台，改变缺医少药状况，为计生工作“三为主”奠定基础。

围绕改善生产生活条件，共投入 3 个“麻山”乡镇实施改水工程 6 处，利用业务部门专项资金 150 万元，修建“麻山”地区、斗篷片区小水池（水窖）188 个，总容量 24250 立方米，累计解决人畜饮水 3.86 万人/3.57 万头，农田增灌 213 亩。利用财政扶贫资金及深圳对口扶贫资金改造长安公路，接通打引至敦操（长顺县），打引至董上，长安至代化（长顺县）、西茂、伙唐、新然至幸福，王佑至纳兴，兴义团坡煤场（打引）等断头公路。实施坡改梯 0.96 万亩，土变田 0.029 万亩，增加耕地 0.044 万亩，累计增产粮食 839.1 吨。共建生态沼气池 235 口。在 3 个“麻山”乡镇全面开通程控电话并延伸至村、组及农户。

三个“麻山”乡镇相继于 1997 年、1998 年、1999 年先后实现面上脱贫。

专记二：摆榜“三基本”扶贫开发

一、贫困状况

摆榜乡是一个以苗族为主体的少数民族乡，距县城 45 千米，总面积 71.4 平方千米，辖 13 个行政村 52 个村民组，平均海拔 1408 米，地处高寒地区，素有“惠水西藏高原”之称，春冬两季多雾、阴冷，水源缺乏，土地瘠薄，是干旱、稻瘟病高发地区，土地产出率极低，一年只能种一季早熟耐寒作物品种，是个典型的高寒、偏僻，经济、文化落后的少数民族聚居乡。2002 年，被贵州省政府列为全省 100 个一类贫困乡之一。

1949 年以来，摆榜长期处于贫困状况。2000 年，全乡农民人均纯收入 404 元，比贵州省农村贫困人口温饱标准低 96 元，是全县农民人均纯收入水平的 29.9%。全乡 2113 户 10130 人中，仅有 622 户 2924 人粮食能够自足或略有剩余，占总户数的 30.5%，欠粮户 1415 户 6665 人，占总户数的 69、5%，年户均食肉 33 千克，人均 6.9 千克，食油 180 天，且不均衡，611 户能全年吃上油，815 户能吃上半年油，408 户吃油不足 3 个月，204 户吃油不足一个月，靠辣椒水泡饭、酸菜下饭，甚至吃干饭，营养严重不足；全乡除省道摆西（摆榜—平塘西关）公路外，仅有乡村毛公路 5 条，其余均为季节路，雨天无法通行。全乡除乡政府驻地部分农户能饮上自来水外，其余村组吃水均靠人挑马驮，饮用水源多为地表水、塘沟水、寨脚水，水源污染重、水质差，常常引发疾病；2000 年 5—8 月，冗拱、呆公等村发生伤寒病，发病 34 人，死亡 2 人。全乡有 30% 的村组未通电，有 841 农户住草房、杈杈房及窝棚，人均寿命 57 岁，极贫人口 5991 人。

二、贫困原因

摆榜经济结构单一，发展空间狭窄。全乡主要靠单一的水稻种植，2001 年前，只种植老品种粳稻，产量低，抗逆性差，偶尔年份颗粒无收；除水稻外，玉米、小麦、油菜、马铃薯、蔬菜等几乎不种植，冬季农田全部撂荒；群众历来不饲养母畜，严重影响当地畜牧业发展。由于惠水县不属于国家贫困县，摆榜乡也不属于“两山”地区，不能享受国家“八七”扶贫攻坚计划的政策和资金扶持。县级财政资金有限，很少对摆榜乡有较大扶持，全靠自身有限发展，摆榜乡财政收入主要靠农业税，有极少量工商税，收不抵支，主要靠上级财政拨补保运转，无财力搞建设，谋发展。

摆榜生活生存条件恶劣。摆榜地处山区，境内无煤无山林，村民取暖只能去附近荒山割柴草解决；由于海拔高，气候恶劣日照少，每年秋末春初，摆榜高原多为阴湿寒冷的雨雾天气，恶劣的环境气候，导致疾病疫情时有发生。摆榜为碳酸盐岩石地貌，土壤层薄、有机质含量极低，境内 91% 的稻田为望天田，耕地贫瘠、农民耕作方式简单，且缺少投入，常年粮食产量仅为 2782.3 吨，平均单产仅为 150 ~ 200 千克，大部分农户温饱问题难解决。

摆榜群众思想落后，陈规陋习盛行。1998 年，惠水县引进贵阳阜康堂药材公司到摆榜兴建药材基地，在开发建设过程中，受到多次阻挠和干扰。村民重男轻女、男权思想严重，早婚早孕早育现象盛行，生病“不看医生问鬼神”；群众卫生习惯差，上摆地区历史上没有修厕所、用厕所习惯，房前屋后，田间地头，都可为厕所。2000 年 6 月前，全乡有 1443 户没有厕所。全乡 11 家个体工商户中，只有 4 户是本地人；村民对外来经商、开发客商有排斥心理。

摆榜教育基础落后，人口素质低下。2000 年，全乡具有大专文化程度 5 人，占总人口的 0.05%；具有中专文化程度（含高中）39 人，占总人口 0.4%；具有中专初中文化程度 235 人，占总人口 2.44%；小学文化程度 1012 人，占总人口 10.48%；其余 89.07% 的人口均为文盲，全乡小学适龄儿童入学率仅 56.7%，初中入学率仅 14%，全乡在校初中生有 81 人，在校高中以上只有 11 人。上摆片区 6 个苗族村小学入学率仅 37.5%，小学高年级巩固率仅 15% 左右，失学辍学现象严重。

三、贫困问题和“三个基本”扶贫开发思想的提出

2000 年 1 ~ 3 月，摆榜乡党委、政府对摆榜所有村寨、农户进行彻底调查，形成《摆榜乡贫困现状、成因及对策》报告。2000 年 7 月后，随着“三讲”教育和“三个代表”重要思想学习教育活动的深入开展，县四家班子（县委、县政府、人大、政协）多次到摆榜召开现场办公会，了解并准确掌握摆榜的贫困现状，采取措施加大帮扶力度。

2001 年 4 月 10 日，惠水县委书记黎俊敏在鸭绒乡召开的全县计划生育调度会上提出摆榜贫困问题，并代表县四家班子，通过多种形式和多渠道向黔南州委如实汇报，引起黔南州委的重视。5 月 30 日，黔南州委书记何永康率州直部门负责人到摆榜乡开展调研进行现场办公，要求加大对摆榜人力、物力、财力和政策的支持。6 月初，新华社贵州分社主任记者龙文彬到摆榜进行采访，写成《惠水县摆榜乡贫困状况引人关注》一文在内参上发表，贵州省委书记钱运录将该文在省委机关中心学习组会议上宣读，并作出重要指示，请省委政策研究室对惠水县摆榜乡的贫困状况进行调查。6 月 22 日至 26 日，贵州省委副秘书长、省委政策研究室主任丁济康等 6 人组成的调研组到摆榜冗拱、呆工、旧连、甲坝、石板、盘井、高寨、新寨、平寨、同改等 10 个村调研，走访 219 户，实地查看了解村民的生产生活情况，在掌握大量第一手材料的基础上形成《关于惠水县摆榜乡贫困状况的调查报告》，引起贵州省委、贵州省政府的高度重视，省委书记钱运录批示：调查深入细致，反映了特困乡的严重现实。在新阶段扶贫开发中，要认真弄清全

省委副秘书长丁济康（右）到摆榜乡调研（2001年摄）

省特困乡、村底数，真正作为重点攻坚。摆榜乡的问题，近期内请有关部门负责人，去搞一次现场会诊办公，帮助解决一些重点、难点问题。贵州省省长石秀诗批示：惠水县摆榜乡的贫困情况相当典型，在新世纪的扶贫开发中尤应引起重视。报告并在贵州省委八届七次全委（扩大）会议上印发，产生极大反响，为摆榜的扶贫开发营造良好的政治环境和舆论态势。7 月 13 日，贵州省副省长莫时仁率省计委、省扶贫办、省民政厅、省财政厅、省水利厅、省教育厅、省卫生厅部门负责人，组成赴惠水县摆榜乡工作组到摆榜开展调研、现场办公。调研组向贵州省委、省政府呈报《关于惠水县摆榜乡的主要问题及解决建议》，提出解决摆榜贫困问题的关键是要把“造血”和“输血”，“治标”和“治本”相结合起来。

2002 年 4 月 14 日，省委书记钱运录到摆榜乡调研，强调摆榜要解放思想、更新观念，要有志气，要克服“等、靠、要”思想，弘扬自力更生、艰苦奋斗的精神，要力争一年一个样子，做一个后来居上的典型，做一个摆脱贫困的榜样。同时，根据贵州省委建立省委常委扶贫开发工作重点乡镇联系点的决定，将摆榜乡作为钱运录的扶贫联系点；次年，钱运录两次到摆榜调研扶贫开发工作；经与各级干部多次研讨与思考，在总结摆榜两年扶贫开发工作经验的基础上，2003 年 8 月 30 日，钱运录第 4 次到摆榜调研时，对扶贫开发工作提出要围绕“三个基本”进行，即基本解决贫困群众的生产生活条件，基本解决贫困群众的增收致富门路，提高贫困群众的基本素质。摆榜扶贫开发工作进入新的阶段。

四、扶贫政策措施及成果

1999 年，县内位于“麻山”的王佑、打引、长安 3 个乡镇基本实现脱贫后，惠水县委、县人民政府将摆榜乡列为扶贫工作的重点。1999 至 2000 年，两次从县直机关抽调干部充实到摆榜乡；县扶贫办在摆榜乡投放小额扶贫贷款 35 万元；民政、卫生、农业、畜牧、交通、水利、广电、城建等部门投资投物，扶持当地农民发展种植、养殖业，改善居住条件等。2000 年，成立改厕工作领导小组，在摆榜乡实施“改厕工程”，投入资金 15.8 万元，修建标准卫生厕所 1952 个、沼气厕所 50 个。县教育局制定激励措施，鼓励优秀骨干教师到摆榜乡支教。县卫生局在摆榜乡建立 9 个村级卫生室。抽调 6 名骨干医生进驻摆榜进行业务技术帮扶。

2001 年，贵州省委、贵州省政府对摆榜实行优先解决水、电、路为主的基础设施建设，优先解决以教育、卫生为主的社会发展，免征一切税费，义务教育阶段适龄儿童免费入学的“两优两免政策”，国务院办公厅等 9 个国家部委，香港、深圳等地区和省、州部门纷纷捐资捐物；全国妇联、铁道部、农业部、卫生部、中国人民武警部队联合国家少年儿童基金会承办的“安康计划”西部活动捐助医疗器械、药品，帮助建立摆榜安康医疗站，省、州部门分别派出扶贫工作队队员驻乡扶贫；惠水县成立摆榜乡扶贫开发工作领导小组，专抓摆榜扶贫工作，全县各级各部门在人力、物力、财力上对摆榜给予倾斜，惠水县委从全县各部门抽调 26 名干部组成扶贫工作队，按每村 2 人驻村帮扶。是年底，摆榜实施完成 22 个扶贫项目，完成 346.198 万元投资任务，全乡种植春薯繁殖 120 亩，亩产 1550 千克，种薯农户人均收入 78.15 元，试种秋薯繁殖 10 亩，亩产 782 千克，种薯农户人均收入 33.3 元，推广薇菜种植 310 亩，苎麻种植 100 亩，黔南州农科所投资，农科所副所长、高级农艺师徐先捍提供技术指导在乡试种耐寒优良水稻种“金优 404”10 亩成功，平均亩产 436.7 千克；全乡 167 户通过小额扶贫借款的扶持，饲养母猪 121 头，耕牛或耕牛育肥 67 头，家禽 1526 羽，兔子 186 只，增收 67900 元，户均增长 400 元；全乡新修、维修公路 7 条，总长 25 千米，新增公路 18.6 千米；投资建成或改善人畜饮水 5 处，解决 5 个村 298 户 1496 人，307 头大牲畜的饮水问题；全乡 154 户 778 人极贫人口迁入新居；全乡新修厕所 150 个，沼气厕所 78 个，96% 的农户用上干净卫生的厕所，环境卫生得到改观；全乡教育教学办公条件得到改善，在甲坝民族学校创办“春蕾女童班”，港商周云万投资 27.5 万元在摆榜小学原址新建“云万希望小学”，省教育厅捐赠价值 10000 余元图书，捐款 11000 元帮助极贫适龄儿童入学。团省委捐资 10000 元，资助 6 名适龄儿童入学，全县各部门和社会各界人士捐赠 568 件学习用品，对口帮助 239 名贫困学生入学。

2002 年，扶贫摆榜力度加大，全乡工农业总产值 1432 万元，推广脱毒马铃薯春薯繁殖 1215 亩，种薯农户人均收入 96 元，全乡人均 72.5 元，推广秋薯繁殖 500 亩，全乡脱毒马铃薯总产 1835 吨，种薯农户户均增收 506.2 元，推广种植杂交水稻“金优 404”200 亩，优质粳稻（碗米）种植 2000 亩，黑糯米种植 500 亩；饲养母猪 114 头，家禽 6369 羽；新修、维修公路 7 条，总长 61.3 千米，新增公路 32.8 千米，建成人畜饮水工程 6 处，解决 898 户、4508 人、707 头大牲畜的饮水问题。新建地面卫星接收站（点）9 个，新增电视机 56 台，改善和丰富群众文化生活，各界人士捐资助学，对口帮助 296 名贫困学生入学。

2003 年，“三个基本”扶贫指导思想提出后，摆榜扶贫开发工作增效提速，全乡工农业总产值 1866 万元，种植脱毒马铃薯 3100 亩，平均亩产 1526 千克，总产 4740 吨，收入 189.6 万元，农户人均增收 183 元；推广杂交玉米 520 亩，亩产 305 千克，总产 158、6 吨，实施“水改旱作”项目，推广玉米新品种种植 250 亩；推广种植杂交水稻“金优 404”3000 亩，亩产 512.6 千克，总产 1537.8 吨，人均增产 73 千克，种植蔬菜 600 亩，莴苣 200 亩，牧草 200 亩，发展绿肥种植 1500 亩，完成楠竹种植 55 亩 2490 株；全乡生猪饲养 2817 头，大畜生总数 2987 头，家禽 33100 羽，兔子 100 余只，鱼数万尾，全年实现畜牧业增收 4.6 万元；新建 50 口沼气池；全乡入学率 79%，“春蕾女童班”解决 30 名少数民族女童入学，为脱贫致富培养后备人才；贵州康田家政服务中心组织素质较高的富余劳动力开展劳务输出，促进农民增收；全乡率先在全县 25 个乡镇开通地波广播；新建广播电视地面卫星接收站（点）9 个，新增电视机 142 台，全乡实施一户一表，安装 900 余户，实现城乡用电同网同价；新建极贫农户住房 248 栋，1601 名极贫人口越过温饱线，极贫人口下降到 3517 人。

2004 年，全乡工农业产值 2196 万元，推广种植脱毒马铃薯 5000 亩，种植杂交玉米 2250 亩，推广种植“金优 404”7000 亩，平均单产 458.3 千克，总产 3208 吨，杂交玉米推广种植 2250 亩，平均单产 453 千克。蔬菜种植 300 亩，牧草种植 1100 亩，冬闲田土种草 80 亩；楠竹种植 200 亩；母猪饲养 560 头，生猪 3002 头，家禽 61100 羽；建成摆榜乡石板村生态养殖示范园，发展养鸭户 40 户，养鸭 1500 只，养鸡户 31 户，养鸡 2000 只；实施 956 户贫困群众茅草屋改造工程；新建改造通村公路 6 条，总长 14.5 千米。实施人饮工程 9 处，解决 1876 户 8535 人，2879 头大牲畜饮水困难，全乡实现组组通电通公路，村村通自来水，通手机信号，通广播电视；适龄儿童入学率 90.7%，初中入学率 85.4%，社会各界人士对口帮助 630 名贫困学生入学，建成“金元希望小学”；有 486 户 2194 名极贫人口越过温饱线，极贫人口下降到 1323 人，全乡提前一年实现整体越过温饱线。

2005 年，全乡工农业产值 2196 万元；基本农田 5095 亩，人均 0.5 亩；推广种植脱毒马铃薯 6000 亩，杂交玉米 388 亩，杂交水稻组合“金优 404”“茂优 601”“金优 431”10000 亩，油菜 200 亩，绿肥 1300 亩，蔬菜 1000 亩，油菜 200 亩，牧草 4160 亩，农户通电率 99.2%，学龄儿童入学率 95.4%，初中入学率 86.6%；完成 96.6% 的茅草房改造；全乡大牲畜存栏达 4376 头，生猪存栏达 4775 头，家禽 107000 羽；1986 人外出打工，务工收入 99.3 万元；全乡农民人均纯收入 1431 元，比 2000 年增加 254.2%，极贫人口下降到 797 人。

是年底，摆榜乡举行“三个基本”扶贫开发总结表彰会。黔南州委书记林明达在会上强调，摆榜精神既是摆榜干部群众实践的总结，也是黔南州干部群众推广实践成功的总结，是动力、是形象、是财富、是作为；要总结成绩，找准差距，认真规划，强攻重点、难点、薄弱点，不断拓宽扶贫开发的成果。

2000—2005 年摆榜乡农业生产及农民收入状况表

表8-11

指标 \ 年度	2000	2001	2002	2003	2004	2005
农作物播种面积（公顷）	796.4	836.7	719.3	1051	1321.3	1575.9
粮食作物单产（千克 / 亩）	145.5	229.2	173.6	356.7	397.2	416.8
粮食作物产量（吨）	868.9	1438.6	936.7	1744.5	2634.5	5638
人均占有粮食（千克 / 人）	173.9	284	183	336.8	486.5	456.7
猪牛出栏头数（头）	1281	1892	2246	3186	3200	4397
人均纯收入（元）	404	452	525	723	932	1431

第四章　农业机械

第一节　机械设备

1984年2月，国务院印发《关于农民个人或联户购置机动车船和拖拉机经营运输业的若干规定》，对农机实行优惠供应柴油等鼓励措施，调动农民购机种田的积极性。县根据农民一家一户经营的实际，因地制宜，示范推广各类农机具，农机事业不断发展壮大，机械作业覆盖全县各乡镇。1989年，全县拥有各种大、中、小型拖拉机565台套，农机总动力将近20000千瓦，机耕面积达40000余亩。

1994年国家取消了农用计划平价柴油指标等各项计划经济体制时期农机化发展的优惠政策，农机工作重点转移到服务农业增效、粮食增产、农民增收上来，农民需要什么机械，就推广什么机械，农业机械品种和数量逐年增加。

2001年，引进两台“洋马”半喂人联合收割机在涟江大坝推广使用，由于收割效果好，作业效率高，受到了广大农民群众的欢迎。

2004年后，县对农机服务组织和农民购买农机具进行补贴，带动农机化事业发展，大中型拖拉机、微耕机、抽水机、运输型拖拉机、稻麦收获机、水稻播种机、水稻插秧机等机械逐年快速增长。大中型拖拉机主要有福田雷沃、东方红、东风等品牌机型，水稻播种机和水稻插秧机主要有久保田、洋马等品牌机型，联合收割机主要有洋马、久保田等品牌机型，机具性能较好，小型机具品牌较多。2015年，引进两台川龙牌谷物烘干机推广使用，使水稻和小麦种植从机耕、播种、收获到烘干、加工实现一条龙全程机械化。

2015年，全县累计完成各级农机补贴资金4362万元，补贴各类机具25019台套，补贴育秧秧盘115500个，全县农机总动力达32.18万千瓦，各类农机具总数发展到35000多台套，覆盖耕、种、植保、收获、烘干、加工等环节，机械设备机构不断优化，装备水平不断提高。2015年，县内小型农业机械种类齐全，小型收割机有开元、鑫元、钢利等品牌，拥有量200余台；微耕机有合盛、美琪、威马等品牌，拥有量4000余台；其他小型农业机械有旋耕机、水稻插秧机、秧盘播种成套设备、割晒机、油菜籽收获机、青饲料收获机、割草机、粮食烘干机、简易保鲜储藏设备、杀青机、潜水泵、离心泵、铡草机、饲料粉碎机、茶叶炒干机、理条烘干机、茶叶烘干机、茶叶色选机、茶时筛选机、碾米机、播种机、生姜收获机等。

第二节 农机服务

1988年，将水田耕整机作为主要的推广项目，

1989年，推广庆丰0.5型烘干机，完成销售额89万元。

1992年，采取集中与分散，经常性与突击性以及耕季前后对机手进行农机应用培训，为农业生产服务，解决机手机耕用油和维修机车的困难。全县134配套的大中小拖拉机全部下田机耕，全年机耕面积35420服务亩；对全县已建的五个乡镇农机管理服务站，一个机耕队进行健全和扶持，解决和平，摆金，雅水等站机车缺犁不配套问题，健全各站及机械队财务管理制度。

1994年，引进推广联合收割机，受到群众的称赞和好评；1993年成立的农机加油站积极开展加油业务，销售汽油450吨，柴油675吨，销售额289万元；换发油证1070个，分配农用柴油指标70吨。

2001年，帮助和平镇雅羊村、大坡村、三都镇龙岗村农户收割小麦、稻谷，机收面积1500亩。

2002年，根据省农机局安排，抽出6名技术骨干和两台“洋马牌人民号”联合收割机组成服务队赴广西进行跨区作业。

代耕作业（2008年摄）

2002年起，加强与省内外农机部门的交流与合作，利用水稻成熟时间差，组织县内机收队到广西和省内的荔波、独山等地方开展跨区水稻收割。2005年起，与农机输出大省农机部门联系，在水稻收割期间，分别从江苏、四川、重庆、河南、广西等省区引进近百台收割机到县帮助抢收水稻，每年机收面积达15万亩以上，取得了较好的经济效益和社会效益。2005年，县被全国跨区机收领导小组评为“全国跨区机收先进单位”。

2004年起，县贯彻落实国家强农惠农政策，逐年加大对农机事业的投入。2007年起，通过政策扶持、项目资金扶持等措施，加快农机服务组织建设，指导、引导农机户按照《农民专业合作社法》组建农机专业合作社，探索农机服务新模式，扶持合作社租赁土地发展水稻规模化种植，使粮食生产向集团化、集约化、全程机械化方向发展。合作社开展农机代耕、代种、代收服务，帮助困难户、五保户和无劳力户实施土地托管服务。

2007年6月，惠水县被国家农业部确定为首批100个“全国农业机械化示范县”建设。

2008年，全州农机合作社作业现场会和全省农机新型服务组织座谈会均在县召开，县内农机合作社建设成为全省的学习典型，安顺市、六盘水等地区先后组团到惠水县参观学习，是年全县共有农机专业合作社10个。

2010年，共有农机服务组织27个，农机户经营服务收入5375万元，全县水稻机械化插秧面积17800亩，机械化插秧水平9%，处于全州全省领先水平。

2014年，组织全县40台联合收割机帮助农民抢收水稻，引进江苏、广西、重庆、四川、湖北等省区的近100台收割机到惠水县开展跨区收割，针对山区、半山区地区引导农民购买小型收割机和胶料机械收割水稻。完成水稻机收16.5万亩，直接为农民增收2500多万元。

2015年，全县农机总动力32.18万千瓦，机耕34.5万亩，机灌8.5万亩，水稻机械化插秧2.65万亩，小麦机收1.6万亩，水稻机收16.5万亩，农机服务收入8600万元。

第三节　农机监理

1978至1983年，在六区一镇分别聘用六名农机管理员主抓农机安全生产工作，形成了以县农机局为中心、各区镇为网点的农机管理体系。

1984年，成立惠水县农机安全监理站，主要职责是负责受理拖拉机和联合收制机的入户、过户、检审验、拖拉机驾驶员的考核发证等工作。1985至1987年，加大农机安全监理工作力度，派干部分别到原六区一镇协助各区镇农机管理员主抓农机安全生产工作。农业机械发挥积极作用，栽插秧前运肥、运粪、农田作业，秋收时帮助农户运输入库，秋后农机局派出拖拉机和驾驶员分赴各主要产粮区帮助农户运送公粮上缴国家。派驻各区（镇）的农机安全监理员负责对农机运输安全进行监管，确保农机安全生产。

1988年，全县有404台大中小型拖拉机，参加检验的有391台，占拥有量的96%，检验合格391台。参加年审验的驾驶员540人，占应审人数618人的87.4%。

1989年，全县有464台大中小拖拉机，参加检验的有322台，检验合格321台，参加省检的驾驶员348名，合格348名，合格率百分之百。一年来共进行路检路查61次，配合公安监理路查三次，纠正违章54人次。

1992年，审车336台，路查路检360台/次，全年无死亡事故发生。在13个联组中制定学习考核要求，实行一式二份考勤表，由联组组长，监理站各持一份，对驾驶人员少参加一次学习，扣掉一定数量的供油指标，四次以上者，年审时必须进学习班学习，并复考交规及机械常识合格后才给予参加年审。

1994年，对机车坚持逐车审验，对老旧车进行二次审验，全年审验592人，审车282辆。

1998年，检验合格拖拉机269台，办理拖拉机保险170辆，审验驾驶员346人。

2001年，在全县各个乡镇巡回开展安全生产检查74次，检查各种拖拉机、农用车686台次，查处各类违章187台次，审验合格驾驶员282人，检验合格拖拉机、农用车508台，办理年检机车第三者责任保险498台。

2002年，根据县机车分布情况，在全县设立6个检审验地点，简化手续，减少机手的经济负担，全年办理驾证18个，机车入户82台，审验合格驾驶员305人，检验合格拖拉机、农用车817台，办理年检机车第三者责任保险703台，全年加大对“黑车非驾”治理工作力度，检查各种车辆725台次，纠正处理各种违章196台次，扣车检验办证25台。

2003年后，县加强农机安全生产监管，每年定期组织农业机械及驾驶员检审验和进行安全学习，开展农机安全大检查和隐患排查整治，整治农机市场，全县农业机械运用技术明显提高，驾驶操作人员的安全意识、法律意识不断提高。

2006年，机车入户427台，年检机车1103台，机车投保1530台，投保率100%。

2010年，机车入户68台，年检机车1149台。

2014年，检验合格拖拉机360台，办理新学驾驶证45个，机车入户6台，机车过户50台，全部办理交强保险；检查变型拖拉机、拖拉机、耕整机38台，纠正违法生产12台次，整改8台次。

2015年，检验合格机车230台、检验率14%、机车入户29台、机车过户27台、机车补证25台、审验合格驾驶员704名、审验率51%、驾驶员换证38本，全部办理交强险并签订农机安全生产责任书。

第四节 农机培训

一、农机驾驶操作技能培训

1978至1984年期间农机驾驶员培训是农机化发展的初始阶段，未成立相应的培训机构，因而当时的培训工作是由县农机局根据各乡镇报送、需要参加培训学员情况而制定培训计划，并指派具有相关资质人员到各乡镇进行短期培训，培训时间为一个星期左右，期间全县范围内共举办了四期农机操作手培训班，解决了乡镇农机手紧缺的难题；由于部分农机手文化偏低，不易掌握农业机械的操作技能和维修保养技能，为使农机潜能和效率能得到充分发挥，提高农机使用寿命，减少农机作业成本，遏制农机事故的发生，农机局于1985成立了农机驾驶员培训班，具体工作由农机管理站进行实施，县农机局除安排管理站统一培训农机驾驶员、农机操作手外，1989年和交警部门联合培训农用运输车驾驶员（准驾车型J），管理站负责培训，交警部门负责考试及办证，两部门联合培训农用运输车驾驶员两期，共计发放驾驶证47本，1994年，采取培训与监理相结合，全年培训769人，其中新训拖拉机驾驶员130人，农民技术员45人。1998年，培训新训驾驶员22人，绿色证书培训52人，复训1036余人次。2002年，培训新训驾驶员35人，绿色证书培训150人，农机化人员1126人次。2004年后，《中华人民共和国道路安全交通法》实施，县农用运输车管理移交县交警队，县农业机械服务中心只负责拖拉机培训。2006年，培训2058人，其中新训33人，复训1727人。为适应农机化事业的发展需要，2007年4月26日成立惠水县田野农机化技术培训学校，培训工作走向社会化，校址选在桂花园（挂靠福泉农机驾校）；2009年，搬迁到和平镇杨番村雅羊小学（挂靠都匀农机驾校）；2010年6月25日惠水县田野农机化技术培训学校取得培训资质许可证后，校址又搬迁至和平镇七里冲茶果场三七地（原农场子校），占地面积30亩，就师资、硬件设备、安全环境、建校所要求的一些技术环节都做到了规范化，教练场占地3000平方米、理论教室1间占地120平方米、办公室1间占地80平方米、学生宿舍2间占地60平方米、机库1间占地900平方米、农机驾校拥有：教练车5台（川龙CL-280型）、理论教员2名、实操教员4名、出纳1人、会计1人。经过省级农机管理部门培训合格取得了培训资质。截止2015年底，农机驾校共培训合格农机驾驶员（准驾机型G）1411名，经州、县农机安全监理部门考试合格后全部领取了农机驾驶证。

二、新型农民职业培训

2015年12月，为培养一批有文化、懂经营、会管理、适应现代农业机械化发展的新型职业农民队伍，在“新型农民职业培训”中，农机管理站以聘用专业教师讲理论和实际操作演示有效结合的培训方式开展农民培训，共培训60人，发放60份结业证书。

三、农机驾驶员安全教育培训

1984年，惠水县农机安全监理站成立，根据当时全县各乡镇农机拥有量实际情况，成立了11个农机安全学习联组，每季度学习一次，农机监理人员按时下到各乡镇农机安全联组组织农机驾驶员进行安全生产法律、法规学习，传达贯彻国务院、省、州、县关于安全生产方面的文件精神，发放安全生产资料（中国农机化报、贵州省农机化杂志）；1988年，调整为12个，便于集中组织管理，是年，组织348名拖拉机学习新的《道路交通管理条例》并测试合格。1995年，对全县9个片区联组600余名农机驾驶员和操作机手制订一月一次安全技术培训学习。1996年后，安全联组学习暂时停止；随着农机化事业的不断发展，农机运输车不断增多，农机安全监管压力增大，为了从源头上遏制农机事故的发生，根据《农业机械安全监督管理条例》第五条、《贵州省农业机械管理条例》第二十四条、《贵州省农业机械安全监督管理办法》第十二条规定：“农业机械驾驶员应参加乡镇农机安全联组，接受安全教育和管理”，2013年，以《惠农发【2013】20号惠水县农村工作局关于组建农机安全学习联组的通知》的文件精神，重新组建了：惠水县农机安全学习总联组一个，片区农机安全学习分联组七个（和平片区、三都片区、雅水片区、摆金片区、高镇片区、断杉片区、王佑片区）。

第五章　农业综合服务

第一节　农业管理机构

一、县农村工作局

1978年，称县农业局，下属六区一镇农业技术推广站：三都区农推站、姚哨区农推站、断杉区农推站、雅水区农推站、摆金区农推站、王佑区农推站、和平镇农推站、下属国营农业企业场：惠水县七里冲茶果场、惠水县斗底畜牧场和一个国营农业企业事业场：赤土良种繁殖场。下属三家企业：惠水县种猪场、惠水县牧草示范场示范场、惠水县牧工商公司。

2011年5月，县人民政府机构改革，将县农业局、农业办公室、畜牧兽医局、农业机械服务中心、扶贫开发办公室和乡镇企业管理局农产品加工职能整合，组建惠水县农村工作局。

2015年，惠水县农村工作局有办公室、财务室、种植业管理股、政策法规股、农机综合股、养殖业综合股6个内设机构。下属茶叶产业化发展办公室为正科级单位，惠水县动物卫生监督所、惠水县动物疫病预防控制中心（惠水县重大动物疫情应急指挥部办公室）、惠水县农业执法大队3个副科级事业单位。下属惠水县农产品质量安全监督检测站、惠水县植保植检站（惠水县农药监督管理站）、惠水县土壤肥料站、惠水县农业技术推广站、惠水县农业经营管理站、惠水县蔬果站、贵州省农业广播电视学校惠水分校、惠水县种子管理站、惠水县农村环保能源办公室、惠水县水产技术推广站（惠水县渔政管理站）、惠水县畜禽品种改良站、惠水县饲草饲料工作站（惠水县饲料工业办公室）、惠水县农机技术推广站、惠水县农机管理站、惠水县农机安全监理站、惠水县农业资源区划办公室16个股级事业单位。年底在册总人数159人，其中：行政33人、参公管理12人、工勤1人、管理人员10人、专业技术103人（高级6人、中级54人、初级43人）。

二、县农业办公室

1978年，称中共惠水县委农林水办公室。1983年底改称中共惠水县委农村工作部，简称县农工部。1985年，成立惠水县农村工作委员会，与县农工部一套人员，两块牌子。1996年改称惠水县农业办公室。2011年，县级机构改革，撤销县农业办公室，职责职能划入县农村工作局。

三、县畜牧兽医局

1978年，畜牧工作归属县农业局，1981年，设立县畜牧局，1984年2月与县农业局合并为县农牧局，1984年5月，从县农牧局单列复称县畜牧局。2001年，更名为畜牧事业管理局，内设法制股，负责畜牧相关法律法规知识培训、兽药、饲料执法和法律法规宣传。全县畜牧行政执法工作主要由县畜牧局组织县兽医防治检疫站（加挂“兽医卫生监督所”）、饲料工业办负责实施。2004年，在县畜牧局设立行政执法监察股，设立畜牧渔业行政执法大队。

2008年，撤销县畜牧事业管理局，组建县畜牧兽医局。撤销县兽医防治检疫站、兽医卫生监督所和畜牧渔业综合执法大队，成立县动物疫病预防控制中心和动物卫生监督所，为县畜牧兽医局管理的副科级事业单位，承担全县动物疫病防治和全县动物卫生监督职能，畜牧综合执法除兽药、饲料监察职责外，动物检疫、畜牧业投入品的监管、监测职能全部由县动物卫生监督所承担。

2011年，县机构改革，不再保留惠水县畜牧兽医局，原职能职责划入为县农村工作局。

四、县农业机械服务中心

1978年，称县农业机械管理局，1984年改为县农业管理服务站，1987年复称县农业机械管理局，1994年改建为县农机技术服务中心，1996年更名为县农业机械事业管理局，2001年，撤销县农业机械事业管理局，改建为县农业机械服务中心，2011年，县机构改革，不再保留县农业机械服务中心，职责职能划入县农村工作局。

第二节　农村能源

2001年，成立农村能源环保办公室，地点设在县农业局，负责全县沼气项目的推广工作。是年，在省、州能源部门指导下，采用《贵州多功能A\B型沼气池建池技术》，建造推广户用沼气池。至2003年，累计在6个乡镇建设2690口户用沼气池，每口沼气池国家补助资金500至1000元。

2004年，第一批国债沼气项目共完成新建1250口，每口国家补助资金1000元。2005年，共完成新建2230口（其中，国债资金1330口，省级资金900口），每口补助资金1000元。2006年，共完成新建2705口（其中，国债资金1400口，省级资金1305口），每口补助资金1000元。2007年，共完成新建1500口（其中，国债资金1050口，省级资金450口），每口补助资金1300元。2008年，共完成新建1022口（其中，国债资金933口，省级资金89口），每口补助资金1500元。2009年，共完成中央新增项目建设1100口，每口补助资金1800元。

表8-12

2001—2009年农村用户沼气池建设表

年度	建沼气池（口）	每口国家补助资金（元）	其中	
			国债资金补助（口）	省级资金（口）
2001	1065	500	1065	—
2002	1100	500	1100	—
2003	525	1000	525	—
2004	1250	1000	1250	—
2005	2230	1000	1330	900
2006	2705	1000	1400	1305
2007	1500	1300	1050	450
2008	1022	1500	933	89
2009	1100	1800	1100	—

2010至2012年，县农村沼气开始向养殖小区、规模化养殖场和屠宰场等方面推广小型沼气池建设，建设规模为30—200立方常温大中型沼气池，3年共建设200立方常温大中型沼气池2口、100立方常温大中型沼气池6口、50立方联户沼气池1口、30立方1口。

2012至2013年，农村用户以民生工程项目下达，补助标准2450元/每口，其中：中央资金2000元/口，省级资金450元/口，惠水县两年建设任务800口，每年新建400口。由于农村劳动力大量转移，户养模式逐渐以养殖大户集中饲养，户用沼气已无法再继续推广，为了不让资金闲置，在不改变资金用途的前提下，将两年资金用于全县15个养殖场共计2000立方小型沼气池建设，在全省户用沼气难以推广落实的情况下，县此项创新方法得到了省州认可，并让无法推广户用沼气的兄弟县市效仿。

2013年，省农委根据各县市农村户用沼气需求实际情况，不再按中央下发资金分配摊派到各县市。2014年贵州省全面暂停农村户用沼气推广资金下发，沼气建设向规模化，有需要，落实备案、土地、规划、环评、能评、资金、安评等方面手续齐全的大中型养殖企业优先倾斜。

第三节　农业综合执法

农业综合执法主要是指相对集中行使行政处罚权、行政强制权。2004年前，农业行政执法权的行使分属于各专业执法机构，由种子管理站、农药监督管理站（植保站）、土肥站等具体实施。

2004年8月，成立农业执法大队，为县农业局下属股级事业单位，依法履行农业部门的执法职能，行使集中后的各项行政处罚权，人员编制8名。农业执法大队纳入财政预算管理，收取的罚没款，按收支两条线的原则如数上交国库。

农业执法大队统一行使行政处罚权的范围有：农作物种子、基本农田保护、肥料（复混肥）、农药、农业转基因生物安全管理、植物新品种权保护、野生植物保护、农村集体资产、农村土地承包及法律、法规授权或省政府、农业部明确由农业行政主管部门履行的执法职责。实施相对集中行政处罚权后，原有关机构停止行使行政处罚权；继续行使的，其行政处罚一律无效。

2011年5月，原县农业局、畜牧兽医局、农业机械服务中心、农业办公室、县扶贫开发办公室、农业资源区划办公室的行政管理职责及县乡镇企业管理局（煤炭工业局）承担的农产品加工行政管理职责，整合划入惠水县农村工作局，保留县农业执法大队为县农村工作局正股级全额财政拨款事业单位。是年9月，向社会公开招考取录4名人员进入县农业执法大队，在编制人员数达8人，属编制满员单位。2012至2015年，县农业执法大队由股级升格为副科级，为县农村工作局所属副科级事业单位。

表8-13

2005—2015年农业执法工作开展情况表

年度	出动执法人员（人、次）	检查农资市场（场、次）	检查农资企业（个、次）	检查经营户（户、次）	查获违法经营种子（公斤）	没收违禁经营农药（公斤）	立案查处案件（件）	结案（件）	罚款（元）	备注
2005	365	78	—	702	—	—	—	—	—	
2006	456	91	—	819	—	—	—	—	—	
2007	1318	148	57	1071	190	—	4	4	2400	涉案货值2315元
2008	1427	186	24	—	407	148.2	4	4	6050	
2009	821	177	61	1077	388	假农药7瓶，吡虫林50包	4	4	3501.86	
2010	984	256	19	1202	16	—	51	51	6750	另外查获非主要农作物种子15件
2011	1178	296	25	1555	—	—	5	5	7100	整治重点区域14个
2012	1691	432	24	1810	—	—	2	2	2000	是年整治重点区域12个
2013	1213	315	11	1288	—	—	4	4	4000	发放各种宣传资料8400份
2014	969	249	6	956	—	—	8	8	17195	发放各种宣传资料4000份
2015	1300	321	—	1628	—	—	7	7	13821	发放资料8900份

第四节　农广校与农村劳动力转移

农广校　1985年，成立农广校，按照“稳定中专、向两头延伸、工作重心下沉”的办学原则，坚持“面向农业生产，面向当地经济建设，为农村发展服务，为农民增收服务”的办学方针，拓宽办学思路，由脱产、半脱产转向短期实用技术培训方向发展。

县农广校成立之初，乡镇干部多数没有正式文凭，为帮助广大干部职工提高学历，农广校开办了中专学历教育。1985至2004年共开办农学、农经、农产品贮藏与加工、畜牧兽医、果树、现代乡管等专业，累计招生617人，毕业197人。期间，1994年与贵州农学院联合开设三年制农学大专班，完成招生40人，毕业25人。2004年招生14人，毕业14人。2007年，经农业部批复，组织实施“电脑、电视、电话”三电合一农业信息服务试点项目，搭建农业网络信息服务平台。

2007至2008年，组织实施新型农民培训项目，为50个村建立农业科技书屋，每个科技书屋配备科技图书500余册，光盘100余份。2008年与县博深职校合作招生209人，毕业209人。2009年招生127人，毕业127人（专业为计算机、家电维修）。2010至2014年未招生。2015年招生10人，专业为茶叶。

农业劳动力转移　2004年，开始实施农村劳动力转移培训——阳光工程，按照“政府推动，学校主办，部门监管，农民受益”的原则，以市场需求为导向，以农村劳动力转移就业前的短期职业技能培训为重点，通过财政补贴，有针对性地开展职业技能培训，促进农村劳动力合理有序流动，增加农民收入。2004至2013年，累计完成培训8034人，其中：2004年培训800人，2005年培训650人，2006年800人，2007年650人，2008年600人，2009年300人，2010年400人，2011年1050人，2012年1100人，2013年1684人。涉及建筑、家电维修、农机驾驶及维修、计算机、种养殖技术、沼气工等10余个专业。2014年，阳光工程培训调整为新型农民培育，以培育新型经营主体为目标，积极开展示范培育，全年培训400人；2015年培训300人。涉及农机服务员、蔬菜园艺工、植保员、测土配方施肥员、村级动物防疫员、茶叶工等6个专业。培训内容主要有：农机操作、无公害蔬菜生产栽培技术、无公害茶叶生产栽培技术、动物卫生防疫、测土配方施肥技术、机动喷雾器使用与维修等。培育一批生产经营型、专业技能型、社会服务型职业农民，努力破解“谁来种地”的难题。

第五节　畜牧综合执法

一、畜牧业行政执法

1997年前，主要以开展动物防治及检疫为主。1998年后，开始推行“依法兴牧、依法护牧、依法治牧”工作。1999年，全县牲畜五号病疫情流行蔓延，为抓好依法制疫，县组建畜牧综合执法队，每逢集市分5个小组分别到和平、雅水、摆金、三都、摆榜、芦山、断杉、抵季等乡镇较大的畜禽交易市场，与各乡镇动物检疫员一起，开展市场检疫和交通运输检疫工作，加强兽医卫生监督力度，杜绝病（死）畜禽、无证畜禽、染疫畜禽及其产品上市场和非法贩运。

1999年，整顿生猪屠宰、兽药、饲料、兽医卫生等市场，把经营户的市场行为、经营行为纳入法制化管理，全年共发放《动物防疫合格证》205个，《饲料经营许可证》115个，《兽药经营许可证》56个，《种畜经营许可证》65个、《渔业养殖许可证》5个。依法查处违法贩运五号病猪8人，销毁患病带毒猪230余头，查处私自挖食已被深埋处理的五号病牛肉尸5起，行政处罚18人。依法取缔违法经营户42户，没收过期失效药品4类45种，霉变饲料355公斤，料精150公斤，销毁三无产品“951”等350公斤，淘汰劣质种公猪33头、种公牛10头。

2001年，核发、年审、换发《动物防疫合格证》278个，《饲料（兽药）经营许可证》6个，《水面养殖使用证》8个；处理各类案件纠纷20余件，查处经营染疫动物案件涉嫌人员2人。没收假冒、伪劣兽药饲料和过期失效药品356合（支、包），霉变饲料1250公斤。

2002年，对全县20多个主要集贸市场进行监察清理，共检疫肉尸56782头，其中猪肉49199头、牛肉7583头，检疫上市活畜猪77419头、牛16778头、马4717匹，检疫出县境大牲畜11721头、生猪27773头、动物产品1083吨、皮张211吨；没收无证经营主告牌2个、霉变饲料625公斤、浓缩饲料324公斤、假冒伪劣兽药5类186盒（支）、无标识饲料添加剂89公斤、超期饲料500公斤、过期兽药3类50盒；审核发放《饲料经营许可证》109个、《兽药经营许可证》31个、《动物防疫合格证》9个、《种畜经营许可证》5个、《渔业养殖使用证》4个。

2003年，收缴过期、霉变、伪劣饲料620公斤，价值1820元；兽药17种93盒536支，淘汰阉割劣质种猪5头，查处饲料、兽药行政案件3件。

2004年，清理市场595场次，查获假冒伪劣、过期变质饲料和饲料添加剂5101公斤、兽药224盒、审理兽药经营许可证46个、新办证2个；查处动物防疫条件不达标案件2起，销售病死猪肉350公斤。

2005年，清理市场366场次，查获假冒伪劣、过期变质饲料和饲料添加剂1803公斤、兽药43公斤、审理兽药经营许可证160个。举报案件13起，查处10起，销毁病死猪肉350公斤。

2006年，清理市场214个次，检查经营户2636户，抽检饲料产品2个、抽检猪尿样20份，抽检兽药产品2个，办理兽药经营许可证31个，兽药经营户进货记录建立183户，开展养殖场建立用药记录22户；查获过期不合格饲料1205公斤，过期失效兽药91公斤，简易案件查处28件。

2007年，清理市场225个次，检查经营户1680户，抽检饲料产品1个、抽检猪尿样、水样30份，抽检兽药产品1个，检测药物残留量1个，办理兽药经营许可证8个，兽药经营户进货记录建立157户，开展养殖场建立用药记录36户；查获过期不合格饲料270公斤、不合格兽药51公斤，简易案件查处9件。

2008年，清理市场75个次，检查经营户430户，办理动物防疫合格证25个，建立农资经营台账174户；查获过期不合格饲料265公斤，简易案件查处9件。

2009年，清理市场202个次，检查饲料经营户231个，兽药经营户173户次，查获三无不合格饲料195公斤、兽药6.5公斤，货值695元；查处简易案件12件，收缴渔机渔具2件，无害化销毁处理不合格猪肉900余公斤。

2010年，检查市场60余场次、累计检查饲料、兽药经营户（点）608户，肉品经营户230余户，规模场（户）80余户；查处违法案件7例，没收过期饲料170公斤，没收销毁假劣兽药50余盒。无害化处理不合格猪肉125公斤，没收违法所得4000元，罚款240元。

2011年，检查动物产品经营户156户、定点屠宰场5个、规模养殖场（养殖小区）103户。产地检疫大中牲畜12.12万头、禽类4.86万只，屠宰检疫大中动物8.9万头、禽类4.9万只，检疫出病害猪53头、禽42只、猪肉1700公斤，全部进行无害化处理；全年办理行政执法案件3起。

2012年，对全县58家规模养殖场（户）、105家兽药和饲料经营店、4家定点屠宰场、43个收购贩运企业（合作社、经纪人）进行集中清查收缴。共检疫大中牲畜12.00万头、禽类6.08万只，屠宰检疫大中动物8.99万头、禽类6.3213万只，检出病害猪18头、禽45只、猪肉2023公斤，全部进行无害化处理。全年办理行政执法案件4起（其中一般案件2起，简易程序2起）。

2013年，查处各类案件15起，其中一般程序9起，简易程序6起，案件涉及经营病死或死因不明动物、经营依法应当检疫而未经检疫动物产品、经营动物未附检疫证明、养殖场未按规定建立养殖档案等，所有案件均分类登记、立卷归档立案率100%、结案率100%。

2015年，对县内的“动物三场”共开展督查68次，下达整改通知4份，与动物贩运户签订质量安全承诺书24份，查处违法案件19起（其中一般程序11起，简易程序8起）；产地检疫生猪119522头，牛羊73644头，禽类131068羽；屠宰检疫猪肉137829头，牛4687头，羊6873只，检出病害猪肉615头，全部作无害化处理。

二、渔业行政执法

1988年，成立县渔政管理站，为县畜牧局下属股级事业单位，依法履行农业部门的执法职能，人员编制6名。至1999年以前，渔政执法主要是打击电鱼、毒鱼、炸鱼等非法捕捞行为。累计开展“电、毒、炸”及地笼网捕鱼专项行动100余次，参加人员达300余人次，行动范围覆盖全县水域，查处渔政案件56起，没收电鱼机12台；查处地笼网捕鱼5起，没收禁用渔具（地笼网）8条，没收渔获物50余公斤。

2000至2015年，县渔政管理站渔政执法主要以“禁渔”和“打非”工作为主。

表8-14

2000—2015年渔业执法工作开展情况表

年度	参加执法人员（人次）	查处案件（件）	其中		没收违法捕捞渔获物（kg）	取缔违禁渔具数量/长度（件）/米	收缴电捕鱼器（套）	行政处罚案件	批评教育	发放宣传资料（份）
			电鱼案件	炸、毒鱼案件						
2000	35	8	1	1	15	4件/50米	0	0	15	100
2001	50	12	1	1	10	5件/50米	1	0	18	100
2002	45	10	2	1	16	2件/50米	0	0	15	100
2003	36	12	0	1	13	6件/50米	1	0	18	120
2004	42	10	1	1	10	2件/100米	0	0	15	150
2005	40	13	1	1	24	3件/100米	2	0	20	500
2006	48	16	2	1	31	6件/100米	0	0	38	400
2007	62	15	2	1	64.5	10件/100米	1	0	42	300
2008	52	13	0	1	40	8件/100米	1	0	23	500
2009	90	15	2	1	19	11件/100米	2	0	9	1300
2010	44	12	1	1	22	6件/100米	1	0	24	1000
2011	68	16	1	1	18	6件/100米	1	0	30	500
2012	68	12	0	1	33	2件/100米	0	0	20	1000

续表8-14

年度	参加执法人员（人次）	查处案件（件）	其中		没收违法捕捞渔获物（kg）	取缔违禁渔具数量/长度（件）/米	收缴电捕鱼器（套）	行政处罚案件	批评教育	发放宣传资料（份）
			电鱼案件	炸、毒鱼案件						
2013	62	11	1	1	52	7件/120米	2	0	40	500
2014	44	14	1	1	26	5件/120米	1	0	30	500
2015	86	10	1	1	44	3件/120米	1	0	20	600

第六节　畜牧服务

一、技术资料编写

1983年起，先后组织技术人员编写《畜禽饲养技术培训》《肉牛集中育肥综合技术》《羊的育肥综合技术》《猪人工授精技术》《牛人工授精技术》《动物疫病综合防治技术培训》《优质牧草种植技术》等技术资料和光碟，共印发10000余册（套），20世纪90年代以后，为普及推广畜禽养殖实用技术，强化基层专职技术人员培训，组织科技人员对养殖户进行技术培训，每年举办各类培训班10余期，培训人员达1000余人次，印发养殖技术资料1000余份。

二、技术服务

1983年，实施南方种草养牛项目，建设时间为3年，投资200余万元。实施乡镇有和平镇、金石乡、毛家苑乡、清水苑乡，发放牛群2200头。

1986年，由县智力支边办组织在王佑、鸭绒培训，受训人数200余人，培训内容为畜禽饲养管理。

1999年，县畜牧局向县农行借贷资金40万元，用于25个乡镇实施技物结合，开展有偿签约服务，采取定责任、包发展，定技术、包防治，定目标、包效益，定投资、包还款“四定四包”制度。全年推广优质饲料1000余吨，诊治牛病5000余头次、猪病8000余头次，为农户挽回经济损失200余万元。

2000年，进行猪人工授精技术培训，培训1期25人。

2002年，进行牛改培训，受训人数30余人。培训内容为牛人工授精技术。是年，帮助县永红食品有限公司组建养牛场，后经发展规模达300余头。

2003年，巩固稻田生态渔业工程50亩，实施名特优品种养殖50亩。

2004至2006年牛改培训，每年受训人数20余人，内容为牛人工授精技术。

2007至2012年实施草地生态畜牧业种草养牛项目，发放牛群10150头到和平镇、鸭绒乡、好花红乡、甲戎乡、芦山镇饲养。

2011至2013年，开展“雨露计划”“阳光工程”培训，受训人数达700人，主要内容为畜禽饲养管理及疾病防治。

2012年，开展养鹅技术培训，在摆金镇、岗度乡发放鹅苗10000只。

2014年，开展对专业养殖户、养殖合作社、养殖大户、养殖场和养殖小区的技术服务指导，重点加强对猪、牛、羊和禽类实用养殖技术培训，推动养殖场精细化饲养管理，采取“以点带片”的形式对养殖户进行技术培训，全年举办畜牧实用技术培训八期，培训养殖户1000余人次，对养殖专业户提供上门服务。

2015年，举办畜牧实用技术培训6期，培训养殖户800余人次。

第六章　种植业

第一节　粮食作物

一、粮食作物种类

县境内粮食作物种类有禾谷类作物、豆类作物和薯类作物三大类。禾谷类作物有水稻、小麦、玉米、高粱、小米、大麦、燕麦等。其中：水稻、小麦、玉米是主要粮食作物，高粱、小米、大麦、燕麦均为杂粮；豆类作物有大豆、蚕豆、豌豆、绿豆、芸豆、赖豆等；薯类作物有甘薯（红薯）、马铃薯等。

二、粮食作物分布

（一）禾谷类粮食作物

水稻　县内水稻按稻谷类型分为籼稻和粳稻、早稻和中晚稻、糯稻（黑糯/白糯）和非糯稻。按是否无土栽培分为水田稻与浮水稻；按生存周期分为季节稻与“懒人稻”（越年再生稻）；按高矮分为普通水稻与2米左右的巨型稻；按耐盐碱性分为普通淡水稻与“海水稻”（主要仍使用淡水）。

1978至2015年，全县年均水稻种植面积在17至19.12万亩/年，约占全县粮食播种面积的30%以上，占粮食总产的60%以上。先后荣获第五届中国优质米博览交易会“金奖大米”“中国优质米之乡”“中国黑糯米之乡”“惠水县黑糯米地理标志保护产品”等荣誉称号。

（1）籼稻

县内水稻为一季晚稻栽培区域，以籼稻种植为主，分布在海拔860至1400米的河谷坝子及缓坡丘陵梯田，种植面积占水稻总面积的99%。

产量。第一阶段：1971至1990年，为4.7至7.3万吨。1978年，全县粮食播种面积40.8335万亩，粮食总产8.2135万吨，其中：夏粮0.6455万吨，秋粮7.568万吨（占92.14%）；水稻种植面积18.9425万亩，平均亩产300.41公斤，总产5.6905万吨，占粮食作物面积46.39%，总产占69.28%，最低年产量为1981年，水稻总产为4.7万吨，平均亩产259.31公斤。1978年就有杂交水稻的示范种植，品种有南优2号和威优2号、威优6号，到1981年，县内坝子地区开始推广以汕优系列为主的汕优63、汕优2号等。第二阶段：1991至2000年，水稻总产量7.8至9.08万吨，1992年后，全县水稻年产量在8万吨以上，占粮食总产量的60%以上；自90年代初，县内杂交水稻品种在全县推广，种植面积占水稻种植面积65%以上。第三阶段：2001至2010年，5.69至10.25万吨，其中2002年主要是受到稻瘟病的大面积影响造成减产，是年产量仅为5.69万吨，最高年产量是2010年，全县种植面积为18.6675万亩（其中：杂交水稻种植面积为17.2万亩），稻谷产量为10.25万吨，平均亩产549.1公斤，为总产量和单产最高年；自2001年以来，全县杂交水稻种植面积占水稻种植面积的95%以上。第四阶段：2011至2015年，为6.61至8.11万吨（其中：2011年因干旱水稻平均产量为354.42公斤），自2014年起因农业产业结构调整，水稻年种植面积低于18万亩，其中2014至2015年，全县水稻种植面积分别为17.67万亩、17.39万亩。

（2）粳稻

分布在县海拔1300米以上的摆榜和宁旺等地，年种植面积1000至3000亩，品种有滇杂31、毕粳、安粳等。

（3）糯稻

县内各地均有栽培，为零星栽培分布。糯稻又分白糯稻和黑糯稻。白糯稻多为本地种，也有杂交白糯稻种植，年种植面积2000-3000亩，平均亩产250—400公斤。黑糯米是县特色产品，从宋代起即为历代地方官府向皇帝进贡的“贡米”，是御餐中的珍品，因具有丰富的营养价值和药用价值而被誉为“黑珍珠”，是惠水黑糯米酒主要原料。

1985年，全县种植面积突破7390亩，总产121万公斤。是年，县酒厂生产的黑糯米酒参加在北京举行的亚太地区博览会，受到与会人员的好评，并出口东南亚，国家科委将惠水黑糯米列入“星火计划”，进行重点开发，1986全县黑糯米种植面积达10000亩。推广种植的黑糯米品种有黑糯138、黑糯141、黑糯187、黑糯142、黑糯72等中矮秆（株高85—100厘米），亩产可达400至500斤，高产可达700斤。其中，黑糯141通过贵州省作物品种审定委员会审定。进入90年代后因其产量低，比较效益低，加之没有龙头企业引领和有识之才进行开发，种植面积逐年萎缩，现在种植面积在500（品种为黑糯72）余亩的仅有斗底畜牧场；再就是摆榜、斗底、宁旺、岗度、摆金及雅水、王佑、断杉等地的布依族有零星种植黑糯米（摘糯）100余亩，种植方式为混栽在籼稻田边周围，采收多用镰刀割米线捆把晒干脱粒；全县年累计糯米种植面积在1000余亩左右，亩产量200至250公斤。

（4）旱稻（陆稻），性耐旱，适于旱地种植的栽培稻，亦称旱稻，泛指能适应生长于无垠旱地、坡地及干旱生态环境下的栽培稻类，是水稻的变异型。陆稻（旱稻）的原始栽培可追溯到7000年前，通常种植于热带、亚热带的山区、半山区的坡地、台地或温带的少雨旱地。陆稻和水稻在形态、生理上有不少差别，但一般在缺水状况下才表现明显。仅芦山镇在1990至2010年有零星种植，产量150公斤左右。2000至2005年县农技站引进了巴西陆稻在和平镇斗蓬和高镇的赤土示范种植，因产量产值不及玉米，不被群众接受而终结。

（5）本地水稻品种。自推广杂交水稻后，当地品种种植也逐步淘汰，到2015年只有涟江坝区种植有桂朝，但面积只有几十亩，其他品种如麻粘、大白粘、岩粘等品种因产量低、抗病性弱、抗倒伏能力弱等原因，均没有种植。

玉米 按种子籽粒形状分为硬粒型、马齿型、半马齿型（中间型）糯质型、甜质型、爆裂型等等；按用途与籽粒组成成分分为特用玉米和普通玉米两大类；按生育期分早熟玉米（80至100天）、中熟玉米（100至120天）、晚熟玉米（120至150天）。1978年，县内进行杂交玉米示范种植，品种为黔单系列（黔单3号、黔单4号等），1981年开始推广，并在甲戎青藤进行制种。至2015年，在县推广杂交玉米品种（组合）50多个，玉米种植面积占粮食作物播种面积的15至20%左右，产量占总产的13%以上。玉米在县境内占有种植，以山区为主。多以中熟普通玉米为主（其产量潜力巨大，亩产500至1000公斤），其次特用玉米（糯玉米、鲜食玉米）、青贮玉米等。自推广杂交玉米后，本地品种因产量低、抗倒伏能力弱等原因，到2015年本地品种如二黄早、白马牙、黄马牙、金包银、百日早等，只有山区半山区的种植如斗蓬山等有少部分农户种植。

（1）普通玉米。1978至2015年，玉米种植面积分别为7.8至10.667万亩、产量1.3至3.57万吨之间。分为四个时段。第一阶段：1978至1988年。其中1978年，玉米种植面积8.6301万亩，占粮食作物面积20.11%，产量1.564万吨，平均亩产181.23公斤，占粮食总产量19.04%；1988年，玉米种植面积8.0751万亩，占粮食作物面积18.43%，产量1.392696万吨，平均亩产172.47（同比减8.76%）公斤，占粮食总产量16.21%。第二阶段：1989至1998年。其中，1989年，玉米种植面积8.1459万亩，占粮食作物面积18.45%，总产量1.4486万吨，平均亩产177.84（比1988亩增3.11%）公斤，占粮食总产量16.47%；1998年，玉米种植面积8.358（其中：杂交玉米种植面积5.835万亩）万亩，占粮食作物面积15.96%，总产量1.8999万吨，平均亩产227.32（比1989亩增27.82%）公斤，占粮食总产量13.86%。第三阶段：1999至2008年。其中，1999年，玉米种植面积8.5545（其中：杂交玉米种植面积5.844万亩）万亩，占粮食作物面积17.08%，总产量1.8249万吨，平均亩产213.3（比1988亩减6.17%）公斤，占粮食总产量14.7%；2008年，玉米种植面积10.059万亩，占粮食作物面积19.85%；总产量3.2661万吨，平均亩产324.69（比1998亩增42.83%）公斤，占粮食总产量19.85%。第四阶段：2009至2015年。其中，2009年，玉米种植面积10.3455万亩，占粮食作物面积19.24%，总产量3.3748万吨，平均亩产326.21（比2008亩增0.47%）公斤，占粮食总产量20.49%；2015年，玉米种植面积9.1695万亩，占粮食作物面积17.95%；总产量2.6841万吨，平均亩产324.69（比1998亩增42.83%）公斤，占粮食总产量19.08%；其中，2010年，种植面积为10.667万亩，产量为3.573万吨，平均为334.97公斤/亩，创历史面积、产量、单产均最高。2010年，省、州专家对县级“粮食增产工程”示范点的三都镇上衙村六组杨志平示范户种植的1.6亩杂交玉米中单808进行临田测产验收，亩产为868.7公斤，创惠水县玉米单产历史高产纪录。

（2）糯玉米。1978至1990年，糯玉米在县内一些山区有种植习惯，为零星种植，品种主要为本地种糯包谷，产量很低，产品多作打年糕和爆包谷花用。1994年，从贵阳农科所引进筑糯1号在原和平镇的奇龙村和长田乡的长田村试种示范，亩产鲜玉米棒子1000至1500公斤，亩产值3000至4000元，后糯玉米种植快速发展，县常年种植糯玉米面积5000亩以上，品种有筑糯、遵糯等。

麦类 （1）小麦。小麦是县内第三大粮食作物，除摆榜外县内各地区均有种植，以涟江、三都、好花红、羡塘等地较为集中。种植面积排粮食作物第二，产量排在第三，均以半冬性品种作当家品种。1978至1990年，先后引进了苏克思、远复二号、绵阳11号、肯贵阿等小麦品种种植，在1991至1999年，引进小麦品种有绵阳系列、内麦、川麦、内麦及本省的黔麦系列；2000至2015年，均以贵农19、黔麦18、19和丰优系列等贵州本土品种作当家品种。

1978年前县的小麦单产46.22公斤，1990年县的小麦单产71.78公斤，2000年县的小麦单产123.85公斤。2001年后，随着城镇化发展，农民进城务工增多，农村缺乏劳力，县内小麦种植面积锐减。

（2）大麦（老麦）。1978至1990年，在县海拔较高的摆榜、岗度、摆金、王佑、断彬等地均有种植，以净作为主，产量75至100公斤。1990年后因其产量低，口感不如小麦逐渐被淘汰。

（3）燕麦（香麦）。燕麦在县境内均有零星种植，由于燕麦含有亚油酸、氨基酸及其他有益的营养成分，被称为降脂佳品，对预防和治疗动脉粥样硬化、高血压、糖尿病、脂肪肝等有较好的效果，故燕麦是药食兼优的营养保健食品。本地老百姓平时将其产品做炒面食用，也有种植作饲料用。

自推广杂交品种后，本地品种因产量低、抗性差等原因，到2015年如光头麦、鱼鳅麦、大棱麦等本地品种没有种植。

高粱 禾本科一年生草本植物。秆较粗壮，直立，基部节上具支撑根。叶鞘无毛或稍有白粉；叶舌硬膜质，先端圆，边缘有纤毛。圆锥花序疏松，主轴裸露，总梗直立或微弯曲。花柱分离，柱头帚状。颖果两面平凸，淡红色至红棕色，熟时宽2.5至3毫米，顶端微外露。有柄小穗的柄长约2.5毫米，小穗线形至披针形，花果期6至9月。在县境内均有零星种植，产量150至250公斤，产品多作酿酒原料。

小米 小米生育期仅80—130天，具有耐旱、贫瘠土壤和耐储藏的优势，适合在干旱而缺乏灌溉的地区生长。在县境内均有零星种植，种植粗放，单产50至100公斤。产品多做年糕和煮稀饭。

（二）豆类作物

黄豆（毛豆） 县境内均有种植。新鲜连荚的黄豆称毛豆。1978至1990年，该作物多在旱地搭配本地玉米种植混栽为主，也有净作。稻田净作多在和平镇、高镇镇、三都镇和长田乡等城郊附近作菜用毛豆栽培居多。1991至2015年，该作物因杂交玉米全面推广种植，玉米种植密度加大和农用化肥施用普及和施用量加大，导致黄豆生长夹在玉米行间光照不足，加上N肥量增加破坏豆类生态环境从而徒长不结实，种植面积缩水。

蚕豆 又叫胡豆，县境内均有零星种植。一般在10月初至11月初播种，次年3至5月采收，鲜嫩的蚕豆可烹饪食用，干蚕豆的深加工则多为零食。种植多为净作或稻桩栽培两种，年种植面积2000亩左右。

豌豆 为一年生攀援草本半耐寒性作物，喜温和湿润的气候，不耐燥热。鲜嫩的茎稍、豆荚、青豆是备受欢迎的淡季蔬菜。县境内均有栽培，多集中在长田、高镇、大坝、和平三都等地，为春季贵阳市场和县城居民提供的新鲜淡季蔬菜，年种植面积2000亩左右。

芸豆 俗称四季豆。嫩荚或种子可作鲜菜，属于蔷薇目豆科植物。县境内均有种植，多与玉米混种或种植在旱地地块周边，县城周边的长田、高镇、大坝、和平三都等地为净作，为春季贵阳市场和县城居民提供新鲜淡季蔬菜，年种植面积2000亩，单产1000公斤左右。

绿豆和赖豆 属于蔷薇目豆科植物，县境内均有零星种植。以净作为主；赖豆则与玉米混栽，1978至1995年全县25个乡镇年种植3万亩左右，单产150至250公斤，产品多用作饲养仔猪，有的地方农户用作主食。1995年后，随着杂交玉米种植规模扩大，其种植渐渐缩小为零星种植，现一些山区仍有种植习惯。

（三）薯类作物

马铃薯（洋芋） 县境均有种植，高镇、大坝、和平、摆金、抵季等地较为集中。1978至1990年间，年种植面积4万亩左右，亩产500千克至1000千克，主栽均为本地米拉品种。1991至2015年，年种植面积5至6万亩，主栽品种为费乌瑞它、中薯系列、萱薯系列和威芋系列，均为脱毒马铃薯种薯，单产1000千克左右。期间2002至2006年，是脱毒马铃薯种植高峰期，受益于全省扶贫政策扶持，摆榜、抵季、断彬、羡塘、甲戎、长安、打引、王佑、甲烈、大坝、好花红等乡镇得到脱毒马铃薯项目支撑，年推广种植脱毒马铃薯6万亩，总产5700万千克以上，平均单产950千克。

甘薯 甘薯又称红苕，本地品种称为脆苕。营养丰富，富含淀粉、糖类、蛋白质、维生素、纤维素以及各种氨基酸，是非常好的营养食品。在县境内均有种植，其中，涟江坝子紫泥土种植的红苕，品质好，在周边县和省府贵阳都小有名气。种植方式有净作和套种两方式；年种植面积在1.6万亩以上，单产鲜薯块茎1000千克至3000千克。

第二节　经济作物

一、水果

全县果树种类主要有柑桔、葡萄、杨梅、梨、桃、李、樱桃、柿子等，柑桔是种植面积最大的果树，占果树面积的65%以上，葡萄占10%左右，其余果树种植面积较小。随着产业结构调整，全县水果生产产业化有一定的规模，已形成七里冲果园、龙摆尾果园、水泡冲果园、金石葡萄基地、大龙葡萄基地等一批生产基地。至2015年，全县水果面积已达48502.5亩，总产量17089吨，其中：柑橘面积33015亩，产量9609吨。

表8-15

2001—2015年投产水果面积情况表

单位：公顷

年　度	总面积	柑　橘	葡　萄	杨　梅	梨	桃
2001	2241	1741	8	17	461	31
2002	2275	1760	10	21	470	35
2003	1862	996	20	26	695	151
2004	1985	1016	22	26	737	210
2005	2020	1064	22	24	740	194
2006	2366	1075	23	24	745	200
2007	2749	1385	24	25	751	202
2008	2811	1424	27	27.4	763	220
2009	2854	1490	26	30	844	218
2010	2610	1490	26	32	844	218
2011	2752.9	1505.9	38.6	65.2	886.9	219.2
2012	2932.5	1533.2	95.3	69.2	897.2	227.3
2013	3233.35	2000	200	93.6	33.34	46.67
2014	3046.82	2201	400	96	53.34	80
2015	3233.5	2201	400	148	53.35	100

二、蔬菜

1985年，在贵阳市蔬菜办支持下，在涟江坝区开始发展次早熟设施蔬菜，从以大棚育苗试种到规模化大棚＋小拱棚＋地膜栽培模式，到2002年面积达1.2万余亩，成为黔中地区设施蔬栽培示范县，并带动涟江坝区常年蔬菜基地建设，惠水成为贵阳市重要的三线蔬菜基地县，2008年凝冻灾害期间是全省唯一能持续向贵阳市输送蔬菜的县。涟江坝区农田耕作制度由原来的一年两熟（水稻一小麦或油菜、玉米一小麦或油菜）变为一年三熟及一年多熟制（菜一稻一菜、菜一稻一菜一菜、旱地常年蔬菜一年三至五熟）的农田耕作制度，农田复种指数由1.8提升至2.8以上，蔬菜种植品以瓜果类、叶菜类、豆类、香细（料）菜、菜玉米等，种植品种上百种，贵阳市人民政府蔬菜工作办公室、惠水县农业局经作站创新研究出《蔬菜反季节栽培》《惠水县涟江坝区高效农业示范种植》《夏秋反季节栽培》《稻田一年多熟（四熟）示范栽培》等研究推广成果，先后获省、州农业“丰收奖”“科技进步奖”、通过省州农业专家的研讨向全省适宜地区推广等表彰。至2012年，全县已形成高镇首创（3000亩）、和平惠明（3500亩）、三都九门（2000亩）常年蔬菜生产基地和好花红乡弄苑、幺关、清水佛手瓜生产基地（5000亩），大龙生姜生产基地（6000亩），龙瓦辣椒生产基地，好花红满玉、新门、六马辣椒生产基地，甲烈红星、宁旺、甲戎水源、三都金田等一大批蔬菜生产基地。2015年，蔬菜种植面积28.2万亩，总产量49.615万吨，全年蔬菜总产值12.094亿元。

三、果用瓜

县内果用瓜主要是西瓜和地瓜，西瓜主要以台湾新红客，西农8号为主，礼品西瓜以麒麟瓜为主，西瓜主要分布在长田一带，以农民自家种植为主，礼品西瓜分布在涟江坝区及宁旺、岗度，主要靠大户流转土地种植。西瓜栽培历年面积达1000亩，礼品西瓜面积为2500亩。地瓜主要分布在三都上衙、芦山一带，年种植面积1000亩左右，2015年，全县西瓜面积1000亩，总产量3550吨。

2001—2015年蔬菜、西瓜种植面积与产量情况表

表8-16　　单位：公顷、吨

年　度	蔬菜		西瓜	
	总面积	总产量	总面积	总产量
2001	2630	48428	50	2790
2002	3594	25525	57	2827
2003	4692	50877	85	2786
2004	5213	56751	118	3638
2005	5422	59040	132	950
2006	5504	60244	332	6564
2007	5558	61504	150	1220
2008	6129	81288	161	908
2009	7139	92000	213	5150
2010	8046	108281	162	3801
2011	8448	116943	201	3312
2012	9504	131260	160	7074
2013	16234	400300	66.67	3155
2014	18800	540320	66.67	3455.6
2015	18800	496150	66.67	3554

四、油菜

油菜是惠水县第一大油料作物，全县各地均有种植，在小季作物种植面积中占相当比重，自1978至2015年种植面积1.45至6.18（种植面积最大年份为2014年，为6.18万亩），产量较低，期间，油菜平均产量没有突破100公斤；种植的品种类型有白菜类型、芥菜类型、甘蓝类型，其中：白菜类型为本地的小油菜，芥菜类型为本地苦油菜；在80年代前主要以本地白菜类型和芥菜类型的品种种植为主，单产低；到90年代以后，由于甘蓝类型品种不断推广，种植面积得到扩大，推广的品种有油研系列（油研7号、9号）、黔油系列（黔16、17号）等。

惠水县1978—2015年粮食作物种植面积、产量统计表

表8-17

年　度	面积（万亩）	产量（万吨）	亩产（公斤）
1978	42.92	8.21	191.39
1979	40.60	8.70	214.29
1980	37.33	8.39	224.84
1981	34.89	6.65	190.67
1982	35.49	8.78	247.47

续表8-17

年　度	面积（万亩）	产量（万吨）	亩产（公斤）
1983	36.42	9.33	256.25
1984	38.02	9.41	247.52
1985	38.01	9.06	238.5
1986	38.22	9.40	245.99
1987	39.40	8.46	214.63
1988	43.82	8.59	196.13
1989	44.19	8.79	199.02
1990	44.24	10.55	238.53
1991	46.36	11.51	248.21
1992	47.61	11.57	242.97
1993	44.93	11.92	265.26
1994	50.53	12.65	250.37
1995	51.10	13.02	254.89
1996	52.55	13.21	251.45
1997	51.69	13.28	256.9
1998	52.36	13.70	261.7
1999	50.08	12.42	247.89
2000	52.77	13.82	261.87
2001	51.68	13.61	263.34
2002	50.78	10.25	201.82
2003	50.86	14.03	275.75
2004	52.17	14.40	275.98
2005	53.15	14.97	281.73
2006	54.17	15.74	290.5
2007	54.71	16.22	296.42
2008	53.36	16.45	308.36
2009	53.76	16.67	309.99
2010	54.23	16.98	313.06
2011	54.82	11.05	201.64
2012	55.87	13.75	246.19
2013	55.97	13.10	234.05
2014	50.19	13.80	274.96
2015	51.09	14.07	275.4

惠水县1978—2015年水稻种植面积、产量统计表

表8-18

年　度	面积（万亩）	产量（万吨）	亩产（公斤）
1978	18.94	5.69	300.41
1979	19.01	6.31	331.98
1980	18.77	5.82	309.8
1981	18.33	4.75	259.31
1982	19.04	6.44	338.3
1983	19.05	6.91	362.66
1984	19.05	7.41	388.91
1985	19.02	6.70	352.28
1986	18.85	6.88	364.88
1987	16.78	5.60	334.02
1988	18.29	5.84	319.31
1989	18.22	5.96	327.34
1990	19.04	7.31	383.81
1991	19.10	7.83	409.93
1992	19.04	8.01	420.55
1993	18.96	8.43	444.79
1994	19.05	8.58	450.47
1995	18.71	8.69	464.28
1996	18.99	8.80	463.17
1997	19.00	8.78	462.39
1998	19.01	9.01	474.16
1999	18.95	8.11	428.08
2000	19.10	9.09	475.68
2001	18.96	8.86	467.19
2002	18.18	5.69	313.2
2003	19.10	9.22	482.94
2004	19.20	9.33	485.87
2005	19.19	9.39	489.32
2006	19.12	9.37	489.97
2007	19.13	9.70	507.3
2008	18.27	9.93	543.34
2009	18.43	9.86	535.08

续表8-18

年　度	面积（万亩）	产量（万吨）	亩产（公斤）
2010	18.67	10.25	549.21
2011	18.67	6.62	354.42
2012	18.65	7.94	425.91
2013	18.65	7.55	404.83
2014	17.67	8.03	454.44
2015	17.40	8.12	466.67

惠水县1978—2015年玉米种植面积、产量统计表

表8-19

年　度	面 积（万亩）	产 量（万吨）	亩 产（公斤）
1978	8.63	1.56	181.23
1979	8.77	1.56	178.03
1980	9.25	1.88	203.6
1981	7.84	1.27	161.67
1982	8.09	1.53	189.24
1983	8.19	1.61	196.32
1984	8.18	1.65	201.24
1985	8.00	1.34	167.12
1986	7.89	1.85	233.89
1987	9.21	2.01	217.94
1988	8.08	1.39	172.47
1989	8.15	1.45	177.84
1990	8.10	1.58	194.92
1991	8.52	1.73	202.97
1992	8.32	1.55	186.2
1993	8.54	1.72	200.91
1994	8.64	1.79	207.18
1995	8.91	1.83	205.62
1996	8.34	1.88	225.32
1997	8.33	1.82	219.02
1998	8.36	1.90	227.32
1999	8.55	1.82	213.33
2000	8.73	1.85	211.54

续表8-19

年 度	面积（万亩）	产量（万吨）	亩产（公斤）
2001	8.73	1.87	213.73
2002	8.47	1.81	213.5
2003	8.30	1.90	228.81
2004	8.72	1.96	225.4
2005	9.42	2.45	259.91
2006	10.31	3.05	295.9
2007	10.49	3.15	300.77
2008	10.06	3.27	324.69
2009	10.35	3.37	326.21
2010	10.67	3.57	334.97
2011	10.62	2.06	193.87
2012	8.78	2.41	274.35
2013	10.06	2.36	234.6
2014	8.85	2.72	307.34
2015	9.17	2.68	292.23

惠水县1978—2015年小麦种植面积、产量统计表

表8-20

年 度	面积（万亩）	产量（万吨）	亩产（公斤）
1978	12.246	0.566	46.22
1979	10.627	0.535	50.31
1980	6.841	0.449	65.66
1981	6.279	0.390	62.04
1982	5.921	0.463	78.11
1983	6.707	0.513	76.49
1984	0.927	0.520	560.78
1985	6.561	0.630	95.95
1986	6.742	0.323	47.96
1987	8.108	0.441	54.44
1988	11.202	0.951	84.9
1989	11.671	0.932	79.85
1990	11.760	1.223	103.98
1991	13.192	1.509	114.37
1992	14.234	1.474	103.54

续表8-20

年　度	面积（万亩）	产量（万吨）	亩产（公斤）
1993	14.830	1.588	107.07
1994	15.981	1.660	103.88
1995	15.895	1.761	110.79
1996	16.119	1.681	104.27
1997	16.106	1.841	114.3
1998	16.305	1.924	118.01
1999	14.241	1.563	109.75
2000	15.600	1.932	123.85
2001	14.732	1.802	122.3
2002	14.520	1.797	123.75
2003	14.534	1.685	115.94
2004	13.763	1.577	114.61
2005	13.268	1.558	117.43
2006	13.169	1.575	119.59
2007	13.311	1.603	120.45
2008	13.022	1.487	114.17
2009	12.914	1.585	122.7
2010	12.614	1.297	102.83
2011	13.022	1.103	84.73
2012	13.412	1.156	86.19
2013	12.692	1.178	92.83
2014	8.595	0.980	114.02
2015	7.661	0.889	116.04

惠水县1978—2015年马铃薯种植面积、产量统计表

表8-21

年　度	面积（万亩）	产量折粮（万吨）	亩产折粮（公斤）
1978	0.140	0.016	110.48
1979	0.044	0.006	125.4
1980	0.009	0.001	156.99
1981	0.000	0.000	0.00
1982	0.002	0.000	185.29
1983	0.004	0.001	113.64
1984	0.010	0.002	189.5

续表8-21

年　度	面积（万亩）	产量折粮（万吨）	亩产折粮（公斤）
1985	0.000	0.000	0.00
1986	0.000	0.000	0.00
1987	0.000	0.000	0.00
1988	0.000	0.000	0.00
1989	0.000	0.000	0.00
1990	0.897	0.084	93.17
1991	0.064	0.007	106.93
1992	0.106	0.007	70.92
1993	0.031	0.017	563.87
1994	1.338	0.131	98.19
1995	1.284	0.144	111.85
1996	0.261	0.034	130.27
1997	0.860	0.035	41.19
1998	0.971	0.116	119.94
1999	0.686	0.066	96.28
2000	0.746	0.061	81.82
2001	0.615	0.073	118.05
2002	0.821	0.060	73.49
2003	0.651	0.096	147.16
2004	0.576	0.118	205.38
2005	4.413	0.699	158.49
2006	4.628	0.741	160.17
2007	4.862	0.764	157.15
2008	5.115	0.766	149.78
2009	4.575	0.673	147.13
2010	4.575	0.706	154.27
2011	5.000	0.838	167.52
2012	5.697	0.380	66.67
2013	0.422	1.005	158.9
2014	6.63	1.27	191.67
2015	0.602	1.612	178.55

表8-22

惠水县1978-2015年油菜种植面积、产量统计表

年　度	面积（万亩）	产量（万吨）	亩产（公斤）
1978	2.74	0.016	5.75
1979	1.45	0.007	3.17
1980	1.53	0.033	21.22
1981	2.95	0.156	52.92
1982	3.58	0.156	43.63
1983	2.99	0.12	40.19
1984	2.47	0.088	35.69
1985	4.53	0.185	40.79
1986	5.17	0.161	31.12
1987	4.77	0.112	23.6
1988	3.75	0.086	22.86
1989	2.14	0.041	19.16
1990	3.89	0.17	42.68
1991	5.4	0.30	55.77
1992	4.09	0.218	53.35
1993	3.94	0.163	41.41
1994	3.67	0.133	36.27
1995	3.87	0.18	46.47
1996	4	0.187	46.9
1997	3.98	0.205	51.59
1998	3.74	0.206	55
1999	5.87	0.332	56.53
2000	2.98	0.272	91.49
2001	3.9	0.3	77.01
2002	3.78	0.248	65.66
2003	3.72	0.29	77.5
2004	4.6	0.372	80.9
2005	5.26	0.421	80.06
2006	5.76	0.457	79.2
2007	5.83	0.457	78.28
2008	4.73	0.369	77.95
2009	4.88	0.373	76.32

续表8-22

年 度	面积（万亩）	产量（万吨）	亩产（公斤）
2010	5	0.305	61.06
2011	5.72	0.44	76.86
2012	5.94	0.486	81.91
2013	6.18	0.487	78.8
2014	6.18	0.604	97.6
2015	6.27	0.741	118.18

第三节 农作物灾害

县内农作物灾害主要表现为：虫的危害，农作物病害，水灾、旱灾及冰雹灾害。

1978-2001年出现连续干旱，对农作物生产造成严重影响的年份：1978年7月至11月1日高温少雨造成严重干旱，全县水稻受旱面积达103223亩，其中：开裂62290亩，干死苗3009亩，其他农作物受旱面积30791亩。1979年从9月下旬以来，少雨多晴天，秋旱连冬旱，严重影响了农作物的出苗和生长。1981年4月到11月，降水量特少，出现了有记录以来最重的旱情，旱情特点是来得早，持续时间长，强度重，范围宽，造成粮食减产。1983年11月中旬中期至12月下旬中期，出现连晴少雨，冬旱严重，使小季作物生长。1985年8月下旬至年底，秋冬干旱，造成粮食作物欠收。1986年4-6月降水偏少，干旱严重，给水稻育秧、插秧造成很大困难，小麦禾苗长势也很差。1987年1-5月总降水量比历年值偏少60%，出现了自58年以来罕见的春旱灾，县内80多条河沟断流，2200多口水井枯竭，干旱严重的威胁了农业生产。1988年3-5月、10-12月降水量特少，造成严重的春、秋、冬干旱，严重影响了大季农作物栽种，以及小季作物出苗不齐和小麦分少，使农业粮食欠收。1989年入春以来，雨水少，旱情重；7-8月10日正是县内水稻拔节、抽穗期，需水量大，这段时间总雨量为968mm，偏少62%，使农作物遭受干旱。1990年8月13日至9月20日连晴无雨干旱，影响农作物。1992年8、9两月为多晴，少雨，温高天气，对缺水灌溉地区的农作物受旱灾致严重缺失；7月23日至10月3日出现了长达73天之久的多晴，少雨，温高的干旱天气。1999年6月中旬前降雨偏少，连续干旱，对水稻的栽播受到了严重影响。2001年夏季降雨偏少，部分地区出现干旱，对农业生产有不利影响。

1978-2001年受洪涝灾害对农作物影响的年份：1980年暴雨4天，大暴雨2天，特大暴雨1天。8月11日特大暴雨，姚哨、三都两区，289个生产队受灾，其中，水稻受灾面积13806亩，包谷受灾面积1265亩。1985年暴雨7天。5月下旬至6月上旬和7月上旬降水量集中，造成局地洪涝灾害。1987年暴雨6天，雨量分布不均，部分地方出现洪涝灾害，使24个乡、84个村、385个组、48221人受灾，水稻受灾面积18756亩，损失粮食七百多万斤。1988年暴雨9天。9月大雨使局地水稻抽穗时遭洪水淹没。1998年暴雨6天，降雨量较常年偏多244mm；大暴雨2天，间隔时间短，造成县内部分农田被淹成灾。1999年6月下旬到7月降水较历年偏多近300毫米；县部分地区遭受多年未遇的洪涝灾害，损失严重，影响了水稻的生长发育。2000年暴雨3天。6月份连降大到暴雨，雨量达417.9毫米，造成较重的洪涝灾害。

1978-2001年受冰雹灾害对农作物影响较大的年份：1978年3月31日西混降雹，农作物受灾面积共计

465亩。1979年4月17日三都、雅水、断杉遭受雹灾，受灾夏季农作物面积43756亩，春季作物包谷4440亩，稻秧660亩。1980年4月11日，雷阵雨中夹降冰雹，有九龙、大龙、惠明、斗篷、鸭绒、鸭寨和七里冲果树局地遭受重灾，最大雹粒有鸭蛋大。4月12日，雷雨中夹降冰雹，有长安、打引、太阳和洛平遭受重灾。11-12日两次雹灾各种农作物受灾面积14509亩，其中，小麦10961亩，（无收8746亩），油菜2164亩（无收2151亩），杂粮281亩，绿肥1035亩。10月13日，雅水遭受中等强度雹灾，10月16日，三都、三合遭受雹灾，雹粒如手指大，强度大，降雹约持续10分钟，受灾面积1520亩（全无收400亩），损失未收粮109万斤。1984年5月3日出现降雹天气，长田局地重灾，打毁小麦3200多亩，秧田230亩。1987年有2天降雹，出现在3月和4月各一天，水稻受灾面积18756亩，损失粮食七百多万斤。1990年4月9日，县内有15个乡84个村遭受雹灾，受灾农作物面积达4万多亩，7月8日县内有3个乡1个镇遭受雹灾，农作物受灾面积达2540亩。

2002年，县内出现连续低温降雨天气，水稻“秋风”灾害严重。8月9至20日，全县总降雨量为250.8毫升，比上年同期多212.1毫升；日温最高仅20.8℃，最低为17.2℃，日平均气温19.1℃，比历史同期偏低4℃左右，低于历史同期当日最低温的极值。一般籼型杂交水稻孕穗后期和抽穗扬花期要求适宜的气候条件：晴天微风，气温23至35℃。加之后期8月21至22日出现连续阴雨低温天气，整个时期正值全县水稻孕穗后期和抽穗扬花期，对杂交水稻的扬花授粉影响很大，从而导致水稻减产严重或绝收。

是年，全县有8600公顷水稻不能正常扬花灌浆，约占水稻播种面积68%，1300公顷的水稻不能正常抽穗，约占水稻播种面积10%，相对海拔较高的地区损失高，根据推算，水稻减产在20%左右。

2008年，粘虫在局部田块发生，据不完全统计，全县发生面积1.2万亩，防治面积0.6万亩，防治挽回损失52.1万公斤。

2010年，褐飞虱在坝区局部田块发生，总体为轻发生。始见期为4月23日，发生面积0.05万亩，成灾面积0.012万亩，绝收面积0.003万亩，最高虫量为6万头/百丛。

2011年，发生“两迁”害虫。6月，白背飞虱和稻纵卷叶螟也大量迁入县境内。白背飞虱虫害发生面积12万亩，田间以低龄若虫为主，最高百丛虫量达4662头，平均百丛虫量达2348头；稻纵卷叶螟达中等偏大发生程度，发生面积6万亩，最高百丛虫量214头，平均百丛虫量66头，以低龄幼虫为主。县农整合筹措资金20万元，采购农药6吨，迅速投入进行全县防治。开展防治示范125期，现场培训1.85万人次。

是年7月，县境内干旱少雨，天气呈现气温高，降水少，晴热日数多，有的乡镇达到了中级气象干旱，日平均气温为24℃，比历年同期偏高，月降雨总量70.9毫升，比历年同期偏少90%。单日高温30℃以上有12天。是月，全县农作物受旱面积13.9万亩，其中：水稻受旱7.6万亩，成灾5.1万亩，绝收面积1万亩左右；玉米受旱3.78万亩，成灾2.39万亩，绝收0.3万亩左右；蔬菜受旱1.45万亩，成灾0.88万亩；烤烟受旱0.39万亩，成灾0.23万亩；其他作物受旱0.68万亩，成灾0.41万亩。全县共投入抗旱机具2474台（套），投入抗旱资金206.33万元。

2012年，县发生稻瘟病危害，主要涉及雅水镇摆炉、街上、长坝、抵麻、洛平等村，摆榜乡，斗底乡、羡塘龙虎村、太阳乡摆王村等地，共计166亩，均为杂交水稻（Y两优5845）。主要原因：1.Y两优5845易感稻瘟病；2.雅水、羡塘等是稻瘟病多发区；3.全县水稻抽穗期前后多雨，呈高温高湿气候，适宜稻瘟病发生；4.种植Y两优5845的农户未进行种子处理及进行药剂防治。导致上述地区种植Y两优5845的农户166亩面积发生穗颈瘟，出现白穗而绝收。

第四节　农作物保护

1978年，县植保植检站成立，负责全县农作物病虫害预测预报、植物检疫及防治技术推广工作。1987年被列为全国区域测报站；1992年国家投资30万元建设惠水县区域测报站；1994年竣工建成办公楼492平方米，观测圃2亩，购置计算机、显微镜、解剖镜等仪器设备，改善了办公条件。为农业部及省、州植保部门提供可靠的病虫害发生动态数据，为预测预报积累资料，为县委、县政府指导大田防治提供科学决策依据。2002年加挂“惠水县农药监督管理站”牌子，增加农药市场监督管理工作。2007年3月，申报“惠水县农业有害生物预警和控制区域站建设项目”；2008年3月，获批项目总投资287万元，其中：中央投资265万元，地方配套22万元。项目于2008年10月正式启动，2012年完成项目批复各项内容并通过验收，建设完成了检测用房、应急防治药品及施药器械仓库1278平方米、农作物病虫标准观测场8.2亩，采购仪器设备441台（套）。通过项目建设，县植保基础设施得到极大改善，成为了拥有设备先进、功能齐全、结构完整的农作物有害生物预警和控制区域站。初步具备现代化水平的防灾减灾体系，对农业有害生物的信息处理能力和预警控制能力明显增强。农业重大病虫害预报准确率在原基础上提高5至10%，灾害预报能力由短期向中长期跨越，预警期限提前1个月以上，增强了预警控制主动性，使农作物因有害生物造成的损失率控制在5%以下。能够为政府及主管部门决策提供科学及时的依据，及时向广大农民发布防治技术信息，指导全县病虫害防治工作。同时，使县农业有害生物灾害预警工作实现观测规范化、数据传递网络化、预报信息可视化，对重大病虫的应急控制能力得到进一步提高。

一、农作物病虫害发生及其防治

（一）粮油作物病虫害

水稻病虫害：20世纪70年代后，全县的水稻病虫害有10多种，主要病虫害有稻飞虱、稻纵卷叶螟、二化螟、稻秆潜蝇、稻瘟病、纹枯病、稻曲病。其中稻飞虱、稻纵卷叶螟随迁入量大小在县呈间隙性大发生，稻瘟病在高海拔低温冷凉地区随温度和湿度变化呈间隙性大发生。2007年，水稻霜霉病在县首次发生，2008年经省州专家鉴定水稻南方黑条矮缩病在县发生，该病由稻飞虱传播，为县水稻主要病害之一。

玉米病虫害：主要有：玉米大小斑病、锈病、玉米螟、大螟、粘虫、小地老虎、蚜虫。粘虫在县局部地区呈间隙性大发生，其中2008年发生面积最大，除危害玉米外，牧草也遭受严重危害，是年玉米受害面积1.2万亩，牧草受害面积2万亩，水稻受害面积200亩，造成较大损失。

小麦病虫害：主要有白粉病、条锈病、叶锈病，主要虫害有蚜虫、麦红蜘蛛。其中白粉病常年在县发生均较重，条锈病在2001、2002、2003、2008、2009年发生较重。

马铃薯病虫害：主要有马铃薯晚疫病、环腐病、病毒病，虫害主要有蚜虫、红蜘蛛。

油菜病虫害：主要有油菜霜霉病、菌核病，虫害主要有蚜虫。

（二）蔬菜病虫害

主要有：霜霉病、软腐病、晚疫病、白粉病，虫害有小菜蛾、菜青虫、蚜虫、美洲斑潜蝇。

（三）果树病虫害

柑橘主要有柑橘红蜘蛛、柑橘蚧类、柑橘潜叶蛾、蚜虫、柑橘大实蝇、烟煤病等，柑橘小实蝇2006

年后危害逐年加重，2015年成为主要害虫，危害柑橘、桃子等多种果实。其他果树病虫害：主要有梨小食心虫、梨锈病、梨黑斑病、梨黑心病、桃小食心虫、桃蛀螟、桃蚜、桃潜叶蛾、桃缩叶病、桃流胶病、桃褐腐病、葡萄霜霉病等。

（四）茶树病虫害

主要有茶饼病、茶轮纹病，虫害主要有：茶假眼小绿叶蝉、茶棍蓟马、黑刺粉虱、蚜虫、茶毛虫等。

（五）主要病虫害防治

2000年前，推广以农业防治、物理防治及化学防治为主的综合防治技术。是年后，大力提倡“绿色植保、公共植保”的植保理念，推广应用频振式杀虫灯和诱虫黄板、蓝板诱杀害虫的物理防治，推广使用高效低毒低残留农药吡虫啉、吡蚜酮等。2006年以来提倡统防统治，提高防治效果，从2006至2013年，全县共组建植保统防统治服务组织62个，拥有机动喷雾器621台，机防队员600余人，做到机防组织覆盖全县各乡镇，县病虫害应急防控能力得到有效提升。2015年开始大力推广统防统治及绿色防控融合技术，实施“到2020年农药使用零增长行动”计划，减少农药面源污染，实现农产品质量和环境安全的目的。

稻瘟病　是水稻主要病害，在水稻各个生育期都可发生，苗瘟、叶瘟、节瘟、穗颈瘟、枝梗瘟和谷粒瘟都有发生，以穗颈瘟对产量影响最大。2000年以来，由于气候及病害生理小种变异，稻瘟病在县局部地区大发生频次较高，水稻发生较重的品种是金优63、金优桂99。初侵染源主要是田间病稻草，水稻播种后，当温湿度适合时，堆放在田间的病稻草产生分生孢子向周围扩散，是引起周围秧苗或稻株发病的初次侵染菌源，秧田或大田发病的稻株，引起苗瘟、叶瘟、穗颈瘟、枝梗瘟、谷粒瘟的发生，其病部产生的孢子又可传播到其他稻株上引起再发病。叶瘟流行盛期6月—8月，穗瘟病流行盛期8月中、下旬。

分布区域：常年重发区有摆榜、雅水、抵季、太阳、摆金，受气候因素影响好花红镇百鸟河村、满意村、涟江街道长征村、羡塘镇等地稻瘟病也曾发生，造成较大损失。

防治方法：稻瘟病的防治采取选用高产抗病良种为基础，消灭菌源为前提，搞好健身控害栽培提高抗性，适时科学用药的综合防治措施。

稻飞虱　是一种远距离迁飞性害虫，优势种群是白背飞虱，每年4月随西南气流开始迁入，主迁入期多在5至6月，褐飞虱主迁入期多在7至8月。降雨、下沉气流有利迁入降落。白背飞虱每年在县发生4代，第3代为主害代，第3代主害期在6月下旬至7月上旬，第4代主害期在7月下旬至8月上旬。迁入早的年份可为害秧田。褐飞虱为插花型发生，主害期为抽穗期至腊熟期（8至9月），由于水稻进入生长后期，农户易忽视田管理，危害重时常造成全田绝收。

分布区域：全县均有发生。

药剂防治方法：低龄若虫高峰期用吡虫啉、吡蚜酮、噻嗪酮进行喷雾防治。

稻纵卷叶螟。是一种远距离迁飞性害虫，不能在县越冬，同稻飞虱一样，每年随西南气流迁入县产卵繁殖为害。主迁入期在5至6月，为害盛期在6月中旬至7月上旬，部分稻区7月下旬—8月中旬还会发生为害。

分布区域：全县均有发生。

药剂防治方法：低龄幼虫高峰期用毒死蜱、氯虫·噻虫嗪、氯虫苯甲酰胺进行叶面喷雾防治，生物农药可使用短稳杆菌、阿维菌素。

纹枯病　水稻病害之一，在水稻分蘖末期开始发生，圆秆拨节到抽穗期盛发，发病的水稻品种有D优527、金优63、金优桂99、K优047。以菌核在土壤中越冬，次年菌核随灌水飘浮于水面上，当温度适宜时产生菌丝，侵入叶鞘为害，引起再次侵染，水稻分蘖盛期开始发生，一般始见期6月25日—7月10日之间，水稻孕穗前，病害横向扩展为主，株发病率增加，孕穗后在稻株上繁殖蔓延，垂直向上扩展，为害严重度增加。过多、过迟追施氮肥，灌深水、通风透光差、田间湿度大的田，有利病害发生，流行盛期8月上、中旬。

分布区域：全县均有发生，坝区重于山区。

药剂防治方法：7月中下旬至9月上旬选用井岗霉素或三唑酮100兑水喷雾，重点喷植株下部。

稻秆潜蝇　又叫稻秆蝇，在县每年发生3代，5月份第1代（秧田期），8月份第2代（孕穗期），以幼虫钻入稻茎为害心叶、生长点或幼穗，第三代幼虫转移到杂草上越冬。秧苗期受害，抽出的心叶上有椭圆形或长条形小孔洞，以后发展为纵裂长条，叶片破碎。生长点被害后，分蘖增多，抽穗延迟，穗小而秕谷增加。幼穗形成期受害，形成“花白穗”，2000年以来该虫危害程度逐年上升。

分布区域：全县均有发生。

药剂防治：低龄幼虫高峰期选用杀虫双、毒死蜱、氯虫·噻虫嗪、氯虫苯甲酰胺进行喷雾防治。

玉米粘虫　为迁飞性、暴食性害虫，又名行军虫或剃枝虫，粘虫幼虫食性很杂。在县主要危害水稻、玉米，还可危害蔬菜、豆类、牧草等多种作物，是一种间歇性暴发成灾的害虫。猖獗为害时，植株被吃成光杆，严重影响农作物的正常生长。粘虫繁殖力强，产卵部位选择在玉米、高粱等高秆作物枯叶尖上；粘虫幼虫孵化后，集中在喇叭口内取食嫩叶叶肉，3龄食叶成缺刻，5龄食量最大，可将叶片吃光。在玉米上多栖息在喇叭口、叶腋和穗部，有假死性，3龄后还可自残，4龄以上能群集迁移扩大为害。幼虫取食活动以傍晚和清晨及阴雨天最盛。粘虫喜温暖高湿条件，降雨有利于其发生。2008年在全县大面积暴发，玉米、牧草遭受严重损失。其余各年在全县不同地区均有发生。

分布区域：全县均有发生。

药剂防治方法：在低龄幼虫高峰期选用杀虫双、毒死蜱等进行喷雾防治。

二、农田草、鼠害

（一）农田草害防治

1992年对全县油菜田、小麦田和水稻田杂草种类进行调查，共计杂草种类37种，其中旱地24种，水田13种，旱地以看麦娘、棒头草、牛繁缕、繁缕、毛茛等发生为主，水田主要以鸭舌草、眼子菜、慈姑、节节草、野荸荠、四叶平等发生为主。

农田杂草防治：1984年前以人工除草为主，1985年后，推广使用稻田化学除草，1991年推广使用旱地化学除草剂草甘磷，1995年后，全县95%稻田全部使用除草剂，旱地平均每年使用除草剂10万亩。

（二）鼠害防治

县农田鼠害在20世纪90年代和21世纪初为中等偏重发生，随着防治水平的提高，2006年后，发生危害减轻，春季轻于秋季，全县发生面积约5万亩，春季主害期在3至5月，秋季主害期在9至10月。春季3至5月是鼠害繁殖和危害高峰期，农田最高鼠害密度6%，农舍最高鼠密度为7%。秋季主害期在9至10月，农田最高鼠密度9.2%，农舍最高鼠密度为8.4%。通过采取“春季主治压基数，秋季挑治保丰收”的治理策略，春季亩挽回损失约20公斤，防治共挽回损失约110万公斤，产生经济效益约200万元。秋季亩挽回损失约25公斤，防治共挽回损失约150万公斤，产生经济效益约250万元。

三、农作物病虫测报

区域测报站建设 1978年，县建成植保站，负责全县农作物病虫害预测预报及防治技术推广工作，1987被列为全国区域测报站，1992年国家投资30万元建设惠水县区域测报站，1994年竣工建成办公楼492平方米，观测圃2亩，购置计算机、显微镜、解剖镜等仪器设备，改善办公条件。区域站建成后，严格调查规范，认真开展稻飞虱、稻纵卷叶螟系统调查和其他病虫害一般调查。

2007年3月，申报“惠水县农业有害生物预警和控制区域站建设项目”，2008年3月，获贵州省农业厅批复，批项目总投资287万元，其中，中央投资265万元，地方配套22万元。项目于2008年10月正式启动，2012年，田间标准观测场建成，是年完成项目批复各项内容，建设完成了检测用房、应急防治药品及施药器械仓库1278平米、农作物病虫标准观测场8.2面，采购仪器设备441台（套）。使县农业重大病虫害预报准确率在原基础上提高5至10%，灾害预报能力由短期向中长期跨越，预警期限提前个月以上，增强预警控制主功性，使农作物因有害生物造成的损失率控制在5%以下。

测报对象 自建站以来县承担全国系统测报对象有：稻飞虱、稻纵卷叶螟、小麦白粉病、小麦锈病、油菜蚜虫。一般测报对象有：二化螟、稻本杆蝇、稻瘟病、稻纹枯病、玉米螟、大螟、粘虫、玉米大小斑病、玉米纹枯病、玉米锈病、小菜蛾、菜青虫、蕃茄晚疫病等10多个对象。

病虫测报信息 1998年以前，主要以电报的形式向农业部植保总站、省、州植保站定时发送模式电报传递测报信息，2002年以传真方式传递，每旬一次进行农作物重大病虫害发生及防治旬报表报送信息。随着互联网的开通及普及，2004年开始以电子邮件报送，2006年后，县建成病虫害数据库，与全国农作物重大病虫害监测预警系统联网。测报信息直接进行系统报送。

四、植物检疫

危险性有害生物普查 1978年，县植保站开展对红火蚁、犁枯梢病、黄瓜绿斑驳花叶病毒病、菜豆象、扶桑绵粉蚧、检疫性实蝇等危险性有害生物调查，每年开展普查36次，普查乡镇10个，调查草地60亩，果园600亩，公路绿化带3000平方米，调查苗木繁殖场4个16亩次，调查苗木花卉盆景800盆。经调查在县发生的检疫性有害生物有：柑桔大实蝇、柑桔小实蝇、美洲斑潜蝇、南美斑潜蝇、稻水象甲、菜豆象。2011年国家将柑橘大实蝇、柑桔小实蝇定为一般病虫害，不列入检疫性有害生物名单内。稻水象甲于2011年5月17日在县长田乡双庆村发现，2012年、2013年均有零星发生，经防控，其扩散蔓延程度得到有效控制。其他地方未发现。2014年，全县6个镇（街道）发现菜豆象疫情。2015年，县没有红火蚁、黄瓜绿斑驳花叶病毒病及柑桔木虱等有害生物的发生。

两杂种子调运及检疫 2004年开始实行种子检疫备案管理制度。2012年备案代销户305户，备案的“两杂”种子数量25.6203万公斤（218个组合），其中：杂交水稻12.9390万公斤（108个品种），杂交玉米12.6813万公斤（110个品种），有效杜绝无证调运而经营种子的现象发生，防止危险性病虫草害的人为传入。

植物调运及产地检疫 为防止危险性有害生物传入，县开展植物检疫调运和产地检疫工作。开展市场检疫检查，实施调运检疫和产地检疫，签发调运检疫合格证书，对植物产品、苗木繁殖材料、种子严格调运检疫，对烤烟、中草药材等搞好产地检疫。

检疫性有害生物监测与疫情防控 在疫区内对柑桔大实蝇、柑桔小实蝇、稻水象甲、美洲斑潜蝇开展疫情监测与防治示范，使检疫性有害生物疫情得到有效控制。

五、农药管理

2002年，成立县农药监督管理站，开始开展农药市场管理工作。2002至2006年，农药经营许可证由县农药监督管理站核发，累计办理农药经营许可证143户，农药经营市场得到有效治理，2006年后，由县安监局核发农药经营许可证，但仍继续开展农药市场监督管理。

第五节　肥料施用

一、有机肥

有机肥料亦称“农家肥料”。凡以有机物质（含有碳元素的化合物）作为肥料的均称为有机肥料。包括人粪尿、厩肥、堆肥、绿肥、饼肥、沼气肥等。具有种类多、来源广、肥效较长等特点。县的有机肥源比较丰富，20世纪60年代前，农业生产以有机肥为主要生产资料，全县境内农作物种植全部施用有机肥料，20世纪80年代后由于化肥产业的快速发展，有机肥料在总养分投入中所占比例减少。县有机肥使用主要有：

1、厩肥、堆肥

以杂草、粉碎的植物秸秆、人畜粪尿等为质料堆沤而成的肥料，一般有机质含量在15-41%之间，可量体裁衣运用，结合春、秋耕做底肥。

2、绿肥

绿肥又称肥田草，是用绿色植物体制成的肥料，主要用作底肥。绿肥是一种养分完全的生物肥源，能为土壤提供丰富的养分。绿肥种植为县提升土壤肥力提升起到了积极的作用。县绿肥作物主要有豆科绿肥苕子、大豆等，非豆科绿肥主要是油菜。

二、化肥

县内化肥使用是从20世纪60年代初开始，于70年代，提倡氮肥、磷肥混施，由于多年施用磷肥的实践效益明显，因而逐年扩大使用量，至七十年代末，平均亩施约13-15公斤左右。80年代，县内推广氯化钾、硫酸钾、磷酸二氢钾等钾肥和含钾复合肥，烤烟在施用钾肥后品质有了提高。到80年代末，氮肥使用已经在镇内农业生产中占据重要地位。2000年后，磷肥、复合肥的施用量激增；因化肥施用方法简单，省工，见效快，县内大多数农户在生产过程中，对化肥的依赖性越来越强，化肥的施用量逐年增加。随着化肥越用越多，肥料的效率却越来越低，土壤问题随之加剧，为解决上述问题，农业部在2004年提出了测土配方施肥理论，2008后测土配方施肥补贴项目在县开始推广实施，建立了相应的科学施肥体系，重视有机-无机肥料的配合施用，指导农民合理施肥，农民群众对肥料的认识有一定的提高，施肥结构有一定的改善，氮、磷、钾配比日趋合理，相比以前农民重氮轻磷钾的施肥习惯，微量元素中的硼肥、锌肥等微量元素肥料在油菜、水稻、辣椒等作物上也开始施用。氮肥用量比例逐年下降，磷钾肥用量逐年增加。从2008年到2015年止，县农用化肥施用量按折纯计算从7797吨/年增加到10366吨/年，其中：氮肥从5651吨到5755吨，磷肥从1208吨增加到1600吨，钾肥从192吨增加到728吨，复合肥从746吨增加到2283吨。

1978—2015年农用化肥施用量表

表8-23

年度	农用化肥施用量（单位：吨）
1978	2055
1979	3343
1980	2907
1981	3818
1982	3946
1983	2951
1984	2637
1985	2972
1986	4258
1987	4067
1988	3781
1989	4031
1990	4125
1991	4894
1992	5485
1993	5700
1994	5687
1995	8350
1996	6437
1997	6300
1998	6309
1999	8358
2000	8114
2001	9023
2002	6123
2003	6472
2004	7145
2005	7297
2006	7414
2007	7721

续表8-23

年度	农用化肥施用量（单位：吨）
2008	7797
2009	7979
2010	7227
2011	7790
2012	7896
2013	7841
2014	9921
2015	10366

第六节　农业技术推广

一、机构

1978年，全县六区一镇均有农业技术推广部门，负责全县的农业技术推广工作。1991年后，在县25个乡镇均有农业技术推广站负责本乡镇农业技术推广工作，并受县级农业推广部门指导和乡镇党委政府的双重管理。2014年，乡镇行政区划调整，25个乡镇农业技术推广站改为行政区划调整后的10个镇（街道）农业服务中心，农技推广队伍的“三权”下放到镇（街道）。

二、项目推广

1978至2015年，县乡农技推广部门投入各项重点农技项目100余项，特别是2004年后，县实施省部级的“粮食增产工程项目”“超级稻高产栽培”“优质杂交水稻推广”“农业部粮油高产创建项目”等重大项目实施，给全县的粮食综合生产技术的集成带来了契机，推进农机与农艺结合，促进水稻、玉米、小麦等粮食作物轻型栽培技术的发展，确保粮食生产的持续发展。2009年实施的农业部水稻高产创建，经省州专家组在雅水镇大龙村冷水组的刘小九责任田2.5亩进行临田测产验收，亩产为919公斤高产，项目区平均亩产为701.4公斤；2009年实施的贵州省粮食增产工程项目，玉米县级示范点在三都镇上衙村6组厉天华的责任地2.3亩进行测产验收，亩产为839公斤；2009至2010年，实施的小麦高产创建项目好花红项目区，最高田块产量为405.69公斤。

（一）粮食作物

杂交水稻。1978至2015年，累计种植面积711.45（推广杂交水稻种植累计面积604.73万亩，占85%）万亩，平均单产417.21公斤，总产296.82万吨，先后共推广杂交水稻品种组合100多个。1978至1984年，主要以威优系列品种为主，推广品种有威优2号、威优6号、汕优2号、汕优6号、珍珠矮等；1985至2000年，以汕优63、协优63、冈优系列、K优5、K优047、Ⅱ优系列等为主，推广品种有汕优63、协优63、冈优12、冈优22、K优5号、Ⅱ优162、Ⅱ优63等品种组合；2001至2009年以金优系列、D优系列、宜香优系列等品种为主，推广品种有金优桂99、金优527、金优725、金优117、中优117、中优808、宜香优1577、T优300、D优527、湘优109、准两优527、川江优527、宜香725、泰优99、丰优香占等为主推品种；2010至2012年，以中优808、科优21、遵优3号、T优300、T优618、中优117、金优117、江两优3号等高产优质品种组合。2015年全县水稻种植面积17.3955万亩，平均亩产466.54公斤，其中，推广杂交水稻面积17.05万亩，占98%。

杂交玉米。1978至2015年，累计种植336.58万亩，其中，累计推广杂交水稻种植面积235.61万亩，占70%。平均单产229.36公斤，总产77.2万吨，先后推广近100多个品种组合。在2000年前，主要以贵毕系列（贵毕301、贵毕303）、农大108、中单2号、京延白等品种为主；2001至2010年，以三北、黔单、黔玉、遵玉、奥玉、临奥1号等系列为主；推广以三北2号、三北6号、遵玉3号、登海3号、奥玉17、奥玉3202、黔玉3号、中单808、贵单8号、贵单6号、裕玉308等品种。2015年全县推广杂交玉米面积9万亩，平均亩产293.05公斤。

小麦。1978至2015年，累计小麦种植面积457.66万亩，平均单产97公斤，总产443.93万吨，推广杂交小麦种植面积256.11万亩，占55.96%。先后推广近20多个品种。在1995年以前小麦种植主要以当地的品种为主，1996—2008年，以绵阳系列、川麦系列、内麦系列、黔麦系列为主，推广以绵阳26、绵阳24、川麦42、内麦836、黔麦17等品种为主；2009年后以丰优7号、丰优8号、贵农25、贵农19、黔麦18等品种为主。2015年县的小麦种植面积为7.66万亩，平均亩产为116.06公斤。

（二）油料作物

全县油菜年种植面积均在6万亩以上。1978至1994年，县的油菜种植主要以本地的白菜型、芥菜型品种为主，1995年后，县以秦油系列、油研系列、黔油系列等品种进行推广，以秦油2号、秦油7号、油研9号、油研7号、黔油12、黔油16、黔油18、黔油22等品种，2014至2015年，全县油菜种植面积为7.5万亩，其中杂交油菜推广面积为80%，平均亩产为98.3公斤。

三、耕作技术

（一）县的水稻栽培模式分为三个阶段。第一阶段：1978至1990年，以湿润育秧为主。第二阶段：1991至1998年，以温室两段育秧为主，其中1998年为13.5万亩，占71%。同时在90年代初推广宽窄行栽培。第三阶段：1999至2015年（2005年后县开始进行水稻机械化育秧，到2015年全县水稻机插秧达3万亩以上，稻田机械翻犁60%以上）水稻育秧主要以旱育秧和温室两段育秧为主，占水稻育秧面积的90%。

县内水稻的主要栽培模式为：杂交水稻+两段育秧+宽窄行移栽+配方施肥+水浆管理、杂交水稻+旱育秧+宽窄行+配方施肥+水浆管理、杂交水稻+机械化育秧+机插秧+配方施肥+水浆管理，三种栽培模式均配套病虫综合防治技术。

（二）玉米栽培模式。1978至1990年主要以传统的直播种植方式为主，种植不规范。1991年后，惠水县的玉米栽培主要以杂交玉米+育苗（营养球或营养块）+宽窄行单株定向移栽+配方施肥+病虫综合防治和杂交玉米+定向直播+宽窄行+配方施肥+病虫综合防治。其中，2005年县年推广玉米育苗移栽均在10万亩以上，随着农村劳动力的转移，玉米种植主要以轻型栽培为主。

（三）小麦栽培模式。小麦栽培75%面积主要以净作为主，烤烟区以分带轮作方式进行种植，即：稻茬麦和麦烟。

（四）稻田耕作制度。县的稻田（城郊）以菜—稻—菜为主，山区或半山区以稻—麦或稻—油两熟的耕作方式，菜—稻—菜栽培模式以涟江坝区的和平、三都、高镇、长田、大坝、好花红等地为主，2012年-2015年，全县稻田多熟制种植面积稳定在17万亩以上。其中：菜—稻—菜栽培模式为7万亩、稻—麦4.4万亩、稻—油4万亩、稻田马铃薯种植1.6万亩。

（五）油菜栽培模式。油菜种植以稻田种植为主，在推广技术上以杂交油菜、育苗移栽、免耕移栽、病虫害综合防治等技术。

（六）马铃薯栽培模式。在涟江坝区主要以净作夏收为主，占马铃薯种植面积的85%以上；山区以套种（玉米洋芋套）秋收为主，在种植上以分厢和双行起垄栽培方式为主，部分为免耕栽培；在2009年以前，推广的主要品种有威芋系列、米拉等品种，自2010年后，主要推广以费乌瑞它、宣薯2号、中薯等品种为主；2015年，县马铃薯种植面积为6万亩，其中，脱毒马铃薯4.5万亩。

（七）一年多熟推广。主要推广小青瓜—水稻—白菜—白菜一年四熟模生产模式，亩产值可达12800元，其中小青瓜产量5000斤，产值5000元；水稻产量1200斤，产值1800元；白菜（第一季）10000斤，产值4000元；白菜（第二季）8000斤，产值2000元。1985年，在奇龙村开始推广，后逐步扩大到惠民村、首创村、关岭村、九门村、栗木村。1993年推广面积最大，达2万余亩。后由于比较效益下降，逐年萎缩，到2015年只有首创村、关岭村、惠民村、九门村部分区域尚存，面积在3000亩左右。

第七节　种子管理

1978年，县种子站和县种子公司是两块牌子，一套人马，隶属于县农业局。种子管理是计划管理、统一供种时期。1978年5月，恢复和建立种子公司和种子基地，实行行政、技术、经营“三位一体”的管理体制，健全良种繁育推广体系，逐步实现品种布局区域化、种子生产专业化、种子加工机械化和种子质量标准化；实行以县为单位统一供种，称为农作物种子“四化一供”。县种子站为县种子公司内设机构，两块牌子一套人马，事业单位企业化管理，公司经理兼种子站站长，服务在县种子管理和经营战线上，其主要职责为农作物良种引进、试验示范、种子供应、种子管理与种子行政执法工作。

1980年，种子购销以“以粮换种”和“种、粮脱钩，以货币计价”两种方式，实行县、乡、村多层次供种。种子公司开始在海南、罗甸和县内部分乡镇进行“两杂”制种，由于制种技术还不够成熟和设备不完善，制种产量特别低，最高亩产50公斤，最低亩产0.7公斤。全县用种主要依靠向外调种供应。在计划经济管理之下实行的“四化一供”，为种子管理规范化和种子生产的计划性，奠定了县种子公司计划管理、垄断经营的基础。

1984年，为适应农业农村经济体制改革的总体形势，将种子管理职能划归农业行政部门，种子经营由种子公司负责，行政、技术、经营“三位一体”，仍执行一套人马，两块牌子，政企不分。当时种子公司人员有12人，并负责县在羡田、龙家苑、班家苑等地制种，由于制种技术的不断成熟设备的不断完善，县的“两杂”制种产量有所提高，仍不能满足县农业生产的用种需求。

1989年3月，国务院发布《中华人民共和国种子管理条例》；1991年6月，农业部颁发《中华人民共和国种子管理条例农作物种子实施细则》，重申国家种子公司是种子经营的主渠道，进一步强化了县种子公司的垄断专营地位。1992年3月，县种子公司从农业局剥离出来，成为独立核算的种子经营单位。在对外封闭的计划经济时期，县种子站参与种子管理，提供技术服务，开展种子经营，集行政管理、技术服务、种子经营于一体。缺乏相互制衡和约束。

2000年《中华人民共和国种子法》颁布实施，从中央到地方一系列种子管理等法律法规相应出台，形成较为完善的种子法律体系，农作物种子的管理步有法可依、依法治种。

2002年，县种子管理站成立，编制5人，为县农业局的股级单位。

2006年5月，国务院办公厅印发《关于推进种子管理体制改革加强市场监管的意见》，对推进种子管理体制改革、完善种子管理体系和强化种子市场监管等工作提出要求：政企分开，县种子公司移交县国有资产管理机构管理；明确种子管理站受农业行政机关的委托，行使农作物种子管理职责；建立种子市场监管长效机制，完善管理制度，严格种子企业市场准入，加强品种和种子质量管理，强化种子市场监管。随着一系列法律法规的实施，结束计划经济时代国有种子公司垄断经营模式，种子市场彻底放开。

根据《中华人民共和国种子法》及相关法规之规定，县种子公司时有条件未能达到相关规定，自然失去进入种子市场资格。2007年7月，实施改制结束，退出种子市场。2014年，县农作物种子经营备案进入《贵州省农作物种子备案登记》系统，全省联网。种子来源、生产经营许可、质量等的真实性和合法性都在网上审核，备案数量、种子管理基础信息等上报《全国种子管理系统信息统计》。

2015年，县域内种子经营企业由原来的独家经营扩大到30多家。贵州富帮、隆平高科、贵州筑农科、贵州联农、奥瑞金集团、贵州国豪、贵州友禾、北京金色农华等多家种业企业先后入驻惠水，乡镇种子经营代销户扩大到140多户。

良种推广　种子经营模式由计划经济时代的农业部门宣传、指导、命令式的推广模式，转变为政府推动、企业推广、市场拉动等多种模式相结合的农作物种子推广模式。依靠高产品种、优秀品牌和优质售后服务赢占终端市场，让农民群众买到放心的农作物种子。《种子法》颁布前，县的农作物种子都是散装或普通塑料袋装销售，标签内容简单，价格由国家指定。《种子法》颁布后，种子包装、审定名称及编号、生产经营许可证号、生产单位和时间标注、使用说明，种子经营台账、进销凭证等全面规范。县粮食增产主要因素为良种推广。如杂交玉米的黔单、遵玉、登海等品种平均亩产在450千克左右，杂交水稻的T优、中优、金优平均亩产在500千克以上。

杂交水稻：2000年前品种少，仅为汕优63和威优63，2000年后逐步发展，2001至2005年以岗优22、岗优12、K优047、K优5号、Ⅱ优838、Ⅱ优63等品种为主，2006—2010年以D优527、岗优527、金优527等品种为主，2011年后中优、宜香、金优等高产优质的香型稻米系列品种开始入市。

杂交玉米：2000年前农大108、中单2号等品种占绝对比重，2001年后三北、黔单、遵玉、奥玉等系列品种入住，推广率90%以上。2010年后发展迅速，据统计大批高产优质的品种进入县种子市场，县每年“两杂”品种超过100个，脱毒洋芋、辣椒、大豆等作物品种的种子也进入到商品生产时代，品种优质化程度逐年上升。

第八节　茶　叶

惠水县是贵州省43个重点产茶县之一，属都匀毛尖核心产区之一、“都匀毛尖茶”产业核心基地规划带。茶园基地主要集中分布在岗度镇、摆金镇、雅水镇、涟江街道、濛江街道等地，集中规模化程度不高，惠水茶叶种植品种较为单一，茶叶种类多为中叶类型，有少量的大叶高树茶，主要以贵定鸟王、福鼎大白和都匀毛尖本地种为主，占全县品种90%以上。在岗度镇龙泉村摆祥组至今还保存有部分百年以上的大叶种古茶树资源。县内茶叶生产主要以加工绿茶、红茶为主。

1978年，全县茶叶资源主要以野生乔木型和当地灌木型茶树为主，有部分大队建有小规模茶场和农户零星栽培。据不完全统计，全县共有茶园4000余亩，主要以野生茶树资源为主，少量农户和公社零星种植，其中野生古茶树资源3000余亩，农户自身发展零星种植茶园1000余亩，可采摘面积3000余亩，占总面积的75%，产值80吨，较为集中的古茶树资源位于岗度龙泉村、摆金关山、单耙、断杉定理。100亩以上的规模茶场有4个，其中姚哨区大坝公社知青茶场种植面积400亩；姚哨公社上马司大队茶场种植面积300亩。摆金区甲浪公社单耙大队茶场800亩；摆金公社马道大队茶场种植面积300亩。摆金区关山公社、岗度公社、本底公社、断杉区定理公社、王佑区雅羊公社、三都区三都公社等均有少量种植。这些大队茶场生产的茶叶由供销社统购统销。第一轮土地承包到户后，原有茶场分配给当地农户管理，利用当地品种的茶果在自己承包经营的土地、田埂周边种植茶树，除用于自身饮用外，大都在市场流通销售。

1991年，全县除野生茶树资源以及部分茶农零星栽培以外，开始出现集中化经营栽培管理，主要有七里冲茶园、斗底畜牧场茶园等。茶园面积从1990年的3500余亩增加到2000年的6000余亩，平均增速5.42%；采摘面积由1990年的3000亩增加到2000年的4900余亩，平均增速3.06%。平均产量120余吨。其中最具代表的是1991年用福鼎大白茶果在七里冲农场集中种植500亩，在岗度斗底畜牧场集中种植300亩；1994年用福鼎大白茶果在岗度盘龙集中种植500亩。期间，惠水茶叶开始形成规模化生产，首家规模茶叶生产、加工企业是惠水县斗底畜牧场，县加强茶叶品牌建设，创建具有一定影响力的品牌两个，即：七里冲“九炉山”牌九龙毛尖茶和“牟氏珍珠”毛尖茶，其中“九炉山”九龙毛尖茶九四年荣获“中茶杯”二等奖，1995年被评为“贵州名茶”。

2001至2008年，全县茶园从2000年的6000余亩增加到2008年的8900余亩，平均增速4.86%，比1990年至2000年减少0.56个百分点。全县有规模成优型茶园4处七里冲茶果场、岗度盘龙茶场、岗度王德周茶场、斗底畜牧场茶场，“九炉山”牌九龙毛尖茶、“盘龙牌”毛尖茶、“龙塘山”毛尖茶。

2008年，成立茶产业发展管理专门机构，制定惠水县茶产业发展规划，先后出台茶产业发展优惠政策，加大茶产业投入力度，加快茶园建设步伐。

2011年，全县有规模茶叶生产、加工企业10家，即：贵州美福生态农业有限公司（原七里冲茶果场）、贵州三月天茶业有限公司、贵州长禹建设工程有限公司、贵州同茂投资有限公司、贵州神农土地开发有限公司、七里冲牟氏茶庄、斗底畜牧场、岗度乡盘龙茶场、岗度乡摆若茶叶合作社、惠水县岗度

茶山（2014年摄）

发展茶产业（2014年摄）

盘龙茶果专业合作社。其中：贵州美福生态农业有限公司（原七里冲茶果场）、贵州三月天茶业有限公司、贵州长禹建设工程有限公司、贵州同茂投资有限公司、贵州神农土地开发有限公司五家企业，是2011年招商引资入驻惠水发展茶产业。

2012至2015年，增加茶叶生产加工企业24家，即：贵州黔色国香茶叶业有限公司、贵州云顶茶叶有限公司、贵州荣坤茶叶有限公司、惠水知茶茶叶有限公司、贵州百鸟河茶业有限公司、惠水县奇峰种植农民专业合作社、贵州惠水小关茶叶种植农民专业合作社、贵州惠水咕噜苗乡茶叶种植农民专业合作社、惠水县旁才茶叶种植专业合作社、惠水县野鹿茶叶种植农民专业合作社、惠水县满告毛南茶叶种植专业合作社等。2012年县茶办牵头对全县古茶树资源进行摸底调查，古茶树群主要分布在岗度摆祥、摆金关山、甲烈、断杉定理等地有2000余株。其中在摆祥和定理各有一株经林业部门、茶专家估算已有上千年的历史，大部分均在200年以上。对这些古茶树县委政府高度重视，县林业局和县茶办制定保护措施，进行挂牌保护。

截至2015年底，全县茶园总面积发展到22347亩，其中投产茶园14716亩，年干茶总产量521吨。茶园主要分布在岗度、宁旺、摆金、雅水、太阳、断杉、甲绒、和平、高镇、甲烈等地，县内其他地区均有零星种植。

是年，惠水已有茶叶企业、合作社34家，其中：2012年贵州美福生态农业有限公司和贵州三月天茶业有限公司分别获得州级龙头企业称号；惠水县岗度盘龙茶果专业合作社国家级示范社称号；惠水县奇峰种植农民专业合作社获得州级示范社称号。贵州美福生态农业有限公司于2012年通过了QS认证，并注册有“美福MAYFORD”毛尖茶品牌。贵州百鸟河茶业有限公司于2014年通过了QS认证，并注册有牟氏牌“琥珀红”红茶、“牟氏红茶”“牟氏香珠”绿茶等系列品牌。部分茶企、合作社在取得“都匀毛尖”商标授权使用的基础上，勇于探索、大胆创新，创建了“涟江古茶”“涟江毛尖”“鉴春毛尖”等茶叶品牌，其中贵州惠水奇峰农民种植专业合作社的“涟江毛尖”2014至2015年获得“黔茶杯”特等奖，由于连续两年评比成绩优异，被授予“黔茶杯”金奖。

表8-24

1993～2015年县茶叶种植面积及产量情况表

年度	总面积（公顷）	采摘面积（公顷）	年产量（吨）
1993	286	205	89
1994	288	207	80
1995	309	217	91
1996	285	191	95

续表8-24

年度	总面积（公顷）	采摘面积（公顷）	年产量（吨）
1997	305	232	140
1998	334	248	162
1999	262	55	191
2000	410	302	193
2001	456	350	204
2002	460	400	250
2003	367	287	207
2004	537	340	261
2005	543	349	296
2006	550	353	308
2007	584	378	334
2008	596	389	366
2009	651	402	404
2010	735.7	735.7	420
2011	792.5	792.5	450
2012	1090.8	802.9	463
2013	1175.87	873.6	469
2014	1297.47	933.2	492
2015	1489.8	981.07	521

第九节　国有农场

一、七里冲茶果场

七里冲茶果场位于县城西南面四公里处，始建于1956年7月，是由贵州省农业厅土地利用筹建起来的国有（营）农垦企业场。称“贵州省惠水果树苗圃”。1963年5月转给贵阳市农业局管理，改名为“贵阳市惠水果树场”。1963年10月又转给黔南州农业局管理，改名称为“惠水果树场”。1965年10月移交给惠水县，由县农业局管理，更名称为“惠水县七里冲果树场”。1991年农场利用农业综合开发项目资金，新垦植茶园486亩后，于1994年6月将“惠水县七里冲果树场”更名为“惠水县七里冲茶果场”。

七里冲茶果场主要以生产、加工、销售茶叶、水果为主导产业，其次以种植水稻等为辅助产业。

2015年4月，七里冲茶果场和黔惠林场资源整合划转至贵州惠水百鸟河数字小镇管理委员会统一管理。

截至2015年，全场总人口564人，在册职工132人。

二、赤土良种繁殖场

惠水县赤土良种繁殖农场位于贵惠路40公里濛江社区。1951年，县政府把惠水太平寺农业示范站搬到赤土成立了惠水县地方国营农场。

赤土农场主要从事水稻、小麦、玉米等粮食作物，优良品种的引进，繁殖和推广示范。

2012年前，农场实行事业管理制度，经费自收自支，不足部分由县财政实行差额补助。2013年后，农场职工工资由县财政拨付，农场土地划归国资办，农场收入上缴县财政，由农工局代管。

三、斗底畜牧场

斗底畜牧场原称“飞跃畜牧场”，位于县城东面43公里的岗度镇宁旺社区辖地。1958年惠水县建立。1977年改称“斗底畜牧场”；全场按自然区划，分场部、羊房、新房子3个产业作业片区。畜牧局地势北高南低，平均海拔1400米，山地、丘陵、盆地交迭起伏。耕地面积中，山地、丘陵地、山间盆地分别占34%、40%、26%。是一个较为典型的半山地形。耕地具有相对连片的特点，便于管理和科学耕作。牧地广阔，牧草鲜嫩，具有较大的畜牧业生产的开发价值。属中亚热带季风湿润气候，无霜期较长，雨热同季，温差较小，资源丰富，适宜稻、茶、竹、林、果、药、牧草的生长。

场内盛产大米，经济作物有竹茶。生产的素有“药米”之称的黑糯米特产，誉为高原“黑珍珠”，曾列入国家“星火”发展计划。农场先后被评为“贵州绿色生态企业”“贵州食品安全AAA级诚信企业”“贵州信用评价AAA级信用企业”，注册“惠涟龙塘山茶”商标，2014年在黔南州首届“都匀毛尖斗茶大赛”获铜奖；2015年第二届“都匀毛尖斗茶大赛”获优质奖。

1993年前，农场职工全部由财政供养，生产收益上缴县财政，运行经费报县人民政府批拨。干部调入（出）必须由县委组织部批准，职工入场必须由县劳动局批准，

1994年，政企分开，农场实行自主经营，自负盈亏。2011年，农场被国家农业部农垦局定为“十二五贫困农场”之一，贵州省4家，黔南仅惠水斗底畜牧场一家。

2015年，农场有土地面积18024亩，其中：稻田面积840亩，旱地600亩，森林（竹木林）1000余亩，茶叶1300亩（包括1999至2003年，小河开发区开发成形土地4000亩，2007至2008年省国土厅开发成形土地500亩，其他9784亩）。农场内设机构有：行政办公室、财务室、农业生产办公室、治安管理办公室、茶产业办公室、综合服务办公室、生产队。全场总人口368人，在职职工11人，退休职工31人，家属、子女326人。农场除在职（退休）职工42人，全部纳入基本养老保障体系，家属及子女326人以户口为单位承包租赁稻田安置，养老保险自行解决，只享受农村合作医疗保险。

第七章　养殖业

第一节　畜牧养殖

一、畜禽产品

1978年前，由于农村经济比较落后，畜牧业生产水平很低。长期封闭落后的饲养管理，畜禽的生长繁殖是顺其自然，饲养方法原始，饲料转化率低，生长缓慢，养殖周期长，生产效益低，畜禽出栏率、商品率低。1978年，全县大牲畜存栏仅60360头，其中：牛55539头，猪存栏92803头，羊存栏10只。食肉

问题不能满足需求。

中共十一届三中全会后，县的畜牧业持续发展，畜产品市场极活跃，主要产品产量逐年递增。到1986年，全县大牲畜存栏85756头，其中：牛79919头，出栏1561头；生猪存栏132749头，出栏72292头；羊存栏87只，出栏13只；家禽存栏447190羽，出栏262765羽；全县肉产量7036.69吨。畜牧业产值3853.38万元，占农业总产值的25.91%。

2006年，县的畜牧业生产创历史新高。全县大牲畜存栏141367头，其中：牛132027头，出栏26063头，分别是1986年的1.65倍和16.7倍；生猪存栏246362头，出栏239636头，分别是1986年的1.86倍和3.31倍；羊存栏2022只，出栏1322只，分别是1986年的23.24倍和101.69倍；家禽存栏1237491羽，出栏1432867羽，分别是1986年的2.77倍和5.45倍。肉产量23526吨，禽蛋产量1665吨，分别是1986年的3.34倍和1.11倍。2007年，县实施生猪标准化项目和草地生态畜牧业项目，不断涌现出许多规模养殖户。2012年末，县共有规模养殖场176个，其中：年出栏千头猪场6个，共存栏母猪338头，出栏6180头；年出栏百头猪场46个，共存栏母猪850头，出栏1.36万头；存栏50头以上养牛场8个，共存栏1530头，出栏406头；存栏100只以上养羊场38个，共存栏5137只，出栏3082只；存栏1000羽以上养禽场78个，共存栏51.7万羽（其中蛋鸡场15个，存栏25.97万羽），出栏家禽23.4万羽。2012年全县大牲畜存栏9.2万头，其中牛存栏8.05万头，出栏1.4万头；分别是1986年的1.07倍、1.01倍和8.98倍。生猪存栏18.47万头，出栏18.48万头；分别是1986年的1.39倍和2.56倍。山羊存栏4724只，出栏2618只；分别是1986年的54.3倍和201.38倍。家禽存栏101.24万羽，出栏家禽112.87万羽；分别是1986年的2.26倍和4.3倍。肉类总产量18734吨，禽蛋产量1559吨；分别是1986年的2.66倍和1.04倍。畜牧业规模户的发展，促进了商品化生产，取得了明显的经济效益。全县畜牧业产值达90042.4万元，占农业总产值的41.01%。2015年全县大牲畜存栏10.69万头，其中，牛存栏9.51万头，出栏1.77万头；分别是2012年的1.16倍、1.18倍和1.26倍。生猪存栏18.52万头，出栏20.14万头；分别是2012年的1倍和1.09倍。山羊存栏6254只，出栏3914只；分别是2012年的1.32倍和1.5倍。家禽存栏99.96万羽，出栏家禽116.19万羽；分别是2012年的0.99倍和1.03倍。肉类总产量20286吨，禽蛋产量1676吨。分别是2012年的1.08倍和1.08倍。

2015年，全县畜牧业产值达70760万元，占农业总产值的22.89%。

1978—2015年惠水县畜禽养殖及畜禽产品情况表

表8-25　　单位：头、只、万羽、吨、万元

年度	大牲畜存栏	其中：牛		生猪		羊		禽		肉产量	禽蛋产量	水产品产量
		存栏	出栏	存栏	出栏	存栏	出栏	存栏	出栏			
1978	60360	55539	—	92803	—	10	—	—	—	—	—	400担
1979	61151	56773	—	87892	48054	—	—	—	—	—	—	219担
1980	64483	59495	414	88083	43083	—	—	246445	—	786.02万斤	—	159担
1981	65939	61065	151	87010	36354	103	2	274171	—	47710担	—	252担
1982	71178	66220	312	94553	53073	147	30	294597	—	61682担	12182担	258担
1983	73316	68175	445	99943	56511	34	—	293062	—	68776担	15230担	375担
1984	77294	71874	992	112510	63801	25	—	347929	—	83480担	24350担	1269担
1985	82442	76936	1438	129717	69168	37	16	438632	—	128551担	30479担	2982担

续表8-25

年度	大牲畜存栏	其中：牛		生猪		羊		禽		肉产量	禽蛋产量	水产品产量
		存栏	出栏	存栏	出栏	存栏	出栏	存栏	出栏			
1986	85756	79919	1561	132749	72292	87	13	447190	262765	7036.69吨	1497.24吨	195.88吨
1987	87330	81595	2206	136198	78152	151	11	465452	212495	7652.86吨	1389.7吨	152.45吨
1988	89805	83761	2357	137167	82646	57	20	519220	253572	8389.52吨	919.87吨	161吨
1989	91907	86030	2917	139395	83386	—	—	515939	—	8670.29吨	1352.62吨	105.546吨
1990	96055	90567	3660	149341	96021	63	13	—	380644	9762.12吨	1332.4吨	303.19吨
1991	96303	90829	7294	153560	98271	81	16	—	363688	10154.73吨	—	316.018吨
1992	97940	92438	6964	161040	108673	95	28	—	460814	10549.03吨	773.72吨	237.31吨
1993	102564	96668	11214	167792	113187	99	31	799732	510879	11500.14吨	—	297.72吨
1994	105587	99334	9085	172209	127782	207	54	756366	382108	12606.2吨	979.7吨	222.18吨
1995	110392	103183	10518	181860	135338	662	171	796736	395422	13614吨	1079吨	213吨
1996	112539	105478	10825	181432	136864	1014	342	576172	424997	13952吨	868吨	234吨
1997	116802	101498	11281	183658	146586	1491	610	683360	471273	14999吨	1243吨	255吨
1998	122166	114300	10241	196811	154286	1692	455	650319	467522	15136吨	1422吨	265吨
1999	120384	114095	15230	185981	133939	1739	838	524166	366509	18292吨	1115吨	273吨
2000	122714	115262	15537	198075	139995	3325	987	524282	367512	18334吨	1120吨	281吨
2001	123473	115461	15548	198884	140085	3357	1115	525385	388632	19003吨	1180吨	295吨
2002	114911	107851	16095	184787	168610	2950	1450	641700	871610	16648吨	1111吨	348吨
2003	121209	114238	19931	199385	186542	2797	1630	832488	947662	17569吨	1180吨	374吨
2004	128927	120710	21942	211583	200904	3223	2042	1036020	1046187	19210吨	1348吨	528吨
2005	135703	126808	24358	232417	225010	1963	1247	1145825	1326729	21900吨	1571吨	595吨
2006	141367	132027	26063	246362	239636	2022	1322	1237491	1432867	23526吨	1665吨	616吨
2007	93858	85790	10766	185209	155603	1778	534	741856	1026485	15217吨	1134吨	650吨
2008	100283	91422	11412	200026	160321	2008	803	852626	1098339	15831吨	1377吨	687吨
2009	103228	93984	13140	204526	174223	3470	1420	925912	1234434	17202吨	1476吨	726吨
2010	104711	94861	13320	206468	180100	3750	1650	935560	1245682	17844吨	1450吨	765.2吨
2011	91449	81106	13322	176530	180156	4300	1900	1009116	1097621	17871吨	1478吨	815.5吨
2012	92034	80495	14012	184650	184840	4724	2618	1012446	1128738	18734吨	1559吨	875.8吨
2013	92274	80504	15986	187917	189131	4897	3110	1009123	1157590	19799吨	1549吨	1158吨
2014	102850	91080	17636	185159	201346	6064	3714	991530	1151796	20060吨	1657吨	1305吨
2015	106850	95080	17706	185169	201396	6254	3914	999630	1161896	20286吨	1676吨	1544吨

二、特种养殖业

（一）野猪

县的野猪养殖受技术、资金、销售因素等的影响，野猪养殖没有形成产业发展。在和平、抵季、雅水、抵麻、羡塘等地曾有养殖。县内养殖规模较大的有羡塘镇西混村罗昌明，从2008年开始试养。主要销往贵阳、广州、惠水及周边地区。2015年末，存栏野猪11头，其中：种母猪8头，种公猪1头，肥猪2头，出栏76头。

（二）香猪

县内饲养香猪猪场仅有涟江街道杨番村1户，由吴利荣投资创办。2007年2月建场，2008年开始试养香猪，累计投入资金近百万元。规模从小到大，养殖效益持续增加，广西，四川、重庆等养殖户曾到此学习养殖技术。2012年，该户存栏种香猪公猪4头、种母猪10余头，仔猪30余头。2014年香猪猪场关闭。

（三）竹鼠

县的竹鼠人工养殖在高镇镇、芦山镇等地，有竹鼠养殖户2户，养殖数量达1500余只，市场价格为100至120元/公斤，其养殖效益较好。高镇竹鼠养殖示范户李勇多次接受中央电视台农业频道采访，为推广竹鼠规模养殖提供借鉴。2015年底，存栏数量1200只。

（四）野鸡

县内大龙、抵麻、抵季等地均有农户养殖。养殖规模较大的有大龙青顺养殖合作社。该养殖场创办于2012年4月，投入资金40余万元。该养殖场养殖的野鸡——七彩山鸡，学名环颈雉，集肉用、观赏和药用于一身，是世界公认的经济价值很高的名贵野味珍禽，被誉为“野味之王”“动物人参”，其肉质细嫩、营养丰富。脂肪含量仅为0.9%，是猪肉的1/39、牛肉的1/8、鸡肉的1/10，基本不含胆固醇，是高蛋白质、低脂肪的野味食品。2013年，购进2000只饲养。

林下养鸡（2011年摄）

（五）珍珠鸡、鹌鹑

县内珍珠鸡养殖有5个示范点，主要分布在打引地区，存栏2000多只，2015年达3000多只。

全县有高镇鹌鹑养殖点1个。2006年在高镇长新村陡水河建鹌鹑养殖场，2009成立养殖合作社。2015年，养有鹌鹑100000只，年销售量30万斤。其鹌鹑蛋主要销往贵阳各大酒楼。

（六）德朗鹅

原产法国西南部的朗德地区，是大型的托罗士鹅和体型较小的玛瑟布鹅经过杂交选育而成。该鹅体型中等，体重7至8公斤，是当今世界上最适于生产鹅肥肝的鹅种。惠水饲养朗德鹅的养殖场位于好花红金田村。该养殖场创办于2011年3月，由苏星华、韩海合资创办，累计投入资金500万元。公司采取公司+农户的模式，无偿向农户提供鹅苗、药品、草种、技术服务。农户把鹅养大后卖给公司，由公司育肥并进行深加工（主要生产鹅肥肝）。2012年，养殖场存栏1000只以上，是年全部售出后，未再饲养。

（七）鲟鱼

县内有濛江街道姚新村、好花红镇小龙村2个、断杉镇新场村3个鲟鱼养殖场。共占地面积60余亩，养殖面积6800平方米。2015年，全县鲟鱼养殖占地面积125余亩，养殖面积28759平方米，产量268吨，平均价格在30元/千克左右，与上年相比价格有所下降，销售模式主要是供应越南、广西、贵阳等周边市场。

（八）大鲵（俗称“娃娃鱼”）

县大鲵饲养主要在雅水镇水头水库、好花红镇小龙村、岗度镇宁旺白水河村3个点。雅水、三都小龙养殖场共占地面积10余亩，养殖面积300平方米，存池大鲵114余尾，其中体重2.5千克以上的亲本30余尾，幼鱼80余尾。

岗度镇宁旺银河大鲵养殖有限公司创办于2011年2月，在溶洞内建成标准养殖鱼池378个，驯养娃娃鱼800余尾。2013年，饲养大鲵1888尾。2015年，饲养大鲵938尾。

第二节　畜牧良种推广

一、猪改

1970年，惠水县在和平镇廖家坡组建“惠水县农业局生猪配种站”开展生猪良种改良，1976年试点推广猪人工授精，1980年后引进良种巴克夏、苏白猪改良本地黑毛猪，在廖家坡和鸭绒鸭寨建立2个猪良种改良点，年改良母猪1000头以内。经过改良后的生猪，以内江种公猪杂交摆金种母猪和巴克夏种公猪杂交摆金种母猪所产猪为最好。生长体格大，产仔多。

1982年，县畜牧局从县农业局分离。1988年后，惠水县农业局生猪配种站更名为惠水县畜禽品改良站，编制16人。

1988年后，县每年引进50至100头良种公猪对全县母猪进行杂交改良，品种从脂肪型转化为瘦肉型，代表品种有大约克夏、长白、杜洛克。通过走出去、请进来的方式加大对猪人工授精技术的培训，培养了一批乡土技术人员，使县猪人工授精技术水平得到较大提高，猪的受胎率从50%提高到95%。全县建立猪良种推广体系、良种猪改良点100余个，其中人工授精点10个，改良面覆盖全县乡镇。引进良种公猪饲养，实行半价补贴，极大激活了改良速度。养猪业经过品改，全县黑猪变白猪，肉质、产量均有较大提高。至1990年，县主要推广的品种有关岭猪（摆金六白猪）、内江猪、巴克夏、苏白猪等，20世纪90年代后，主要推广长白、约克、杜洛克、香猪等品种。外来优良瘦肉型品种覆盖率达95%，本地黑猪仅占5%。

1992年，建设县良种猪场，建成良种猪场猪舍2000平方米，管理用房、饲料加工房900平方米，占地4000余平方米，配备饲料加工设备。建成鸭绒乡改良点房屋150平方米、芦山镇改良点房屋150平方米，良种猪场生产能力大为提高，每年生产良种公猪100余头，良种母猪500余头供应养殖户。年开展猪人工授精改良4000余头次。改良面覆盖惠水周边花溪、长顺、罗甸、贵定等邻县，取得了良好的经济效益和社会效益。2012年，全县能繁母猪存栏达14420头。2015年，全县建成生猪改良点150个，其中猪人工授精点30个，本交点120个，年实施人工授精3万余头次，受胎率95%以上，年推广优质杂交猪

28万余头。

二、牛改

全县水牛比例占63%，黄牛占37%。水牛主要是省内优良牛种。引进的良种牛有摩拉水牛、尼里水牛和辛地红、短角牛、西门塔尔、利木赞、安格斯等黄牛品种及黑白花奶牛。

牛杂交改良 在引进优良牛品种改良和对牛进行人工授精杂交推进县畜牧业发展的基础上，省兽科所派专家到原三都区清水苑乡蹲点开展猪、牛同步发情试验。至1983年，全县共引进水、黄牛人工授精4559头，产牛犊719头。1984年，全县有杂交一代和二代改良的水、黄牛400余头。1985年全县5个配种点用冷冻精液配种牛429头。好花红乡清水苑、安谭、打冉改良点年配种数可达100头以上受精率由原来10%提高到50%，高于全省平均受精率30%的水平。省内一些县（市）先后到惠水学习牛改技术。

肉牛养殖技术得到推广（2012年摄）

2000年后，在总结配种技术的基础上，加大人工授精输配技术的培训力度，采取走出去、请进来的方式先后培育50多名技术人员和农民输配员，经过实施50头牛配种实验，受精率达70%。良种杂交初生牛犊最大个体重46公斤（本地黄牛一般只有15公斤）。饲养出栏屠宰最大单头个体净瘦肉重480公斤（一般只有100公斤左右）。改良品种有西门塔尔、安格斯、利木赞、摩拉、尼里。

2010年后，农村大部分青壮年人员外出务工，县农业机械化普及推广迅速，牛存栏量急剧减少，牛品种改良工作受到影响。2015年，全县共设6个牛改点，其中，牛人工输配点4个，牛本交点2个。共计输配母牛996头，其中，牛本交114头，人工输配852头，受胎658头，受胎率66%，产犊573头。

牛本交改良 2000年后，为弥补牛人工授精不能覆盖地方，在和平镇、好花红乡、甲戎乡、鸭绒乡、岗度乡、芦山镇、断杉镇建立良种牛改良点20余个，购良种公牛100多头解决能繁母牛配种问题。

2007年后，县采购良种母牛近万头发放农户饲养，2015年全县建成300头牛场6个，100头牛场20个。

三、羊改

县内无本地品种，羊改县投入较少。1966年引进毕节山羊500只，进行饲养繁殖。1981年，从沿河县引进山羊100只试养繁殖，成活率72%。1982年又从沿河引进100只饲养。1994年，引进良种羊100只发放王佑镇饲养，2009年引进良种羊60只发放好花红乡饲养。2015年，设5个羊本交改良点，输配母羊593只，引进良种羊246只，出栏杂交羊720只，产杂交羊832只，新增羊存栏1078只。

四、禽改

1986年以前，惠水零星引进少量上海芦花鸡、白洛克、来航鸡饲养。1986年雅水水库种鸡场成立，饲养肉用种鸡2000套，品种AA鸡，年出栏商品肉鸡30万羽。

1988年，县肉用种鸡场建于和平镇廖家坡，引进种鸡2000套，品种新星鸡，建成种鸡场年产商品鸡苗30万羽，鸡苗销售全省各地，产品供不应求。后又引进海波罗品种，每年饲养2000套种鸡。

2000年后，省内外鸡苗市场竞争激烈，县肉用种鸡场停产。惠水所需要的鸡苗直接从县外引进，每年饲养良种肉鸡出栏60万羽。

2015年，良种蛋鸡存栏量28万羽，年产蛋1495吨。县共有养殖专业场（户）116个，其中：肉鸡养殖场82个，蛋鸡养殖场13个，肉鸭养殖场16个，鹌鹑养殖场1个。推广的家禽品种主要有绿壳蛋鸡，瑶鸡、青脚麻鸡、良风花鸡、朗德鹅、狮头鹅、灰鹅、白鹅、本地鸭和花边鸭等，全县共计推广良种禽410万羽。

第三节 动物防疫

一、兽医机构及体系建设

县级兽医体系建设 1951年，县政府在农林科内设畜牧兽医站管理全县畜禽病疫防治。1956年3月，畜牧兽医站隶属县农业科管理。1957年10月，畜牧兽医站隶属农业水利局。1963年畜牧兽医站隶属农业局。1979年畜牧局从农业局单列出来，内设兽医防治站、兽医卫生监督检验所、兽医监察所（三块牌子，一套人马），原六区一镇畜牧兽医组单列，编制35人，实有25人。县兽医防治站编制16人，实有10人。

1984年2月，农业局与畜牧局合并称惠水县农牧局，同年5月两局再次分设。1990年，县兽医防治站更名为兽医防治检疫站，编制17人。1998年县人民政府设“重大动物疫情应急指挥部”，下设办公室在县畜牧局。应急指挥部为全县突发重大动物疫情时的最高指挥机构，负责重大动物疫情的应急处置工作。

2008年10月，撤销县兽医防治检疫站、兽医监察所和兽医卫生监督检验所，成立县动物疫病预防控制中心（加挂惠水县重大动物疫病应急指挥办公室牌子）和惠水县动物卫生监督所两个副科级事业单位。县动物疫病预防控制中心主要负责全县动物疫病防治、组织重大动物疫病的预防、控制和扑灭，人畜共患病的防控，疫病监测和诊断、流行病学的调查、肉品品质检验等工作。疫控中心编制12人，实有10人。内设诊断防疫股、屠宰技术管理股和公共卫生安全股。

改革开放后，政府逐年加大防疫经费和项目资金的投入，防疫经费不断增加（2008年以前每年3万元，2009年、2010年每年5万元，2011年10万元，2012至2014年，每年15万元，2015年45万元），至2008年，投入春秋两季防经费10万元、疫情应急资金15万元、平时防疫储备金10万元，共计35万元；投资177万元装修县级业务用户房980平方米，建设完成县级兽医实验室200平方米，疫苗冷库20平方米。配置县级动物防疫监督专用车3辆；购买配置酶标仪、荧光显微镜、高压消毒柜、移动式紫外消毒车等检测诊断设备；配置电脑、打印机等办公设施。使动物疫病防控、疫病监测诊断、动物及动物产品检疫、监督执法工作得以有机结合，牲畜死亡率大幅度下降，促进畜牧业健康稳定发展，为快速诊断和处置动物疫病提供保障，提高了人畜共患病的防控能力。

2004年，惠水实施《基层动物防疫基础设施建设项目》，项目资金120万元（中央投资114万元，地方配套16万元）。2006年，实施《检疫监督项目基础设施建设项目》项目资金44万；2006至2012年，先后实施和完成25个《乡镇兽医站建设项目》，项目投入资金602.77万元，完成乡镇站办公室建设，配置电脑、消毒器、数码相机、交通工具（摩托车）等办公设备；截至2015年，县动物疫病预防病预防控制中心建有县级兽医实验室200平方米，配有疫苗冷藏库房1个，应急物资储备库房2个、疫苗冷藏冷冻柜4个、业务咨询服务室1个。全县从事畜牧兽医的技术人员202人（其中：技术干部88人，村防疫员201人）。

镇（乡）、村兽医体系建设　1976年以前，全县6区1镇所在地设农推兽医组，公社靠民间兽医自行诊治。1976年，49个公社成立兽医站，通过省牧校培训招进民办兽医114人，承担全县的兽医工作，工资报酬15元/人/月。1985年民办兽医报酬提到30元/人/月。1991年“撤区、并乡、建镇”建立25个乡镇畜牧兽医站（1998年兽医站三权下放、2003年三权收归县、2012年兽医站三权再次下放），乡镇畜牧兽医站人员编制121人。2011年，25个乡镇农推站和畜牧兽医站合并为25个农业服务中心，原乡镇畜牧兽医干部负责辖区内动物疫病防控工作。2014年行政区划调整，25个乡镇合并为10个镇（街道），25个农业服务中心又合并为10个农业服务中心（加挂动物卫生监督分所的牌子）。10个镇（街道）有畜牧兽医编制121人，实有畜牧兽医技术干部19人，其中：中级兽医师19人；本科2人、大专15人、中专2人。

2005年，县有114个民办兽医员，负责201个村动物防疫、检疫、疫情观察、消毒灭源等工作。2006—2008年实施建设完成201个村兽医室，投入项目资金26.13万元，配备疫苗箱、出诊箱、听诊器和办公桌椅等物资设备。新增聘请87名村兽医员，达到每村一名防疫员。2008年，114名民办兽医员的报酬由30元/人/月提高到200元/人/月（由县财政承担），新增87名村防疫员的报酬由中央财政基层动物防疫补助经费解决。至2014年，新增87名村防疫员的报酬和114名民办兽医员一起纳入县财政预算，200元/人/月。2010年1月起，由县级财政按年发放公社时期开始从事兽医工作年满60周岁的老兽医生活困难补助，标准为：10至14年的每人每年1500元；15至19年的每人每年1800元；20至24年的每人每年2000元；25年以上的每人每年2500元。从2013年1月起，为未满60周岁的老兽医和现任村级防疫员每人每年缴纳400元的养老金。

二、动物疫病防治

1953年起，每年春、秋两季均普遍对牲畜进行疫病防治注射。先后注射的疫苗有牛出败、炭疽、气肿疽、猪瘟、猪肺疫、猪丹毒、猪副伤寒、鸡新城疫、禽霍乱等。在公社有兽医员，大队和小队有防疫员三级兽医防治网。1997年，全县开展牛肝片吸虫病普查，受查耕牛1590头。县境内畜禽疾病种类多，分布广，危害普遍。据1979年普查，传染病发病率占94.45%，死亡率占97.08%。中毒病发率占2.32%，死亡率达2.26%。寄生虫病发率占0.14%，死亡率为0.09%。普通病发率占3%，死亡率为0.57%。

1985至1998年，动物防疫以预防“两瘟三病”为主，即预防猪瘟、鸡瘟、炭疽、猪丹毒、猪肺疫。1999年9月动物防疫增加“5号病”。在1999年6月和2004年6月，宁旺乡黄土村分别发生炭疽疫情，感染死亡家畜30头，感染人数15人，死亡3人。县委政府指挥疫情扑灭工作。2000年后，动物防疫实行“免疫耳号标识制度”，凡经防疫的大牲畜、猪、羊等动物都必须佩带“免疫耳号”作为防伪标识。

2004年7月，宁旺乡龙田村相继发生炭疽疫情，死亡牲畜7头（匹、只）（其中：马3匹、猪2头、狗1只、牛1头）感染发病13人，死亡1人；摆榜、宁旺牲畜市场暂时封锁。和平镇三合村、大新村、高镇镇山后村发生“口蹄疫”疫情，共发病猪9头、牛33头，深坑扑杀焚烧掩埋牛76头、猪22头。支付扑杀处置经费8万元。同年县动物防疫增加“高致病性禽流感”的防疫。2005年10月，扑灭高镇镇葛家寨猪链球菌病疫情（感染死亡猪2头；感染2人、死亡1人），本次疫情引起省、州业务部门重视，省兽医防治检疫站、省兽医实验室、州兽防站领导和专家现场指导县疾控中心、高镇卫生院、县畜牧局对疫情处置扑灭、场地消毒等工作。2006年，县动物防疫增加“猪高致病性蓝耳病”的预防。2007年，全县动物疫病预防实现牲畜W病、猪瘟、猪蓝耳病、禽流感、鸡新城疫等重大动物疫病的免疫。2008年7月，雅水镇雅水村发生高致病性猪蓝耳病疫情，省、州畜牧局、专家和州县政府领导现场指挥疫情扑灭工作；此项共扑灭疫畜306头、支付扑杀经费16.74万元。

2004年起，县每年以宁旺黄土村为圆心，辐射周边村寨和乡镇，重点做好炭疽疫苗免疫和防控，至2015年全县未发生过炭疽疫情。

2004至2015年，全县动物防疫推行“动物防疫日”制度，即各乡镇在春秋两季集中免疫的基础上，利用每日固定的防疫日对新补栏的动物进行检疫补免，以确保应防、严防、尽防，防疫密度达100%。近10年共计扑灭处置大小疫情10余次，有效遏制了疫情的发生、发展，将疫情消灭在萌芽状态，将损失降到最低限度，使疫情发生得到及时控制，确保县有病情不流行，有疫不成灾，无区域性重大动物疫病，保护人民生命财产安全。

表8-26

2004—2015年重大动物疫情处置情况表

年	月	疫情发生地	疫情种类	扑杀处置疫畜（头、只）	支付经费（万元）	备注
2004	5	长田乡双庆村	口蹄疫	4	0.76	
2004	7	高镇镇山后村	口蹄疫	76	8	
2005	10	高镇镇葛家寨	猪链球菌病	2	0.33	另感染2人，死亡1人
2008	7	雅水镇雅水村	高致病性猪蓝耳病	306	16.74	
2011	4	岗度乡本底村	口蹄疫	31	8	
2012	3	王佑镇昌明村	口蹄疫	61	7	
2013	4	长田乡农泉村	口蹄疫	7	7	
2015	5	涟江街道大友社区山口村	布鲁氏杆菌病	30	3	羊

第四节　动物检疫

全县的动物检疫工作，主要以动物产地检疫和屠宰检疫为主。

动物产地检疫　1999年前，主要以检疫上市经营的猪肉、牛肉为主，其他上市交易的活畜（禽）的检疫工作基本上没有开展。1999年，在全县范围内开展动物产地检疫工作。县畜牧局及局属各站股分片负责县内各活畜（禽）交易市场的检疫工作，并成立长田动物检查站，负责出入境动物及动物产品的检疫。牲畜产地检疫工作由县兽防站负责，兽防站提出“以检促防、以防促检”的方针。2001年，启动实施“放心肉”工程，在全县80余户鲜肉经销商中，经群众评、县畜牧局审查把关，共有47户经销商获“放心肉摊”称号。有效遏制病死肉尸上市交易。1999至2009年，因重大动物疫病防控需要，在长田设立临时动物检查站，负责出入县境口蹄疫、禽流感等疫病发生期间的动物及动物产品检疫。

2003年，全县设置98个动物产地检疫报检点，除长期设立的长田动物检疫检查站外，增设和平、芦山、鸭绒、摆金、断杉5个动物产地检疫消毒检查站，加强县际、乡际间的动物产地检疫关。

2008年，撤销惠水县兽医防治检疫站，成立惠水县动物卫生监督所和惠水县动物疫病预防控制中心。县动物卫生监督所负责全县的动物卫生监督工作。2010年，根据农业部《动物检疫申报点建设管理规范》，在25个乡镇设立54个动物检疫申报点，并向社会公示，由市场检疫过渡到动物养殖出栏临床检疫，动物产地检疫量由最初2010年生猪2万头、牛6000头、羊2000只、禽6万羽递增到2015年的生猪15万头、牛2万头、羊6000只、禽12万羽，提高动物产地检疫的覆盖面，有效地控制动物疫病的发生和流行。

屠宰检疫　1996年以前，屠宰检疫工作主要以检疫上市经营的猪肉、牛肉为主。1997年在和平镇建立第一家生猪定点屠宰场，开始实行“定点屠宰，集中检疫”。1999至2007年，根据市场需要，陆续建立和平、大龙、三都、好花红、长田等5个生猪定点屠宰场。2014年，因动物防疫条件不符合，好花红、和平生猪定点屠宰场相继被关停。

州动物疫病预防控制中心到惠水县开展重大动物疫病免疫效果飞行检查（2012年摄）

县各生猪屠宰场的检疫工作，均由惠水县动物卫生监督所派兽医及协检员进驻屠宰场实施检疫。1997年建成和平屠宰场，驻场年检疫屠宰生猪2万余头开始，屠宰检疫量逐年增加，至2015年，年生猪屠宰检疫量17万头左右。1987至2015年，指派专业检疫人员进驻惠水永红食品有限公司，开展牛的检疫工作，累计检疫活牛40万余头、牛肉产品3000余吨，检出不合格牛50余头、牛肉5吨，作无害化处理。

2008年8月，成立惠水县动物卫生监督所，2010年3月正式抽调人员组建，2012年4月取得惠水县动物卫生监督所法人证、组织机构代码证；是年5月，县有兽医人员57人，其中承担监督职责的10人。

2015年重新审核保留在检疫岗位的兽医人员30人，其中承担监督职责的6人，按照“以监促检、以检促防、以防促控、以控促安”的工作思路展开检疫工作。2011至2015年，加大动物卫生行政监督力度，查处各类动物卫生违法行政案件200余起，确保县境内养殖业的健康发展与动物源性食品的安全。

2012年10月，县代表贵州省接受农业部检查动物卫生监督执法能力考核评价，获优秀等次。2012年、2013年、2015年，县动物卫生监督所被州监督所评为先进单位。

第五节　饲草饲料

一、机构

1983年8月，县畜牧局内设草地工作站，1999年3月更名为惠水县饲草饲料工作站（加挂县饲料工业办公室、饲料监察站牌子）负责全县饲草种植、饲料加工、种草养畜等技术指导和管理工作。

2012年4月，成立惠水县饲草饲料工作站（加挂惠水县草原监理站），为惠水县农村工作局所属公益一类事业单位，编制为15名。其中：站长1名、副站长1名，由财政全额预算管理。

2007年，惠水县被明确列为草地生态科技扶贫项目县后，设立惠水县草地生态畜牧业发展中心，为县政府下设正科级事业机构，核定事业编制20名，其中：主任1名，副主任2名。工作职责：承担草地生态畜牧业项目编写、申报、实施和管理及相关信息汇总上报等工作。负责实施“惠水县草地生态畜牧业种草养牛科技扶贫项目”工作。

二、主要工作

1981年县畜牧局组建草山草坡调查组（区划组），对全县草山草坡全面调查清查，1982年草山草坡全面性调查清查，作为全局一项重点工作。1983年7月12日关于开发惠明、三合、清水苑、毛家苑四个公社草场建设牧业基地项目可行性研究报告申报，得到国家农牧渔业部、省农业厅同意下发批复，签订“贵州省农业厅、惠水县畜牧局联合开发草地建设利用与发展畜牧业项目协议书”。8月16日，成立惠水县草地工作站，同时征拨草地工作站办公楼、种籽仓库基建地址（现在畜牧楼）。1984年，工作重心抓种草养畜项目基地，9月，根据“惠水县开展草山利用建设与发展畜牧业试点基地项目”协议书和计划任务书，项目建设总投资187.11万元，其中：中央（农牧渔业部）投资81.9万元，省投资75.21万元，州和县自筹30万元。开始实施种草养畜项目30个村、165个组、2641户。是年，省农业厅对县种草养畜发展牧业项目增加投资31.34万元，项目总投资为218.45万元（部89.25万元、省99.2万元、州30万元）。

1983至1985年，县种草养畜项目领导小组成员有11人，下设办公室，由畜牧部门、区、乡抽调干部26人负责具体业务。乡以上领导干部参与项目宣传发动780人次，乡以下干部和社员群众参与项目宣传发动7900人次，有3600多人次参加种草养畜培训；有120多人次到外地、外省进行参观学习考察；有2641户试种牧草，411户试养畜，40户试办家庭小牧场。期间，县种草养畜完成：人工种草1.9144万亩（种子地0.4379万亩、人工草场1.4766万亩）占任务1.9万亩的100.8%，养畜693头（杂交牛596头、奶牛97头）。

1986年，恢复人工草场0.33万亩，增加扩种人工草地0.0229万亩，对建好的草场进行全面除杂、施肥、补种3次，修建工程围栏2270米；加强对养殖户的技术培训，重点管理养牛户84户213头、养猪84户738头、养鸡84户1211只。

1987年，巩固种草养畜基地，发展60个有特色、有生产力的家庭小牧场；种植和恢复人工草地0.3万亩、养牛800头、养母猪1920头产值36万元、出栏肉鹅1000只产值1万元、肉兔1000只产值1万元、牧草种子5000公斤产值3.5万元。家庭小牧场总产值达45万元。是年，通过中央和省、州验收。是年1月，在水泡冲牧草示范场创办试办服务性经济实体，由草地工作站进行管理，招聘10户农户到示范场管理各项工作。

1988至1990年，省科技厅、省农业厅、贵州农学院联合在惠水县牧草示范场研制“GQ至100A型牧草烘干机研制”成功，获省“科技进步四等奖”。

1999年，县饲草饲料工作站在全省、全州率先组织管理全县“饲料和饲料添加剂”生产经营市场，全县饲料行业管理步入规范化、法制化管理轨道。

三、饲草饲料资源

草山草坡资源 县内农村有林牧和农牧两用习惯，农民一般利用林间和灌丛放牧，利用田间、地边、沟边牵养，畜牧业发展潜力大。2015年，全县共103.2225万亩（不包括难利用的岩石旮旯土），占总面积的27.86%，其中，500亩以上成片草场141处，面积44.5633万亩（草丛草坡15.3082万亩，灌丛草坡19.1076万亩，疏林草坡10.1495万亩），零星荒山草坡58.6572万亩。全县各类草山草坡总产草量530119.8吨，可载畜80391头。

饲料资源 县内每年提供给牲畜的各种农副产品饲料极其丰富。精饲料有包谷、稻谷、小麦、红苕、黄豆、懒豆，以及加工的糠、麸、渣、糟等副产品。青饲料有两种：①种植青饲料，有红苕藤、南瓜、洋芋、白三叶、红三叶、紫花苜蓿、绿肥（苕子）、黑麦草、冬牧70黑麦、青贮玉米、甜高粱、燕麦、皇竹草、构树、聚合草及各种菜类等；②野生青饲料，有野荞菜、荨麻叶、构皮叶、刺楸叶、野葡萄叶、洋角莲、大苋菜、小苋菜、蕨菜、红刺果、鹅耳菜、水芹菜、浮萍、水葫芦等。粗饲料有稻草、麦草、包谷秆、油菜秆、豆秆、菜子饼等。

饲料化利用　包括青贮、氨化、微贮等加工处理。1954年县内推广菜籽饼饲料喂猪。1956年农业合作化后，普遍推广青贮饲料，把饲料的种植、采集、储备结合起来。同时，在雅水区的水头高级社试验发酵饲料5000多公斤，在鸭绒试验麦杆软化饲料喂牛。1970年，在“大养其猪”的形势下，推广“中曲”糖化饲料养猪。1977年，县建立配合饲料加工厂，年产配合饲料0.0607万吨供应全县城镇农村专业户及社员饲养畜禽。分布在农村中的813台农副产品加工机械，为饲料加工粉碎提供了方便。据1983年调查，全县提供各种饲料30.3万吨，其中：精饲料3.65万吨，青饲料15.6万吨，粗饲料11.1万吨。是年饲养的畜禽数折合为11.7万个牛单位，平均每个牛单位占有精饲料312公斤，青饲料1332.5公斤，粗饲料944.5公斤。1998至2003年，全县有经营饲料和饲料添加剂经营门店411至527家、2004至2008年，有136至226家、2009至2015年，有99至123家，主要经营颗粒饲料、浓缩饲料、配合饲料。2015年，全县年使用工业饲料1.2809万吨；秸秆饲料化处理3.648万吨；有135个规模养殖场使用颗粒饲料、浓缩饲料、配合饲料。

四、草地资源清查与监测

1981年，组建草山草坡调查组（区划组），用两年时间对全县草山草坡全面调查清查，调查结果：全县共有宜牧草场151万亩，占全县总面积的40.5%。草场可利用面积134.45万亩，年产草74.1775万吨。已用于放牧的草场面积124.35万亩，养牛71600头，平均17亩草场养1头牛。草场类型有三种：

连片草场　面积为44.78万亩，占草场总面积的29.86%，年产草20.4205万吨。其中：300亩至1000亩的有34片，面积为2.52万亩；1000亩至5000亩的有92片，面积为20.09万亩；5000亩至10000亩的有14片，面积为9.9万亩；万亩以上的有6片，面积为11.85万亩。万亩以上草场主要分布在摆榜、祥摆、宁旺、岗度、大坝、半坡、惠明、三合、洛平等地。

林间草场　面积为35.43万亩，占草场总面积的23.62%，产草量为13.9269万吨。主要分布在半坡、摆金、甲浪、雅水、洛平等地。

农林隙地草场　面积70.8万亩，占草场总面积的47.2%，年产草量为39.83万吨，县内都有分布。

惠水县总面积为247000公顷，草地面积23228.69公顷，占全县总面积的9.40%。在惠水县各种草地类型中，天然草地所占比例最大，天然草地的面积为15411.51公顷，占全县草地总面积的66.35%，面积分布最多的是断杉镇，占全县草地面积的6.57%；其次是灌草草地，全县灌草草地面积为6155.80公顷，占全县草地总面积的26.50%，面积分布最多的是斗底乡，占全县草地面积的3.01%；所占比例最少的是人工草地，全县人工草面积1661.38公顷，占全县草地总面积的7.15%，只有斗底乡、摆金镇、甲烈乡、鸭绒乡、甲戎乡、高镇镇、大坝乡、和平镇有人工草地，其他镇均没有。

草场植被多属森林植被被破坏后的次生植被，主要牧草有：白箭杆、扭黄茅、白茅、金茅、野古草、五节芒、马塘草、细茎草、鸭嘴草、莎草等，生长利用季节主要在夏秋两季，有效利用期为8个月。

五、牧草示范场

县牧草示范场位于县城东南面水泡冲，总面积1852亩，土壤多为黄壤砂土，微偏酸性，耕地面积450亩，可开发利用面积500亩，地势南高北低，群山环绕四周，远离村寨。示范场的建立是中国南方种草养畜项目的产物，示范场开发于1958年，由县商业局主办，发展养鸡上万只，因科学管理不善，1962年停办。1965年由原城关镇办为“青年农场”，两年后停办。1974年商业局再度办为“机关农场”，几年后又停办荒芜，1980年后作为育苗林场，1983年规划为“南方种草养畜项目基地点”，由20户农民承包管理，由于管理不善，效益不佳，导致留荒。1986年初草畜全部承包给个人经营，因经营无方以失败而告终。1987年由草地工作站创办惠水县牧草示范场，1991年，将该场按60年代历史规划面积，划拨给县畜牧局管理使用，建立“草—果—畜”多元结构示范场。2015年，该场种植有杨梅、樱桃、石榴、柑橘、梨子、桃子等果树。

六、种兔场

1987年6月，结合“南方三省”种草养畜项目，在水泡冲牧草示范场实施配套建立惠水种兔场。是年7月，从北京平谷县种兔场引进120套（480只）哈白种兔，后多次到成都畜牧兽医研究所等种兔场引进哈白兔、齐卡系列兔、加利福尼亚兔、比利时兔等优良品种。先后为省内外63个县市提供优良肉用种兔5万余只，是贵州省唯一有资质的种兔场；种兔场规划和设备较合理先进，标准兔舍二栋320平方米、综合办公楼一栋；饲料种植用地50亩以上。2003年3月，该场对外承包，连续经营生产7年后，由于市场产业、经营管理不善等诸多因素，2010年5月停产。

七、生态科技扶贫项目

2007年，惠水县被列为草地生态科技扶贫项目县，至2015年连续争取到的财政扶贫项目资金4700万元。

实施地点 涉及8个乡镇35个行政村。其中：和平镇8个行政村、鸭绒乡3个行政村、好花红镇（乡）6个行政村、芦山镇6个行政村、岗度乡3个行政村、宁旺乡4个行政村、雅水镇4个行政村、打引乡1个行政村。

完成情况 扶持项目农户3536户，建植人工草地5.7481万亩，修建圈舍8.9123万平方，购进基础母牛1.0479万头，建设牛改点75个、建良种牛繁育场1个，购置饲草加机械141套，完成项目配套工程设施建设，修建沼气池165个，修建牛舍蓄水池169个10985立方米，建草地水池3600立方米（60口），修建青贮池1.4104万立方米，培训农户1.5406万人次，发放资料3.6万余份，书写永久性标语82条等。

第六节 水 产

水产业是县一项弱势产业，在农业中占比低。主要以池塘、水库养殖为主，稻田养鱼、河流捕捞为辅。

一、水产资源

水域资源 县内水域资源较为丰富，池塘水库星罗棋布，全长90公里的涟江自北向南纵贯全境，境内有大小河流259条，年均径流量16.12亿立方米，地下河32条，年均径流量3.65亿立方米；全县流域面积大于10平方公里的河流有22条，均属珠江水系。

全县可供养殖的池塘近70公顷，已养殖利用45公顷；水库200公顷，已养殖利用的有170公顷；有宜渔的稻田7000公顷，已养殖利用的有20公顷；有全长90公里的涟江河及大大小小、数量众多的河流。

水文气候 县气候温和，是典型的亚热带山地湿润季风气候区，四季分明，冬无严寒、夏无酷暑，年平均气温16.3℃，年降雨量1154毫米，无霜区278天，全年日照数1000至1325小时，日照充足，雨量充沛。由于好的自然条件，孕育了丰富的自然资源、多种土地资源和丰富的水资源，为多种生物的生长繁衍提供了良好的条件，也为鱼类的产卵、繁殖创造了良好的生态条件。

全县养殖水体大部分周围为农作区，水体比较清澈，营养盐丰富，矿化度适中，硬度、PH值都在渔业养殖适度范围之内，有利于渔业养殖生产的发展。

生物资源 县境内广阔的高山田野经雨水冲刷，给各类水体带来了大量的有机物质和无机营养盐类，滋养着大量的水生生物，为鱼类提供了丰富的天然饵料。浮游生物由于水域的类型及地理位置不同，在种类组成和数量上常因环境条件的不同而有所差异，以绿藻门、蓝藻门、硅藻门为主。浮游动物有原生动物、轮虫类、枝角类、桡足类等。底栖动物是鱼类的重要饵料之一，主要有水蚯蚓、虾蟹类、螺、蚌和水生昆虫幼虫等水生植物有浮萍、水浮莲、马来眼子菜、金鱼藻、轮叶黑藻、水菖蒲等。

县内自然经济鱼类主要有鲤、草鱼、鲫、鲢、鳙、黄鳝、鲶鱼、鳡鱼、南方马口鱼、中华细鲫、大鳞鱲、泉水鱼、云南光唇鱼、银色颌须鮈、贵州鲦鱼、片唇鮈、大鳍刺、鳑鲏、南方长须鳅鮀、泥鳅、短体条鳅、条鳅、乌鳢、凹尾鮠、长尾鮡、大鲵、武昌鱼、非洲鲫鱼、蛙、乌龟、鳖、田螺、虾、蟹等。多年来，相继引进了银鱼、鲟鱼、虹鳟鱼、福瑞鲤、彭泽鲫、中科三号等优质品种等。鳖广泛分布于全县各类水域，但数量极少。由于过度捕捞，加之电、炸、毒鱼事件的时有发生等，渔业资源破坏十分严重，渔获物中经济鱼类个体越来越小，群体中低龄鱼已占绝对优势。另外还有一部分经济价值不高的白条鱼、麦穗鱼等小型鱼类。

二、水产养殖

概况 20世纪70年代，全县以养鱼面积仅数10公顷，产量数10吨。1975年，国家投资45万元，由生产队投劳修建涟江渔场。1979年，水头水库修建鱼种繁殖场。1987至2015年，水产养殖面积逐年增加，养殖产量持续增长。期间，全县水产养殖面积由190.87公顷增加到298公顷，水产养殖产量由170吨增加到982吨，养殖平均单产由39.46公斤/亩增加到219.08公斤/亩，从事水产养殖的专业劳动力从112人减少到30人。养殖方式从粗放型向半精养型、精养型、集约化养殖转变，特别是山塘和水库养殖方式的变化最为明显，养殖品种从草、鲤、鲢、鳙、鲫扩大为多品种养殖（包括鲟、虹鳟、大鲵等名、特、优、新品种），水产品质量日益提高。

养殖 1980年后，农民、个体养殖企业和水产部门等不断引进新的鱼类品种，诸如罗非鱼、银鱼、黄鳝、杂交鲟、西伯利亚鲟、虹鳟、大鲵、福瑞鲤、长丰鲢、中科三号等。原高镇镇、原三都镇个别农户养殖美国青蛙、牛蛙等水生经济动物，后因技术、市场有限，不久即停产。

1980年，县畜牧局内设立水产站。先后引进、试验、示范、推广一大批先进实用的渔业新科技、新成果，渔业生产整体水平稳步提高。先后在姚哨区、三都区等地推广示范“垄稻沟鱼”“沟溜式”“稻田生态渔业”“国家大宗淡水鱼产业技术体系”，养殖示范面积有179.5亩，核心示范区位于惠水县高镇镇，有水产养殖户人口20人，劳动力12人。养殖的品种有草、鲤、鲢、镛、鲫等品种，示范池塘13口，通过免费提供养殖户鱼种、饲料，开展技术培训、技术咨询和技术服务，参加项目实验的农户共增加收入7.8万元，取得了较好的效果。采取加强技术培训、强化技术指导等措施，提高养鱼农户的养殖技术和管理水平，全县水产养殖得到巩固和发展。先后引进建鲤、福瑞鲤、鲟鱼、虹鳟鱼等新品种。

2015年，全县水产养殖的主要品种有草、鲤、鲢、鳙、鲫、鲟、虹鳟、大鲵、青鱼等，产量达982吨，渔业产值1.4亿元左右。

表8-27

2005—2015年水产业养殖发展情况表

年度	水产品产量（吨）						养殖面积（公顷）					流水养殖面积（平方米）
	总产量	池塘	水库	稻田	河沟	捕捞	总面积	池塘	水库	稻田	河沟	
2005	338	179	94	35	—	30	213	43	170	200	6	1300
2006	360	198	95	35	2	30	219	43	170	200	6	1500
2007	400	232	99	35	4	30	224	44	170	200	10	1800
2008	438	251	106	42	9	30	224	44	170	100	10	2640
2009	459	257	108	48	12	34	230	44	170	120	16	2640
2010	503	285	122	45	18	33	235	45	170	100	20	2840
2011	580	305	135	50	52	38	280	45	180	100	55	3180
2012	610	337	168	20	39	45	280	45	180	65	55	6065
2013	708	390	178	30	49	60	275	33	186	65	55	6800
2014	856	532	180	15	52	76	275	33	186	33	55	10072
2015	982	320	191	16	60	76	288	46	186	30	55	20572

第八章　烟　草

第一节　机　构

一、县烟草局（公司）

1983年前，由县糖业烟酒公司负责惠水县卷烟经营业务。1984年，黔南州烟草专卖局委托惠水县糖业烟酒公司行使烟草专卖权。1986年，设惠水县烟草专卖行政管理所，与糖业烟酒公司合署办公。1988年，惠水县烟草专卖局（惠水县烟草公司）成立，独立法人，实行政企合一体制，编制20人，设局长（经理）、副局长（副经理）各1人。主要职责是抓好烤烟生产、卷烟销售和烟草专卖管理工作。

2004年，撤销惠水县烟草公司，取消一级独立法人，保留惠水县烟草专卖局。

2007年，全省烟草商业实行母子公司管理体制，黔南州烟草公司惠水县分公司建立，为二级法人，与惠水县烟草专卖局一套人员，两块牌子。

2015年，惠水县烟草专卖局（黔南州烟草公司惠水县分公司）内设综合办、人事股、烟叶生产股、专卖管理股、财会股、党建办、卷烟营销部、内管派驻组、安监股，烟叶基础设施办公室10个机构，有干部职工92人。

二、县烟办

1996年，成立惠水县烤烟生产领导小组办公室（简称县烟办），为县委、县政府烤烟生产的临时性专门机构，负责烤烟生产服务工作，人员从相关单位抽调；至2015年，该机构性质无变化。

第二节　烟叶生产

惠水烟叶多以正黄、金黄为主，叶片结构疏松，弹性较好，光泽强、油分足、身份适中，成熟度好；等级部位清晰、部位纯度较高；烟叶等级正、副组烟叶分清较好；等级纯度较好。烟叶香气具有“丰满、厚实、优雅”的特征，香气清晰，甜香突出，口感较好，是优质的中式卷烟主体原料，在卷烟配方中能起到协调烟香、降低杂气和烟碱等作用，受到贵州中烟、云南中烟等烟厂的青睐。

1987年前，县烤烟主要由供销社负责种植和收购，并从税务局、农业局、财政局、供销社、土产公司等单位抽调人员参与。

1988年，县委县政府从机关单位、教师、乡镇干部中抽调“五留”干部（留工资、留职务、留编制、留住房、留福利）近50人从事烤烟生产。

1990年，由于烤房建设、生产技术不配套，种烟效益下滑，全县烤烟种植面积下降。

1994年，因烤房修建工作进展迟缓，烤烟种植计划未落实。

1997年，县烤烟种植实现较大突破，烤烟收购达3.6万担。

2002年，全县烟叶种植面积大幅提升，种植面积达10057亩。

2003年，按照“市场引导、计划种植、合同收购、优化布局、提高质量、努力提高烟叶工作整体水平”的指导思想，制定“7815”（7千亩田烟，8千亩的漂浮育苗，1.5万亩的地膜烟）计划，主攻烤新建、改建工作，加强田间管理，加大对烘烤及分级扎把工作的指导，提高烤烟生产整体水平。

2008年，摆金、甲烈、岗度、宁旺、大龙、抵麻、长安、打引、芦山、王佑、鸭绒11个种烟乡镇优化为摆金、甲烈、岗度、宁旺、大龙、抵麻、打引、鸭绒等8个种烟乡镇。

2011年，岗度农机合作社注册成立，在烤烟生产翻犁、起垄等时期，由合作社组织召集全乡各村农机为烟区开展翻犁、起垄作业。

2012年，惠水县成为贵州中烟“贵烟”基地单元，与贵州中烟签订《贵州中烟与黔南平塘、惠水“贵烟”现代烟草农业基地单元建设年度协议》。

2013年4月29日、5月6日、5月7日，惠水出现三次暴雨、冰雹，造成惠水烟区91户烟农受灾面积1742亩，直接经济损失52.72万元。

2014年，全县种植有机烟（即整个生产过程未使用化学肥料而全部使用有机肥种植的烟叶）5户500亩，K326特色品种种植16户4401亩。是年，对种植50亩以上的职业烟农进行认证工作，认证合格的烟农颁发职业烟农证书，并在种烟计划分配、技术指导培训等方面享有优先权。唐国祥等46名烟农获得职业烟农证书。

2015年，全县累计有66户烟农获得职业烟农证书。惠水烟叶多以正黄、金黄为主，叶片结构疏松，弹性较好，光泽强、油分足、身份适中，成熟度好；等级部位清晰、部位纯度较高；烟叶等级正、副组烟叶分清较好；等级纯度较好。烟叶香气具有“丰满、厚实”，烟乡镇优化为8个种烟乡镇。

2011年，岗度农机合作社成立并注册，在烤烟生产翻犁、起垄等时期，由合作社组织召集全乡各村农机为烟区开展翻犁、起垄作业。

2012年，惠水县成为贵州中烟“贵烟”基地单元，与贵州中烟签订《贵州中烟与黔南平塘、惠水“贵烟”现代烟草农业基地单元建设年度协议》。

2013年4月29日、5月6日、5月7日，惠水出现三次暴雨、冰雹，造成惠水烟区91户烟农受灾面积1742亩，直接经济损失52.72万元。

2014年，全县种植有机烟（整个生产过程未使用化学肥料而全部使用有机肥种植的烟叶）5户500亩，K326特色品种种植16户4401亩。是年，对种植50亩以上的职业烟农进行认证工作，认证合格的烟农颁发职业烟农证书，并在种烟计划分配、技术指导培训等方面享有优先权。唐国祥等46名烟农获得职业烟农证书。

2015年，县内周兴和等20名烟农获得职业烟农证书。

表8-28

1989—2015年惠水县烤烟种植情况统计表

年度	烟农户数（户）	面积（亩）
1989	—	3353
1990	—	1207
1991	—	3754
1993	—	—
1994	0	0
1997	—	—
1998	—	—
1999	—	—
2000	604	3020
2001	1013	5068
2002	1983	10057
2003	2068	10596
2004	2242	13016
2005	2259	14693
2006	1399	9300
2007	1663	11000
2008	1383	14097
2009	913	11399
2010	676	10687
2011	738	15041.6
2012	620	14096
2013	690	18900
2014	552	15800
2015	471	16700

第三节 烤烟栽培

一、品种使用

1995年前，惠水县种植烤烟使用的品种多样，良莠不齐；1996年使用北卡82和K326两个优良品种，连续使用两年后，北卡82在惠水表现为抗逆性不强、烟叶品质差被淘汰；K326表现较好，烟叶油分足、香气好、吸味正，配伍适应性宽，产量稳定，被大面积推广。

1997至2002年，县引进南江3号、云烟系列。

2003至2004年，根据全县烤烟生产技术实施方案，为保障良种种植，全县统一使用K326包衣种子。

2005至2008年，全县烤烟种植品种除K326外，增加云烟85。

2009年，全县烤烟种植品种除K326、晚花K 326外，增加南江3号、云烟85、贵烟2号、兴烟一号。

2011年，全县烤烟种植品种全部改为K326。

2012至2013年，全县烤烟种植品种为K326、云烟85、云烟87。

2014年，全县烤烟种植品种为K326、贵烟2号。

2015年，全县烤烟种植品种全部调整为K326。

二、育苗

育苗在烤烟种植过程中属重要一环，其质量好坏关系到烤烟收成和烤烟品质。

1980年以前，境内育苗在选地制床方面多以水源较好，易于排水的向阳坡地或向阳滤水田作烤烟苗床，整床规格多为长600厘米、宽100厘米的厢地，可供1亩大田使用。随着塑料薄膜推广使用，传统的苗床覆盖材料（树枝、茅草、稻草、玉米秆）不再使用。塑料薄暵的推广使用，使育苗技术解决烟苗防冻能力，减少病虫害，缩短了育苗时间，播种时间从原来的上年腊八前后播种越冬改为是年立春前后播种，苗期为60天左右，能保证5月份移栽。至1999年，县内主要推行分散育苗。2000年后县开始推行集中育苗。2003年，岗度、摆金推行漂浮育苗试点，全县育苗共计1000厢，其中浮盘育苗推广面积5000亩。育苗实行六统一：统一使用良种；统一制作苗床标准；统一苗床消毒；统一播种时间；统一用种量（每厢一亩）；统一由包队人员亲自播种。烟苗出苗率好，高达95%，生长健壮，根系发达，移栽成活高。

2006年，育苗采用漂浮育苗和常规育苗两种方式相结合。其中漂浮育苗80055盘，折合11436亩；常规育苗357厢，辐射895亩。2007年，全县培育壮苗推行百分之百的浮盘育苗，实行集约化育苗，试行漂浮育苗二次假植技术，抓好“双堆工作”。2009年，全县良种化达到100%，推行100%“三不到户”育苗、100%商品化供苗。2011年至2015年，全县100%实行专业化、集约化、商品化、集中育苗。

三、起垄

一般在移栽前20天，即3月31日前完成烟地起垄。单行垄垄底宽70-80厘米，垄高25-30厘米，垄面高20-25厘米，垄距100-

甲烈乡烤烟开箱起垄现场（2004年摄）

110厘米，双行凹垄的分厢宽为200厘米或220厘米，垄高20-25厘米，垄间距100厘米或120厘米。垄体饱满、平直、垄向合理（顺水、向阳）、土壤细碎，垄宽高符合标准。

四、移栽

全县烤烟移栽时间一般在4月底左右，移栽密度多在900-1000株/亩。

1984年前，县内烟农多凭长期积累的经验移栽，因运输和调剂困难而不愿意带土移栽，对烟苗生长带来一定影响。另有部分烟农采用煤灰与营养土掺混制成营养块，但未能推广。烟农在种植前先进行整地砍厢，整地砍厢规格不统一，移栽时间常因前茬作物未收而等地栽烟，造成中、晚烟比重大的局面。

1990年，全县烤烟种植在平土栽烟的基础上，推广单厢起垄移栽。

1991年，营养块（袋）假植移栽技术在全县得到大面推广。

1992年，推广单行起垄等距移栽新技术，平土栽烟面积大幅降低，在单行起垄垄的基础上，推行定点打窝等距移栽。

1993年至1995年，全县推广实现营养袋假植移栽。单厢起垄移栽面积提升，平土栽烟面积大幅减少，定点打窝等距移栽面积逐渐增多。

1996年，全县推广“包衣种、双层施肥、地膜烟”3项新技术，实现良种95%以上，实现营养块（袋）假植移栽95%以上。

1997年，全县烤烟良种种植面积达95%，营养块（袋）假植移栽占实际烤烟种植面积的95%，包衣种面积占实际种植面积的65%以上。

2001年，推行田烟种植和地膜覆盖移栽。

2003年，全县地膜烟达到100%，100%推行漂浮育苗移栽，严格执行单厢起垄，定点等距移栽，控制种植密度（1000—1200株/亩）。

2006年，全县全面推广提前起垄、预整待栽技术。基本做到以户为单位2至4天完成移栽；以村为单位5至7天完成移栽。

2007年，全县推行高厢起垄待栽、等距移栽。

2009年，全县100%漂浮育苗移栽，地膜烟占总移栽株数的90%。

2010年至2011年，全县实行100%等距拉绳移栽、100%地膜移栽。

2012年至2014年，全县推行井窖式小苗膜下移栽，地膜烟比例为100%，100%等距拉绳移栽，移栽密度普遍在每亩1000株以上。

2015年，惠水烤烟生产遭遇干旱影响。县烟草部门利用各种车辆运水、人工挑水、管引浇水等方式进行抗旱移栽，投入运水车辆268车次、抽水泵53台、抗旱胶桶620个、出运人力2225人次、镇（街道）协调洒水车16台、抗旱水管7800米、解决用水1999吨。全县烤烟抗旱移栽探索推行“两水制窖法”（即先定点淋一次水，再打孔、移栽，再淋一次定根水的移栽方式），烟株成活率达98%以上。

五、田间管理

田间管理主要包括保苗、中耕、培土、打顶及病虫害防治等。

保苗即移栽后要及时淋施水肥药液，及时追肥提苗，保证烟苗成活率。

中耕即生产中期在株行间采用手锄、犁、齿耙和各种耕耘器等工具进行的表土耕作，从而疏松表土、增加土壤通气性、提高地温，促进微生物活动，有助于烟株生长。培土即把烤烟行间或株间的土培在烟株茎的基部周围，有助于防止烟株倒伏，利于排水灌溉，促进烟株根部发育等作用。

打顶是指在适当时期摘去烟株顶部的花蕾或花序，以促进根系发育，扩大叶片，增加养分吸收，调控烟株的长势长相，减轻病虫危害。

病虫害防治主要通过采取农业措施（如轮作、套作）、物理措施（如黄板诱杀、杀虫灯等）、生物农药（如性诱剂诱捕）、化学农药等防治方法，对烤烟病虫害进行防治。

田间管理中，全县各烟区及时开展追肥、破膜培土上高厢等农事操作，管理水平逐步提升。县分公司在大田物资发放、施肥、起垄、移栽环节，实行全程跟踪检查制，改变个别烟区出现“宽大沟”“稀大窝”移栽的现象。地块无积水、无杂草，废旧地膜统一清理除烟地集中处理，做到清洁、安全生产，地块标注清楚、准确，打顶抹芽措施落实到位。

六、施肥

1984年前，县烟草种植以农家肥为主，化肥为辅。

1991年后，烟农很快接受化肥施肥的方法，农家肥逐步递减使用。

施肥的方法和时间是：推行条施基肥或大窝环状施基肥要严格做到定株定量施用。专用追肥施用采取定量穴施（侧施或环状穴施）的方法。施用时间必须在移栽后25天以内，视降雨情况和栽培方式（地膜非地膜）分1至2次施用，并配合抓好培土上厢以及除草工作。原则上在当季烤烟生产上禁用未堆制腐孰的农家肥，要积极试验示范有机、无机复合肥的配方筛选和农家肥的微生物发酵技术。

2005年，试验示范有机、无机复合肥的配方筛选和农家肥的微生物发酵技术。全县堆有机肥4891亩、营养泥723亩。

2007年，为改善烟株营养条件、提高烟叶单叶重和桔黄色烟叶比例、提高烟叶香气的基本保证，全县每亩施纯氮6.5至7.0千克。氮、磷、钾比例为10：15：30.实行百分之百地膜覆盖起垄待栽技术，施肥方法为基追肥方法。具体每亩施基肥（福泉金福公司产）50千克、硫酸钾20千克、硝酸钾15千克、磷肥25千克，基肥、有机肥作条施，硝酸钾移栽7–15天作追肥穴施，所有追肥在移栽后25天内追完。

2009年，惠水县抓标准化生产和“四增一控”技术，“四增一控”即增密、增叶、增钾、增有机肥、控氮。全县按照基肥每亩上等土40千克，中等土45千克，下等土50千克；钾肥每亩15千克；追肥每亩15千克统一供应。

2012年，惠水县按照数量服从质量、结构服从市场的指导思想，把增施有机肥作为一项重要措施对全县各烟区进行考核。全县按照大田物资发放按照基肥50千克/亩、追肥15千克/亩、钾肥10千克/亩、油枯15千克/亩的标准进行供应。

2015年，全县通过加大“控氮增密”和长度超过2尺烟叶不进入上等烟收购宣传引导烟农种植。移栽期间一线员工严格把关，亩栽株数全面控制在1000～1100株之间，烤烟“控氮增密”标准化种植得到州局（公司）的多次肯定和卷烟工业厂家普遍认可。

七、烘烤

烤烟一般采用三段式烘烤（变黄、定色、干筋）。境内大多数烟农基本能够凭观察烟叶的形态、颜色等鉴别烟叶成熟与否。随着少叶型新品种的更换、烟叶烘烤工艺的变革和烟叶收购标准的调整，许多经验和烟叶采收方法已不适应新的要求。惠水烟草分公司在烤烟生产技术的推广、普及工作方面经过努力，实现“改未成熟采摘、快热烘烤为基本普遍做到成熟采收、低温慢变黄烘烤”。

1980年前，境内烘烤烟叶多靠烟农的感官体验。以尽量缩短烘烤周期为最优经验。国家“G82635--2636烤烟技术标准及其检验方法”出台后，在色泽、长度、油润、破损率等方面都有了新的要求，烤烟烘烤工艺发生了变化，低温慢变黄的方法逐渐被烟农所接受。

1995年，全县“烤烟生产技术要求”中对烘烤方法提出：优质烟叶在烘烤中，变黄期要适当延长，38℃（干球）为烘烤的主要变黄温度，让叶片完全变黄，湿球温度保持在35℃至36℃之间，湿球温度可通过在地面泼水或通风来调节；干筋期干球温度控制在68℃以内，湿球温度不超过43℃。烘烤时应严格控制干湿球温度差，延长烘烤时间，下部烟叶为96小时至120小时，中上部烟叶为120小时至140小时。采用这种烘烤方法，烟叶外观以金黄为主而富有弹性，内在品质好，香气足。

2000年，惠水县烟草公司根据黔南州烟草公司“烤烟生产技术要求及其指导意见”，对烤烟烘烤绑烟、上炕、正确调控变黄期定色期干筋期三个阶段的温湿度流程作出了明确要求。

2011年，惠水县烟草分公司结合气候特点区分成熟叶与“旱烘”及其他假熟叶的外观特征，加强对干旱烟叶烘烤技术指导。

2012年至2015年，全县推广散叶烘拷和两停一烤、上部叶4-6片叶一次性砍烤等先进实用技术，提高烤房利用率和提升烘烤水平。

第四节　烤烟收购与烟叶调拨

一、收购网点

1989年前，县没有自建的烟叶收购点，每年收购时期，县烟草公司抽调部分人员到乡镇租借学校、粮站作为烟叶收购点。1990年新建摆金、断杉2个烟叶收购站（点）。1998年，烟草公司新建宁旺、岗度、大龙、大坝、甲烈五个烟叶站。2002年，烟草公司有岗度、宁旺、摆金、甲烈、大龙5个收购点，为自有房屋，总占地面积4450平方米，固定资产186.4万元。2003年，增加租借房屋收购点1个，有岗度标准化站点1个。2004年，全县共有收购点9个，其中烟草公司自有房屋收购点5个，租借房屋收购点4个（芦山、王佑、长安、打引），有岗度标准化站点1个。

2013年，对全县各收购站点收购场所和设施进行改造，在岗度、宁旺、抵麻乡收购点增建部分烟叶收购分级场所。2015年，在岗度、甲烈新修两个新型标准化烟叶站点，全县共有岗度、摆金、甲烈、抵麻、大龙5个收购点，岗度、摆金、甲烈3个新型标准化烟叶站点。

二、收购模式

2012年前，全县烟叶实行“甩把收购”，即由烟草技术人员指导烟农按要求对预交售烟叶进行扎把，即用1~2片烟叶将统一等级、一定数量（一般25-30片）的烟叶缠绕扎紧成一束后运至烟叶收购站进行交售。2013年后，全县各烟叶收购站点推广“散叶收购”，即烟农对预交售烟叶不再进行扎把，打捆后运至烟叶收购站进行散叶交售，实行三工位专业化分级。

岗度烤烟收购工作（2005年摄）

惠水县1997-2015烤烟收购情况统计表

表8-29

年度	收购量（万担）	收购金额（万元）	担均价（元/担）	上等烟比例（%）	中等烟比例（%）	下低等等烟比例（%）
1997	3.6	1050	291.66	—	—	—
1998	1.43	297.44	208	—	—	—
1999	0.6966	203.6	292.27	—	—	—
2000	0.7312	240.04	328.3	—	—	—
2001	0.9616	346.62	360.47	16.98%	64.4%	18.62%
2002	1.8167	924.763	423.16	22.2%	67.8%	10%
2003	2.3092	698.6908	302.58	22.87%	67.26%	9.87%
2004	2.5657	1237.111	482.17	42.6%	36.9%	20.5%
2005	3.0486	1353.3681	443.93	32%	47%	21%
2006	2.4093	1119.6133	464.7	37%	40%	23%
2007	2.8004	1387.0235	495.31	39%	44%	17%
2008	3.1844	2080.0331	653.22	43%	40%	40%
2009	3.2326	2250.2867	696.14	39%	41%	20%
2010	2.8051	1845.5357	657.92	39.5%	34.3%	26.2%
2011	2.8529	2331.9761	817.41	42.99%	51.73%	5.28%
2012	3.0304	3082.7794	1017.32	47.27%	47.35%	5.38%
2013	4.56	5540.4428	1215.01	61.21%	38.79%	—
2014	3.4808	4035.7516	1159.42	47.91%	45.65%	6.44%
2015	3.4733	3963.9314	1141.28	36.77%	52.35%	10.88%

三、收购价格

1993年前，全县烟叶收购按照15级制要求执行。15级包括中黄一级至六级（6个）、上黄一级至五级（5个）、青黄一级至三级（3个）、末级1个。1994年，县内15级制烟叶收购价格开始增加奖励价格。1997年县烟叶收购并执行40级制。40级包括上等烟11个级、中等烟17个级，下低等烟12个级。1999年，国家对烤烟收购价格实行分区定价，惠水县位于二价区42级，惠水烟叶收购仍然按40级制执行。2002年起，全县烟叶收购执行42级制。

惠水县2015年烤烟收购价格表（二价区）（42级）

表8-30　　　　单位：元/50公斤

等级		普通品种	红花大金元	K326
上等				
中桔一	C1F	1920	2285	2105

续表8-30

等级		普通品种	红花大金元	K326
中桔二	C2F	1720	2050	1885
中桔三	C3F	1520	1810	1665
中柠一	C1L	1750	2090	1920
中柠二	C2L	1560	1860	1710
上桔一	B1F	1600	1900	1750
上桔二	B2F	1300	1560	1430
上柠一	B1L	1250	1490	1370
上红一	B1R	950	1140	1045
完熟一	H1F	1250	1490	1370
下桔一	X1F	1350	1595	1475
中等				
中柠三	C3L	1370	1645	1510
下桔二	X2F	1050	1175	1110
中桔四	C4F	1320	1580	1450
中柠四	C4L	1180	1415	1300
下桔三	X3F	650	755	710
下柠一	X1L	1200	1425	1315
下柠二	X2L	900	985	925
上桔三	B3F	850	900	875
上桔四	B4F	560	655	610
上柠二	B2L	900	1060	980
上柠三	B3L	550	570	560
上红二	B2R	700	840	770
上红三	B3R	460	480	470
完熟二	H2F	950	1140	1045
下微青二	X2V	530	540	535
中微青三	C3V	890	1070	980
上微青二	B2V	680	820	750
上微青三	B3V	470	480	475
光滑一	S1	470	480	475
下等				
上柠四	B4L	310	330	320
下柠三	X3L	500	545	530

续表8-30

等级		普通品种	红花大金元	K326
下柠四	X4L	270	290	280
下桔四	X4F	320	340	330
光滑二	S2	270	280	275
中下杂一	CX1K	300	310	305
中下杂二	CX2K	230	240	235
上杂一	B1K	290	300	295
上杂二	B2K	220	230	225
青黄一	GY1	170	180	175
低等				
上杂三	B3K	145	155	150
青黄二	GY2	135	145	140

四、烟叶调拨

1996年前，惠水烟叶主要调交贵定卷烟厂、贵定卷烟分厂、贵州黄果树烟草集团（公司）。1997至2002年，惠水成为贵州省南明进出口有限责任公司基地，县内所有烟叶调交贵州省南明进出口有限责任公司。2003年，惠水烟叶集中调交遵义卷烟厂、州调拨站、贵州省南明进出口有限责任公司。2004年，惠水上、中等烟叶调交黄果树烟草集团，下低等烟叶调交贵州省南明进出口有限责任公司。2005至2007年，惠水烟叶调交贵州黄果树烟草集团。2008年，惠水烟叶调交贵州中烟工业有限责任公司，下低等烟叶调贵州省南明进出口有限责任公司。2012年，惠水成为贵州中烟工业有限责任公司省级基地单元，除下低等烟叶调贵州省南明进出口有限责任公司外，其他等级烟叶基本调交贵州中烟工业有限责任公司。至2015年，惠水县烟叶调交渠道不变。

国家烟草总公司赴县调研龙骨坡水库水源工程（2015年摄）

第五节 基础设施建设

1997年前，惠水县的烤烟基础设施建设状况是烤房为农户自建，水利设施主要是小水池、山塘；2005年后，烟草行业响应中央“工业反哺农业”的号召，加强烟叶基础设施建设，发展现代烟草农业，随着大量资金投入，到2015年，惠水烤烟基础设施建设发生巨大变化。

一、烤房建设

1996年前，全县烤房主要是烟农自建的上升式小烤房，墙体结构为泥巴土墙，供热系统为土砖土陶式，每间烤房容量数十至100杆。1996至1997年，县开始推广EB—1气流下降循环式节能烤房每间烤房容量，120至150杆。

1998至1999年，县对烤房土陶式供热系统改建为水泥板式供热系统。2000至2001年，县对EB—1气流下降循环式节能烤房进行改升级，将暗沟排湿式改为直排式（仍然为气流下降式）。2002年后，县对烤房灶体进行改建升级，由卧式灶体改为立式灶体。2004年全县建设烤房352间，改建烤房54间，2005年，全县建设普通烤房2530间。2006年，全县共计实施普改密烤房（由原来自然排湿改为加风机强行排湿）60间，投入资金13.8万元。2007年，全县建设普改密烤房161间，改建普改密170间，新建密集式大烤房10间，投入资金149.34万元。2008年，全县新建普改密烤房116间，改建普改密103间，新建热源外置式35间，新建密集式大烤房36间，投入资金共351.33万元。2009年，全县新建密集烤房122间，新建活动板房32间，投资565.16万元。2010年，全县新建密集烤房230间，新建烤房10间，投资863.57万元。2011年，全县新建密集烤房120间，新建烤房32间，投资金额685.94万元。2012年，全县新建密集式大烤房20间，投入资金82.01万元。2013年，全县新建密集烤房420间，共计投入资金1757.18万元。2014年，全县新建密集烤房420间，投入资金83.7万元。2015年全县没有实施烤房建设项目，全县有密集式大烤房1052间，普改密645间。

二、烟水配套工程建设

2005年，开始实施烟水配套工程建设，烟草部门投入补助资金11.8万元在岗度乡黄土村、柏栗村、火洋村，芦山镇水井坡村新建成烟水配套项目小水池54口，受益灌溉面积177亩；2006年，烟草部门投入补助资金263.05万元在8个乡，47个村建成烟水配套项目小水池1103口，受益灌溉面积3951亩。2007年，全县新建成烟水配套项目小水池共计145口，涉及7个乡、19个村，受益灌溉面积816亩，烟草部门投入补助资金61.51万元。2008年，全县新建成烟水配套项目5个，涉及惠水县甲烈乡新坝村（周家山、三角坡、核桃冲）工程、惠水县岗度乡黄土村水井湾引水工程、惠水县宁旺乡龙泉村（摆祥）工程、惠水县宁旺乡新摆村（摆朗坝）工程、小水池，总受益灌溉面积3588亩，烟草部门共计投入烟水配套补助资金287.72万元。2009年，全县新建成烟水配套项目3个，涉及宁旺乡，其中宁旺村、龙塘村、龙泉村，岗度乡，黄土村，大龙乡，马脚村、民中村。总受益面积2900亩，烟草部门共计投入烟水配套补助资金251.38万元。2010年，全县新建成烟水配套项目1个，实施岗度乡黄土片区烟水配套工程，受益灌溉面积5628亩，烟草部门共计投入烟水配套补助资金528.38万元。2011年，全县新建成烟水配套项目2个（甲烈乡米笋山塘、子母山塘），受益灌溉面积3391亩，烟草部门共计投入烟水配套补助资金572.51万元。2012年后不再实施烟水配套工程建设，全县累计建成烟水配套项目小水池1302口烟水配套项目10个。

三、烟路配套建设

1、机耕路配套建设。2008年，烟草行业投入补贴资金80.2万元在岗度乡黄土修建烟地机耕路5.3公里，受益面积770亩。2009年，烟草行业投入补贴资金229.01万元在岗度乡本底片区、岗度乡黄土—半坡修建烟地机耕路17.2公里，受益面积3915亩。2010年，烟草行业投入补贴资金63.19万元在岗度乡本底片区、岗度乡黄土—半坡修建烟地机耕路4.79公里，受益面积1015亩。2013年，烟草行业投入补贴资金185.89万元在甲烈乡新坝村猫猫朵—芭茅冲、岗度乡火阳村修建机耕路10公里，受益面积3100亩。2014年，烟草行业投入补贴资金194.86万元新建好花红镇枇杷村、摆金镇谷把村、雅水镇长地、濛江街道兴章机耕路11.332千米，受益面积1154亩。2015年，烟草行业投入补贴资金242.57万元在岗度镇火阳村、雅水机耕路、雅水镇大龙村机耕路、濛江街道兴章村建机耕路共计9条11.33千米，雅水镇公朋、硐房村共计修建烟地机耕路14.08千米，受益面积3710亩。至2015年全县建成烟区通村通组公路总里程62.64千米。

2、烟机配套建设。2009年烟草部门为全县补贴购买各类烟用农机共计50台。购机总投入166.75万元，烟草补贴5.15万元。2011年烟草部门为全县各专业队购买各类烟用农机51台，购机总投入103.04万元，烟草补贴57.89万元。2012年2月，惠水县惠鑫烤烟种植专业合作社成立，有专业化育苗、机耕、打孔、植保等专业队。2013年，全县补贴购买各类烟用农机共计451台，购机总投入190.74万元，烟草补贴108.31万元。2014年，惠鑫烤烟种植合作社购买各类烟用农机38台，购机费用28.1万元，烟草补贴28.1万元。2015年，惠水县惠鑫烤烟种植专业合作社各类烟用农机63台，烟草部门对该批农机补贴共计8.51万元。

3、育苗设施建设。2010年前县无育苗设施建设项目。2011年，全县推广专业化集中育苗，共建成育苗设施大棚一座八连跨，4座四连跨总面积10240平方米，供苗辐射0.47万亩，总投资120.8万元。截至2015年，全县共有5个育苗大棚。

第六节 生产效益

一、种烟扶持补贴

1997年，黔南州烟草分公司对抑芽敏实行半价补贴，即每千克抑芽敏原价170元，按85元/千克分配到各县（市）。2000年，县对签订产购合同的烟农，烟种、营养袋、育苗肥无偿供应；所需农膜、农药按厂价供应；大田移栽所需肥料实行全额赊销；十厢以上连片制作苗床，烟草部门每标准厢补贴五元给烟农；新建气流下降式烤房，烟草部门每间补贴一百元给烟农；烟农每交售一担上等烟，获补贴三十元；每交售一担中等烟，获补贴二十元，收购时由烟草部门兑现。2004年，全县烟叶生产计划产前投入补贴资金1965.39万元。2005年，每亩烤烟补贴150元，全县烟叶生产计划产前投入补贴资金1965.39万元。2006年，全县烟叶生产计划产前投入补贴1965.39万元。2007年每亩投入130元，全县烤烟生产收购共计投入生产扶持补贴1965.39万元。2009年，全县烟叶生产计划产前投入补贴210.54万元，核销补贴资金179.3万元。2010年，全县烟叶生产计划产前投入补贴304.5万元。2011年，全县烟叶生产计划产前投入补贴414.21万元。2012年，按照省、州提高优质烟叶有效供给能力工作方案的相关要求，全县处理下部不适用鲜烟叶128.0791万千克，兑现补贴56.3876万元。处理上部不适用鲜烟叶978725千克，兑现补贴49.19075万元。县烟草专卖局（分公司）对鸭绒乡4户严重的受灾农户兑现专项救灾补贴38213.50元。全县烟叶生产计划产前投入补贴488.25万元。2013年继续执行新技术推广补贴，由原来的每担补贴30元调整为每担上中等烟补贴40元；全县不适用鲜烟叶处理补贴标准由2012年的75元/亩调到150元/亩；对没有设烟叶收购点的乡镇种烟农户实行交通运输补贴（达到结构部分）。全县处理下部不适用鲜烟叶186.4569万千克，兑现补贴金额85.05万元。处理上部不适用鲜烟叶331.1343万千克，兑现补贴金额189.3214万元。成熟采烤按州公司要求，全县每亩补贴75元，成熟采烤9446.5亩，兑付金额70.8487万元。是年，推行购买烤烟种植保险制度，鼓励烟农积极、自愿购买烤烟种植保险，购保费用采取烟农自缴13%，政府财政补贴20%、烟草部门补贴67%的方式购买烤烟种植保险。全县烟农自缴保费3.45万元，政府财政匹配保费补贴5.18万元，烟草部门匹配补贴保费17.25万元。针对合同减收损失按142.7元/担标准补贴；雹灾按408元/亩标准补贴；旱灾按470元/亩标准补贴；病虫害按310元/亩标准进行补贴，共补贴279万元。烟草部门对全县烤烟生产收购共计投入生产扶持补贴527.06万元。2014年全县烟农自缴保费3.45万元，政府财政匹配保费补贴5.18万元，烟草部门匹配补贴保费17.25万元。贵州省烟草公司黔南州公司对惠水县摆金镇甲浪村冗街组基本烟田土地整理项目批复补贴资金179.625万元，受益面积610亩。全县烤烟生产共计投入生产扶持补贴637.12万元。2015年，全县烤烟生产共计投入产前扶持补贴671.4万元。全县烟农自缴保费3.45万元，政府财政匹配保费补贴5.18万元，烟草部门匹配补贴保费17.25万元。

二、烟农种烟收入

2000—2015年烤烟收购及种植效益统计表

表8-31

年度	烤烟种植（户）	烟叶收购（金额）元	户均收入
2000	604	2400390.33	3974.16
2001	1013	3466195	3421.71
2002	1983	9247630.65	4663.45
2003	2068	6986907.83	3378.58
2004	2242	12371113.52	5517.89
2005	2263	13533680.98	5980.42
2006	1399	11196133.37	8002.95
2007	1663	13870234.9	8340.49
2008	1383	20800331.04	15040.01
2009	961	22502867.12	23416.09
2010	676	18455356.99	27300.82
2011	738	23319760.68	31598.59
2012	620	30827793.76	49722.25
2013	690	55404428.31	80296.27
2014	552	45357516.33	82169.41
2015	471	39639314.24	84159.90

第七节　卷烟经营

1987年前由惠水县糖业烟酒公司负责卷烟经营业务。

1988年后，由烟草公司负责卷烟经营业务。卷烟经营中以自建批发部为主，在和平镇、摆金、断杉、芦山、三都、高镇等乡镇自建批发部，方便商户购烟，主要以坐店经营为主。

1988年至1990年卷烟销售实行承包，购进和销售全部由销售股长承包。

至2000年以前，卷烟销售主要以“地产烟”（贵定卷烟厂生产的卷烟）（贵定卷烟厂品牌：极品亚细亚、全包装亚细亚、珍品云雾山、精品云雾山、极品云雾山、佳品云雾山、特醇云雾山、三星泽牌）为主，因卷烟税收是财政收入的重要支柱，为加强地产烟销售，县政府出台相应地产烟销售文件通知，成立“两烟”领导小组，宣传地产烟销售，政府及各县直部门外事用烟、接待用烟都使用地产烟，甚至出现地产烟抵工资的现象。同时“卖大户”“大进大甩”现象普遍存在，卷烟经营渠道和经营方式受到冲击。卷烟市场上降价竞争现象突出，乱作价、乱变价、乱杀价问题蔓延，卷烟市场价格低迷，销售受挫，卷烟销售工作局面被动。

2000年，成立和平、断杉、摆金卷烟批发中心，负责全县卷烟批发业务。

2001至2002年，按照“一要规范、二要改革、三要创新”的行业要求，成立和平、高镇、摆金、断杉四个卷烟销售中心站，负责卷烟销售工作。

2003至2004年，卷烟门店的营业人员改为访送员，推行“访销配送”经营模式，由访销员每天到卷烟零售户经营场所去收集经营户所需的货源品种、数量，开订单，然后根据订单由烟草部门用专车送到客户手中，不再由客户到烟草部门订货。2004年整合网点布局，撤销乡镇网点配送部，保留和平配送中心，集中由和平配送中心负责卷烟销售工作，开始实行电话访销员，对县城区域全面实行电话订货，开启电话订货为主的模式。

2006年3月，成立惠水区域营销部，将惠水、长顺、罗甸县级营销部门划归惠水区域营销部管辖，区域营销部业务工作由州局（公司）卷烟营销中心领导，岗位设置区域经理、市场经理、综合管理员和客户经理，全面实行电话订货，卷烟零售客户的订货业务由州级卷烟营销中心订单部电销员统一进行电话订货。

2007年7月后，原惠水区域营销不再管理罗甸营销部，保留长顺、惠水营业部。县级营销部则全面承担起卷烟销售、客户服务营销的职能，市场经理、综合管理员和客户经理的主要职责任务是为客户服务。2008年，撤销惠水区域营业部，惠水营销部重新划归惠水县烟草局（分公司）管理，业务工作流程不变。

2009年，推行网上订货新模式，首批47户客户实现网上订货。

2009年至2010年，将零售户划分为核心客户、重要客户、一般客户、小型客户，另外根据零售户专卖属性再划分出问题客户，将所有零售客户一共划分为五个客户群体，其中核心客户91户、重要客户352户、小型客户192户、一般客户977户。

2011年，根据零售客户的贡献度、忠诚度、重要度、成长度进行星级评定，按照分值排序将零售户划分为一星级客户（15%）287户，二星级客户（20%）377户，三星级客户（45%）845户，普通级客户（20%）375户；同时实施一库存式管理，将卷烟仓库上划州级公司物流中心统一管理，县局分公司只保留物流送货中转站，负责卷烟配送环节。

2012年，按照评价得分由高到低重新划分四个星级，四星10户、三星62户、二星141户、一星1714户。

2014年，全面实施零售户网上订货工程，推行“精益营销”管理，重新划定为五个星级客户，按照评价得分由高到低依次划分为五星33户、四星162户、三星685户、二星697户、一星395户。

2015年，推行卷烟服务品牌模式，规范服务行为，提高营销服务的针对性和及时性，落实“8741”（即8项标准化服务：货源供应服务、订货指导、结算服务、拜访服务、经营指导、专卖支持、物流服务、诉求服务；7个性化服务：网上配货服务、信息化硬件支持服务、形象展示提升服务、消费跟踪和维持服务、培训支持服务、星级提升服务、盈利提升服务；4项亲情式服务：办证协助服务、经营指导服务、帮扶服务、亲情慰问服务；1项增值式服务：配套银行卡服务）服务标准。县内卷烟零售户五星33

户、四星173户、三星723户、二星732户、一星423户。县内销售的卷烟品牌有贵烟、黄果树、遵义、云烟、红塔山、中华、玉溪、双喜、利群、红金龙、黄鹤楼、芙蓉王、白沙、娇子、红河等品牌。

表8-32

1988-2015年卷烟销售统计表

年度	销售计划（箱）	销售完成（箱）	完成比例（%）	地产烟销售计划（箱）	销售完成（箱）	完成比例（%）	实现利润（万元）	销售金额（万元）
1988	7000	8227.2	117.53	4900	6392.7	130.46	9.3661	—
1989	7800	5945.48	76.22	5800	3904.54	67.32	4.6	—
1990	7800	4714	60.43	5500	2505	45.54	1.63	—
1993	6000	5043	84.1	1950	925	47	7.3	—
1996	8000	8446	105	4100	5243	127.8	—	—
1997	8000	8446	105	4500	5243	127.8	—	—
1998	8000	10335	129.19	3285	3297	100.36	—	—
1999	7500	4331	57.75	3270	1220	37.52	1437.8	—
2000	7500	4819	64.25	3300	937	28.39	—	—
2001	8500	9051	106.48	—	—	—	—	3487
2002	8900	10447	117	5400	5786	109.17	493	4924
2004	—	10840.75	—	—	—	—	—	6525.72
2005	10550	10723.18	101.64	—	—	—	—	7551.17
2006	10950	10950.028	100	—	—	—	—	8296.21
2007	11000	11010.148	100.09	—	—	—	—	9254.34
2008	11400	11466.968	100.59	—	—	—	—	11018.37
2009	12050	12186.548	101.13	—	—	—	3177.12	13615.34
2010	12700	13011.06	102.45	—	—	—	4169.48	17157.74
2011	13700	13734.7614	100.25	2660	2721.952	102.33	5514.0905	21879.5961
2012	13750	13787.7349	100.27	3750	3760.34	102.28	6639.7788	26756.3341
2013	14050	14092.9658	103.25	4600	4749.388	103.25	8316.8809	33154.2472
2014	14380	14798.1688	102.91	5370	5691.32	105.98	9700	38288.22214
2015	14680	14756.7405	100.52	6220	6343.604	101.99	12693.95	41742.93716

第八节　专卖管理

一、机构

1990年县烟草局专卖办公室成立，2000年，惠水县烟草专卖局专卖稽查大队成立。2001年，成立惠水县烟草专卖管理稽查大队、高镇稽查中队。2002年3月成立和平镇、高镇、摆金、断杉稽查中队；4

月，设立惠水县烟草专卖局专卖办、稽查大队，稽查大队下设2个中队、2个队，2003年8月，惠水县烟草专卖局专卖办更名为专卖监督管理股，增设断杉稽查中队、摆金稽查中队。2005年，在原中队基础上重新组建成立和平镇专卖稽查中队、农网专卖稽查中队。2015年县烟草局设专卖监督管理股，下辖和平镇专卖稽查中队、农网专卖稽查中队；和平镇专卖稽查中队有人员6人，农网专卖稽查中队4人。

二、专卖执法

1986年至1988年，由烟草专卖行政管理部门依照《烟草专卖条例》对市场进行检查，重点查处违法运输卷烟行为。

1990年，县烟草局专卖办公室与公安、工商、税务、法院、检察院联合成立长田检查站，对过往车辆进行检查，重点查处扰乱市场大户，对卷烟市场进行清理。

1993年，惠水县公安局烟草专卖检查室成立，协助县烟草局执法。

2000年，在全县城乡市场开展“树品牌、打走私、查假烟”和“三打”（打私、打非、打假）专项活动。

2001年，对卷烟零售户实行“户籍式”管理，实行辖区负责制，专卖人员实行下伸乡镇包片负责，建立健全卷烟零售户经营管理档案。

2002年，对全县卷烟零售户进行彻底清理、走访，建立零售户底册和户籍化档案，根据零售户的遵章守法情况和经营情况A、B、C分类跟踪管理，做到专销密切配合，零售户亮证经营，全县纳入诚信化管理1842户，其中A类1585户、B类235户、C类22户。

2003年3月29日，在依法查扣卷烟零售户安某无证贩运假烟案时，当事人其弟安某某暴力抗法打伤惠水县烟草专卖执法人员，惠水县公安局成立专案组，经过调查取证以妨碍公务罪报县检察机关批准，5月24日将犯罪嫌疑人安某某逮捕，并移交检察院提起公诉，经人民法院判决犯罪嫌疑人安某某妨碍公务罪成立，判处拘役8个月。

2004年，与县物价局联合印发《关于在全县实行卷烟零售明码实价的通知》，要求必须在卷烟标签上标明品名、产地、计价单位、零售价格等，并按标明价格销售，规范卷烟零售价格行为；成立卷烟零售行业分会，专卖职能由“专卖执法管理型”向“专卖服务管理型”转变。

2006年，加强卷烟超量供货的审批程序制度管理，明确专人为卷烟超量供货网审员，负责对县内卷烟超量供货零售客服网上审核工作；规范卷烟零售户供货量。

2015年，开展实施硬件设施标准化、制度体系标准化、作业程序流程标准化、持证零售户分类、无证户管理、中队建设、搭建“1+2”日常市场管理模式、APCD工作模式（分析、计划、检查、处理的市场监管模式）、“7541”日常监管方式、“春风服务”等模式。

三、专卖许可

1998年，《烟草专卖局许可证管理办法》实施后，县烟草专卖局加强烟草行业的经营行为，规范烟草专卖零售许可证管理。

2004年，根据《卷烟诚信等级管理办法》对县内卷烟零售户进行综合测评。经评审，全县有一类客户56户、二类325户、三类647户、四类477户、五类199户，建立客户形象档案，做到一户一档。对辖区内零售许可证实行记分管理办法。成立换发工作领导小组，开展烟草专卖零售许可证换发工作，全县原有卷烟零售户2091户，换办证1631户，新办证89户，换发后全县共计1720户零售户。

2005年，停止对外商投资商业企业核发烟草专卖零售许可证。

2006年，受黔南州烟草专卖局委托，代开准运证53份。

2011年，受理烟草专卖零售申请230份，准予许可158户，不予许可72户；2012年受理烟草专卖零售申请118份，准予许可83户，不予许可35户；2013年受理烟草专卖零售申请96份，准予许可96户；2014年受理烟草专卖零售申请201份，准予许可150户，不予许可51户；2015年受理烟草专卖零售申请188份，准予许可146户，不予许可42户。截止2015年底全县有烟草专卖零售户2231户。

表8-33

1998年至2015年案件查办统计表

年度	案件数量	烟草专卖品种类						
		假冒卷烟（条）	案值（万元）	真烟	案值（万元）	烟叶kg	案值（万元）	（烟丝）
1998	85	1000	—	—	—	2000	—	0
2001	522	2034.5	5.2	4636.7	8.30535	3757	—	300
2002	393	663.8	—	5964.5	—	0	0	350
2003	1024	2939.6	18292.4	1715.8	24452.9	0	0	0
2004	348	1044.5	9020.66	0	0	0	0	200
2005	167	714.1	7375.15	1383.6	23459.2	1850	0	200
2006	57	608.8	—	0	0	2269.2	10379	50
2007	50	563.9	8738.03	0	0	0	0	0
2008	58	657.1	44350	0	0	0	0	380
2009	106	0	0	962	51323.3	0	0	0
2010	105	0	0	1552.8	134813	0	0	0
2011	46	0	0	615.5	70424	20400	249900	0
2012	26	0	0	479.3	64586	33500	472685	0
2013	16	2.3	2300	531.3	45596.9	12800	470605	0
2014	19	98	33080	1125.9	249297	0	0	0
2015	18	23	10650	1585.9	102184	0	0	0

第九节　晒　烟

晒烟，又称土烟、叶子烟；县内晒烟因主产于摆金地区而得名摆金晒烟（亦称摆金烟、摆金叶子烟）。县内晒烟在黔中地区享有盛名，曾名列全国土烟第二名。摆金镇杨梅坡、葫芦山、甲烈、马道、关山、打平、马坡、周家山、摆本、丢地、火阳、火闹、小坝、大坝、核桃冲、大华朱新、火堕、斗底、祥摆、摆榜、鸭绒、鸭寨、大地为县内晒烟主要种植地；岗度镇本底，好花红镇清水苑、干禺等地也有种植。县内晒烟属晒红烟型，颜片好、肉头厚、吸味香、质量上乘，含糖百分之五、氮百分之三、蛋白质百分之九至十、钾百分之一、氧百分之零点二至零点七，烟碱含量为百分之三点五至五点七。根据原轻工业部和贵州福泉烟科所以及四川什邡工农烟厂的鉴定，县内晒烟的外形，叶身特宽而叶尖细

晒烟

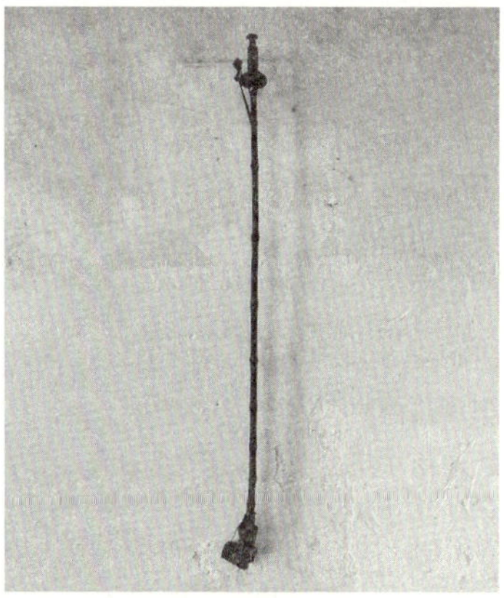
旱烟袋

长，色道棕红，油气重。略有光泽，烟灰呈灰白色。其内在特征为香气纯正，略刺喉，余味舒适回甜，不涩不苦，刺激性大，劲头中等，是加工高级雪茄烟的好原料，因其亲和力较强，也适宜制作混合型卷烟。县内晒烟的主要品种有大白花、大红花、小白花等，亩产100-150斤。晒烟栽烟方法一般为每亩栽1000-1200株，每株烟叶留十四、五片，每年等到八、九月间“风吹翻顶”即可收割，而后用青藤或草辫编结成索，每索约5米长，每3-4索为一扣，每70-80口为一浪，编好后铺在地上晒，晒时要勤翻动，夜晚裹起放在室内地上，过两天挂放在屋檐下，经过约半个月时间即成。县内农户种植晒烟主要为自吸和出售，种植面积不大。一浪干烟叶重约七至八斤，市场上销售价格在20至30元/斤之间。

第九章 林 业

第一节 机 构

一、县绿化委员会

1982年，惠水县绿化委员会成立，下设办公室在县林业局。主要对全县适龄公民、各部门、各行业开展义务植树和城乡造林绿化进行宣传发动、组织协调、督促检查和评比表彰。

二、县林业局

1978年，由惠水县林业局负责全县林业工作，1985年，增设林政管理股，行使具体林政管理职能。1991年1月，成立森林病虫害防治检疫站，编制在营林股调配；5月，成立林业科技推广站；1994年，设置木材检查站，站点由牛场桥易为长田，检查站行政隶属林业局，业务由林政股管理指导。2011年，成立惠水县森林资源管理站，为县林业局股级事业单位。2013年，惠水县森林资源管理站加挂“惠水县林权管理服务中心”的牌子，实行“一套人员，两块牌子”的管理体制。2015年3月，成立惠水县营林站（加挂种苗站、林业调查规划设计队牌子）。年末，惠水县林业局设办公室（加挂财务室牌子）、业务科（加挂惠水县绿化委员会办公室、行政审批科牌子）2个内设机构，下辖事业单位有：县森林资源管理站（加挂惠水县林权管理服务中心牌子）、县营林站（加挂种子苗木管理站、林业调查规划设计队牌子）、县木材检查站、县森林防火中心、县林业科技推广站、县森林病虫害防治检疫站、县国有烂坝林场8个事业单位；下设县森林公安局（森林警察大队）1个副科级机构，县林业局正式在册职工57人，其中行政人员28人，事业人员29人。

三、县森林公安局

1984年，惠水县林业公安派出所建立。

1999年，县林业派出所加挂林业刑侦队牌子。

2004年，县林业派出所升格副科级。

2008年，县林业派出所纳入政法专项编制管理，核定政法编制6名。

2012年，县林业派出所更名为县森林公安局（县森林警察大队）。

2015年，县森林公安局（县森林警察大队）内设指挥中心（办公室、政工科）、法制宣传科（警务督察室）、刑侦治安队三个内设机构；设局长（大队长）1名（副科级），政委1名（副科级），副局长（副大队长）1名（股级），主任（科长、队长）各1名。惠水县森林公安局实行县林业局、县公安局双重领导的管理体制，党政工作以县林业局为主，公安业务工作以县公安局为主。

四、县林业站

1991年前，在和平镇、摆金区、王佑区、断杉区、雅水区、姚哨区、三都区设立股级林业站。

1991年，中心乡镇和重点林区乡按一乡一站建立乡林业站，财权在乡镇政府，县林业局负责指导工作。

1997年，建立高镇、和平、三都、摆金、雅水、断杉、芦山7个中心乡镇林业站，乡镇林业站收归县林业局管理。

2014年，县乡镇行政区划调整，县林业局中心乡镇林业站划归地方党委、政府管理。林业站“三权”（人、财、物）由镇（街道）管理。

五、森林防火机构

1987年3月，成立惠水县森林防火指挥部，下设办公室在县林业局，指挥长由县长担任，副指挥长由分管副县长、县人大常委会联系副主任、县政协联系副主席、县人武部部长担任，成员有县直相关部门及县属各乡镇等单位负责人。主要职责是指挥和组织协调全县特大、重大和较大森林火灾的处置、扑救工作；负责与毗邻地（县、市）人民政府森防指在处置跨境森林火灾中的协调与联系。

2011年，落实森林防火办公室编制4人。

2012年，成立森林防火中心，编制从原森林防火办中划转；2015年森林防火中心编制加至10人，为公益一类事业单位。

六、县国有烂坝林场

始建于1966年3月26日，场部设在原和平镇沙子哨，距县城6千米，实有经营面积7884亩，东面与濛江街道首创村吴家大坡为界、南面与濛江街道新光村赖家冲接壤，西面与长顺县相邻、北面抵濛江街道姚新村竹子冲。建场之年有职工34人，1980年，职工增加到58人。2011年前，没有明确林场机构编制的文件；2013年4月，《惠水县机构编制委员会关于惠水县国营烂坝林场更名的批复》（惠编复〔2013〕3号）同意“国营烂坝林场”更名为“惠水县国有烂坝林场”；2015年3月，核定国有烂坝林场事业编制20人，为公益一类事业单位。

七、县祥摆采育林场

1968年12月，经黔南州革委批准，调三都县都江伐木场98名职工到惠水建祥摆伐木场（后改称采育林场）。建场初期，另调贵定木材转运站，罗甸羊里贮木场部分工人，计130人，加上县里余缺调剂增补，职工总数达160人。

1980年后，连续调离60余人，加上退休和正常死亡人员，在册职工仅30余人，企业步入困境。1983年，将林场加工组调出，在和平镇沙子哨建立了木材加工厂房、仓库各一栋，职工宿舍2栋共计13户，均为砖木结构，占地约15亩。

2012年1月，县决定在祥摆采育林场森林林木地实行流转。林场、林木地以承包方式转让给省扎佐林场管护经营。由省扎佐林场支付祥摆采育林场在职职工12人的基本生活费每人每月1500元，并每满两年增加每人每月100元；解决退休工人“五金”（养老保险金、医疗保险金、失业保险金、生育保险金、工伤保险金）。

八、县林工商公司

1984年5月，森工股从县林业局内设机构分出，将森工企业和林业事业彻底分离，组建惠水县林工商公司，为县林业局下属企业单位，独立核算，自负盈亏。成立初期有企业职工43人。主要负责全县的木竹收购及经营加工。

1997年，贷款137万元（其中：农行47万元、工行65万元、省木材公司25万元），通过补偿回收方式，取得三都镇百鸟河村、金田村、栗木村及和平镇杨番村部分飞播林林地13383.6亩管理经营权（其中，林地面积13347.6亩，非林地面积36亩，森林覆盖率91%以上），成立惠水县黔惠实验林场，与林工商公司实行“两块牌子、一套人马”管理，林工商公司在职职工全部进驻并以管理黔惠林场为主业，对禁区实施采育结合，发展工业原料、改造低产林、更新造林等，实现森林资源可持续发展和经济效益最大化。

2015年，县政府将七里冲茶果场和黔惠林场资源（简称“两场”）整合划转至贵州惠水百鸟河数字小镇管理委员会（简称“数字小镇管委会”）进行统一管理，对“两场”现有资源进行清产核资后划转至数字小镇管委会进行统一管理，“两场”现有债权债务及办公经费由县财政负责，“两场”所开展的生产业务受县农工局和县林业局指导，“两场”行政工作、人事财权（含“两场”经营收入）由数字小镇管委会统一管理。在国家未出台新政策前，“两场”现有职工身份不变，由数字小镇管委会与“两场”现有职工签订聘用合同，拟定职工激励机制，明确工作职能职责。林工商公司在职职工14人整合归百鸟河数字小镇，工资发放标准参照事业单位工资职级定档定级，作为职工“五险一金”缴纳依据。依法保障“两场”职工整合后待遇标准，“两场”职工工资资金缺口部分由县财政进行补助，还可参照事业单位人员享受其他现行福利政策。

至2015年，林工商公司实际没有在职职工，只有退休职工15人，由社保机构支付退休工资。

第二节　林政管理

一、森林采伐限额管理

县森林采伐限额从1986年开始执行，每5年修订一次，制定年森林采伐限额的基本依据是用材林的消耗量低于年生长量的原则，具体依据是森林经营方案所确定的合理年采伐量，年采伐限额一经批准下达，便成为编制年度木材生产计划和申请采伐的依据，超过限额采伐，或者滥发许可证均属违法行为。

实行森林资源统一管理：强化林木采伐许可证的发放管理，严格凭证采伐制度，对申请采伐证明文件，按照有关规定认真审核，严格按照有关规定的发证权限，核发采伐许可证，严禁越权发证。加强对采伐作业实施现场检查和作业质量、采伐量的监督管理。组建验收小组，制定验收方案，加强采伐更新验收工作，对于年度采伐后未完成更新造林任务的，不核发木材采伐许可证。

1986至2015年间，各项采伐指标均控制在年森林采伐限额规定的范围内。

二、木材生产采伐

惠水县森林资源总量少，可采资源紧缺，主要树种为马尾松，优质林很少。

1985年1月起，实行森林采伐、运销一本账计划采伐林木，除农户房前屋后自留山的零星树木外，均由采伐单位或个人写出申请，经乡人民政府审查批准，凭乡政府证明到区林业站办理采伐许可证。

1986年，中共中央、国务院决定，允许南方集体木材自由上市，打破国营林业部门独家经营的格局，实行产销见面，多家经营。

1987年6月，针对南方集体林区的市场混乱情况，执行国务院有关通知要求，将多家经营改为林业部门一家经营。

1991年，开展了多样式的森林采伐，有主伐、抚育间伐、更新采伐和低产林改造。其主要为集体林采伐、个人申请采伐和国营林场采伐。

1993年8月，外地木村商、县林工商公司和祥摆采育林场在全县范围开始采伐经营榉木（金丝榔），林工商公司和祥摆采育林场抓住榉木、松杂材生产和加工环节，取得了好的经济效益，达到产值68万元，其中，林工商采伐经营榉木13.89立方米。

1994年至2005年，主要采伐飞播林区。

2001年，办理林木采伐证7张，1943立方米，办理农民自用材采伐证3张，154立方米。

2002年，办理自用材采伐许可25.8立方米，商品材采伐许可1147.13立方米（其中国有1082.63立方米、集体64.5立方米），实际完成采伐924立方米。

2003年，办理商品材采伐许可证27张，采伐商品材5116.65立方米（其中：国有2张，798.65立方米；集体25张，4318立方米）。

2004年，办理商品材采伐证51张，采伐商品材5684.97立方米（国有3张1048.97立方米，集体48张4636立方米），办理农民自用材采伐证3张，34立方米。

2005年，完成商品材采伐6293立方米，州林业局在黔惠林场实施低产林改造600亩。

2006至2010年，木材生产计划合计61150立方米，共办理采伐许可证214张，其中：办理商品材许可证183张，采伐商品材24043立方米（国有32张7843.979立方米，集体138张14131.8立方米，黔惠林场13张2067.2立方米），办理农民自用材30张，采伐蓄积70.514立方米；办理采伐楠竹1张，3000根。

2007年11月，抵季乡林场实施主伐采伐，出材2504.44立方米，购林款50万元，砍伐费17.53万元，根据抵季乡林场的气候、当地条件及惠水县桉树发展需要，将采伐迹地1、3、4号小班更新树种由马尾松改为邓恩桉种植实验。

2011至2015年，全县森林采伐限额为蓄积34500立方米。

2011年，采伐蓄积6462.8立方米，出材量3854.97立方米；办理农民自用材10张，采伐蓄积50立方米。

2012年，采伐面积92.53公顷，采伐蓄积8204.31立方米。

2013年，采伐面积24.68公顷，采伐蓄积5335.87立方米。

2014年7月29日，印发《惠水县人民政府办公室关于建立惠水县规范行政行为联席会议制度的通知》，决定木材经营（加工）、林木采伐等行政审批由县行政行为联席会议审批。自此，林木采伐量大为降低。是年，采伐面积51.44公顷，采伐蓄积842.90立方米。

2015年，采伐面积28.3公顷，采伐蓄积302.54立方米。

三、木材经营加工管理

1994年，开始清理整顿木材经营加工31户，是年办理木材经营加工许可证29户。1995年，清理木材经营加工27户，变更经营执照1户，责令停业1户。

2000年，清理整顿木材加工厂场45户，经清理整顿后保留42户，停业3户。

2001年12月31日，除两场一公司和西门木材加工厂外，全部关闭带锯木材加工厂。

2003年，开展“绿剑行动”，执法人员到三都、毛家苑、断杉、大龙乡重点整治，清理无证经营加工木材场所19处、查处违法收购木材私人煤厂6家。

2004年，查处无证加工4户，没收木材25.237立方米，罚款0.25万元。是年，组建的惠水县摆金长青松香厂，于2005年开始进行松香加工，年加工能力500吨，加工产值325万元。

2007年，通过招商引资项目组建惠水县林丰木材制品有限公司，年加工能力为5000立方米，年加工产值560万元。

2008年，国有烂坝林场组建烂坝林场木材加工厂，年加工能力为3000立方米，年加工产值336万元。

2006至2010年，取缔无证加工4户，查处非法收购经营、加工木材案件2起，没收木材2.31立方米，罚款0.6万元，行政处罚2人次。

2010年10月至2012年10月，分五个阶段对全县木材经营加工企业进行专项治理活动。清理前，全县有木材经营加工企业72户。2011年清理整顿后，取缔经营加工23户，保留49户，其中：按经营加工类型分，经营12户，经营加工37户；按经济性质分，国有3户，私营1户，个体45户。

2012年，清理整顿后，保留木材经营加工企业44户，其中，经营10户，经营加工34户；按经济性质分，个体40户，私营1户，国有3户；按经营加工产品类型分，经营木材10户，加工锯材2户，胶合板2户，加工家具沙发17户，加工门窗10户，加工木片1户，加工楼梯扶手1户，加工竹器1户。加工规模相对比较大的是国营烂坝林场、林丰木业制品有限公司、祥摆采育林场、林工商公司和恒发木材加工厂等5户。对保留的44户木材经营加工企业及时进行年审和监督，完善档案数据信息。对年生产能力在1000立方米以上的烂坝林场加工厂、祥摆采育林场加工厂、林丰木业有限公司和恒发木材加工厂等建立木材进出登记台账，台账齐全。

至2015年，全县共有木材经营加工企业30户，其中经营4户，经营加工26户；按经济性质分，个体28户，私营1户，国有1户；按经营加工产品类型分，经营木材5户，加工锯材1户，胶合板1户，加工家具沙发13户，加工门窗7户，加工木片1户，加工楼梯扶手1户，加工竹器1户。加工规模相对比较大的是惠水县林丰木业制品有限公司、惠水县恒发木材加工厂和惠水县祥摆采育林场。

四、林地管理

2001年4月，110千伏湾七输电线路，占用林地34.7亩（其中，有林地25.5亩，灌木林地9.2亩），在林业部门办理了有关手续，并按规定征收了植被恢复费、林木补偿费和林地补偿费；7月，对望城关一带的石灰窑和采砂石厂进行全面清理整顿。

2002年，印发《惠水县人民政府关于禁止乱采砂石和滥建石灰窑、坟墓的通知》，在和平镇百果苑一带取缔砂石开采点27处、石灰窑36处。

2003年7月，清理整顿境内19家煤厂、装饰材料店，办理县移动公司征占用林地4亩建13个通讯基站使用林地审批手续。

2004年8月，办理完成九龙寺使用林地审核审批手续，完成3起征占用林地的初审上报：县供电局新建惠水变第二电源——湾塘T惠水变110千伏线路工程占用林地，征收4.02万元植被恢复费、贵阳博爱药业公司征用长田乡长田村林地1.5亩，建药厂和县通信移动公司征用林地6.32亩建13个通讯基站。

2005年，开展占用退耕还林地的查处工作。

2006至2010年，全县范围内对征占用林地进行集中清理整顿，共清理征占用林地项目15个，违法占用林地93.323亩，其中：灌木林地12.15亩、有林地14.724亩、未成林地66.449亩。

2011年，办理林地征占用手续3起，完成对招商引资7个项目进行选址及预审工作，完成惠水县工业园区向山要地及园区内项目使用林地情况的调查工作。2012年，办理林地征占用手续两起，并对惠水至贵阳高速公路项目进行常态化巡查，对项目改线情况及时发现，并完善相关使用林地手续，完成对招商引资5个项目进行项目选址及预审工作。是年，县林业、工业园区、发改、国土、交通、水利、电力、通信等部门互相衔接和沟通，加强与用地单位的协调管理和服务宣传工作，加强工程征占用林地的审核管理。

2013年，办理征占用林地上报审批3起。在全县范围内对征占用林地进行集中清理，共清理违法使用林地65起，占用林地面积7304.1亩，其中，矿山类57起，占用林地927.38亩；园区类3起，占用林地655.82亩；土地整治类6起，占用林地5364.9亩；其他类1起，占用林地356亩。

2014年，共办理征占用林地上报审批16起，其中宁旺烟花爆竹园区12起、龙王山艺术陵园1起、龙骨坡水库1起、惠罗高速补征2起。

2015年，完成宁旺烟花爆竹园区朝阳、蓝月两家企业林地审核资料上报。完成巴莽冲水库林地可行性报告、查验报告、采伐报告评审工作。

表8-34

2013—2015年惠水县审核审批项目一览表

批准项目名称	批准机关	批准文号	批准面积（公顷）	批准时间
惠水县山河永清预制构件有限责任公司年产30万吨混凝土预制构件生产项目	贵州省林业厅	黔林资地许准〔2013〕244号	18.8637	2013年
贵桥物流园建设项目	贵州省林业厅	黔林资地许准〔2013〕320号	1.6467	2013年
惠水县龙塘山风电场一期项目	贵州省林业厅	黔林资地许准〔2013〕316号	1.8543	2013年
贵州高速路集团有限公司（惠水至罗甸高速惠水段）	贵州省林业厅	林资许准〔2013〕261号	38.8014	2013年
惠水县惠高大道（延伸段）	贵州省林业厅	黔林资地许准〔2013〕4-006号	0.4565	2013年

续表8-34

批准项目名称	批准机关	批准文号	批准面积（公顷）	批准时间
惠水县贵惠大道长田段建设项目	贵州省林业厅	黔林资地许准〔2013〕290号	23.3489	2013年
惠水县龙王山艺术陵园及殡仪馆	贵州省林业厅	黔林资地许准〔2014〕319号	31.3331	2014年
中国水电顾问集团贵州惠水龙山新能源有限公司（二期）	贵州省林业厅	黔林资地许准〔2015〕616号	2.0622	2015年
惠水县龙骨坡水库水源工程	国家林业局	林资许准〔2015〕050号	28.913	2015年

五、森林资源调查

（一）森林资源连清复查

分别于1979年、1990年、2010年进行森林资源连续清查。1980年，全县森林面积为587000亩，森林覆盖率为15.85%，森林活立木蓄积量为1027000立方米，12月，县科技人员参加的全省森林连续清查体系建成，并获省人民政府科技成果二等奖。

1984年7月，县森林资源连续清查复查成绩优异，获黔南州林业调查区划办公室表彰。

2005年7月，完成第五次森林资源连续清查工作，调查样地75个。

2010年，惠水县第八次国家森林资源连续清查，贵州省六次复查，聘请省林业规划院副主任、工程师吴学卷为技术顾问，调查固定样地75个，其中，有林地24个，8月4日，省林勘院到惠水县检查全国森林资源清查，贵州省第六次复查，经国家林业局质量检查组的验收，外业调查质量合格率为100%，内业卡片整理质量合格率为100%，综合评定为合格。

2015年，完成第七次森林资源连续清查，第七次复查固定样地75个，其中，乔木林30个，特殊灌木林18个，规划造林地5个，非林地22个。

（二）森林资源二类调查

分别于1984年、1994年、2004年，开展三次森林资源二类调查。

1985年4月至12月，完成第一次资源二类调查。

结果：全县面积3705000亩，林业用地2013551亩。有林地379147亩，灌木林362959亩，未成林造林地350亩，苗圃205亩，无林地1040769亩，非林业用地1691449亩。

全县活立木总蓄积876503立方米，林分蓄积635904立方米。

经黔南州林勘队检查，合格率达92.6%，质量评为“优”，1987年，惠水县森林资源二类调查获黔南州林业局表彰，评为一等奖。

1994年8月至1996年6月，完成第二次森林资源调查，结果显示，全县林业用地面积124573.5公顷，难利用地40250.5公顷，有林地420995.2公顷，疏林地1327.7公顷，灌木林地20393.1公顷，宜林荒山23683.9公顷，石山地32613.7公顷。森林覆盖率25.53%。活立木总蓄积1299329立方米，疏林蓄积36850立方米，散生木蓄积42123立方米，四旁树蓄积29873立方米。

2004年7月25日，开始第三次森林资源二类调查，9月17日召开第三次森林资源二类调查方案评审会，黔南州林业局森林资源调查方案评审组对惠水县第三次森林资源二类调查的《工作方案》《技术方案》进行初步评审，通过了两个方案。2005年7月10日，惠水县第三次森林资源二类调查前期准备工作完成，开始野外调查工作。调查终止数据为2005年12月。

调查结果：惠水县国土总面积246380公顷，其中林地156349.26公顷，占63.45%；非林地90030.74公顷，占36.55%。按照新标准计算，森林（有林地和国家特别规定灌木林地）面积101698.68公顷，占林地面积的65.045%，森林覆盖率41.28%；按照森林法标准计算，森林（有林地和灌木林地）面积117064.48公顷，占林地面积的74.874%，森林覆盖率47.51%。四旁树占地面积0.06公顷（按1650株/公顷折算），全县林木绿化率41.28%。活立木总蓄积299589立方米，其中森林蓄积2978901立方米，占95.3%。

（三）湿地资源调查

2012年2月开始，当8月结束。调查目的：查清惠水县湿地资源的现状，掌握湿地资源动态消长变化规律，建立惠水县湿地资源数据库和管理信息平台，逐步实现对全县湿地资源进行全面、客观地分析评价，为湿地资源的保护、管理和合理利用提供统一、完整、及时准确的基础资料和决策依据。调查范围：覆盖符合湿地定义的惠水县行政范围内各类湿地资源，其中，线状调查斑块471.4千米，面状调查斑块1145.5千米。调查对象：对所有符合贵州省第二次湿地调查最小调查面积要求的惠水县行政区内湿地斑块。完成61个湿地斑块调查，共调查湿地面积1695.58公顷，其中：河流湿地1567.59公顷，永久性淡水湖泊湿地面积8.43公顷，人工湿地119.56公顷。

（四）石漠化监测调查

2005年5月，开始开展石漠化监测（调查），6月中旬结束，调查结果：调查面积247000公顷，其中，石漠化土地78717公顷，占31.87%；潜在石漠化土地17602.2公顷，占7.13‰；非石漠化土地150680.8公顷，占61.0%。调查小班数4334个，其中：石漠化小班数1467个。

2011年，惠水县完成全县242770.3公顷石漠化监测面积的监测任务，外业调查质量通过县级自查，内业工作符合规定，程序科学严谨，调查统计数据客观可靠、调查成果规范完善，按照规定程序评审及验收后，可以作为指导全县石漠化综合治理、林业生产发展、生态环境建设的重要依据。本次监测岩溶土地总面积242770.3公顷，其中，石漠化土地18876.8公顷（轻度石漠化土地面积为5243.2公顷，占石漠化土地的27.78%。中度石漠化土地面积为7984.1公顷，占石漠化土地的42.30%。重度石漠化土地面积为4785.7公顷，占石漠化土地的25.35%。极重度石漠化土地面积为863.8公顷，占石漠化土地的4.58%。），占监测岩溶土地面积7.78%，潜在石漠化土地面积58279.2公顷，占监测岩溶土地面积24.01%，非石漠化土地面积165614.3公顷，占监测岩溶土地的68.22%，全县石漠化发生率为7.78%。

第三节　植树造林

一、“四旁”绿化、义务植树

1977年，县把普遍开展植树造林、绿化荒山、涵养水源列入农田基本建设的重要组成部分来抓。组织县直机关部分干部和惠明公社群众1700多人，在城南惠明公社双龙井荒山上进行造林示范，管造松、杉。组织6000多人集中食宿，在王佑区老豹山造林100天，种植杉苗1300000株，占地面积2304亩。在断杉区拉林公社创建油茶林基地，3个月时间投入劳力60000个，营造油茶林面积2098亩，并在其他地方营造500亩以上的林木基地10余处。

1979年，国家规定每年3月12日为植树节，每年3月12日，县均开展全民义务植树活动。1987年，国家实行林业“三定”（定山林权、划定自留地、定林业生产责任制），群众的造林积极性提高，林业专业户、重点户，联户林场、合作林场相继涌现，成龄林得到保护，中、幼林面积不断扩大。

1983年，组织县城各机关、部队、学校、城关镇各街道群众分别在万矶山、杨家路两地按划定区域植树绿化，共植树276000余株，造林面积达74072亩。

20世纪80年代，县境内造林主要方式是点播、撒播和飞播，林业部门育苗主要用于义务植树和四旁植树，主要有香椿、楸树、梓木、杉树、泡桐等树种，无偿发给群众四旁植树、义务植树造林。

90年代后，部分工程造林相继启动，由于造林投资不足，群众“四旁”植树用苗主要在市场上购买，在自己房前屋后和田边地头种植香椿、楸树、梓木、杉树以及杏、桃、李、梨、核桃等经济林，发展到在自家山头种植杉树、马尾松等。由于疏于管护，所存活不多。

2000年以后，县“四旁”植树、义务植树呈现新特点，农户在路旁、渠旁、村旁、宅旁进行植树，主要是造经济林、园林绿化树种，成效较好。义务植树主要由林业部门每年3月12日植树节组织，县直部门参与，每年均有一个主题，有一定资金保障，且造林为带土的大苗，一般成活率85%以上，各乡镇、机关单位、学校、厂矿等在自己辖区内进行义务植树。其地段主要以河道绿化、庭院绿化、学校周边绿化为主。义务植树树种主要有香樟、女贞、柳树、桉树、橘树等，有资金保障，成活率较高。

2002年，绿化山后风景区河道，栽植4000丛慈竹，投资2200元，其中：苗木费2000元、管护费200元。

2006年，在大龙乡九龙村开展四次造林和栽竹活动，共栽植慈竹100亩3000丛；开展公路绿化活动，共栽植香樟1500株；开展造林绿化活动，共栽植龙柏600株、雪松300株；开展营造经济林活动，共栽植“牛肉红”柑橘2000株。

2007年，在和平镇秦家寨的涟江河岸，义务植柳树1000株，绿化河道2.5千米，投资12万元。

2008年，在县新景点——金蟾礼斗和县城濛江桥滨河绿地开展义务植树，树种主要有桂花、女贞、紫薇。

2009年，对七里冲后场坝至一碗井一线1千米的公路和公路右侧120亩的荒山，进行义务种植9000多株香樟和南酸枣。

2012年，在盛华职业学院桥边至原三都镇百鸟河村鱼塘边公路两旁及大龙309省道至盛华职业学院公路两旁，总长度3.5千米，绿化树种为香樟、栾树。义务植树1000株，成活率90%以上。

2013年，在涟江河两岸——抵濛桥至永红桥段已修好的防洪生态护坡段，开展全民义务植树活动，总长度2千米，绿化树种为垂柳、串钱柳、樱花、红叶石楠、含笑、金叶女贞等500余株。

2014年，在高镇米丹桥至新寨段义务植树3000余株，绿化总长度约1.3千米，树种主要有樱花、柳树。

2015年，在濛江街道、涟江街道星光村、摆金镇斗底村，旁才村哨口组、雅水镇雅水村同时同步举行义务植树活动，全县种植面积共计1114亩。种植树种主要为栾树景观林和茶叶经济林，共计种植苗木111.0236万株，其中：栾树6.02万株，茶叶105万株。

至2015年，全县“四旁”植树、义务植树1325.3万株，年均42.75万株。

表8-35

1985—2015年惠水县“四旁”、义务植树统计表

年度	“四旁”树绿化（万株）	义务植树（万株）
1985	7.56	
1986	8.6	
1987	53.37	
1988	18.68	21.31
1989	1.18	20.13
1990	12.31	16.1
小计	101.70	57.54
1991	16.54	17.45
1992	16.46	20.06
1993	18	20
1994	14.5	10.1
1995	25.5	26.3
1996	25.6	26
1997	30.8	28.5
1998	33.3	30.6
1999	56.5	32.3
2000	25.8	15.6
小计	263	226.91
2001	26.5	15.6
2002	18	15.2
2003	25	25
2004	15.1	15.5
2005	15.5	15.1
2006	25	25.1
2007	15.3	25.1
2008	15.5	25.3
2009	10	15
2010	25	25.8
小计	190.9	202.7
2011	25.1	25.2
2012	25.2	51

续表8-35

年度	“四旁”树绿化（万株）	义务植树（万株）
2013	25	50
2014	20	51
2015	10.12	111.0236

二、营造林

1985至2015年，县营造林工作主要分社会造林、社会造林与工程造林结合、工程造林三个阶段。

（一）社会造林阶段

1985至1990年为社会造林阶段。造林方式有人工直播、撒播。投资较低，每亩投资1至2元（1985年，点播造林价1.5元/亩），林业部门主要提供种子，群众投工投劳，在群众积极性较高的乡镇、村、组荒山荒地人工直播、撒播造林。由于资金投入较少，造林方式较为原始，导致造林成活率、面积保存率较低。

1985—1990年造林统计表

表8-36　　单位：万亩

年度	造林			其中	
	小计	人工造林	封山育林	社会造林	社会封山育林
1985	12.78	4.62	8.16	4.62	8.16
1986	11.71	1.89	9.82	1.89	9.82
1987	4.05	2.13	1.92	2.13	1.92
1988	5.38	1.35	4.03	1.35	4.03
1989	7.0	2.02	4.98	2.02	4.98
1990	4.19	2.28	1.92	2.28	1.91

1987至1989年，扶持林业专业户、重点户、联户林场，发动群众承包荒山造林，发展林业专业户、重点户、联户林场17个80户，发放林业贷款5.2万元。

1987年，建设王佑老豹山杉木林基地，先后投资1万多元，调杉木苗65万株，完成造林0.19万亩，苗木长势较好，经州检查合格。

1988年，飞播造林规划面积7.98万亩，有效面积5.7万亩，有效面积占设计面积71.46%，共分四个播区，即芦山、响水、双井、岩脚。

（二）社会造林与工程造林结合阶段

1991至2000年，贯彻省委、省政府《关于十年绿化贵州的决定》，印发惠水县《十年绿化惠水总体规划》。规划提出绿化惠水总体目标：全县森林覆盖率由10.35%提高到27.2%，加上灌木林40万亩，达到38%；森林面积由38.3万亩，再增加62.5万亩，总面积达100.8万亩；宜林荒山造林39.9万亩，封山育林22.6万亩。

期间，完成营造林67.12万亩，其中人工造林35.05万亩，封山育林32.08万亩。

表8-37

1991—2000年造林统计表

单位：万亩

年度	造林			其中		
	小计	人工造林	封山育林	社会造林	社会封山育	世行造林人工造林
1991	4.47	1.52	2.95	1.52	2.95	—
1992	7.0	5.0	2.0	5.0	2.0	—
1993	8.3	4.3	4.0	4.3	4.0	—
1994	9.55	4.0	5.55	4.0	5.55	—
1995	8.51	4.02	4.49	4.02	4.49	—
1996	9.34	4.21	5.13	4.21	5.13	—
1997	8.12	5.0	3.12	5.0	3.12	—
1998	4.61	2.61	2.0	2.61	2.0	—
1999	2.63	1.57	1.06	1.57	1.06	0.27
2000	4.58	2.81	1.77	2.81	1.77	0.23

期间，实施“三保”工程。“三保”工程是省委、省政府提出《关于十年绿化贵州的决定》实施的第一个项目，从1990年11月开始实施，黔南州在罗甸、惠水、平塘三县实施以保水、保土、保肥为目的，是一项控制水土流失，恢复生态平衡，提高农业生产力工程项目。惠水县片区治理面积控制在10000亩左右，惠水县“三保”工程治理范围：以惠罗公路为轴线，北起三都鸡鸭冲，南至甲戎青腾，涉及三都、断杉两个区4个乡镇25个村，129个组，共3154户，17507人。“三保”工程规划面积10520亩，分农业、林业、水利3个部分，其中林业部分新造林4774亩，项目总投资411.11万元（省、州专项补助336.09万元），其中林业部分投资81.4万元（省、州专项补助66.54万元）。

期间，实施农业综合开发项目。共分二期实施，第一期为1990至1992年，第二期为1993至1995年。

第一期农业综合开发。1990至1991年，农业综合开发完成年度，分别是1991年和1992年，1990年，农业综合开发项目中上级批复任务是：人工造林1.03万亩，封山育林2万亩，实际完成人工造林1.22万亩，占任务121.6%，其中：水土保持林0.59万亩，经济林（果、茶、桑）0.63万亩，完成封山育林2.02万亩，占任务100%。1991年，批复综合任务人工造林2.39万亩，封山育林2万亩，完成人工造林2万亩，占任务83.8%，其中：水土保持林1.05万亩，经济林（果、茶、桑）0.95万亩。完成封山育林2万亩，占任务100%。1992年，封山育林农业综合开发项目设计面积2.05万亩，分六个片区六个乡镇，项目总投资8.35万元。

第二期农业综合开发。第二期农业综合开发从1993至1995年，上级下达三年任务为1.65万亩，其中：水土保持林1.30万亩，经济林0.35万亩。实际完成1.74万亩，占任务105.5%，其中：水土保持林1.58万亩，经济林0.16万亩。1993年，任务是1.05万亩，完成1.05万亩，其中：水土保持林1万亩，经济林0.05万亩。1994年，农业综合开发任务经济林0.3万亩，完成经济林0.11万亩，占任务37.6%。1995年，开始农业综合开发，下达水土保持林任务0.3万亩，完成0.57万亩，占任务191.5%。

（三）工程造林阶段

1998年，县营造林工作进入工程造林阶段，先后实施世行造林项目（1999年开始实施）、小型公益林、薪炭林项目、退耕还林工程、珠防工程、植被恢复费项目、石漠化工程等工程项目。按照工程管理要求，按项目设计、投资、施工、验收，实施具有一定规模，投资由最初的10元/亩到50元/亩，再到现在的350元/亩，工程投资由少到多。到2015年，全县共实施工程造林85.07万亩，其中：人工造林（退耕还林）0.62万亩，封山育林44.45万亩。

表8-38　　2001—2015年造林统计表　　单位：万亩

年度	造林		
	小计	人工造林	封山育林
2001	3.70	1.66	2.04
2002	10.22	3.15	7.07
2003	8.62	3.30	5.32
2004	2.70	1.98	0.72
2005	5.51	2.50	3.01
2006	2.80	0	2.80
2007	2.50	0.50	2.00
2008	5.60	3.09	2.51
2009	6.01	2.49	3.52
2010	4.87	1.65	3.22
2011	6.81	1.91	4.90
2012	2.87	1.31	1.56
2013	4.43	2.93	1.50
2014	7.13	5.63	1.50
2015	11.29	8.53	2.77

1.世行贷款造林

1998年7月31日，中国政府与世界银行于签署“贫困地区林业发展项目”（FDPA）《信贷协议》（No.39—CHA）和《贷款协议》（4325—CHA）。12月16日，两个协定生效，世行项目正式实施。惠水县1999年开始实施，时间为1999至2002年。由于惠水县不属于贫困县，实施项目挂靠平塘县。

1999年，完成170.1公顷，占430公顷的任务39.6%，短周期工业原料林122.1公顷，经济林48公顷，实施地点：断杉镇摆惹村64.8公顷，其中：短周期工业原料林马尾松49.2公顷，经济林金秋梨15.6公顷；长田乡吟河村105.3公顷，其中：短周期工业原料林马尾松56公顷，金秋梨49.3公顷。

2000年，完成154公顷，占任务340公顷45.3%，造林树种均为马尾松。实施地点：断杉镇摆惹村15.5公顷，其中：短周期工业原料林马尾松15.5公顷；长田乡双牙村138.5公顷，其中：短周期工业原料林马尾松138.5公顷。

2001年，完成174.9公顷，占任务400公顷的43.73%，实施地点：长田乡吟河村，其中：火炬松完成122.8公顷，马尾松完成47.8公顷，枇杷经济林完成4.3公顷。

2002年，完成造林96.7公顷，占任务300公顷的32.23%。实施地点：长田乡吟河村，其中：马尾松完成96.7公顷。

在县内实施“贫困地区林业发展项目”建设，目标为营造林1470公顷，其中，经济林55.3公顷，短周期工业原料林1347.4公顷，楠竹林67公顷，通过4年的实施，实际完成595.7公顷，其中，经济林52.3公顷，占任务的94.4%，短周期工业原料林完成543.5公顷，占任务的40.34%，楠竹林任务为67公顷未实施，没有按任务完成项目建设。

1999至2002年，共完成营造林595.7公顷，其中：短周期工业原料林543.4公顷，经济林52.3公顷，世界银行贷款造林总投资为165.03万元人民币，其中：世行贷款144.8万元人民币（信贷10.47万个SDR和贷款17.49万美元），国内配套20.33万人民币。

2.农村小型公益林建设薪炭林项目

2002年，惠水被列为省农村小型公益林设施建设林业项目县，中央财政补助资金80万元，建设薪炭林3000亩。

是年，委托省林业调查规划院调查完成《贵州省惠水县农村小型公益林设施薪炭林项目2002年造林作业设计》，作业设计面积3072亩，为任务数的102.4%，涉及高镇镇赤土村，长田乡桥洞村、合兴村，2个乡镇3个村23个小班。主要造林树种为马尾松、刺槐。栽植混交林，混交比例为7（马）：3（槐）。

2003年3月开始，在全县实施小型公益林薪炭林项目实施时按设计要求首先对混交部分的刺槐苗木进行栽植，6月，再实施马尾松营养袋苗的栽植和用刺槐苗进行补植补造，7月完成。制作护林碑牌一块，聘请护林员5名，每年进行一次抚育和检查，2005年，因干旱造成成活率不够，补植70亩，2006年3月因火灾损失170亩，11月进行补植，12月完成自查验收报告，实际完成3002亩，占任务100%。2008年11月27日，经省林业厅、黔南州林业局组成验收小组对项目进行验收，通过验收。

3.退耕还林工程

2002年，开始实施退耕还林，到2015年，上级下达给惠水县任务22.9万亩，完成实施退耕还林22.9万亩，占任务100%。其中：退耕地造林完成4.1亩，荒山造林完成12.4万亩，封山育林完成6.4万亩。

表8-39

2002—2015年退耕还林统计表

单位：万元

年度	实际完成	类型		
		退耕地造林	荒山造林	封山育林
2002	3.7	2	1.7	—
2003	5.5	2	2.7	0.8
2004	1.6	0.1	1.4	0.1
2005	4	—	2	2
2006	0.8	—	0.8	—
2007	1	—	0.5	0.5
2008	1.8	—	0.2	1.6

续表8-39

年度	实际完成	类型		
		退耕地造林	荒山造林	封山育林
2009	0.8	—	0.3	0.5
2010	0.5	—	—	0.5
2011	1.1	—	0.7	0.4
2012	0.2	—	0.2	—
2013	0.6	—	0.6	—
2014	1.1	—	1.1	—
2015	0.2	—	0.2	—

第一轮退耕还林兑现情况。2002年开始实施退耕地造林，到2004年止，共完成退耕地造林4.1万亩，其中：2002年完成退耕地造林2万亩（经济林0.28万亩，生态林1.72万亩），2003年完成退耕地造林2万亩（经济林0.38万亩，生态林1.62万亩），2004年完成退耕地造林0.1万亩（全部为生态林），涉及退耕户18000户7.2万人，2002至2015年，共兑现现金10438.09万元。

新一轮退耕还林兑现情况。2014至2015年，共实施退耕地造林1.3万亩，均为经济林，其中：2014年完成1.1万亩、2015年完成0.2万亩、共涉及退耕户3704户、11403人。其中，涉及贫困户687户、贫困人口2405人。

巩固退耕还林成果项目。2008至2015年，全县巩固退耕还林成果项目共完成：基本口粮田2.23万亩；农村能源建设项目沼气池50口，太阳能4281台，省柴节煤灶2033个，薪炭林0.07万亩；生态移民327人；后续产业经济林1.60万亩，牧草0.05万亩，棚圈480平方米，青贮窖280平方米；劳动力就业创业转移技能培训671人次。退耕还林补植补造及恢复经营面积5.58万亩，其中：退耕地2.30万亩，荒山造林3.27万亩。

4.珠防工程

1996年，惠水县向州政府申请启动珠江防护林工程建设并获批准。1999年7月，成立县珠江流域防林体系工程领导小组，由分管副县长担任组长，县林业局局长为副组长，成员有县财政局、审计局、农办等单位负责人，珠防办公室设在县林业局，对项目进行全面管理，项目所涉及的乡镇中心林业站作为珠防工程管理站，对片区项目进行具体落实。

惠水分三期实施：第一期为1999至2000年；第二期为2001至2010年；第三期为2011至2012年。县先期自我启动珠防工程，后被列为贵州珠防工程启动县，最后被列为贵州珠防工程实施县。其间，国家投资由少到多，工程投资逐年增加。

1999年，是县珠防工程自我启动县实施年，上级下达任务1万亩，实际完成1.03万亩，占任务的103.28%，成活率85%，核实率100%，其中防护林0.50万亩，用材林0.23万亩，经济林0.3万亩，国家投资10万元。

2000年，惠水被列为珠防工程启动县，下达任务1万亩，实际完成1.05万亩，占任务104.63%，成活率85%，核实率100%，其中防护林0.39万亩，用材林0.27万亩，经济林0.38万亩，国家投资42万元。

2001年（2002年实施）至2010年，惠水县被列为珠防工程实施县，共完成珠防工程造林19.30万亩，占珠防工程造林任务19.11万亩的100.9%，其中：人工造林7.97万亩，封山育林11.33万亩。按林种分：防护林16.96万亩，用材林0.42万亩，经济林0.62万亩。聘用专职护林员87人，建护林碑牌62套（块），完成中央投资1351.6万元。工程区水土流失得到一定遏制，局部生态状况明显改善。二期工程建设中，人工造林模式有：马尾松纯林模式、湿地松×枫香模式、桉树速生林模式、柳杉纯林模式、滇柏封山育林补植模式、女贞封山育林补植模式等。

2011年，开始实施第三期珠防工程，任务为0.8万亩，其中：人工造林0.3万亩，封山育林0.5万亩。实际完成人工造林0.3万亩，其中：用材林设计0.25万亩，实际完成0.25万亩；经济林设计0.05万亩，实际完成0.05万亩。实际完成封山育林0.5万亩，其中：补植补造设计面积0.15万亩，实际完成补植补造面积0.15万亩，任务完成率100%。建封山育林护林碑1座，封山育林护林牌2套18块，聘请护林员3人。封山育林区均成立了管护组织，制定了管护公约，达到设计要求。

三、飞播造林

1968年起，开始实施飞播造林，到2012年，先后进行了9次飞播造林，绿化荒山９0余万亩。1981年，三都飞播造林区列为“贵州省飞播造林实验区”。

1988年，实施第六次飞播造林。规划面积7.98万亩，有效面积5.7万亩，有效面积占设计面积71.46%，共分4个播区，即芦山、响水、双井、岩脚。该次飞播首次采用地标导航宽幅往返重复撒播作业法，获得成功，四个播区平均接种率达88%，成效调查平均每亩株数为257株。

自1999年9月至2000年5月，实施第七次飞播造林。任务为10万亩，规划10.07万亩，有效面积7.76万亩，有效面积占设计面积77.06%，共分4个播区，即水头播区、摆王播区、平马播区和龙塘山播区，其中：水头播区设计面积2.04万亩，有效面积0.73万亩；摆王播区设计面积1.82万亩，有效面积1.34万亩；平马播区设计面积3.81万亩，有效面积2.82万亩；龙塘山播区设计面积2.40万亩，有效面积2万亩。树种为马尾松，每亩用种量为0.175千克，设计用马尾松种子16895千克，但在飞播实施时，由于马尾松种子准备不足。是年，县飞播自采种只有1104千克，分别向广西、湖北、省林业厅等地调马尾松种子13322千克，湿地松种1000千克，车桑子3800千克，满足飞播用种需求。飞行播种16架次，播带111带，飞行时间35.67小时。飞播机型为运-12型，选用机场为安顺双阳机场，本次飞播投资88.96万元。根据《惠水县2000年飞播成苗调查报告》，各播区有苗面积占有效面的百分比为：水头播区66.1%、摆王播区68.7%、平马播区70.3%、龙塘山播区36.1%，综合评定为：水头播区良、摆王播区良、平马播区良、龙塘山播区极差。

2000年9月至2001年5月，实施第八次飞播造林。任务为8.5万亩，由于2001年县生产马尾松种44000余斤，申请增加飞播任务1.1万亩，省厅批复后，新增长才播区，规划面积1.11万亩，所以2001年飞播造林规划面积为11.50万亩，有效面积8.35万亩，有效面积占设计面积72.67%，共分3个播区，即老豹山播区、宁旺播区、长才播区，其中：老豹山播区设计面积1.02万亩，有效面积0.73万亩；宁旺播区设计面积9.37亩，有效面积6.84万亩；长才播区设计面积1.11万亩，有效面积0.78万亩，本次飞播树种为马尾松，每亩用种量为0.2千克，共用马尾松种子45984千克，飞行16架次，播带83带，飞行时间37.66小时。飞播机型为运—12型，选用机场为安顺双阳机场，本次飞播投资116.93万元，其中：国家73.61万元，省州15万元，县自筹28.32万元。根据《惠水县2001年飞播成苗调查报告》，飞播成苗调查结果，各播区有苗面积占有效面的百分比为：宁旺播区90.04%、老豹山播区59.79%、长才播区91.03%。综合评定为：老豹山播区差、宁旺播区优、长才播区优。

2001年10月至2002年5月，实施第九次飞播造林，规划面积5.46万亩，有效面积4.05万亩，有效面积占设计面积74.24%，共分4个播区，即鸡冠岩、莲花山、盘龙、马场寨，其中：鸡冠岩播区设计面积1.64万亩，有效面积1.2万亩；莲花山播区设计面积1.08万亩，有效面积0.81万亩；盘龙播区设计面积1.09万亩，有效面积0.84万亩，马场寨播区设计面积1.65万亩，有效面积1.20万亩。本次飞播树种为马尾松，每亩用种量为0.2千克，共用马尾松种子10914千克，飞行10架次，播带65带，飞行时间16小时47分钟。飞播机型为运-12型，选用机场为安顺双阳机场，本次飞播投资57.5万元，其中：国家36.3万元，省州10万元，县自筹11.2万元。根据《惠水县2002年飞播成苗调查报告》，飞播成苗调查结果：各播区有苗面积占有效面的百分比为：鸡冠岩播区92.1%、莲花山播区57.6%、盘龙播区86.7%、马场寨播区47.4%，综合评定为：鸡冠岩播区优、莲花山播区差、盘龙播区优、马场寨播区极差。

1988—2002年飞播造林基本情况表

表8-40　　　　单位：万亩

年度	飞播次序	飞播造林		
		播区	设计面积	有效面积
1988	第六次	芦山、响水、双井、岩脚四个播区	7.98	5.7
2000	第七次	水头播区、摆王播区、平马播区和龙塘山播区四个播区	10.07	7.76
2001	第八次	老豹山播区、宁旺播区、长才播区三个播区	11.50	8.35
2002	第九次	鸡冠岩、莲花山、盘龙、马场寨四个播区	5.46	4.05

四、基地造林

（一）青山沟基地

1990年，县开始实施农业综合开发项目。是年，开始筹建青山沟林果基地，在毛家苑乡（现好花红镇）龙联村青山沟引种直干桉526亩。1991年后，逐步建成青山沟林果基地2749亩，其中：经营型1184亩，以用材林为主；实验型526亩，以直杆桉为主；示范型502亩，以经果林为主；扶贫型537亩，主要营造效益快的用材林和经济林。1992年，青山沟经果林种植面积达3249亩，其中：“试验型”——引种直杆桉526亩，年提炼桉油150千克；“经营型”——速生丰产马尾松1184亩开始郁被成林；“示范型”——多种果树1002亩，已挂果；“扶贫型”——农户栽植的537亩果树已见成效，基本形成一个集科学实验型、经营型、果树示范型、扶贫型为一体农业综合开发示范基地。

青山沟经济实体形成后，省、州林业主管部门投资联营，通过外联引资123.6万元完成基础设施建设。

1994年5月，青山沟林果基地初具规模，实现“三通”（电通、水通、路通），基地总投资130.9万元，其中：生产费用50万元，种苗费20万元，肥料费21万元，基础设施建设费38万元。7月，林业部副部长祝光耀到惠水检查林业工作，为青山沟林果基地题词。是年，青山沟林果基地获黔南州科技四等奖。

1997年由个人包经营管理。

1999年3月，青山沟林果基地经营使用权有偿转让给惠水县三友绿色产业开发有限公司，期限50年

（1999年3月18日至2049年3月18日），转让费45万元，一次性付清。

（二）“三八”林果基地

“三八”林果基地前身是惠水县劳模林。1985年3月，县林业局将位于和平镇长冲的劳模林392亩，承包个人管护，至1995年3月13日。合同期间主伐或间伐按承包面积活立木折算总价值，县林业局占20%，承包人占80%。1993年5月20日，县林业局提前终止管护合同，8月，原劳模林进行改造更新，县林业局与省妇联、州妇联共同创建惠水县“三八”林果基地，面积300亩，主要种植早熟李、奈李、花椒等经济林，林业局主要负责统一规划、组织实施和管理工作，贵州省妇联、州妇联先后各投资1万元。

2010年3月，将劳模林承包给新城村五组管理，承包期为30年，承包期间，林地所有权仍属县林业局，林木所有权主要归承包方，如承包的劳模林因采伐等产生效益，县林业局占10%，新城村五组占90%。

（三）盘龙茶场

1993年9月，县林业局与岗度乡盘龙村签订荒山开发承包合同，承包面积1223亩，逐年开发。承包年限30年（1993年9月6日至2023年9月5日），承包费1元/亩。10月，县第二期农业综合开发林业项目启动，县林业局组织各股室技术人员组成实施组，对岗度乡盘龙村进行开发利用荒山，创建盘龙茶场。项目规划面积450亩，项目投资84.1万元，其中：生产基地45万元，基础设施39.1万元。对场部、加工用房布局、茶场区划、主干道、小道、采茶路等进行规划，采用高标准撩壕整地，壕宽0.8米，深0.6米，种植福鼎大白茶。

1994年3月，投资55.4万元建成300亩高质量茶叶基地。

1995年3月，开始产春茶，实现既绿化荒山又有经济效益的目的。

1996年4月，贵定县云雾茶叶场承包盘龙茶场。1997年，盘龙茶叶基地初见效益。之后，相继由个人、县国有烂坝林场承包。

2006年11月，黔南州林业局利用2004年、2005年州级植被恢复费项目，对盘龙茶场进行扩建面积600亩，其中：2004年，州级植被恢复费项目300亩；2005年，州级植被恢复费项目300亩，项目总投资246.6万元，于2007年4月完成整地造林任务，是年修建了场部及茶叶加工房，新扩建的600亩，由州林业局进行管理。

2015年，盘龙茶场由贵州知茶茶业有限公司承包合同期从2015年3月5日至2023年9月5日止。承包费以茶叶交纳，数量和质量要求为：2015年、2016年每年25千克特级毛尖茶，2017年以后，每年交25千克特级毛尖茶和10千克接待茶，按贵州省地方标准DB52/433—2001要求验收。

第四节　采种育苗

一、采种

惠水县马尾松种源丰富，分布广，是主要造林树种，是贵州省马尾松重点采种县之一。1992年11月，省、地联建马尾松采种基地，采种基地建设任务1.5万亩，母树林0.1万亩。1993年5月，马尾松采种基地升格为部省联建马尾松采种基地，建采种基地11.1万亩，其中：采种林10万亩，优良采种林0.8万亩，母树林0.3万亩。2002年8月，马尾松采种基地进行扩建，建设规模12.51万亩，其中：采种林

12.19万亩，母树林0.32万亩。通过三次马尾松采种基地的建设，惠水县成为全省最大的马尾松采种基地县之一。

20世纪80、90年代，县生产的马尾松种子主要提供全省飞播造林用。2002年以后，由于全省没有飞播造林任务，全县马尾松种子生产逐年减少，所生产的种子仅用于县内育苗生产，少部分外调。

表8-41

历年生产马尾松净种表

单位：万千克

年度	采种	年度	采种
1985	0	2001	2.3
1986	0	2002	0.38
1987	0.42	2003	0
1988	1.25	2004	0
1989	3.03	2005	0.06
1990	3.03	2006	0
1991	0.97	2007	0.1
1992	5	2008	0.1
1993	2.88	2009	0.1
1994	1.94	2010	0.02
1995	1.79	2011	0.02
1996	0.55	2012	0.01
1997	0.57	2013	0
1998	1.02	2014	0
1999	1.32	2015	0
2000	0.13		

二、育苗

1985至1990年，育苗生产主要是生产裸根苗，所育树种主要是香椿、楸树、梓木、杉树、泡桐等，属于计划育苗阶段，由林业部门提供种子，按每亩40～100元补偿给育苗户，育苗户每年每亩向林业局交1000至5000株苗木，多余苗木由育苗户自行在市场上出售。所交苗木由林业部门安排给县直部门和农户，用于全县每年的义务植树和“四旁”植树。

1990至2009年，逐步实行社会订单商品化育苗，林业部门不再发给种子和进行补偿，育苗户个人投资按林业部门育苗计划进行育苗，所育苗木售给林业部门，林业部门按合同价收购供应乡镇造林。这一阶段所育的苗以裸根苗为主，营养袋苗占20%左右。2002年后，营养袋育苗比例60%左右。

2009至2015年，全面实行商品化育苗，林业部门不再下达育苗计划，由育苗户自行育苗，林业部门根据是年省物价局、省林业厅研究制定的全省常用造林树种苗木和部分非常规造林绿化用苗的最高限价，通过县采购办进行自行采购或委托县采购中心进行招标采购。这一阶段所育生态林苗90%以上是营养袋苗，经济林苗是裸根嫁接苗。

表8-42

1985—2015年育苗情况表

年度	育苗			
	面积（公顷）	总产苗量（万株）	其中	
			裸根苗（万株）	营养袋（万袋）
1985	13.22	—	—	—
1986	7.81	65.78	65.78	—
1987	4.07	—	—	—
1988	1.55	—	—	—
1989	3.95	—	—	—
1990	3.33	—	—	—
1991	6.89	—	—	—
1992	20.65	—	—	—
1993	24	—	—	—
1994	13	—	—	—
1995	9.2	—	—	—
1996	5.67	—	—	—
1997	5.33	—	—	—
1998	5.43	—	—	—
1999	5.47	168.3	—	—
2000	8.33	186	106	80
2001	10.13	200	140	60
2002	28	823	81	742
2003	15.33	1400	—	1400
2004	9.35	488.2	148.2	340
2005	11	501	60	441
2006	6	400	—	400
2007	3	190	10	180
2008	5.83	333	20	313
2009	15	451	62	389
2010	5.63	547.1	99.1	448
2011	6.45	247.4	133.2	114.2
2012	20.89	472.2	417.5	54.7
2013	43.87	721.8	482.8	115.4
2014	30.17	894.58	720	174.58
2015	15.4	1352	872	480

三、马尾松采种基地

（一）马尾松采种基地

1991年7月，编制惠水县马尾松采种基地项目建议书，1992年11月，贵州省林业厅以黔林种复字〔1992〕352号文件下达惠水县采种基地建设任务1.5万亩，母树林0.1万亩，建设成省、地联建马尾松采种基地，建设年限5年。生产规模：年产马尾松净种1.8万千克，建设地点采种林为甲烈乡小坝村、甲烈村、冷水村、摆章村；摆金镇谷通村、米新村、马道村、孔引村、茅草村、杨梅坡村、苏新村。母树林为甲烈乡吧冲。总投资12万元，省7.5万元，地、县4.5万元。

1993年5月，马尾松采种基地升格为部省联建马尾松采种基地，申请州林业调查规划院作《惠水县马尾松采种基地总体设计》，报经省林业厅批复，项目批复总投资34.05万元，建采种基地11.1万亩，其中：采种林10万亩，优良采种林0.8万亩，母树林0.3万亩。

1993至1999年，完成采种林10万亩，优良采种林0.8万亩，母树林0.3万亩的区划和建设任务，对0.3万亩母树进行疏伐，完成0.16万亩，采种基地内设置监测样地20个，对采种基地内结实情况、病虫害情况进行监测，每年3次，建烘房2座，面积132平方米，仓库70平方米，晒坝2000平方米以及种子处理所需设备，为县种子生产提供技术保障，完成投资34.1万元。1991至1999年，全县共生产马尾松净种15.97万千克，平均每年生产1.775万千克，种子价值235.21万元。

1999年8月，惠水部省联营马尾松采种基地，通过省林业厅种苗站组织有关专家评审组的检查验收。

（二）马尾松采种基地（扩建项目）

2002年8月，根据省林业厅黔计投〔2002〕629号文件，对县马尾松采种基地进行扩建，建设规模12.48万亩，项目总投资130万元（其中：中央资金102万元，地方自筹28万元），县林业局委托黔南州林业调查规划院完成总体规划，设计规模：12.51万亩，其中：采种林12.19万亩，母树林0.32万亩。

2005年6月，完成母树林第一次疏伐，面积0.05万亩，母树林内设置监测样地20个，对母树林内疏伐强度、结实情况、病虫害情况进行监测，采种林落实管护人员13名，采种基地综合用房547平方米（含种子仓库、检验室、工具房等）完成50%，由于马尾松采种基地（扩建项目）没有按设计要求完成任务。2005年7月，省级检查验收未通过，要求整改合格后再验收。

（三）马尾松采种基地（续建项目）

2005年，黔南州发改委印发《关于下达黔南州2005年林木种苗工程中央预算内资金（国债）投资计划的通知》，下达惠水县马尾松采种基地续建项目：完成续建马尾松母树林抚育疏伐3000亩；建设邓恩桉基地建设规模225亩，其中：种子园区51亩、种源收集区12亩，试验区162亩。总投资80万元，其中：中央投资65万元，地方自筹15万元。

是年11月，委托黔南林业调查规划院对该项目进行总体设计，2006年10月，县马尾松采种基地（续建）项目进入实施阶段，按总体设计要求完成各项建设任务：续建马尾松母树林抚育疏伐3000亩，完成疏伐面积3173亩。2009年10月，组织民工完成母树林疏伐工作，经验收，达到总体设计要求。建成邓恩桉基地225亩，其中：种子园区51亩、种源收集区12亩，试验区162亩。建种子园生产区51亩，共15个种源，107个家系，共分为二个大区，第一大区28亩，配置54个家系共8个小区，在每个小区中各配置家系4株，第二大区面积23亩，配置53个家系共5个小区，在每个小区中各配置家系4株，经2009年8月对种子园生产区进行普查，还保存99个家系。建设种源收集区12亩，共收集26个家系种源。建设引种实验区162

亩，共引进10个桉树种，每个树种引种面积16亩。建种子园宣传碑一块，在种子生产区建水泥桩13块作固定标志。购置电脑1套，数码相机1台，尤其是邓恩桉种子园在经历了2008年凝冻灾害、2010年旱灾及森林火灾等灾难后，证明邓恩桉在惠水县甚至在州内部分县适合推广种植。

2011年10月27日至28日，由省林业厅种苗站、省规资处、州林业局种苗站等相关单位组成的竣工验收小组，对惠水县2005年马尾松采种基地（续建）项目，进行竣工验收。

第五节　林业产业

一、速生丰产林

2005年，通过省种苗站与国家桉树发展研究中心，从澳大利亚引进邓恩桉树种，经过3年实地试验，在县内海拔1100米以下、立地件较好地段可正常生长，特别是经过2008年低温凝冻检验，证明可以在海拔1100米以下地区推广栽培。截至2012年，在县城周围及高镇、三都镇推广种植11353亩。按乡镇分：和平镇3307亩（星光村1397亩，大兴村1388亩，惠明村186亩，新城村336亩）；高镇1311亩（首创村551亩，长星村760亩）；大龙乡725亩（九龙村352亩，长征村373亩）；三都镇372亩（小龙村372亩），烂坝林场1071亩；黔惠林场4567亩。

按年度分：2007年度400亩，2008年度2578亩，2009年度2603亩，2010年度4772亩，2011年度1000亩。

按工程项目分：州级森林植被恢复费项目4300亩，省级森林植被恢复费项目900亩，省级国有林场扶贫资金项目571亩，石漠化治理工程1011亩，珠防工程3186亩，退耕还林工程755亩。

二、经济林（“牛肉红”金钱橘产业、核桃）

“牛肉红”金钱橘，是惠水县独有的地方名特水果品种，原产地位于县境内好花红乡辉岩村。自2003年开始，利用退耕还林、珠防工程，植被恢复等工程，以平均每年2000亩的规模稳步发展，截至2012年，累计发展11126.9亩，2011年，“牛肉红”金钱橘产量达500万千克，产值2000多万元，不少农户因种植“牛肉红”金钱橘走上致富之路，“牛肉红”金钱橘成为惠水县打造林产业、实施林业“185工程”的首推树种。

2004至2015年，县林业局每年安排培育“牛肉红”金钱橘嫁接苗20万株，利用工程支撑，无偿提供给涟江坝区农户种植。根据资料统计，2015年已发展11126.9亩，按乡镇分：好花红乡4264.6亩（兴涟村561.1亩，满意村882亩，崇学村742.9亩，辉岩村985.1亩，新门村35亩，清水村169.5亩，三联村114亩，六马村37亩）；原三都镇1980.5亩（栗木村274.5亩，平地村159亩，百鸟河村503亩，金田村506亩，上衙村166亩，小龙村108亩，九门村264亩）；大坝乡山河村78亩；断杉镇新场村40亩；岗度乡126亩（本底村24亩，黄土村102亩）；长安乡196亩（西南村106.3亩，冉告村89.7亩）；长田乡798亩（桥洞村18亩，长田村27亩，双庆村753亩）；大龙乡858.2亩（长征村315.2亩，甘昌村393亩，排楼村150亩）；原高镇2041.7亩（长岩村82.5亩，半坡村204亩，赤土村558.7亩，司蒙村180.2亩，山后村739.3亩，姚新村71.3亩，长新村205.7亩）；原和平镇619.7亩（星光村110.7亩，新城村69亩，大兴村440亩）；甲戎乡862.2亩（枇杷村324.3亩，甲戎村21.7亩，清河村225.2亩，水源村291亩）。按年度分：2003年1422.1亩，2005年3175.5亩，2006年506亩，2008年500亩，2009年3003.3亩，2010年2000亩，2011年520亩。按工程项目分：2003年度退耕还林项目1422.1亩，2005年度退耕还林项目3175.5亩，2006年度退耕还林项目506亩，2008

年巩固退耕还林成果项目500亩，2009年巩固退耕还林成果项目386亩，实施省级森林植被恢复项目2617.3亩，2010年度省级森林植被恢复项目2000亩。2011年巩固退耕还林成果项目520亩。

2009年以来，以石漠化治理工程、退耕还林工程为依托，开始核桃产业建设，已完成核桃基地建设11394.5亩，按乡镇分：原和平镇200亩（龙井村200亩）；鸭绒乡300亩（谷把村150亩，上田村150亩）；原羡塘乡700亩（甲奉村700亩），芦山镇1827亩（芦山村180亩，勤中村517.5亩，格我村375亩，河心村754.5亩）；甲戎乡2832.5亩（翁金村682.5亩，水源村364亩，吉安村919亩，龙上村867亩）；打引乡2235亩（场坝村100亩，打永村970亩，原和平镇村300亩，团坡村250亩，董上村615亩）。按年度分：2009年度1827亩，2010年度2832.5亩，2011年度6735亩。按工程项目分，石漠化治理工程6894.5亩，退耕还林工程4500亩。

2010年，巩固退耕还林成果后续抓产业金银花项目，建设地点位于好花红乡崇学村，建设规模为738亩。建设方式采取农业合作社与工程项目相结合形式共建，金银花长势良好，已产生收益。

实施500亩苹果桃建设项目，建设地点位于原高镇山后村，建设规模为500亩。将该项目纳入2011年度珠防工程，采取引进大户参与建设的方式进行，栽植后的苹果桃长势良好。

三、花卉苗木

1999年前，县内具有一定规模的花卉苗木企业（个体）7家（户），面积1270亩，主要是惠水县本地花卉苗木企业和部分省内外商家，2000至2009年，发展到19家（户），发展面积3440亩。2010至2012年，发展到43家，发展面积达9700亩，主要是福建、湖南、四川、浙江的商家和本地企业。发展绿化苗木主要有：桂花、香樟、广玉兰、乐昌含笑、紫葳、樱花、紫叶李、碧桃、红花继木、金叶女贞、大叶黄杨、金边黄杨、法青、红叶石楠、丁香、海桐、八角金盘、洒金珊瑚、海藻、老人葵、红枫等；主要草皮有：马尼拉、剪股颖、马蹄筋、黑麦草、高羊芋；主要时令花卉有：孔雀草、金盏菊、雏菊、一串红、美女樱、石竹、薰衣草等。

美瑞特花卉苗木基地（2013年摄）

集展示、交易、培训为一体的花卉培育培训中心（2013年摄）

2012年后，加大花卉苗木产业的建设力度，把花卉苗木产业作为全省“5个100工程”的涟江现代高效农业产业园区的主打产业来抓，提出建设“贵州最大花卉苗木基地县”的发展思路。5月15日，县委、县政府出台《关于加快全县花卉苗木产业发展的意见》和《关于加快全县土地流转的意见》，明确相关职能部门的责任，每年设立1000万元花卉产业扶持基金，把花卉产业作为林业特色重点产业打造。

是年6月，成立全省第一家县级花卉苗木协会——惠水县花卉苗木协会，会员61名。10月，委托贵州省林科院编制《惠水县花卉苗木产业发展总体规划》，在“十二五”末，完成5万亩花卉产业园种植基地，其中：产业园规模2万亩，生产基地规模3万亩，力争打造成省内最大的花卉苗木生产基地。计划在“十三五”末，全县完成20万亩花卉产业种植基地建设任务，建成贵州省最大花卉苗木基地县。

通过招商引资，引进鸿瑞、荆江、美瑞特、丰之园4家花卉苗木龙头企业，入驻涟江现代高效农业产业示范园区，其中：美瑞特和丰之园两家公司在和平镇雅羊坝建设花卉苗木种植核心示范区，县出资300多万元，在花卉苗木产业核心区建设智能化玻璃温控大棚，占地2160平方米，作为县生产高端花卉和培训花农的生产培育培训中心，两家花木企业共流转土地2000亩，完成种植面积1600亩，共计投资1.5亿元，企业加大投入，逐步把示范区面积扩展到5000亩以上。鸿瑞和荆江公司分别在高镇流转了1000亩土地建花卉苗木生产基地，主要经营有银杏、香樟、法桐、红枫、樱花、玉兰等上百种精品绿化苗木和花卉草本植物。

2012年年底，入驻企业达43家（户），种植面积9700亩，实现经营收入3.24亿元以上，转移劳动力4300余人，带动就业1200余人，就业收入3000余万元。

2013年，完成花卉培育培训中心2160平方米玻璃温控大棚建设；加大花卉苗木企业服务力度，指导企业规范化生产，办理花卉苗木生产、经营许可5户；引进中天城投、省林科院等企业入住惠水发展花卉苗木产业，全县花卉苗木种植规模达16000亩；申报项目发展花卉苗木产业，2012年申报的农业综合开发名优花卉建设项目于2013年下发投资计划，经省林业厅同意将该项目资金用于打造原高镇司蒙村花卉苗木观光园，该园区规划面积600亩，其中：薰衣草观光园200亩，玫瑰观光园400亩。完成整地200亩，种植薰衣草成品苗5万余株。

2014年，新增花卉苗木种植5000亩，其中：涟江街道完成1500亩、好花红镇完成2000亩、濛江街道办完成1500亩。是年，完成第六届黔南州旅游产业发展大会好花红镇好花红村花卉景观建设任务。

2015年，成功申报2015年木本观赏植物繁育及高效栽培技术推广示范项目，建设规模120亩，其中：苗木繁殖区50亩，示范区70亩，主要种植野茉莉、青榨槭、月季、玫瑰等，项目总投资100万元。是年7月，举办贵州省园林苗木交流会，邀请全国各地80余名花卉苗木企业负责人参加会议，与深圳爱淘苗电子商务科技有限公司及惠水合生农业生态发展有限公司签订意向性合作项目3个，完成意向性签约资金5.2亿元，其中：深圳爱淘苗电子商务惠水县花卉苗木电子商务平台建设项目，项目计划总投资约1000万元；惠水县数字苗木产业园项目，项目计划总投资6000万元；惠水县小汤姆花园项目，建设规模1300亩，项目计划总投资45000万元。是年，发展新增花卉苗木种植面积900余亩，共扶持发展花卉苗木企业、专业合作社、种植大户76家，花卉苗木种植2万亩，主要以生态建设造林苗木、经济林苗木、绿化乔木、灌木、草坪、观赏花卉等为主，实现经营收入5亿元，转移劳动力5000余人，带动就业2500余人，就业收入达5500余万元，农民人均纯收入8000余元。

第六节　山林保护

一、自然保护区管理

2000年8月，建立长安喀斯特自然保护区，为县级自然保护区，核心区主要是涉及抵季乡抵塘、代京、上坝3个行政村。地处北纬25° 41′ ~25° 43′ ，东经106° 31′ ~106° 49′ 之间，东与羡塘乡交界，南与抵塘接壤，西抵上坝村山上寨，北与蛮纳村相邻，总面积43平方千米。属布依、苗、汉族为主的杂居地。

该区大地貌处于黔中高原南边坡边缘，地势北高南低，最高海拔1353米，最低海拔876米，全区地貌以中山丘陵为主，形成典型的喀斯特地貌类型区。区内有5.7万余人。林业资源分布不平衡，以原抵季乡抵塘村为中心的3个行政村，自然森林保存较完整的有20平方千米，其他地方仅存疏林、灌木，多数地区已出现石漠化现象。主要植被类型：青冈栎、化香、多脉鹅耳栎林；麻栎林；枫香、响叶杨林；马尾松林；火棘、小果蔷薇灌丛。主要保护对象：国家一、二类保护动物狗熊、红腹角雉、红腹锦鸡、穿山甲和獐子等；国家一、二类保护树种梭罗、榉木和萃柏等。保护区内有深峪、溶洞，石峰林立，风貌奇特，具有很高的旅游开发价值。保护区主要由县林业部门管理，自建立以来，完善了相应管理措施，严厉打击乱砍滥伐天然林和捕杀区内各种野生动物。

二、基地林建设管护

1987年2月5日，将罗汉山作为全县造林示范点。

1988年，开展森林保险，为2881公顷飞播林投保31114.8元。

1993年8月，对劳模林进行改造更新，省、州妇联共建“三八林果基地”，共引进资金104万元，其中：林业部投资33.4万元、省计委40万元、省林业厅16万元、省林业厅营林处7.6万元、州林业局5万元、省妇联1万元、州妇联1万元，贷款13.5万元。

1997年，将青山沟林果基地、“三八”林果基地，对外承包；盘龙茶叶基地全面开始施肥，共收茶叶474千克，初见效益。

2000年11月20日，将劳模林承包给个人管理。

2003年10月24日，将宁旺乡龙塘村（6966亩）、岗度乡柏栗村（14127亩）荒山使用权，转让给扎佐林场60年，为21元/亩。

三、飞播实验林管护

1981年，三都镇飞播造林区列为“贵州省飞播造林实验区”。1月，林业部拨专款24万元，投资三都播区，建设国家飞播实验林，进行补植补种，调整树种结构，修筑林区公路，建立护林站。1986年，林业部、省林业厅授予护林站干部黄昌琪“全国暨全省飞播造林先进工作者”。

1996年6月18日，三都镇栗木村管理的飞播林由林工商公司补偿收回经营管理。1997年4月25日，三都镇羡田村管理的飞播林约8000亩，由林工商公司贷款30万元补偿羡田村，由林工商公司经营管理。

四、推广节柴灶

推广节柴灶为节约薪材，减小森林资源消耗，更好地缓解农民烧柴对公益林保护等林业生态工程保护，巩固林业生态工程建设成果。

1993年，县承担省林业厅、贵州农学院的“贵农Ⅰ、Ⅱ型”节柴灶的试验工作，在毛家苑乡、羡塘乡发送节柴灶100台。

2001年4月，在和平镇高坪村实施改灶节柴示范村工程建沼气池80个，改灶50个，投资12万元。

2007年11月，在大龙乡九龙村安装100套节柴灶具，价值5万元。

2012年，惠水县被列为改灶节柴工作建设县，在和平镇龙井村、高坪村和三合村安装节柴灶400台，其中，龙井村200台、高坪村100台、三合村100台。该区域公益林分布比较集中，又是重要的环城林带，属于深石山区，交通不便，能源缺乏，主要靠烧柴取暖及生活用火，农村能源与生态建设矛盾比较突出。

第七节　森林防火

1982年，山林火灾发生24起，烧毁6972亩，其中大火灾7起，毁林7849亩。

1984年，共发生山林火灾23起，毁林面积2700亩，占有林地面积的4.6‰。

1987年，县林业派出所查处森林火灾案件37起37人，追偿5389元，追缴更新造林款1310元，行政罚款1215元。

1987年11月至1988年5月的森林防火期内，县有三都、王佑、断杉、和平没有发生森林火灾，全县森林火灾毁林面积885亩，毁林率为2.3‰，达到了国家规定3‰以下的标准。

1989年，全县森林火灾毁林率控制在0.8‰—2.4‰允许范围内，其中森林火灾六起，火警十四起，荒火一起，过火面积1727亩，毁林308亩。

1990年，发生森林火灾13起，其中荒火7起、火警2起、一般火灾4起；过火面积636亩，烧毁森林面积223亩，毁林率为0.58‰，比去年下降27.5%。

1991年，发生山火22起，查处火情9起，其中：一般火灾10起，损失有林地面积82.7亩，年火灾损失率控制为0.21‰，同期相比减少204.3亩。

1993年，发生林火7起（火警2起，火灾5起），森林火灾受害率控制在0.8‰以内。

1995年，发生林火5起（火警4起、火灾1起），过火280亩，受害95亩，损失幼树828株。

1996年，山林火情12起，其中火警8起，一般火灾4起，火灾面积831亩，实际森林受害面积179亩，森林火灾受害率为0.27‰，未超过与州签订责任状0.8‰。

1997年，国营烂坝林场成立专业扑火队，负责本场和参与周边林区的林火扑救。全县森林火灾受害率仅为0.28‰，大大低于州下达的0.8‰指标。全年发生森林火警8起，过火面积610亩，损失面积435亩。7月，惠水县在全州林业工作会议上被州人民政府授予森林防火先进县的光荣称号。

1999年7月起，林业派出所与森林防火指挥部合署办公。全年发生火警8起，一般火灾4起，过火面积383亩，毁林面积252亩，成林蓄积191m^3，经济损失2万元，烧死幼树3.18万株；扑火经费2675元，出动24车次车辆。发生森林火灾5起，（其中：森林火警3起，一般火灾2起），火场总面积325亩，受害面积149亩，损失幼林株树1716株。火灾受害率为0.2‰，低于州下达0.8‰的指标。

2001年，全年发生火情5起，其中火灾1起，火警4起，过火面积203亩，受害林104亩，森林火灾受害率控制在0.4‰以下。

2002年，全县发生森火警3起，一般火灾8起，火场总面积2475亩，受害森林面积1520.5亩。

2003年，成立黔惠林场专业扑火队，州森防指资助了扑火物资。全县4个专业森林消防队80名队员，28个半专业森林消防队1500名队员时刻待命扑火。全县共发生森林火灾41起，其中森林火警23起，一般火灾18起，火场总面积4873.5亩，受害森林面积2946.5亩，森林火灾受害率为0.38‰，没有发生重、特大森林火灾。

2004年，县直机关建立扑火队10支217人，乡镇建立扑火9支共205人。全县共发生森林火情17起，其中：火警（荒火）10起，一般火灾7起，过火面积183.9公顷，受害森林面积43.9公顷。

2005年，25个乡镇和森林防火成员单位由主要领导带队对重点林区和主要交通要道设卡，实行领导划片包干负责制，并把森林防火工作作为25个乡镇的年终目标考核指标之一。全年共发生火情18起，其中火警13起，过火面积2998.5亩，受害森林面积1230亩。2月24日，三都镇唐正坤为扑救森林火灾牺牲。

2006年，利用国家重点公益林补偿基金聘请专职护林员200人，兼职护林员281人，建成护林队18支，全部经过培训后持证上岗。全县共发生火情9起，其中火警6起，一般火灾3起，过火面积950亩，受害森林面积690亩，火灾受害率0.67‰。

2007年，全县共发生森林火警、火灾22起，其中火警14起、一般火灾8起。森林受害面积167.5公顷，损失面积38.1公顷，森林火灾受害率为0.51‰；损失幼树2.06万株。扑救山火时遇难死亡1人。破获森林火灾刑事案件2起（上坟祭祖引起），逮捕2人；查处森林火灾林政案件2起，处罚2人，批评教育16人。3月4日，在扑救三都镇上衙村杉树林森林火灾中，扑火人员上衙村三组村民阎明发不幸身亡。

3月6至26日，在全县开展为期20天的森林火灾隐患大排查活动。破获森林火灾刑事案件2起，逮捕2人；查处森林火灾行政案件1起，处罚1人，收缴罚款500元，责令赔偿损失1000元。

2008年，全年发生森林火灾41起、过火面积323.81公顷，其中受害森林面积41.76公顷，损失蓄积2619立方米，幼树15.83万株。森林火灾受害率为0.41‰。破森林火灾刑事案件12起，逮捕9人；查处森林火灾行政案件7起，处罚7人。

是年，3月10日至4月30日，在全县开展为期50天的森林火灾破案会战行动。破获森林火灾刑事案件12起，逮捕9人；查处森林火灾行政案件7起，处罚7人。

2009年，招聘10名高素质护林员成立扑火队。是年，查破失火毁林刑事案件4起，直接起诉7人；查处森林火灾行政案件5起，处罚5人，追缴林业行政罚款10500元

2010年，全年森林防火共投入经费75.8万元。3月2日，县公安局抽调干警10人组成森林火灾案件破案专案组，开展森林火灾案件破案会战专项行动。3月21日至28日，将20名放失火犯罪嫌疑人在城区和断杉镇、雅水镇、高镇镇、摆金镇、芦山镇、三都镇等地巡回召开公捕公处大会7场（次）。是年，立森林火灾刑事案件31起，破26起（故意纵火2起，失火毁林24起），撤案3起，依法逮捕25人，直接起诉1起；立

森林火灾行政案件2起，查处2起；立查违反用火管理规定案件3起，治安拘留3人。在全县范围开展“森林火灾案件破案会战”，严厉打击失火毁林违法犯罪。立森林火灾刑事案件31起，破26起（故意纵火2起，失火毁林24起），撤案3起，依法逮捕25人，直接起诉1起；立森林火灾行政案件2起，查处2起；立查违反用火管理规定案件3起，治安拘留3人。

2011年，全年森林防火共投入经费94.04万元；州林业局匹配资金修建森林防火瞭望塔3座，分别位于罗汉山坡顶电视转播台内（纬度：26° 8′ 19″，经度：106° 37′ 59″，高程1153米）、国有烂坝林场内（纬度：26° 9′ 37″，经度：106° 38′ 21″，高程1009米）、黔惠林场内（纬度：26° 4′ 58″，经度：106° 35′ 41″，高程1013米）。

全年立森林火灾刑事案件31起，破26起（故意纵火2起，失火毁林24起），撤案3起，依法逮捕25人，直接起诉1起；立森林火灾行政案件2起，查处2起；立查违反用火管理规定案件3起，治安拘留3人。

2012年，全年森林防火共投入经费116.6万元；是年2月，惠水县民兵应急分队30人作为一支新力量参加全县森林火灾扑救；10月，“林火通信系统”建设完成，配备对讲机20台，车载电台2台，基地台2台。是年，破森林火灾刑事案件4起，逮捕2人，直诉2人；立处森林火灾行政案件5起，处理5人；立处治安案件1起，治安拘留1人，批评教育23人。

2014年，颁布《惠水县森林防火奖惩办法》；2月9日，县政府在县人民广场召开森林纵火公开处理大会，对涉嫌引发森林火灾、暴力干扰执法人员的范某某等8人进行公开处理。春节期间，发放《惠水县人民政府森林防火公告》105520份、《黔南州森林防火期禁火令》5000份，制作安放大型永久性宣传牌4块，制作小型宣传牌100块，全部安放于全县重点林区、公路沿线，悬挂“认真贯彻执行《贵州省森林防火条例》”，宣传横幅29条、宣传作业本20000本、宣传环保袋8000个、制作宣传手册20000本、制作宣传光碟100个。全年立失火毁林刑事案件5起，破5起，逮捕3人，直诉2人；查处森林火灾2起，违反用火规定5起。

是年，查破森林失火案件29起，其中，刑事案件立9起，破9起，行政案件20起，查处20起，批捕3起3人，治安拘留9起9人，收缴林业行政罚款24900元。4月27日至6月30日，在全县组织开展“森林火灾案件破案会战”专项行动。共查破森林失火案件29起，其中，刑事案件立9起，破9起，行政案件20起，查处20起，批捕3起3人，治安拘留9起9人，收缴林业行政罚款24900元。

2015年，创新推进森林“村为主”工作，开展森林防火“村为主”工作的“5个1”工作机制，印发《惠水县森林防火工作责任奖惩暂行规定》，向群众发放《黔南州森林防火期禁火令》1万份，《惠水县人民政府森林防火公告》16万份、发放森林防火宣传单5万份、环保袋8000个、宣传铝牌3000块、防火宣传日历3万张、宣传光碟30张、出动宣传车辆600台（次），发送手机短信1.5万多条，悬挂森林防火宣传标语120余条，制作安放大型永久性宣传牌6块。全县有森林扑火队3支，其中县林业局1支20人，国有林场15人，黔惠林场15人，有风力灭火机257台，防火服962套、二号工具3300把扑火设施设备。

是年，查破森林失火案件29起，其中，刑事案件立9起，破9起，行政案件20起，查处20起，批捕3起3人，治安拘留9起9人，收缴林业行政罚款24900元。从4月27日至6月30日，在全县组织开展“森林火灾案件破案会战”专项行动。共查破森林失火案件29起，其中，刑事案件立9起，破9起，行政案件20起，查处20起，批捕3起3人，治安拘留9起9人，收缴林业行政罚款24900元。

第八节　森林执法

1984至2015年，森林公安共侦破盗伐、滥伐林木、失火毁林等刑事案件235起，刑事打击犯罪嫌疑人253人（次）；查处森林火灾、盗伐、滥伐林木等治安案件45起，治安处罚48人（次）；查处盗伐、滥伐林木、违法运输木材、非法收购木材、无证经营加工木材、森林火灾、违法用火、非法收购、出售野生动植物等林业行政案件3465起，处理违法人员4073人（次），没收木材15826立方米，追缴罚没款1057.523万元。历年来查处非法收购、出售、运输、猎捕野生动物案件20起，没收各类活体野生动物690只（条），死体80余只（条），处理违法人员20人（次），罚款8070元。

1985—2015年惠水县森林资源违法案件查处统计表

表8-43

年度	侦破刑事案件（起）	查处林政案件（起）	查处治安案件（起）	打击违法犯罪人员（人）			追缴罚没款（元）	收缴木材（立方米）
				刑事处罚（人）	林政处罚（人）	治安处罚（人）		
1985	5	16	—	5	37	—	4518	—
1986	2	26	1	2	45	1	80400	37
1987	4	50	2	4	120	3	9591	70
1988	—	61	15	—	141	15	109289	5117
1989	2	35	—	2	54	—	12506	31
1990	4	42	2	5	71	2	16637	53
1991	6	53	1	1	68	1	30912	36
1992	2	78	—	3	87	—	19735	73
1993	—	82	—	—	83	—	91515	177
1994	2	87	—	2	98	—	101645	290
1995	3	86	2	2	93	2	73584	367
1996	2	54	—	2	54	—	28392	226
1997	2	13	1	1	13	2	9877	43
1998	1	42	1	2	56	1	39471	160
1999	6	26	1	4	34	1	23585	134
2000	6	33	5	6	33	5	36730	179
2001	4	20	2	5	21	3	37420	81
2002	11	103	—	21	132	—	234588	283
2003	13	242	—	13	287	—	548765	782
2004	7	217	—	9	241	—	396430	872
2005	6	298	—	7	347	—	533071	1227

续表8-43

年 度	侦破刑事案件（起）	查处林政案件（起）	查处治安案件（起）	打击违法犯罪人员（人）			追缴罚没款（元）	收缴木材（立方米）
				刑事处罚（人）	林政处罚（人）	治安处罚（人）		
2006	8	190	—	13	244	—	356804	666
2007	3	173	—	3	188	—	367902	430
2008	14	111	—	14	127	—	306867	250
2009	9	276	—	14	303	—	888365	816
2010	30	353	3	30	368	3	1297652	1233
2011	7	155	—	7	161	—	1382877	459
2012	23	67	—	20	67	—	279063	193
2013	10	145	—	10	148	—	1252038	447
2014	23	171	—	24	180	—	983100	646
2015	20	160	9	22	172	9	1021901	448

第十章　水　利

第一节　机　构

一、县水务局

1978年，称县水利电力局，下设王佑区、断杉区、姚哨区、摆金区、雅水区、王佑区六个水利管理站；1992年，县自来水公司划归县水利局管理；1994年，县水利电力局改称为县水电局，2003年更名为县水利局。2011年，县级机构改革，保留县水利局。2014年，将县水利局职责与县住房和城乡建设局承担的指导和管理城市供水、排水、污水处理、再生水利用管理、维护、改造以及扩建自备水源污水处理费的征收管理职责整合，组建县水务局，为县政府工作部门，不再保留县水利局。2015年，县水务局内设办公室、建设管理科、水资源办公室3个行政股室；内设勘测设计队、水土保持站、水源保护监督管理站、抗旱排涝服务队、河道管理站、水政监察大队7个事业股室；下设涟江、好花红、摆金、雅水、断杉、王佑6个水务分局；涟江灌区、小龙灌区、水头水库灌区、龙骨坡灌区4个工程管理所，下属县自来水公司企业。共有职工98人。

二、惠水水文站

惠水水文站是省水文水资源局管辖的国家基本水文站、基本水质站。1964年8月建站，直属水电部贵州省水文总站黔南州水文勘测大队管辖，为副科级事业编制。同年9月1日开始进行降水、水温观测；1965年1月1日开始水位、流量观测。县水文站主要工作：收集降水、蒸发、水位、流量、水温、水质等水文要素资料并做好年度资料整编工作，并向国家防总、珠江水利委员会、广西壮藏自治区和广东省防办、省防汛部门提供实时的水雨情防汛信息。

1969年划归黔南州水利电力局水文勘测大队管辖；

1983年水文站归省水文总站黔南州水文勘测大队管辖；

2002年，惠水水文站升级为正科级事业单位，隶属省水文水资源局下属的黔南州水文水资源局；

县饮水安全工程暨小型水利工程产权制度改革县级动员会（2015年摄）

2008年，县水文站址由和平镇南门大桥下游200米下迁2750米至大新村大围寨处涟江河段上。地理坐标：东经106° 38′ 59″，北纬26° 06′ 16″。断面以上集水面积912.2平方千米。

2009年11月，经省人民政府审批，贵州省黔南州水文水资源局惠水水文站被列为参照公务员法管理范围。

2012年县水文站加挂贵州省水文水资源局惠水水土保持监测站牌子，实行一套人马两块牌子的管理模式。截至2015年底，惠水水文站事业机构编制3人，实有2人。

县的水文水资源工作进入90年代后，水文事业进入迅速发展期，测验方式由缆道测流发展到多普勒流速剖面测流仪（ADCP）、手持式流量测验设备（ADV）测流等，以及逐步设立水文自动测报系统等遥测监测站网，给县水文水资源工作带来了很好的发展机遇。县水文站在原有人员、编制不变的情况下，工作管理，采取“有人看管，无人值守、巡驻结合”的模式，利用遥测、在线监测等先进技术手段对水文要素资料进行收集。县水文站管理及监测工作由黔南州水文水资源局第三巡测大队负责。

第二节　水利灌溉工程建设

县内水利工程灌溉工程，按类型分为蓄水灌溉工程、引水灌溉工程、提水灌溉工程三种，2015年止，全县共修建蓄水工程167处；引水工程145处；提水工程97处。

一、蓄水灌溉工程建设

（一）水库蓄水灌溉工程建设

1978年，县建有19座水库，总库容1505.35万立方米，设计灌溉面积2.774万亩。

1982至1984年，采取国家投资为主，群众参与投工投劳方式，建成翁闹水库、花冲水库、水打桥水库，全县水库总库容1805.05万立方米，设计灌溉面积3.56万亩。

1990至2010年，全部由国家投资建设，建成鱼梁水库、甲价水库、总投资约470万元，其中，鱼梁水库396万元，甲价水库74万元。

2015年，全县有水库24座，总库容2204.05万立方米，设计灌溉面积5.42万亩。

滴水岩水库 位于濛江街道半坡村，距惠水县城15千米，有乡村公路直通大坝。水库位于滴水岩小河上，属珠江流域红水河水系。坝址以上集雨面积0.9平方千米。

始建于1951年，1953年竣工，总库容27.6万立方米，是一座以农灌为主的小（2）型蓄水工程。枢纽建筑物由均质土坝、溢洪道、放水涵洞组成，坝高13.24米，坝轴线长45.0米，坝顶宽5.4米。水库自1953年建成运行，一直存在渗漏问题，2012年进行除险加固。对坝基、坝肩进行帷幕灌浆，迎水面进行土工膜防渗、改扩建泄洪建筑物、增设公路桥、下游坝坡整形和改造排水体，工程除险加固后，确保了下游300人的生命财产安全及550亩农田的灌溉。

双龙井水库 位于惠水县涟江街道惠明村，距县城3.4千米，有乡村公路直通大坝，交通方便。水库所在河流为珠江流域红水河水系涟江一级支流。坝址以上集雨面积4.5平方千米。

始建于1953年，至1957年建成，水库总库容23万立方米，是一座以农灌为主的小（2）型蓄水工程。枢纽建筑物由均质土坝、溢洪道、放水涵洞组成，坝高9.9米，坝轴线长47.0米，坝顶宽2米。由于存在坝肩、坝基、坝体、库区渗漏，多年来水库蓄水不正常。2012年进行除险加固，对坝基、坝体、坝肩进行帷幕灌浆，对上游面进行土工膜防渗，下游坝面进行整形，改扩建溢洪道，改造放水设施。除险加固后，保护下游421人的生命财产及600亩农田安全。

三八水库 位于摆金镇马道村，距县城26千米，有简易公路直通大坝，交通方便。坝址位于坝王河摆金段的一条小支流上，坝址以上集雨面积0.85平方千米。

始建于1955年6月，至1957年8月建成，大坝为均质土坝一座，坝高14.96米，坝轴线长108米，坝底宽73.8米，坝顶宽4.0米。总库容44.8万立方米，是一座以农灌为主的小（2）型蓄水工程，工程原设计灌溉范围为摆金镇马道村几个村民组的农田，设计灌溉面积500亩。因当时由妇女投工投劳所建，因此而命名三八水库。由于建成后水库存在坝基、坝体、坝肩渗漏，无溢洪道，2008年被评定为病险水库，2011年进行除险加固，主要对坝基进行帷幕灌浆，坝体进行充填灌浆，坝肩进行帷幕灌浆，上游面块石护坡，下游面整形，新建溢洪道，改造放水设施，确保了群众生命财产安全及500亩农田的安全。

摆亚水库 位于雅水镇摆亚村，距县城60千米，有乡村公路到达大坝附近，交通较为便利。坝址以上集雨面积0.47平方千米。

始建于1958年12月，1959年12月建成，水库总库容16.5万立方米，大坝为均质土坝，坝高9米，坝顶轴线长58.13米，坝顶宽5米，坝底宽46.58米。设计灌溉面积580亩。由于存在渗漏严重，蓄水不正常，2013年进行除险加固，对坝基、坝体、坝肩进行帷幕灌浆，对上游面进行土工膜防渗，下游坝面进行整形，改扩建溢洪道，改造放水设施。

翁渣水库 位于雅水镇旧寨村，距县城55千米，有简易公路直通水库大坝坝顶，水库坝址位于涟江一小支流上，属珠江流域红水河水系，坝址以上集雨面积0.38平方千米。

始建于1958年，1959年竣工投入使用，大坝为均质土坝，最大坝高12.0米，坝顶长67.0米，溢洪道为正槽式溢洪道，布置在左坝端，放水设施为坝下涵管，布置在左坝段，总库容24.3万立方米，是一座以农灌为主的小（2）型蓄水工程，设计灌溉面积370亩。由于水库存在渗漏，蓄水不正常，2011年进行除险加固，对坝基、坝体、坝肩进行帷幕灌浆，对上游面进行土工膜防渗，下游坝面进行整形，改扩建溢洪道，改造放水设施。

上亚水库 位于断杉镇定理村，距县城59千米，距断杉镇政府驻地18千米。水库坝址以上集雨面积0.54平方千米。

始建于1958年，1959年竣工投入使用，水库总库容14.41万立方米，设计灌溉面积500亩。水库大坝为均质土质，最大坝高13.5米，坝顶长74.0米，坝顶宽3米。由于水库存在渗漏，蓄水不正常，2013年进行除险加固，对坝基、坝体、坝肩进行帷幕灌浆，对上游面进行土工膜防渗，下游坝面进行整形，改扩建溢洪道，改造放水设施。

同谷水库 位于雅水镇太阳社区摆王村，距离县城55千米，水库坝址以上集雨面积2平方千米。

始建于1959年，1960年竣工投入使用，水库总库容30万立方米，设计灌溉面积800亩。水库大坝为均质土质，最大坝高13.4米，坝顶长243米。由于水库存在渗漏，蓄水不正常，2010年进行除险加固，对上游面进行土工膜防渗，改扩建溢洪道，改造放水设施。

虎狼水库 虎狼水库位于摆金镇石板村，距离县城约47千米，距摆榜社区所在地4.5千米，有乡村公路进坝区，交通方便。水库位于坝王河二级支流上，属珠江流域红水河水系。坝址以上集雨面积1.64平方千米。

始建于1958年，于1962年完工投入运行。大坝为均质土坝，坝轴线长163.8米，最大坝高8.76米，水库总库容20.66万立方米。是一座以灌溉为主兼有防洪等综合效益的小（2）型水库，设计灌溉面积500亩。2013年进行除险加固，对坝基、坝体、坝肩进行帷幕灌浆，对上游面进行土工膜防渗，下游坝面进行整形，改扩建溢洪道，改造放水设施。

翁高水库 位于惠王佑镇西南村，距离县城69千米，属珠江流域红水河水系，坝址以上集雨面积3.4平方千米，总库容28.82万立方米，是一座以灌溉为主的小（2）型蓄水工程，设计灌溉面积500亩。

翁高水库始建于1957年，于1963年竣工投入使用。大坝为均质土坝，坝顶高程932.00米，坝底高程922.00米，最大坝高10米，坝轴线长81米，坝顶宽3.5米。2012年进行除险加固，对坝基、坝体、坝肩进行帷幕灌浆，对上游面进行土工膜防渗，下游坝面进行整形，改扩建溢洪道，改造放水设施。

母猪笼水库 位于断杉镇董朗村，距离县城45千米。水库集雨面积0.86平方千米，总库容12.24万立方米。

始建于1964年，1966年完工投入使用。大坝为均质土坝，坝轴线长78米，最大坝高10.1米，坝顶宽5米。设计灌溉面积580亩，是一座以灌溉为主的小（2）型水库。2014年进行除险加固，对坝基、坝体、坝肩进行帷幕灌浆，对上游面进行土工膜防渗，下游坝面进行整形，改扩建溢洪道，改造放水设施。

马鞍山水库 位于王佑镇红星村，距惠水县城65千米，有简易公路通过水库，水库大坝位于涟江河支流长安河的支流马鞍山小河上，属珠江流域红水河水系，坝址以上集雨面积6.81平方千米。

始建于1965年，1967年竣工投入使用，大坝主坝为浆砌石重力坝，最大坝高12.7米，坝轴线长43.0米，副坝为均质土坝，最大坝高4.0米，坝轴线长108米，溢洪道布置在主坝中部，溢流坝段长22.0米，放水设施为坝下涵管，布置在左坝段，总库容36.1万立方米，是一座以农灌为主兼防洪安全的小（2）型蓄水工程。2011年进行除险加固，除险加固主要建设内容有：①大坝整治，主坝上游面采用C15砼预制块加砼防渗墙，坝基帷幕灌浆处理，主坝新建防浪墙；副坝上游坝面铺设土工膜加基础帷幕灌浆，下游坝坡完善排水设施。②副坝上新建溢洪道宽度15米，在特大洪时与主坝溢洪道联合泄洪。③放水设施，更换放水工作闸，新建闸房8平方米。④新建管理房60平方米。⑤完善管理设施，安装大坝自动化观测系统简易设施。

水头水库 位于雅水镇播脚村，距雅水镇2千米，该水库建在三条溪流交汇处，坝址以上集水面积13.3平方千米，年平均降雨量1250毫米，库区高程为1150米，水位较高，控制着雅水镇和摆金镇万亩稻田。

始建于1958年，1973年竣工（均质土坝）。是县内最大的蓄水工程，总库容990万立方米，灌溉面积1.66万亩。灌区渠道15条总长87.54千米，其中：总干渠一条长6千米，北干渠长12.5千米，西干渠长5.65千米，分支渠12条全长63.39千米。在连接渠道的渠系建筑物中，有渡槽14座，全长672米，倒虹管25座全长5273.5米。

工程建成投入运行后，发挥较好的效益，为两镇的经济发展作出了重大贡献。但由于运行多年，大坝曾出现坝体、坝基和绕坝渗漏，1988年进行过帷幕灌浆，但没有达到预期效果，导致漏水逐年加大，左坝上游面出现沉陷，上游护坡变形，州水利局经鉴定于2006年12月5日下达大坝安全鉴定报告书，大坝安全类别评定为三类坝（病险库）。每年汛期都存在着较大的安全隐患，下游5000多人的生命财产及6800亩农田受到严重威胁，管理单位只好限制蓄水，加强24小时值班监控，有效灌面下降至0.82万亩。

2008年省水利厅印发《关于惠水县水头水库除险加固工程实施方案设计审查的批复》批准建设，工程实际投资1145万元，对坝体渗漏进行帷幕灌浆防渗处理。2009年2月动工，2010年10月完工。工程竣工投入运行后，蓄水水位已达1188.6米高程，大坝没有出现渗漏情况，增加了库容量。是县骨干工程其中之一，灌区灌溉面积达万亩以上，为雅水片区和鸭绒片区的工农业生产和人民生活提供了保障。

柏栗水库 位于惠水县东部的岗度镇柏栗村，水库距县城53千米，有乡村公路经过水库，交通方便。坝址位于麻冲河上，为甜茶河一级支流，属珠江流域红水河水系。坝址以上集雨面积3.8平方千米。

始建于1957年12月，1968年3月竣工投入使用。枢纽建筑物主要由主坝与副坝各一座，其中主坝为均质土坝，总库容28.6万立方米，坝高13.6米，坝顶长63米，顶宽3.4米，溢流堰（副坝）为浆砌石拱堰，总长为16.8米，高4.5米，水库渠道总长4千米。设计灌溉范围为岗度镇柏栗村，设计灌溉面积600亩，还发展水产养殖。因水库大坝存在渗漏问题，多次出现险情，渗漏严重，农业灌溉不能保障，同时影响大坝下游200人的生命财产及300亩农田安全。

2011年进行除险加固，除险加固主要建设内容有：对坝体进行土工膜、坝基及坝肩帷幕灌浆防渗处理；对上、下游坝坡进行整治；溢洪道改造拆除原溢流副坝，新建浆砌石重力副坝；放水设施进行更新转动闸阀改造；完善管理设施，建立基本的水情及工情监测设施。工程投资180万元。

甲寨水库 位于断杉镇光荣村甲寨组境内，距离惠水县城约43千米，甲寨水库所在河流为无名的冲沟上，该区域属于珠江流域红水河水系。水库坝址以上集雨面积1.62平方千米。

1965年11月动工兴建，1970年竣工，为小（二）型水库，大坝为均质土坝，总库容64.6万立方米，最大坝高11米，坝轴线80米。设计灌溉面积1210亩。由于历史上的原因，是年修坝时，国家投资少，主要靠群众投劳，当时未按设计内容完成建设内，大坝上游坝坡设置马道收缩坝体，马道宽度达6米，下游坝坡收得较陡。尽管修筑大坝总库容达64.6万立方米，修坝技术不过硬，导致大坝后来渗漏严重，无法正常蓄水，水库成了一个空壳库。计划列入2016年除险加固项目。

高寨水库 位于岗度镇龙塘村所辖摆朗寨，距惠水县城40千米。现有一条约500米乡村公路到达水库下游。水库位于岗度镇摆朗河上，属珠江流域红水河水系曹渡河上游支流。水库坝址以上集雨面积为7.3平方千米，河道长5.1千米，工程主要为下游1000亩农田灌溉用水。

始建于1973年，1974年完工，大坝为浆砌石单曲圆弧拱坝，最大坝高13.6米，坝顶厚0.9米，坝轴线长49米。总库容52.6万立方米，溢洪道位于大坝中部，为坝顶溢流。

2013年进行除险加固，主要建设内容，坝前浇筑砼防渗墙，坝基防渗，扩宽溢洪道，坝前增设双向转动闸阀，坝后更换闸阀。工程投资207万元。

野鹿冲水库 位于濛江街道半坡村，距县城11千米，有乡村路直通大坝，交通方便。坝址位于野鹿冲小河上，属珠江流域红水河系。坝址以上集雨面积2.99平方千米。

始建于1976年，至1979年建成现有规模，总库容23.5万立方米，是一座以农灌为主的小（2）型水库，主坝为砌石单曲拱坝，坝顶高程1091.15米，最大坝高14.0米。坝顶宽度为1.0米，坝顶弧长58.43米。坝底宽度为2.0米。副坝为土石坝，坝顶宽2.6米，坝顶长39.02米，最大坝高4.0米。工程设计灌溉面积为300亩。

2012年进行除险加固，主要对主坝上游面进行丙乳防渗，下游坝脚浇筑砼灌浆平台，同时加固坝脚，进行坝基灌浆，增设溢流消能护坦，拓宽溢洪道宽度，更换放水闸阀。副坝上游面设土工膜防渗，下游坝面整形，工程投资185万元。

蛇场水库 位于岗度镇岗度村，距离县城44千米，坝址以上集雨面积2.2平方千米。

始建于1976年，1977年完工，大坝为均质土坝，最大坝高11米，坝轴线长80米，坝顶宽4米，水库总库容64.6万立方米，设计灌溉1210亩。溢洪道位于大坝左岸，由于库区右岸有蛇场寨，坝顶有通寨公路要求。

2007年，对水库进行除险加固，上游坝面进行土工膜防渗，块石护坡。上游增设双向转动闸阀，下游更换闸阀。改造溢洪道通寨桥，下游坝面进行整形。工程投资80万元。

掌满水库 位于惠水县摆金镇长满村，距离县城约44千米，水库坝顶有乡村公路通过，交通较为便利。

始建于1976年，1978年完工，水库大坝为均质土坝。总库容15.22万立方米，设计灌溉面积500亩。坝顶高程1264.2米，正常蓄水位1263.7米，最大坝高11米，坝轴线长66米，坝顶宽3.8～4.5米，上游坝坡为1：2.4，下游坝坡均为1：2。下游在高程1259.88米设有宽1米马道，下游坝址设置有排水棱体，棱体顶部高程1256.76米。

溢洪道布置于大坝左岸，为正槽式溢洪道，由明渠段和泄槽段组成。明渠段长16.6米，进口宽20.3米，进口高程1263.70，出口宽14.6米，出口高程1263.70米；泄槽段长31.8米，平均坡降为0.085，两边墙呈直线收缩，泄槽出口宽5.1米。溢洪道边墙采用浆砌石砌筑，底板为混凝土，明渠段边墙高1.15米，顶宽0.5米；泄槽段进口边墙高1.15米，出口边墙高0.40米，顶宽均为0.5米，泄槽段底板局部损坏严重，杂草丛生。溢洪道末端无消能设施，泄洪时水流淹没乡村公路，流入下游河床。

2013年进行除险加固，主要建设内容为：对坝基、坝体、坝肩进行帷幕灌浆，对上游面进行土工膜防渗，下游坝面进行整形，改扩建溢洪道，改造放水设施。工程投资230万元。

翁闹水库 位于王佑镇西南村，距县城72千米，所在河流为珠江流域红水河水系涟江河支流，坝址以上集水面积2.5平方千米，总库容120万立方米，工程为小（1）型水库工程，大坝为均质土坝。

始建于1966年，由国家补助部分资金，群众投工投劳建设，由于工程量大，后勤跟不上，被迫停工，1972年续建，1975年止，完成坝高15米，开挖毛渠7千米。1981国家投资8.6万元，完成溢洪道，放水隧洞等建设。1983年完工。建成均质土坝，最大坝高27米，坝轴线长180米，灌溉面积3460亩。

2008年进行除险加固，主要建设内容：对坝基、坝体、坝肩进行帷幕灌浆，对上游面进行土工膜防渗，下游坝面进行整形，加高棱体排水，调整下游边坡，改扩建溢洪道，改造放水设施。工程投资435万元。其中：中央资金320万元，省级配套115万元。

花冲水库 位于岗度镇龙泉村，距县城29千米，有简易公路直通水库，交通方便。水库坝址位于花冲小河上，属珠江流域红水河水系坝王河支流，坝址以上集雨面积8.79平方千米。

始建于1976年，1983年竣工投入使用，大坝为浆砌石单曲拱坝，坝高19.6米，坝顶长111.0米，坝顶溢流，坝身埋管放水，总库容46.7万立方米，是一座以农灌为主的小（二）型蓄水工程，工程原设计灌溉范围为宁旺乡龙泉村几个村民组的农田，设计灌溉面积1000亩。

2012年进行除险加固，大坝整治加固、坝体上游坝面丙乳防渗、坝基及坝肩帷幕灌浆防渗、坝体下游护脚、恢复二道坝、放水设施改造，更换控制闸阀、完善管理设施，建立水情及工情监测设施，总投资194.0万元。

水打桥水库 位于濛江街道绿化村，属珠江流域红水河水系。水库坝止以上集雨面积6.37平方千米，主河道长度为4.17千米，总库容109.5万立方米，灌溉面积3100亩。是一座以农灌为主兼有人畜饮水等综合效益的小（一）型水利枢纽工程。

始建于1973年，以群众投劳方式施工。后停工，1978年复工续建，1984年完工蓄水，投入运行。大坝枢纽建筑物主要有溢流拱坝、放水管、放水底孔。大坝为浆砌石双曲拱坝，坝顶高程900米，最大坝高27.5米，坝顶弧长95.3米，顶宽2米，底宽4米。溢流段位于坝顶中部，净宽23.5米，挑板跌流消能；大坝左、右岸各布置放水孔一个，为坝身式放水口，放水管为钢管埋管，管径30厘米，并于坝后采用φ300闸阀控制；放空底孔布置在大坝坝底中部，高程为873.5米，放空管为钢管埋管，管径30厘米，于坝后采用φ300闸阀控制。

2010年进行除险加固，工程建设内容为：坝体拱冠梁断面基础加厚3米，两端为变厚加厚，加厚部分为C15砼砌毛石，在预制块坝壳及C15砼砌毛石之间增设C15砼防渗墙。溢流堰堰体加宽改造及下游增设钢筋混凝土护坦。大坝坝基（肩）帷幕灌浆防渗处理、新老坝体接触灌浆处理。坝段帷幕沿上游加厚坝体防渗墙垫层中线布置，库区左岸防渗帷幕由坝肩向山体延伸48米，右岸防渗帷幕线由坝肩向山体延伸21米，铅直钻孔，孔距3米，帷幕下限以深入岩石钻孔灌浆试验q≤5Lu线控制；接触灌浆沿新老坝体接触面预埋灌浆管。对放空孔、取水口闸阀进行更新改造。改造完善管理房。结合防汛指挥系统建立水库安全监测系统和大坝观测工程。工程投资510万元，其中：中央资金410万元，省级财政配套资金100万元。

鱼梁水库 位于县城南面鱼梁河，地处好花红镇小龙村境内，距县城11千米。鱼梁水库坝址以上地表集水面积15.6平方千米，主河道长7.45千米，地下河的集水面积为148平方千米。

1991年，由国家投入资金新建，1996年完工，总库容340万立方米，大坝为浆砌石单曲拱坝，最大坝高28.6米，坝轴线长100.6米。建有附属电站2座，总装机容量1800千瓦，年发电500万千瓦/时。鱼梁水库是一座兼有防洪、发电、供水、灌溉的多功能水库。

2004年，国家对鱼梁水库进行除险加固。由省水利水电勘测设计研究院负责设计，贵州江河监理公司监理，遵义市水利水电工程建设总公司承建。经重新复核水库总库容为363万立方米。工程于2004年2月开工，10月竣工，主要对水库坝基和坝肩进行帷幕灌浆，总投资209.63万元。经过除险加固后，大坝渗漏得到有效治理。

甲价水库 位于摆金镇高寨村，距离县城52千米，其中县道47千米，通村公路5千米。流域属于坝王河之流翁岗河支流，坝址以上流域面积1.83平方千米。

始建于1991年，1993年完工，大坝为浆砌石单曲拱坝，最大坝高9.8米，坝顶厚2.3米，坝底厚3.0米，坝轴线长180米。总库容36万立方米，设计灌溉面积800亩。由于水库存在渗漏严重，计划列入2017年除险加固项目。

落星水库　位于羡塘镇三合村境内，距离惠水县城70千米。公路只能通至库区附近，交通不便。水库所在河流属珠江流域红水河水系三岔河的一级小支流上。坝址以上集水面积0.9平方千米。水库总库容11.4万立方米，是一座以灌溉为主兼防洪的小（二）型水库工程。设计灌溉面积500亩。

始建于1975年，1976年竣工。工程枢纽包括大坝、溢洪道、放水设施等建筑物。落星水库大坝为均质土坝，坝顶高程为1082.59米，最大坝高7.59米，坝顶宽3.0米，坝顶长64.74米。上游坝坡为1：2.5—1：3.2，下游坝坡为1：3.2—1：4.4。坝体上、下游坝面均为自然草皮护坡。受洪水冲击，1985年，大坝中段冲成一缺口，无法蓄水一直空库运行。

2014年进行除险加固，主要建设内容，重新回填碾压大坝中段冲毁地段，大坝右段重新建设溢洪道，上游坝体采用土工膜防渗，坝基帷幕灌浆，下游坝坡整形草皮护坡，坝体埋管放水，坝前设双向转动阀门，下游设闸阀，工程投资200万元。

县内水库工程大多数建成年限久远、且为群众投工投劳建成、由于设计标准低、施工质量受当时机械设备限制，水库建成后，存在坝基、坝体渗漏，溢洪道满足不了泄洪要求，放水设施损坏等问题，2000年至2015年，共投入除险加固资金6321.63万元，对全县22座水库进行除险加固。其中：2000至2010年，主要对鱼梁水库、蛇场水库、水打桥水库、水头水库、翁闹水库、同谷水库进行除险加固，投入除险加固资金2559.63万元。2011年，对马鞍山水库、三八水库、柏栗水库、翁渣水库进行除险加固，投入资金780万元。2012年，对野鹿冲水库、滴水岩水库、翁高水库、花冲水库、双龙井水库进行除险加固，投入资金1150万元。2013年对上亚水库、虎狼水库、掌满水库、高寨水库、摆亚水库进行除险加固，投入资金1332万元。2014年对落星水库、母猪笼水库进行除险加固，投入资金200万元。

表8-44

水库灌溉工程建设及除险加固情况表

水库名称	镇（街道）	所在河流（湖泊）名称	挡水主坝类型	水库等别	建成时间（年）	除险加固		总库容（万立方米）	设计灌溉面积（公顷）
						时间（年）	投资（万元）		
滴水岩水库	濛江街道	涟江	均质土坝	小（2）型	1953	2012	221	27.6	36.67
双龙井水库	涟江街道	涟江	均质土坝	小（2）型	1957	2012	230	23	40
三八水库	摆金镇	坝王河	均质土坝	小（2）型	1957	2011	160	44.8	33.33
摆亚水库	雅水镇	涟江河	均质土坝	小（2）型	1959	2013	165	16.5	40
翁渣水库	雅水镇	涟江河	均质土坝	小（2）型	1959	2011	180	24.3	24.67
上亚水库	断杉镇	坝王河	均质土坝	小（2）型	1959	2013	280	14.41	33.33
同谷水库	雅水镇	坝王河	均质土坝	小（2）型	1960	2010	180	30	53.33
虎狼水库	摆金镇	坝王河	均质土坝	小（2）型	1962	2013	450	20.66	33.33
翁高水库	王佑镇	涟江河	均质土坝	小（2）型	1963	2012	320	28.82	33.33
母猪笼水库	断杉镇	涟江河	均质土坝	小（2）型	1966	2014	300	12.24	33.33
马鞍山水库	王佑镇	涟江河	浆砌石重力坝	小（2）型	1967	2011	260	36.1	46.67
柏栗水库	岗度镇	曹渡河	均质土坝	小（2）型	1968	2011	180	28.6	40

续表8-44

水库名称	镇（街道）	所在河流（湖泊）名称	挡水主坝类型	水库等别	建成时间（年）	除险加固		总库容（万立方米）	设计灌溉面积（公顷）
						时间（年）	投资（万元）		
水头水库	雅水镇	涟江河	均质土坝	小（1）型	1973	2009	1145	990	1106.67
甲寨水库	断杉镇	涟江河	均质土坝	小（2）型	1970	/	/	64.5	80.67
高寨水库	岗度镇	曹渡河	浆砌石拱坝	小（2）型	1974	2013	207	52.6	66.67
落星水库	羡塘镇	坝王河	均质土坝	小（2）型	1976	2014	200	11.4	33.33
蛇场水库	岗度镇	曹渡河	均质土坝	小（2）型	1977	2007	80	64.6	80.67
掌满水库	摆金镇	坝王河	均质土坝	小（2）型	1978	2013	230	15.22	33.33
野鹿冲水库	濛江街道	涟江河	浆砌石拱坝	小（2）型	1979	2012	185	23.5	20
翁闹水库	王佑镇	涟江河	均质土坝	小（1）型	1983	2008	435	120	230.67
花冲水库	岗度镇	坝王河	浆砌石坝	小（2）型	1983	2012	194	46.7	66.67
水打桥水库	濛江街道	涟江河	浆砌石拱坝	小（1）型	1984	2010	510	109.5	206.67
甲价水库	摆金镇	坝王河	浆砌石拱坝	小（2）型	1993	/	/	36	53.33
鱼梁水库	好花红镇	涟江河	浆砌石拱坝	小（1）型	1996	2004	209.63	363	1186.67

（二）山塘和水池（水窖）灌溉工程建设

1999年前，县内主要以建设山塘水库为主，未建设水窖。水池（水窖）工程建设主要集中在2000年到2015年，2015年止，全县共建有水池（水窖）2451口，总容积14.8616万立方米，抗旱补水灌溉面积0.7047万亩。水池（水窖）建设经历了国家补助水泥，群众自筹和投工投劳建设；国家补助水泥、砂、石，群众自筹和投工投劳建设；国家负责建设3个阶段。

表8-45　**惠水县镇（街道）山塘灌溉工程情况表**

镇（街道）名称	山塘工程处数（处）	总库容（万立方米）	灌溉面积（公顷）
涟江街道	5	13.74	61.73
濛江街道	23	21.413	149
好花红镇	13	4.6265	192.8
摆金镇	35	29.7	161.67
岗度镇	11	21.848	296.67
雅水镇	13	14.054	87.8
断杉镇	17	52.73	153.87
王佑镇	17	21.3	56
羡塘镇	8	14.1	73
芦山镇	4	12.44	81.2

表8-46

惠水县2015年水池、水窖分布情况表

镇（街道）	窖（池）（100立方米～500立方米）工程数量（处）	窖（池）（10立方米～100立方米）工程数量（处）	窖（池）（100立方米～500立方米）总容积（立方米）	窖（池）（10立方米～100立方米）总容积（立方米）	窖（池）（100立方米～500立方米）抗旱补水面积（公顷）	窖（池）（10立方米～100立方米）抗旱补水面积（公顷）
濛江街道	3	33	1020	1040	4.33	6.6
涟江街道	29	234	5980	12940	7.4	82
好花红镇	69	548	15263	31033	31	93.2
断杉镇	34	624	6140	24670	15.2	52.8
羡塘镇	22	142	3950	7780	11.27	40.93
王佑镇	0	111	0	3570	0	17.73
芦山镇	0	45	0	1680	0	9.2
雅水镇	24	121	5000	3920	12.73	15.27
摆金镇	40	233	12500	6800	54.87	39.27
岗度镇	7	132	1350	3980	9	26.6

二、引水灌溉工程建设

引水灌溉是县采用最多的一种水利工程设施。1978年全县有大小引水工程152处，设计灌溉面积69700亩，保证灌溉面积61570亩。

2015年止，全县有引水工程145处，设计灌溉面积500亩以上的有22处，其中小（1）型2处，有效灌溉面积3.24万亩，小（2）型20处，有效灌溉面积5.7万亩。

主要小（1）型引水工程为涟江引水工程和小龙引水工程。

（一）涟江引水工程，涟江引水工程位于濛江街道赤土村与桥洞村接壤处涟江河，距离县城10千米。始建于1940年10月，1944年完成涟江河拦水坝，坝高3.1米，坝长48米，完成干渠3千米。1948年完成干渠7千米。1952年4月29日涟江引水工程竣工，5月1日涟江引水工程通水。由于涟江引水工程尾水流量不足，1971年在濛江河（四方塘，现野梅岭）建拦水坝，引水至长岭与涟江引水干渠汇合，1974年建成投入使用。

1979年8月22日，涟江引水工程拦河大坝被暴雨洪水冲坏，坝身出现缺口6米，河水不能进入引水渠。事故发生后，县组织人员调查抢修。查明大坝原设计为混合砂浆坝面料石，坝内块石石灰砂浆未凝固，水渗受损年久。修复时改用水泥砂浆砌大坝料石和坝内块石，并在大坝上游面加一道厚0.2米的混凝土防渗墙。国家投资15000余元。现大坝质量比初建时有所提高。

1997年成立淞涟灌区工程指挥部，负责对三个小一型灌区水利工程进行改造，完成涟江灌区黑土坝高填方干渠和县城段干渠改造2150米，建设多种经营管理房650平方米，投资约365万元。

2009年实施中央财政小型农田水利重点县建设项目，项目共完成改造和新增排涝渠8087米，干渠防渗加固7177.5米，支渠、斗渠17618.2米，田间渠23499.5米，田间道路工程2951米，水泵及配电设备一台套，DN225PE管制安3780米，工程总投资1600万元。

2014年山区现代水利试点区项目在灌区实施，工程由贵州水利科技开发有限责任公司设计，贵州思源监理咨询有限公司监理，贵州九川建设工程有限公司、都匀市匀城水利有限责任公司、北京润华信通科技有限公司承建。项目于2014年10月开工，2015年3月完工。工程累计完成：一期项目新建提水泵站1座，铺设输水干管、分干管13.56千米，田间分水口闸阀井107个，完成102亩自动化灌溉系统建设，新建排涝干、支渠9.4千米；二期项目铺设输水干管、分干管、支管、田间输水管21.2千米；工程总投资2193.06万元。工程的建设，使项目区农业产业得到增产增效，群众得到征收致富，推动了现代农业的发展。项目区蔬菜、瓜果类每年新增产量61万公斤，年效益286万元，花卉苗木年效益521万元，工程效益十分显著。

2015年“小龙中型灌区节水配套改造项目”部分工程落地在涟江灌区，2016年12月5日全部完工，共完成防渗改造翁咏干渠12.57KM，长冲干渠1.68KM，姚新干渠0.82KM，放水设施改造一台套，总投资1360万元。

（二）小龙灌区

小龙灌区，由鱼梁、崇水、小龙三条引水工程组成。

鱼梁引水工程：建于民国28年（1939年）10月始建，贵州省农田水利贷款委员会贷款投资15万元（法币）。民国29年（1940年）6月第一支渠通水。全部工程于民国30年（1941年）11月竣工。拦河坝为梯形石料闸礅坝，长24米，高2.2米，顶宽3米。有进水闸1座，分水坝2座，跌水8座，跌槽5座，渡槽1座，涵洞6个，节制闸10座。渠道总长18.15千米，其中：干渠1条，自南向北，长1.15千米；支渠4条，长12.6千米；分渠6条，长4.4千米。第一支渠灌溉金石、小龙、三都等村寨稻田；第二支渠灌溉黑土坝、龙岗村寨稻田；第三支渠灌溉秦家寨稻田；第四支渠灌溉九门寨、新庄等村寨稻田。有效灌溉面积共四千余亩。

崇水引水工程：建于民国30年（1941年）4月，完工于民国31年（1942年）6月。该工程位于县城南12千米，取用崇水河水（今冷水河），包括老公坡和满管两个灌区。由贵州省农田水利贷款委员会贷款24万元（法币）兴建。坝为梯形滚水石料坝，长13米，高1.7米，顶宽1米。整个工程有进水口、溢水口、排洪闸、石砌渡槽（长26米，高2.9米）、双孔涵洞各1个，平交道2座，斗门10个，人行木桥10座。引水渠总长673米；干渠两条，一条向北跨过崇水河分流满管，称满管灌区，一条沿河南流走老公坡，称老公坡灌区。有效灌溉面积共1500亩。

小龙引水工程：1956年2月进行勘测设计，3月4日建立工程指挥部，9月动工。抽调社队长、民工200余人。至1958年底，建成拦河坝、石拱渡槽各1座，开挖干渠毛坯19千米。后因经济及技术力量不足而停工。1962年秋，贵阳市水电局对小龙引水工程作全面的勘测设计。1963年12月贵州省水电厅批准投资32万9千元。1964年元月开工续修。11月，投资经费追加到48万元。全部工程于1965年3月完工，4月6日放水。整个工程有大小建筑物178座，其中：拦河坝为浆砌石料滚水坝，长21米，高1.5米。泄水闸4座，进水闸1座，分水闸5座，涵洞2座，石砌渡槽2座，平交道1座，斗门80个，石便桥25座，单平涵洞2个，双平涵洞1个。主干渠长15.4千米，北起小龙、经金石、三都等村寨，向南至毛家苑公社满玉大队止。支渠6条，分渠5条，长16.2千米。共灌溉20个村寨的稻田6500亩。使用国家投资经费445400元，灌区受益村寨群众投放劳力87万个，完成土方36万立方，石方12000立方，砼方412立方。

1997年成立濉涟灌区工程指挥部，负责对3个小（1）型灌区水利工程进行维修改造，完成小龙灌区小龙干渠和鱼梁干渠改造7800米，投资约85万元。

2009年实施中央财政小型农田水利重点县建设项目，项目共完成维修改造和7100米，支渠6780.5米，田间渠18565.5米，工程总投资1200万元。

2015年“小龙中型灌区节水配套改造项目”部分工程落地在小龙灌区，共完成防渗改造鱼梁干渠K0+898.2M，小龙干渠K4+725.5M，新建小龙至三都干渠K2+323.2M，总投资542.6万元。

主要小（2）型引水工程19处，基本情况如下表。

2015年小（二）型主要引水灌溉工程情况表

表8-47

工程名称	所在镇地点	村	所在河流	灌溉面积（公顷）
	镇（街道）			
石烧引水工程	岗度镇	石烧村	本底河	38.67
新坝引水工程	濛江街道	新哨村	坝王河	33.33
洛平引水工程	雅水镇	洛平村	洛平河	66.67
棺材洞引水工程	摆金镇	长新村	岗金河	40
摆沙破引水工程	芦山镇	羊马村	芦山河	40
龙角坡引水工程	摆金镇	长新村	关山河沟	100
滴水岩引水工程	摆金镇	杨茂村	坝王河	66.67
屯上引水工程	岗度镇	岗度村	岗度河	33.33
三岔河引水工程	羡塘镇	龙虎村	三岔河	200
花鱼引水工程	芦山镇	花鱼村	花鱼河沟	40
旧司引水工程	好花红镇	百鸟河村	排楼河沟	45.33
山后引水工程	濛江街道	山后村	山后河	40
平贡引水工程	王佑镇	平贡村	茶大河	33.33
摆朗引水工程	岗度镇	龙塘村	本底河	53.33
龙鸭河引水工程	濛江街道	红星村	坝王河	40
董敖引水工程	好花红镇	三联村	威远河	133.33
马达岩引水工程	涟江街道	甘昌村	威远河	133.33
上黄引水工程	濛江街道	龙泉村	涟江河	33.33
总广坡引水工程	芦山镇	麦旁村	芦山河	40

三、提水工程建设

1978年以前，县内各族人民为把低处河水提灌高处农田，自制一些简易的木制水车、龙骨车之类的提水工具。总数在二百多架，主要分布在涟江河沿岸，其次在羡塘三岔河也有分布，扬程一般在8米以下。后随着电灌提水、机灌提水、水轮泵提水等机械的使用，木制提水工具被逐渐淘汰。

1978年止，全县共建有大小提水站262座，其中电灌站165座，水轮泵站97座，灌溉面积23000多亩。由于管护不当等多种原因，工程逐年递减。

1985年止，全县有提水灌溉工程259处，其中电灌站166处，水轮泵83处，机灌10处。总灌溉面积2.0538万亩。

2000年后，因电费和种植产品的付出与收入不成正比，大部分提灌站灌区进行产业结构调整，提水灌区逐步种植蔬菜、经果林、花卉苗木等经济作物，提灌站逐步被淘汰。

截至2015年，全县共有提灌站97处，有效灌溉面积2.3479万亩，其中电灌站91处，水轮泵6处。

表8-48

2015年主要提灌站工程（13公顷以上灌溉面积）

工程名称	所在地		灌溉面积（公顷）
	镇（街道）	村	
姚哨电灌站	濛江街道	姚新村	19
烟灯坡电灌站	濛江街道	姚新村	20.67
上马司电灌站	濛江街道	涟江村	18
理石坡电灌站	濛江街道	首创村	16
雅羊电灌站	涟江街道	羊番村	20
红番电灌站	涟江街道	羊番村	33.33
桥边电灌站	涟江街道	长征村	20
甘昌电灌站	涟江街道	甘昌村	26.67
河西电灌站	摆金镇	马道村	20
鼻计塘电灌站	摆金镇	高寨村	21.33
栗木山电灌站	雅水镇	葡龄村	13.33
葡龄电灌站	雅水镇	葡龄村	17.33
平寨电灌站	羡塘镇	钢金村	24.67
甲奉电灌站	羡塘镇	甲奉村	27.33
冯家桥电灌站	羡塘镇	甲奉村	25.33
高寨电灌站	岗度镇	龙塘村	17.33
孟寨电灌站	断杉镇	新场村	20.67
桥头电灌站	断杉镇	董朗村	14
雅州电灌站	断杉镇	雅州村	22
清水上苑电灌站	好花红镇	清水村	18.67
正台坡电灌站	好花红镇	崇学村	24.67
兴涟电灌站	好花红镇	兴涟村	28.33
鱼湾水轮泵	芦山镇	鱼湾村	66.67
石门水轮泵	好花红镇	枇杷村	33.33
东风水轮泵	芦山镇	鱼湾村	73.33
平久水轮泵	好花红镇	青河村	20
米丹水轮泵	濛江街道	山后村	33.33
兴隆水轮泵	濛江街道	山河村	13.33

第三节　防洪工程建设

1978年以前，惠水县修建的防洪工程很少，1978年至1999年，零星实施部分防洪工程，但都没有形成规模，不能有效抵御较大洪水的危害。为治理水患，确保人民生命财产安全，县水利局于1999年11月委托贵州省水利水电勘测设计研究院编制《惠水县城防洪规划报告》，《报告》于2000年2月编制完成，6月获得县政府批复。2004年3月完成惠水县城防洪一期工程；2006年8月完成惠水县城区防洪收尾工程；2008年11月，水利局委托贵州省水利水电勘测设计研究院进行《涟江（惠水县境内）河道治理规划报告》和《坝王河（惠水县境内）河道治理规划报告》的编制工作，12月完成，2009年6月5日获县政府的批复，共规划河道治理项目10个，综合治理长度34.69千米，保护人口12.5万人，保护农田1.1万亩。规划总投资14313万元。2010至2012年，主要实施县城河段，其中2010年度实施涟江河和平镇段河道治理工程、2011年度实施涟江河翁吟河段河道治理工程、2012年度实施涟江河高镇镇段河道治理工程。2013至2015年，计划实施项目7个，主要为乡镇河道，其中2013年度实施芦山河河道治理工程，2014年度实施涟江河金石河段河道治理工程、坝王河摆金镇河段河道治理工程、坝王河羡塘河段（三岔河）河道治理工程。由于投资变化，计划2015年度实施的长安河河道治理工程、涟江河三都镇段河道治理工程、涟江河好花红、青河河段河道治理工程，调整到“十三五”期间实施。至2015年，惠水县共实施防洪工程（河道治理）工程10个。

涟江改河工程　位于姚哨区方围村（现濛江街道）西侧，工程于1975年12月开工建设，工程将河道截弯取直，取直段800米，并在取直段上游右岸建防洪堤596米，完成土石方约24万立方米，其中砌石（卵石）约0.9万立方米。工程于1977年1月完成。原河道3.6千米改建为涟江渔场。

惠水县城防洪一期工程　位于县城涟江河惠民桥上游右岸，修建防洪堤326米。工程防洪标准为20年一遇，堤防断面结构为衡重式+护坡式，堤身为浆砌石，堤岸防护采用C15砼预制块护坡。工程于2003年8月动工，2004年3月完工，工程完成投资83.55万元。

惠水县城区防洪收尾工程　位于县城涟江河惠民桥上游右岸，连接县城一期防洪堤，防洪堤修建长度675米，防洪标准为20年一遇，堤防断面结构为衡重式+护坡式，堤身为浆砌石，堤岸防护采用C15砼预制块护坡。工程于2005年2月动工，2006年8月完工，工程完成投资158.26万元。

惠水县涟江河和平镇段河道治理工程　位于惠水县城涟江河左岸，涟江大桥上游252米以及下游877米河段（惠水县城防洪一期工程及惠水县城区防洪收尾工程的对岸，福利院至杨家寨）。该工程是全国重点地区中小河流域治理试点项目之一，工程新建防洪堤1129米，河道清淤2100米，堤型采用复合式堤型：浆砌石重力挡墙+C15钢筋混凝土框格草皮护坡，总投资为890.51万元。工程于2010年4月开工建设，2010年8月完成主体工程，2011年10月通过竣工验收。工程治理完工后，涟江河和平镇段的防洪标准提高到20年一遇，有效保护了沿河两岸及县城人民生命财产安全，同时成为了全县人民的休闲场所，涟江水利风景区得以冠名，每年端午节龙舟赛得以顺利开展。

涟江河翁吟河段河道治理工程　位于县城区域，具体为抵门桥至三岔河汇口、米丹桥至涟江大桥上游252米处及惠民桥至高旺桥，工程总投资2900万元，其中：中央补助2320万元、省级补助348万元、州级及地方自筹232万元（不含征地拆迁费用）。设计建设内容为：新建防洪堤7.646千米，河道清淤2.26千米，工程防洪标准为20年一遇。工程于2011年10月18日开工，由于拆迁征地工作的影响，工程于2015年

4月完成，最终完成河道综合治理4千米，河道清淤3千米，新建防洪堤5.262千米，生态边坡治理1.31千米，完成投资2319.67万元。完成的主要工程量为：土石方开挖15.19万立方米、土石方填筑13.94万立方米、米7.5浆砌石2.04为立方米、混凝土0.31万立方米、铺草皮4.31万平方米。

涟江河高镇镇段河道治理工程 位于琴山逸响至米丹桥，工程总投资493万元，其中：中央补助395万元、省级补助60万元、州级及地方自筹38万元（不含征地拆迁费用）。设计建设内容为：新建堤防1.431千米，河道清淤1.829千米，工程防洪标准为10年一遇。工程于2012年4月份开工，2013年6月完工，工程完成防洪堤1.43千米，河道清淤1.829千米，完成投资370.81万元。完成的主要工程量为：土石方开挖2.39万立方米，土石方回填2.5万立方米，砼0.05万立方米，米7.5浆砌石0.26万立方米，草皮护坡1.75万平方米，河道清淤1.86立方米；铺设土工网1.02万平方米。

芦山河河道治理工程 位于芦山镇硐口村至芦山村，工程总投资947万元，实际到位资金870万元，其中：中央资金757万元，省级资金113万元，设计防洪标准为10年一遇。工程于2013年11月23日动工，2015年12月底完成主体工程建设。工程完成河道疏浚3.875千米，其中主河道3.305千米、支沟0.57千米；完成防洪堤4.27千米，其中主河道1.88千米、右岸1.82千米、麦旁桥支沟0.33千米、新寨支沟0.24千米，完成投资666.95万元。完成的主要工程量为：土石方开挖2.15万立方米，土石方回填0.72万立方米，砼工程0.08万立方米，米7.5浆砌石1.54万立方米，河道清淤2.05万立方米。

涟江河金石河段河道治理工程 位于好花红镇栗木村杨梅寺至金田村，工程总投资为637万元，实际到位资金585万元，其中：中央补助509万元，省级补助76万元。工程效益为保护农田0.5万亩。防洪标准为5年一遇。工程于2014年3月动工，2015年12月工程完成，完成河道综合治理2.6千米，新建防洪堤2.29千米，生态护坡2.91千米，河道疏浚2.6千米，完成投资538.05万元。主要完成工程量：土石方开挖2.42万立方米，土石回填2.83万立方米，米7.5浆砌块石0.36万立方米，C15砼浇筑0.11万立方米，河道清淤2.01万立方米，加筋麦克垫植草护坡1.35万平方米。

坝王河摆金镇段河道治理工程 位于摆金镇区，工程总投资1895万元，实际到位资金1743万元，其中：中央补助1516万元，省级补助227万元。堤型采用复合式堤型：浆砌石基础护脚+生态被植草护坡。工程设计防洪标准为10年一遇，工程效益为保护人口1.2万人，保护农田0.079万亩。工程于2014年2月动工，至2015年12月完成主体工程建设，工程完成河道综合治理3.43千米，新建防洪堤6.2千米，完成投资1713.69万元。完成的主要工程量为：砂砾石土开挖25.77万立方米，土石方回填5.04万立方米，砼工程0.21万立方米，米7.5浆砌石1.37万立方米；加筋生态被护坡4.23万平方米。

坝王河羡塘河段河道治理工程 位于羡塘镇龙虎村至红旗村地段的三岔河上，工程总投资为1535万元，实际到位资金1412万元，其中：中央补助1228万元，省级补助184万元。堤型为生态袋护坡+浆砌石护脚；设计防洪标准为10年一遇洪水标准，工程效益为保护人口0.8万人，保护农田0.5万亩。工程于2014年3月动工，2015年12月完成主体工程建设，完成河道综合治理程度5.63千米，完成防洪堤建设8.1千米，完成河道疏浚2.2千米。完成投资1208.6万元。完成的主要工程量：土方开挖2.42万立方米，土石回填3.09万立方米，米7.5浆砌块石1.37万立方米，C15砼压顶0.10万立方米，人工播撒草籽护坡048万立方米，河道清淤1.67万立方米，生态袋护坡1.80万平方米，泥结碎石路面28019.35平方米，胸径Φ4柳树种植479株。

县城翻板坝工程 为了加快城中有水，水中有城建设，2008年由县财政拨款528万元，在涟江河县城段（原预制场）和（酒厂）新建两座翻板坝，预制场翻板坝长73.19米，坝高2.0米。酒厂翻板坝长75米，坝高1.8米。

第四节　饮水工程建设

一、县城供水

县城供水始建于1964年，取用水源为濛江河牛场桥处，利用涟江水管所建设的提水补充灌溉泵房安装供水水泵，同时在北门上（民族中学旁）建50立方米水塔，安装主管道到老场坝、上马路、长征路等地，分别在老场坝、购皮街老法院、新场坝（小猪行）、老公安局附近、东门口盐巴公司、十字街机关幼儿园建设6处集中售水房，人工售水，每挑1分钱后实行投币自行售水。

水塔

1979年，新建程番水厂，用水源为程番泉水，设计供水能力0.3万吨/日，新建提水泵站，安装水泵3台套，安装DN250铸铁管从程番水厂至北门上50立方米水塔，1982年建成后废弃牛场桥提水泵站，供水方式为管道入户，安装水表计量收费。供水范围增加城区周边西山坡、马啼坡、杨家寨、杨梅坡、狗场苑、满坝等地，供水规模为2000吨/日。2003年对程番水厂进行改扩建，在厂区增加提水泵房、投药消毒间、清水池、办公用房、絮凝过滤一体化设备。在白果苑后山头建2000立方米高位蓄水池。供水规模从3000吨/日提高到6000吨/日，供水范围新增惠明村、白果大道、纸酒大道两侧居民区用水。

1992年，新建西郊水厂，取用水源为鱼梁水库，由于资金紧缺，1995年工程完成征地、提水泵房、投药消毒房、1000立方米蓄水池后停工，为解决资金困难问题，1997年，由县自来水公司向农业银行贷款300万元，采取提高水价进行偿还（0.3元/吨提高到0.6元/吨，其中0.3元用于还贷），同年完成絮凝沉淀池、过滤池、厂区建设，完成鱼梁水库至西郊水厂400毫米输水管道8.9千米安装，1998年1月25日正式通水。供水能力为0.6万吨/日。

2001年，新建龙塘水厂，取用水源为山后村龙塘泉水，设计供水能力0.4万吨/日，水厂建设在山后村琴山逸响，2002年5月完工，完成水源点至水厂300毫米输水管道安装，完成水厂到县城300毫米管道与城区管网连接，完成厂区500立方米蓄水池、投药消毒房、办公房建设，水厂建成后自流供水，供水范围为山后村平寨、米丹寨，长新村抵门、沙子坡、新寨，并向县城进行补水。

随着城区建设的不断发展，规划在涟江街道大坡村大坡寨新建大坡水厂，取用鱼梁河水源，设计供水能力2.6万吨/日，2013年开工建设。

2015年县城有水厂3座，即西郊水厂、程番水厂、龙塘水厂，总供水规模1.6万吨/日，覆盖范围为北至濛江街道涟江村，南至涟江街道办事处惠民村，东至涟江街道三合村大坡脚，西至涟江街道七里冲、沙子哨。供水人口约10万人。

二、经开区供水

2004年利用小城镇资金新建土桥水厂，设计供水规模2000吨/日，2005年正式通水，主要解决长田工业园生产生活用水及周边桥洞村和长田村生活用水。

2010年新建大坝水厂，设计供水规模为14000吨/日，其中生活用水6000吨/日，工业用水8000吨/日，是年正式通水，主要解决西南水泥厂生产生活及龙泉社区、龙泉村生产生活用水。

2013年新建双庆水厂，设计供水规模12000吨/日，2015年初正式通水，主要解决经开区厂矿企业生产生活及周边双庆村、合兴村、民田社区居民生活用水。

三、镇（街道）供水及农村饮水安全工程

（一）镇（街道）供水

1978年前，全县除和平镇（县城所在地）外，其他乡镇均无自来水站，饮用水主要靠人力到乡镇所在地周边水井或河沟担水饮用。2015年，10个镇（街道）所在地及周边村寨全部通自来水，达到饮水安全。

涟江街道　涟江街道主要饮用水源为县城供水水源和水厂，主要水厂为程番水厂、西郊水厂、龙塘水厂。

濛江街道　濛江街道前身为高镇镇、姚哨区，20世纪80年代，取用水源为姚新村龙井水源，主要解决姚哨区政府所在地和姚新村人畜用水，撤销姚哨区建高镇镇后，高镇镇搬迁至现濛江街道，2008年前，由险峰机床厂供水站供给，主要解决高镇镇区及险峰机床厂生产生活用水。2008年，利用饮水安全资金，从县城交警大队接县城管网延伸到涟江村，沿途解决长新村、首创村、姚新村、司蒙村、高镇村、交椅村、涟江村、险峰机床厂、永安电机厂生活用水，解决约2万人饮水安全问题。随着经开区的发展，2012年在高镇镇双庆村新建日供水能力1.2万吨的双庆水厂，2015年，濛江街道长新路以北及首创村以北，由双庆水厂进行供给。

摆金镇自来水站　1981年，提水水源为坝王河，建提水站、高位水池，解决摆金区（摆金镇）所在地机关、学校等部门及部分群众生活用水。2010年利用发改资金200万元进行改扩建，在摆金镇长新村棺材洞新建水厂，取用水源为钢金河棺材洞水源，2011年建成后，解决摆金村长新村、摆金村、清水苑村、立新村、甲浪村、扪摆村、单耙村、马道村、大华村，约2万人饮水安全问题。

三都自来水站　1981年，饮用水源为清水苑河沟水，建提灌站、高位水池、安装管网，解决三都区所在地机关及部分群众生活用水。1994年进行改扩建，饮用水源为双鼻孔，建成后解决三都村、金田村约8000人饮水安全问题。2006年利用发改资金及饮水安全资金进行改扩建，取用水源为双鼻孔和鱼梁水库，安装输水管道从鱼梁水库进行补水，新建三都水厂，2007年建成后，解决三都镇三都村、金田村、百鸟河村约1.4万人饮水安全问题。

雅水自来水站　1984年建成，饮用水源为满杆河水，建提灌站、高位水池、安装管网，解决雅水区（雅水镇）所在地机关及部分群众生活用水约0.2万人。2012年利用发改小城镇资金200万元及部分饮水安全资金进行改扩建，在雅水镇大龙村拉力寨新建拉力水厂，取用水源为拉力河沟，新建高位水池，安装管网，2013年建成后，解决雅水镇雅水村、大龙村、道力村、播潭村约1万人饮水安全问题。

断杉自来水站　始建于1987年，饮用水源为八大村龙田坝溶洞水，建设提灌站、高位水池、管网解决镇区所在地约2000人饮水问题。由于龙田坝水量满足不了用水要求，2000年利用以工代赈资金46万元，从光荣村翁良引水进入八大村水位水池进行补水。2009年利用发改小城镇资金200万元及部分饮水安全资金进行改扩建，新建断杉水厂，取用水源为龙头桥水源，新建提水泵站、安装管道，解决摆惹村、

八大村、大坡村、新场村约1.2万人饮水安全问题。

王佑自来水站 始建于1986年，饮用水源为杨柳井泉水，建提水站、高位水池、管网解决镇区约500人饮水问题。2004年进行改扩建，取用水源为平贡村翁松泉水，建提水站、高位水池、供水管网，解决王佑镇冷水村、王佑村约4000人饮水问题。2013年利用发改小城镇400万元和饮水安全资金进行改造，新建翁松水厂，更换水厂到王佑镇政府主管网，延伸管网到周边村寨，解决王佑镇冷水村、王佑村、昌明村、红星村约0.6万人饮水安全问题。

芦山自来水站 始建于1985年，饮用水源为麦旁村冗倍水源，安装输水管道，建设蓄水池，安装供水管网，自流解决芦山镇区及芦山村约3000人饮水问题。2005年，利用饮水安全资金进行改扩建，取用水源为麦旁村新寨泉水，建设芦山水厂、高位水池、改造供配水管网，解决芦山村、麦旁村、洞口村、羊马村、小石村约1万人饮水问题。由于城镇建设发展，麦旁水源满足不了用水要求，2015利用抗旱应急资金600万元，在鱼湾村建鱼湾水厂提涟江河水进行补水，安装主管道与芦山水厂管道连接，新增解决摊绕村、纳冗村、响水村饮水，共解决约1.5万人饮水安全问题。

羡塘镇自来水站 始建于1996年，饮用水源为山岔河河水，在羡塘桥上游约200米处建提水泵站，建高位蓄水池，安装管网进行供给。主要解决镇区约500人用水。2008年利用饮水安全资金在红旗村大河坎新建羡塘水厂，取用水源为响水关泉水，安装输水管道，建高位水池、安装配水管网，解决羡塘镇区、红旗村、龙虎村约0.8万人饮水安全问题。

岗度镇自来水站 2009年前，镇区饮用水采取管道接周边泉水自流供给，由于泉水量有限满足不了用水要求。2009年利用饮水安全资金，新建岗度水厂，取用水源为蛇场水库库区泉水，建高位水池、安装供配水网，解决岗度镇区及岗度村约0.4万人饮水安全问题。

（二）农村饮水

县的农村人饮工程分“渴望”“解困”“安全饮水”项目实施。

1978至1990年，大部分农村饮水仍主要靠人力挑水取用各村寨周边水井和河沟水解决饮用水。部分距离乡镇所在地较近的村寨接用乡镇自来水，供水到户。

1997至2004年，实施“渴望”工程，建设内容主要以小水池、小水窖为主，有部分为引水（管道输水至村寨后集中供水）和提水，解决水源缺乏地区的人畜饮水困难。共投入资金919.79万元，其中国补628.23万元，群众自筹14.8万元，群众以劳抵资276.76万元。建工程107处，解决45201人/22861头畜饮水困难。

2001年至2004年，实施“解困”工程，主要以建自来水为主（部分为水池、水窖），采取供水到户。共投入资金1017.99万元，其中：国补754.22万元，群众自筹31.78万元，群众以劳抵资231.99万元。建成工程94处，解决36741人/16522头畜饮水困难。

2004年至2015年，主要实施“农村安全饮水”工程。“渴望”“解困”以解决饮水困难为主，都是原水供给，饮用水卫生不达标。“农村安全饮水”工程，注重饮用水的卫生和安全性，所建工程都增加了消毒和净水设备。至2015年，建成工程281处（含以工代赈和财政扶贫的人饮工程），解决25.0155万人的安全饮水。共投入资金14063.43万元，其中：国补10109.3万元，省级匹配2213.17万元，州级匹配1029.67万元，县级匹配及自筹711.29万元。

2015年止，共实施农村饮水安全处数314处，其中，10000人以上2处，累计完成投资约1.68亿元，基本解决全县农村饮水安全问题。

表8-49

2015年止全县1000人以上饮水安全工程

工程名称	所在地		解决人口（人）	备注
	镇（街道）	村		
土桥水厂	濛江街道	桥洞村	4262	企业及农村供水
双庆水厂	濛江街道	双庆村	4967	企业及农村供水
平寨饮水安全工程	濛江街道	合兴村	1783	农村饮水
赤土水厂	濛江街道	赤土村	3457	企业及农村供水
大坝水厂	濛江街道	山河村	1763	企业及农村供水
龙滩水厂	濛江街道	民河村	1172	农村饮水
老猴洞饮水安全工程	濛江街道	上龙村	1334	农村饮水
水打桥水厂	濛江街道	绿化村	2984	农村饮水
民河水厂	濛江街道	民河村	1334	农村饮水
斗坡水厂	濛江街道	半坡村	5273	农村饮水
长岩水厂	濛江街道	兴章村	4087	农村饮水
甲烈水厂	濛江街道	红星村	4462	农村饮水
小甲烈水厂	濛江街道	红星村	1268	农村饮水
姚新水厂	濛江街道	姚新村	3210	农村饮水
龙塘水厂	濛江街道	山后村	19800	城区供水
响水水厂	涟江街道	甘昌村	3908	农村饮水
九龙水厂	涟江街道	九龙村	2984	农村饮水
民中水厂	涟江街道	民中村	1344	农村饮水
冗然水厂	涟江街道	冗然村	2004	农村饮水
排楼水厂	涟江街道	排楼村	1654	农村饮水
长征水厂	涟江街道	长征村	4566	农村饮水
百鸟河水厂	好花红镇	栗木村	1732	农村饮水
苑口水厂	好花红镇	小龙村	11900	旅游区供水
三都水厂	好花红镇	三都村	9047	农村饮水
好花红水厂	好花红镇	崇学村	11386	镇（街道）及农村供水
平地水厂	好花红镇	平地村	1788	农村饮水
大坡水厂	好花红镇	上衙村	1285	农村饮水
母猪笼水厂	好花红镇	满玉村	2271	农村饮水
兴涟水厂	好花红镇	兴涟村	2102	农村饮水

续表8-49

工程名称	所在地		解决人口（人）	备注
	镇（街道）	村		
甲戎水厂	好花红镇	甲戎村	6423	农村饮水
青河水厂	好花红镇	青河村	5955	农村饮水
九门寨水厂	好花红镇	九门村	3059	农村饮水
水源水厂	好花红镇	水源村	2089	农村饮水
新场水厂	断杉镇	新场村	4900	农村饮水
龙头桥水厂	断杉镇	新场村	7726	镇（街道）及农村供水
翁址水厂	断杉镇	翁址村	1017	农村饮水
董朗水厂	断杉镇	董朗村	1280	农村饮水
光荣水厂	断杉镇	光荣村	2750	农村饮水
雅州水厂	断杉镇	雅州村	1806	农村饮水
纳理水厂	断杉镇	纳理村	3189	农村饮水
青山水厂	断杉镇	青山村	2058	农村饮水
蛮纳水厂	断杉镇	蛮纳村	1637	农村饮水
定理水厂	断杉镇	定理村	2018	农村饮水
上坝水厂	断杉镇	上坝村	1417	农村饮水
望顺水厂	断杉镇	翁平村	3448	农村饮水
甲奉水厂	羡塘镇	甲奉村	1774	农村饮水
红旗水厂	羡塘镇	红旗村	6325	镇（街道）及农村供水
百洞水厂	羡塘镇	百洞村	2264	农村饮水
西混水厂	羡塘镇	西混村	2078	农村饮水
比纳水厂	羡塘镇	比纳村	1035	农村饮水
落浩水厂	羡塘镇	落浩村	2099	农村饮水
和平水厂	羡塘镇	和平村	1193	农村饮水
阴桥水厂	羡塘镇	阴桥村	1180	农村饮水
落星水厂	羡塘镇	三合村	1028	农村饮水
月亮水厂	羡塘镇	甲奉村	1020	农村饮水
拉力水厂	雅水镇	大龙村	4056	农村饮水
街上水厂	雅水镇	街上村	2699	农村饮水
葡龄水厂	雅水镇	葡龄村	1996	农村饮水
洛平水厂	雅水镇	洛平村	2573	农村饮水

续表8-49

工程名称	所在地		解决人口（人）	备注
	镇（街道）	村		
公朋水厂	雅水镇	公朋村	2648	农村饮水
西牛饮水安全工程	雅水镇	西牛村	1237	农村饮水
滥坝水厂	雅水镇	摆王村	1062	农村饮水
沟边水厂	雅水镇	旧寨村	5811	农村饮水
蓬路水厂	雅水镇	蓬路村	2069	农村饮水
雅水水厂	雅水镇	雅水村	10256	镇办供水
摆王饮水安全工程	雅水镇	摆王村	10481	农村饮水
马桑沟水厂	雅水镇	地关村	1355	农村饮水
打华哨水厂	摆金镇	大华村	1268	农村饮水
滴水岩水厂	摆金镇	摆金村	9110	农村饮水
关山水厂	摆金镇	关山村	2182	农村饮水
棺材洞水厂	摆金镇	长新村	9090	镇办供水
旁才水厂	摆金镇	旁才村	1096	农村饮水
斗底饮水安全工程	摆金镇	斗底村	1836	农村饮水
甲坝水厂	摆金镇	甲坝村	2602	农村饮水
石板水厂	摆金镇	石板村	1753	农村饮水
盘井水厂	摆金镇	盘井村	1341	农村饮水
高寨水厂	摆金镇	高寨村	2862	农村饮水
小陈苑水厂	摆金镇	冗拱村	1826	农村饮水
蛮河饮水安全工程	摆金镇	蛮河村	1058	农村饮水
党古水厂	摆金镇	党古村	1386	农村饮水
牛灌冲水厂	摆金镇	上田村	15829	镇（街道）及农村供水
水冲水厂	摆金镇	水冲村	1280	农村饮水
大寨水厂	岗度镇	龙泉村	1324	农村饮水
宁旺水厂	岗度镇	宁旺村	4036	农村饮水
龙塘饮水安全工程	岗度镇	龙塘村	1744	农村饮水
新摆水厂	岗度镇	新摆村	1025	农村饮水
龙田水厂	岗度镇	龙田村	1310	农村饮水
黄土水厂	岗度镇	黄土村	2567	农村饮水
蛇场水厂	岗度镇	岗度村	3595	农村饮水

续表8-49

工程名称	所在地		解决人口（人）	备注
	镇（街道）	村		
本底饮水安全工程	岗度镇	本底村	1130	农村饮水
石烧饮水安全工程	岗度镇	石烧村	1720	农村饮水
柏栗饮水安全工程	岗度镇	柏栗村	1813	农村饮水
麦旁水厂	芦山镇	麦旁村	8825	镇（街道）及农村供水
小石水厂	芦山镇	小石村	1468	农村饮水
董家苑水厂	芦山镇	勤中村	1319	农村饮水
格我水厂	芦山镇	格我村	1970	农村饮水
花鱼水厂	芦山镇	花鱼村	2992	农村饮水
鱼湾水厂	芦山镇	鱼湾村	4988	农村饮水
民族水厂	芦山镇	民族村	1295	农村饮水
平贡水厂	王佑镇	平贡村	1936	农村饮水
翁松水厂	王佑镇	冷水村	5709	镇（街道）及农村供水
红星水厂	王佑镇	红星村	3747	农村饮水
翁闹水厂	王佑镇	西南村	3062	农村饮水
西茂水厂	王佑镇	西南村	1683	农村饮水
长安水厂	王佑镇	长腊村	2488	农村饮水
打引水厂	王佑镇	场坝村	2600	农村饮水
打场水厂	王佑镇	打引村	1400	农村饮水
建华水厂	王佑镇	建华村	2687	农村饮水
团坡水厂	王佑镇	团坡村	2120	农村饮水
和平水厂	王佑镇	和平村	1174	农村饮水
程番水厂	涟江街道	新城村	35000	城区供水
东郊水厂	涟江街道	星光村	30000	城区供水

第五节 水电站建设管理

县内水资源较为丰富，理论蕴藏量达23万千瓦，水能资源可开发量18万千瓦以上，占理论蕴藏量的77%，开发条件好，开发比重大，前景可观。

一、水电站建设

1978年，全县共有水电站共13座，总装机2269千瓦。

1978年前全县水电站情况表

表8-50

工程名称	所在地		装机（千瓦）	管理单位	备注
	镇（街道）	河流			
小龙二级水电站	好花红镇	鱼梁河	1000（2×500）	水利电力局	
黄花塘水电站	好花红镇	涟江河	200（2×100）	毛家苑乡	
水源水电站	好花红镇	涟江河	250（2×125）	水源村	
山岔河水电站	断杉镇	三岔河	250（2×125）	抵季乡	1994年停运
岗度水电站	岗度镇	田茶河	100（2×50）	岗度乡	1988年停运
党古水电站	摆金镇	坝王河	96（2×48）	党古乡	1985年停运
甲烈水电站	濛江街道	本底河	24（1×24）	甲烈村	1985年停运
马桑沟水电站	雅水镇	拦力河	50（1×50）	大龙村	1983年停运
马槽塘水轮泵水电站	好花红镇	涟江河	75（1×75）	毛家苑乡	1980年停运
团坡水电站	王佑镇	涟江河	50（1×50）	打引乡	1980年停运
杨家山电站	濛江街道	涟江河	100（1×100）	杨家山煤厂	1985年停运
王佑翁打水电站	王佑镇	涟江河	50（1×50）	王佑镇	1978年停运
羡塘桥边电站	羡塘镇	坝王河	24（1×24）	红旗村	1986年停运

1990年后，国家对水能资源的开发颁发新政策和新规定，允许社会各界投入小水电开发建设，县的水能资源的开发向规范化、正规化发展，小水电开发进入新时期。1995年，省水利厅与县政府联合投资开发海里水电站，设计水头66米，引用流量28立方米/秒，装机规模2×8000千瓦，电站为引水式引水隧洞长1.8千米，2000年建成发电；2003年，贵州中水能源发展有限公司与黔南州政府、惠水、罗甸、长顺县政府，联合开发濛江流域，惠水县团坡电站列为一期开发，引水隧洞长3775.8米，设计水头123.6米，引用流量为75.8米，装机规模为2×32000+1×6000千瓦，2008年建成发电；2005年，民营企业惠水县凯能电力发展有限责任公司向惠水县政府申请恢复建设山岔河电站，装机2×160千瓦，2007年建成发电。

2006年，好花乡村民王科斗经县政府批准，修建兴涟小水电站，装机2×75千瓦，同年11月发电。

1978至2006年建成的水电站共16座，总装机36119千瓦。

1978—2006年全县水电站情况表

表8-51

工程名称	所在地		装机（千瓦）	管理单位	备注
	镇（街道）	河流			
小龙二级水电站	好花红镇	鱼梁河	1000（2×500）	水利局	
黄花塘水电站	好花红镇	涟江河	200（2×100）	毛家苑乡	
水源水电站	好花红镇	涟江河	200（2×100）	水源村	
山岔河水电站	断杉镇	三岔河	250（2×125）	抵季乡	1994年停运
岗度水电站	岗度镇	田茶河	100（2×50）	岗度乡	1988年停运
党古水电站	摆金镇	坝王河	96（2×48）	党古乡	1985年停运

续表8-51

工程名称	所在地		装机（千瓦）	管理单位	备注
	镇（街道）	河流			
甲烈水电站	濛江街道	本底河	24（1×24）	甲烈村	1985年停运
马桑沟水电站	雅水镇	拦力河	50（1×50）	大龙村	1983年停运
马槽塘水轮泵水电站	好花红镇	涟江河	75（1×75）	毛家苑乡	1980年停运
马槽塘水电站	好花红镇	涟江河	500（2×250）	毛家苑乡	
团坡水电站	王佑镇	涟江河	50（1×50）	打引乡	1980年停运
青山河水电站	王佑镇	涟江河	550（1×250+1×300）	王佑镇	2000年停运
当平水电站	羡塘镇	坝王河	200（2×100）	西混村、新安村	1990年停运
本底电站	岗度镇	本底河	200（1×200）	本底公社	1991年停运
杨家山电站	濛江街道	涟江河	100（1×100）	杨家山煤厂	1985年停运
羡塘桥边电站	羡塘镇	坝王河	24（1×24）	红旗村	1986年停运
小龙一级水电站	好花红镇	鱼梁河	800（1×800）	水利局	

随着国家电网的建设，部分小水电站淘汰，县内增加海里电站、团坡电站、兴涟电站建设，对部分小电站进行增效扩容，淘汰部小水电站。2015年，全县建成投入运行的水电站共有水电站9座，总装机116280千瓦。

表8-52

2015年全县水电站情况表

工程名称	所在地		装机（千瓦）	管理单位	备注
	镇（街道）	河流			
团坡电站	王佑镇	涟江河	80000（2×32000+1×16000）	濛江水力发电总厂团坡水电站	
海里电站	断杉镇	涟江河	32000（2×8000+1×16000）	贵州省惠水涟江资源开发有限责任公司	
黄花塘电站	好花红镇	涟江河	1260（2×630）	瓮安县岩根河水电站有限责任公司	2006年技改2×125千瓦，2014年技改2×630千瓦。
马槽塘电站	好花红镇	涟江河	500（2×250）	瓮安县岩根河水电站有限责任公司	
水源电站	好花红镇	水源河	250（2×125）	瓮安县岩根河水电站有限责任公司	
小龙一级电站	好花红镇	鱼梁河	800（1×800）	水务局	
小龙二级电站	好花红镇	鱼梁河	1000（2×500）	水务局	
兴涟电站	好花红镇	威远河	150（2×75）	个人	
三岔河电站	断杉镇	三岔河	320（2×160）	惠水县凯能电力发展有限公司	

二、水电站管理

惠水县农村小水电均按照谁建、谁管、谁用的原则，大致分为初、中、后3个时期。

初期（1926至1970年） 期间，除栀子花园水电站外，其余电站均以大队为主，建设规模较小，装机容量10至50千瓦，40千瓦以下的水电站，没有经过升压就直送到用户家中；40千瓦以上的电站，经过升压和降压后，才送到用户家中（由400伏升到6300伏，再由6300伏降为400伏）。电站的管理是以大队选派人管理，没有成立管理单位。

中期（1970至1990年） 县内100千瓦以上的电站相继动工建成，供电范围扩大到一个乡或多个乡，用电户由几十户扩大到几百户、几千户。供电线路由几百米变为几公里到几十公里。按照管理要求，为帮助各站培训发电运行人员、供电维护电工以及收费人员，各区相继成立电站管理机构，促进电站的发、供、收费及维护有序进行。成立管理机构的电站有：马槽塘、黄花塘、水源、青山河、山岔河、当平、本底7座电站，电站归组织修建的乡政府管理，业务技术由县水电局指导。小龙电站由县政府组织建设，为县水电局管理的基层单位。期间，各水电站独立运行，没有并入国家电网。各站都有供电片区和供电网络。

后期（1990至2000年） 期间，县的农村小水电面临两个严峻考验，一是随着时间的推移，自建自管自用的农村小水电站，由于长期受农村负荷的限制，电站发电量不能进行丰枯期调剂，以致电站经济效益逐年下降，机电设备和供电线路维修费用逐年增加，导致电站入不敷出，电站面临关闭边缘，1990−−1995年间，毛家苑乡，甲戎乡、王佑镇把电站移交给水利部门管理。县水利局先后接管黄花塘电站、马槽塘电站、水源电站、青山河电站，并投入资金对电站机电设备进行改造，选派人员重新成立电站管理机构，建立健全各项管理规章制度，使电站管理逐步走向正轨。

县管理的农村小水电，形成3个自然供电网络，即小龙电站供电区域网络，黄花塘电站供电区域网络、青山河电站供电区域网络，3个网络覆盖原三都、好花红、大龙、甲戎、断杉、王佑、芦山、长安、打引等9个乡镇。3个供电网络的水电站，均以一点接触的形式并入国家电网运行，实现以电养电。没有移交管理的当平电站、山岔河电站、本底电站在1998年前关闭。2000年，国家实行“两改一同价”。一个地区，可以有两个供电单位，可以“一省两贷”。县供电局执行的是“不体改就不能网改”的政策，划走惠水地方小水电供电片区，无偿划拨10千伏供电线路306.8公里，变压器185台共9705千伏安。供电部门接收供电片区管理人员和线路人员51人。

“两改一同价”后，县实行厂网分开，电站成专一发电，电量卖给国家电网。县内地方小水电虽与供电部门的电站同网，但仍是同网不同价。县供电部门电站的上网电价为0.2674元/千瓦时，小水电的上网电价为0.2174元/千瓦时。

2015年，县水务局管理的电站有小龙一级、二级电站，仅负责水能发电上国家电网。

第六节　水利工程管理

一、灌溉工程管理

1978年前，全县不利灌溉工程管理主要由水利电力局负责全县工程管理，管理内容主要是全县小（2）型以上蓄水工程和引水工程，小（2）型以下由各乡镇、公社负责管理。山塘由村支两委负责运行管理，水池（窖）由受益户自行管理。

1978年到2015年，隶属水利电力局管理机构的灌区管理所有涟江灌区管理所，小龙灌区管理所、水头水库管理所，涟江灌区管理所主要负责涟江引水工程运行管理，小龙灌区管理所主要负责小龙引水、鱼梁水库、崇水引水运行管理，水头水库灌区管理所主要负责水头水库运行管理。

1978至2015年，三都水利管理站主要负责原三都镇、好花红乡、大龙乡水利工程运行管理；断杉水利管理站主要负责原断杉镇、甲戎乡、抵季乡、羡塘乡水利工程运行管理；高镇水利管理站主要负责原高镇镇、和平镇、长田乡水利工程运行管理；摆金水利管理站主要负责原摆金镇、宁旺乡、岗度乡、斗底乡、摆榜乡水利工程运行管理；雅水水利管理站主要负责原雅水镇、太阳乡、抵麻乡、鸭绒乡水利工程运行管理；王佑水利管理站主要负责原王佑镇、芦山镇、长安乡、打引乡水利工程运行管理。

二、供水工程管理

县城供水管理。1978—2010年，由县自来水公司负责管理。2011年至2015年，县城供水由县自来水公司和黔惠城乡供水有限制任公司负责运行管理（2001年，成立惠水黔惠城乡供水有限制任公司，为股份公司，负责龙塘水厂的资金筹集和施工，负责龙塘水厂运行管理，执行水价与县城水价相同）。

1996年，供水价格0.6元/立方米。供水规模为9000立方米/日，供水人口1.2万人。

1998年，居民生活用水调整为1.3元/立方米，商业用水1.8元/立方米，供水能力为0.6万吨/日。

2007，居民生活1.90元/立方米，商业用水3.20元/立方米，特种行业用水8元/立方米；县城供水总人口为6.5万人，全年总供水量为287万立方米，售水量为240万立方米，水费收入340万元。

2015年总供水量为510万立方米，售水量为426万立方米，水费收入1293万元，供水人口8.5万人。根据黔南州物价局黔南价格［2014］80号文件批复，将县城居民生活用水价格由原来的1.90元/吨调整为2.60元/吨；非居民生活用水价格调整为3.90元/m^3，特种用水价格调整为13.00元/立方米。并根据国家发改委和建设厅［2013］2676号文件精神，于2015年对惠水县城居民生活用水实行阶梯式水价制度；调整后的水价和阶梯水价从2015年1月1日起的用水量开始执行。

镇（街道）供水及村级供水管理。主要由乡镇供水公司和镇（街道）及村支两委负责运行管理。

2011年，乡镇供水公司成立，属于县水务局管理的国有资产公司，主要负责1000人以上农村饮水工程、跨乡镇、跨村农村饮水工程运行管理。管理摆金自来水站、鸭绒自来水站、雅水自来水站、断杉自来水站、三都自来水站、王佑自来水站、芦山自来水站。

2015年，实际管理饮水安全工程为牛灌冲水厂、拉力水厂、雅水水厂、滴水岩水厂、棺材洞水厂、龙头桥水厂、花鱼水厂、鱼湾水厂、翁松水厂、翁闹水厂、三都水厂。

镇（街道）主要管理羡塘镇红旗水厂、好花镇好花红水厂、断杉镇令状水厂、岗度镇岗度水厂。其他为村支两委自行管理。

第七节 水土保持

一、水土保持预防监督

水土流失会导致水土资源破坏、生态环境恶化、自然灾害加剧，威胁全县生态安全、防洪安全、饮水安全和粮食安全，是全县经济社会可持续发展的制约因素。水土保持工作实行预防为主、保护优先、全面规划、综合治理、因地制宜、突出重点、科学管理，注重效益的方针，切实加强组织领导，强化部门协作配合与监督管理，落实目标责任，加大工作力度，强化宣传教育，提高全民的水土保持法制观念和生态文明意识。

1、水土保持方案审批

全县水土保持审批工作始于2011年，到2015年共受理38个，准予许可数量38个，征收水土保持补偿费127.48万元。

2、水土保持补偿费

2011至2015年共征收水土保持费127.48万元。

3、监督检查

2011至2015年对县辖区内生产建设项目开展水土保持监督检查，督促开发建设项目落实水土保持“三同时”制度，涉及项目类别：房地产、学校、医院、工厂、矿山、水库、公路、风电场等。

表8-53

2011—2015年全县水土保持方案审批统计表

年度	受理申请数量（个）	准予许可数量（个）	水土保持案件（起）	征收水土保持补偿费（万元）
2011	1	1	0	—
2012	2	2	0	12.32
2013	9	9	0	27.44
2014	6	6	0	28.48
2015	20	20	0	59.24

二、水土流失及治理

1978至1981年，县未开展水土流失治理工作，1982年，水土保持监督站成立。

1983至1985年，在长田乡投资35万元，封山育林5580亩，植树造林34.6万株，修建老王冲谷坊6座，完成坡改梯510亩，修建坡沟13条长870米。修建渠道3条长1.3千米。

1983年，在万鸡山（现东山生态园）投资37.7518万元，培植水土保持林育苗基地，面积1.45平方千米。1990—1999年，投入1000万元完成55350亩劈万造田改土工作，兴修小水窖900多个，容积近2万立方米，修拦山防洪沟500多条90千米，水土流失状况得到抑制。

1999年后，县水土流失治理主要以实施珠防工程、万漠化治理、退耕还林等重点工程为主。

1999年，县开始实施珠防林工程，2003年结束。

县珠防林工程主要分布在断杉镇、抵季乡、羡塘乡、甲戎乡、芦山镇、三都镇、高镇镇、摆金镇、岗度乡、斗底乡。总投资1479.45万元。主要种植杉木21.5万株、马尾松420.1万株、湿地松21.9万株、华山松360.8万株、滇柏570.8万株、花椒13.1万株、板栗1.91万株、核桃0.32万株、李5.2万株、金钱桔2.7万株、慈竹1.73万株、播茶叶种子40200公斤、马尾松点播种子3425.2公斤。总造林面积136.98平方千米，其中：人工造林50.43平方千米，低效改造0.78平方千米，封山育林85.77平方千米。水土流失总治理面积136.98平方千米。

2004年，根据省发改委和黔南州发改委关于转发国家发展改革委员会《关于进一步做好西南石山地区石漠化综合治理工作指导意见的通知》精神，结合县实际，由省国际工程咨询中心黔南工作站组织编制《惠水县喀斯特石漠化综合防治规划》。规划治理时间2005至2050年，到2050年全县石漠化面积得到根本防治，森林覆盖率稳定在56%以上，全县生态步入良性循环，基本上实现山川秀美、生活富裕和生态、经济、社会可持续发展的目标。

2008年起，分别在鱼梁河流域、芦山河流域、水源河流域、打梦河流域实施石漠化综合治理，涉及人口4.3万人，主要建设内容为修建截排水沟20.17千米；机耕道及生产便道27.20千米；小型蓄水池265口，配套沉砂池265口，水保造林面积10.17平方千米，经济林种植面积1.13平方千米，种草面积4.72平方千米，封山育林43.11平方千米，水土流失总治理面积57.13平方千米。

2009年起，在羡塘乡、断杉镇、长田乡、高镇镇实施全县巩固退耕还林建设项目，涉及人口4.1万人，主要建设内容为修建排洪渠及引水渠45.33千米，机耕道9.24千米；小型蓄水池18口，配套沉砂池18口；种植水保林面积35.51平方千米，经济林面积1.19平方千米。水土流失总治理面积36.70平方千米。

2013年，省发改委、省水利厅批复惠水县鱼梁河生态清洁型小流域水土流失重点治理工程建设。工程位于三都镇，涉及金田、小龙两个村，投资376万元，其中中央资金300万元，州级配套38万元，县级配套38万元。主要建设内容为：治理水土流失面积945公顷。建设完成河道护坡976米，河道清淤976米。拦水堰37米，进场道路950米，60立方米蓄水池5座，沉砂池5座，排水沟314米，生产便道525米，河岸绿化种植杨柳382株，种茶树35.1公顷、封禁治理909.62公顷。封禁碑牌3套，流域标志牌1块。

2015年，完成惠水县芦山镇小流域现代水利示范点水土流失治理工程，工程总投资100万元，全部为省级资金。工程治理水土流失面积139公顷，修建生产公路1615米，生产公路边沟789米，60立方米蓄水池9座，沉砂池9座，截流沟661.8米，生产便道1222.3米、输水管道771米，种植中药材20公顷，封禁治理119公顷。封禁碑牌1套。

是年，县水土流失治理面积16.35平方千米，其中：经济林面积0.34平方千米，经果林面积0.55平方千米，封山育林面积14.01平方千米，科技示范园1.45平方千米。

2015年惠水县水土流失面积及强度统计表

表8-54 单位：平方千米

区域	项目		面积（平方千米）	占总面积（%）	占水土流失面积（%）
惠水县	总面积		2471.79	100.00%	—
	微度流失		1875.19	75.86%	—
	各级土壤侵蚀强度面积	小计	596.60	24.14%	100.00%
		轻度侵蚀	309.08	12.50%	51.81%
		中度侵蚀	192.98	7.81%	32.35%
		强度侵蚀	59.14	2.39%	9.91%
		极强烈侵蚀	28.41	1.15%	4.76%
		剧烈侵蚀	6.99	0.28%	1.17%

第八节 防汛抗旱

一、机构

（一）县防汛抗旱指挥部办公室

1978至1983年，县防汛抗旱工作没有专门机构负责，由各乡镇按县有要求组织开展。1983年后，在惠水县水电局临时设防汛抗旱指挥部办公室，由管理股承担防办工作。1993年3月，根据上级相关文件要求："各级防汛抗旱办公室为常设机构，必须配备专职防汛人员2—3名"，将原临设的惠水县防汛抗旱指挥部办公室转为常设机构，办公室设在县水电局，由2—3人组成，人员由县水利电力局内部调配。2014年5月24日印发《惠水县城区防洪预案》。至2015年，县防汛抗旱指挥部办公室机构人员保持不变。

（二）县抗旱排涝服务队

根据惠编（1995）8号，1997年成立惠水县抗旱排涝服务队，人员编制7人，省水利厅配置设备柴油抽水机100台，五十铃双排座货车1台。允许服务队经营柴油、汽油抽水机出租及配件维修等，于1998年停止收费经营。根据黔南财农［2012］246号文件规定，惠水县获得抗旱设备补助费200万元。共购置抗旱运水车2辆，挖掘机1台，打井洗井设备1台，移动灌溉设备1台，输水软管0.25万米，发电和动力设备1台。

2015年，县抗旱排涝服务队储备冲锋舟5艘、皮划舟3艘、救生衣870件、救生圈20个，应急灯50个，编织袋3500条，锄头、铁锹各450把。抗旱物质：挖掘机1台，机井、洗井1台，移动水泵182台，发电机组1台，发电机42台，电缆线2500米，运水车5辆，抗旱水袋25个，输水软管1.21万米，安排专人管理和在汛前作好了抗旱机具维修和保养，做到随时调用。

二、自然灾害

（一）洪灾及抗洪抢险

1979年洪灾，冲坏原三都镇卧龙桥孔一孔，冲毁涟江拦河坝三分之一。此外，较小的洪涝灾害散见于渠道滑坡、泥沙壅塞、小型建筑物冲坏等。

1980年8月10至11日，惠水降暴雨，山洪暴发，河水陡涨，农作物、房屋、水利工程等毁坏甚多。

1984年5月3日，原姚哨区长田村暴雨成灾，长田村老王冲田10亩被山洪冲砂淹没，山上松树被风吹倒1000余株，房屋倒塌1户，压死2人，政府济费500元安葬。

1992年洪灾，受灾人口19万人，房屋倒塌110间，农作物受灾面积4.1万亩，冲毁山塘4座，直接经济损失3000万元，死亡3人。

1999年6月30日洪灾，25个乡镇受灾。房屋倒塌462间；农作物受灾面积6.04万亩，直接经济损失5087万元。

2000年洪灾，受灾人口近18万人，死亡人口2人，房屋倒塌220间，农作物受灾面积9.52万亩，直接经济损失5630万元。

惠水县抗旱救灾抗洪抢险表彰大会（1999年摄）

2007年7月25日洪灾，受灾人口10.5万人，房屋倒塌36间，房屋损坏96间，农作物受灾面积5.4万亩，成灾面积3.4万亩，绝收面积1.2万亩，山体滑坡4处，4条公路中断（摆金至岗度；惠水至断杉；羡塘至克度；王佑至长安）6个小时；损坏输电线路14.3千米，损坏通讯线路12.6千米，水利设施水毁86处34.5千米，直接经济损失达1860万元。

2012年5月22日洪灾，全县受灾人

口5.04万人，农作物受灾面积3.835万亩、成灾2.474万亩，其中“185”设施农业项目损失最为严重，直接经济损失达2794万元，农作物直接经济损失达4948万元；花卉苗木基地直接经济损失为433.6万元；水利工程也受到不同程度损坏，转移安置群众427户，转移过往旅客1200余人。

2013年6月8日洪灾，受灾人口6762人，倒塌房屋6间，严重损坏6间，紧急转移14人；农作物受灾面积2280亩，成灾面积1150亩，绝收160亩，直接经济损失443万元。

2014年7月16日洪灾，受灾人口24976人，紧急转移人口226人，农作物受灾面积484公顷，成灾面积285公顷，绝收面积16.6公顷，农房倒塌3户9间，严重损坏农房1户2间，直接经济损失578万元。

2015年8月11日洪灾，受灾人口9350人，紧急转移人口28人；农作物受灾面积10700亩，成灾面积3390亩，绝收面积170亩，房屋倒塌2户6间、损坏8间，直接经济总损失886万元。

2、抗洪抢险

1992、1999、2000、2007、2012年洪灾期间，县委、县政府组织全县上下投入抗洪抢险，确保不跨一库一坝，抗洪抢险斗争取得胜利。

2007年7月26日洪灾，高镇镇滴水岩水库险情严重，水位距坝顶仅有20厘米，县防汛指挥部及时指挥调度，采取措施，调集防汛物资，发动群众，组织抢险，清除溢洪道内阻水物，设法降低水位，经过四个多小时的奋战，水库险情得以排除。

2010年6月20日，王佑镇马鞍山水库副坝处理后的塌坑出现塌陷，水面成漩涡状，形成塌陷坑。县采取紧急措施处置，安排下游低洼处20户人家及时撤离，及时向州防汛办报告水库险情情况。21日，省、州防汛部门到马鞍山水库进行险情检查，采取在塌坑处开挖临时泄洪槽措施抢险，经昼夜施工，23日凌晨泄洪槽开挖完成，槽底铺设了土工膜，两侧砌筑砂袋2600余袋，清晨顺利泄洪。开挖尺寸8米×20米，深度为4.5米。完成土方开挖585立方米。开挖临时泄洪槽取得良好效果。

（二）旱灾及抗旱

县内出现的干旱灾情，分春旱和夏旱。春旱一般发生在3至5月间，每年都不同程度的有所发生。最为严重的是1958年出现的春旱，前后持续53天。发生在6至7月旱灾，俗亦称“洗手干”；发生在8月的旱灾，俗称“伏旱”。

1978年，6月下旬至7月上旬无雨，日平均温度达32℃，蒸发日12毫米，全县有8万多亩田脱水开裂，包谷卷叶枯黄达80%。县紧急请求上级解决抗旱经费及物资用于抗旱。

1980年7月，根据上级安排，县下达各区、公社抗旱机具、油费：柴油机10台，配80—51型水泵10台，进、出水管15根，176型汽油机10台（配进、出水管），油费及安装费44元，用于抗旱。

1985年6月下旬至8月，县内发生旱灾，州水电局拨款5万元补助抗旱分到各区。据8月13日统计：全县脱水田3.84万亩，农作物干死田1600亩，县内山塘水库水存水仅147万立方米，占应蓄水量不到10%。全县投入抗旱劳力1.9万个，各种抗旱机具560台，6937件，挽救稻田1.11万亩，旱象持久为历年来罕见。

1987年春，降雨偏少3至6成，1986年冬季开始，气温持续偏高，县内个别村7月6日才开始栽秧。

1988年，县遭受罕见的旱灾，全县投入抗旱劳力70540个，投入抗旱汽油机393台，柴油机214台，水轮泵71台。其他简易机具9110件，投入抗旱汽油43.9吨，柴油44吨，投入抗旱化肥9583吨，农药46吨，喷雾器1200架，投入抗旱资金38.867万元。

1992年7月下旬至8月上旬，县遭遇持续旱情，日平均气温高达31.4摄氏度，日蒸发量47.7毫升，对农作物生长造成严重影响，全县投入人数8269人，提水机具1442台，其中汽油机648台，柴油机231台，水轮泵站（5站），电力提灌站72站，其他机具1180件，经费40605元抗旱救灾。

1995年，县境内从7月18日至8月1日14天内，仅降水10.8毫米，平均日蒸发量9毫米，土壤水分亏空115.2毫米，水稻受灾8万亩，玉米受灾5万亩，人畜饮水困难2.47万人头，全县投入抗旱劳力3.2万人。汽油机180台，柴油机275台，其他机具932件，挽救受灾面积1万亩。

2001年入春后，县内干旱少雨，旱情比较严重。截止4月28日，5公里以上的小溪断流35条、143口、三塘645口水井全部干涸，水库蓄水比去年同期相比下降33%，全县25个乡镇、428个村均有不同程度的受害，全县有6.3万户28.35万人，5.2万头大牲畜受灾，农作物受灾面积7560公顷，因灾直接损失1100万元，全县投入抗旱资金5.4万元，群众自筹资金3.4万元，投入抗旱用油0.8吨，车辆120辆，抗旱设备140余台，投入抗旱人员9.9万人次。

2003年7月下旬，县天气持续高温少雨，日平均气温偏高，造成旱情，截至8月5日，造成6.67万人，5.5万头大牲畜饮水困难，水井干涸340口，河溪断流22条。全县投入劳力6.8万余人次，柴油机604台，汽油机154台，其他机器机具0.9619万件抗旱，挽救面积28288亩。

2005年7月，县进入干旱少雨时段，降水较常年偏少六至七成，发生旱情。截止8月上旬，全县水稻脱水面积46118亩，占全县水稻种植面积的24.15%，全县投入抗旱资金246630元，劳动力96300余人次，抗旱机具3163台次。抽水机械检修250台次，抽水保苗24978亩。

2005年旱灾，全县农作物受旱面积5.53千公顷（其中：轻旱3.3千公顷；重旱1.9千公顷；干枯0.33千公顷），直接经济损失1025.8万元。

2009年至2010年旱灾，遭遇“秋、冬、春”三季连旱的百年不遇特大旱灾，旱情持续200多天。县内水库、山塘蓄存水量仅14.5%。水库干涸5座、山塘干涸140处。受旱灾面积16.8万亩，绝收8.4万亩，占总播种面积65%；绝收16.2万亩，占总播种面积38.2%。饮水困难26.11万人、牲畜15.2万头，直接经济损失7500万元。县委、县政府组织开展“抗大旱、保饮水、保春耕、保民生”抗旱救灾，共出动机动抗旱设备1680台（套）、机动运水车辆1100台次，送水量达1900余吨，解决抗旱浇灌面积3万亩，解决临时饮水困难15.6万人、大牲畜2.1万头。投入抗旱资金1075余万元，寻找水源保水送水，增加农田灌溉面积。

第九节　水利生态移民

一、机构

2011年5月，组建县水利水电工程移民局，为人民政府直属正科级事业机构。

县水利水电工程移民局内设办公室、后期扶持股、规划安置股、信访法规股、计划财务股，核定事业编制12名，工勤编制1名。由财政全额预算管理。

2014年12月，将县发展和改革局管理的县扶贫生态移民工程领导小组办公室并入县水利水电工程移民局，组建惠水县水库和生态移民局，为县政府直属正科级行政类事业单位，不再保留县水利水电工程移民局和县扶贫生态移民工程领导小组办公室。

2015年，县水库和生态移民局内设办公室、水库移民科、生态移民科、扶持科4个科室，核定事业编制15名，工勤编制1名，实有12人。

二、主要工作

2006年1月1日，县打引乡境内成功截流，团坡水电站工程投入建设，由贵阳勘探设计院根据设计方案和土地淹没面积，确定团坡水电站水库移民人口为86户100人；同年，三峡水库移民6户17人，自主落户鸭绒乡毛栗村火石寨；云南省双化水库移民1户1人，自主落户县王佑镇结高组；重庆市大洪河水库移民1户1人，自主落户县好花红乡崇学村一组。

2008年，编制《惠水县小型水库解决生产生活困难问题项目规划报告（2008—2012年）》，规划26处工程，规划投资743.98万元。

2010年，编制《惠水县团坡电站水库移民后期扶持规划》（2011至2015年）。核定县大、中型水库移民后期扶持人口119人，其中：团坡水电站水库移民后期扶持人口100人，省外迁入水库移民后期扶持19人。编制《惠水县大中型水库库区和移民安置区基础设施建设和经济发展规划（2011至2015年）》。规划项目8个，规划投资484万元，其中：规划移民资金投入166万元。是年完成岗度乡街上村蛇场水库渠道防渗0.38千米和大坝维修，投入资金24万元；完成长安乡把两村纳模、拉亚寨的乡村公路2.98千米的修建，投入资金20万元；对雅水村盘杨寨1.05千米的通村公路改造，投资10万元；完成打引乡团坡村播站组灌溉蓄水池建设4口，投资3.2万元。

2012年，修订《惠水县大中型水库库区和移民安置区基础设施建设和经济发展规划（2011至2015年）》。规划项目23个，规划投资1521万元，其中，规划移民资金投入1355万元。完成摆金镇单耙水库单耙村引水渠项目工程，上级移民部门投入28万元小水库扶持资金。新建防渗干渠1350米蓄水池1座，解决单耙村300亩农田灌溉和一座山塘的水源问题；完成三峡移民新增土地补偿金的复核发放，发放三峡移民17人的新增土地补偿金151572元；对《惠水县小型水库解决生产生活困难问题项目（2008—2012年）规划报告》实情进行检查，促进项目的审批落实，规划的26个解困项目，总投资743.97万元，是年底，争取和筹措资金662.93万元，完成规划资金总量的83%，共实施13个，完成规划项目的50%。

是年，上级移民部门投入33万元小水库扶持资金，新建防渗干渠2100米；投入33万元大、中型移民后期扶持资金，新建2000米四级公路路基，即打引乡团坡村长冲组道路建设项目工程；投入20万元大、中型水库移民后期扶持应急资金与县水利局人畜饮水资金70万元整合使用，新建提水站一座和相关附属设施。

开展定期采集后期扶持政策监测评估，确定监测点21户移民样本户的生产生活相关数据，完成2012—2013年，水库移民后期扶持政策监测评估年度报表，严格执行水库移民后期扶持监测评估制度。

2013年5月30日，高镇滴水岩水库引水渠项目工程竣工，上级部门投入33万元小水库扶持资金，新建防渗干渠2300米，解决高镇镇半坡村400亩农田灌溉问题；8月8日，打引乡团坡村长冲组道路建设项目工程竣工，移民部门投入33万元大中型水库移民后期扶持资金，新建2030米四级公路路基；9月25日，鸭绒乡毛栗村火石寨串户路工程竣工。毛栗村群众、移民投工投劳并捐资6950元，上级移民部门投资25万元，建成长1264米、硬化面积4500平方米串户路，惠及300多名群众和17名三峡移民；12月30日，利用上级下拨的小水库扶持资金28.5万元，完成高镇镇半坡大寨道路建设项目，建设大、小寨连接水泥道路620米，建设半坡村小学场地整修及硬化720平方米，项目惠及群众500余人，学生100余人。

2013年10月，结束罗甸县上尖坡水电站（惠水库区）移民补偿工作，兑现实物指标补助补偿款290万元（尖坡水电站移民补偿工作于2012年10月启动）。12月，完成小型水库龙骨坡水库水源工程项目《惠水龙骨坡水库水源性工程建设征地移民规划大纲》《惠水县龙骨坡水库水源性工程建设征地安置规划报告》的初审和州级审查获通过。

2014年，完成龙骨坡水库和巴蟒冲水库实物指标调查，通过州级审查，累计发放尖坡水电站补偿资金287万元。

2015年，完成王佑镇团坡村播冗组1.35千米通路硬化工程，投入29.7万元，改善播冗组近40户200人的居住环境；完成摆金镇毛栗村毛栗组火石寨饮水工程暨灌溉工程项目，解决毛栗村刺梨基地400亩的旱季灌溉问题；完成团坡克断组通组道路硬化建设项目，解决村民行路难的问题。同年11月，争取到农发行易地扶贫搬迁第一期工程建设，融资贷款7.8亿元；12月2日，贵州省新一轮易地扶贫搬迁现场会（主会场）在惠水召开，启动2015年，第一批易地扶贫搬迁工程经开区明田安置点建设。

2006年至2015年资料统计，县内完成水库移民后期扶持人口直补资金发放计7.505万元，项目直补资金34.5万元。

第九篇　工　业

第一章　工业发展与体制改革

第一节　机　构

一、县工业和信息化局

1978年，由县工业交通办公室负责全县工业。

1982年2月，撤销县工业交通办公室，建立县工业交通局；10月撤销县工业交通局，建立县工业局。

1984年2月，撤销县工业局，建立惠水县经济委员会。

1994年1月，撤销惠水县经济委员会、惠水县财贸委员会和对外经济协作办公室，合并组建惠水县经济贸易局（简称县经贸局），县商业局、县物资局和县轻工业局行政职能划入县经贸局。

2001年11月，轻工、医药、机械工业（生产）管理职能，商业、物资部门行政管理职能划入县经贸局。

2004年9月，县经贸局加挂惠水县非公有制经济发展促进局、惠水县生猪定点屠宰领导小组办公室牌子，为县人民政府主管全县经济贸易的工作部门。

2011年5月，县级机构改革，县经贸局、县乡镇企业管理局职能整合，组建惠水县工业和信息化局（简称县工信局）；组建惠水县中小企业发展促进局，为县工信局所属副科级事业单位。县工信局负责全县工业和信息化行业、国有企业改革改制、煤炭行业管理和体制改革、商贸流通业的行业管理，是主管全县工业、信息化和商务工作的县政府职能部门。

2013年6月，县工信局加挂惠水县商务局牌子。

2015年，县工信局内设办公室（加挂财务室、行政审批科）、经济运行科、中小企业促进科（减轻企业负担办公室、民营经济发展办公室）、煤炭产业发展科、信息化推进科、商务科6个股级机构，下属惠水县中小企业发展促进局一个副科级事业单位，有干部职工34人。

二、县乡镇企业管理局

1978年由县社队企业管理局负责全县社队企业管理工作，1984年改为惠水县乡村工业公司；1985年惠水县乡村工业公司改称惠水县乡镇企业管理局（简称县乡企局），实行政企分开，县乡企局下设惠水县乡镇企业公司；1995年县乡企局加挂“惠水县煤炭工业局”牌子；2011年，不再保留县乡企局，全县的乡镇企业由县工信局进行指导管理。

三、县轻工业局

1978年，由县轻工业局负责全县轻工业、手工业工作。1986年县轻工局与手工业联社合署办公，1994年，撤销县轻工业局行政序列建制，改建为县轻工业公司，加挂手工业联社牌子。2015年，县轻工业公司在职职工3人。

第二节　工业发展

1978年，全县工业企业126家，工业总产值3558.75万元，重点国营工业企业有险峰机床厂、永安电机厂、惠水县酒厂、造纸厂、蜜饯厂、杨家山煤矿、振兴铸钢厂、农机厂、水泥厂。

1979年，全县工业总产值3245.48万元。

1980年，全县工业总产值3876.21万元，其中农村社队工业产值达98.23万元，全年年产磨床250台、交流电动机27994台、发电机25台、变压器617台、机制纸1906.8吨、铸钢水191吨、400#水泥348吨；年采原煤16202.7吨，发电量324.76万度。

1983年，全县工业企业103家，工业总产值3632.7万元，其中：农村社队工业实现工业产值70.7万元。险峰机床厂实现产值916.7万元；永安电机厂实现产值1023.3万元；惠水纸厂产值达405.9万元；惠水铸钢厂年产铸钢件80吨，小龙发电站发电173.54万度；惠水县水泥厂生产325#水泥2675吨；惠水县酒厂年产酒469.9吨。

1985年，全县工业总产值4748.70万元，原煤开采量达47047吨、发电量332.5万度、食用油353.4吨、饮料酒505吨、机制纸及纸板3099吨、机床262台、锻压机械13台、交流电动机14万千瓦、变压器6.45万千伏安。水泥厂、酒厂、蜜饯厂共计投入技改资金454万元，全县变电站建设投资9万元。

1986年，全县工业总产值5347.68万元，原煤开采量达121002吨、发电量260.57万度、酒产量378.53吨、木材产量3950立方米、机制纸及纸板4315.09吨、水泥2085.6吨、铸钢水446.4吨、电动机12.22万千瓦、变压器10.21万千伏安、机床219台、锻压机械9台、中小农具21.9万件。水泥厂、铸钢厂、酒厂、蜜饯厂、铁合金厂技改投入达456万元。

1988年，全县工业总产值10384万元（现价），首次突破亿元大关。

1990年，全县工业总产值13186万元；原煤开采量10.4万吨、发电量422.05万度、酒产量446万吨。

1996年，全县工业企业（含村及村以下）2550个，工业行业有食品加工、饮料制造、服装制造、木材加工、电力、蒸汽、热水生产等类别。

1999年，全县原煤开采量9万吨，铁合金生产9660吨，日用陶瓷47万件，铁制小农具16万件，发电量359万度，工业硅5466吨，机制纸1402吨。

2002年，全县水泥产量达67600吨、原煤产量6.9万吨、木材1487立方米、黄磷7645吨、磷酸7360吨、锰硅合金49781吨、三聚磷酸钠18401吨，全县供电量50493万千瓦，工业固定资产投资5121万元。

2006年，全县黄磷产量为10019吨、磷酸32775吨、三聚磷酸钠39894吨、水泥85130.75吨、锰硅合金50668吨、铁合金4382吨、发电量7774万度、原煤11万吨、机制纸6600吨。工业固定资产投资达37811万元。

2007年，全县水泥产量82800吨、砖7530万块、工业硅1158吨、原煤产量达17.39万吨、发电量8231.66万度、瓦楞纸箱4246吨、黄磷生产8565.8吨、电力电缆4910千米、铁合金5008吨。全年完成工业固定资产投资57295万元。

2010年，全县电力电缆生产5059千米、铬系合金球11833吨、轻钙12672吨、水泥1240168吨、锰硅合金37696.4吨、磷酸47645.75吨、黄磷11090.2吨、三聚磷酸钠35744.38吨、工业硅3963吨、机制纸8834吨、塑料编织袋3976吨、发电量32935万度。全年完成工业固投99140万元。

2011年，全县发电量2.21亿千瓦、电力电缆产量9831千米、工业硅3353吨、原煤产量11.15万吨、再生胶30213吨、轻钙27560吨、水泥142.8万吨、黄磷7400吨、磷酸34260吨、三聚磷酸钠51825吨、铁合金3.3万吨、汽车配件49090件、机制纸0.7万吨。全年完成工业固定资产投资190134万元。

2012年，全县原煤产量达15.36万吨、酒类生产190千升、瓦楞纸箱生产5247吨、中成药1033吨、水泥熟料185.45万吨、水泥250.31万吨、商品混凝土145491立方米、铁合金26199吨、挖掘、铲土运输机械61台、电力电缆11419千米、发电量37774万千瓦。全年完成工业固定资产投资278241万元。

2015年，全县工业总产值完成145.17亿元，比上年增长13.4%，是1978年的408倍，其中：规模以上工业产值完成130.37亿元，比上年增长17.9%，比“十一五”期末（2010年）增加95.65亿元、年均增长29.7%；全县水泥产量313.72万吨，商品混凝土125.5万立方米，电力电缆1.88万千米、供电量7.99亿千瓦时、纸制品1.75万吨、塑料制品2.71万吨、饮料酒0.12万升。

表9-1

1993—2013年惠水县工业完成情况表

年度	全部工业总产值（万元）	全部工业增加值增速（%）	全部工业增加值（万元）	全部工业增加值增速（%）	规模工业企业单位个数（个）
1993	30197	61.54	11087	44.10	37
1994	35542	17.70	12220	11.20	38
1995	36384	2.36	13200	8.02	49
1996	41121	13.02	12123	3.06	23
1997	51028	24.09	12496	3.08	23
1998	60512	18.58	13348	6.81	30
1999	67512	17.95	21198	23.50	27
2000	78654	11.50	23801	16.50	27
2001	89530	12.50	17780	10.42	32
2002	89162	5.93	29542	13.40	31
2003	92737	4.00	30733	7.00	20
2004	108000	16.45	34000	12.30	22
2005	119953.9	11.06	29988	13.60	26
2006	138049.3	15.08	40743	28.63	34
2007	174618.9	26.49	52129	20.31	32
2008	213227.1	22.11	61872	14.87	39
2009	266563.9	25.15	67222	26.70	42
2010	375000.4	40.68	89358	27.00	46
2011	583439.8	55.58	122123	32.70	32
2012	759925.1	32.60	145043	18.30	58
2013	1025796.3	27.60	159669	16.60	54

2015年惠水县规模以上（2000万元）工业企业一览表

表9-2

企业名称	生产经营情况（万元）	
	主要产品	实现产值
贵州永红食品有限公司	食品（牛肉干）	16777.5
贵州省惠水川东化工有限公司	磷化工	23734.5
贵州汇正制药有限责任公司	中成药	15736
贵州天虹志远电线电缆有限公司	电线电缆	50355.6
贵州濛江流域开发有限公司惠水团坡发电厂	水力发电	8343.71
贵州惠水西南水泥有限公司	水泥生产	41298.9
贵州百年原址酒业有限公司	酒生产	40800.1
贵州长田水晶胶粘剂有限公司	白乳胶	22506
贵州阿乐食品有限公司	绝味食品	24454
贵州西电龙腾铁合金有限公司惠水公司	铁合金	停产
贵州豪龙水泥建材有限公司	水泥制品	18037.84
贵州万盛矿用电缆有限公司	电线电缆	54314
惠水县明文轩建材有限公司	砂石	21935
贵州华森科技实业有限公司	钢化玻璃	23357
贵州贵电电气有限公司	配电柜	5769
贵州华创钢筋焊网有限公司	钢筋焊网	4820
贵州科盛机械有限公司	农机	20330
贵州卡布国际卫生用品有限公司	尿不湿	28553
贵州耐尔福顺成建材有限公司	涂料	21431
惠水县宏泰矿业有限公司	砂石	20769
贵州中铁钢构有限公司	钢结构	5661
贵州黔新汽车零配件制造科技有限公司	汽车零配件	25054.8
贵州泰昌钢结构有限责任公司	钢结构	17851.7
贵州宏星钢结构有限公司	钢结构	18841.1
贵州吉祥建材有限公司	铝制板建材	5797.6
贵州汇通海绵制品有限公司	海绵	10937
惠水供电局	电力供应	38532.67
贵州省惠水涟江资源开发有限责任公司	水力发电	2130
贵州致力穿山机械设备有限责任公司	矿山机械	20868
贵州耐尔福科技发展有限公司	加气砖	11244
贵州永昊热能设备制造有限公司	钢模	14251

续表9-2

企业名称	生产经营情况（万元）	
	主要产品	实现产值
贵州众源印铁制罐有限公司	铁质包装罐	6314
贵州省惠水腾龙新型建材有限公司	商混	18927
惠水财达钢结构有限公司	钢结构	26894
贵州金晨农产品开发有限公司	大米、米制品加工	23228
贵州楚智建材科技有限公司	水泥助磨剂	21622
惠水县坤和建材有限公司	商混	26142
贵州惠水天洪再生资源回收利用有限公司	轮胎翻新制造	18670
惠水天宇钢结构有限责任公司	钢结构	17815
贵州惠水人春钢结构工程有限公司	钢结构	17097
惠水县光明塑料制品有限公司	塑料制品	23236
贵州惠水金石源建材发展有限公司	水泥管道等水泥制品	21357
贵州长龙金属加工有限公司	铁合金	23168
贵州神康原生态食品有限公司	粉丝、三宝	24345
惠水县佳宇造纸厂	造纸	8753
贵州惠水思宇电力实业有限公司	电力电线	20874
贵州省惠水县德力钙业有限公司	轻质钙	19780
惠水县腾飞建材有限责任公司	钢丝网	23438
贵州振宏成套柜体有限公司	文件柜	11280
贵州聚鑫塑料有限公司	塑料制品	5353
惠水县中洲塑业有限公司	包装袋	25533
贵州迪源机械制造有限公司	机械制造	20116
贵州赤金塑胶有限公司	塑料包装袋	14784
贵州巨能化工有限公司	化工	19886
贵州博方民族药业开发有限公司	姜茶	27897
贵州外贸神采包装有限责任公司	瓦楞纸箱	33055
贵州黔红食品有限公司	辣椒食品制造	4100
星州药业股份有限公司	中成药	38376
贵州捷成电器制造有限公司	微型电机	21718
贵州精钻高合金材料有限责任公司	铁合金	55412
贵州黄金叶实业有限公司	烘烤设备	27198
贵州桐兴电力电信器材有限公司	水泥电杆	16887
贵州隆鑫橡胶有限公司	橡胶制品	5923

第三节 国有企业改革

1981年，县属15个国营企业中全面推行经济责任制。

1983年，县对国营企业的干部管理、劳动管理、生产经营、经济分配和劳保福利改革五个方面制订十六条扩大企业自主权的规定。

1984年，县属国营企业实行所有权和经营权分离，实施承包经营的改革。国营企业承包经营实行“全民所有、集体经营、照章纳税、自负盈亏”，除企业资产属国家所有外，实行“企业自己管、盈亏自己负、领导自己选（或招聘）、工人自己招、工资自己定”的“五自方针”。其经济指标由经济主管部门进行考核。

1985年，县石英砂厂与贵州省机械研究所签订“合资联营协议”，组建贵州省惠水县联营石英砂厂，试行合资联营方式。双方按协议各自投入相应人力、物力，在原石英砂生产线基础上进行试验和试生产。因技改资金未落实，债务沉重，没有达到预期目的，后双方协商解除协议。

1987年，实行第一轮承包经营的国营企业有：县水泥厂、县杨家山煤矿、县供电所、县铸钢厂、县农机修理制造厂、县联营石英砂厂、县中西药公司、县农业机械供应公司。

1988年，县推行保上交利润，保技术改造与经济效益挂钩的“双保一挂”承包经营责任制。全县22个国营企业除3个外，其余19个都实行不同形式的承包。

第一轮承包经营责任制实行后，较好地处理政府、企业和职工的关系，在一定程度上调动承包经营者和广大职工的积极性，企业在挖掘潜力、革新改造、改善经营管理、调整产品结构、开拓市场、扩大再生产等方面，都获得了一定的经验，促进县内经济发展。

1990年，为搞好第二轮次企业承包经营，县政府成立企业承包经营领导小组，加强领导，出台《惠水县人民政府关于坚持和完善企业承包经营责任制的意见》［惠政（1990）38号］对第一轮承包期届满的国营企业和没进行第一轮承包经营的国营企业实行第二轮承包经营。对承包期限、发包单位及数量、承包经营者范围、承包的经济指标、经济管理部门的职责、企业利润分配等方面作具体明确的规定。

县酒厂举行承包经营签字大会（1990年摄）

1991年，对县农机修理制造厂、县铸钢厂等企业进行关闭，职工重新安排就业。

1996年，县人民法院宣告县石英砂厂破产。

1999年，县结合企业实际，以资本运营为手段，采取租赁、出售等方式盘活国有企业，国有企业改革面100%，改制面63%。

2000年，为进一步盘活国有资产，妥善安排职工生活，县政府同意对小龙蜜饯厂、酱菜厂、农机厂、铸钢厂采取转让、拍卖、租赁等方式，继续保持国有企业的生产经营活动，解决职工的养老保障问题，避免各企业的土地厂房及生产设备等国有资产闲置浪费。

2002年，县政府成立县国有企业改革领导小组，负责全县国有工业企业的改革改制工作。

2003年，全县列入州改革改制的国有企业37户，实行改革改制的企业32户。其中，实行股份制改制的7户，改组、联合12户，出售2户，承包租赁的9户，其他形式改制的7户，申请延期或暂无条件改制的5户。

截止2011年，县属22家国有企业有13家改制结束。分别为：2005年1月惠水县农机公司改制结束，实行安置转股，组建新股份公司，2月改制安置结束，共安置职工10人；2005年1月惠水县祥摆采育林场改制结束，实行安置转股，组建新的股份公司，共安置职工16人；2005年6月惠水县晶体材料厂改制结束；2005年6月惠水县乡企业供销公司改制结束，实行整体转让，国有资产进行公开招标、挂牌、拍卖，将变现资金用于安置职工和偿还债务，共安置职工10人。2005年6月惠水县杨家山煤矿改制结束；2006年12月惠水县水泥厂改制结束；2008年7月惠水县振兴铸钢厂改制结束；2008年9月惠水县冶金建材设备机械厂改制结束；2009年6月惠水县酒厂政策性关闭破产结束；2010年12月惠水县肉联厂改制结束，实行整体转让，对企业国有资产进行公开招标、挂牌、拍卖，所得资金用于安置职工和偿还债务，共安置职工43人，偿还企业债务23.24万元；2011年惠水县汽车队改制结束；2013年4月惠水县对外贸易公司改制结束；惠水县蜜饯厂改制结束。其余的9家（惠水县物资供应公司、惠水县自来水公司、惠水县林工商公司、惠水县斗底牲畜场、惠水县七里冲农场、惠水县食品贸易公司、惠水县综合服务公司、惠水县五交化公司、惠水县民族贸易公司）因涉及民爆企业、公益性企业、公益林企业和企业资产不足等原因不宜进行改制而未实施企业改制。

2014年至2015年未实施国有企业改制工作。

部分改制企业简介

县对外贸易公司：县对外贸易主要是收购地方土、特、农副产品上调省外贸公司出口。1964年前由县供销社土产公司经营，1965年该业务划出，由新组建的县外贸站并负责专营。1984年，县外贸站改称县对外贸易公司，县属国营企业，有职工20人。2004年12月30日，县人民政府批准同意县对外贸公司实施企业改制。2013年4月对公司13名职工进行安置，安置费86.76万元，县对外贸易公司改制完毕。

惠水县晶体材料厂：1961年，惠水县采矿管理所成立，1989年撤销惠水县采矿管理所，成立惠水县晶体材料厂。主要生产人工合成水晶产品。1991年企业停产，根据州发〔2004〕12号文件要求，县政府同意以企业整体转让方式，对企业职工进行一次性安置。该企业于2005年6月改制完毕，共安置在册职工16人。

惠水县杨家山煤矿：1961年建矿，主要生产无烟煤，煤储藏量约200万吨，是从事煤矿开采销售的国有企业，1991年产值41.3万吨，1997年停产以来，因停产时间长，无资产变现安置企业职工。1999年6月，经县长办公会议研究，决定将隶属县经贸局管理的杨家山煤矿由县煤炭工业局代管，代管后其国有矿山性质不变。由于企业长期停产，导致职工无收入来源、生活困难，为安置好企业职工，2005年11月经县国有企业改革改制领导小组会议研究，同意从县国有企业改制剩余资金中调剂资金对企业改制职工进行安置，共安置企业职工14人。

惠水县振兴铸钢厂：1970年11月建厂，1971年4月投产，称“惠水县炼铁厂”。后改名“惠水县振兴铸钢厂”。主要生产铸钢件。2008年启动企业改制职工安置兑现工作。公开招标挂牌拍卖企业国有资产，所得资金647233元用于安置企业职工，2008年7月改制安置结束，共安置在册职工34人。

惠水县冶金建材设备机械厂：1958年建厂，称“县通用机械厂”；1962年改称为“惠水县农具社”；1970年厂社并称“惠水县农机修造厂”，后改称“惠水县农机厂”惠水县冶金建材设备机械厂。主要修理拖拉机、汽车、制造平板车、电动车、农用水泵、饲料粉碎机等。1991年全厂总占地面积9456平方米，其中厂房建筑面积4060平方米；年产值37.6万元。2008年改制，共安置在册职工57人。

惠水县中西药公司：1965年成立，国营商业企业，1993年停止经营，2003年，经县人民政府批准改制成惠水县药品批发有限责任公司，安置职工20人。

惠水县水泥厂：1969年5月在姚哨区涟江拦河坝建厂，称涟江水泥厂，设计年生产能力3000吨，生产工艺为机立窑水泥生产法。1971年8月投产，有职工165人。1982年更名为惠水县水泥厂，生产325号水泥2026吨。后由于设备陈旧，生产工艺落后，工序管理不严等原因，该厂处于停产和半停产状态。1997年7月县政府以招商引资方式，将企业承包给广西客商经营，是年进行第一期技改，技改后的年产能达到4万吨，以惠水县石花水泥厂的名义进行生产经营，其产品称石花牌水泥。2007年9月14日经县人民政府第十六届十三次常务会议研究同意，将企业资产进行整体转让给惠水县石花水泥厂，将国有资产变现安置企业职工，共安置职工96人。2011年5月，根据国家淘汰落后产能政策要求，惠水县水泥厂（惠水县石花水泥厂）落后产能3*11m机立窑生产线属于淘汰范围，6月30日前实现关停。惠水县石花水泥厂因实际淘汰落后产能8.8万吨，获得2011年度淘汰落后产能财政奖励资金60万元。

惠水县酒厂：1956年建厂，称“程番饲养场”，1965年11月改称“惠水县酒厂”。隶属县商业局。主要生产黑糯米酒、涟江大曲、涟江醇、黑糯米香槟等产品。后企业亏损严重。

经申报，2007年11月，惠水酒厂列入2008年最后一批政策性破产项目。2008年，惠水县成立贵州省惠水酒厂破产小组，并组织实施破产清算工作，企业向黔南布依族苗族自治州中级人民法院申请破产清算。2008年12月22日，黔南布依族苗族自治州中级人民法院作出（2008）黔南民二破字第1-12号民事裁定书，宣告贵州省惠水酒厂破产。贵州省惠水酒厂正式进入破产清算程序，2009年6月，企业政策性关闭破产清算结束。共安置在册职工138名，安置费250万元，偿还企业到期债务283万元，共计533万元。

2009年企业破产清算结束后，对企业国有资产进行公开招标挂牌拍卖，将公开拍卖企业国有资产所得资金用于安置企业职工和偿还企业到期债务。国有企业职工身份全部转变，企业管理体制全部转变，企业变为贵州永红酒业有限公司。

惠水县铁合金厂：该厂于1985年9月在原国营企业惠水县拖拉机站的基础上由贵州省黔能电力实业总公司、惠水县人民政府、惠水县供电局电气实业公司三方共同投资成立，注册资金561.94万元。贵州省黔能企业（集团）公司占60%股份、惠水县人民政府占20%股份、惠水县供电局电气公司占20%股份。生产设备为3600KVA矿热炉和1800KVA矿热炉各壹台，主要产品品种为硅铝钡、硅钙钡、硅钡锶、硅钡、稀土合金、硅铝铁等铁合金，年产量5000吨；1991年产值637.4万元，全厂占地面积3666平方米，其中生产用房面积1420平方米。2005年企业资产总额为812万元，固定资产总额714万元，负债总额为390万元，无长期负债，有职工158人，其中正式职工108人。2005年5月停产。

2007年获国发第三批铁合金行业准入，2009年9月按照国家产业政策要求，将3600KVA矿热炉和1800KVA矿热炉进行技改为2台3000KVA精炼炉，并通过环保验收。技改后于2009年9月将厂租给湖南恒鑫铁合金有限公司生产经营，租期4年。期间：该厂根据黔能公司2009年《关于实施主辅分离的工作意见》，开始组织改制工作，根据国企改制程序编制了企业的改制方案和职工安置方案，分别上报给黔能公司和县主管部门。2011年5月11日，县国企改制领导小组会议研究，自建厂以来因开除、除名、解除劳动合同等原因不在册的相关人员数量较大，改制存在分配差距难以平衡的实际，社会不稳定隐患大，未批准实施改制。2013年9月，在湖南恒鑫铁合金有限公司租赁经营期满后，惠水铁合金厂又将厂区租给惠水城投公司生产水泥制品，租期5年。所得租金收入全部用于发放下岗员工生活费和缴纳社保基金。2014年12月，将停产的1台3000KVA精炼炉淘汰拆除。期间，该厂主要依靠企业每年的租赁收入来保障职工的社保基金缴纳、下岗职工生活费及困难职工慰问金、守厂管理费用、土地税等开支，每年收支相抵亏损30万元左右。

惠水县蜜饯厂：始建于1958年，位于惠水县城南12千米处的三都镇小龙村东侧小龙河畔，全厂占地面积约200亩（133340㎡），其中：厂房占地面积13330㎡；宿舍占地面积13000㎡；拥有占地面积3330㎡的鱼塘；桔园100亩（66667㎡）；闲山空地50亩（33334㎡），属县商业局管辖的商办工业企业。建厂时以种猪、海狸鼠饲养为主，兼有鸡、鸭、鹅等综合饲养。1969年进行转产，主要从事饮料、蜜饯生产，时有简易车间400㎡左右，其生产工艺全是手工操作。1978年起，进行技改扩建，增加生产设备和产品种类，主要生产饮料、果脯系列产品，为当时省内独具经营生产饮料、果脯系列产品的厂家之一。1982年以后，蜜饯厂向银行贷款100余万元，扩大生产线，车间面积扩大至5000平方米左右，购进生产设备实现了机械化生产，自有桔园面积扩大至可种植桔树5000余株，年产桔子4万余斤。1986年，生产的产品种类已发展至饮料类、蜜饯类、果脯类、罐头类等四大类15个品种，产品供不应求，畅销省内、外市场，产值达109万元。1988年，“桔子原汁”“冬瓜糖”获贵州省优质产品奖，“蜜枣”获贵州省四新产品奖。销售到河南、宁波、江苏、黑龙江等地。1997年企业全面停产。1999年11月，经县政府同意，企业进行改制，企业职工身份全部转变，全部国有资产以200万元价格转让给瑞雪食品有限责任公司，因该公司未完全按合同约定履行付款，形成改制遗留问题直至2013年。期间，厂区曾出租给县第一所私立中学——远鸿中学办学，场地出租先后开办食品加工厂、海绵加工厂、龙清生态养殖场、云远矿粉厂等。2013年8月，经县政府同意，县法院、县工信局、县商业总公司共同协调，由瑞雪食品有限责任公司法人徐邦静筹集到资金236万元，2013年12月底，全部兑现所有参与企业改制职工的一次性安置补偿，企业改制完毕。

第四节 工业信息化建设

2010年前，全县工业企业拥有工业控制系统的仅有豪龙水泥有限公司、贵州惠水川东化工有限公司2家企业。

2010年后，县内工业企业信息化工作得到较快的发展。

2011年，贵州惠水西南水泥有限公司建立中控中心，对水泥生产实行全线信息化管理；2012年贵州永红食品有限公司投资196万元启动实施ERP（Enterprise Resource Planing，即企业资源规划）项目建设，贵州阿乐食品有限公司投资450万元启动实施SAP-ERP管理信息系统项目建设（SAP：基于客户/服务机结构和开放系统的、集成的企业资源计划系统），贵州众源印铁制罐有限公司投资120万元引进速达5000G-Pro。2013年贵州致力穿山机械制造有限公司引进速达信息管理系统。管理信息系统的建设应用，提升了企业“两化融合”水平。

2014年10月15日，省委书记赵克志，省委副书记、省长陈敏尔，省政协主席王富玉以及台湾威盛集团董事长王雪红为惠水县百鸟河数字小镇奠基，百鸟河数字小镇进入建设阶段，同年引进的贵州迦太利华科技有限公司等7家企业，实现产值近2亿元，税收300多万元。惠水工业企业两化融合水平逐步提高，从单一的财务软件，到生产、管理、客户、订单等系统逐步完善。

2015年引进30余家信息化产业企业签约入驻百鸟河数字小镇，其中印孚瑟斯、联想控股、HTC、北斗时空等16家企业正式运营。数字小镇组建以中国工程院院士倪光南、清华大学、联想控股、北京软件协会、百度、TCL等专家和企业领袖组成的专家委员会，为小镇发展出谋划策。

第二章　乡镇企业及民营经济

第一节　经济发展

1978年，全县乡镇企业225家，产值67.8万元，从业人员1723人。

1984年，全县有加工、采矿、修理、建材、铸造、造纸企业1614个，产值1686.8万元。

1987年，全县乡镇企业年产值10～20万元有11个，20～30万元有7个，30～50万元有30个，100万元以上的有2个。

1990年，在全县16个百万元产值的企业中，乡镇企业占7个。

1994年，全县乡镇企业工业总产值首次突破亿元大关。

1997年，全县乡镇企业4849家，产值在100万元以上的企业有36户。

2003年全县有规模以上联营企业、乡镇（私营）企业10家，实现产值37411.9万元，占全县规模工业总产值的74.20%。

2007年，全县有规模以上联营企业、乡镇（私营）企业、合资企业达28家，实现产值130700.2万元，实现工业增加值45712.3万元。

2009年，全县规模以上联营企业、乡镇（私营）企业、合资企业实现产值182064.9万元。

2010年，全县乡镇（私营）企业总产值217288万元。

2011年后，不再称乡镇企业，称非公有制经济（或称民营）企业。

2013年，民营企业有1653户，个体工商户有8709户，市场主体共10362户；注册资本63.85亿元；从业人员15380人；增加值达到280121万元；占全县国民生产总值（GDP）比重为56%；全社会民间投资达到42亿；是年新增就业达4000人。

2014年，民营企业有1858户，个体工商户有10082户，市场主体共11940户；注册资本86.053亿元；从业人员20507人；增加值达到324135万元；占全县GDP比重为58.3%；全社会民间投资达到50.38亿；是年新增就业达5402人。

2015年，民营企业有2856户，个体工商户有10760户，市场主体共13616户；注册资本128.015亿元；从业人员25909人；增加值达到450242万元；占全县GDP比重为63.68%；全社会民间投资达到76亿；是年新增就业达4622人。

表9-3

惠水县1978-2005年乡镇企业经济指标一览表

年度	乡镇企业（家）	从业人员（人）	产值（万元）	
			总产值	乡镇工业产值
1978	225	1723	678	—
1983	506	2855	375.13	328
1985	2925	6592	1167.34	738
1986	2614	9100	1678	1239
1987	2943	9600	2098.8	1462.02
1990	4460	9984	3750	2275.57
1992	4610	9575	13721	5213
1993	4740	20582	12101.97	6949.07
1994	4770	21226	18015	10507
1995	4785	21576	25006	14671
2000	4734	10602	105055	53906
2005	3017（其中，规模工业17家）	9381	92823	66503

第二节 产业结构

1978至1990年，县属乡镇企业形成机械、冶炼、采矿、造纸、建材、电力、农机修造、粮油食品加工为主体的多门类工业结构。

1991至2000年，以发展煤炭工业为主，同时加快发展以农、林、牧为原料的各种农副产品加工业，推进乡镇企业向前发展。

2005年，全县乡镇企业3017家，从业人员9381人，其中采矿业57家、制造业364家、建筑业2家、交通运输业1412家、农业企业35家、批发零售业712家、住宿及餐饮业182家、社会服务业253家。

2009年，全县乡镇企业3759家，从业人员11271人，其中采矿业78家、制造业212家、建筑建材业153家、交通运输业1632家、商业企业1684家。

2015年，全县民营工业形成食品药品、建材、装备制造、包装印刷、家具制造、化工、其他轻工为主体的工业结构。

第三节 企业改革与管理

一、历程

惠水县乡镇企业的改革与管理经历5个阶段：

第一阶段是1984年中共中央1号和4号文件肯定乡镇企业是“国民经济的一支重要力量”，有利于“实现农民离土不离乡，避免农民涌进城市”，促进乡镇企业发展。1986年，县直有关部门积极为乡镇企业横向联合穿针引线，做好协调服务。县司法局为企业项目在办理贷款手续上给予免费公证；县外协办在促成海光皮鞋厂与星光村的合作后，为摆金引进资金、技术利用当地的白云石资源，新建年产碳酸镁500吨，氧化镁200吨，产值100万元的化工厂；县物资公司组织原料供应，为雅水农修厂供应10吨生铁，解决该厂生产原料困难问题；乡镇企业供销公司组织供应各种钢材37吨，支持乡镇企业的发展。

第二阶段是1989年后因国家财政、银行紧缩对乡镇企业的信贷规模，压缩基本建设规模，对一些重要生产资料恢复垄断专营，乡镇企业原材料来源受到影响。惠水县乡镇企业增速放缓。

第三阶段是1992年到1995年，惠水县乡镇企业总产值年均增长46%。乡镇企业成为农村经济发展的重要支柱，乡镇企业总产值占农林牧渔业总产值的比重都在增加。乡镇企业再次进入高速增长阶段。

第四阶段是改制发展阶段，20世纪90年代中后期，全县淘汰关闭600多个小煤矿厂、小炼油厂、小水泥厂、小玻璃厂、小火电厂等“五小”企业。

第五阶段是2003年后，筹建“惠水长田工业园区”。引入乡镇企业逐步进入园区集聚发展。2004年初，长田工业园区获黔南州人民政府批准成立，由州县两级政府共建。2007年，全县乡镇企业营业收入100万以上的企业有54家，其中长田工业园19户。

2008年1月27日召开的全省乡镇企业工作会议上，长田工业园区被划定为7个“贵州省乡镇企业产业集聚示范区”之一；先后获得“贵州惠水（长田）创新企业科技产业示范基地”“全国农产品加工创业示范基地”“贵州长田中小企业成长示范基地”等荣誉称号。

至2010年底，惠水县规模乡镇企业发展至31家，占全县乡镇企业总数的8%，营业收入占全县乡镇企业收入的80%。

二、重点企业简介

贵州永红食品有限公司 1984年8月成立，10月投产，初期称惠水县永红食品加工厂，由满坝村农民汤克林、汤克相及城镇居民刘忠英三人共同出资联办。时有员工6人，1985年企业员工增加到29人，产品为单一品种条型牛肉干，销售市场仅限于贵州省内。1997年改制为有限责任公司。

2004年后，投入数千万元，对生产厂房、设备进行更新改造，致力于管理和质量体系建设，加强与科研院所技术合作，开展技术创新和新品研发，实施品牌战略计划，主导产品从建厂之初单一品种发展为“牛头牌”牛肉干系列、卤汁牛肉系列、禽肉系列、“黔牛”牌香辣椒系列、“馋嘴牛”牌豆制品系列，拥有60多个品种200多种规格的产品，产品畅销全国20多个省、区、直辖市。2014年，公司与沃尔玛公司达成合作意向，产品全面入驻全国沃尔玛超市，“牛头牌”产品已成为全国牛肉干行业知名品牌。“牛头牌”系列产品和“牛头牌”商标通过ISO9001质量体系认证、HACCP食品安全管理体系认证，是农业产业化国家重点龙头企业和国家扶贫龙头企业之一，获“全国就业先进企业”、国家牛肉加工技术研发中心、省级企业技术中心、全国发展县域经济突出贡献乡镇企业、重合同守信用企业、全国第一批农产品加工示范企业、全国新农村建设百强示范企业等荣誉称号。“牛头牌”牛肉系列产品和商标连续被评为“贵州省名牌产品”和“贵州省著名商标”。2010年，“牛头牌”商标被国家工商总局商标局认定为“中国驰名商标”。

2013年4月，公司成功与国际知名投资基金“云月投资”进行合作，转制为外资控股的中外合资企业，公司新董事会由云月投资和永红原有股东组成，成为县第二家外资企业。

贵州省惠水奇鑫纸业有限公司：成立于1996年，厂址在惠水县和平镇城南新城村河边寨。建厂时总投资300万元，占地面积为20亩，设计年产能为5500吨机制纸，生产的产品有高强瓦楞纸、箱板纸、茶板纸、挂面纸等。

2012年企业政策性关闭。

黔峰造纸厂 1976年由社员集资兴办的社办集体企业，称芦山洞口纸厂，后改称为芦山造纸厂，初期为综合性的企业，经营项目有造纸、农电、采煤、运输、修理、电影放映、营林等。造纸主要生产草纸、毛边白纸。

1987年1月，芦山造纸厂变更为贵州省惠水县黔峰造纸厂，注册资本为57万元，产品以土纸（白纸）为主。进入90年代后，新引进机械生产，产品品种增加，但产品档次低，产销量不大。在国家政策扶持下进入生产设备技改，生产卷筒纸、纸袋纸等制品和纸浆制造。2002年停产，2008年，县人民政府决定对惠水县黔峰造纸厂予以政策性关闭。

贵州黔红食品有限公司：创建于2003年6月，位于惠水县大龙生态经济示范区，占地面积4806平方米，由方家荣、胡思凡二人出资成立，主要生产“黔红牌”辣椒酱系列产品，公司在职员工65人。

2005年11月份被评为农业产业化经营“州级重点龙头企业”；2006年6月通过ISO9001质量管理体系认证；2011年全国通用信用等级评估中公司企业信用等级评定为A级。公司在2005年至2011年连续被惠水县委、惠水县政府评为“非公有制经济之星”称号。2007年10月公司通过了QS认证，2010年“黔红”商标获“贵州省著名商标”认定，2012年3月获“守合同、重信用”荣誉证书。2015年公司实现销售4033万元，上缴税金112万元，利润281万元。

第三章 煤炭工业

第一节 煤炭资源

一、煤层及煤质

县境内含煤地层有：下石炭统大塘组旧司段和上二迭统吴家坪组。

下石炭统大塘组旧司段煤层：分布于县东北部宁旺、岗度、摆榜以及与平塘县交界一带，含煤岩系厚479米，含煤层5层，单层厚0.1～0.42米。煤岩据肉眼观察为黑色，均一状结构、贝壳状断口，镜下鉴定，以镜煤质组为主，半镜质组、半丝质组次之，化学分析情况为固定碳81.81%，挥发份1.6%，灰份3.95%，水份2.43%，含硫量4.90%，发热量为7200卡/克，容重1.4吨/立方米，煤质偏于中灰、高硫、特高热质无烟煤，按其公益性质及用途分类，属动力用煤，可作民用和动力燃料。

上二迭统吴家坪组煤层：分布于涟江向斜、田坝向斜、团坡向斜、摆金向斜的翼部。煤系地层厚度一般为260～470米，共含可采煤层和局部可采煤层1～5层，单层厚度一般0.5～3.5米，煤质变化特征为：黑色、条痕褐黑色，具土状及玻璃状光泽，多为粒状和粉末状，块状较少。地表氧化带则几乎全为粉末状。经取煤岩样鉴定结果，其有机成份以块状、条带状凝胶带基质为主，属暗黑亮煤类型；无机组分为细粒分散状石英，泥状粘土类矿物和星散状分布的硫铁矿，化学分析结果为：水份0.38%～5.25%，灰份7.8%～31.33%，挥发份10.14%～19.46%，含硫含量4.82%～9.20%，发热量一般为7970～8360卡/克，煤种绝大部分为贫、瘦煤，断杉片区有部分为焦瘦煤及肥焦煤，普通为高硫煤，可作民间和动力用煤。

二、资源储量

县矿产资源调查与勘查始于20世纪40年代。1949年后，县陆续开展部分勘查，取得一定成果。完成全线1：20万区域地质、矿产、水文地质调查，在县北部完成少量1：5万区域调查。全县地质未采用钻孔技术勘探，煤炭资源的赋存情况仅靠煤层露头线、小煤窑揭露煤层情况来进行综合分析，2006年后，根据全县24家整合和调整布局煤矿提供是经省国土资源厅批复的储量核实报告计算，总资源量为8748万吨（+700米以上）。加上24家煤矿矿界以外的资源储量，全县煤炭资源储量在1亿吨以上。由于含煤地层地质构造多，煤层不稳定，不能集中连片开发，所以不能建中型规模（45万吨）以上矿井，只能建15万吨以下小型规模矿井。

表9–4

惠水县24家煤矿资源储量表

煤矿名称	所在乡镇	资源储量（万吨/年）
惠水县长田乡小凤山煤矿	长田乡	416
惠水县打引煤矿	甲戎乡	415
惠水县长田煤矿	长田乡	460
惠水县一碗井煤矿	大龙乡	366
惠水县烂坝画眉冲煤矿	和平镇	361
惠水县芦山煤矿	芦山镇	306
惠水县岗度煤矿	岗度乡	320
惠水县鑫朋煤矿	宁旺乡	290
惠水县长田乡大冲煤矿	长田乡	384
惠水县王佑煤矿	断杉镇	395
惠水县断杉镇大坡煤矿	断杉镇	382
三都镇紫马冲煤矿	三都镇	373
惠水县宁旺煤矿	宁旺乡	373
惠水县大龙煤矿	三都镇	343
惠水县断杉镇沙坝煤矿	断杉镇	321
惠水县甲烈煤矿	摆金镇	280
惠水县摆金煤矿	摆金镇	498
惠水县甲戎煤矿	甲戎乡	833
惠水县高镇镇红番哨煤矿	高镇镇	499
惠水县好花红煤矿	好花红乡	238
惠水县长田乡金顺煤矿	长田乡	249
惠水县鸭绒煤矿	摆金镇	274
惠水县断杉镇昱城煤矿	断杉镇	141
惠水县大坝煤矿	甲戎乡	231

第二节 矿井建设

1978至2015年，县煤矿建设分以下几个阶段：

一、转轨发展阶段（1978至1992年）

国家对国有煤矿进行计划经济管理，乡镇煤矿在政策支持下得到快速发展。全县凡是有煤炭资源的赋存区域，都建有小煤矿（俗称小煤窑），主要分布10个乡镇：

长田乡境内的老王冲、大冲、小冲、马朗冲、娃娃冲、梅子关、小凤山、三棵桩林场、大荒地、杉木林、油菜冲、巴茅冲、小青山、国营杨家山煤矿矿区及附近、孙家寨附近。

和平镇境内的烂坝林场、七里冲。

三都镇境内的紫马冲、二沟、老煤洞、金石关、鸡鸭冲、九门寨、干昌等地。

甲戎乡境内的歪刀、麦地冲、蚂蝗冲、大地冲、场坝附近。

芦山镇境内纳冗村、摊绕村、鱼湾村。

断杉镇境内宜令、沙坝、拉引冲、长冲、翁骂、落桶冲、尖坡、翁懂冲。

岗度乡境内的长山。

宁旺乡镇境内有摆祥、一洞桥、二洞桥、三洞桥、四洞桥。

摆金镇境内有三岔路、大华、马道、关山。

甲烈乡境内有弯山。

转轨发展阶段的煤矿，按建设标准来只能划定为小煤窑，无证开采居多，基本是独眼井开采，无任何通风设施，由于无排水和供电设施，这些小煤窑一般采到有涌水的地段就停止采掘。建井规模仅为1000吨到3000吨，煤矿投资总额一般在1万元以内，工人20人以内，井下开采为多头多面开采，井筒断面2至3个平方米，基本没有任何机械和电气设备，所有采掘活动均为人工施工，煤矿分布密集，每一个小地名都分布有多个小煤矿。这类煤矿的开采遗迹，成为非法开采的主要根源。

二、实行煤炭生产许可和关井压产阶段（1993至2001年）

此阶段县境内小煤矿个数虽然减少，安全隐患依然突出，煤矿事故高居不下，煤炭市场疲软，煤矿效益差。1996年7月，《煤炭法》出台后，成立县煤炭工业局，煤炭行业实行煤炭生产许可证和经营许可，由于不具备办矿条件，在整改过程中大部分小煤矿自动关闭或退出。至1998年，全县持有采矿许可证的煤矿有133家。1999年，煤炭行业进行“关井压产”，到2001年全县煤矿下降到15家。这一阶段的小煤矿规模要求达到1万吨/年，煤矿在建设上实现“五消灭”（消灭明火明电照明、消灭明闸刀开关、消灭明火明电放炮、消灭独眼井、消灭自然通风）；井巷断面增加4平方米以上，运输方式实现矿车运输和绞车提升，通风实现机械通风，煤矿投资总额超过30万元。建设竣工矿井19家，平均年生产规模达1万吨原煤。

三、煤炭专项整治和煤炭安全生产许可阶段（2002至2005年）

2002年，全省煤炭行业进行专项整治，生产规模要求由1万吨/年提升到3万吨/年。2004年7月，《煤矿安全生产许可证管理条例》颁布，由于从规模1万吨到3万吨的整改升级，单个煤矿投资已突破百万元，煤矿机械程序相应得到提高，部分煤矿开始使用金属支护，煤矿开采深度不断向下推进，平均达到垂直高度100米，电气设备增多，矿井排水能力得到加强，单井产量得到较大提高，大部分矿井基本达到设计产能3万吨，巷道掘进尺寸平均为2000米。建设竣工矿井19家，平均年生产规模达到3万吨原煤。

四、煤矿整合和煤矿企业兼并重组阶段（2006至2015年）

2006年，贵州省煤炭行业开展煤矿整合和调整布局，惠水县经省政府批建的煤矿为24家，其中，整合技改煤矿8家，调整布局煤矿16家。

惠水县煤矿整合及调整布局表

表9–5

整合后矿井名称	原矿井名称	所属乡镇	规模（万t/a）	类型	备注
惠水县长田乡金顺煤矿	惠水县杉木林煤矿	长田乡	9	整合	相邻矿井整合
—	惠水县卢镇冲煤矿	—	—	—	—
惠水县长田乡大冲煤矿	惠水县大冲煤矿	长田乡	9	整合	相邻矿井整合
—	惠水县正塬堡煤矿	—	—	—	—
惠水县烂坝画眉冲煤矿	惠水县画眉冲煤矿	和平镇	9	整合	椅子冲煤矿已关闭，利用其资源
—	惠水县椅子冲煤矿	—	—	—	—
惠水县断杉镇沙坝煤矿	惠水县沙坝煤矿	断杉镇	9	整合	相邻矿井整合
—	惠水县宜令小冲煤矿	—	—	—	—
惠水县断杉镇昱城煤矿	惠水县罗桶冲煤矿	断杉镇	9	整合	翁骂煤矿已关闭，利用其资源
—	惠水县尖坡煤矿	—	—	—	—
—	惠水县翁骂煤矿	—	—	—	—
惠水县断杉镇大坡煤矿	惠水县大坡煤矿	断杉镇	9	整合	相邻矿井整合
—	惠水县长冲煤矿	—	—	—	—
惠水县长田乡小风山煤矿	惠水县长田乡小风山煤矿	长田乡	9	维持现状	周边无煤矿
惠水县三都镇紫马冲煤矿	惠水县三都镇紫马冲煤矿	三都镇	9	扩能技改	利用杉木林资源进行扩界扩能
惠水县红番哨煤矿	—	高镇镇	9	新设矿权	本乡无合法煤矿
惠水县长田煤矿	惠水县杨家山煤矿	长田乡	9	新设矿权	原国有杨家山煤矿
惠水县甲烈煤矿	—	摆金镇	9	新设矿权	本乡无合法煤矿
惠水县摆金煤矿	—	摆金镇	9	新设矿权	本乡无合法煤矿
惠水县宁旺煤矿	—	宁旺乡	9	新设矿权	本乡无合法煤矿
惠水县岗度煤矿	—	岗度乡	9	新设矿权	本乡无合法矿井
惠水鸭绒煤矿	—	摆金镇	9	新设矿权	本乡无合法煤矿
惠水县大龙煤矿	—	三都镇	9	新设矿权	本乡无合法煤矿
惠水县好花红煤矿	—	好花红乡	9	新设矿权	本乡无合法煤矿
惠水县甲戎煤矿	—	甲戎乡	9	新设矿权	本乡无合法煤矿
惠水县芦山煤矿	—	芦山镇	9	新设矿权	本乡无合法煤矿

续表9-5

整合后矿井名称	原矿井名称	所属乡镇	规模（万t/a）	类型	备　注
惠水县王佑煤矿	—	断杉镇	9	新设矿权	本乡无合法煤矿
惠水打引煤矿	—	甲戎乡	9	新设矿权	本乡无合法煤矿
惠水县大坝煤矿	—	甲戎乡	9	新设矿权	本乡无合法煤矿
惠水县一碗井煤矿	—	大龙乡	9	新设矿权	本乡无合法煤矿
惠水县鑫朋煤矿	—	宁旺乡	9	新设矿权	本乡无合法煤矿

由于煤矿规模最低要求为年产9万吨，全县有15万吨规模矿井2家，其余均为9万吨规模，通过进行储量核实，设计审查和相关手续的办理，除甲戎、大坝、打引3个煤矿外均于2009年取得开工资格。

2012年惠水县整合煤矿建设情况表

表9-6

煤矿名称	所在乡镇	总投资（万元）	完成投资（万元）	完成比例（%）	验收情况	备注
惠水县鑫朋煤矿	宁旺乡祥摆伐木场	5600	5600	100	已通过	—
惠水县宁旺煤矿	宁旺乡龙泉村	3600	3620	100	已通过	—
惠水县岗度煤矿	岗度乡柏栗村	3900	3900	100	已通过	—
惠水县一碗井煤矿	大龙乡九龙村	4700	4700	100	已通过	—
惠水县大龙煤矿	三都镇三都村	4450	4450	100	已通过	—
惠水县断杉镇沙坝煤矿	断杉镇摆屯头村	4700	4700	100	已通过	—
惠水县长田煤矿	长田乡合新村	6000	3000	50	政策性停建	—
惠水县甲烈煤矿	摆金镇大华村	6080	4650	76	政策性停建	—
惠水县烂坝画眉冲煤矿	和平镇烂坝林场	4237	3637	86	政策性停建	—
惠水县长田乡小凤山煤矿	长田乡双庆村	6083	90	1	政策性停建	—
惠水县芦山煤矿	芦山镇滩绕村	5130	4250	50	政策性停建	—
惠水县打引煤矿	甲戎乡青河村	4624	0	0	未开工	—
惠水县长田乡大冲煤矿	长田乡双庆村	5800	5800	100	已通过	—
惠水县长田乡金顺煤矿	长田乡双庆村	5500	5500	100	已通过	—
惠水县断杉镇大坡煤矿	断杉镇大坡村	5800	5800	100	已通过	—
惠水县断杉镇昱城煤矿	断杉镇大坡村	4440	3840	86	政策性停建	—
惠水县三都镇紫马冲煤矿	三都镇三都村	5500	4370	86	政策性停建	—
惠水县鸭绒煤矿	摆金镇花厂村	4700	3840	50	政策性停建	—
惠水县王佑煤矿	断杉镇摆惹村	6420	4420	86	政策性停建	—
惠水县摆金煤矿	摆金镇关山村	5000	2500	50	政策性停建	—

续表9-6

煤矿名称	所在乡镇	总投资（万元）	完成投资（万元）	完成比例（%）	验收情况	备注
惠水县好花红煤矿	好花红乡平地村	5000	2500	50	政策性关闭	—
惠水县高镇镇红番哨煤矿	长田乡合新村	5400	3000	56	政策性关闭	—
惠水县甲戎煤矿	甲戎乡甲戎村	—	—	0	单证矿井	资源总储量833万吨
惠水县大坝煤矿	甲戎乡四方村	—	—	0	单证矿井	资源总储量231万吨

2011年5月，全省煤矿企业开展兼并重组；7月，贵州天府矿业有限公司在惠水县注册，注册资金5500万元。2012年5月，天府公司投入1.5亿完成6家煤矿的建设和验收工作；7月，公司已在惠水境内全资收购12家煤矿和一个探矿权。2014年，贵州天府矿业有限公司破产，由惠水县人民政府组织法院、人社、工信、安监、供电、市管等部门对惠水县一碗井煤矿、大龙煤矿、杉沙断镇坝煤矿、宁旺煤矿、鑫朋煤矿、岗度煤矿、长田煤矿、长田乡小凤山煤矿、烂坝画眉冲煤矿、打引煤矿、天峨煤矿（探矿权）共11家煤矿依法进行公开拍卖，支付贵州天府矿业有限公司及11家煤矿管理人员、民工工资，完成破产倒闭企业的平稳过渡。

2012年，高镇红番哨煤矿因资源不稳定，政策性关闭。2013年10月长田乡大冲煤矿因透水事故关闭。2014年，全县24家煤矿进入新一轮兼并重组；王佑煤矿、好花红煤矿进入贵州吉顺矿业公司；大坝煤矿、甲戎煤矿进入贵州蓝雁投资实业有限公司；三都镇紫马冲煤矿进入盘县盘南煤业投资有限公司；摆金煤矿进入贵州德源能投投资公司；断杉镇大坡煤矿进入贵州绿宝能源开发有限公司；鸭绒煤矿进入贵州德佳投资有限公司；断杉镇昱城煤矿进入贵州齐鲁矿业有限公司；甲烈煤矿进入贵州鸿熙矿业有限公司，之后，贵州鸿熙矿业有限公司兼并为贵州万峰集团矿业有限公司；芦山煤矿进入贵州鑫福能源有限公司；长田乡金顺煤矿进入贵州省甲盛龙集团矿业有限公司。

2014年后，县内仅存惠水县长田乡金顺煤矿。该煤矿位于涟江街道双庆村，距县城25千米，年生产能力9万吨、斜井开拓。矿区面积2.7平方千米，资源总储量249万吨。全矿职工60人，于2008年7月开工建设，2012年6月通过煤炭生产许可证验收，完成总投资5500万元，完成井巷工程2756米。兼并重组后被贵州吉顺矿业公司控股收购。

第三节　煤炭生产

一、采煤方法（工艺）

1978至1997年，全县仅有惠水县国营杨家山煤矿采用壁式采煤方法，工作面长度在50—80米之间，落煤方式为人工落煤，所以产量极低；由于管理体制问题，年生产量仅在5000吨到8000吨之间，企业常年亏损。

全县乡镇小煤矿基本是独眼井和自然通风井，安全条件极差，生产规模小，采煤方法为巷柱式采煤，井上下运输均为竹制箩筐装煤运输，劳动生产效率极低，每一个小煤矿年产量在1000吨以下。

1998年，湖南籍业主开始进入惠水县投资建矿，乡镇小煤矿开始实现机械运输、局扇和主扇通风，壁式回式开采逐渐推广，单井原煤年产量可达6000吨到10000吨。

二、原煤产量

1998年前，惠水县煤矿以小煤窑为主，只能季节性开采，单井产能低；由于煤矿数量多，全县产量较高，1999年后，对小煤窑实行“关井压产”后，经专项整治，单井产能得到较大提升，非法开采不列入产量统计范围，全县各年产量变化不大。

表9-7

1978—2012年惠水县历年煤炭产量一览表

年度	产量（万元）	产值（万元）	税金（万元）	利润（万元）
1978	0.37	6.23	0.4	0.1
1979	0.44	8.31	0.3	0.39
1980	1.46	15.6	0.9	0.26
1981	1.4	26.32	1.0	—0.9
1982	1.7	31.96	0.4	0.1
1983	2.7	50.76	0.5	1.4
1984	4.68	87.98	0.87	0.51
1985	4.7	88.36	1.34	0.76
1986	12.1	227.48	0.22	—0.99
1987	16.28	306	0.2	0.64
1988	11	242	0.05	0.1
1989	12.58	276.76	0.03	0.35
1990	14.06	309.32	0.35	1.28
1991	10.89	239.58	0.1	0.1
1992	14.5	280	0.1	0.3
1993	16.76	350	0.3	0.5
1994	17.34	510	0.4	6.4
1995	15.67	293	0.4	7
1996	16.7	668	1.7	12
1997	17.8	712	3.2	17.1
1998	19.4	776	5.6	20.5
1999	9	360	7.1	50.3
2000	8	320	10.1	47.4
2001	5.8	290	12.3	35.1
2002	6.9	414	23.5	34.3

续表9–7

年度	产量（万元）	产值（万元）	税金（万元）	利润（万元）
2003	11	660	43.7	56.0
2004	15	1350	81.6	86.4
2005	12	1560	167.3	101.1
2006	11	3410	210.7	267.9
2007	17.39	6590	342.6	437.6
2008	11.67	4422	629.4	210.7
2009	15.35	6140	629	287.4
2010	15.16	6907	1050	236.5
2011	11.7	5265	1345	746.4
2012	15.36	6965	3148	741.7

第四章　建材工业

1978年起，建材生产由集体经营部分转为个体经营，建材工业多为农村自产自销的石灰、砂石、砖瓦等。到2001年以前，稍具规模的建材企业仅有惠水县水泥厂，其余建材企业规模相对较小，主要以页岩砖厂、水泥预制建材为主。2003年长田工业园区成立以后，通过招商引资，建材工业企业逐渐增多，产品也呈现多样化，建材产业蓬勃发展，成为惠水县工业四大主导产业之一。2015年，全县共有规模（年产值2000万元）以上建材生产企业21家，年产值40.68亿元，同比增长20.57%。建材产品有水泥、混凝土、水泥助磨剂、钢结构及板材、加气砖、水泥及塑料管材、钢化玻璃、防水涂料、墙面漆等。

第一节　建材生产

水泥建材　1978年至2001年，惠水县水泥建材产品主要来源于惠水县水泥厂。县水泥厂主要生产325#至425#水泥，年产能3000吨；1985年对生产设备实施技术改造，年产能提升到32000吨，是建厂时产能的10倍多。

2000年12月，惠水县新金龙水泥有限责任公司投资600万元在和平镇大水井建成，属私营企业，占地面积约8.3亩，年产8万吨机立窖水泥生产线，主要生产P.042.5水泥。

2002年承包商投资再次技改，县水泥厂年产能达到8.8万吨。

2005年，县政府通过招商引资引进江苏三狮水泥有限公司拟在惠水县长田工业园区建设年产100万吨新型干法水泥生产线，因宏观产业政策调控影响，该项目一直未能动工建设。

2007年1月11日，县政府通过招商引资引进浙商民营水泥集团企业，在长田工业园区建立贵州豪龙水泥有限公司，对100万吨水泥生产线进行续建，属贵州省重点招商引资企业，总投资3.1亿元，年产水泥150万吨，是黔南州最大水泥生产企业之一。2007年12月28日竣工试产，公司主导产品“豪龙”牌P·O42.5、P·C32.5水泥，具有质量可靠，性能稳定，强度高，碱含量低，脱模快等优点。

2009年，国家对高能耗、生产工艺落后、产能低的建材行业进行淘汰，县水泥厂机立窑生产设备被拆除，停止生产水泥，公司改制。贵州豪龙水泥有限公司通过了产品质量认证、ISO9001质量体系认证、建材环保产品认证，年产水泥98万吨，完成工业产值2.5亿元，实现销售收入2.4亿元、利税1359万元，解决就业318人。贵州省惠水县新金龙水泥有限责任公司经贵州省经济和信息化委员会批准同意进行异地技术改造，该公司迁到惠水县长田工业园区（大坝D区）建设，建设日产7200吨（年产260万吨）新型干法水泥熟料生产线，时为西南五省（区、市）单条生产能力最大的水泥生产线。

2010年，贵州豪龙水泥有限公司通过ISO14001环境管理体系认证、职业健康安全管理体系认证。

2011年，贵州省惠水县新金龙水泥有限责任公司更名为黔南州惠水泰安水泥有限公司，其水泥生产线于2011年5月点火试产，同年9月建成正式投产，主要产品为52.5水泥、42.5水泥、复合42.5水泥、复合32.5水泥，12月被中国建材集团收购。

2012年12月，黔南州惠水泰安水泥有限公司更名为贵州惠水西南水泥有限公司。

2009年后，新工艺、新技术水泥生产方法得到应用，国家逐步淘汰产能落实的机立窑水泥生产设备。2015年全县共有贵州豪龙水泥有限公司和贵州惠水西南水泥有限公司2家大型水泥建材企业，年产水泥313.38万吨，年产值5.93亿元，带动就业近800人。其中，豪龙水泥生产水泥103万吨，工业产值1.8亿元。西南水泥生产水泥210.38万吨，产值4.13亿元。

钢结构及板材　1978至2010年期间，县无钢结构生产企业。2010年后，因自重较轻，且施工简便，广泛应用于大型厂房、场馆、超高层等领域的钢结构及板材生产企业逐步入驻县工业园区。2015年，全县共有钢结构及板材生产企业7家，分别为贵州财达钢结构有限公司（2010年引进）、惠水天宇钢结构有限责任公司（2011年引进）、贵州惠水人春钢结构工程有限公司（2012年引进）、贵州华创钢筋焊网有限公司（2012年引进）、贵州中铁钢构有限公司（2013年引进）、贵州泰昌钢结构有限责任公司（2014年引进）、贵州宏星钢结构有限公司（2014年引进）。2015年，7家企业累计实现产值104160万元。

砖瓦　1978年，县砖瓦生产多为社队企业办的副业，大部分为传统手工生产，期间，有惠水县大坝机砖厂使用定型挤砖机制坯，实现制坯机械化，以搅拌机、对辊机代替人畜造泥，同时实现推土机掘土。1980年，全县水泥瓦生产4.6万块，1983年县砖瓦生产实现产值2.5万元，到1985年全县砖瓦生产企业达11户，砖产量为2149万块，瓦产量2841万块，实现产值48.7万元。1986年全县砖瓦生产企业19家，年产砖4389万块，瓦1189万片，实现产值87.91万元。

1990年，惠水县炉渣蒸汽砖厂，首创以蒸釜代窑，以煤渣制砖，仅3个月就实现22万块产量。90年代县先后引进兴办了惠水县双龙井页岩砖厂、惠水县永红机制砖厂、惠水县卧龙页岩砖厂、惠水县高镇赤土页岩砖厂、惠水县黄家大地页岩砖厂、惠水县三都惠航页岩砖厂、惠水县毛家苑龙鑫页岩砖厂、惠水县毛家苑龙洞页岩砖厂、惠水县好花红乡况家湾页岩砖厂、惠水县好花红乡鑫兴页岩砖厂、惠水县好花红乡惠福页岩砖厂、惠水县好花红乡兴宏页岩砖厂、惠水县盛兴页岩砖厂、惠水县盛华页岩砖厂、惠水县宝鑫山页岩砖厂、惠水县三都弯塘页岩砖厂、惠水县大坝机制砖厂等页岩砖厂，彻底取代了用良田好土生产粘土砖。到2000年，县砖瓦生产主要以机械化程度较高的页岩砖厂为主，原来手工制坯、造泥、烧窑青砖退出市场。2002年县砖产量为3704万块，主要以机制页岩砖为主。2006年全县砖产量6596万块。2007年达7530万块。2009年全县砖产量达9090万块。

2010年，县引进第一家加气砖切块生产企业——贵州耐尔福科技发展有限公司，2013年建成投产，实现年产值6800万元，年产加气砖3.4万立方米。2012年引进贵州惠水太和建材有限公司，2014相继引进贵州桂福祥建材有限公司、贵州华天建材有限公司。2012年后为保护生态环境，页岩砖厂由于以煤为主要燃料和需要开山挖土，惠水县相继关闭合并部分页岩砖厂，仅保留大华砖厂等规模较大的页岩砖厂在继续生产。县制砖企业主要以加工加气砖、机制水泥砖以及页岩砖为主。2015年，全县在产的加气砖厂有耐尔福科技、坤和建材，页岩砖厂有大华砖厂，贵州华天建材项目在建未投产。

砂石开采、商品混凝土及水泥制品 20世纪80年代初，县砂石开采主要以个体和联户开办的砂石厂为主，开采主要以人工钻炮眼、填充炸药取材，破碎机以柴油机为主。1986年，全县砂石开采企业实现产值13.29万元。到90年代，风钻机等进一步取代人工钻眼工序。2000年以后，逐步出现以大型挖掘机为主，电动破碎等机型逐步代替手工和柴油机作业，通过集中整合，杜绝乱采的混乱现象。同时在长田园区划定大坝为砂石集中采取点，将大坝规划为长田工业园区大坝建材产业园，主要以砂石开采、商品混凝土以水泥预制品为主要产品的集中园区。区域内主要企业有：明文轩建材、利达建材、涟江源建材、腾龙新型建材、坤和建材等企业。

2000年后县逐步出现水泥砂石搅拌站，坤和建材等部分贵阳周边的商品混凝土企业入驻惠水。县围绕大坝乡砂石开采区域，将商品混凝土企业作集中连片规划，逐步建成以涟江源建材、腾龙新型建材为主的商品混凝土企业。其中，涟江源建材的高性能混凝土达到国家级标准。

2008至2010年，先后引进商品混凝土生产企业4家。2011年，引进贵州省惠水腾龙新型建材有限公司，拥有两条180全自动控制混凝土生产线，生产能力180立方米/小时。2012年11月，惠水县坤和建材有限公司年产50万立方米商品混凝土及其年产80万立方米自备矿山砂石料厂投入使用。另外2条混凝土生产线为永利房开、恒基房开自用。2012年生产混凝土14.58万立方米，实现产值2757万元。2013年生产混凝土82万立方米，实现产值29466万元。2014年产混凝土106.2万立方米，实现产值38090万元。2015年生产混凝土125万立方米，实现产值45069万元。

水泥制品生产始于70年代中期，初期主要以水泥圆瓦，全手工制作，工业及结构简单。由县建筑社在惠水县城关镇太平寺河边建立预制场，预制空心楼板，楼梯等。城关镇房修社、县矿管所等单位在1982年相继生产水泥预制件，是年县建筑社生产预制件847.3立方米，城关镇房修社生产预制件1100立方米，水泥瓦33万片，矿管所生产预制品62立方米。产值共计16.4万元。1983年后逐步发展到水泥砖、预制水泥楼板、楼梯板等产品，1986年建立的惠水县星火预制品厂，主要以手工操作，智能生产普通空闲楼板，到1990年通过购进设备，实现机械操作为主、人工辅助，产品花样增多，质量提升，主要生产楼板、切块、楼梯板、花窗、挑梁等。2000年后，随着公共基础设施建设加快、电力改造速度及规模进一步扩大，县水泥预制品产品逐步扩展为以城建基础设施和电网电杆为主的预制品生产，如锦联建材生产的排污管道和水泥电杆、桐欣园、明泽水泥建材的水泥电杆，金石源的水泥排污管道等。

石材地板：惠水县涟江街道大龙地区境内拥有储量丰富的优质白绵石，质地坚硬、韧度高、条纹美观清晰，易雕刻镂花、加工各类石雕产品。2001年起，大龙利用丰富的石材资源，从事石材加工。到2015年大龙乡石材生产加工经营户近四百户，主要加工园林工艺、建筑材料和家居用具及装饰等石材产品，500余村民长期从事石材加工。石材产品最远销往全国各地。

为顺应市场需求，大龙乡石材加工产品从传统的石碑为主发展到石桌、石凳、龙凤柱、牌坊、花瓶、十二生肖动物雕像等新品种。

其他 2000年以后，惠水县建材行业逐步多元化发展，惠水县加大对新型建材的招商引资力度，先后引进圣元防水、耐尔福顺成建材、楚智建材、恒德道路、中广塑业、华森玻璃、贵玻玻璃等企业，形成了以防水涂料、漆水涂料、水泥助磨剂、道路井盖、塑料管道、钢化玻璃及其玻璃制品等新型建材多元化发展。

第二节 建材企业简介

贵州省惠水县新金龙水泥有限责任公司 成立于2001年5月，企业投资600万元在惠水县和平镇大水井建设占地面积约8.3亩，设计年产水泥10万吨的机立窑水泥生产线。2009年，由于产能落后，龚雷海购买贵州省惠水县新金龙水泥有限责任公司并在惠水县长田工业园区（大坝D区）进行异地技术改造，成立黔南州惠水泰安水泥有限公司，2012年中国建材集团旗下企业西南水泥收购泰安水泥，改名贵州惠水西南水泥有限公司，2015年企业实现产值4.13亿元。

贵州惠水西南水泥有限公司（黔南州惠水泰安水泥有限公司） 属于中国建材集团旗下企业。2012年收购原黔南州惠水泰安水泥厂，在其原址改造后建设，位于惠水县长田工业园区（大坝D区），占地面积600余亩。总投资13.6亿元，建设日产7200吨（年产260万吨）新型干法熟料水泥生产线。2015年企业实现产值4.13亿元，为县内年产值最大的企业。

贵州豪龙水泥有限公司 2007年，引进浙江豪龙控股集团投资建设，企业投资3.1亿元建于惠水县长田工业园区，建设占地面积187.5亩，年产100万吨熟料水泥生产线，该生产线于2007年12月28日竣工投产。2015年企业实现产值1.80亿元、企业就业人员285人。

贵州惠水人春钢结构工程有限公司 2012年通过县招商引资进入惠水，主要以各类标准化厂房建设为主，同时提供各类钢结构生产，如牌楼、人行天桥等。2015年公司实现产值17097万元，带动就业100余人。

贵州华创钢筋焊网有限公司 2012年进入惠水长田工业园区华创产业孵化园，主要生产钢筋焊接网、冷轧带肋钢网、成型钢筋、合金加工。年生产能力3万吨，是黔南州第一家综合实力雄厚的钢筋焊网生产企业。2015年公司实现产值4820万元。

惠水县大坝机制砖厂 惠水县大坝机制砖厂位于濛江街道大坝，年产粘土红砖能力500万块，占地20000平方米。1972年开始建设，制机砖设备由上海市知识青年上山下乡办公室资助。因缺少技术人才，1975年引进四川人共同经营，1983年从福建长乐滨屿机砖厂引进技术和资金再次盘活，建成六门立窑一座，投资8万元，砖标号达75。1984年年产砖200万块，1990年年产砖150万块，就业50人。其生产工艺是在泥中掺煤少许，以助内烧，提升砖块硬度。受市场及产能影响，2000年该企业停产注销。

惠水县炉渣蒸汽砖厂 惠水县炉渣蒸汽砖厂建设在县城南郊惠水造纸厂内，为户办企业，占地1600平方米，设计年产煤渣砖500万块，1986年10月开始建设，1988年进行扩建技改，总投资25.56万元（其中：财政扶持10万元），是黔南州独家生产的炉渣空心小砌块砖。主要生产原料是惠水造纸厂产生的煤渣，其标号达到100，每块砖重2.25KG，比粘土砖和页岩砖轻。惠水造纸厂倒闭后，企业也停产。

贵州惠水利达建材有限公司 成立于2011年4月，属砂石开采类企业，2011年11月建成投产，厂区占地面积28550平方米，主要产品有五眼砂、1×2碎石、2×4碎石、七眼砂，生产材料主要以矿山进行爆破，然后将石头进行加工，每种产品主要用于建筑业，道路交通基础设施建设，桥梁工程建设项目等。2015年企业实现产值1800余万元，带动就业58人。

贵州涟江源建材有限公司 成立于2013年6月，注册资金11338万元，位于惠水县濛江街道山河村。2013年9月启动时产1000立方米砂石生产线及附属工程项目。2014年7月启动双HZ180型混凝土生产线及附属工程项目。是一家集矿山绿色开采、新型砂石料、高效矿物掺合料、高效聚羧酸减水剂、绿色高性能混凝土“五位一体”的绿色新型建材企业，致力于混凝土相关技术的研发与成果转化。公司拥有0.178平方千米矿山开采权。实现年产能达到骨料约200万吨/年，高性能混凝土约30万立方米/年，高效聚羧酸减水剂约1万吨/年，高效矿物掺合料约10万吨/年，湿拌砂浆约5万立方米/年。自有大型砂石料运输车辆20台（与其他单位签约的运输车辆30台），混凝土运输砼车50辆，挖掘机2台，铲车3台等生产运输设备。2015年8月获得国家安全生产监督管理总局监制颁发的“安全生产标准化三级企业（金属非金属矿山）”证书；贵州省住房和城乡建设厅、贵州省经济和信息化委员会联合颁发的“二星级”预拌混凝土绿色生产评价标识。企业创新发展，走产、学、研相结合的新型建材产业化发展道路，与北京建筑工程研究院、江西建科院、贵州省建材科学研究院等科研院校建立联合实验室与企业研发中心，组建混凝土基础材料研究与产业化研发中心，负责混凝土相关技术的研发与成果转化。研发成果，企业拥有的“用于混凝土的石灰石粉”企业标准的自主知识产权1项，申请发明专利1项和实用新型技术专利6项：一种砂石生产线废浆处理系统、一种高性能混凝土用机制砂生产装置、一种混凝土看料台、一种可控制质量的砂石生产线原料分配装置技术领域、一种矿山喷雾降尘系统、一种筛选设备。2015年公司实现产值8500万元。

贵州惠水腾龙新型建材有限公司 是一家以混凝土、砂石类建筑材料为主的生产企业，于2011年3月18日签约入驻惠水长田工业园区。占地面积43亩，总投资3400万元，建设年产40万立方米商品混凝土及200万立方米沙石建筑材料生产线一条，项目于2011年10月25日建成投产，2013年实现工业产值6500万元、税收300万元，解决就业60人以上。2015年公司实现产值1.89亿元。

贵州楚智建材科技有限公司 2011年经招商引资入驻惠水县经济开发区龙泉项目园区，占地面积16000平方米，是西南五省规模最大的水泥助磨剂和混凝土外加剂研发、生产、销售服务为一体的高科技企业。2015年实现产值2150万元，带动就业48人。

贵州耐尔福顺成建材有限公司 是一家专业从事建筑保温节能材料、铝塑门窗加工、防腐材料等生产销售的民营企业。成立于2013年4月，位于贵州惠水经济开发区龙泉项目区。2014年6月建成投产，2015年，保温节能材料生产113.39万平方米，实现总产值21431万元，带动就业50余人。

贵州圣元防水材料有限公司 拥有中国知名防水品牌万通防水（WANTONG），2007年通过招商引资，由贵阳迁入惠水长田工业园区建设，企业占地30亩，拥有各类防水材料生产线23条。主营产品有：SY晶芯自粘橡胶沥青防水卷材、SY非沥青基自粘防水卷材、SYSBS防水卷材、橡胶沥青非固化防水涂料、非沥青基彩色非固化、维修大师、JS、K11、白色/七彩色环保型聚氨酯、高铁/地铁专用防水材料类、堵圣、瓷砖胶等产品多达60余种，国家防水产业技术创新联盟授权的唯一一家“西南研发基地”。2015年公司产值超2000万元，进入规模企业行列。

贵州华森科技实业有限公司 2012年6月通过招商引资，入驻惠水经济开发区龙泉项目区，占地面积

130亩，总投资2亿元，项目设计规模为年产500万平方米玻璃系列产品。公司是一家集生产、科研、销售于一体的大型专业建筑玻璃加工企业，是贵州省政府重点扶持的玻璃升级标杆企业，在国内率先生产的单片高强度防火玻璃，工艺技术与产品性能均达到国际先进水平。森玻一直以安全、节能、环保作为产品研发的方向和主题，现已成为西南地区最早的一家低辐射节能玻璃制造商和最大的节能玻璃供应商。公司于2014年5月份正式投产，项目投产后，可实现年销售收入1.6亿元，税收130万元以上，提供就业岗位150个以上。2015年底实现12255万元，解决就业100余人。

第五章　电力工业

第一节　电力建设

1983年，惠水县供电所成立，隶属惠水县经济委员会。县内供电范围仅为城关镇，依靠一条50余千米的10kv线路供电，设有一座35kv变电站，年售电量仅为230千瓦时，职工共13人。供电营业区内仅有几个小加工企业使用生产用电和县城机关、学校、居民生活用电。

1989年12月，惠水县供电所交由贵阳供电局代管，实行统一管理、统一经营、统一调度、统一规划，更名为惠水县供电局，职工共43人。1997年8月，惠水县供电局列为省电力公司的子公司，由贵阳市南供电局进行管理。

1991年成立县“三电办公室”（计划用电、节约用电、安全用电）负责全县的电力电量分配和管理。1993年6月，建立宁旺乡电管站，乡电管站是非经营性的群众性管电组织，其业务上受供电部门管理，行政上受当地政府领导。1996年分别建成高镇、摆金、雅水、羡塘、断杉、抵季、抵麻、大龙8个电管站和大龙电站。1999年底根据国务院发（1999）2号文件精神，惠水县实施“两改一同价”完成了12个乡电管站（含三个小水电电管站）的改制工作。成立惠水县供电局客户服务中心；和平、高镇、摆金、雅水、三都、毛家苑、抵季、羡塘、宁旺、芦山10个供电所，10个供电所全面实行收支两条线的管理办法。

2003年8月，撤销毛家苑供电所。毛家苑供电所的人事、资产、业务工作由惠水县三都供电所统一管理。2004年3月，成立了具有独立法人资质的惠水县电气实业公司农电服务公司。4月，撤销宁旺供电所，宁旺供电所人事、资产、业务工作由惠水县摆金供电所统一管理。随着供电所体制改革和规范化管理工作的开展，把10个供电所合并组建成：和平、高镇、摆金、雅水、三都、断杉、羡塘、芦山8个供电所。

7月，建设开通了95598客户服务系统。10月，县供电局通过省电网公司“建设规范化管理县供电企业”考评验收，成为贵阳市南供电局首家通过考评验收的县级供电企业。

2006年3月，对具备无人值班条件的变电站实行无人值守，并成立集控班、操作队，由县供电局调度变电运行管理所负责管理。

2015年，县供电局设置基层电力管理机构共有11个，分别为调度中心、客服中心、物资储备站、高镇供电所、和平供电所、三都供电所、断杉供电所、羡塘供电所、雅水供电所、摆金供电所、王佑供电所。

第二节　电力生产

20世纪70年代末，县内发电主为水力发电，主要电厂有小龙电站及农村社队集体小水电站。1978年，全县水力发电为241.76万千瓦时，农村社队发电量达155.76万千瓦时；1979年，全县年发电量270.86万千瓦时；到1980年农村社队集体小水电站达195.54万千瓦时，占全县总发电量的三分之二。

1981年全县发电量为367.08万千瓦时；1982年全年发电量326.2万千瓦时；1983年，全县发电量总计354.36万千瓦时，小水电供电用户占全县三分之一，国家电网约占三分至二。1984年三季度王佑区青山河电站二号机组（320千瓦）投入运行，年发电量达505.34万千瓦时。1985年断杉区马相塘电站（2×250千瓦）投入运行，全县发电总量为332.50万千瓦时。1986年全年发电总量260.57万千瓦时。1987年175.97万千瓦时，1988年完成了小龙水电站与大电网的并网工程，于12月底并网发电，全年发电量301.10万千瓦时。1989年全县发电总量为291.07万千瓦时，1990年全县发电量422.05万千瓦时。

1991年马槽塘等小水电并网发电，全县水电发电装机容量3210千瓦时，全年发电量479万千瓦时，拥有35千伏输电线路27千米，10千伏线路579千米。1992年发电总量432万千瓦时。1993年小水电与大电网并网，全年完成并网发电量525.63万千瓦时。1995年海里电站开工建设；2000年8月正式并网发电，年发电量　3679千瓦时。

2002年，全县总发电量达9335万千瓦时。2004年团坡电站工程开工建设，工程总投资3.05亿余元，建设总装机容量80兆瓦。2006年，全年总发电量7774万千瓦时。2007年发电量8231.66万千瓦时。2009年，团坡电站开始发电，是年发电量18516.3万千瓦时。

2010年，全县发电量达32935万千瓦时。2011年全县发电量22100万千瓦时。同年，引进中国水电顾问集团建设龙山新能源，成立中国水电顾问集团贵州惠水龙山新能源有限公司在惠水县宁旺龙塘山建设风力发电厂。

2012年全县发电量37774万千瓦时，其中：水电发电量31966万千瓦时，西南水泥、豪龙水泥利用余热发电8181千瓦时。

2013年底，龙塘山建设风力发电厂一期项目建设完成并开始发电，总装机容量4.95万千瓦；二期于2014年底开始发电，装机容量1.4万千瓦；总装机容量达6.35万千瓦。

2015年，全县发电量55496.53万千瓦时，其中：水力发电量7766.13万千瓦时，火力发电量40008万千瓦时，风力发电量7722.4万千瓦时。

一、海里电站

海里电站，隶属贵州省惠水涟江资源开发有限责任公司。位于惠水县西南部断杉镇摆惹村下寨组，距县城70千米。系濛江梯级规划中涟江河段第二级，坝址以上集雨面积1950平方千米，多年平均径流量12.17亿立方米/年，水能资源丰富。

电站始建于1995年，工程总投资约2900万元，建设面积449.5平方千米。土建部分由湖南涟源市水电建设公司承建，机电部分由中国水电九局安装建设。电站工程等级为Ⅳ，工程规模为小（w1）型。电站厂房为地面式，主副厂房沿压力钢管作前后布置，主厂房装2台8000千瓦立式水轮发电机组，长33.2米，宽12.9米，主机间地坪高程809.8米，安装间地坪高程816.0米，外地面高程815.85米与进厂公路相接。厂房下部采用封闭式钢筋砼水下防洪墙，上部为混合结构。副厂房与主厂房同长，净宽9米，分电缆层、中控室层、通信和电工仪表共三层布置。升压站为户外式，紧靠厂房上游沿河布置，长46.3米，宽24米，地面高程819米，安装2台10000千伏安变压器。

电站装机规模为2×8000千瓦，为引水式电站，年平均发电量8830千瓦时，年利用小时数5520小时，主要任务为发电。电站水库正常蓄水位875.61米，相应库容0.87万立方米，死水位875.61米，校核洪水位885.67米，设计洪水位883.61米；为无调节能力水库。

海里电站工程2000年8月正式投入运营，通过14.2千米的110千伏线路送至惠水甲戎变电站并入贵州省电网运行，2015年全年发电量10146万千瓦时，2000年8月至2015年12月，累计发电量12450.5万千瓦时，实现税收2101.00万元。

贵州海里水力发电厂2000–2015年发、供电量统计表

表9–8

年度	2000	2001	2002	2003	2004	2005	2006	2007	2008	2009	2010	2011	2012	2013	2014	2015
发电量（万kW.h）	2762	7576	8813	7759	7788	6656	7411	7920	9422	8126	7710	7967	8360	6208	9881	10146
供电量（万kW.h）	2545	7231	8430	7320	7226	6204	6960	7454	8740	7927	7600	7805	8242	5909	9303	9600

二、团坡电站

团坡电站位于惠水县王佑镇团坡村，距断杉镇政府约18千米，距惠水县城约53千米，坝址距上游海里电站厂房约1千米，为濛江干流涟江梯级规划中的第三级电站。坝址控制流域面积2010千米，坝址处常年平均流量38.3m^2/秒；常年平均径流量为12.1亿立方米。

电站工程于2004年11月开工建设，总投资3.05亿元；建筑工程进场公路Ⅰ标段由中国水利水电第九工程局承建（建安工程费390.46万元），建筑工程进场公路Ⅱ标段由中国水利水电第三工程局承建（建安工程费1310.73万元），团坡至厂房公路由贵州建工集团第四建筑工程公司建安12处承建（建安工程费204.66万元）；发电厂房土建工程4041.2万元，机电设备安装工程635.49万元，由中国水利水电第六工程局305承建。

团坡电站为引水式电站，工程等级为Ⅲ等中型工程，主要建筑物为挡水建筑物、泄水建筑物、引水建筑物和发电厂房等为三级建筑物；次要建筑物为四级建筑物。拦河大坝为溢流式砼重力坝，堤顶全面流溢，溢流堤顶高层805米，溢流坝高40米，坝顶全长52米，引水隧洞全长3.77千米，发电水头121.6米水库正常蓄水水位805米，死水位803米，总库容52.1万立方米。设计洪水位812.8米，校核洪水位814.7米。

发电进水口位于大坝右岸上游88米处，为岸塔式，进水塔顺水流方向长14米，垂直水流方向宽12米，底板高程791米，塔顶检修平台高程816米。引水隧洞采用一洞三机供水方式，为平底马蹄型断面，全长3.77千米（不含压力管道）。发电厂房为地面岸边式，由主厂房、安装间和上游副厂房组成。主厂房长、宽、高分别为43.7米、25.0米、43.0米。

电站安装2台32兆瓦和1台16兆瓦水轮发电机组，装机容量80兆瓦，年发电量2.475亿千瓦时。团坡电站有2回110千伏输出线接入贵州电网，由贵州电网公司电力调度控制中心调度，主要向贵州电网输送电能，其中：一回110千伏线路接入惠水甲戎变电站，另一回110千伏接入边阳变电站。电站工程2004年11月开工，2008年8月28日下闸蓄水，2009年3月7日、4月25日、4月19日1#、3#、2#机组相继投产发电。2013年8月完成工程竣工安全鉴定工作。2015年总发电量达31203.09万千瓦时。

表9-9

团坡电站2009～2015年发电情况表

年度	发电量（万千瓦时）	售电量（万千瓦时）	年度	发电量（万千瓦时）	售电量（万千瓦时）
2009	18516.30	18292.27	2014	29847.96	29523.54
2010	23042.40	22822.12	2015	31203.09	30904.35
2011	19610.91	19387.68	—	—	—
2012	25488.42	25193.52	—	—	—
2013	14844.87	14669.51	—	—	—

贵州濛江流域开发有限公司惠水团坡发电厂（简称团坡电站）：团坡电站位于王佑镇团坡村，是濛江左源涟江梯级开发的第三梯级引水式发电企业，由贵州濛江流域开发股份有限公司开发建设，贵州中水能源发展有限公司控股，直属贵州金元集团股份有限公司。2009年建成发电，总装机容量8万千瓦。团坡电站2015年有职工20人，其中：管理人员4名，其中站长1人、副站长2人，专责工程师1人；检修与维护人员6人，运行值班人员共10人。

三、惠水龙塘山风电场

惠水龙塘山风电场位于惠水县岗度镇龙塘村，由中国水电顾问集团贵州惠水龙山新能源有限公司2011年利用惠水县龙塘山优越的风力资源开发建设，共分两期建设总投资7亿元，总装机容量达6.35万千瓦。龙塘山一期工程建设33台1.5兆瓦风力发电机组（叶轮直径86米，风机高85米）。于2012年12月31日首台1.5MW机组（32#）短暂并网调试，2013年3月26日实现首批四台机组正式并网调试运行，2013年12月1日完成10台风力机组并网调试运行，2014年2月底完成32台风机并网发电试运行，装机达容量48MW。二期工程首期7台2兆瓦风力发电机组（叶轮直径115米，风机高65米），2014年9月30日开工建设，2015年完成7台2MW机组并网发电，全年总发电量为7287.24万千瓦时。

第三节　电网建设

1983年，惠水供电所供电方式由惠水变电站的惠水摆金线（35千伏）惠城县城线（10千伏）两个电压等级向县供电所管辖的两个点供电。摆金点容量为：2×1000千伏安。惠水点容量为：配电变压器57台，共4140千伏安。1983年底惠水县通电公社43个、大队292，小队1634个；有7个公社、138个大队、913个生产队未通电。1985年整改惠城线路，修建35千伏变电站（315千伏安×2）一座。1985年建惠城35千伏变电站，2×4000千伏安，10千伏出线10条，35千伏架空线7.8千米，投资77.04万元，自筹62.04万元，1986年7月25日竣工。1986年，新建惠城变10千伏出线联络线5条，共4.996千米。1991年惠水县已建成35千伏变电站2座（惠城变2×4000千伏安，摆金变2×1000千伏安），变电设备容量10000千伏安，10千伏配电变压器399台，计21810千伏安。

1993年建设龙岗110千伏变电站，总投资1165万元，主变容量为2×1.6万千伏安，本期建设一台，

110千伏线路38.2千米开工建设。12月，贵阳供电局移交惠水变110千伏变电站给惠水供电局管理。1993年架设10千伏线路22千米，安装变压器7台200千伏安，1993年底有317个村通电，通电率占全县428个村的74.7%。

1994年龙岗110千伏变电站和南龙110千伏送电线路工程竣工投入运营，雅水10千伏开关站建成，新增架设10千伏线路53.3千米，新装变压器12台，解决了18个村2050户10297人的用电困难问题。从1989年到1994年五年中，乡通电率从90%上升至100%；村通电率从60%上升至80%；户通电率从65%上升至88%。

1996年龙岗110千伏变电站二期（31500千伏安）工程、断杉输变电（3150千伏安）建成投入运营。1996年12月15日实现了全县村村通电，新增架设10千伏线路129.32千米，新装变台51台，配变容量1020千伏安，43个行政村摘下无电村的帽子。

1997年为农村新增架设10千伏线路36.1千米，0.4千伏线路1.7千米，新安装变压器590千伏安（共24台），解决1714户农户用电不便的问题，全县户通电率从1996年的93%上升为95.27%。

1998年6月完成雅水35千伏输变电工程竣工投运工作。1999年220千伏湾塘变一期开工建设，2000年6月建成投入运营。毛家苑35千伏变电站，35千伏羡塘、宁旺变电站相建成并验收投运，总容量为3150千伏安×3，35千伏线路31.5千米。完成10千伏新建、改造线路180余千米，完成0.4千伏线路新建、改造150余千米，新装和改造配电160余台变压器共5500余千伏安。

2000年，惠水县推进“两改一同价”（改革农村电力管理体制、改造农村电网，实现城乡用电同网同价）工作，共计投入4000余万元实施第一期农网建设与改造工程项目，本次改造10千伏线路508.643千米，改造0.4千伏线路607.006千米，通过改造改善255个村53100户农民用电质量。完成惠水变、惠城变、龙岗变由人工控制开关向无人值班工程改造工作及室内母线加装热缩工作，建成县供电局MIS网办公自动化系统。

2001年5月，投资1500万元新建的七里冲110千伏变电站建成投产，完成惠水变主变增容231500千伏安的负荷增容改造任务。投资250万元兴建无人值守控制中心及三个变电站的无人值守改造工程，完成羡塘、宁旺、毛家苑3个综合农网站投入工程建设，实现县级调度自动化，适用化达标。在城网改造中结合城市道路建设，改造10千伏主干线，发展电缆网络，新建架空线路，发展绝缘架空线路。

2002年完成二期农网改造工程，通过市南局和省公司验收。安装“一户一表”共计43216户，全县农村网改覆盖率95.5%，户网改覆盖率90.7%。完成35千伏惠金线改造和投入运营；完成惠水变110千伏母线改造工程；完成35千伏惠城变、摆金变等4个变电站的综合改造设计。

2004年完成35千伏惠城变、断杉变、摆金变的综合自动化改造并投运。完成芦山变改造工作，团坡发电站施工变及断杉变新增间隔建设投运。完成断杉变、雅水变、惠城变、摆金变“五防”系统建设投运工作。完成断杉变、雅水变、摆金变的远动接入。完成了县府路电缆入地工程。一期县城电网改造基本完成。

2005年在电网建设上，共投入资金7485万元，完成220千伏湾塘变二期输变电工程；110千伏长田输变电工程已完成主体建设；完成35千伏惠城变1#主变增容改造工程；完成变电操作专家系统的建设；新装公用配变低压无功补偿装置15台，农村配网新增10千伏分段断路器15台；一期县城电网改造工程已全部竣工并投入运行，县城电网实现了两个多分段的双电源环网和手拉手运行；完成惠水电网无人值守的方案制定和一期工程的实施。

2006年完成惠水电网“十一五”期间发展规划的编制，110千伏长田变、110千伏七里冲变Ⅱ期扩建工程相继竣工并投入运行；配合完成220千伏湾塘变二期设备的调试投运工作、完成惠水地区变电站无人值守第一阶段工作等。实现了电力工作“五个完成”，具体为：完成45万元扶贫工程建设、完成124.8万元农网大修工程、完成51.8万元农网延伸改造工程、完成110万元农网节余工程施工准备工作、完成贵州电网公司36万元农网大修维护工程施工准备工作。

2007年完成110千伏七里冲变Ⅱ期扩建工程，架设35千伏长天Ⅰ、Ⅱ回线路。完成了10千伏惠明线和10千伏龙明Ⅰ回线、10千伏七和Ⅱ回线和10千伏惠城线、10千伏摆金关山线和10千伏宁旺岗度线、10千伏断杉抵季线和10千伏羡塘新安线联络工程的建设，实现龙岗变10千伏线路和惠城变10千伏线路、七里冲变10千伏线路和惠水变10千伏线路、摆金变10千伏线路和宁旺变10千伏线路、断杉变10千伏线路和羡塘变10千伏线路可互为备用的目标。

2008年，完成10000只一户一表轮换工作。

2009年，新建35千伏变电站一座、改造35千伏变电站一座、新建35千伏线路11千米、新建和改造10千伏线路270.43千米、新建0.4/0.22千伏线路112.96千米、新装和改造10千伏配变91台、新装10千伏真空断路器30台、改造10000户户表，新增122台配变综测仪，总投资5196.32万元。完成3.519千米的10千伏线路架设，安装变压器6台，满足175间烤烟房供电需求。9月12日，施工难度最大的无电户通电工程全面竣工，惠水县彻底告别无电户。12座变电站全部实现10千伏联络供电模式。

2010年全年完成第七批农网完善化项目，新装配电变压器27台，新建和改造10千伏线路8.2千米，新建低压线路132.8千米，总投资1468万元；实施农村低压台区改造项目，新装配变194台，新建低压线路424.81千米，总投资4304万元，全县所有农村电网改造工程全面完成。2010年，投资6629万元建成110千伏甲戎输变电工程并投入运营；投资857万元建成35千伏雅水变电站改扩建工程并在春节前投入运营。架设10千伏联络线路，增强配网的互供互倒能力，建成29对“手拉手”线路，所有变电站均实现了与其他站之间的10千伏联络。全面实现全县所有农村电网建设与改造的目标。

2011年开工建设110千伏高镇变、110千伏甲戎变建成投运。加强新设备新技术的使用，提高电网装备水平，购置性能质量好的ABB令克，安装在配网线路上，在部分线路试点安装线路故障指示仪及“看门狗”开关，有效减少故障查找时间；购置14台VSP5自动配电开关，安装在城区10千伏配网线路，城区4条线路实现了配网自动化功能。在10千伏线路上安装先进的重合器，当线路发生短路故障时，该重合器能够执行跳闸，并能够以短信的形式通知运行部门及时检修，能够有效地减少故障停电时间。建成29对10千伏“手拉手”线路，所有变电站均实现与其他站之间的10千伏联络。

2012年，电网建设总投资5460万元，完成35千伏断杉变、王佑变Ⅱ期改扩建工作和35千伏甲王线路架设；110千伏白果变开工建设。

2013年完成电网建设工程项目91个，总投资1.2亿元。其中，续建工程项目29个，新建工程项目62个。在新建的62个项目中有国债项目10千伏及以下项目58个，非国债项目有4个，分别是110千伏长田变二期扩建、35千伏王佑变、断杉变改扩建和宁旺变二期扩建。配合贵阳供电局完成了110千伏高镇变的改造投入运营，为惠水经济开发区生产经营提供电力保障。

2014年全年电网建设项目共27个，总投资14600万元。其中续建项目5个，新建项目22个，国债项目20个，非国债项目7个。全年完成标准台架变47台，小康电示范项目3个。并通过上级单位及贵州省发改委的检查验收。

2015年电网建设总投资1.22亿元，包括新建110千伏白果变；改扩建35千伏摆金变、羡塘变和毛家苑变，10千伏农村电网改造升级和淘汰型计量装置改造工程。10千伏农村电网改造升级工程和淘汰型计量装置改造34763户，为供电所规范化建设、计量管理水平提升和远集抄表创造条件。

截至年底，惠水电网共有220千伏变电站1座，容量300兆伏安；110千伏变电站6座，容量452兆伏安；35千伏变电站9座，容量80.9兆伏安，共计容量832.9兆伏安。110千伏线路10回，线路长度104.90千米；35千伏线路21回，线路长度223.2871千米；10千伏线路96条，总长2042.487千米。10千伏配电变压器2553台，总容量205145千伏安。

第四节　用电服务

1978年，县城居民照明用电为多户共用一个电表，各户每月轮流抄表，按需要交纳的电费除以所用照明灯泡总瓦数再乘以各户所用灯泡瓦数的算法来分摊电费。

1983至1999年，用户缴纳电费，主要采取由工作人员手工填写催费单上门收取电费和用电客户到开办的营业厅缴纳电费的方式，两种收费方式均以现金收缴。2000年，营业收费系统实现自动化。惠水县供电局荣获省电力公司授予首批县电力企业“双文明”单位称号，高镇供电所获国电公司“为人民服务、树行业新风示范窗口”称号。

2001年，开展“电力市场整顿、优质服务年”的用电服务活动，各供电所聘请111名供电服务质量监管员对用电服务情况进行监督、定期召开行风和供电服务质量监督员会议、自觉接受社会监督、客户中心收费站实行无年休、周调日制度、并开通惠水工行代收电费业务；成立抢修中心，为用电客户提供24小时电力故障报修统计服务、全年城区共接到报修793次、出动抢修人员1614人次，抢修成功率100%，各供电所接到报修2121次，出动抢修人员5161人次，其中夜间抢修共648次；为方便客户办理各类用电业务，制定“首问责任制”“一口对外”管理办法、电话预约报装服务措施、建立了客户走访制度、发放意见征求卡，客户满意率95%以上。

2002年，抢修中心出动抢修555次、各供电所出动抢修1835次、抢修率100%。聘请社会服务质量监督员共58名。

2004年，严格执行24小时报修服务制度，全年共抢修1041次。7月，建设开通“95598”客户服务系统，受理客户的各类咨询、查询、投诉、举报，诉求、建议、意见、用电业务申请、故障申报相关业务。为方便客户交费，新增农行代收电费点。各供电所增设收费服务点，解决农民交电费难问题。

2005年，全年共抢修1844次，出动抢修4230人次。完善“95598”客户服务系统。客户满意率达98%以上。

2006年，为使长田工业园区20多家企业尽早投产，建立“优质服务协调会制度”，设立客户经理并明确工作职责，主动上门服务。为方便客户交电费，7月同工商银行惠水支行在柜台代收的基础上推出了电费代扣业务。全年完成抢修441次，出动抢修人员900余人次。

2008年凝冻灾害期间，2月4日晚完成摆榜乡政府所在地电网修复，实现全县25个乡政府所在地和大部分村寨在除夕夜前通电的目标。2月19日晚8点，摆榜乡冗拱村恢复供电，实现电网修复“村村通”；2月28日晚，抵麻乡硐房村拢边组恢复供电，提前5天完成“户户复电”的目标任务，另派出80余名技术骨干支援三都、息烽、平塘、从江四县的电力抢险工作。

2009年，推广电费充值卡、银联POS等新的便民新缴费方式，全年通过两种方式缴费金额达144万余元。城区抢修中心共计完成突发电力故障抢修55次，其中大片区突发电力恢复抢修6次：客户用电优质服务抢修621次，出动抢修人员1300余人次。

2010年，惠水县遭遇50年一遇的特大旱灾，惠水供电局在9个营业窗口开设抗旱保供电报装业务绿色通道。

2011年，开展“轻松交电费，温情惠万家”活动，在广大农村大力宣传电费充值卡、POS机刷卡缴费，实行多种缴费方式，全年电费充值卡销售27.8万元；银联POS机刷卡缴费2.9万笔，缴费金额153.3万元；自助缴费终端累计交易648笔，缴费金额9.6万元。

2013年，启动“村电共建”工作，与邮政储蓄银行、达成代收代扣协议，解决农村缴费难、收费难的问题。

2014年，非现金交易比例从年初的12.85%提升至84.79%，新建设6个“村电共建”服务点，辐射人口63000多人。开展客户满意度测评工作298次，走访客户37335次，核查用户信息17140余户。张贴和发放“一牌两卡”宣传供电服务措施。

是年起，推出“银行代收代扣、支付宝”等非现金缴费方式为客户提供方便、快捷的缴费渠道。

第五节　供电区域与电价

惠水县供电局供电区域为惠水县行政管辖的全部区域，辖区面积2471.79平方千米，至2015年，全县供电区域范围为8个镇，2个街道，201个行政村，人口近46万人。

1983至2002年，电价实行弹性管理，城乡电价不一致，大工业电价有峰谷电价、枯水期和丰水期电价等。2000年，根据市场变化，对高能耗企业实行“一厂一策”“一月一价”的动态价格，由过去限制用电向增供促销转变。2001年，推进“两改一同价”工作，规范用电管理秩序，全县农村入户电价控制在0.69元/千瓦时以内，平均电价为0.37元/千瓦时。经过一户一表改造安装工作，2002年年底实现城乡同网同价。

2003年，照明电价每千瓦时0.4元，营业性照明用电每千瓦时0.79元。2004年照明电价每千瓦时0.45元，营业性照明用电每千瓦时0.86元。2006年，照明电价为每千瓦时0.46元，营业性照明用电每千瓦时0.88元。2007至2008年，照明电价为每千瓦时0.46元，营业性照明用电每千瓦时0.9元。2009年，营业性照明用电每千瓦时0.89元。2011年，营业性照明用电每千瓦时0.88元。

2012年7月，根据国家有关规定，居民生活生产用电实行阶梯电价，分档递增（分为三档）。第一档电量执行现行居民电价标准，即每千瓦时0.4556元；第二档电量在现行居民电价基础上每千瓦时上调5分，即每千瓦时0.5056元；第三档电量在现行居民电价基础上每千瓦时上调0.3元，即每千瓦时0.7556元。对城乡低保、农村五保户家庭每月设置10千瓦时的免费用电量，超过10千瓦时的用电量执行居民阶梯电价统一政策，电量分档中含免费电量部分。

2013年，阶梯电价从“按月执行”调整为“按年执行”，年度电量分档及电价标准为：第一档电量为2200（含本数）千瓦时以内，电价为每千瓦时0.4556元；第二档电量为2200～4000（含本数）千瓦时以内，电价在第一档电量电价基础上上调5分，即每千瓦时0.5056元；超过4000千瓦时以上的用电量为第三档电量，电价在第一档电价的基础上上调0.3元，即每千瓦时0.7556元。

工业电价　2004至2015年，大工业用户电价（1～10千伏）由每千瓦时0.37元上涨到0.55元，普通工业用户电价（1～10千伏）由每千瓦时0.49元上涨到0.71元。2012年6月起对大工业用户执行丰枯电价政策。

农业电价　2004至2015年，农业生产用电电价（1～10千伏）由每千瓦时0.34元上涨到0.47元。2015年，农业生产用电（不满1千伏）每千瓦时0.48元，1～10千伏每千瓦时0.47元，35～110千伏每千瓦时0.46元。

表9-10　**2004　2015年（1～10千伏）大工业、普通工业和农业用电电价情况表**

年度	大工业（元/千瓦时）	普通工业（元/千瓦时）	农业（元/千瓦时）
2004	0.37	0.49	0.34
2005	0.40	0.51	0.34
2006	0.41	0.54	0.35
2007	0.42	0.55	0.37
2008	0.44	0.59	0.37
2009	0.47	0.63	0.40
2010	0.47	0.63	0.40
2011	0.49	0.65	0.41
2012	0.49	0.65	0.41
2013	0.55	0.71	0.47
2014	0.55	0.71	0.47
2015	0.55	0.71	0.47

第六章　其他工业

第一节　磷化工业

1988年前，惠水县境内无磷化工生产企业，1989年开工建设第一家磷化工生产企业——惠水县农药厂。1991年7月建成投产，主要产品为黄磷，年生产能力达1000吨。1993年通过招商引资引入重庆川东化工集团公司到惠水县发展，规划以七里冲为主的磷化工工业园区，满足磷化工市场的需要，1996年，惠水黄磷厂建成投产。

2002年全县共有磷化工企业5家，实现产值17884.5万元，年产三聚磷酸钠18401吨、黄磷7645吨、磷酸7360吨。

2006年全县三聚磷酸钠产量达39894吨、黄磷10019吨、磷酸32775吨，到2009年有11家磷化工企业入驻七里冲工业园，磷化工业成为惠水县经济发展重要支柱产业之一。

2009年后，因产业结构调整，逐步关闭淘汰落后磷化工产品产能，惠水县川黔磷化工有限公司、贵州省惠水县农药厂、贵州惠水县宏泰磷化工有限公司相继关闭或与其他企业合并重组。到2015年全县只有贵州省惠水川东化工有限公司、惠水县磷酸盐厂2家企业正常生产，年产值为23734.5万元。

惠水县农药厂 由贵州黔能企业集团公司、惠水县电气实业有限公司、惠水县政府三方出资建设，总投资为560万元，占地面积为7.5亩。磷化工产品主要为黄磷，设计年生产能力1000吨。1993年4月，由重庆川东化工公司承包经营；1998年6月，惠水川东化工公司购买其相对控股权，2002年产值达1492.10万元，2009年12月被惠水川东化工公司收购。

惠水川东化工公司 1993年在惠水七里冲工业园，成立川黔化工公司，后改称川东化工公司，是以生产磷酸盐和甲酸盐为主的化工企业。占地200亩，拥有职工300多人，各类工程技术人员60人，年产黄磷10000吨；工业磷酸50000吨；工业三聚磷酸钠30000吨；磷酸二氢钠、磷酸氢二钠、磷酸三钠各5000吨；焦磷酸钠、焦磷酸钾各3000吨；年产甲酸10000吨以及食品级磷酸、三聚磷酸钠各2000吨。成为贵州省磷化工行业中产品品种最多，深加工能力最强的企业，是黔南州和惠水县的重点骨干企业，多次被州、县两级政府评为“明星企业”“诚信纳税企业”“环保先进企业”。2015年，川东化工公司主要产品三聚磷酸钠生产35000吨，甲酸生产3940吨，实现工业总产值22732万元，创税929万元。

惠水磷酸盐厂 是由重庆川东化工（集团）有限公司、贵州黔能企业集团公司和惠水县电气实业公司3家共同投资700余万元于1998年8月兴建的一家磷化深加工企业。2009年1月惠水县磷酸盐厂收购贵州省惠水县农药厂，注册资金为1296万元，企业位于七里冲工业园，占地面积为55.2亩，主要产品为三聚磷酸钠、焦磷酸钠。年产量磷酸10000吨、年产三聚磷酸钠20000吨。2014年因淘汰落后产能政策，企业停产。

第二节　冶　金

1978年，惠水县有冶金企业1户，为惠水县振兴铸钢厂（时称惠水县炼铁厂），属国营企业。主要生产锰钢、冷钢及其相关制件产品。到1980年实现年产值20.53万元，年产铸钢191吨。1983年实现产值25.2万元。

1985年，在三都镇卧龙建设惠水铁合金厂，由贵州省黔能电力实业总公司、惠水县人民政府、惠水县供电局电气实业公司三方投资建设，总投资562万元，其中3600千伏安矿热炉和1800千伏安矿热炉各1台，主要产品为硅铝钡、硅钙钡、硅钡锶、硅钡、稀土合金、硅铝铁等，年产量5000吨，占地面积为50亩。

1989年，贵州省黔能电力实业总公司、惠水县人民政府、惠水县供电局电气实业公司三方再次合作投资123万元建设惠水县摆金铁合金厂。安装生产设备1800千伏安矿热炉1台，主要产品品种为硅铝钡、硅钙钡、硅钡锶、硅钡、稀土合金、硅铝铁等，年产量1500吨，占地面积为14亩。

1991年10月，惠水县振兴铸钢厂关闭。

1996年，注册成立贵州宏矶金属工业有限公司、贵州申惠铁合金有限公司，2家企业均位于惠水县涟江街道大坡村。贵州宏矶金属工业有限公司是台湾信南金属股份有限公司与惠水县供电电气实业公司合资的企业，主要生产销售工业硅，属县内第一家中外合资企业。

2000年，引进贵州惠水星光铁合金有限责任公司。2001年，引进贵州省惠水县天益冶炼有限责任公司，全县冶金企业达6家，到2002年底，全县冶金业总产值达22487.2万元，年产钢铸件213吨、工业硅5776吨、锰硅合金49781吨、铁合金6985吨。

2005年4月，惠水县摆金铁合金厂停产关闭并注销，是年引进贵州精钻高合金材料有限责任公司。

2006年，全县年产钢铸件182吨、工业硅3282吨、锰硅合金50668吨、铁合金4382吨。

2007年，引进贵州西电龙腾铁合金有限公司投资建设惠水分公司、引进贵州长龙金属加工有限公司。全县年产钢铸件125吨、工业硅1158吨、锰硅合金50045吨、铁合金5008吨、铬系合金球5357吨。

2008年惠水铁合金厂因企业亏损严重，全面停产。

2010年，全县工业规模以上冶金企业5家，实现年产值53445.3万元，是年引进惠水县恒鑫铁合金有限公司。2010年后，随着国家淘汰落后产能工作开展，贵州西电龙腾铁合金有限公司惠水公司、惠水县恒鑫铁合金有限公司等冶金企业逐步退出县内铁合金市场。2015年，全县冶金企业仅有贵州精钻高合金材料有限责任公司、贵州长龙金属加工有限公司。

贵州宏矶金属工业有限公司 占地面积44889平方米，建筑面积11278平方米，是惠水电气实业公司与台湾信南金属股份有限公司合资兴建的企业。注册资金250万美元，投资总额2469万元，惠水电气实业公司占5%股份，台湾佶南金属企业股份有限公司占95%股份，项目合资期限为15年，1997年开工建设，1998年7月建成投产，安装6300千伏安矿热电炉两台同时投入生产，年产工业硅6500吨，产品全部出口，是贵州省外资企业中创汇大户之一，多次获得贵州省对外经济贸易合作厅表彰。公司环保配套设施有烟尘回收设备、循环水池及废水排放多级沉淀池。2008年，公司全面停产；2010年至2012年出租给惠水卓盛硅业有限公司生产。2013年企业两条生产线纳入政策性淘汰关停范围，被关闭。

贵州申惠铁合金有限公司 1996年投入400万元建成年产3600吨硅铁冶炼炉一台，1999年投资1100万元进行扩建，建成年产10000吨铁合金电炉一台。2006年，公司全面停产。2012年，公司破产拍卖。

贵州天益冶炼有限公司 2000年，注册成立后改称贵州天益铁合金有限公司。位于濛江街道洞口村，占地20.5亩。总投资3050万元，建成6300千伏安冶炼炉 4 台，4台冶炼电炉均配套建有除尘系统，设计产能为年产7.2万吨硅锰合金。2011年实施节能技术改造，年节煤10023.25吨。2013年4月被贵州隆盛兴铁合金有限公司整体租用，公司主要生产硅锰合金。所生产的产品主要销往国内多家大型钢厂，远销日本、韩国及欧美市场，产品质量出厂合格率100%，累计产值1.1亿元。2015年，停产关闭。

贵州惠水星光铁合金有限责任公司 位于涟江街道七里冲，占地面积31亩。2000年投资600万建成5000千伏安硅锰合金冶炼炉一台，年产硅锰合金8000吨。2003年投资100万元进行改扩建，将一台5000千伏安硅锰合金冶炼炉扩建为6300千伏安硅锰合金冶炼炉，年产硅锰合金12000吨。2007年由于市场原因全面停产，2008年企业实施政策性关闭淘汰。

贵州精钻高合金材料有限责任公司 2005年经招商引资签约入驻惠水县长田工业园，占地面积100余亩，总投资4750万元。是一家集研发、制造、销售为一体的矿用钢材专业生产企业，为煤矿、磷矿等矿山开采型企业提供各种型号的优质矿用钢材，年产钢材30万吨。主要产品为9#、11#矿用工字钢；25U、29U矿用U型钢；12千克、15千克、18千克、22千克、24千克、30千克轨道钢；7#、8#、9#π形钢、花边π形钢等产品，公司各种检测设备齐全、先进，拥有550中型轧机1套、25吨中频炉两套、25吨转炉1套、35吨AF精炼炉1套、三机三流6M弧连铸机1套，750轧机1套，在省内同行业中居于领先地位，是专业钢材产品生产制造企业。2015年企业实现产值5500余万元。

惠水县恒鑫铁合金有限责任公司 2009年9月租用贵州省惠水铁合金厂进行生产经营，同年11月将1台原冶炼炉技改成3000千伏安冶炼炉并投入生产，年产中碳锰铁1.5万吨。公司企业利用铁合金厂家生产废料硅锰水洗铁，电解锰厂废料电解渣为主要原材料，配加部分锰矿或硅锰合金，采用独创生产工艺，经过精炼炉的特殊冶炼，生产中低碳锰铁直供钢厂或其他用户，其附属产品中锰渣再返销铁合金厂家成为生产原料，实现了变废为宝，走循环经济发展的道路。2012年企业生产总值达1.02亿元，上缴税收164万元，实现利润52万元，是贵州省最大的中低碳锰生产企业。2013年9月搬迁到独山县麻尾工业园发展。

第三节 铸 造

1978年，县内主要的铸造以社队办农具厂为主，主要加工农具和生活用品，1984年后，农村个体户生产铁制农具发展，部分社队办的农具产品滞销，企业改制转型或者退出市场，1976年姚哨区兴办的农具修理制造厂与永安机电厂联办特种铸件厂，于1984年10月10日正式投产，主要产品有球磨机钢球、衬板、拖拉机皮带盘、变压器及电动机外壳、建筑用下水管道等产品。1985年，惠水县铸造厂建成正式投产，主要产品有锰合金耐磨球铁类、灰口铁类、墨球铸铁及钢件。

2004年，引进贵州省惠水恒兴特种铸造有限公司，2005年引进贵州贵海实业有限公司，2006年全县铁制小农具产量有71万件。2009年贵州贵海实业有限公司年产铬系合金球425吨，2010年达11833吨。

2012年，全县铁铸件产量23792吨，2013年，贵州贵海实业有限公司因生产经营问题停产。2015年，惠水县仅有贵州省惠水恒兴特种铸造有限公司在生产的铸造工业企业1家。

贵州省惠水恒兴特种铸造有限公司 2005年经招商引资签约入驻惠水县长田工业园区，总投资300万元，占地面积10000余平方米，于2006年初建成投产。主要生产工矿使用的耐磨合金铸件、球墨铸件、灰口铸件、有色合金铸件等铸造专业生产的企业。2011年停产。

贵州贵海实业有限公司 成立于2005年9月13日。注册资金1600万元，是一家以铬合金耐磨金属产品生产与经营为主的专业生产企业。公司位于惠水县高镇镇开发区，距惠水县城7千米。总投资1600万元分三期进行建设，第一期厂房于2007年4月建成投产。第二期厂房于2009年建成投产，第三期厂房于2010年建成投产，在建设期间同时对相应设备进行技术改造，投入产业化生产，年产高强度耐磨材料金属产品10000吨。2010年8月建设年产1000吨泡沫制品生产线项目。公司的主要产品有：铬系合金钢球、铬系合金钢锻、铬系合金衬板、铬系合金锤头。

公司占地面积达25000平方米，有厂房13400平方米，生产设备有：630千瓦变压器2台，500千瓦和50千瓦变压器各1台，0.5T／1T的中频感应电炉4台，250型台车式电阻炉2台，75／90型井式电阻炉2台，3000×280的热处理淬火平台2台，φ8×8～φ40×45旋转式铸锻机20台，金属模铸球生产系列2000副，1000×1600造型机2台，3.5米落球实验机1台，洛氏硬度机2台，洛氏维硬度机1台，碳流分析仪4台，冲击试验机1台，金相显微系统1组，磨料磨损试验机2台，3T行车2台，其他辅助生产及检测设备，加工设备完全能满足生产需求。2012年企业在职员工80人，其中管理人员15人，占职工总数的25%。普通员工65人，占职工总数的75%。2012年生产钢球71吨，产值2210万元，上缴税收25万元。2013年公司停产。

附：

扪摆铁具　摆金镇扪摆村是省内有名的铁匠村，历史悠久，全村一百多户人家，多时有三分之二人家从事打铁行业。主要加工生产镰刀、柴刀、铡刀、斧头、锄头、钉耙等农用铁具，有“摆金镰刀，一流纲火”之传说，产品曾远销湖南、广东等地。随着社会经济的发展，多数已增加电锤。2015年，有21户从事此行业。

第四节　造　纸

1978年，县内有省属造纸厂（惠水造纸厂）一家，位于惠水县城西，县办或社队办造纸厂主要集中在芦山、羊马、硐口3个村，以竹子为原料，生产土纸（草纸、毛边纸）。1980年，惠水造纸厂机制纸制造达1906.8吨，实现产值259.5万元；河口纸厂制造土纸99.6吨，实现产值6.26万元；农村社队办企业实现年产土纸488吨，产值达98.23万元。1983年全县造纸工业实现产值433.6万元，纸产量达2356.01吨。1985年，全县造纸企业实现总产值739.4万元，机制纸及纸板达到3099吨。1986年机制纸及纸板制造实现产值770.78万元，产量达4315.09吨。

1989年，县内芦山、羊马、硐口有个体户办纸厂73家，形成集群，有的还实现半机械化生产。到2000年后，陆续有民营资本投资建设小纸厂，主要生产瓦楞纸、箱板纸、卫生纸等。

由于市场及产品质量的原因，小作坊造纸逐步退出历史舞台，芦山、羊马、硐口三个村除个别自动化程度较高的土纸生产企业仍继续生产外，大部分作坊逐步停产。县2000年引进贵州省惠水县兴兴纸业有限公司。2002年，惠水县机制纸产量达4257吨，贵州省惠水县兴兴纸业有限公司实现产值607.4万元。

2006年，全县造纸工业总产值为1067万元，机制纸产量为6600吨。

2007年，引进的惠水县佳宇造纸厂，全县机制纸、纸板瓦楞纸箱产量9030吨。

2009年，引进贵州惠安纸业有限公司。全县造纸及纸制品实现产值4981万元，机制纸及纸板产量达12801吨，瓦楞纸箱产量达728吨。

2010年，全县造纸及纸制品实现产值10785.4万元，机制纸及纸板实现产量8834吨。2012年全县造纸及纸制品产量为11576万吨。2015年，县仅有造纸企业1家—贵州省惠水佳宇造纸厂，年造纸产量为1.02万吨。

企业简介

惠水造纸厂　是省轻工业厅1966年投资252万元建设，原称惠水纸板厂。1967年3月9日改名贵州省惠水造纸厂。1969年建成一个造纸车间，主要生产书写纸。1972年4月国家再投资548万元建成第二造纸车间，主要生产卷烟纸，1975年底竣工，1976年元月试机生产。截至1985年底，全厂总投资935.2万元，占地13.66公顷，房屋建筑面积34400平方米，其中生产用房面积19000平方米；主要生产设备有139台（套）；职工765人，其中固定工743人。建厂以来上缴税收408.6万元。1985年实现产值715.2万元，造纸3099吨。1997年企业停产，1998年车间先后有贵阳、广东、湖南、惠水私企承包，解决一部分下岗工人再就业问题。1999年，惠水纸厂向贵阳市职工基本生活保障和再就业工作领导小组办公室请求解决职工生活困难。贵阳市政府批复并按每个职工400余元下拨，除掉养老保险等费用外，实发给每人208元生活补助费。根据国发（2006）3号文件，2007年8月28日依法宣布破产。车间全部停产后，女职工45岁以上，男职工55岁以上提前退休，未退休人员按国家相关规定支付一次性经济补偿金一次性买断，一次性经济补偿金等于本人前12个月的平均工资（本人前12个月的平均工资低于企业前12个月平均工资的，取企业前12个月的平均工资）×在本业工作年限（不足1年按1年计算）。买断后养老保险、医疗保险等费用自行交纳。退休职工交由贵阳市劳动局企业离退人员托管中心管理事务工作。

惠水县佳宇造纸厂　企业是2007年惠水县通过招商引资由广西引进的造纸企业，企业位于好花红镇三都村，主要生产卫生纸、餐巾纸、拷贝纸、瓦楞纸、书写纸等，年设计产能1万吨。其主要生产原材料为竹浆且来源于广西和遵义等地。2015年产纸1.02万吨。

另县内民间造纸均系手工作坊，断杉镇青山村达架组唐氏制作的白纸工艺历史悠久。其主要造纸程序是：

收购原料（构皮）→原料下水浸泡→人工分料→小捆料过生石灰水缸→放入大毛料缸（第一次蒸煮）→大火蒸煮80小时→下水去灰→去黑皮（踩麻壳）→涮水→压榨水分→磋散→加地灰→捆扎→二次蒸煮→洗涤→分拣黄皮、小黑疙瘩、黑皮点→浸泡→压榨水分→舂碓→布袋装料洗涤→放2000张纸料进入纸槽→打生槽（不加桦药）→打药槽（半小时后加30斤桦药水）→试捞纸（3–5张，纸张出现破裂就加药，出现不均匀加水）→捞完料（每天大约可以捞2000–2500张）→压榨水分→搬入烘烤房→揭纸（一张一张地分开）→纸扇端纸→贴上纸背（温度35–40℃）→收纸（每40张一叠）→齐纸（裁齐分拣破烂，80张一叠）→捆扎。

制作好的白纸纸质坚韧洁白、细韧柔软、拉力强韧、极好的吸水吸湿性、透气性、无毒、环保、耐用、防腐防蛀、不易变色、久存不陈、保存年代久；用途非常广泛，一般多用于写书。

附：

芦山造纸博物馆

曾雁平

从惠水县城驱车往西南方向一小时，便可到达县境边陲古镇芦山。这里山清水秀，有许多古老而美丽的民间传说。而至今已有几百年历史的原始造纸工艺，更是名闻遐迩，多少年来一直吸引着众多的专家学者、画家、文人和游客。作为人类文明的一种原始文化，游人把它称为“博物馆”。这个属人文历史类的露天造纸博物馆，至今仍展现种种原始的文化产物、劳作工具，以及有关造纸人所信奉的种种仪式，令观赏者大饱眼福，并从中感悟到人类进程的悠悠岁月、缓缓流动的空间和绵绵不绝的生命源泉。

当你沿着芦山河岸到硐口、羊马一带，河流迂回百转，亲切而温情。满眼垂柳依依，鹅鸭戏水。一座古老而优雅的石孔桥静卧溪河两岸，水映小桥如画舫，真有几分江南水乡的韵味。过了石桥，一片开阔的坝子映入眼帘，那些高高低低、大大小小的草屋、平房错落有致。这便是造纸的牛拉碾房、水车碾房以及抄提纸浆的简陋作坊。房顶长满了无名的绿色植物和苔藓。造纸人家的院落里，有加工竹麻的木碓和立着或躺着的竹子。一些竹子已成了临时篱笆，无名花和藤蔓植物攀援其上。整个旷野上，数十个蒸煮竹麻的大窑星罗棋布，神秘而辉煌．古朴而雄健。有的已斑驳脱落而静静地沉睡，有的仍然蒸气腾腾。人们已无法考证它成为这种格局的年月，更不知它曾辉映过多少明月和烈日，但它的沉雄和静默，却是自己生命永存的注释。还有那些浸泡桦叶的土坑，浸漫竹麻的石灰坑，一切都显得苍老而原始。令人惊叹的是几百年来带动石轮碾碎竹麻的老水车，黑黑的，长满苔藓。它不知疲倦地执著和认真，一丝不变地顽强和坚定，吱吱呀呀，仿佛在诉说永恒的故事。人们不知它已转了多少圈，更不知它还将再转多少圈，缕缕情丝已被它带到了很久很久的年代。

人们都说好水在山里。这造纸的水就是从这溪河上游称之为“大龙洞”的阴河里流出的，清澈而透亮。先不说它经过的那些奇山异石给游人多少乐趣，就它流到这里被造纸人筑坝修渠后，分成多条渠流推动木轮，推动水车，漂洗竹麻，抄纸打浆，无一不给游人种种诱惑，思绪万千……

据考，这里造纸始于明末清初。清乾隆年间开始兴旺，造纸人家由3户发展到10来户。一家有七八个窑子，月产草纸300余斤。当时是人工用碓舂竹麻，极为原始。民国初年发展到近百户，人舂竹麻已发展为牛拉碾和水车碾。到40年代造纸更为兴旺，已有150多户人家造纸。常年生产用的窑子有300多个，抄纸的槽子已发展到180来个，牛拉碾和水车碾60多架，年用竹子300多万斤，年产草纸100多万斤。如今，草纸和钱纸仍畅销省内各地，但生产规模仅及过去的30%左右。

生产草纸的原料是糯竹、藤竹，配料是桦叶、石灰和水，造纸人往往统称“竹麻”。这种土纸吸水性很强，且非常洁净。正是这种“洁净”，大量的草纸做成钱纸焚化，或死人入殓时铺垫亡人之用。因而造纸人对这个洁净津津乐道，视为神圣。逢芦山、硐口赶场天，山民把竹子和桦叶扛到市场上，造纸人家便逐一收购。这些源于自然又回归自然的植物，被造纸人视为活脱脱的洁净的轮回。

桦叶是抄纸不可缺少的配料，对这种野生植物，造纸人由于一个神圣的传说而有一种神秘的认定。据说祖先造纸不成张，历经千辛万苦，每天都把造纸人急得汗流满面，口水直淌。有一天，口水正好滴在抄起的纸上，这抄纸人一下子便把纸分成张了。后来用桦叶泡水掺和，纸才能分出张来。据传这个方法是天上的王母娘娘教的。世世代代，造纸人一直记着一句民谣“先人抄纸不成张，王母娘娘送药方”。所以，造纸人家对老天爷和造纸先师顶礼膜拜，铭刻于心。

正是这样，每年的农历五月二十九日和十一月二十九日这两天，造纸人家都要在自家的堂屋里点燃香蜡纸烛，摆一桌菜饭，来供奉造纸先师蔡伦和纸钱先师邓通。他们确认这两个日子是先师的敬日。到底是先师的生日还是忌日，他们也说不清楚。其实历史上的邓通与造纸和造纸钱无关，但造纸人世世代代都这样认定，这样仿效，这样相传。过去，这两个日子举行的仪式非常隆重，杀大猪宰肥羊，烧香点烛，鸣放鞭炮，好不热闹。还成立“蔡伦会”。蔡伦会有集聚供奉先师的地点和日常抄纸经营的规矩。这个组织主要是男人参与，而每月的初一、十五、二十九这几日，家人便要沏三杯敬茶，点三炷香，两支烛．上三杯斋饭，供奉老天和王母娘娘。一家老小都行叩首礼，祈求老天爷给好天气和好雨水；好天气抄纸容易晒干，雨水足水车才旋转不停。

大年三十这一天，便是造纸人家敬神的日子，他们各自都要到窑子边上去，宰上一只土红色公鸡敬神，求窑神保佑他们抄纸顺当平安，兴旺发达。走进造纸人家，便可看到他们家的神龛装点得神圣肃穆，银台宝鼎光滑锃亮，神榜对联流光溢彩。这一切，造纸人家世代相传，辈辈如此，年年依旧。

这里的造纸工艺非常原始，一切都是人工。先用木碓把竹子逐一舂破，放到石灰浆里渗透，随即放到大窑里，烧大火蒸煮三十五日左右，拿到河里漂洗，再放到大窑里蒸煮10来天，又将竹子放到碾槽里以石轮碾碎，成沫状后，放在水槽里泡以清水，加适量的桦叶水，人工用脚踩出纸浆，便开始用竹帘子抄起，抄一次便是一张湿漉漉的纸。正是这样“抄”，造纸人把造纸称为“抄纸”。到一定数量后，将水榨掉，就一叠叠括起，搭在竹竿上晒干，纸就成了。若要做成纸钱，便用大切刀按纸钱尺寸切就，再打出钱眼和花纹即成。

这种原始的工艺一代传一代，没有什么变化。无论是骄阳似火，或是寒风刺骨，造纸人总是这样劳作。在夕阳余辉里，一对对妇女相互配合，手扶栏杆，脚踩木碓，将竹子一一舂破。那服饰，那目光，那劳作的姿势，以及自然界笼罩的色调，构成了动感的油画。在许多小院落里，女人手握一根锃亮的硬木圆棒，将草纸括起，一叠叠地晾在竹竿上；那灵活的手法和专注的神态，仿佛在诉说着什么。男人们的力气，是用在拖竹子漂洗，烧大窑，操大刀切纸的工序上。他们裸着胳膊劳动，雄健、放浪、自然，是何等的原汁原味的原始古朴。在河边，他们琅琅的话语四处飘散，使人联想到打鱼人那满江飘洒的渔歌。有一种与大自然水乳交融的感觉。

在槽子边，抄纸的男人们身着简朴的土布衣衫，从黎明到黄昏，无数次地弓身和立起。用竹帘子把纸浆一次次抄起。一人抄一个槽子。手、腕、膊及整个身子如此谐和，紧握的帘子同槽里漾动和掀起的纸浆情景交融，仿佛在舞蹈，而水的哗哗声更是一种永恒的伴奏。这舞蹈的刚健与柔和，洒脱与随意，质朴与从容，被抄纸的男人表现得淋漓尽致，完美无缺。于是在这仅能挡雨的作坊里，你会意识到人类的繁衍乃至文明的发展进程，是如此的艰辛和漫长，又是如此的顽强、美丽和扣人心弦。

在水车碾或牛拉碾的草屋里，往往是一老翁在迟缓地劳作。他随着石轮的碾动把些许碾不碎的竹片捡起，或料理碾槽里的竹麻，或不住地吆声喝牛。牛与老翁如此默契，好像牛已知晓造纸人对它的劳作注入了一种新的意义。当你看到碾房老翁那半裸的上身及瘦削的身躯和道道皱折，你感觉到眼前的石碾不是在碾碎竹麻，而是在刻记他一圈圈苍老的年轮和造纸人缓缓消逝的岁月。在这种氛围里，老牛与石碾、竹麻与老人，以及屋外的老水车，这一切所营造和蕴含的那种苍老、原始、自然、深沉，包容着人类无穷无尽的文化矿脉和许许多多永不消失的思想元素。

在科学文明发展的今天，造纸人这样原始地抄纸，是一种对大自然的认定和渴求，对日子和生命的理解和感悟，以及对原始文化的繁衍，已悄无声息地深植在他们生存的意识里。无论是竹子、桦叶、河流、石灰，还是每一种原始工具，诸如石碾、水车、牛、窑子、土坑、帘子、木碓、切刀，以及种种敬神的仪式和香烛、鞭炮、土红色公鸡，都与他们心心相印，生生不息。

几百年来，经历了改朝换代以及烽火绵延所带来的变迁，但这种原始的造纸仍保持着永恒的生命力。人们不得不感觉到这片空间，这种“与世隔绝”的神秘和深邃，感觉到原始文化的根深蒂固与沉淀和人同自然血乳交融所构成的无限磁场。

因而，如果你远离喧嚣繁华的城市，来到这片领地，这秀美的山峦，青青的竹林，苍劲的古树，叠翠的田垅，以及柔和的炊烟和悠悠的民谣，会使你久久着迷。人文的色彩扑面而来。而当你踏入这个生存在山里的露天造纸博物馆，一处处、一件件、一次次地观赏，你会产生对现代文化和传统文化的一种重新认定，对生命、岁月的重新认定，而且会被这种自然界的原始和人文色彩，大自然的芬芳所笼罩和渗透，产生一种走进大自然，拥有大自然的强烈感受。

（载于《涟江神韵》1999年贵州人民出版社出版）

第五节　电线电缆

2005年前，惠水县境内无电线电缆生产企业，2006年引进第一家电线电缆企业—贵州万盛矿用电缆有限公司，主要生产矿用电缆。

2007年，引进贵州惠水思宇电力实业有限公司，全县年产电缆4910千米。

2009年，引进贵州天虹志远电线电缆有限公司。全县实现年产电线电缆26994千米，总产值31692万元。

2010年，全县电线电缆实现产值36972万元。

2015年，全县三家电线电缆生产企业实现产值达125544万元。

企业简介

天虹电缆产品（2015年摄）

贵州万盛矿用电缆有限公司　始建于2006年，2007年2月正式投产，拥有固定资产4250万元，总占地面积18822.88平方米，公司员工160余人，各类专业技术人员20人，其中，高级工程师2人，工程师3人，助理工程师3人。有电缆生产线10余条，年生产电缆3500万米。主要产品有电力电缆、民用系列电线、架空绝缘电缆、铝绞线和钢芯铝绞线、煤矿用电缆、采煤机电缆、橡胶套电缆、电焊机电缆、硅橡胶电缆、控制电缆、通信电缆，以及其他特种电缆等30余种，广泛用于建筑、电力系统、电信、煤矿、石油化工、冶金、交通及城市的基础建设等领域。产品均取得国家强制性产品认证（CCC），国家煤矿安全质量认证（MA），生产经营许可证，并通过ISO9001-2000质量体系认证。2015年实现产值5.43亿元。

贵州惠水思宇电力实业有限公司　该企业是通过县政府招商引进总投资2000万元，2007年在惠水县长田工业园区建设，2008年建成投产。主要产品有圆线同心绞架空导线（铝绞线和钢芯铝绞线）、35千伏及以下电力电缆、10千伏及以下架空绝缘电缆、控制电缆、450/750千伏及以下聚氯乙烯绝缘电线电缆、阻燃电缆等10多个系列。2015年实现产值2.08亿元。

贵州天虹志远电线电缆有限公司　该企业于2009年5月成立位于惠水县濛江街道赤土村，是专业从事特种电线电缆生产的企业。是省内乃至西南地区专业生产规模最大的特种线缆生产企业。2015年实现产值5.03亿元。

第六节　机械制造

1978年，县内主要机械制造企业有险峰机床厂、永安电机厂、农机厂、通用机械厂。

1980年险峰机床厂实现年产值964.4万元，年产各类机床269台。永安电机厂实现年产值744.8万元，年产交流电动机27994台、发电机25台、变压器617台。惠水县农机厂生产饲料粉碎机14台，实现产值7.54万元，永安电机家属工厂（后改为“兴安电机厂”）生产的电机配件年产值为26.79万元。

1983年，县内机械工业企业有15家，年产值2094万元。险峰机床年产各类机床210台，永安电机年产交流电动机35969台、变压器838台，农机厂生产手压泵112台。

1985年，全县机械工业企业有14家，年产值达2749.9万元。机床产量262台、交流电动机14万千瓦、变压器6.45万千伏安。

90年代，县机械制造工业发展速度较缓，主要还是以险峰机床厂生产机床、永安电机生产电动机、发电机为主。

2004年，引进贵州欧亚特机械制造有限公司、贵州捷成电器制造有限公司入驻长田工业园区。其中贵州捷成电器制造有限公司生产的咖啡机电马达主要出口欧洲，是县较早的外贸企业，年总出口达到100万美元以上。

2005年，贵州黄金叶自动化烘烤有限公司（后更名为：贵州黄金叶实业有限公司），其与烟草部门合作生产的烟草烘烤设备在全省进行推广，后期业务扩展生产电烤炉、曲轴等产品。

2009年，引进贵州迪源机械制造有限公司，是年，永安电机厂完成改制，由贵州机电集团有限公司管理。2010年，引进的贵州惠波机械制造有限公司主要以万向联轴器为主，贵州致力穿山机械设备有限责任公司生产大型矿山设备，其产品出口东南亚地区。2011年，引进惠水恒瑞辰机械制造有限公司生产的造纸机具有国际领先水平。2012年，贵州贵电电气有限公司进入惠水，主要生产配电柜等电气设备。2013年，贵州科盛机械有限公司进入惠水长田园区龙泉项目区。2014年，引进贵州黔新汽车零配件制造科技有限公司，主要生产汽车零配件。同年引进中航旗下的贵州永红换热冷却技术有限公司，生产民用换热器等换热设备。

2015年，引进贵州惠水永兴机械有限公司、贵州朝睿科技有限公司。全县机械制造业企业达20家，包括在建的贵州永红换热冷却技术有限公司、贵州朝睿科技有限公司、贵州惠水永兴机械有限公司等3家企业。其中规模工业企业7家，实现规模产值14.10亿元，产品涵盖了大型矿山机械、大型生产设备、机床、电气设备及配件、汽车配件、曲轴轴承、烘烤设备、换热设备、军工等方面，机械制造业已成为县工业的主要产业。

惠水险峰机床有限公司 始建于1958年，是原机械工业部重点骨干企业，国内轧辊磨床、无心磨床等产品开发设计、生产制造最主要的专业厂家，全球五大数控轧辊磨床专业制造企业之一。企业拥有数控轧辊磨床等主导产品关键技术的知识产权，拥有轧辊磨床数控系统、智能进给系统等国家发明专利，其设计制造的数控轧辊磨床系列产品经部、省级鉴定，技术性能均达到国内领先水平，是国内替代同类进口产品的最好品牌。

企业主要产品有数控轧辊磨床、数控外圆磨床、数控无心磨床、无心磨床、辊锻机、汽车后桥外圆端面磨床等。险峰牌数控轧辊磨床在国内具有较高的知名度，形成了以数控轧辊磨床为代表的特色品牌产品和以无心磨床为代表的名牌产品，产品遍布全国各地，还远销欧、亚、非、美等十多个国家和地区。惠水险峰机床有限公司拥有各类主要生产设备350余台（套），有员工716人，其中工程技术人员90人。企业建立了完善的质量管理体系，通过了ISO9001：2000标准质量体系认证，拥有省级认定“企业技术中心”，先后承担过国家经贸委、机械工业部、贵州省和贵阳市的多项重大科技项目。新产品开发多次填补国内空白，取得了多项科技成果，获得了国家科技进步二等奖、机械部和贵州省科技进步一、二等奖，国家经贸委“九五”技术创新优秀新产品奖，科技部火炬优秀项目三等奖，贵州省优秀新产品特等奖系列重大科技成果。

三一重工挖掘机再制造中心开工典礼（2015年摄）

1995年通过ISO9001质量管理体系认证；2007年通过ISO10012测量管理体系认证；2007年险峰牌数控磨床荣获中国名牌产品称号；2012年获评贵州省高新技术企业。2015年企业有职工1000余人，包括各类专业技术管理人员200余人，具有高级职称的近50人，年产值在1亿元以上。

贵州黔新汽车零配件制造科技有限公司　是惠水县整合资源、盘活存量的典型代表。公司投资8600万元，整合光华泵业闲置厂房组建而成。2013年12月入驻惠水经济开发区以来，形成以注塑、喷涂、激光雕刻汽车零配件等产品为主的生产线，专为大众、长城、海马、现代等知名品牌汽车生产商提供内饰外观部件成品。该项目预计完成产值7000万元，税收700万元，解决就业120人。2015年公司实现产值2500余万元。

贵州永红换热冷却技术有限公司　是贵州永红航空机械有限责任公司旗下全资子公司，主要是航空冷却系统和民用热交换器的专业化生产企业，贵州永红航空机械有限责任公司于2014年1月与县政府签订投资合同，总投资1.8亿元在惠水长田工业园建设年销售收入2亿元散热器片生产项目，占地面积60亩，企业产品主要是运用于挖掘机、装载机、摊铺机、压路机、统刨机、起重机、混凝土搅拌设备、钻机、叉车等工程机械的各类冷却系统的散热片；此外，产品还广泛配套于农林机械、空压机、风力发电、铁路机车、医疗设备、特种车辆、石油化工等行业的各类冷却系统的运用。2015年项目在建中。

第七节　制　药

2002年前，惠水县境内无制药企业，制药以民间土方、苗医制药为主。

2003年县引进贵州博爱药业有限责任公司，这是惠水县通过招商引资引进的第一家制药企业入驻惠水长田园区。2009年引进贵州汇正制药有限责任公司。

2011年引进星州药业股份有限公司。

2012年，阿乐食品公司收购贵州博爱药业有限责任公司。

2013年贵州康琦药械有限公司在惠水县投资3000万元建设新生产基地。

2015年全县共有制药企业三家：贵州博爱药业有限责任公司、贵州汇正制药有限责任公司、星州药业股份有限公司，全年制药实现产值5.05亿元。

贵州汇正制药有限责任公司　2009年经招商引资签约入驻惠水县长田工业园区，2012年7月正式投产，总投资2000余万元，2012实现产值535万元。主要产品为抗宫炎软胶囊，肿节风软胶囊。生产工艺制备方法处于国内先进水平，并获国家专利。2015年实现产值1.57亿元。

星州药业股份有限公司　该企业前身为贵阳医学院制药有限公司，生产基地位于惠水县长田工业园区，主要有颗粒剂、片剂、胶囊剂、散剂四条生产线，2012年实现产值234万元，公司营销网络覆盖全国。2015年实现产值3.84亿元。

第八节　酿　造

1978年，县有贵州省惠水酒厂、惠水县小龙蜜饯厂、惠水县酱菜厂等县属国有企业及部分集体企业，惠水酒厂出品的涟江大曲酒深受广大消费者的青睐。1980年，惠水酒厂年产量达331.59吨，产值52.75万元。小龙蜜饯厂酿造的橘汁饮料达486.8吨。1983年，惠水县酒厂年产量达331.59吨，小龙蜜饯厂酿造的橘汁饮料为188吨，赤土、斗底农场酿造的白酒71.89吨。1985年，全县饮料酒产量为505吨，1986年为475.66吨。2002年，县饮料酒产量为4717.35吨，惠水酒厂及蜜饯厂分别实现产值84.5万元和8.5万元。2006年全县饮料酒产量7313吨，实现产值2820万元。

2009年后，惠水县永红食品有限公司购买惠水县酒厂所有产权，成立贵州永红酒业有限公司。县引进贵州百年原址酒业有限公司，2012年全县饮料酒产量达19万吨。2015年，全县饮料酒产值达4.49亿元，产量120万吨。

主要企业

贵州省惠水酒厂 惠水酒厂始建于1958年，酒类生产经验丰富，生产的“涟江”牌黑糯米酒系列自1978年问世以来，先后荣获“贵州省名酒”“首届中国中医药文化博览会‘神龙杯’铜奖”、美国洛杉矶国际酒类展评会“神女杯金奖”“中国国际抗衰老科学技术研讨会及抗衰老保健精品博览会金奖”“贵州省名牌产品”“贵州省著名商标”等20多项荣誉，赢得了广大经销商和消费者的青睐，产品畅销广东、浙江、海南、贵阳、重庆等省市。出口日本、泰国、新加坡、德国、美国等国家，黑糯米酒也是惠水乃至贵州的地方特色产品，在市场上有一定的知名度。

贵州永红酒业有限公司 位于“中国黑糯米之乡”惠水涟江河畔，占地面积2.38万平方米，注册资本400万元。公司前身为创建于1958年的贵州省惠水县酒厂，具有50多年黑糯米酒、白酒生产历史，1978年首创了黑糯米酿酒先河。2009年购买贵州省惠水县酒厂产权经营，公司主导产品为“涟江牌”惠水黑糯米酒系列，选用独产于“中国黑糯米之乡”贵州省惠水县海拔1500米高寒地区种植的稻中极品黑糯米（药米）为原料，取“清溪吐珠”名泉之水，纳传统配方及现代先进技术为一体精酿而成。具有酒色红亮、酸甜爽口、酒体协调、米香纯正、醇厚甘美之独特风格。2012年8月，“涟江”牌惠水黑糯米酒被国家质检总局批准为国家地理标志保护产品。2015年销售收入8400万元，税收840万元。

味莼园股份有限公司酱油晾晒场

贵州百年原址酒业有限公司 成立于2009年12月，位于惠水县长田工业园区（A区），建设资金680万元，一期工程占地80亩，投入资金1.2亿元，建设生产包装线4条，总体设计30000平方米，年产量约3000余吨。成功开发“笨人煮酒”系列、“百年原址”系列和“原址封坛”系列等品牌。2015年实现产值4.08亿元。

2015年，公司与贵州茅台集团签订战略合作协议，成立贵州茅台酒厂（集团）保健酒有限公司惠水分公司，为茅台集团加工大健康白酒、果酒及保健酒等产品，把公司打造成为茅台集团的白酒基地，加大了投资力度。贵州（茅台）百年原址酒业生产基地，二期工程

2015年5月破土动工，工程总投资2.8亿元，占地500余亩，打造万吨优质酱香酒基地。贵州茅台酒厂（集团）保健酒有限公司惠水分公司2015年销售收入150万元，税收47万元。

惠水县高原酒厂　1996年创办，生产黑糯米、白糯米酒、刺梨糯米酒系列产品，有厂房1500平方米，占地7165平方米，固定资产约1000万元。2015年公司产值900万元。

贵阳味莼园食品股份有限公司　前身是贵阳味莼园酱园，创建于1934年。在中国调味品生产行业名列前茅，居中国西部第一位，是贵州省省级农业产业化重点龙头企业之一。

2013年，公司为适应市场需求将企业生产基地整体搬迁至贵州惠水经济开发区，总投资4亿元，占地面积500亩，企业建筑总面积8万平方米。产品年设计能力为11.66万余吨，主要生产经营传统调味品酱油、食醋、酱类、腐乳、酱腌菜与辣椒制品等，于2014年9月建成投产。2015年公司实现销售收入2亿元，上缴税收0.2亿元。

第九节　包装印刷

1978年，惠水县的印刷企业仅有惠水县印刷厂，属于集体所有制，主要印刷学生作业本、练习册等。1980年产值28.72万元，印刷作业本198万本，1985年产值212.6万元。1985年后由退休职工承包，有生产工人28人。1989年，县内出现第一家个体印刷企业。

2003年，惠水规划建设长田工业园区，先后引进君山印务、外贸神彩包装、中洲塑业公司、赤金塑胶、嘉力印务等印刷企业，主要对食品、药品、水泥、服装等行业和产品包装配套。2008年，君山印务公司因经营不善倒闭。2012年，包装印刷产业规模以上企业有贵州外贸神彩包装有限公司、惠水县中洲塑业公司、贵州赤金塑胶有限公司、嘉力印务公司四家，全年包装印刷累计完成产值42234万元。2015年包装印刷累计完成产值96609万元。

包装印刷企业简介

贵州外贸神彩包装有限责任公司　成立于2002年10月，占地面积2.4万平方米，企业总投资3000万元，主要生产瓦楞纸箱、纸板，年生产能力3000万平方米。公司拥有一条五层瓦楞纸板生产线和与之相配套的三、四色印刷、开槽、压痕、模切专业生产瓦楞纸箱全套工装设备，具有年产1200万平方米瓦楞纸板的生产能力。公司已通过ISO9001：2000国际质量管理体系认证。2015年完成产值33056万元。

贵州嘉力印务有限公司　2010年，投资200万元在惠水经济开发区龙泉项目区建设成立，是一家专业从事印制手工、定额、电脑票据。2015年公司产值达2000万元以上。

贵州赤金塑胶有限公司　企业于2009年2月24日投资50万元在惠水经济开发区长田工业园区C区（桥洞村）投资建设成立，是一家从事塑料工业包装制品、汽车配件生产和销售的企业。年产700吨循环降解塑料包装制品，系列产品降解塑料手提袋、工业包装袋、农地膜、工业打包袋等。2015年完成产值14784万元。

惠水县中洲塑业有限公司　企业于2008年10月27日投资1000万元在惠水经济开发区长田工业园区C区投资建设成立，专业从事水泥编织袋及相关塑料制品的生产与销售。占地面积14700平方米，企业拥有国内最先进的自动圆织机、拉丝机、复合机多色彩印机等设备，采用国内先进的生产工艺和管理模式。主要客户有贵州豪龙水泥有限公司、都匀豪龙有限公司、安顺西秀山水泥有限公司、贵州汇瑞水泥有限公司、贵州超宇水泥有限责任公司、遵义江天水泥有限公司、梵净山金顶水泥有限公司等。2015年完成产值25533万元。

第十节　家　具

1978年，县内家具企业主要为社队办集体企业，有木器厂、竹器社、医疗器械厂，家具主要以木质、竹制为主。1980年木器厂生产木制家具2000余件，实现产值9.36万元，竹器社、摆金竹器社生产的竹器共3.79万件，实现产值4.51万元，医疗器械厂生产棕绷床架60件。1982年生产木制家具1643件，产值6.5万元，竹器社、摆金竹器社生产的竹器共5万件，实现产值4.8万元，1983木器厂年产家具1289件，产值5.1万元，医疗器械厂生产棕床垫3356床。1985年全县家具制造3245件，实现产值13.2万元。1986年全县家具产量7800件，主要以木家具为主。

20世纪八十年代后期至九十年代，随着经济快速发展，家具市场由受到个体经营和手工木匠的冲击，同时市场开放后外来家具进入本地市场，生产工艺落后的木器厂、竹器社逐步退出市场。2003年，县设立长田工业园区，通过招商引资，将家具规划纳入招商规划。至2015年先后引进卓思雅床具有限公司、贵州长田家具产业孵化园、广东家居博览园、福传万家床垫等企业。

主要企业

卓思雅床具有限公司　2011年4月进驻贵州惠水经济开发区，以租赁方式在思宇电力公司内进行生产经营，总投资300万元。2015年公司产值达500万元。

贵州长田家具产业孵化园　由贵州长田家具产业孵化园有限公司投资建设，2011年8月与惠水县人民政府签订投资合同，总投资15亿元，是贵州境内唯一一家家具产业孵化园，集开发、策划、行业指导于一体。

该项目建设含原材料供应区、生产区、产品展示区、交易区、酒店式公寓、职工公寓及办公区等，项目建设总期限6年，分为两期建设，每期投资7.5亿元，建设期限3年。2015年底，引进家具企业10户。

广东家居博览园　由贵州恒伟投资开发有限公司投资建设，2013年3月与惠水县人民政府签订投资合同，总投资10亿元，占地面积460亩。2015年项目平场建设中。

第十一节　食　品

1978年，全县有工业食品企业5家：惠水县小龙蜜饯厂、惠水县打米厂（粮油加工厂）、惠水县冷冻厂（肉联厂）、惠水县酱菜厂、惠水食品厂。小龙蜜饯厂生产的蜜饯、果脯在省内享有名气，其产值达100万元以上。1980年，五家县级食品企业实现产值273.11万元。1983年，全县共有食品工业企业有37户，实现产值634.2万元。1984年10月，永红食品厂成立，从事牛肉干加工生产，有职工6人。1985年，全县食品制造工业有39户，年产值487.6万元，实现工业增加值65.85万元；小龙蜜饯厂新增水果罐头产品，年产果脯蜜饯104吨，罐头8吨，永红食品厂实现产值25万多元，交税1.25万元，员工增加至29人。1986年，全县食品制造企业34户，村办食品加工企业48户，实现产值628.21万元。

2000年后，受到市场冲击，国有集体所有制企业因管理、市场等问题，造成亏损，惠水县小龙蜜饯厂、惠水县粮油加工厂、惠水县肉联厂、惠水县酱菜厂、惠水食品厂先后破产倒闭，民营食品企业逐步兴起。

2003年，引进贵州黔红食品有限公司，主要生产“黔红牌”辣椒酱系列产品。

2005年，全县食品制造企业实现产值10013万元。

2009年，全县食品加工企业实现产值29987万元。

2010年，惠水县食品加工企业实现产值53732.9万元，2011年全县食品加工企业实现产值77445.2万元。

2012年，全县食品加工企业实现产值105467.2万元，产值首次超10亿元。

2013年，永红食品公司转制为外资控股的中外合资企业，公司新董事会由国际知名投资基金云月投资和永红原有股东组成。

2015年，全县有食品企业25家，其中规模以上（年产值2000万元以上）食品企业6家，实现规模产值120801.6万元。

饮用水加工企业　2007年前县内饮用水生产企业多为小型桶装水灌装作坊，规模较小。2008年，好花红镇百鸟河村小寨冲新建成惠水县莹泉水厂。2010年后，先后有贵州一泉食品有限责任公司、惠水县七山雪源饮用水有限公司、贵州黔江山泉水厂、贵州古井水业有限公司、惠水县天龙龙井矿泉水有限公司、惠水县美华食品厂等企业建成投产，年产量均在20000吨以内，主要以生产桶装饮用水为主，无瓶装水生产企业。2015年全县共有桶装饮用水生产企业7家，有取水资质企业4家。

贵州永红食品有限公司　是集肉牛养殖、加工、销售、研发于一体的省内规模最大的牛肉干制品生产企业，通过ISO9001质量管理体系认证和HACCP食品安全管理体系等认证。创建于1984年。公司是农业产业化国家重点龙头企业，国家牛肉加工技术研发分中心，全国发展县域经济突出贡献乡镇企业，国家级、省级重合同守信用企业，贵州省知识产权试点单位，银行信用等级为AAA级。“牛头牌”牛肉系列产品和商标连续被评为“贵州省名牌产品”和“贵州省著名商标”。2010年，“牛头牌”商标被国家工商总局商标局认定为“中国驰名商标”。

公司产品有“牛头”牌牛肉干、牛肉松、牛肉脯系列、卤汁系列和“黔牛”牌香辣椒系列、“牛头”牌豆制品等6大系列、60多个品种、200多种规格，产品畅销全国25个省、区、直辖市，“牛头”牌产品为全国牛肉干行业知名品牌。2015年有员工1050人，资产2.2亿元，实现产值16778万元。

贵州阿乐食品有限公司　湖南绝味食品股份有限公司的子公司之一，2009年公司经县政府招商引资，2010年1月入驻惠水长田工业园区。占地面积9400平方米，建筑面积3500平方米。主要生产酱卤肉制品、豆制品、蔬菜素食类熟食及水产品加工。产品主要有绝味鸭脖、绝味鸭架、绝味鸭翅、绝味鸭掌等“绝味”系列休闲食品。2015年生产销售鸭卤制品5687吨，实现产值24454万元。

卢旺达爱国阵线总书记恩兰加贝（中）考察贵州永红食品公司（2005年摄）

贵州金晨农产品开发有限公司　2011年成立。主要经营优质红米、黑糯米、大米种植，粉条、粉丝加工生产、开发、销售，是贵州省农业产业化重点龙头企业、贵州省粮食行业协会放心粮油企业。公司种植及粗加工基地位于贵州省优质米产业园区的雅水镇。2014年在雅水镇建立2500亩红米种植基地，100亩良种繁育基地，12000亩的优质大米生产基地。公司2012

年新建加工厂房6000平方米和改建大米生产线1条，大米年产能力2000吨；米粉生产线2条，年生产能力2000吨；企业总资产达1365万元。2015年销售收入3500万元，税收118万元。

贵州省惠水县粮食购销公司 是经2006年6月产权制度改革后新组建的国有粮食生产加工销售企业，企业有2个精米加工厂，占地面积60275平方米，具有库点12个，仓房容量17132吨，其中有效容量11050吨，实现地槽、地上笼机械通风降温仓房容量10200吨。主要从事粮食生产、收购、销售、储备、加工、进出口等业务，年购销粮油近20000吨，年经营总量达10000吨（其中加工精米5000吨）。拥有日产50吨精米加工设备、色选设备、自动包装等先进机器设备二套，送货专车二辆。

公司1997年创建并注册的“雅晶”牌大米，2003年10月荣获“首届贵州名特优农产品展销会名牌农产品”称号、2004年12月获得QS证书；2005年9月被中国粮食协会评为“放心米”、2006年11月在湖南长沙举行的中国第五届优质稻米博览交易会上荣获中国优质稻米最高奖“金奖”、2007年11月获得“贵州省名牌农产品”称号；同年12月获得“州级重点龙头企业”称号；2009年获得农业部农产品质量安全中心颁发的“无公害农产品”证书等；2013年5月荣获贵州省粮食行业协会颁发的“放心粮油”称号。2014年12月成为贵州省粮食协会理事会员单位。

每年保管县级储备稻谷2000吨；2011年12月代储中央储备稻谷5000吨；定期为县武警中队、县消防中队提供优质大米，为贵阳军供站、龙里军供站代供军粮。每年为县民政完成救济（助）粮（大米）发放业务。

贵州博方民族药业开发有限公司 2002年1月成立，地址位于惠水县长田工业园区，占地34亩，建筑面积4060平方米。公司经营范围：药品、保健品的开发、研究；保健食品、食品、卫生用品的研发、生产、销售；农副产品收购及生姜种植、姜系列固体饮料、姜及其制品加工销售。公司中等医药专业人员占60%，中高级职称8人。

公司属于黔南州州级农业产业化龙头企业。拥有“姜楂速溶茶颗粒”“姜兰花胶囊”等15个产品生产批文。已获得“博方”“瑞嘉多福”“泡炮福”“开味乐”“立克佳”等商标，2015年实现产值2.79亿元。

贵州省惠水雅惠米业有限公司 贵州省惠水雅惠米业有限公司，2014年12月15日成立，注册资本为600万元。位于惠水县摆金镇马道村，主要从事大米、米粉加工、销售及农产品收购。2015年项目在建中，未投产。

第十二节　轻工业

1978年，轻工系统所辖集体企业有河口纸厂、鞋草厂、印刷厂、五金厂、缝纫厂、木螺钉厂、弹花厂、木器厂、上马陶瓷厂、竹器社、摆金缝纫社、摆金竹器社、宁旺陶瓷厂。

1980年，轻工系统工业总产值为306万元。

至1984年，县内轻工业产值仍为全县国民生产总值中的重要部分，提供的利税成为县级财政收入的重要支柱之一。

随着个体私营企业蓬勃发展，轻工集体企业产值在县内经济中的比重逐渐下降。到1991年，轻工系统集体工业产值占全县工业产的比重由1985年的34.18%下降到9.13%。

1992年，县轻工局为企业服务、抓扭亏增盈，招商引资联办钢球钢碳合金钢厂，指导螺钉厂新建圆钉生产线，办民族刺绣加工，整顿鞋革厂。

由于轻工集体企业存在管理体制不如私营企业灵活，计划经济模式影响，停薪留职造成人才外流；多数企业，积累不厚负担重，退休养老问题未妥善解决；设备老化，技术落后，资金匮乏，开发新产品力度不足等问题。到2006年仅有印刷厂、上马陶瓷厂、钢球钢碳合金钢厂生产运转。2007年后，县印刷厂和钢球钢碳合金钢厂相继停产，上马陶瓷厂由个人承包，县轻工总公司主要是为所属轻工系统员工办理社保统筹时查找档案、出具证明、协调轻工系统所属企业破产改制后资产的处置。

1986—2006年轻工系统部分年度产值统计表

表9-11　　单位：万元

年度	产值	年度	产值
1986	347.22	1999	604.5
1990	332.71	2000	650.7
1991	362.11	2001	294.3
1992	237	2002	194.4
1993	338.08	2003	211.9
1994	402.55	2004	302
1995	369	2005	260
1996	323.1	2006	94.4

企业简介

惠水县螺钉厂　前身为1958年成立的度量衡器厂，产品为木杆称，职工6人，年产2700余把，厂址在县城和平路。1973年购进生产木螺钉设备一套18台，次年生产出合格产品，省五金总公司包销。1975年产32万件，产值127700元，职工增至38人，厂址迁往县城南郊梨木坡（现景致新城内）后，1982、1983年省轻工厅投资30万元、州手工业局投资8.7元、贷款5万元，扩建厂房918平方米，增添设备4套42台件，成为全省唯一生产木螺的厂家。1985生产10600万件，产值539520元，时有职工68人。1991年产品销往外省3万余元贷款被骗，经派员追讨挽回大部分损失。1994年资产达225万元。至1998年达鼎盛时期，开发圆钉、自攻螺丝、铁丝、年产值250万元。后因市场需求下降，缺乏更新产品，渐次开工不足以致停产。2007年全厂变卖，按工龄分配给员工。全厂91人，参加社保统筹85人。

惠水县印刷厂　1956年合作化运动中建立的“混合社”中四个组（印刷组、钢笔修理组、手表修理组、自行车出租修理组）之一为其前身，厂址设在城关粮店院内，1961年迁到天主堂，现址和平镇长征路117号，占地面积2800平方米。印刷厂原主打石印，后改为活字铅印，印制作业本、练习簿、信笺等。1958～1961年曾承担惠水县委机关报《惠水旗报》印刷任务。到1985年为全盛时期，实有职工68人，退休10人，有机印、装订、排字和标语纸纸箱四个车间，年产值达21.26万元。1994年办理破产手续，经主管部门批准由厂退休职工联合承包，年产值18～21万元。

惠水县纸箱厂　1985年，县印刷厂的纸箱车间分家独立建厂，为其他企业制造包装纸箱，1997年停产。

惠水县鞋革合作工厂　1956年建立，1974年成立胶粘皮鞋试制小组，次年批量生产，注册“涟江牌”商标，增制流行的白边布鞋，生产童鞋，产品由贵阳市百货公司包销至省内外。1988年有职工139人，产值90多万元。2001年倒闭。

惠水县宁旺陶瓷厂 宁旺烧制陶瓷制品历史悠久，1956年组建宁旺陶瓷手工业生产合作社，有工人76人。1958年改称宁旺陶瓷厂。1972年有职工65人，产品9万多件，时任厂长滕九华曾被评为省级劳模。2002年解散。

惠水县上马陶瓷厂 1958年11月，宁旺陶瓷合作社搬迁部分人员、设备到大坝乡三合村今址建厂，名为上马陶瓷合作工厂，用地经县工业指挥部会同惠明公社岩头管区、三合大队和陶瓷厂领导共同划定。1959年下半年曾一度转为地方国营，并把惠水纺织厂、针织厂都拼入，工人从一百多人增至三百多人。1960年政策调整，工人大部回农村。1972年开始生产碗、瓷珠、瓷夹。1977年新建砖瓦车间。八十年代放任工人独立经营。现原职工25人有22人参保。

惠水县纸制品合作社 即惠水造纸厂家属印刷厂，建立于1979年2月，与纸厂的关系是以厂带社协作关系，招收的工人都是纸厂家属组在厂做工近十年的人员。主要从事印刷和纸制品加工。由于以成本价向纸厂进原料，价格合理，加上产品质量好，受到用户好评，效益亦佳。1988年产值18万元。1996年制品合作社自行倒闭。

惠水县缝纫厂 始建于1954年，厂址圆台边。1958年曾一度转为地方国营。七十年代产值曾达百万元高峰。1985年缝纫厂分为服装一厂、二厂两个独立核算单位，1988年又合并恢复为县缝纫厂。1989年停产，处理厂房、资产安置员工，现大部人员已纳入社会养老保险统筹。

惠水县轻工供销公司 1969年建立，主要为销售本系统企业的产品，共有18人。1978年轻工局楼房拆除另建，在无营业场所期间采取出摊销售的办法维持运转。1981年新楼落成，公司分到五个门面、两套房作门市部、办公室和批发部，扩大经营范围，与贵阳、安顺等一些厂家联营、代销，改善服务态度，受到顾客好评。2008年4月职工大会决议处理公司资产来归还贷款、清偿债务、解决职工养老保险。员工14人有13人参保。

附：

华世钟表店，开办于1949年前，名为“真善美钟表家电修理部”，为惠水县第一家钟表修理店。1956年加入公司合营，进入惠水县混合社，名为钟表修理组，惠水县混合社后改名惠水县五金厂，钟表修理组改名为钟表修理车间。1989年转入惠水县糖业烟酒公司，更名为“惠水县糖业烟酒公司钟表店”。2002年与公司剥离，改为个体，更名为“华世钟表店”至今。修理十五天挂钟、三十天大型座钟、机械闹钟等钟类；英纳格、瓦时针、梅花、双狮、欧米茄、劳力士、精工、西铁城、卡西欧等国外手表以及国内生产的各种手表。

第十三节　烟花爆竹

1978年到80年代中期，县内主要以社队集体办作坊土法制爆竹，自制炸药和爆竹筒。80年代后期到90年代末，主要以民间个人手工作坊生产制造烟花爆竹为主，生产的爆竹响声大、威力较大，安全系数低。2000年后，县对鞭炮生产手工作坊进行整治，手工鞭炮逐步退出市场；民办烟花爆竹企业先后建立，知名的有大坝烟花爆竹厂、惠水县垒鑫烟花爆竹厂。烟花爆竹销售早期以供销社为主，后民营烟花爆竹销售公司逐步成立，2008年成立惠水县冠祥烟花爆竹销售有限责任公司，2011年成立惠水县应诚烟花爆竹销售有限公司，2014年成立惠水县宁旺烟花爆竹销售有限公司和贵州紫晶烟花爆竹进出口销售有限公司，2014年县烟花爆竹企业组建惠水县烟花爆竹行业协会，为全县烟花爆竹行业发展提供服务。

2012年，启动建设贵州宁旺烟花爆竹产业园，规划面积2.6万亩，是国家安监总局选定的两个烟花爆竹生产基地之一，也是贵州省唯一的烟花爆竹产业园区。

2015年园区共引进企业36户，其中烟花爆竹企业24户，配套企业12户；烟花爆竹企业落地建设16户，配套企业落地建设10户（6户建成），企业建设总投资完成18.5亿元，形成固定资产13.7亿元。其中年产1500吨黑火药的贵华发射药有限公司通过省级验收，专门成立的运输公司已能满足园区运输需求。

企业简介：

贵州蓝月烟花爆竹有限公司 坐落于惠水县宁旺乡烟花产业园区龙泉村摆祥组，建于2013年6月，投资总额3000万元，厂区占地面积346亩，工房共计138栋，面积15000平方米，道路硬化工程25800米。烟花生产线、鞭炮生产线区域水泥路已建成，生产车间、各类中转库房、办公楼、职工宿舍及食堂、浴室及其他附属设施建设工程已完工，2014年验收完毕并取得相关证件。该厂生产的大型盆花、罗马烛光、舞台焰火、玩具烟花等系列产品销往全省各地，并可根据客户不同需求提供规格齐全种类繁多的中、低空地面礼花以及架子烟花。公司实力雄厚，拥有20余名经过专业培训技术精湛的燃放人员，并配有满足各种焰火燃放需求的燃放设备等，2015年公司开始生产，是年市场产值1800万元。

贵州宁旺金辉烟花爆竹厂 建于2013年，位于宁旺烟花爆竹产业园龙田村，占地面积600多亩，建筑面积15000多平方米，有工厂库房160多栋，生产环境优雅，安全设施齐全，机械化程度高，是贵州宁旺烟花爆竹产业园第一家投产企业，主要生产爆竹类、土珠类、喷花类、组合烟花和内筒型小礼花类五大烟花爆竹产品。2015年公司项目在建中，未正式生产。

第七章 贵州惠水经济开发区建设

第一节 机构设置及规划

2003年，惠水县提出“融入贵阳经济圈、建设贵阳卫星城”和建设“工业强县”的战略构想，利用惠水县长田乡毗邻贵阳的区位优势，作出打造企业载体、建立工业园区的决策。

是年，长田工业园区获黔南州人民政府批准建立。园区位于长田乡和高镇镇，总规划面积为53平方千米的区域，属于州、县两级政府共建、由惠水县人民政府直管。

2011年8月，惠水县长田工业园区管理委员会设置为由县人民政府管理的副县级事业单位，内设办公室、产业发展局、招商引资局、规划建设局、综合协调局（社会治安综合治理办公室）5个正科级机构。人员核定事业编制30名，工勤编制5名，由财政全额预算管理。管委会设主任1名（由县长兼任）、分管副县长或一名副县级领导兼任第一副主任，设常务副主任1名（副县级），副主任2名（正科级）。便于事务性协调配合，园区范围内街道办事处、乡镇的党委书记或主任兼任园区副主任（不占职数）。内设机构设正副局长（主任）10名。

2012年7月，长田园区申报成立贵州惠水省级经济开发区，7月16日，省政府下发批复（黔府函〔2012〕140号）同意设立贵州惠水省级经济开发区。

2014年3月，县结合行政区划调整，探索园区与街道办事处合一发展模式。设立贵州惠水经济开发区，加挂惠水县长田工业园区牌子，为中共惠水县委、惠水县人民政府派出正县级机构，与濛江街道办事处合署办公，实行“三块牌子、一套人员”管理模式、领导班子交叉任职。总规划面积83平方千米。

贵州惠水经济开发区管委会下设8个正科级内设机构（办公室、党群工作局、纪检监察室、政法综治局、经济发展局、财政审计局、规划建设局、安全生产管理局），7个正科级事业单位（招商引资局、社会事务管理局、征收安置工作局、公用事业管理局、项目服务中心、科学技术服务中心、人力资源服务中心）。

园区设党工委书记1名（由县委书记兼任）、党工委副书记2名（1名任管委会常务副主任、兼任濛江街道党工委书记，设专职副书记1名），纪工委书记1名，设管委会主任1名（由县人民政府县长兼任）、副主任4名（副县级，其中1名兼任濛江街道办事处主任），主任助理4名，各内设机构设局长（主任）各1名（共8名）、副局长（副主任）各2名（共16名），所需人员编制在濛江街道行政编制总量内调剂解决。核定工勤编制5名。由财政全额预算管理。核定贵州惠水经济开发区管理委员会所属事业单位事业编制共80名，由财政全额预算管理。

第二节　园区建设

园区建设分为起步、建设、发展3个阶段：

1、起步阶段（2003—2008年）

2003年，国家实施西部大开发战略。县抢抓承接中东部和贵阳“退二进三”产业转移机遇，在传统农业大县的基础上提出了“工业强县”的发展构想，发挥长田乡毗邻贵阳的区位优势，以101省道为轴，沿公路两侧向外各延伸1000米，规划为工业园区区域。

是年9月，制订《惠水长田工业园区控制性详细规划》，将长田工业园区分为A区（医药、食品包装工业区）、B区（高耗能制造工业区）、C区（休闲、娱乐生活区），初期规划建设面积14.8平方千米。2004年初，惠水县长田工业园区获黔南州人民政府批准成立，实现州县两级政府共建，成为与龙里谷脚、独山麻尾齐名的3个州县共建园区之一。贵医、博爱、博方三家药业企业GMP异地技改项目和长安电机、恒兴特种铸造项目率先落户园区，总投资近2亿元。

其间，国家对全国各类园区进行清理，为符合国家对园区建设的相关政策要求，长田工业园区园区曾更名为“惠水长田工业集中建设区域”“惠水县长田工业经济带”。

园区起步阶段，累计投入基础设施资金5000余万元，相继建成一批水、电、路、通信基站和通信光缆工程等重大基础设施配套工程：完成日供水7000吨水厂2座和长田110千伏变电站建设，完成各工业小区进区公路建设5千

米。先后入驻企业56家，签约资金近21亿元，固定资产投资累计完成近10亿元。园区主要承接重庆、浙江、广东等沿海发达城市和贵阳周边地区的产业转移，逐渐形成以医药食品加工、汽车零部件、机械制造三大支柱产业的聚集区，“边规划、边建设、边招商”的“三边”建设方针取得明显成效。2008年，随着贵州豪龙水泥有限公司年产100万吨水泥生产线及贵州天虹致远有限公司年产100万米高低压电线电缆生产线的开工建设，园区发展实现了质的飞跃，为建设全省一流工业园区奠定基础。

2、建设阶段（2009—2011年）

2009年，省经信委将园区命名为“贵州长田中小企业成长示范基地”，并与黔南州政府、惠水县政府合力共建，由省经信委牵头组织编制了园区产业发展总体规划，按“一园四区”进行布局和产业定位，分为长田区、大坝区、大龙区、七里冲区、永红工业园五个区域，产业定位为食药品加工、装备制造、新型建材、精细化工、包装印刷五产业，规划面积56平方千米。2010年5月，贵州省委书记栗战书到长田工业园区调研，对长田工业园区建设给予充分肯定。

在基础设施配套上，探索“政府主导、业主开发、政企共建、项目先行”模式，引进贵州雨田博文房地产开发公司、中建集团等一批重量级企业完善园区水、电、路、工业用地等基础设施建设，提升园区配套设施支撑能力。

在工业引进项目上，改变以往产业“混居”发展模式，对入驻项目进行合理分布、分区安置，统一管理，构建相互促进、协调发展的产业体系，扩大产业集聚效应。改进招商引资工作方式，在产业政策范围对洽谈项目进行必要选择，由原来的招商引资向招商选资转变、粗放型招商向集约型招商转变、单个项目招商向集团化招商转变。先后引进总投资13.6亿元的泰安水泥公司水泥生产线建设项目和贵桥物流园、家具产业孵化园等一批重大项目，促进园区产业向规模化、集团化发展，提高市场竞争力，为园区转型发展提速。

在工业用地上，针对园区工业用地不足问题，结合园区境内低丘缓坡地形地貌特点，创新实施“推山填沟、向山要地”工程，规划龙泉、新庄、明田、长田小城镇项目区，采取政府投资、BT和招商引资合作等方式，规划开发工业用地3万亩，盘活闲置的荒山荒坡资源，提高土地综合利用效益，弥补园区土地紧缺等诸多问题。2011下半年，启动“向山要地”工程5000亩，连片开发完成2300亩。

在企业服务上，创新招商、对接、落地、投资建设“一条龙”服务，实行“一企一策”精细化全程服务和一个项目、一名领导、一个方案、一套举措、一抓到底、一律问责“六个一”项目推进落实机制，强化服务水平，提高服务质量。实施警务下沉、治安防控、纠纷调处、情报信息、人口管理、法律服务、应急处突、安全生产、基层党建、文化建设“十进园区”，构建亲商、安商的和谐园区，护航企业加速发展。

2011年，园区入驻企业达114家，其中，投产企业68家、在建企业46家，产业定位为食药品加工、精

向山要地施工现场（2011年摄）

细化工、新型建材、包装印刷、装备制造、家具物流6大产业。全年实现工业产值47亿元，税收1.8亿元。

3、发展阶段（2012年后）

国家新一轮西部大开发启动后，黔中经济区被列为国家主体功能区规划的18个重点开发区域和12个重点经济区之一。

2012年7月，省政府批准贵州惠水经济开发区为省级经济开发区，经开区按照省、州工业发展要求，深入实施工业化带动战略，以园区建设为载体、以项目推动为抓手、以转型升级为引领、以保护生态为底线，全力加快工业发展。以“突出重点，科学规划，合理布局、产业集群”的规划原则科学布局，完成长田园区、经开区总规划、产业发展规划等编制工作，引导园区产业由“赶”向“转”、由“量”向“质”迈进，从根本上逐步改变惠水产业园区“小、散、弱”的局面。按照龙头企业—产业链—产业集群—产业基地—一条龙发展的思路，进一步优化区域功能、产业布局。截至2015年，经开区累计入驻企业235家，投产132家，规模以上企业73家，在建及征地78家。形成以险峰机床、中航永红等企业为代表的机电装备制造产业；以西南水泥、腾龙商混（商品混凝土）等企业为代表的新型建材产业；以味莼园、王老吉、可口可乐等企业为代表的食药品加工产业；以金田包装产业园、外贸神彩、嘉力印务等企业为代表的包装印刷产业；以星长征文化旅游产业园、温泉城等企业为代表的现代服务产业；以川东集团、巨能化工、德力钙业等企业为代表的精细化工产业。

表9-12

2015年贵州惠水经济开发区重点项目一览表

企业名称	总投资（万元）	主要产品	行业类别
贵州汇正制药有限责任公司	5980	药品	食药品
贵州省永红食品有限公司	7400	牛肉干、黑糯米酒	食品
贵州省惠水川东化工有限公司	5616	磷	精细化工
贵州精钻高合金材料有限责任公司	4750	异型钢	装备制造
贵州黔红食品有限公司	1608	瓶装油辣椒	食品
贵州豪龙水泥建材有限公司	32000	干法水泥	建材
贵州巨能化工有限公司	5700	精细化工乳化剂	精细化工
贵州长龙金属加工有限公司	7000	铝合金	精细化工
贵州西电龙腾铁合金有限公司惠水公司	5000	铁合金	精细化工
惠水县中洲塑业有限公司	2000	塑料包装	包装印刷

续表9-12

企业名称	总投资（万元）	主要产品	行业类别
贵州振宏成套柜体有限公司	2500	各式柜体	装备制造
贵州赤金塑胶有限公司	1600	塑胶印务	包装印刷
惠水县腾飞建材有限责任公司	5200	钢丝、拉丝	建材
贵州外贸神采包装有限责任公司	7000	精品包装纸箱	包装印刷
星州药业股份有限公司	10000	颗粒药品	食药品
贵州捷成电器制造有限公司	8000	微型电机	装备制造
贵州博方民族药业开发有限公司	5000	中药保健品	食药品
贵州省惠水县德力钙业有限公司	6500	轻质碳酸钙	建材
贵州惠水西南水泥有限公司	136000	水泥	建材
贵州神康原生态食品有限公司	600	保健品	食品
贵州阿乐食品有限公司	500	休闲食品	食品
贵州永昊热能设备制造有限公司	6000	市政设备	装备制造
贵州黄金叶实业有限公司	1200	自动化烘烤设备	装备制造
贵州天虹志远电线电缆有限公司	15000	电线电缆	装备制造
贵州万盛矿用电缆有限公司	13000	矿用电缆	装备制造
贵州致力穿山机械设备有限责任公司	15000	挖渣机	装备制造
惠水财达钢结构有限公司	8000	高速公路建材	建材
惠水县坤和建材有限公司	8000	预制构件	建材
贵州惠水人春钢结构工程有限公司	25000	钢结构	建材
贵州百年原址酒业有限公司	15000	优质酱香白酒	食品
贵州省惠水腾龙新型建材有限公司	8400	商品混凝土、沙石	建材
贵州聚鑫塑料有限公司	5980	UPVC管材	建材
贵州楚智建材科技有限公司	5000	水泥助磨剂	建材
贵州卡布国际卫生用品有限公司	30000	婴儿护理用品	轻工
贵州金晨农产品开发有限公司	10000	有机农特产品	食品
贵州惠水金石源建材发展有限公司	16000	市政设施	建材
惠水县明文轩建材有限公司	9000	砂石生产	建材
贵州华森科技实业有限公司	30000	玻璃	建材
贵州科盛机械有限公司	15000	农用机械	装备制造
贵州黔新汽车零配件制造科技有限公司	15000	汽车零配件	装备制造
贵州耐尔福顺成建材有限公司	10000	保温节能防腐材料	建材

续表9-12

企业名称	总投资（万元）	主要产品	行业类别
惠水县宏泰矿业有限公司	5000	建材	建材
贵州汇通海绵制品有限公司	5060	海绵	轻工
贵阳味莼园食品股份有限公司	40000	调味品	食品
贵州华创钢筋焊网有限公司	5000	钢筋	装备制造
贵州惠水黔灵猴食品有限公司	4860	咖啡糖、维C100	食品
惠水县山河永清预制构件有限责任公司	8000	水泥制品	建材
贵州航火电器有限公司	9500	电炉暖	装备制造
贵州恒源远东液压系统技术有限公司	6200	滤清器及散热器	装备制造
贵州千滋食品有限公司	5600	速冻调理食品	食品
贵州圣元防水材料有限公司	7000	防水材料	建材
贵州和元管道有限公司	8000	PVC管材	建材
贵州九易模型设计有限公司	6500	模型	装备制造
贵州贵波玻璃有限公司	15000	玻璃	建材
贵州省潮映大健康饮料有限公司	60000	饮料	食品
贵州合祥饮料有限公司	15000	纯净水	食品
贵州文峰温泉旅游有限责任公司	50000	休闲养生	现代服务
贵州厚城精密仪器科技有限公司	12000	军用铝合金材料	装备制造
贵州嘉龙机械设备有限公司	12000	装载机再制造	装备制造
贵州通程兄弟工程机械有限公司	18000	挖掘机再制造	装备制造
贵州永红航空机械有限责任公司	18000	飞机散热器片	装备制造
贵州桂福祥建材有限公司	8000	加气砖	建材
贵州吉祥建材有限公司	10000	铝制装饰板	建材
贵州长田家具产业孵化园有限公司	75000	成套家具生产	建材
贵州金田新材料科技有限公司	56000	聚丙烯薄膜	建材
贵州恒伟投资开发有限公司	25000	水晶灯饰	建材
贵州省惠水县逢源贸易有限公司	6000	物流配送	物流
贵阳韵必达快运有限公司	5000	物流配送	物流
贵州天惠危险化学品物资有限公司	25000	烟花爆竹原材料	化工
贵州博大西亚机械有限公司	5000	汽车零部件、农机	装备制造
葛洲坝易普力股份有限公司惠水分公司	8000	混装乳化炸药	化工
贵州省诚诚农产品开发有限公司	15000	农特产品加工	食品

第三节 重点企业

贵州豪龙水泥有限公司 日产3200吨熟料水泥生产线，公司2006年落户长田工业园区，占地面积188亩，总投资3.1亿元，2007年12月建成投产。公司为黔南州最大水泥生产企业之一，主要从事通用硅酸盐P·O42.5、P·C32.5水泥的生产、销售和石灰石开采，年生产能力100余万吨，销售产值3亿余元，上缴税收近2000万元。公司生产实行中央集散控制系统管理，检测和监视设备均从国外进口，具有设计新颖、布局紧凑、占地面积少等优点，集环保、节能、稳产为一体，所生产的“豪龙”牌水泥以其早期强度高、后期强度稳定、富裕标号大、碱含量低、颜色青纯、和易性流动性好等优点，通过产品质量论证、ISO9001质量体系认证、ISO14001环境管理体系认证、建材环保体系认证、职业健康安全管理体系认证，是公路、铁路、隧道、大型桥梁、高层建筑、水电水利工程的首选产品。为实现可持续发展战略，公司于2009年初投资6000万元建设纯低温余热电站项目已建成投入试运行，充分利用水泥生产线窑头熟料冷却机及窑尾预热器废气余热进行发电，将多余热能通过技术手段转化为电能，进而达到节能降耗、资源合理利用的目的。电站建成正常运转后平均发电功率5050千瓦，年发电量可实现3636×104千瓦时。公司干部职工稳定在500人以上，其中，高、中级工程师和技术员35人以上。

贵州华创中小企业创业基地 为县政府招商引资项目。2010年底签约入驻惠水县长田工业园区，占地面积150亩，总投资8000万元。华创中小企业创业基地的服务对象以中小企业为主，市场对象是承接发达地区和省会城市贵阳的产业转移，扶持返乡农民工实现“小老板”的创业梦创业园，是实现中小企业产业聚集、上下游产品相互衔接的创业基地。通过建设标准厂房以出租或出售的方式安排中、小企业入驻，减少中小企业在建设前期工作上的投入，加快入园项目落地建设、投产、达产速度。项目总建筑面积达10万平方米，分两期实施，第一期完成标准厂房3万平方米，其他配套设施1000平方米及道路建设；第二期完成标准厂房7万平方米，生活设施1000平方米，并完善基地内水、电、路、绿化、通信、路灯等配套设施建设。同时，采取市场化运作，将基地建设成为一个产业集聚度高、主导产业突出、产业配套齐全、生活设施完善的中小企业创业示范基地。第一期工程已建成钢结构标准化厂房3万平方米，在建3万平方米，完善基地内水、电、路等配套设施，已成功引进众力塑包、华创焊网、平川塑钢、泰兴钢构等9家企业入驻，2015年，众力塑包、华创焊网、丽晶钢化、平川塑钢、泰兴钢构、星辰家居等6家已完成设备安装试产，其余正在办理入驻手续和设备安装中。第一、二期工程全部建成投入使用，可安置中、小企业20至40家，年可实现工业产值10亿元以上，上缴税收1000万元以上，解决就业400人以上。

贵州巨能化工有限公司 为贵州久联集团贵阳久联化工有限责任公司控股子公司。2009年入驻惠水县长田工业园区，占地面积20亩，总投资2000万元。为一家致力于炸药辅料添加剂和精细化工产品研制、生产及销售的企业，主要有乳化剂SP-80、高分子乳化剂、高效改性剂、复合油相、膨化剂、复合乳化剂等6大系列30多个产品。年实现工业产值2000余万元，上缴税收200余万元。2015年，实现产值2000余万元。

星州药业股份有限公司 其前身为贵阳医学院制药有限公司，2011年整合“星群”商标品牌和营销网络等优势资源将公司改制为股份公司，注册资本5000万元。生产基地位于长田工业园区，营销中心位于广州市白云大道北双飞人大厦。“星群”商标于1958年8月1日注册，为广东省最老的中成药品牌，“星群”商标一直由广东省医药保健品进出口公司持有，2011年，“星群”商标作为知识产权入股星州药业股份有限公司。已建成颗粒剂、片剂、胶囊剂、散剂四条生产线，拥有29个药品生产批文，公司营销网络覆盖全国，其中华南地区市场精耕细作。公司注重渠道激励和终端推广，有200余人的分销和终端推广人员。2015年，公司产值38376万元，有员工25人。

贵州振宏成套柜体有限公司 位于长田工业园区，占地面积20亩，总投资3000万元，于2012年6月建成投产。是一家专门从事GGD柜体和GCK柜体及中置柜柜体生产的企业，是省内唯一一家以工业电气为主导，集研发、制造、贸易、服务等功能于一体，涉及多个领域的企业。公司先后投资购进了数控转塔冲床、数控折弯机、数控剪板等具有国内领先水平的生产设备，以及一流的现代化型材生产线。具有先进的生产、检验、试验设备及雄厚的技术力量，已建成一条年产3000台GGD柜体和1000台GCK柜体及800台中置柜柜体生产线。其产品主要有高低压电气成套柜体（中置柜、GGD、GCS、GCK、MNS等）、高压真空断路器、SF6负荷开关、高低压电极元件、电工型钢、网络通信板柜体等产品。2015年，公司产值11280万元，有员工60人。

惠水县中洲塑业有限公司 2008年入驻长田工业园区，由浙江客商筹资兴建，占地面积20亩，总投资5000万元，于是年底建成投产。主要从事水泥编织袋及相关塑料制品的生产和销售，是贵州豪龙水泥有限公司配套企业。引进国内最先进的自动圆织机、拉丝机、复合机、多色彩印机等设备，采用国内先进的生产工艺和管理模式，技术力量雄厚，职工素质优良，以优质的产品、优惠的价格赢得客户的信赖。公司建有三条现代化编织袋生产线，主要给浙江豪龙、江西豪龙；南京西普、中国建筑材料集团下属贵州福泉利森水泥、贵州黔西西南水泥、贵州织金西南水泥；法国拉法基水泥下属遵义新浦水泥等企业提供水泥编织袋。

贵州燃气（集团）惠水县燃气有限公司 2011年签约入驻长田工业园区，占面积30亩，总投资4.5亿元，是惠水唯一一家专业从事城市燃气工程设计、施工、监理、配套工程及运营管理的燃气项目。项目建设内容包括天然气综合站、天然气汽车加气站、青岩—长田—惠水城际天然气支线、中高压高压站、惠水城区、高镇镇及工业园区中压管网、区域燃气管网、庭院燃气设施等。供气范围包括县城和工业园区，2013年全面建成，到2020年发展居民用户5.5万户，气化人口18万人，气化率85%，年销售天然气4000万立方米，替代燃煤11.4万吨，减少二氧化碳排放量0.5万吨，减少烟尘0.9万吨。项目建成后年可实现工业产值1亿元，税收200万元，解决就业100人以上。2015年公司员工52人；有贵阳–惠水城际燃气管线1条，初步完成惠水县城区城市燃气管网，发展居民燃气用户2423户；非居民燃气用户39户，销售天然气1063400.47立方米，实现工业产值8697483.85元，税收40万元，解决就业52人。

贵州天惠危险化学品有限公司 2011年签约入驻惠水县长田工业园区，占地面积约550亩，总投资5000万元。公司是贵州省具有烟花爆竹原材料、危险化学品、剧毒化学品、危险化学品公路运输经营资质的企业，是西南地区唯一一家具备危险化学品、剧毒化学品进出口贸易、运输资质的企业。为贯彻执行国务院591号令所提出的“对危险化学品实行专门储存、统一配送、集中销售”的管理要求，便于国家对高危行业实施有效监控；为贵州省危险化学品储存、配送和交易，建设全新的、专业的交易平台，2012年底，县政府向贵州省安全监督管理局提出建立全省危险化学品、剧毒化学品的储存、运输和交易中心的申请，2013年1月获批同意建立，将天惠公司危险化学品储存基地定点为全省危险化学品、剧毒化学品的储存、运输和交易中心。该中心项目建筑面积6万平方米（有仓储设施、交易中心、展示中心、培训中心、办公大楼、职工宿舍、专家实验楼及相关的附属设施），集仓储、信息、交易、运输、实验、培训为一体，截至2015年，是西南最大、最规范的危险化学品、剧毒化学品储存、运输和交易中心及危化行业的培训中心。

第十篇　交通　运输　邮政　通信

第一章　交通运输管理

第一节　机　构

一、县交通运输局

1978年，由县工业交通局负责县交通工作。1982年10月，撤销县工业交通局建立县交通局。

2011年，县交通局职能与县建设局指导和管理城市客运职责整合，组建惠水县交通运输局（含备战支前运输工作）。

2015年，设立惠水县地方海事处、惠水县道路运输管理局，为县交通运输局所属正科级事业单位；惠水县县乡公路管理所更名为惠水县农村公路管理局，为县交通运输局所属副科级行政类事业单位；设立惠水县公路规划建设服务中心，为县交通运输局所属股级公益一类事业单位。县交通运输局内设办公室（加挂行政审批科牌子）和公路建设科（农村公路建设技术工程科）2个机构，惠水县地方海事处（正科级）、惠水县道路运输管理局（正科级、独立法人，独立核算）、惠水县农村公路管理局（副科级、独立法人，独立核算）、惠水县公路规划建设服务中心（股级）14个事业单位，10个农村交通运输管理所［县交通运输局派驻10个镇（街道）股级事业单位］。年底，局机关在编15人，惠水县地方海事处在编2人，惠水县道路运输管理局在编22人，惠水县农村公路管理局在编15人，惠水县公路规划建设服务中心在编6人，农村交通运输管理所在编9人。

二、县地方海事处

1989年前，县水上交通管理机构为县港监站，州级直管单位。1990年，更名县港航监督所，为县交通局直属股级单位。

2007年，成立惠水县地方海事处，正科级事业单位，归口县交通局管理，核定惠水县地方海事处事业编制4人，其中处长或副处长1名，所需人员编制内部调剂，由财政全额预算管理。

2015年，设立惠水县地方海事处，为县交通运输局所属正科级行政类事业单位。

三、县道路运输管理局

1966年，设立县交通运输管理站，负责征收拖拉机、马车、客货运输车辆的养路费和车辆购置附加费等工作，为公路运输管理部门。

1989年，县交通运输管理站更名为县公路运输管理所，归口县交通局管理，为自收自支事业单位。

2003年，设立惠水县公路运输管理所，为州垂直管理的自收自支副科级事业单位，内设办公室、车辆运输与技术管理股、办证征费股、稽查中队5个股室和摆金公路运输管理站、三都公路运输管理站2个乡镇公路运输管理站，核定事业编制21名。

2012年，惠水县公路运输管理所人、财、物划归县管理，为惠水县交通运输局所属副科级事业单位。设办公室、车辆运输与技术管理股、办证科、稽查中队4个内设机构，摆金公路运输管理站、三都公路运输管理站2个乡镇公路运输管理站（股级），核定事业编制19名，由财政全额预算管理。

2013年，惠水县道路运输管理所职责与惠水县城市公共客运交通管理局职能整合，组建惠水县道路运输管理局，为惠水县交通运输局管理的副科级事业单位。设置综合股、办证股、城市客运管理股、安全与车辆技术管理股、稽查中队5个股级机构；设置摆金、断杉、长田（经开区）、芦山四个运输管理站，为惠水县道路运输管理局派出机构。核定惠水县道路运输管理局事业编制23名，由县财政全额预算管理。

2014年，惠水县道路运输管理局由县交通运输局管理的副科级事业单位，调整为惠水县交通运输局管理的正科级事业单位。

2015年，设立惠水县道路运输管理局，为县交通运输局所属正科级行政类事业单位。内设综合科、安全监督科、运政执法队、行政许可审批服务科、客运管理科、车辆技术与驾培管理科、货运物流信息管理科。

四、县农村公路管理局

1963年，县政府交通科组建公路养护队伍“养路队”，人员为6～7人，负责对威远平寨至芦山9千米公路进行简单维修养护，没有任何机具，靠维修人员在路侧就地取材。

1964年，县政府成立地方养护工区，属县政府交通科管理。

1978年，地方养护工区更名为惠水县公路地方养护工区，为县工业交通局和黔南州公路处双重管理，行政归属地方管理，业务和经费归属州级行业管理部门管理。

1998年，惠水县公路地方养护工区更名为惠水县县乡公路管理所，副科级规格，职责为管理养护全县县级、乡级公路。

2007年，机构体制改革，惠水县县乡公路管理所的行政、人事、经费全部归属地方管理。

2014年，惠水县县乡公路管理所更名为惠水县农村公路管理局，原机构属性、机构级别、人员编制等事项维持不变。

2015年，设立惠水县农村公路管理局，加挂惠水县农村公路路政管理大队牌子，为惠水县交通运输局所属副科级行政类事业单位。内设办公室、农村公路规划建设养护管理股，核定事业编制17名，由财政全额预算管理。

五、县征费稽查所

1986年前由县交通监理站负责全县交通监理、交通管理、养路费征收。1987年，省交通厅在惠水设立县养路费征收站，负责养路费征收管理工作，为省交通厅直管单位。1990年，县养路费征收站更名为县征费稽查所，为州征费稽查处所属副科级事业单位，主要职能是负责养路费的征收稽查管理工作。

2001年，国务院决定将车辆购置附加费改为车辆购置税，暂由交通征费稽查部门代征，县征费稽查所代征车辆购置税。2004年，交通征费稽查部门代征的车辆购置税划归国税部门征收，征稽系统从事征收业务的相关人员划转国税部门。2005年1月1日起，征稽部门不再负责车辆购置税的征收。2009年，国家开征燃油附加税，取消原在成品油价外征收的公路养路费、公路运输管理费、公路客货运附加费、航道养路费、水运客货附加费、水路运输管理费6项收费。

2010年，惠水县征费稽查所撤销。

六、惠水公路管理段

1978年，称惠水公路养护段，隶属于都匀公路养护总段。有职工150名，设有土桥、解放桥、毛家苑、甲戎、断杉、岗度、火堕、毛草坝、大华、大水井、砂子哨、七里冲、小河、卧龙14个道班。

1998年，惠水公路养护段更名为惠水公路管理段，隶属于贵州省都匀公路管理局，正科级事业单位。

2000年，实行大道班管理，将小河道班并入断杉、卧龙两个道班；大水井道班、大华道班合并为南门道班。

2010年，沙子哨道班、卧龙道班、断杉道班、茅草坝道班、南门道班分别改名为：沙子哨养护站、卧龙养护站、断杉养护站、茅草坝养护站、和平养护站。

2011年，沙子哨养护站更名为高镇养护站，茅草坝养护站更名为摆金养护站。

2014年，撤销卧龙养护站、高镇养护站，保留和平养护站、断杉养护站、摆金养护站。撤销的高镇养护站、卧龙养护站分别并入和平养护站、断杉养护站。

2015年，惠水公路管理段设有办公室、工程股、路政股、设备物质股、财务科，下辖摆金、和平和断杉养护站。在职职工75人。

第二节　交通基础设施建设

一、高速公路建设

1978至2011年，县境内无过境高速公路。

2012年，惠兴高速（惠水至兴仁）惠水段建成通车；2013年贵惠高速（贵阳至惠水）惠水段建成通车；2014年，惠罗高速（惠水至罗甸）惠水段建成通车。2015年，启动都香高速（都匀至香格里拉）惠水段建设，惠水境内52千米，都香高速惠水段途径岗度镇、摆金镇、涟江街道。是年，惠水县境内已建成的高速公路有3条，县境内高速里程78.42千米。

惠兴高速惠水段　始建于2010年8月，由中铁十二局第四公司承建，2012年12月底建成，为惠水县境内第一条高速公路。采用4车道高速公路标准设计，设计时速为80千米，路基宽度21.5米，总投资约8.8亿元。起点为涟江街道杨番村紫油寨，终点为涟江街道冗然村新寨组，全长12.6千米；其中桥梁9座，分别为崇明哨大桥、对门寨小桥、九家湾小桥、新桥中桥、大龙中桥、岩头寨大桥、大石板大桥、冒沙井大桥、惠水特大桥，共计11.05千米；隧道1个，为九家湾隧道，全长0.23千米。

惠兴高速公路惠水特大桥（2013年摄）

贵惠高速惠水段　始建于2011年，

国道210线惠水过境公路改造工程开工典礼（1999年摄）

县直机关和干部职工个人为国道210线惠水过境公路改造工程捐款（1999年摄）

由贵州贵惠高速公路责任有限公司承建，2013年10月建成，为银百高速（宁夏银川至广西百色）其中一段，采用6车道高速公路标准设计，设计时速为100千米，路基宽度30米。贵惠高速公路惠水段起于濛江街道龙泉村花冲，止于惠水县涟江街道新城村龙田寨，总长23.02千米，总投资26个亿，其中桥梁22座，分别为蒋碾坝小桥、明河中桥、鱼凉坡大桥、高镇互通主线跨线桥、小河坡大桥、平安桥大桥、老虎冲大桥、林场Ⅰ号小桥、林场Ⅱ号小桥、良田坡中桥、山后小桥、和平中桥、水淹坝小桥、三口碑小桥、三口碑中桥、惠水互通主线跨线桥、惠水枢纽C匝道、惠水枢纽D匝道惠水枢纽、E匝道惠水枢纽、G匝道水落洞中桥、Ⅱ号跨线桥、上罗妥Ⅲ号分离式中桥，共计4027.5米；设有惠水北、惠水2个收费站，惠水服务区1处。

惠罗高速惠水段 始建于2013年1月，分别由中铁十一局集团、中交第二航务工程局集团承建，2014年12月建成，为银百高速其中一段，采用4车道高速公路标准设计，设计时速为100千米，路基宽度0.026千米。起于惠水县涟江街道新城村龙田寨，止于惠水与罗甸交界七道拐处，全长42.795千米，总投资40亿元。其中桥梁19座，分别为鱼梁水库大桥、果子坡大桥、吴家关中桥、三七水库大桥、烂冲大桥、歪刀大桥、涟江I号大桥、新苑大桥、涟江Ⅱ号大桥、耳子山大桥、甲戎大桥、赖岑大桥、长冲分离式桥、断杉中桥，下坝大桥、龙头桥大桥、木兴大桥，共计7012.7米；隧道5个，分别为黄泥堡隧道、打号隧道、山王庙隧道、新场隧道、七道拐隧道，共计6296米；设有惠水南，断杉2处收费站，好花红服务区1处、断杉停车区1处。

二、国省道建设

2005年以前，县仅有两条东西走向及南北走向的过境国道，即国道G210包头至南宁和国道G320；其中G210惠水段起于贵阳花溪青岩于惠水交界，经长田、高镇、惠水县城、三都、好花红、甲戎、断杉、终于惠水与罗甸交界七道拐；国道G320惠水段起于惠水与规定交界云雾，经岗度、摆金、惠水县城、七里冲、大龙，终于惠水与长顺交界鸟落关。2006年，国家路网调整，县的两条过境国道降级为S101贵阳至红水河和S309麻江至兴义；2015年，根据上级交通主管部门关于“十三五”规划工作安排，县共规划三条国道、四条省道，即：G354南昌至兴义（惠水长田至鸟落关段）、G321广州至成都（惠水岗度至长顺马路段）、G212兰州至龙邦（惠水长田至七道拐段）、S104贵阳至罗甸（花溪高坡至明堂关段）、S209清镇至西凉（惠水芦山高车至明堂关段）、S311远口至代化（惠水摆榜至王佑平贡段）、S315沿山至德卧（贵阳高坡至惠水摆榜段）。

G212兰州至龙邦（惠水长田至七道拐段）建设　G212兰州至龙邦（惠水长田至七道拐段），起于长田，经高镇、和平、三都、好花红、甲戎、断杉，止于七道拐，全长74千米。1952年，贵阳至惠水卧龙段建成通车。1953年，惠水卧龙至罗甸段建成通车，路基宽6.5米，四级路面，泥结石路面。1995年2月，贵州省交通厅与黔南州人民政府达成惠水至罗甸段全长125千米主干线改造工程协议，按交通部四级公路标准进行改造。是年，县制定《惠水县国民经济和发展“九五”计划及2010年长远规划的建议》，把惠罗公路改造列入其中，按“民工建勤”“民办公助”方针，动员全社会力量，发动群众，广筹资金开展惠罗公路建设工作，县直机关职工按80元，科局级干部按100元，县级干部按120元收取；中巴车按每辆500元收取，货车、拖拉机按吨位计收，1997年建成惠罗公路。1998年1月，完成惠水三都至罗甸段的油路改造工程，升级为三级公路，路基宽7.5米，全长62.8千米。1999年，对国道210线惠水城区过境公路西门至爬头寨实施改造，实施国道320线西门人民银行至珠帘洞改造工程，路段全长3.5千米，路宽28米，总投资1100万元，2000年建成。2002年，将高镇至三都段改造为二级收费公路，长21.68千米，路基宽8.5米。2005年对三都至七道拐段进行三级油路改造，长42千米。2006年，将国道G210包南线（包头至南宁）降为省道S101贵红线（贵阳至罗甸红水河）。2007年对省道S101花溪桐木岭至惠水高镇（惠水段）进行二级油路改造，路基宽12米，长11千米。2015年，根据交通运输部、省交通运输厅、省公路局、州交通运输局等上级业务主管部门关于“十三五”交通建设规划的相关要求，将S101线规划提等为G212线（兰州至龙邦）。是年，启动G212惠水至七道拐段公路改造的前期工作，该项目全长54.894千米，其中：惠水县城至好花红镇为一级公路，路基宽23.5米，长16.694千米；惠水好花红至罗甸七道拐为二级公路，路基宽8.5米，长度38.2千米。

G321广州至成都（惠水岗度至长顺马路段）建设　G321广州至成都（惠水岗度至长顺马路段）起于惠水县与贵定县交界，经岗度镇、摆金镇、惠水县城，止于惠水县与长顺县交界马路，全长53千米。1967年，岗度至惠水县城段建成通车，路基宽6.5米，泥结石路面；2002年，岗度至惠水段进行三级油路修建，全长43千米。2015年，根据交通运输部、省交通运输厅、省公路局、州交通运输局等上级业务主管部门关于“十三五”交通建设规划的相关要求，惠水县将S309线规划提等为G321广州至成都（惠水岗度至长顺马路段）。

G354南昌至兴义（惠水长田至鸟落关段）建设　G354南昌至兴义（惠水长田至鸟落关段）起于惠水县长田，经惠水县城、七里冲，止于长顺威远，全长37千米。G354长田至惠水县城段与G212共线，建设发展历程与G212长田至惠水县城段相同。1994年，贵紫县大龙乡至长顺县交界处改建4千米四级公路，省公路局投资120万元，这是县内第一条上等级公路。1995年，惠水至鸟落关段进行三级油路修建，全长20千米。2014年6月，启动省道S309惠水城东至七里冲段公路进行改扩建，全长7千米，一级公路标准，兼具城市道路功能，设计时速60千米/小时，沥青混凝土路面，总投资1.79亿元。该项目分两个标段实施，一标段K0+000–K3+080，路基宽度43米，双向六车道，总投资1.26亿元；二标段K3+080–K7+013，路基宽度22米，双向四车道，总投资0.53亿元。2014年8月，启动建设S309惠水七里冲至威远段公路改造工程，全长13.562千米，设计标准为二级公路标准，K0+000–K2+077段路基宽22米，K2+077–K13+562段路基宽16米，路面为沥青混凝土路面，项目预算总投资为1.8亿元。该项目分为两个标段实施，第一标段K0+000–K12+500，在K2+077处设置环岛，分流前往长顺方向及百鸟河方向的车辆，惠水境内总投资1.5亿元；第二标段为K12+500–K13+561.8，总投资0.3亿元。2015年5月，S309惠水城东至七里冲段公路改扩建工程完工，该段全线建成通车。2015年，根据交通运输部、省交通运输厅、省公路局、州交通运输局等上级业务主管部门关于“十三五”交通建设规划的相关要求，S101长田至惠水县城、S309城东至乌落关提等为G354南昌至兴义（惠水长田至乌落关段）。

规划4条省道 2015年，根据“十三五”规划工作安排，由惠水县现有农村公路路网提等规划四条省道，即S104贵阳至罗甸（花溪高坡至明堂关段）、S209清镇至西凉（惠水芦山高车至明堂关段）、S311远口至代化（惠水摆榜至王佑平贡段）、S315沿山至德卧（贵阳高坡至惠水摆榜段）。S104贵阳至罗甸（花溪高坡至明堂关段）起于贵阳与惠水交界毕卡寨，经摆金、鸭绒、雅水、太阳、董照、羡塘，止于惠水与平塘交界明堂关，全长65千米；S209清镇至西凉（惠水芦山高车至明堂关段）起于长顺与惠水交界高车，经芦山镇、王佑镇、断杉镇、抵季、羡塘镇，止于惠水与平塘交界明堂关，全长68千米；S311远口至代化（惠水王佑平贡至摆榜段）起于惠水与长顺交界处纳旁，经三棵树、雅羊、断杉镇、抵麻、雅水镇、党古、斗底、摆榜止于惠水与平塘交界团部口。全长85千米；S315沿山至德卧（贵阳高坡至惠水摆榜段）起于贵阳与惠水交界毕卡寨，经摆金镇、斗底、摆榜，止于惠水与平塘交界团部口，全长37千米。

三、贵惠大道（惠水段）建设

2011年，修建贵阳至惠水城市快速道路，即贵惠大道（惠水段）。道路全长18.1千米，起于惠水濛江桥桥头，经沙子坡、葛家寨、旧司、方围、明田、梨秧寨、龙泉村，终于青岩与惠水的交界处。按城市二级主干道修建，其中K0+000-K6+800段按38米路基设计，K6+800-K11+300段按28米路基宽度设计，K11+300-K18+100段按40米路基宽度设计。

2015年，贵惠大道（惠水段）竣工投入使用。

四、县道建设

2003年前，全县县道多为泥结碎石、砂石路面。2004至2013年期间，全县县道陆续实现路面沥青油化改造，县道通行条件明显改善。2015年，县境内共有县道6条，合计116.061千米。

长顺平寨至王佑（X980522731） 全长24.86千米（惠水境内18.77千米），路基宽度6.5米，1953至1954年修建，是惠水县第一条县道，与长顺县境内威远平寨省道S309线接通，成为途经王佑镇、芦山镇至长顺县的另一通道。2007年进行路面沥青油化改造。该县道于2015年规划提等为S209。

断杉至平塘航龙（X984522731） 全长37.52千米，路基宽度6.5米，起点位于断杉镇境内省道S101线上，成为途经县断杉、抵季、羡塘连接至平塘县的主要通道。1978年前，此条县道仅有断杉至羡塘段通车，1978至1980年3月，县组织完成断羡公路“羡塘至明堂关”9千米断头线建设，断羡线更名为断航线。2004至2005年进行路面沥青油化改造，改善路面结构，提高了通行能力。2013年实施10千米（K0+000-K9+000、K10+000-K11+000段）油路大修工程。

惠水至大山哨（X007522731） 全长4.90千米，路基宽度6.5米，是连接惠水县至长顺县广顺镇的通道，2008年进行路面沥青油化改造。该县道于2015年规划提等为G321。

摆金至平塘通州（X944522731） 全长25.38千米，路基宽度6.5米，起点位于摆金镇境内省道S309线上，1967年建成，成为途经摆金、斗底、摆榜至平塘县的另一通道。2005年进行路面沥青油化改造，2013年实施斗底至通州段（K17+000-K20+000、K22+000-K24+900）5.9千米的油路大修工程。该县道于2015年规划提等为S315。

三棵树至长顺代化（X964522731） 全长6.18千米，为王佑镇至长顺县的主要通道，2011年进行路面沥青油化改造。该县道于2015年规划提等为S311。

马道至雅水（X982522731） 全长17.23千米，路基宽度6.5米，起点位于摆金镇境内省道S309线上，为连接摆金镇与雅水镇的主要通道，1958年对此县道进行修复。2005年进行路面沥青油化改造。该县道于2015年规划提等为S104。

五、乡道建设

1990年以前，全县乡道基本都是泥面路。1991-2004年期间，陆续开展路面改造，逐步形成泥结碎石、砂石路面。2005年，县政府开始实施乡道油路改造工程。至2012年10月，王佑至长安、拉外至打引两条通乡油路改造工程竣工通车。是年，县完成贵州省下达的"双百工程"（100%乡镇通油路、100%建制村通公路）建设任务，实现100%乡镇通油路，100%建制村通公路的目标。

2015年，县境内共有乡道21条，经过不断改造后，由泥结碎石路面升级为水泥混凝土路面和沥青混凝土路面，里程由179.48千米变为180.31千米。

赤土至高坡公路 1958年修建，全长19.09千米。后分两段进行改造，第一段于2010年对赤土至大坝段进行路面沥青油化改造，全长8.24千米，路基宽度6.5米，总投资510万元。第二段于2013年对大坝至高坡段进行18厘米水泥混凝土路面硬化，全长10.74千米，路基宽度4.5米。总投资644万元。

王佑至长安公路 1958年修建，全长11.61千米。2012年进行路面沥青油化改造12.13千米，路基宽度6.5米。总投资1114万元。

岗度至本底公路 1959年修建，全长7.21千米。2015年进行18厘米水泥混凝土路面硬化，全长7.626千米，路基宽度5米。总投资495万元。

上衙至清水苑公路 1960年修建，全长4.89千米。2014年进行18厘米水泥混凝土路面硬化，全长4.60千米，路基宽度5米。总投资297万元。

七里冲至九龙寺公路 1960年建成，全长5.05千米。2006年，进行路面沥青油化改造，路基宽度6.5米。2013年按四级公路标准进行油路改造，改造后全长4.21千米，路基宽度7.5米。总投资963万元。

花山至翁吕公路 1964年修建，全长5.29千米。2014年进行18厘米混凝土路面硬化，全长5.314千米，路基宽度4.5米。总投资325万元。

写字岩至关山公路 1964年修建，全长6.57千米。2015年进行18厘米混凝土路面硬化，全长6.57千米，路基宽度5.5米。总投资417万元。

高镇至半坡公路 1966年修建，全长6.50千米。2015年进行18厘米混凝土路面硬化，全长6.40千米，路基宽度4.5米。总投资367万元。

鸡场坡至斗蓬公路 1966年修建，全长3.59千米。2013年将进行18厘米混凝土路面硬化，全长3.59千米，路基宽度4.5米。总投资约215万元。

火堕至宁旺公路 1968年修建，全长4.21千米。2010年进行路面沥青油化改造5.02千米，路基宽度6.5米。总投资415万元。

雅水至董照公路 1968年修建，全长18.15千米。2005年进行油路改造，总投资110万元，改造长度9千米（雅水至太阳段），路基宽度为4.5米。太阳至董照段长9.15千米未改造，仍是泥结石路面，宽度4.5米。2015年，该乡道提等规划为S104贵阳至罗甸。

雅水至党古公路 1968年修建，全长11.39千米。2015年进行18厘米混凝土路面硬化，全长11.30千米，路基宽度4.5米。总投资757万元。2015年，该乡道提等规划为S311清镇至西凉。

羡塘至新安公路 1974年修建，全长5千米。1980至1980年完成羡塘至新安3千米公路加宽改造工程。1984年，省州下达国家补助粮、棉布修建羡塘至董照公路，1985年建成通车，全长12千米，与雅水至董照公路连接，成为雅水镇与羡塘乡的主要通道。2015年进行董照至新安18厘米混凝土路面硬化，全长9.11千米，路基宽度5.5米。总投资约647万元。2015年，该乡道提等规划为S104贵阳至罗甸。

断杉至雅羊公路 1980年建成，全长17.04千米。2014年进行18厘米混凝土路面硬化，全长16.98千米，路基宽度4.5米。总投资1040万元。2015年，该乡道提等规划为S311清镇至西凉。

甲坝至上摆公路 1986至1987年3月修建，全长6.16千米，路基宽度均为4.5米，泥结碎石路面。2015年进行18厘米混凝土路面硬化，全长7.03千米，路基宽度4.5米。总投资462万元。

雅水至牛场公路 1967年建成，全长13.06千米。2010年，对雅水至牛场全长13.06千米的路面进行沥青油化改造，改造后路基宽度为6.5米。2015年，该乡道提等规划为S311清镇至西凉。

瓮孔坡至甲烈公路 1977年建成，全长7.18千米。2010年，对瓮孔坡至甲烈全长7.18千米路面进行沥青油化改造，改造后路基宽度6.5米。

拉外至打引公路 1968年建成，全长6.05千米。2012年，对拉外至打引进行油路改扩建，全长6.05千米，路基宽度6.5米。总投资598万元。

鸭绒至朱槽井公路 1985年建成，全长6.119千米。2014年，对鸭绒至朱槽井进行18厘米水泥混凝土路面硬化，全长6.119千米，路基宽度4.5米。总投资356万元。

雅水至洛平公路 1983年建成，全长8.77千米。2014年，对雅水至洛平进行18厘米水泥混凝土路面硬化，全长8.77千米，路基宽度4.5米。总投资566万元。

太阳关至五星公路 1980年建成，全长2.12千米。2015年，太阳关至五星通村水泥路项目太阳关至太阳道路进行硬化，全长2.12千米，路面厚度18厘米，路基宽度4.5米。总投资134万元。

六、通村油路（水泥路）建设

1998年前，全县通村公路多数为羊肠小道，车辆通行严重受阻，货物运输多以马畜托运、人背货物为主。2000年后，县开始按照“先通达，后通畅”的指导思想大规模的实施通村公路建设。2003年，开始实施农村公路通达工程建设，对全县行政村道路进行新改扩建，改扩建标准为路基宽度4.5米、泥结碎路面宽3.5米。至2011年，共计实施泥结碎石路146条1036.2千米（计划下达里程），沟通152个行政村。累计沟通209个行政村（居委会），通达率从2003年前27%提升至2011年的100%。县实现村村通公路目标。2011年后，开始实施通村油（水泥）路（通畅工程），在原有通达工程基础上进行改扩建，路基宽度大部分4.5米宽，路面主要为18毫米水泥混凝土路面，宽4.5米（满铺）；少部分5.5～6.5米，路面为18毫米混凝土路面及沥青混凝土路面两种结构形式。

至2012年，完成17条127.37千米，沟通17个行政村，累计沟通49个行政村，通畅率23.4%。

2013年，完成13条92.1千米，沟通15行政村，累计沟通64个行政村，通畅率30.6%。

2014年，完成49条305.3千米，沟通55行政村，累计沟通119个行政村，通畅率56.9%。

2015年完成22条188.1千米，沟通33行政村，累计沟通152个行政村，通畅率72.7%。

2011至2015年共计实施101条712.87千米（计划下达里程），沟通120个行政村。

2015年累计沟通152个行政村（居委会），通畅率从2011年前15%提升至2015年的72.7%。

表10-1

2003—2011年县通村公路（泥结碎石路）建设情况统计表

年度	涉及镇（乡）（个）	涉及村（个）	实施修建公路（条）	修建公路（千米）	投资额（万元）	通达率（%）
2003	6	11	11	36.1	361	33
2004	11	12	12	102	1020	38
2005	6	6	6	61	610	41
2006	6	7	6	56.5	565	33
2007	13	18	18	140.6	1406	33
2008	15	25	25	261.9	2619	65
2009	17	45	42	241	2410	87
2010	9	20	19	84	840	33
2011	6	8	7	59	590	100
合计	—	—	146	1042.1	10421	100

表10-2

2011—2015年县通村公路［油（水泥）路］建设情况统计表

年度	涉及镇（乡）（个）	涉及村（个）	实施修建公路（条）	修建公路（千米）	投资额（万元）	通畅率（%）
2011—2012	8	17	17	127.369	6012	23.4
2013	12	15	13	92.1	5470	30.6
2014	23	55	49	305.3	19614	56.9
2015	13	33	22	188.1	12660	72.7
合计	—	—	101	712.869	43756	72.7

七、桥梁建设

1980年，国家投资209.92万元修建卧龙新桥，由省交通厅勘测、设计，省桥工第二队承建，1982年建成通车。该桥为3孔，长112.5米，宽9米，高10.9米。该桥系全国第三座预应力混凝土连续梁大桥，为贵州省第一座采用箱梁顶推法施工工艺建成的桥梁。

“三桥两路一园”竣工庆典（2009年摄）

1990年，在州交通局的指导和支持下，以民办公助方式修建姚哨区惠明乡高旺桥、半坡乡濛涟桥、雅水区党古乡高家桥、摆金区高寨桥、清水桥。是年，台湾同胞陈世全带头捐资8000元人民币，羡塘乡石崇坝村每户集资200元，共计

17000元，动工修建4×10米全长60米的石拱桥，该桥取名石崇桥，1991年建成通车。

1991年，县多方集资，修建县最大的石拱桥——三岔河大桥。该桥5孔，每孔25米，全长154米。1993年，补助修建上马司大桥。至1994年，在涟江、濛江河上从最南边的董朗桥至最北边的孙家寨桥计65千米的河道上共架设了17座桥。

2007年7月，县启动“两桥一路”工程，投资4305万元修建了县有史以来投资最大的桥梁——涟江大桥，该桥为净跨90米的钢筋混凝土中承式拱桥，桥梁全长115.6米，主孔为双肋式中承式拱。“两桥一路”工程中的另一桥梁为永红桥，该桥为3×25米悬链式拱桥，桥长109.75米，桥面净宽12米（其中桥面行车道宽8米，人行道2×2米）。两桥分位于县城南北，均跨越涟江河流之上，是连接惠水县城城区与白果新区的主要桥梁。2009年1月竣工通车。

2008年12月，投资600余万对县城南门外涟江河上连接省道S309与惠水县城的惠民桥进行加宽改造，为保护原惠民桥的结构与桥型，在该桥下游修建与原老桥同等结构造型的桥梁与之融合，形成双向四车道，桥宽20.5米的新桥，取名惠民大桥。2009年9月竣工通车。

2015年，全县由县交通运输局建档定期维护桥梁共计76座，其中：县道桥梁11座、乡道桥梁14座、村道桥梁51座；由县城市管理局编修管理的桥梁有惠兴桥、民中大桥、牛场桥、濛江桥、涟江大桥、惠民桥、永红桥。

表10–3

2015年县道桥梁表

桥梁名称	所属镇（街道）	建成时间	桥梁长度	桥梁全宽	桥梁类型	按跨径分
六寨新桥	摆金镇	2008	50	9	板拱桥	3.中桥
芦山桥	芦山镇	1965	13.7	8.8	板拱桥	4.小桥
茶大桥	王佑镇	1965	16.3	7.3	板拱桥	4.小桥
冷水桥	王佑镇	1965	15.8	7.1	板拱桥	4.小桥
雅羊桥	芦山镇	1987	10.5	7.8	板拱桥	4.小桥
翁松桥	王佑镇	1965	12.6	5	板拱桥	4.小桥
龙田坝桥	断杉镇	1967	8.3	6.8	板拱桥	4.小桥
绸裥桥	羡塘镇	1967	10	6.1	板拱桥	4.小桥
洞口桥	摆金镇	1962	24	6.8	板拱桥	4.小桥
斗底桥	摆金镇	1964	15	7.4	板拱桥	4.小桥
芦阳桥	雅水镇	1978	13	5.4	板拱桥	4.小桥

表10–4

2015年乡道桥梁表

桥梁名称	所属镇（街道）	建成时间	桥梁长度	桥梁全宽	桥梁类型	按跨径分
本底桥	岗度镇	1998	12	4	板拱桥	4.小桥
董朗大桥	芦山镇	1977	54.7	6.4	板拱桥	2.大桥
新华桥	王佑镇	1977	18.5	6.3	板拱桥	4.小桥

续表10-4

桥梁名称	所属镇（街道）	建成时间	桥梁长度	桥梁全宽	桥梁类型	按跨径分
拉麻桥	雅水镇	1982	31	3.4	板桥	4.小桥
拉牛河桥	王佑镇	1967	33	8.7	板拱桥	4.小桥
母毛桥	王佑镇	1967	8	6	板拱拱	4.小桥
兴平桥	王佑镇	1967	9	8.2	板拱桥	4.小桥
岩桐桥	雅水镇	2011	11.7	6.2	板拱桥	4.小桥
洛平桥	雅水镇	2011	12	6	板拱桥	4.小桥
头道河桥	濛江街道	1976	38.7	7.1	板拱桥	4.小桥
文化桥	雅水镇	1967	22	6.8	板拱桥	4.小桥
羡塘桥	羡塘镇	1967	32	9.5	板拱桥	4.小桥
向阳桥	羡塘镇	1965	40	6.8	石拱桥	4.小桥
新寨桥	王佑镇	1998	24.1	6	板拱桥	4.小桥

表10-5

2015年村道桥梁表

桥梁名称	所属镇（街道）	建成时间	桥梁长度	桥梁全宽	桥梁类型	按跨径分
安潭桥	好花红镇	1970	61.5	6.2	板拱桥	3.中桥
擦耳岩桥	濛江街道	2007	35	8.5	板拱桥	4.小桥
长冲桥	摆金镇	2003	10	5	板拱桥	4.小桥
打梦河桥	王佑镇	1996	36	5.2	板拱桥	3.中桥
大围桥	涟江街道	1967	90	5	板拱桥	3.中桥
二洞桥	岗度镇	1965	37	6	板拱桥	3.中桥
毛栗桥	羡塘镇	1983	60	5	板拱桥	3.中桥
三岔河桥	断杉镇	2002	36	4.7	板拱桥	4.小桥
和平桥	王佑镇	2005	20	4.5	板拱桥	4.小桥
青龙桥	好花红镇	1983	45	5.5	板拱桥	3.中桥
青山沟小桥	好花红镇	1983	15	5	板拱桥	4.小桥
河坝小桥	好花红镇	1998	10	5.1	板拱桥	4.小桥
河坝大桥	好花红镇	2000	48	5.2	板拱桥	3.中桥
花鱼桥	芦山镇	2010	20	6	板拱桥	4.小桥
甲烈桥	濛江街道	2010	36	8	板拱桥	4.小桥
扪摆桥	摆金镇	1965	14	3.6	板拱桥	4.小桥
磨怀桥	羡塘镇	2002	42	4.5	板拱桥	3.中桥
三洞桥	岗度镇	1996	50	6	板拱桥	2.大桥

续表10-5

桥梁名称	所属镇（街道）	建成时间	桥梁长度	桥梁全宽	桥梁类型	按跨径分
响水桥	好花红镇	1981	27	5.1	板拱桥	3.中桥
甲烈大桥	濛江街道	1973	25.2	6.1	板拱桥	4.小桥
拉然桥	芦山镇	1965	8	5.1	板拱桥	4.小桥
磨阳桥	摆金镇	1992	12	5	板拱桥	4.小桥
奶妈桥	王佑镇	1998	8	6	板拱桥	4.小桥
四洞桥	岗度镇	1965	16	6	板拱桥	4.小桥
新安桥	羡塘镇	1975	73	4.5	板拱桥	3.中桥
辉岩桥	好花红镇	1972	92	6.2	板拱桥	3.中桥
连心桥	濛江街道	2002	20	6	板拱桥	4.小桥
五硐桥	芦山镇	1955	17.5	3.9	板拱桥	4.小桥
硐口桥	芦山镇	2010	25	6	板拱桥	4.小桥
蛮榜桥	芦山镇	2010	20	6	板拱桥	4.小桥
平寨桥	岗度镇	2002	10.5	4.7	板拱桥	4.小桥
清水桥	摆金镇	1991	40.5	5.3	板拱桥	3.中桥
西茂桥	王佑镇	1998	12.1	4.5	板拱桥	4.小桥
马路河大桥	好花红镇	1975	71.8	5.3	板拱桥	3.中桥
介牌桥	涟江街道	1992	20.4	4.1	板拱桥	4.小桥
三洞桥	芦山镇	2009	32	6	板拱桥	4.小桥
西南桥	王佑镇	1998	22.7	6.6	板拱桥	4.小桥
新寨桥	摆金镇	1965	10	5.5	板拱桥	4.小桥
兴隆桥	濛江街道	1982	50	5.2	板拱桥	3.中桥
月亮桥	岗度镇	1998	16	7.2	板拱桥	4.小桥
三合桥	芦山镇	1965	10	5.3	板拱桥	4.小桥
兴民桥	濛江街道	1992	30	4.2	板拱桥	4.小桥
吟河桥	濛江街道	1966	40	4.7	板拱桥	4.小桥
跃定桥	濛江街道	1972	68.4	5.1	板拱桥	3.中桥
水源桥	好花红镇	1975	17	6.3	板拱桥	4.小桥
羡田桥	好花红镇	1969	68.2	6	板拱桥	3.中桥
团结桥	好花红镇	1985	23.4	5.2	板拱桥	4.小桥
湾塘大桥	好花红镇	1998	89	5.3	板拱桥	3.中桥
小河桥	好花红镇	1965	32.4	4.2	板拱桥	4.小桥
小寨桥	好花红镇	2007	40	5.5	板拱桥	3.中桥
龙场桥	王佑镇	2011	23	7.5	板拱桥	4.小桥

附：县城内桥梁简介

惠兴桥 位于城西濛江大道，横跨濛江，为2×30米预应力钢筋混凝土连续箱梁桥。桥长70米，宽43米，高12.85米，最大跨径30米，荷载标准为公路Ⅰ级。2015年6月竣工。

民中大桥 位于长岭路北段，横跨濛江，为3×30米箱桥结构类型。桥长90米，宽28米，高15米，最大跨径30米，荷载标准为城—A级。2015年12月竣工。

牛场桥 原名“迎恩桥”，位于县城主城区北侧，横跨濛江，为7孔石拱桥。桥长60米，宽6米，高7米。明朝嘉靖二十五年（1546）春集资修建，嘉靖二十七年（1548年）建成。从此，“乡民商旅，从容就道，如履康庄”。后改称“牛场桥”。

濛江桥 位于县城主城区北侧濛江抵濛河段，横跨濛江，是连接县城主城区与城北新区的主要桥梁。1998年由贵州省交通厅投资100万元建设，2000年初建成投入使用。桥长55米，宽13.2米。2011年9月投资1000万元对老桥采用专业加固技术进行处理，提升技术标准。2012年6月竣工交付使用。改扩建后桥长55米，宽38.24米，双向8车道，采用预应简支T梁结构，桥面铺装8厘米厚的钢筋混凝土板，10厘米厚的柏油路面，设计荷载为公路1级。

涟江大桥 位于县城主城区东侧、跨越涟江，连接涟江北路与白果大道。桥身为钢筋混凝土中承式双曲拱桥，桥孔净跨90米，桥长115.6米，宽20.5米。2007年7月开工建设，2009年1月竣工通车，总投资1500万元。因大桥造型形如彩虹卧波，故称“彩虹桥”。

惠民桥 俗称“南门大桥”，位于惠民中路的涟江河段，横跨涟江。1944年1月开工，1946年2月建成。桥高9米，宽6.5米，长100米，为5孔石拱桥。2008年12月，投资600多万元对原惠民桥进行加宽改造，为保护原惠民桥的结构与桥型，在该桥下游修建与原老桥同等结构造型的桥梁与之融合，桥宽20.5米。2009年9月竣工通车。

永红桥 位于县城东南侧程番路涟江河段，横跨涟江。为3×25米悬链式拱桥，桥长109.8米，桥宽12.5米，是连接程番路与白果大道的城区道路桥梁，总投资700万元。2007年7月开工建设，2009年9月竣工通车。2015年1月实施永红桥加宽改造工程，2017年7月竣工。改造后永红桥长109.8米，宽28.5米，高12.62米，最大跨径25米，荷载标准为城—A级。

八、站点建设

县城客运站 县城客运站始建于20世纪50年代，位于惠水县南门口，站场面积6440平方米，隶属省交通厅下属企业贵州省贵阳汽车客运有限公司管理和经营，企业登记注册名称为贵阳汽车客运有限公司惠水客运站。

1997年，惠水汽车站进行改建和扩建。

1998年，根据《黔南州人民政府关于惠水县人民政府要求用地改扩建惠水汽车站的批复》，将和平镇星光村集体水田6213.4平方米、废弃土地5262.9平方米征为国有，划拨给县汽车站作改扩建用地。

1999年，完成改扩建工作，改扩建后惠水汽车站由原站场面积6440平方米扩大为14189平方米，位于和平镇惠明西路与振兴路交汇处，拥有停车场8000平方米、发车场5200平方米、站务办公区300平方米，并建有600平方米的职工宿舍区。

2007年，根据《关于公布第一批汽车客运站站级核定结果及公示第二批汽车客运站站级核定结果的通知》，贵州省公路运输管理局核定贵州省惠水黔惠汽车客运站有限公司（惠水汽车站）为“二级汽车客运站”。

乡镇客运站 2004年前，县内没有设置乡镇客车站，农村客运车辆发车地点不固定，没有专门的客车站提供客运车辆发车和旅客候车，仅仅在简易停发点供车辆停发。2005年，开始修建乡镇客运站，是年建成断杉、高镇、好花红、雅水4个客运站。其中断杉客运站地面积2100平方米，站房建筑面积200平方米，停车场面积2000平方米，候车厅面积100平方米，总投资40万元；高镇客运站占地面积2500平方米，站房建筑面积200平方米，停车场面积2400平方米，候车厅面积100平方米，总投资38.8万元；好花红客运站占地面积2500平方米，站房建筑面积200平方米，停车场面积2400平方米，候车厅面积100平方米，总投资40万元；雅水客运站占地面积2500平方米，站房建筑面积200平方米，停车场面积2400平方米，候车厅面积100平方米，总投资40万元。

2006年，建成打引、三都2个客运站。其中打引客运站占地面积2215平方米，站房建筑面积200平方米，停车场面积2115平方米，候车厅面积100平方米，总投资40万元；三都客运站占地面积2360平方米，站房建筑面积200平方米，停车场面积2260平方米，候车厅面积100平方米，总投资38万元。

2007年，建成羡塘、芦山2个客运站。其中羡塘客运站占地面积2300平方米，站房建筑面积200平方米，停车场面积2200平方米，候车厅面积100平方米，总投资37万元；芦山客运站占地面积2500平方米，站房建筑面积200平方米，停车场面积2400平方米，候车厅面积100平方米，总投资40万元。

2008年，建成岗度、摆金2个客运站。其中，岗度客运站占地面积2200平方米，站房建筑面积200平方米，停车场面积2100平方米，候车厅面积100平方米，总投资40万元；摆金客运站占地面积4100平方米，站房建筑面积200平方米，停车场面积4000平方米，候车厅面积100平方米，总投资40万元。

2009年，建成摆榜客运站，占地面积2400平方米，站房建筑面积200平方米，停车场面积2300平方米，候车厅面积100平方米，总投资40万元。

2010年，建成长安、抵季2个客运站。其中长安客运站占地面积2650平方米，站房建筑面积200平方米，停车场面积2550平方米，候车厅面积100平方米，总投资40万元；抵季客运站占地面积2245平方米，站房建筑面积200平方米，停车场面积2145平方米，候车厅面积100平方米，总投资40万元。

2011年，建成王佑、抵麻2个客运站。其中王佑客运站占地面积2600平方米，站房建筑面积200平方米，停车场面积2500平方米，候车厅面积100平方米，总投资40万元；抵麻客运站占地面积2700平方米，站房建筑面积200平方米，停车场面积2600平方米，候车厅面积100平方米，总投资40万元。

2012年，建成鸭绒客运站，占地面积2700平方米，站房建筑面积200平方米，停车场面积2600平方米，候车厅面积100平方米，总投资40万元。

2014年，建成太阳客运站，占地面积2200平方米，站房建筑面积200平方米，停车场面积2100平方米，候车厅面积100平方米，总投资70万元。

2015年，建成甲戎、大坝、宁旺3个客运站。其中甲戎客运站占地面积2300平方米，站房建筑面积200平方米，停车场面积2200平方米，候车厅面积100平方米，总投资40万元；大坝客运站占地面积3000平方米，站房建筑面积200平方米，停车场面积2900平方米，候车厅面积100平方米，总投资70万元；宁旺客运站占地面积3000平方米，站房建筑面积200平方米，停车场面积2900平方米，候车厅面积100平方米，总投资70万元。

截至2015年，县内已建成20个乡镇客运站。

农村客运招呼站　2013年，按照“一村投入一个农村客运招呼站、每个招呼站投入1.5万元”的原则，建设农村客运招呼站。采用简易钢架结构，高度约5米；顶棚采用耐力板，顶棚宽度约2米；凳子采用混凝土面板，厚约10厘米。能同时容纳3—5人候车，主要解决群众候车休息。是年新修建农村客运招呼站94个，总投资141万元。

2014年，新修建农村客运招呼站96个，总投资144万元。

2015年，新修建农村客运招呼站22个，总投资33万元。

第三节　公路管理

一、路政管理

1982年前，县没有开展公路路政管理工作。

1983至1984年，县交通局完成全线近280千米县乡公路路况普查，对县乡公路进行料场划定、公路用地、附属设施、埋设公路界桩、造册统计工作。

1990年，成立惠水县路政中队，主要负责公路路政管理工作，保护路产路权不受侵害，保证公路安全畅通。是年，清除违章建筑6处426平方米，清除占道堆积物1312立方米，恢复边沟315平方米，罚载行道树20株，罚义务工抓赔偿费113个，共收占道费668元，赔偿浆砌挡墙157立方米计6280元。

1994年，县路政中队查处各类路政违法违章行为18起，下发通知书103张，恢复路面1031平方米，拆除围墙2处计31米，清除各类堆积物92处588平方米，排除各类围墙29处320米，拆除路边厕所14个，取缔路边石灰砖瓦窑3个，取消石料场2个，恢复边沟37米，收取公路赔偿费2170元。

1998年，县公路路政执法机构和县乡公路养护部门合并办公，采用一套人员、两块牌子模式。

1999年，查处路政案件66起，收取路政赔（补）偿费5810元。

2001年，全年共查处路政案件54起，其中红线内控制建筑20起计1498平方米；盗窃养护器材料1起；拆除房屋2起计230平方米；清理堆积物23起计3522立方米；破坏行道树4起；取缔料场4起，共计收取赔（补）偿费12209元。

2008年，县遭遇凝冻灾害，农村公路损毁严重，路政部门排查受毁路段，落实灾后重建和恢复工作，确保县公路好路率始终在70%以上。

2011年，出动路政执法人员上路巡查800人次，共查处违章建筑36起，办理增设平交道口、公路临时加水点等行政许可50起。

2015年，共计查处路政案件156起，结案154起，查处行道树损害11株，查处非法道口和不规范增设平交道口4处，查处路面堆积物122处，制止违法建筑68起，收取路产赔（补）偿费16.43万元，上路巡查151天，路政宣传60人/10次，农村公路恶性超限运输率控制在3.5%以内。

二、公路养护

（一）惠水公路管理段养护

惠水公路管理段负责惠水县境内的国、省干线千米管理和养护工作。

1979年，惠水公路养护段油路班对贵罗线32千米进行油路改造，配置牛马车专用于全线公路养护沥青运输。

1980年，管养贵罗、谷大、惠紫三条干线公路，养护142.8千米。其中贵罗线35K-108K，好路率为

36.5%，油路31.8千米，好路率34.5%。谷大81K-113K全长52千米，好路率40.3%。惠紫线2K-19K计17千米，好路率为11.7%，全段平均好路率35%。

1982年，好路率为53.4%，超省指标下达计划0.3%，全年养护及水毁工程168项；大中修水毁工程惠水段贵罗线76+782-77+500两处；配合省公路管理局桥工大队，完成对卧龙桥的修缮、改建、通车。

1986年对谷大线、贵罗线和惠紫线部分路段进行起讫桩号。养护段对贵罗线进行油路中修5千米（K38-K41），（K54-K56）进行油路中修5千米。对贵罗线新造挡墙100米（K51+400-500）。对贵罗线进行油路中修5千米（K38-K41），（K56-K58），治理各线塌方、挡墙。

1991年，对惠狗线路基改线、沥青表处4千米（K15-K19），对惠狗线县城过境线砼路面（K2371-K2373）。对谷大线摆金过境线，新建砼路面1千米（K102-K103），对G210，G320新建钢筋混凝土板涵，对惠水各线新建砼护栏。对惠狗线15—19千米公路按三级公路山岭重丘区标准进行线型改造，路面为沥青表面处沿路面。

1992年，将由惠水公路养护段管养的国道210线K2371+400-K2373+500路段移交给惠水县建设局接收管养。

1994至1997年对G210、G320进行油路大中修工程；完成惠狗线油路工程改造；完成惠罗线G210线2390K-2482.7K公路改建，工程全长92.7千米，其中新建油路87.4千米，该工程1996年动工，1997年12月15日由省交通公路局组织验收。对G210线和G320线修筑过水涵、水毁挡墙修复、桥台恢复、新建护栏、路基沉陷，恢复涵洞、路基沉陷，坏路整治，对各线恢复护栏及警示桩。

1999年，完成G320线进行改造五千米（K2146-K2151），对G320线进行油路大修（K2379-K2380、K2385.7-K2388、K2149-K2151+200）。

2000年，完成G210线老路改造（K236+000至K2384+850），对惠水县黑土坝至三都镇公路（G210线、G320线），全长25.5千米改造成山岭重丘区二级公路，惠水环线路基宽度12米，其余路段路基宽度8.5米，建成后设站收费。

2004年，对S309麻兴线进行油路大修（K150-K157）。对S101线（K62+800）以及沿线进行油路面水毁恢复、水毁清塌方以及水毁示警桩制作安装。对S101线进行水毁板涵恢复和水毁路基路面修复（K56+300、K58-K63）。

2005年对S101线文明样板及保安工程建设，进行示警柱565米、进行轮廓标1178个、沿线设施油漆60Km、行道树刷白62Km和龙门架砼基础1处（K44+000-K157+000）；完成惠水段承建的S309线（K157+000-K162+000）段油路大修。

2006年，完成S101线（K45+947-K46+020）段混凝土路面改造；对S101线（K38-K58）沥青路面进行修补，完成S101贵罗线和S309麻兴线进行水毁挡墙恢复和水毁路肩墙恢复。全年管养里程142公路，查路里程131公路，好路率达90.84%。

2009年，全年管养里程136千米，好路率69.85%，差路率0.74%。

2011年，惠水公路养护段验收检测里程10.9千米，平整度合格率94.3%，厚度合格率100%。

2012年，对S101贵罗线和S309麻兴线进行挡土墙恢复、路基沉陷和涵洞修复整理，对沙子哨机化站进行建设。增设S101线（K63+400）钢筋混凝土防撞护栏。对省道S101线（K47+600-K48+200）路段两侧人行道实施加宽4米，解决交通瓶颈，提升公路的通行能力，降低安全隐患。增设S101线（K74+600）圆管涵，对S101线（K80+550）涵洞进行加固；对S101惠水长田至濛江桥段公路改扩建；对S309惠水城东至七里冲段公路改扩建。对S309线（K147+000-K149+990）段（惠水马蹄破至长顺、广顺交叉路口）作为城市道路进行改造建设。将此段仍作为省道S309线使用，并进行养护和管理。全年管养S101贵罗线、S309麻兴线公路里程137千米，优良率64.86%。

2013年，S101线K42+000-K47+000段移交惠水县管理；各养护站里程重新作调整：高镇养护站管养里程：S101线（K26-K42），16千米、卧龙养护站管养里程：S101线（K48.3-K72），23.7千米、断杉养护站管养里程：S101线（K72-K100），28千米、摆金养护站管养里程：S309线（K102-K132），30千米、和平养护站管养里程：S309线（K132-K165），33千米。将S101线惠水长田至濛江桥公路改建，不收费一级公路共18公理调入国家公路网规划的国道、将S301惠水城东至七里冲公路改建，不收费一级公路共7千米调入国家公路规划的国道。全年完成公路优路率62.16%，实现优良路68千米。

2015年，对S101线K26-K35处进行水毁路段恢复，S101线进行卧龙桥维修加固；小修养护里程137千米，查路里程56.5千米。和平养护站管养里程为S101线（K26-K37）（K39-K42）共14千米，S309线（K139-144.5）（K155-K165）共15.5千米，断杉养护站管养里程为S101线（K48.3-K100）共51.7千米，摆金养护站管养里程为S309线（K102-K139）共37千米。养护里程118.2千米。

（二）县农村公路局养护

县农村公路局主要负责县境内县、乡、村公路的养护。

1966至1969年，以“民办公助”的方式修建摆金至西关的公路，组建六寨、斗底两个道班负责养护。

1970至1973年，对马道至雅水公路、断杉至羡塘公路、芦山至王佑公路进行改造，先后组建马场坡、鸡啼、羡塘、洛号、雅羊、鸭绒道班。

1973年，县到区公路共设立六寨、斗底、马场坡、鸡啼、羡塘、洛号、雅羊、鸭绒等8个道班，负责公路养护工作。

至1979年前，县公路养护工作较为落后，基本上每个道班配一辆马车，按每3千米配置一名养护工人，以肩扛手搬的模式进行公路养护，县公路多数路段每到洪水季节都是晴通雨阻。

1980年，县结束马车作为交通工具养路的历史，每道班配备小四轮、27型35型拖拉机等初级机械化养护。

20世纪80年代，各区委重视区乡公路养护工作，先后在雅水至董照公路上设立雅水、太阳、翁岗道班；雅水至抵麻公路上设立合爱道班；雅水至党古公路设立党古道班；翁孔坡至甲烈公路设立甲烈道班。

90年代初，县设有六寨、斗底、马长坡、抵季、羡塘、雅羊、鸭绒等7个养护道班。

至1994年，各道班已配备碎石机器、单位配备工程车辆等进行养护。

1995年，全县养护的县乡公路总长276.1千米，其中县级公路105.7千米，乡级公路170.5千米，由7个道班、1个保养组负责养护，县级公路养护工作取得72.6%的好路率，综合质达75.8%。

1995至1998年，先后取消老道班原有的简易道房，新建羡塘、抵季、马场坡、雅羊、鸭绒、六寨、斗底7处一楼一底的砖混道班房，增加办公场所、住宿楼房、厨房等设施，改善道班个人生活环境，丰富道班工人文化生活。

1998年，完成养护投资676.5万元，县公路年均好路率52%，差路率压缩4%，列养公路基本保障晴雨通车。

2005年，创新县乡公路管养机制，实行条块式管养体系，提高公路养护质量，全县县公路养护质量好路率达到82%，养护质量综合值达到75%以上。

2007年，养护体制改革，公路道班集中养护模式转变为养护承包制，农村公路养护采取群众养护和专业化养护相结合的办法，采取由公路沿线农户分段承包、竞争性谈判等方式进行合同养护，促进农民增收，实行养护市场化，取消农村公路的养护道班。是年，全县列入管养的县公路共6条111.2千米，乡公路共21条176.4千米，村公路共80条计667.5千米，县公路好路率达90%以上。

2008年，凝冻灾害期间，县公路损坏严重，县养护机构确保公路安全畅通，县公路好路率始终保持在70%以上，乡公路好路率保持在50%以上。

2015年，县农村公路里程总计1261.93千米，其中县道109.97千米，乡道179.48千米，村道972.48千米。县道沥青路PQI中等路率达67.08%，乡道沥青（水泥）路PQI中等路率达76.82%，无铺装路面乡道好路率达到66.7%和村道好路率达到69.9%。

三、公路绿化

1985年，在州交通部门支持下，从河南调运“大冠杨”树苗，在雅羊、马长坡、斗底公路推广试栽500株。

1992年对县城附近的国道210线和320线6.2千米长线路开展绿化工作。

1993年，在断航线（断杉—平塘县航龙）沿途的抵季乡、断杉镇、羡塘乡开展绿化公路，县减免因绿化占地的公余粮，断航线上各乡镇组建乡镇、村组参加的绿化领导小组，绿化断航线20千米，栽行道树一万余株。县交通局与乡政府联合发布两期“联合公告”，对绿化界线、行道树保护等责、权、利作明确规定。

1995至1997年，对雅羊至王佑、三棵树至平贡、摆金至甲坝、马长坡至明堂关、马道至雅水等重要县公路路段采取“不同路段不同树种”对宜林路段全面进行公路绿化，栽植30000余株。

1999年，印发《惠水县公路绿化实施办法》，为公路绿化提供政策支持；全县公路补栽绿化13千米，新载乔、灌木5千米，并与各乡镇政府协商制定“管护办法”。

2000年，全县共新增绿化里程8千米，补植22千米，为防人畜损坏，将新栽行道树围上刺，保存率和成活率均在90%以上。其中摆西线的田坝路段，通过乡镇采取镶砌绿化带、镶砌绿化坑的办法保护绿化用地，提高成活率，收到摆西公路改造工程部分路段“路成树成”的效果。

2002年，县公路管理所在摆雅线K5+000至K8+000段开展乔木公路绿化工作，与鸭绒乡政府签订《护树协议书》，乡政府出台护树办法，成立以乡党委、乡政府、乡派出所、沿线村组、学校组成的护树小组，逐株落实到农户。

2005年，对摆金至平塘西关公路补植公路行道数2000株。

2010年，在断杉至平塘航龙公路宜林路段新栽、补植行道树7公里，公3000余株。确保成活率到达95%。

2014年，加强“美丽乡村小康路”建设，种植小叶女贞树和大叶女贞树等公路行道树共25000株，绿化59公里。

2015年，对县乡村公路将近35千米的路段栽植行道树香樟、小叶女贞等树种13700株，种植小金橘、薰衣草花卉和草坪7000平方米。对七里冲大道和好花红金橘大道共计10千米的路段，栽植行道树香樟5200株，种植红叶石兰、龟甲冬青、桂花、紫荆、紫薇、刺梨等花卉和草坪21000平方米，投入资金428万元。

第四节　道路运输管理

一、运政管理

运政管理目的是通过运政执法检查，积极维护道路运输市场秩序，保障道路运输安全，保护道路运输有关各方当事人的合法权益，促进道路运输业的健康发展，是道路运输管理的主要组成部分。

1997年，县公路运输管理所完成拖拉机养路费征收、运输管理费征收等交通规费合计52.8万元。

2001年，县公路运输管理所全年检查车辆16862辆次，其中违章受处罚的2372辆次；完成客货运附加费245万元、运管费78万元。

2004年，《中华人民共和国道路运输条例》（国务院令第406号）颁布实施后，道路运政执法工作有法可依。是年，超额完成客货运附加费、运管费征收等交通规费388万元。

2006年，县公路运输管理所全年共查车45827辆次，查处违章行为2007起，均按照《中华人民共和国道路运输条例》《贵州省道路运输管理条例》等相关法律、法规作出了相应的处罚；完成客货运附加费、运管费合计726.7万元。

2009年，检查车辆10072辆次，立案790起，暂扣车辆71辆，扣证257本，打击非法营运车辆125辆；道路运输行政许可120件。

2015年，县道路运输管理局共计出动运政执法人员3316人次，出动执法车辆1285辆次，检查车辆6400辆次，查处非法营运、擅自改装营运车辆等违法违规行为1610起。

二、超限治理

2003年，经省交通厅批准在S101线31千米（惠水长田土桥）处修建超限运输车辆综合整治检测稽查点，作为超限运输车辆检测专用场地。

2009年，加强超限运输管理，稽查超限超载车辆7513辆，依法卸载车辆3120次，自行转运货物3120次，卸载货物120吨，收取超限赔补偿费1720250元，恶性超限运输车控制在4%内。

2011年，稽查超限超载车辆185277辆，检测13248辆，依法卸载转载车辆11辆次，卸载货物124吨，收取超限赔补偿费1093150元。

2013年，检测车辆37457辆，其中超限车辆15017辆，鲜、危产品车辆2868辆次，收取超限运输补偿费1981200.00元。办理行政处罚案件28000元/3件。

2014年，由于多数超限车辆改走贵惠大道惠水段不经过治超站点，超限车辆大幅减少。全年查处路政赔补偿案件7起，办理行政许可4件，收取路产损失赔补偿及公路占利用费271987元，共检测车辆29581辆，其中超限车辆15367辆。鲜、危产品车辆2581辆次，卸载（分载）超限车辆167辆，现场转运货物4426吨。劝返超限车限车辆4辆，超限车辆百分比控制在3.32%。收取超限运输补偿费2966150元。

2015年，超限运输治理工作检测车辆190590辆，其中超限车辆6452辆。鲜、危产品车辆297辆次，卸载（分载）超限车辆297辆，现场转运货物426吨。限车辆百分比控制在3.38%，收取超限运输补偿费1358900元。

三、客运管理

班车客运　1958年前，县内的主要交通工具是马车，载客马车全天候往返行驶于县城至近郊姚哨、三都范围内，马车车厢形状如桥，有三排座位，每次可载6至8人。随着县汽车站和县拖拉机站的成立，县内开始购置大型拖拉机和汽车，开展载客服务，至20世纪70年代，以马车为主的非机动交通工具逐步消失。

1978至1988年，县有贵阳惠水汽车站、县车队和运输社3家客货运输企业，客运车辆16辆，客运车辆仅发往：贵阳、克度、雅水、王佑、羡塘5个区乡。1984年，开始有个体从事客运业务。

1988年，客运车辆增加至27辆。是年，完成客运量36万人次，客运周转量830万人千米。

1990年，客运市场放开，客运车辆大幅增长。是年，全县运输旅客80万人次，客运周转量完成3458万人次。

1994年，客运车辆增至113辆，个体运输由客运行业的补充演变为客运市场的主导地位。1995至1996年，县内客运市场秩序出现混乱，个别线路如贵阳至惠水运营中巴车存在“宰客”“甩客”“卖客”行为和搞不正当竞争等现象。为促进个体运输市场健康有序发展，由县运管所对全县所有的营运客车整合，成立客运联营车队，从个体业户中选出正、副队长，对客车实行集中统一管理。

1998年，完成客运量3681万人次，客运周转量完成10855万人次。

2001年，因经营、管理不善等原因，客运联营车队处于常年亏损状态，是年解体。是年，为进一步规范道路运输经营行为，要求客运行业必须公司化经营，县成立了第一家客运企业——黔南交运有限责任公司惠水县分公司。

2006年，全县客运量达562.2万人次，客运周转量为17278万人次。

2008年，全县班线客运车辆数为275辆，全县客运班车线路达到41条，其中：省际客运线路2条，跨区线路2条，周边县际线路8条，乡镇线路25条，村级线路7条，全年客运量达556.8万人次，客运周转量达20335.5万人千米。春运期间，受凝冻灾害气候影响，县旅客运输量明显减少，较上年同期下降67%。

2009年后，受私家车、高铁等影响，县班线客运市场呈萎缩状态。

2015年，全县客运车辆有客车236辆。全县有黔南交运有限责任公司惠水县分公司、黔南交通运输集团惠水汽车运输有限责任公司、贵州省兴黔交运汽车运输（集团）黔南有限责任公司惠水分公司3家班线客运公司。是年，全县客运量1348万人次，客运周转量113502万人次。

惠水县黔惠客运站2015年发车时刻表

表10-6

起讫点	班线类别	里程（公里）	票价（元）	发车时刻
惠水-石狮	省际班线	1700	500	13：00
惠水-福建		1578	400	13：00
惠水-惠州		1567	400	13：00
惠水—金阳	市际班线	71	21	6：10至18：30　每7分钟一班
惠水—太慈桥		53	16	6：10至18：30　每7分钟一班
惠水—花溪		38	12	6：10至18：30　每7分钟一班
惠水—都匀		120	41	7：00至16：20　每小时一班
惠水—都匀（高速）		152	45	8：409：3010：40
惠水—安顺		106	30	7：00　8：00　8：40　12：35　13：10

续表10–6

起讫点	班线类别	里程（公里）	票价（元）	发车时刻
惠水—贵定	县际班线	125	33	7：30　9：10　11：50　12：50
惠水—平塘		139	40	7：50　13：00
惠水—独山		174	51	6：50　15：20
惠水—罗甸		112	32.5	7：20　9：00　10：00　11：00　13：20　14：20　15：20　16：10　17：00
惠水—克度		93	27	6：40　7：50　8：50　10：10　13：20　14：30
惠水—塘边		96	28	7：10　9：30　11：00　12：30
惠水—长顺		33	10	7：40开始每30分钟一班
惠水—紫云	县际班车	107	35	6：40　7：10　13：30
惠水—睦化		77	18	12：30
惠水—通州		82	24	10：10　12：20
惠水—岩上		80	24	13：00
惠水—平伐		59	17.5	14：00　17：20
惠水—掌布		136	39.5	14：30
惠水—广顺		37	10.50	9：10　10：25　11：00　12：00　13：30　15：00　16：00　18：00
惠水—白硐		75	24.00	15：40
惠水—敦操		105	26.5/30	8：10　14：30　14：50
惠水—边阳		70	20.50	每小时一班
惠水—抵麻	县内班车	62	18.5	9：40　11：30　13：30　15：20　16：30
惠水—雅水		39	11.5	8：00开始至18：00每小时一班
惠水—鸭寨		33	10	滚动发班
惠水—打引		65	19	9：30　14：00
惠水—长安		63	18.5	8：30　10：30　12：30　13：30
惠水–披弓		30	10	9：30　11：30　13：30　15：30
惠水—甲坝		46	13.5	11：00　16：20
惠水—西关		50	15	8：50　11：40　13：50　17：00
惠水—甲烈		17	6.5	9：30　10：30　11：30　13：30　14：30　17：30
惠水—断衫		41	12.5	6：50开始每小时一班
惠水—羡塘		74	22	11：50　13：55
惠水—董照		88	25	13：10　15：05

续表10-6

起讫点	班线类别	里程（公里）	票价（元）	发车时刻
惠水—定理	县内班车	77	18.50	14：30
惠水—青河		35	10.50	7：00开始滚动发班
惠水—摆治		58	17.00	8：20　11：30　16：00　15：10
惠水—王佑		51	15	8：40开始每40分钟一班
惠水—董朗		52	15.50	15：00
惠水—红星		56	16.50	13：00
惠水—宁旺		33	10.50	10：00　11：00　12：00　14：30　15：30　16：30
惠水—抵季		60	17.50	12：20　16：50
惠水—团坡		59	17.50	9：00　11：30　15：00　16：30
惠水—上皇		24	7.00	7：00开始滚动发班
惠水—长田		17	5.50	7：00开始滚动发班
惠水—双井		21	6.00	7：00开始滚动发班
惠水—摆金		25	7.50	8：00至18：00每30分钟一班
惠水—岗度		45	13.50	10：40　17：00

旅游客运和包车客运　2010年前，县无包车客运和旅游客运企业。

2011年，成立贵州煦阳东昇旅游客运有限公司，有营运客车35辆，从业人员56人。2012年7月，贵州好风光旅游巴士有限责任公司在惠水成立贵州好风光旅游巴士有限责任公司惠水分公司。

2015年，贵州煦阳东昇旅游客运有限公司有营运客车55辆，从业人员71人。贵州好风光旅游巴士有限责任公司有营运客车20辆，从业人员25名。全县有旅游包车客运车辆75辆，座位数3262个。

出租客运　1990年，县城内有机动摩托车851辆（公车49辆，私车802辆），其中从事载客服务的个体三轮摩托车（简称“机三”）有100辆、人力三轮车100辆，票价为每人（次）1元。1996年，票价上涨为每人（次）2元。

2001年，县通过招商引入成立惠水县好花红出租车公司投入奥拓牌轿车64辆运营。

2008年，惠水县好花红出租车公司经营不善倒闭。是年，成立惠水县出租车协会代管县出租行业。

2011年，县政府对104辆人力三轮车和485辆机动三轮车实施置换，实行人力三轮车10∶1置换、机动三轮车6∶1置换方案，交车报废后，一次性缴纳出租汽车8年经营权使用费12万。是年，引进贵州省惠水县宏海出租车有限责任公司对出租汽车实施管理，通过三轮车置换191辆大众捷达出租车，全县共计出租汽车191辆，出租车运营起步价4元。

2015年，通过招投标成立黔南交运有限责任公司，投放59辆出租汽车。是年，县内有贵州省惠水县宏海出租车有限责任公司和黔南交运有限责任公司2家出租汽车公司，共有出租汽车250辆。

城市公交客运　2003年12月，县成立第一家城市公交公司–惠水县宏达公交公司。有公交车4辆，开通长岭三岔口至宏矾厂（1路线）和县酒厂至百鸟河（2路线）共2条公交线路，实行人工售票。

2011年，公司拥有公交车17辆，营运线路为4条。

2014年，公交公司为降低公交运营成本，人工售票改为实行无人售票。

2015年，公交车数量升至31辆，其中使用LNG天然气车辆为4辆，公交线路发展至9条。

表10-7

2003年惠水县公交明细表

线路号	起点站	途经站点	终点站	运营时间	票价
1路	长岭三岔口	上马路、圆台边、县府路、西门、爬头寨、雅羊寨、大坡寨	宏矶厂	7：00—19：00	0.5元
2路	县酒厂	纸厂、金三角、烂坝林场、七里冲农场、九龙山庄	百鸟河	7：00—19：00	0.5元

表10-8

2015年惠水县公交明细表

线路号	起点站	途经站点	终点站	运营时间	票价
101路	高旺寨	爬头寨、和平镇政府、拆迁小区、人民北路、邮电局、公安局、人民广场、圆台边、东门口、上马路、养护段	长岭小学	6：50—19：00	3元
102路	汽车站	汽车站、交警队、涟江广场、县医院路口、民中濛江校区、腾宇广场、长岭小学、姚哨小学、高镇、高镇镇政府、高镇石化加油站、水溪路口、赤土、险峰厂	险峰厂	6：40—19：00	2元
103路	汽车站	汽车站、交警队、涟江广场、县医院路口、民中濛江校区、腾宇广场、长岭小学、姚哨小学、高镇、高镇镇政府、高镇石化加油站、水溪路口、赤土、红番哨、洞口、土桥、长田小学、长田工业园	长田工业园	6：40—19：00	3元
104路	县移动公司	县移动公司、涟江广场、县医院路口、民中濛江校区、蒙涟路口、民田家具园、新寨、毛寨冲卡布国际路口、长田工业园	长田工业园	6：40—19：00	3元
201路	行政服务中心	行政服务中心、四中、检察院、彩虹桥、县移动公司、交警队、商贸街、人民广场影剧院路口、恒基大厦、天宝幼儿园、南苑花城三区、恒基时代广场、行政服务中心	行政服务中心	6：40—18：30	1元
202路	汽车站	汽车站、小吃城、二中、马蹄坡、杨家路口、财经商务学院、珠链洞、黄磷厂、九龙路口、七里冲茶场、百鸟河、贵州盛华学院	贵州盛华学院	7：30—17：30	3元
301路	雅羊寨	雅羊寨、秦家寨、大坡寨、高旺寨、涟江汽车城、爬头寨、县中医院、和平镇政府、拆迁小区、人才资源市场、建设银行、小吃城、汽车站	汽车站	6：40—18：30	2元
401路	金三角	金三角、二中、马蹄坡、财经商务学院、珠帘洞、黄磷厂、九龙路口、野鹿井、九龙寺	九龙寺	8：30—17：30	4元
402路	财经商务学院	财经商务学院、杨家路口、马蹄坡、二中、恒基大厦、小吃城、金惠大厦、汽车站、交警队、涟江公园、县医院路口、欢乐岛、桂花园、民中濛江校区	民中濛江校区	6：40—19：00	1元

四、货运

1978年有县车队、运输社、搬运社3个国营和集体运输企业，货运车辆20辆。1988年，货运车辆增加至37辆，货运量60万吨，货运周转量1142万吨千米。至1993年，货运业务以公车运输为主。1994年，县成立客货运联营车队、险峰货运等车队。

2001年后，货运主要以个体运输为主。

2012年，全县货运车辆1299辆，吨位数为2628吨，货运量为358万吨，货运周转量为63299万吨千米，拥有从业人员2910人。

2014年，货运物流业快速发展，县引进贵州层峰物流公司、贵州顺通源货运物流公司等企业，货运物流市场逐渐向公司化经营方式发展。

2015年，惠水县物流协会成立，全县公司化经营货运物流企业28家，个体经营户156家，货物运输车辆合计1351辆。其中规模以上普通货物运输企业11家，分别为惠水县顺达物流有限公司、贵州四海通物流有限公司、贵州顺通源运输有限公司、贵州龙泉运输服务有限责任公司、贵州层峰物流有限公司、惠水大众货运有限公司、贵州车勇物流有限公司、险峰机床厂运输公司、贵州鼎鑫建材有限公司、贵州省惠水县德力钙业有限公司、惠水县永利房地产开发有限公司，共有货运车辆215辆；个体户拥有普通货物运输车辆942辆。危险货物运输企业有惠水安惠危险货物运输公司和贵州四海通物流公司2家，有危险货物运输车辆30辆。全年完成货运周转量353247万吨公里。

表10-9 惠水县1993年至2015年货运周转量

年度	货物运输量（万吨）	货物周转量（万吨公里）
1993	36	2442
1994	40	2677
1995	51	3425
1996	58	3883
1997	65	4354
1998	78	5216
1999	82	5487
2000	86	5741
2001	91	6096
2002	115	7705
2003	105	7140
2004	130	8750
2005	175.6	9702
2006	167	8931
2007	179	9722
2008	170	10056
2009	176	16522

续表10-9

年度	货物运输量（万吨）	货物周转量（万吨公里）
2010	243	21382
2011	451	33313
2012	358	63299
2013	409	118153
2014	841	271246
2015	1061	353247

五、机动车驾驶培训

20世纪90年代，黔南驾校在惠水设办事处，向社会提供驾驶培训服务。

2005年，县内成立第一家机动车驾驶培训公司–惠水县时发机动车驾驶培训有限公司。位于惠水县高镇镇地质八普内，有教练车20辆，为具有C1、C2、小型汽车资质的二级机动车驾驶员培训机构，拥有训练场地面积共计36060平方米。2009年，公司整体转让，更换法人，更名为惠水黔岭机动车驾驶培训有限公司。

2011年，贵州省惠水县宏远机动车驾驶培训有限公司成立，位于惠水县和平镇星光村双马冲，有教练车20辆，属于二级机动车驾驶员培训机构，拥有训练场地面积30666平方米。

2012年，贵州惠水县金都汽车驾驶培训有限公司、惠水县好花红驾驶培训有限责任公司先后成立，均属二级机动车驾驶员培训机构。

2015年，县有惠水县黔岭机动车驾驶培训有限公司、贵州惠水县金都汽车培训有限公司、惠水县好花红驾驶培训有限公司、惠水县宏远驾驶培训有限公司等4家机动车驾驶培训机构，教练车辆145辆、教练员145人。

六、机动车维修

2000年前，机动车维修行业以个体为主，呈现散、小、乱特点，对营运车辆的维修和保养带来安全隐患。

2001年，为规范机动车维修行业的管理，县交通局与贵阳顺达汽车修理厂联营，在惠水汽车站内成立惠水县顺行汽车维修中心，该企业技术设备较先进、规模大，是全县第一家二级机动车维护企业。

2006年，惠水县惠诚汽修厂、惠水县标一修理厂、惠水县安吉汽修厂3家机动车维修厂成立。

2015年，县内共有机动车维修企业89家，其中惠水县世发汽车维修有限公司、惠水惠诚汽修厂、惠水县平安汽车保养场和惠水县宏海汽车维修厂为二类以上维修企业，三类维修点85家。

第五节　水上交通管理

1985年前，县有传草渡口和甲戎渡口2道自用渡口，主要是为当地群众生产生活服务。1989年，新增三都镇旧司渡口、三合乡杨梅寺渡口、王佑龙船渡口、秦家寨渡口、中联渡口。

1990年，县港航监督所提出“十不准、十不要”的管理方法，着重抓好渡口安全工作，成效明显，州交通局授予三都区旧司渡口“文明渡口村”称号。1994年，县渡口全部实现渡船钢船化。1999年，取消甲戎渡口。

2004年，县撤销甲戎乡河坝、小河渡口、三都镇杨梅寺渡口。是年，全县有和平镇秦家寨、三都镇旧司、桐木、好花红乡传兴、中联、罗瓦、王佑镇龙船、打引乡打场共8个民用渡口。2009年，秦家寨桥建成投入使用，撤销秦家寨渡口。2015年，王佑镇龙船桥建成通车，撤销龙船渡口。是年，全县仅存好花红镇旧司渡口、中联渡口和王佑镇打场渡口3道渡口，均有省海事局配备的20客位钢质渡船。

第六节　交通运输企业

惠水县汽车队　1978年成立，位于县城马蹄坡，占地面积为4222.5平方米，是县属国有运输企业，主要承担全县货物运输任务，在册职工18人。1984年，县汽车队发展客运业务，共有客运车辆11辆，主要发往贵阳、克度、雅水、羡塘、王佑。1994年后，县汽车队经营严重亏损。2010年，对县汽车队进行改制。2011年，改制工作完成。对县汽车队资产进行拍卖，拍卖成交价为130万元，安置职工21人。

惠水县运输社　成立于20世纪50年代，集体合作社性质，主要是从事马车、拖拉机运输货物业务。1994年后，经营严重亏损。同年12月31日，运输社解体。1994年，根据《惠水县人民政府关于县交通局〈关于出售运输社房屋报告〉的批复》文件，通过职工会议对运输社房屋进行出售，安置职工56人，其中退休职工16人。

惠水县搬运社　成立于20世纪50年代，属于集体合作社企业性质，主要负责牛马板车、装卸搬运业务。1994年后，经营严重亏损。1998年，县搬运社出售房屋7万余元，安置职工28人。

贵州省惠水黔惠汽车客运站有限公司　2006年3月，贵阳汽车客运有限公司惠水客运站与惠水汽车站资产重组为贵州省惠水黔惠客运站有限公司，由贵阳汽车客运有限公司与惠水县人民政府合股，注册资金382.05万元，其中贵阳客运有限公司占注册资本70%股份，惠水县政府占30%股份。2015年，全站员工共有47人，有发往广东、东莞、潮州、惠州、浙江、福建石狮、重庆等省际班线3条；发往贵阳、都匀、安顺、贵定、紫云、平塘、独山、长顺、罗甸等市际、县际班线15条；发往县境内8个镇（街道）农村客运班线43条，进站发班客运车辆共计280辆，日发班320～370余班次，日输送旅客年平均5000余人次。

黔南交运有限责任公司惠水县分公司　2001年12月成立，隶属黔南交运有限责任公司，是惠水县第一家公司化经营的客运企业。公司是县内规模最大的股份制民营运输企业。2015年，拥有从业人员317人，驾驶员300人，管理人员17人。车辆226台，其中出租车59辆；客运车辆167台，41条班线客运，其中市际班线9条，县际班线11条，县内班线21条。

黔南交通运输集团惠水汽车有限责任公司　2007年，贵州省都匀汽车运输公司惠水分公司成立，位于惠水县振兴路，隶属于都匀汽车运输公司。公司主要从事道路旅客运输，经营范围为省际班车客运、县际班车客运、县内际班车客运。2015年，贵州省都匀汽车运输公司惠水分公司改称黔南交通运输集团惠水汽车有限责任公司，下设有贵州省兴黔交汽车运输（集团）黔南有限责任公司惠水分公司。公司从业人员155人，其中管理员工15人、驾驶人员83人、乘务人员57人；有客车69辆，客位数1685座，其中大型高一级客车12辆660座，中型高一级、中级客车4辆115座，小型中级客车53辆910座；客运班线50条：其中省际班线（惠水–惠州、惠水–龙岗、长顺–淡水、惠水–石狮）4条，县际县内客运班线46条。

贵州煦阳东昇旅游客运有限公司　2011年8月成立，有营运客车35辆，其中高级车18辆、中级车17辆，合计1289个座位，从业人员56人（驾驶人员35人、管理人员21人）。2015年，有营运客车55辆，其中高级客车36辆、中级客车19辆，合计2331个座位，从业人员71人（驾驶人员59人、管理人员12人）。

惠水县宏海出租车客运有限责任公司　2011年，惠水县宏海出租车客运有限责任公司成立。2015年，公司管理人员12人，管理车辆191辆，从业人员539人。

贵州省惠水县宏达公交客运有限责任公司　2003年6月成立，为县招商引资引进的城市公共交通企业，有公交线路2条，公交车4辆。2015年，拥有公交车31辆，营运线路为9条，驾驶员42人，管理人员14人。

惠水县安惠危险货物运输有限责任公司　2009年11月成立，主要从事一类一项危险货物运输业务，有从业人员10人，运输车辆4台，公司设有约900个平方米的专用危险货物运输车辆停车场。2015年，拥有危险货物运输专用车辆数达到13辆，总吨数39.545吨，应急专用车辆4辆，从业人员20人。

贵州层峰物流有限公司　2014年6月成立，位于惠水县欢乐岛11栋，注册资金500万元，主要从事大型跨省或省内物流运输仓储、散装水泥、粉煤灰运输、建材供应等道路普通货物运输业务，惠水县物流协会会长单位。2015年，从业人员120余人，管理人员15人，拥有运输车辆80余辆，月运输量达120余万吨，创税440万余元。

附：高镇、三都公路收费站

2003年6月，根据《省人民政府关于G210线惠水高镇至三都段公路设站收取车辆通行费有关事宜的批复》（黔府函〔2003〕46号）文件，同意在惠水县高镇至三都镇段全长21.1千米公路设置姚哨（2367km+880）和大坡（2379km+380）两个收费站收取车辆通行费偿还银行贷款，收费期限10年。7月1日上午8：00根据黔价费〔2003〕141号文件要求开始收取车辆通行费，具体收费、管理等工作由隶属于都匀公路管理局所属惠水县公路管理段负责。小型客车每辆每次通过姚哨站缴纳通行费1元；通过大坡站缴纳通行费2元；因收费标准从未变化，惠水大坡收费站和姚哨收费站被广大车主、网友称为全国“最廉价”收费站。由于收费站一定程度上制约地方社会经济的发展，县人大代表、县政协委员、市民多次通过不同渠道呼吁拆除两个收费站；2009年12月，黔南州政协委员吴文辉等在黔南州政协十届三次会议上专门提交《关于拆除惠水姚哨收费站的建议》提案。

2010年，贵州省人民政府决定政府还贷的二级公路从2011年1月1日起停止收费。2011年5月6日23时至7日凌晨3时，惠水大坡收费站和姚哨收费站实施拆除。

第二章　邮　政

第一节　机　构

1978年，由惠水县邮电局负责邮政、电信工作，内设行政组、邮政组、报话组、摩托车机械维修组，设三都、高镇、摆金、断杉、雅水、王佑6个邮电支局，在芦山、抵季、羡塘三个公社及上马（永安电机厂）所在地设4个邮电所，有职工111人；1980年3月，邮电管理体制调整，惠水县邮电局由地方管理恢复以黔南州邮电部门管理为主的垂直领导体制，人事干部任免使用权、财权、计划权、经营决策权、邮电通讯的指挥调度权等均由黔南州邮电局负责。1998年，邮电分营，惠水县邮政局成立，国有企业性质，独立运营，下设西门中心、县府路、上马路、高镇、断杉、三都、雅水、王佑、摆金9个邮政支局和芦山、羡塘、上马3个邮政所，有职工54人，资产2896091.35元。2015年，惠水县邮政局更名为“中国邮政集团公司贵州省惠水县分公司”，隶属黔南州邮政分公司，为全民公用性服务企业。内设办公室、市场部、代理部客户部。县内设惠明路、县府路、商贸街、振兴路、高镇、摆金、三都、断杉、芦山9个邮政自办支局，雅水、王佑、羡塘、岗度、抵季、好花红、甲戎、长田、长安、打引10个邮政委代办所，3个外包传统营业点，有职工61人，资产1242.65万元。

第二节　邮路及邮运工具

1978年，县内邮路为1556千米，其中自行车11辆，邮路382千米；二轮摩托车辆13辆，邮路903千米；步班邮路181千米。1980年以后，县城到高镇的邮件由省到晴隆的自办邮政汽车运递，县城到三都、断杉的邮件委托省到罗甸客车运递，县城到摆金、雅水、芦山、王佑、的邮件由县局摩托车运递，均为逐日班。至1985年，全县邮路长度共为607千米，其中摩托车4辆，运递邮路120千米；自行车20辆运递邮路390千米；步班邮路97千米。1993年邮路为588千米，其中自行车邮路411千米；二轮摩托车辆邮路120千米，步班邮路57千米。至2004年，全县邮路长度共为440千米，其中邮政汽车3辆运递邮路180千米；自行车4辆运递邮路30千米。2005年，自行车邮路取消。2015年，全县有农村邮路22条，全长545千米，城市投递线路4条，全长54千米。

2015年邮路路线：

县城邮路，一段：金三角、县府路、老民中、新供电局、农贸市场、惠兴路、振兴路。

二段：政务中心、思源小学、永红厂、四中、法院、检察院、上马路、二小、和平路。

三段：车站、县医院、新民中、长岭、城北新区、实验小学、五中。

四段：财经学院、殡仪馆、二中、南苑花城、中医院、大新村、大坡村、雅杨村、惠明村。

2015年乡镇邮路：惠水——高镇7千米　委办汽车周七班；惠水——摆金23千米　委办汽车周七班；惠水——雅水39千米　委办汽车周七班；惠水——三都13千米　委办汽车周七班；惠水——断杉42千米　委办汽车周七班；惠水——羡塘72千米　委办汽车周七班；惠水——大龙12千米　委办汽车周七班；惠水——芦山35千米　委办汽车周七班；惠水——王佑49千米　委办汽车周七班；高镇——长田24千米　委办摩托车周五班；高镇——大坝27千米　委办摩托车周五班；摆金——宁旺24千米　委办摩托车周五班；摆金——岗度32千米　委办摩托车周五班；断杉——甲戎10千米　委办摩托车周五班；雅水——太阳24千米　委办摩托车周五班；雅水——抵麻19千米　委办摩托车周五班；羡塘——抵季18千米　委办摩托车周五班；王佑——长安16千米　委办摩托车周五班；王佑——打引18千米　委办摩托车周五班；三都——好花红5千米　委办摩托车周五班；摆金——摆榜20千米　委办摩托车周五班；摆金——甲烈16千米　委办摩托车周五班。

第三节　邮政业务

邮务类

函件、包件及汇兑　函件可以根据其具有的不同的内件性质、处理手续、赔偿责任、寄递区域等，分成不同的种类：按内件性质，可分为信函、明信片、邮简、印刷品和盲人读物五种；按处理手续，可分为平常函件和给据函件；按照邮局所负的赔偿责任，可分为保价函件和非保价函件；按寄递区域，可分为本埠函件和外埠函件。1992年，经过一系列调整，国内函件业务只有信函、明信片、印刷品和盲人读物四种。按寄递区域又分本埠函件和外埠函件两种，按处理手续又分为平常函件和给据函件。1995年11月1日开办“中国邮政回音卡”业务，至2000年7月1日起停止销售非国家邮政局印制发和的回音卡。2012年1月17日，部分信函协议客户试办约投挂号业务，对函件实行挂号寄递、全网优先处理、短信通知、电话预约、按址上门投递签收的寄递服务。单程寄递标准资费：普通信函资费+挂号费3元+约投服务费2元，分本外埠、按重量区间计费。1992年起，贺年（有奖）明信片的发行工作正式列为邮政部门的一项正常业务，每年由国家邮政局统一印制发行，由各地邮局出售。是邮政企业的专营业务，由国家邮政局发行。包件是邮政部门按照国家物价部门核准，收寄邮件按邮件轻重计量。汇款按金额多少收取资费。1978至1990年为传统手工操作。1991至1998年以手工操作为主，电子操作为辅，2000年后主要是电子操作，2001年11月，完成全县邮政电子化“一台清”建设工程，服务时限大大缩短，邮政服务全年不休。

1978年收寄出口函件8.47万件，包件869件，汇票8756张。1985年收寄出口函件42.6万件，包件4521件，汇票2.7万张。1999年收寄出口函件25.64万件，包件8754件，汇票3.2万张。2001年，开通全国电子汇兑业务，用户在24小时内即可收到汇款。随着移动通信业务及邮政储蓄业务的不断发展，函件及汇兑业务量不断萎缩，到2015年收寄出口函件1.1万件，包件10.17万件，汇票8564张。

机要通信　机要通信业务实行业务专办，在县城设有专门的机要业务室，由专人收寄、专人投递。按照机要通信邮件重量计收资费。1978年收寄出口机要邮件1652件。1988年收寄出口机要邮件2896件。1999年收寄出口机要邮件1561件。2008年收寄出口机要邮件1231件。2015年收寄出口机要邮件756件。

报刊发行　邮政报刊发行以党报党刊为主，1978年全县报刊流转额完成7.86万元，1981年开办报刊零售业务，1986年完成16.47万元，1992年完成75.4万元，2002年完成153.2万元，2008年完成198.4万元；2010至2011年，在县城区域新建8个邮政报刊亭。2015年完成289.4万元。

集邮　1983年，县文化馆举办“惠水县首届邮票展览”1000余人参观，《贵州日报》报道此次展览，促进县集邮活动开展。1985年县邮电局开办集邮业务，业务收入8156元。1989年集邮业务收入8335元，1991年惠水县集邮协会成立，有会员120余人。是年，惠水县委宣传部、县文化局、县总工会、县邮电局、县集邮协会联合举办第二届邮票展览，展品40个框，640个贴片，参观者800余人。1993年，县邮电局集邮业务收入7.02万元。1996年，在县邮电局举办第三届集邮展览，邮展参观者两千余人。1998年集邮业务收入47.6万元，2015年县邮政公司集邮业务收入91.4万元，县集邮协会有会员23人。

惠水县集邮协会成立大会（1991年摄）

邮政特快专递　1998年开始办理邮政特快专递（EMS）业务。收寄快件4124件，营业收入8.6万元。2002年营业收入9.6万元。2007年设速递物流营业部，是年收寄快件17245件，营业收入38.5万元。此后营业收入逐年上升，2009年增至85.4万元。2015年，收寄快件101735件，营业收入109万元。

邮政储蓄

1987年6月，惠水恢复邮政储蓄业务。开办业务种类和利息均按中国人民银行相关规定执行，年末收储余额41.1万元。1989年中国人民银行、邮电部发出关于进一步办好邮政储蓄通知，规定自1990年1月1日起，邮政储蓄由邮电部门自办，储蓄存款存入人民银行，人民银行对邮电部门支付转存款利息。县邮电局增设邮储网点，改善服务态度，做到天天营业，组织全体职工开展协储揽收活动。1990年底，人均揽储1.5万元以上，贵州省邮电局奖配县邮电局价值5万元的邮储专用车一辆。1993年，惠水邮储收入25.84万元，年末邮政储余额812.96万元。

1999年5月1日起，对跨地区异地存、取款收取手续费，2001年5月1日，使用邮政储蓄“ATM”柜员机，扩充服务功能。2004年1月20日，全州邮政银联绿卡发行，29日开通邮政银保通业务，9月23日，邮政储蓄统一版本切换上线。2006年7月1日起，省内异地存款按金额的0.5%收取手续费，最低标准2元，最高20元；省内异地取款按金额的0.5%收取手续费，最低标准2元，最高50元。10月，经中国银监会黔南监管分局批准，惠水邮政振兴路营业所成立。2010年10月，正式收取小额账户管理费，季度统计期内日均存款余额小于100元的活期人民币存款账户，同一账户每季度收费3元。是年摆金、三都、断杉、芦山营业所成立。

2015年4月，中国邮政集团公司贵州省惠水县分公司，下辖9个邮政储蓄网点，8个农村金融便民服务站。6台ATM取款机，4台CRS存取款一体机。储蓄余额从恢复邮政储蓄业务初期的14.5万元到2015年的6.45亿元。

电子商务

2005年邮政充分利用邮政营业网、投递配送网、金融网等网络资源，开办了邮政储蓄短信；代收电信、移动、联通话费业务；2012年开办代收交通违章罚款、代收闭路电视费、代售国内火车票和飞机票，提供免费上门送票的“航空票务”业务。2015年，电子商务实现业务收入416万元。

附：农村少先队员信报投递站

20世纪80年代中期，县内乡镇邮件较多，投递力量不足，积压逾限突出。为解决该问题，1987年初，惠水县邮电局向县委宣传部、县教育局等单位征求意见，筹备在全县乡镇创办投递站，请少先队员义务参与邮政投递，得到支持。是年，县邮电局在全县组建成立56个“惠水县农村少先队员信报投递站”，各乡镇均有一个以上的投递站，投递站设在各乡镇中心小学和较大的村级小学，站长由学校老师或校领导担任，投递员由学校从高年级少先队员中选取担当，投递邮件限于普通信件和报刊杂志，电报、汇款单、包裹及重要

“小绿衣天使”选取要投递的刊物

邮件，由乡邮递员或投递站站长负责。惠水县农村少先队员信报投递站管理制度完善，方法得当，深受欢迎。《人民日报》《贵州日报》等媒体对此全国首创的做法进行报道，贵州省邮电局向全省推广。至2000年，累计有万余名少先队员参与投递，投递邮件200余万份，邮递行程逾200万千米。2001年后，因交通改善和邮政投递力量提升，信件、报刊杂志等传统的投递业务量下降，县邮政局试行由社会有偿代办方式的投递业务，信报投递站逐渐减少，至2003年，惠水县农村少先队员信报投递站停止运行。

第三章 通 信

第一节 电信业务

一、机构

1978至1998年，县内电信业务属惠水县邮电局管理。1998年12月，邮政、电信分营，惠水县电信局成立，内设综合办公室、市场部、建维部、设备维护班、农话班、市话班；下设一个高镇电信支局，有职工40人，资产1427.5万元。1999年6月，移动业务从县电信局分离。

2004年，惠水县电信局改称“贵州省电信有限公司惠水分公司”。2008年，“贵州省电信有限公司惠水分公司”更名为“中国电信股份有限公司惠水分公司”（简称惠水电信公司），下设王佑、芦山、摆金、雅水、三都、好花红、断杉、羡塘、高镇、大龙、长田11个电信支局（营业部）。2012年，所属11个电信支局（营业部）合并为芦山、三都、断杉、摆金、高镇、好花红6个电信支局（营业部）。2014年，县内6个电信支局（营业部）合并为芦山、断杉、摆金、高镇、好花红5个电信支局（营业部）。2015年，惠水电信公司内设网络服务部、销售服务部、办公室、财务室4个机构，下设5个电信支局（营业部），县城设建设路、县府路2个营业部，在册员工48人，有资产9213.4万元。

二、电报

电报是用电信号传递文字信息的一种通讯方式。电报在县内程控电话、移动通信、无线寻呼和互联网等高科技通讯技术的应用和普及前是最为先进的通讯工具。电报快捷、方便、保密性好，因按字数和标点符号计费，费用较高。

1978年，县有电报电路4路，均为幻线方式传输，电报业务量1.8万份。

1983年，惠水至贵阳电报电路传输由幻线方式改为载波方式。

1989年，取消载波方式传输，惠水至都匀、惠水至贵阳电报电路进入贵阳BJC-256路公众电报程控自动转报系统，通过该系统进入全国自动转报网，收报、接转、发报等过程由计算机在程序控制下自动完成，迅速准确，节省大量人力和设备。

1991年，县邮电局在原有天气、水情、公益、政务、新闻、普通、汇款、公电等电报业务基础上开办真迹传真电报、礼仪电报、请柬电报业务。

1992年，调整电报资费，每份电报以10个计费字数起算，新闻电报每字收费由原来的0.02元调整为0.05元，其余国内电报每字收费由0.07元调整为0.13元，译费由0.005元调整为0.01元，凡经传真机发出的公众去报每份收取传真纸成本费0.5元。

1994年，县邮电局电报业务量4.8万份，为历史最高。

1995年后，县内电报业务量逐年减少，2003年，停止经营电报业务。

三、传真

1995年，惠水县邮电局开办传真业务，配置传真机一台，传真号码226167，是年传真业务量458份。2004年，传真业务量1650份。由于传真业务多为公务性质，公众传真较少，到2006年传真业务下降到仅有366份。2007年后，县内各个单位或个人均可以自行购买或租用传真设备通过数据通信线路自由收发传真，传真业务停止经营。

四、无线寻呼

1993年11月，惠水县邮电局购进MASTR—Ⅱ型无线寻呼发射机1台、无线寻呼操作终端机（型号286）3台，在县城建立无线寻呼基站，12月开通县城无线寻呼数字系统，通过“126”人工寻呼，实现无线呼叫。无线寻呼的频率规定为160MHz，450MHz，900MHz频段，实际所用多为160MHz频段，用户使用的接收设备为传呼机（俗称BP机、CALL机）。1994年开通无线寻呼中文设备和“127”（自动数字）寻呼设备业务，实现无线寻呼数汉兼容、“126”（人工）“127”（自动）寻呼并用。是年，无线寻呼1632户，无线寻呼收入4.89万元。

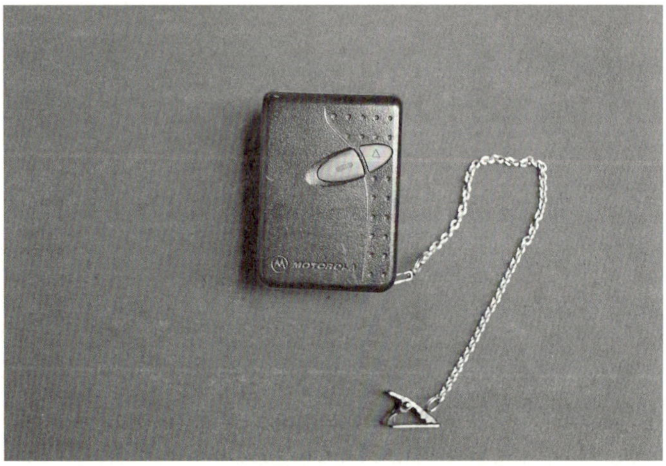

无线数字寻呼机

1996年，无线寻呼业务开始出现下滑，用户减少；1999年，信息产业部规定无线寻呼业务划入联通部门，县无线寻呼业务划归贵州国信公司经营。

五、固定电话及设施设备

1978年，县邮电局经营长途电话、市内电话、农村电话业务，利用架空明线载波线路方式传送；有长话电路11路（其中载波电路7路）；市话线路43杆千米，电缆12.2皮长千米；农话线路395杆千米，设有王佑、芦山、三都、断杉、摆金、雅水、姚哨7个农话交换点。县内无论长话、市话、农话需通过县邮电局话务员人工转接，通话设备为手摇式磁石电话，县内电话机数量较少，仅有少数党政机关单位、国营企业安装电话，个人需要到县邮电局在营业厅设立的电话间内接打电话，接听电话免费，拨打电话由人工计时计费。

1979年后，县内电话通信基础设施投资逐年加大，电话设备和电路不断增加，采用的通信信号传输介质有铁芯线、铜芯线、铜包钢线、铝绞线，市农话杆路由木杆向坚固耐用的水泥杆过渡，架空明线（电缆）线路向可靠性高，受气候条件和周围环境影响小的地下电缆发展。至1993年，全县长话电路27路，磁石交换机容量500门，市话机396部，农话机139部；市话线路4杆千米，均为水泥杆路，电缆19.9.皮长千米，其中地下电缆12.6皮长千米，农话线路239杆千米，其中水泥杆路217千米。

1993年，县邮电局安装国产DS-30型数字程控电话交换机开通使用，程控电话开始进入个人普通家庭，电话初装费3000元，惠水电话号码为22开头的6位数，长途区号为08648，通话设备为固定按键电话机。县内各单位和部分经济条件较好的个人家庭341户安装使用程控电话。

1995年，县内实现乡乡通程控电话。全县农村电话杆路有1095杆千米，铜芯电缆进入农村，容量为11520线对千米，明线退出电换网。

1996年，因开通程控电话长途自动电话业务，县内人工长途线路增音站终止运行。

1997年，全县25个乡镇程控电话农市话两网合一，实现县到镇主干线路光缆传输数字化，完成州内电话本地网组网，县内电话号码升位为6开头的7位数，长途区号与全州统一为0854。

程控电话开通前，为用户接续电话的磁石式交换机

1999年，县内固定电话初装费降至1000元，办理固定电话安装用户大幅增加，是年发展固定电话用户7670户。

2000年，县电信局为方便群众，开通城市公共电话–IC（磁卡）电话服务，在县府路、步行街、老场坝、客车站等主要街道和人员密集区域安装IC卡电话机67部。

2001年，取消固定电话初装费，仍保留月租费。

2004年，启动县内乡镇所在地电话光纤网络建设，通信机房到用户端的传输路线全部采用铜芯电缆接入，县电信公司在县城新建288线光交接箱6个，分别位于县府路支局支局（628局）门口、消防队（现恒基大厦）、环卫站宿舍小区路口、上马路物资局门口、狗场院路口，邮电综合大楼三楼核心机房安装配套ODF288数字配线架2架、对9个网吧及人行、工行、农行、建行、县农村信用联社进行光纤接入改造。

2005年，干线和农话光缆覆盖全县，开设语音和非语音现代通信业务、传输骨干网实现全光线接入。接入市话网的用户交换机容量增至29983门（主要型号为中兴ZXJ10），其中程控29533门，内部交换450门。

2006年后，电话程控交换机不再扩容，2008年11月，全县201个行政村实现村村通程控电话。由于移动通讯资费的下降，智能手机、宽带的普及和社交软件的广泛运用，2011年后县内固定电话用户数呈下降趋势。

2015年，县内固定电话用户16850户，电话业务种类有固话传真、呼叫转移、呼叫等待、闹钟、回拨，一呼同振。

附：会议电话

1951年，邮政、电信合并后，长途电话和市话容量不断增加，新开设会议电话业务。1976年，有会议电话终端机2部；1978年，有电话会议机22部；1985年，有会议电话终端机7部；1990年，全县有会议电话机15部；1991至2007年全县有会议电话机105部。2008年后，视频会议电话进入惠水，在西门邮电大楼五楼建设可视会议电话室，配备42寸夏华电视机两台，视屏解码设备一套，实现远程随时信号传输，中央、省州惠水县党政军及召开的重要视频会议均在此召开，传统会议电话机不再使用。

表10-10

1993—2015年县电信公司固定电话用户统计表

年度	用户数
1993	364
1994	375
1995	410
1996	835
1997	2260
1998	6530
1999	14200
2000	14600
2001	15000
2002	15400
2003	15800
2004	16200
2005	16600
2006	19040
2007	18992
2008	18998
2009	19803
2010	20405
2011	21007
2012	18792
2013	18136
2014	17285
2015	16850

六、移动电信通信

1999年9月，开通无线市话“小灵通”（PHS）业务。“小灵通”使用1900MHz—1920MHz频段，是本地市话的延伸和补充，采用先进的微蜂窝技术，通过微蜂窝基站实现无线覆盖，将用户端以无线的方式接入本地电话网，使传统意义上的固定电话不再固定在某个位置，可在无线网络覆盖范围内自由移动使用，随时随地接听、拨打本地和国内国际电话。因绿色环保辐射低，资费便宜等特点受到用户欢迎，巅峰时期建有“小灵通”基站111个，覆盖县城及高镇、芦山、三都等乡镇中心所在地，用户1.93万户，业务收入58万元。

2001年，县电信局开通450M大灵通（致富星）无线座机业务，解决农村通信难问题。

2007年，向用户推出品牌“我的e家”（2012年更名为天翼e家）“e6”（固定电话+小灵通）优惠套餐业务，发展“e6”用户1.93万户。完成开通太阳、洞口等450M大灵通（致富星）基站6个，基本覆盖各乡镇，全县有大灵通用户4173户。

2008年，中国电信集团收购中国联通CDMA网络及业务，县电信公司正式经营CDMA移动通讯业务，更名为电信天翼，号段133、153，实现移动、固定、数据网络全业务经营，是年建有基站102个，天翼手机用户2964户。

2009年，开通CDMA2000（3G）无线网络，有3G基站108个，天翼手机用户5300户。2010年3G用户12130户。

2011年，电信天翼新增189、180、182号段。建有3G基站209个。

2012年，县内大灵通业务及设备退市退网。

2014年，县电信公司开通FDD-LTE（4G）无线网络，推出月付、半年卡、年卡各种4G套餐，建4G基站87个，用户26500户。是年，完成县内“小灵通”退市退网工作。

2015年，县电信公司有3G基站132个，4G基站187个，天翼手机用户33460户。天翼手机业务有掌上办公、来电提醒、视频通话、来电提醒。

表10-11

2009—2015年县电信公司G网用户统计表

年度	CDMA2000（3G）用户	FDD-LTE（4G）用户
2009	5300	—
2010	12130	—
2011	15660	—
2012	18136	—
2013	21268	—
2014	—	26500
2015	—	33460

七、数据通信（互联网）

1997年10月20日，县内开通163电话拨号方式上网业务，固定电话用户使用电脑通过调制解调器（MODEM）与市话网连接，拨号163进入系统后访问网络，数据传输通过普通电话线进行，标准速率56kbps，按上网时间计费，上网不能接打电话，年发展用户120户。

2000年1月，开通ISDN（俗称一线通）上网业务，数据传输仍使用电话线路，采用频分0复用技术把普通电话线分成电话、上行和下行3个相对独立的信道。通过ISDN上网时，用户不仅可以接打电话、发传真，还可获得更好的语音和数据的传输速率和质量，标准速率128kbps，但资费比拨号上网高出许多，主要是网吧和单位安装，是年发展用户162户。

2003年4月，县城开通ADSL（非对称数字用户线路）上网业务，全面取代163和ISDN窄带上网，惠水进入互联网宽带时代；是年有ADSL用户213户，初期上网速率512Kbps，后提升至8Mbps。

2008年，推出我的e家e8（固定电话+宽带）套餐业务，发展e8用户1978户。

2010年，推出我的e家e9（宽带+天翼手机+固定电话）套餐业务，发展e9用户12915户；是年，对ADSL宽带用户线路从铜芯电缆接入方式逐步改造转换为光缆接入。

2012年，启动宽带FTTH（光纤到户）工程，对县城满坝小区、拆迁小区、老场坝进行光进铜退（光纤代替铜缆）试点，是年光纤入户改造1265户，速率10Mbps以上。

2013年起，响应国家“宽带中国”战略，对全县范围的传统宽带设备进行大规模光纤网络改造。

2014年，启动村村通工程，开展光纤进村建设，实现光纤电话及光网宽带。

2015年，全县电信宽带用户14598户，其中光宽带用户9680户。通讯业务有语音通话、宽带网络、光纤电视。

表10-12

县电信公司2003—2015年宽带用户统计表

年度	Adsl用户	FTTH用户
2003	213	—
2004	462	—
2005	738	—
2006	1059	—
2007	1377	—
2008	1978	—
2009	5282	—
2010	12915	—
2011	13021	—
2012	12234	1265
2013	11659	2160
2014	8416	5735
2015	4918	9680

第二节　移动通信

一、机构和网点

1999年8月1日，移动业务从电信分离，成立惠水移动营业部，在县邮电大楼大门右侧设置窗口办理业务；人、财、物按照18%的比例从惠水县电信局划归惠水移动营业部，有在职人员11人，退休人员6人，固定资产357.37万元，负债资产371.40万元。

2000年，惠水移动营业部更名为惠水县移动通信公司，内设市场部、建维部、营业部和综合部。在县府路好花红宾馆路口租门面设置自办营业厅，在高镇、摆金、雅水、三都、断杉等中心乡镇设置代办点。

2001年，在县城振兴路汽车站侧征地3亩建设900平方米的生产办公大楼。

2002年，在商贸街路口自购门面72平方米，设置自办营业厅。

2005至2006年，投入200余万元，在县25个乡镇建设移动标准营业厅，向社会公开考试招聘员工。2006年，惠水县移动通信公司更名为中国移动通信集团贵州有限公司惠水分公司（简称县移动公司）。

2015年，县移动公司市场部、网络部、政企事业部和综合部，有自办营业厅1个，移动业务代理商82

个（含25个乡镇移动标准营业厅），公司在职职工41人，公司资产2.5亿元，其中房产3000万元，设备及线路固定资产2.2亿元。

县移动公司主要经营移动语音、数据、宽带、IP电话和彩信等多媒体业务，拥有“全球通”“动感地带”“神州行”“移动梦网”品牌。服务号段有135、136、137、138、139、147、150、151、152、157、158、159、182、183、184、187、188。

二、品牌业务及网络设施设备建设

1996年，开通模拟移动网络，惠水进入移动通信时代。县邮电局在县邮电大楼8楼设有900兆蜂窝模拟移动基站，在高镇镇、三都镇、摆金镇各建有一个直放站，高镇镇、三都镇采用微波传输方式，摆金距离较远采用有线传输方式。模拟网络的通话设备为便携式蜂窝电话机，俗称大哥大，拥有大哥大被认为是身份、地位、财富的象征。大哥大使用900开头的六位号码，其价格（含入网费）一般在万元左右，贵的在2万元以上，体积较大，只有接打电话功能，通话语音品质低，信号不稳定，串号现象时有发生。对模拟网用户除每月收取固定月租费50元外，通话费用按一分钟0.5元的标准分别对发话方和受话方实行双向收费，另根据实际情况对本地模拟网用户在县境外通话产生的时间收取漫游费和长途费，是年仅有少数党政机关领导和经济条件较好的企业界人士300户使用。

1999年，开通GSM（2G）网络，推出全球通品牌业务，发展用户900户。

2000年，推出以快捷和实惠为原则、以使用话音和短信业务为主的“神州行”品牌套餐，发展用户1100户。在宁旺乡海拔1600米的龙塘山建立微波中继站，在长田、高镇、王佑、芦山、三都、断杉、羡塘、摆金、雅水、摆榜等乡镇建设2G基站。

2001年，根据省移动公司的部署，专门推出资费十分优惠，可在省内自动漫游的（神州行）黔中游品牌套餐，发展用户1276户。

2002年，县移动公司完成全县模拟网络用户退网，对模拟网退网的用户每户给予800元资金补助；为方便用户自主缴费，推出让用户自己能够操作充值“金黔卡”。

是年，推出不同档位的GPRS套餐，满足G网用户对数据流量的需求。

2003年，针对年轻时尚、大学生等人群，推出“动感地带”（M-ZONE）品牌套餐，发展用户2000户。是年，县内GSM网络信号实现县25个乡镇政府所在地“乡乡通”网络全覆盖。

2004年至2005年，在全县实施GSM网络“村村通”工程。

2006年，投资150万元，在高镇镇山后村建设移动超级基站。采用“光纤+卫星”的双路由传输链路，在地面通信传输光缆中断等非常规情况下，自动切换成卫星通信模式，保障县内市民打电话和应急通信指挥的需求。

是年，县201个行政村全部实现GSM网络信号覆盖。

2008年，县内遭受罕见的凝冻灾害，县移动公司在惠水县摆金片区投入资金45.6万元，修复光缆杆路12.2千米，修复基站10座。在高镇片区投入资金30.4万元，修复光缆杆路8.5千米，修复基站5座。在芦山片区投入资金45.8万元，修复光缆杆路12.3千米，修复基站8座。

2010年，利用现有局域网资源，在县政府大楼一楼设置政务网机房，机房至公司中心机房采用双路由传输方式，完成惠水县政务网组网建设。

2011年后，在县城内各大营业厅设置24小时自助缴费机，方便市民。

2013年，在县内开通TD-SCDMA网络（3G网），建3个基站33个，发展3G用户2765户。

2014年，在县内开通TD-LTE（4G）网络，建4G基站56个，推出全新的“and和”4G网络品牌，发展4G用户11956户。

2015年，针对集团客户内部通信需求开办集团V网业务，将集团内部的客户编制成一个VPMN集团，其中的每一个成员均可以使用短号码互相呼叫并享受组内成员本地通话的优惠，实现集团成员之间便捷，智能的移动语音业务，208个单位、企业办理该项业务；同时，在集团V网业务基础上，开办亲友网和朋友网短号集群网业务，通过3到6位数字的号码代替11位手机号的短号功能为客户建立一个专用虚拟网，进行统一编号和组网，各用户通过短号互拨享受更优惠资费。

是年，在百鸟河核心区域建成移动大数据演示平台，开办4G品牌套餐（4个商旅套餐），满足用户流量和上网需求，开始下线神州行、动感地带品牌，将神州行、动感地带品牌用户逐步转为4G品牌用户。4G网络信号覆盖各个镇（街道）和92%的自然村。至年底全县境内内有2G基站322个，3G基站88个，4G站291个，移动用户20732户。

附：WLAN业务。WLAN是3G技术的有益补充，可以在热点覆盖范围内提供高速率带宽，满足用户上网需求。2011年开通WLAN业务，在惠水城区共建设wlan热点12个，2012年建设wlan热点30个，2013年建设wlan热点16个，2014年建设wlan热点15个，2015年，停止建设wlan热点。

表10-13

2001—2015年县移动公司基站建设统计表

年度	2G	3G	4G
2001	8个	—	—
2002	2个	—	—
2003	9个	—	—
2004	25个	—	—
2005	17个	—	—
2006	10个	—	—
2007	7个	—	—
2008	4个	—	—
2009	90个	—	—
2010	9个	—	—
2011	58个	—	—
2012	17个	—	—
2013	31个	33个	—
2014	13个	33个	56个
2015	22个	22个	235个

三、宽带业务

2009年，获得经营移动数据宽带营业执照后，县移动公司加快宽带基础设施建设，以振兴路车站侧办公楼三楼机房为中心，施放144芯大对数光缆，设置15个光交箱形成闭合城域网，增加和完善部分城区地下管网、光交节点。

2010年推广小区宽带建设，采取FTTB方式接入，在南苑一区、南苑二区、泊岸御都、中心花园、金三角、商贸街等开通宽带业务，宽带速率为2兆。2011年建成8个小区宽带，在摆金、高镇、好花红3个乡镇建设宽带；2012年建成16个小区宽带，宽带基本覆盖城区和乡镇；2013年建成26个小区宽带，2014年实施光纤（FTTH）入户，建成42个小区宽带。2015年，建成72个小区宽带，启动村通宽带建设工程，年底，全县累计建成215个小区宽带，全县移动宽带用户14360户，宽带速率50兆。

2010—2015年县移动公司宽带用户统计表

表10-14

年度	用户数
2010	1865
2011	2231
2012	2385
2013	2420
2014	2732
2015	2997

四、移动无线固话业务

2010年，开通移动无线固话业务。移动无线固话采用GSM手机信号网络，资费便宜，可免费呼叫转移、免费企业彩铃，有网络传真、企业总机、中继连选等其他电信增值功能。移动无线固话设备使用49开头号码的移动无线座机，具有携带方便、避免拉线的优点。截至2015年共发展用户1194户。

第三节　联通通信

一、机构

2000年，联通进入惠水，设立中国联通黔南分公司惠水业务区，与个体手机店"顺宇通信"协议合作，为联通代理点，办理GSM（号段130、131）入网、收费、发展集团用户、终端销售等业务和进行简单基站维护；2001年在县府路（圆塘坎）租门面开展业务，挂牌中国联通惠水县府路营业厅。2002年在惠水西门自建营业厅；2004年9月，中国联合通信有限公司惠水县分公司正式成立，隶属中国联合通信有限公司黔南州分公司，有自办营业厅1个，代理渠道3个，员工6人。2008年5月根据国家工业和信息化部、国家发改委和财政部三部委联合发布的《关于深化电信体制改革的通告》（工信部联电〔2008〕73号）中关于进一步深化电信体制改革的精神，中国联通黔南分公司与中国网通黔南州分公司重组融合，中国联合通信有限公司惠水县分公司更名为中国联合网络通信有限公司惠水县分公司（简称县联通公司）。

2015年，县联通分公司下设城区销售中心、集团客户销售中心、摆金乡镇销售中心、建维中心，在岗员工19人，其中：城区8人、集团5人、建维3人、摆金3人。全县有自办营业厅1个，代理点26家，营业网点覆盖全县各个镇（街道）。经营业务有（GSM）移动通讯业务，固话业务，国际、国内长途通信业务，数据通信业务，互联网业务及IP电话业务（接入号17911），电信增值业务。服务号段有130、131、132、155、156、185、186、145。

二、基站建设

中国联通惠水县分公司成立后，推进和发展网络通信基站建设。2004年建设32个GSM网络基站，40个CDMA网络基站；2005年建设15个GSM网络基站，30个CDMA网络基站；2006年建设10个GSM网络基站，25个CDMA网络基站；2007年建设13个GSM网络基站，20个CDMA网络基站；2008年建设15个GSM网络基站，因CDMA业务整体转入电信公司，CDMA网络基站停止建设；2009年建设10个GSM网络基站，40个3G基站；2010年建设8个GSM网络基站，28个3G基站；2011年建设5个GSM网络基站，56个3G基站；2012年，县内通信基站总数232个，其中3G基站有124个。2013年由于CDMA网络基站产权划分电信公司，县联通公司有基站97个，其中：3G站38个，2G站59个。3G基站覆盖区域为城区及大乡大镇。2014年共有基站112个，其中3G站45个，2G站67个。2015年有124个3G站，41个4G站，2G站67个。3G网络覆盖率达到70%，4G网络实现了大乡大镇以及大行政村的覆盖，至年底基站总数232个。

三、主要业务

2G业务。2004至2008年，主要经营GSM移动通信网络和CDMA（号段为133）移动通信网络2G业务。2004年，县联通公司完成CDMA移动通信网络升级，推出“世界风”双模业务、“联通无限U—Max”增值业务，包括基于分组交换平台的“彩e”“互动视界”“掌中宽带”“神奇宝典”“定位之星”、WAP、JAVA、BREW等新业务，为用户提供资讯、娱乐、多媒体email、商务、定位等全方位的手机互联网服务，发展CDMA用户5040户；GSM用户2100户。2005年CDMA移动通信网络在全州率先实现“乡乡通”，覆盖全县25个乡镇。2006年，推出世界风双网双待移动终端及“警务新时空”“工商新时空”“农业新时空”等行业应用，2007年，有移动用户11046户，其中GSM移动通信网用户数5032户，CDMA移动通信网用户6014户。2008年，国家对电信业实行重组，中国联通CDMA移动通讯网络划至中国电信公司，联通公司保留GSM移动通讯网络业务，县联通公司按规定和要求履行相关业务。

2009年，CDMA业务转让后，惠水联通GSM移动通讯业务继续得到发展，是年有用户5320户；2012年，惠水联通有2G用户6231户；2014年，有2G用户6522户，2015年部分2G用户转网3G用户，是年有2G用户3569户。

3G业务。2009年2月，县联通公司建设基于WCDMA制式的3G网络，2009年10月，惠水县城区3G（WCDMA）网络全面建成，对外放号，号段186、185，启用中国联通3G（WCDMA）无线上网卡专属号段145，推出全新的全业务品牌“沃”，年末，有3G用户236户，2009年后分别面向个人、家庭、商务、青少年四大客户群体建立涵盖所有创新业务、服务的“沃3G”“沃家庭”“沃商务”“沃派”“沃服务”等五大业务板块，丰富和完善全业务品牌体系。2012年，3G（WCDMA）移动通信网络实现全县“乡乡通”，3G业务收入首超2G，3G业务收入成为服务收入主要来源，年底县联通公司有3G用户7235户。2014年，3G用户9023户，2015年，3G累计发展用户11225户。

4G业务。2015年获得FDD-LTE4G牌照，建设速度，推出4G自由组合6元至596元套餐供用户选择，2015年发展4G用户1023户。

宽带业务。2011年，惠水联通推进光纤宽带接入网建设，满足惠水市民对家庭宽带的需求，2012年，发展宽带用户252户。2013年，宽带覆盖区域为城区及高镇镇、摆金镇、芦山镇，共计开通机箱260个，宽带端口数2960口，有宽带用户1566户。2014年，有宽带用户3332户。2015年宽带覆盖区域为涟江街道、濛江街道摆金镇、芦山镇、断杉镇、好花红镇，有宽带用户4211户。

第十一篇 城乡建设 环境保护

第一章 城镇住房制度改革

第一节 住房制度改革

一、机构

1992年7月，成立县住房制度改革领导小组，组长由县政府分管副县长兼任，县城乡建设局局长担任副组长。领导小组下设办公室，简称“县房改办”，为副科级单位，人员编制3名。县房改办成立初期，租借县建筑公司房子办公。

1994年6月，县房改办归口县建设局为股级机构，办公地点在县建设局。

2006年9月，县房改办归口县政府办公室管理，为股级事业机构，人员编制4名，设主任或副主任1名。

2011年12月，以县房改办为基础成立惠水县住房保障局，为惠水县住房和城乡建设局所属副科级事业单位，编制8名，设正副局长各1名，办公经费由县财政全额预算管理。

二、住房制度改革

1950至1992年，县城住房主要由两个部分组成：居民住房；单位及干部职工住房。一般居民的住房为自建房或租房解决；干部职工住房一直沿袭国家（单位）统包、统管、统分的实物分配体制，低房租、高补贴、福利性、供给性、非商品性是干部职工住房实物分配体制的特点。

1992年7月，县房改办成立后，8月至12月开始对县所辖的各行政、事业、企业单位的干部职工住房情况开展普查，发放《职工住房情况登记表》127份，收回116份，占91.3%。经调查汇总，1950至1992年，惠水县城内各行政、事业、企业共有公有住房3287户，总建筑面积14.84万平方米，户均45.27平方米。公有住房租金每平方米0.095元，户均月房租3.49元。在3287户公有住房中，砖混非成套房为1498户，砖混成套房662户，砖木结构房1090户，其他简易结构房有37户。

1993年3月，县出台《惠水县城镇住房制度改革实施方案》《惠水县公有住房出租细则》《惠水县公积金实施细则》《惠水县公有住房出售细则》《惠水县集资建房实施细则》《惠水县住房合作社组织管理实施细则》《惠水县住房资金筹集、使用管理细则》《惠水县单位住房专项贷款实施细则》《惠水县职工住房抵押贷款实施细则》等文件。1993至1999年，住房制度改革的主要内容是：公有住房出租、推行住房公积金、住房建设债券兑换、集资建房、公有住房出售、住房资金归集管理和使用，单位职工集资建房的原则是“先集资后建房、定向预售”；操作方法是“个人先集资，单位资助，国家扶持”。此期间县城内共审批集资建房单位393个，总建筑面积141万平方米，共解决职工住房1557户。

1993至1999年，县城单位出售公房3044套，归集公房出售资金820.72万元。单位出售公房价格标准：1992年1月1日后，新建的砖混结构单元式套房每平方米186元，砖混结构非套房每平方米170元；1990年1月1日至1991年12月3日期间，砖混结构非套房每平方米150元；20世纪80年代的为每平方米145元，70年代的每平方米140元，60年代的每平方米135元，50年代的每平方米130元；其他结构的公房，20世纪90年代的每平方米130元，80年代的每平方米125元，70年代的每平方米120元，60年代的每平方米115元，50年代及以前的每平方米110元。职工购买公房时，在享受各种优惠政策后，最低付款价格砖混结构新房每平方米120元，旧房每平方米不低于80元，其他结构每平方米不能低于20元。单位公房出售于1999年结束。

2000年以后，职工住房进入商品化阶段，职工购买商品房时，按相关政策规定办理住房公积金贷款。商品房价格随市场变化决定。

2000年1月1日起，县不再审批集资建房。2000至2004年，共审批8个单位建经济适用房，总建筑面积1.57万平方米，总投资874.41万元，解决职工住房167户。

2000年1月，县住房制度改革实行住房分配货币化改革。黔南州人民政府住房制度改革领导小组批准惠水县住房分配货币化改革方案，从2000年1月1日起执行。住房分配货币改革就是改变过去单位为职工建房、购房和分房的实物分配体制，实行住房商品化和社会化。

县住房分配货币化改革的具体内容为：实行新的公有住房出售价格，同时给予职工住房补贴；继续推行住房公积金制度改革；新老房改政策衔接；补交土地收益金；调整住房租金；建立新的住房制度。

2004年后，相关工作由业务部门承担。

三、住房资金存款管理

1992年，各项住房资金存款余额为324.9万元。其中：行事业单位住房资金存款余额为80.1万元，企业单位住房资金存款余额为203.9万元；公积金存款余额为7.3万元；住房建设债券存款余额为20.7万元；房管单位存款余额为6.9万元。

1993年，各项住房资金存款余额为421万元。其中：行政事业住房资金存款余额为333.6万元；企业单位住房资金存款余额为53.8万元，公积金存款余额为25.2万元，住房建设债券存款余额为8.4万元。

1994年，各项住房资金存款余额为512.7万元。其中：行政事业单位住房资金存款余额为403.9万元；企业单位住房资金存款余额为71.8万元；公积金存款余额为28.6万元；住房建设债券存款余额为8.4万元。

1995年，各项住房资金存款余额为494.9万元。其中：行政事业单位住房资金存款余额为382.2万元，企业单位住房资金存款余额为44万元，公积金存款余额为60.4万元；住房建设债券存款余额为8.3万元。

1996年6月底，各项住房资金存款余额为518.8万元，其中：行政事业单位住房资金存款余额为411.3万元，企业单位住房资金存款余额为44.6万元，公积金存款余额为54.6万元；住房建设债券存款余额为8.3万元。

2002年，全县公积金共结余1408795.65元，其中：108个行政事业单位2922人在县建行缴存公积金661883.10元，支取321991.30元，转出个人单边公积金848937.07元，转出县财政匹配资金余额11641.48元，公积金余额为838796.70元；15个行政事业单位727人在县工行缴存公积310367.21元，支取56450.20元，转出个人单边公积金229469.73元，转出县财政匹配资金余额51694.10元，公积金余额为569998.95元。

第二节　住房公积金管理

一、管理机构

2004年上半年前住房公积金为县房改办管理。2004年12月，设置“黔南州住房公积金管理中心惠水县管理部”，机构规格为正科级事业单位，是州住房公积金管理中心的派出机构，管理部人员编制3～5人，其中主任、副主任各1人。2005年1月5日，“黔南州住房公积金管理中心惠水县管理部”挂牌成立，在州住房公积金管理中心授权范围内履行相应的住房公积金管理职责，办公地点在县工商局宿舍区内租用县建设银行办公室办公，县政府拨5万元，州住房公积金管理中心统一配置所需办公设备。3月，开始从事住房公积金管理业务。管理部在职人员3人，由州住房公积金管理中心商请县组织、人事部门考察选聘，工资和管理经费暂由县政府按同级同类事业单位人员标准列入同级财政预算，并负责拨付从2005年1月1日起至2006年6月30日止的人员工资。之后按照2002年3月国务院《住房公积金管理条例》以及国务院、省政府相关文件规定和要求，人员工资和管理经费实行“收支两条线”，即住房公积金增值收益统一由州住房公积金管理中心上交州财政，人员工资和管理费由州财政按州住房公积金管理中心编制的预算进行列支，县管理部实行报账制，不单独进行核算。8月12日，在县财政、审计、监察、建设银行的监督下，惠水管理部与县房改办办理住房公积金交接手续。

2009年11月24日，根据《贵州省事业单位参照公务员管理工作实施意见》的规定，省人力资源和社会保障厅批准黔南州住房公积金管理中心列入参照公务员管理范围。

2013年7月，管理部办公地点迁至惠水县政务服务中心六楼，在职人员4人。

2015年10月新录用公务员1人，在职人员增至5人。

二、归集 提取

2005年3月开始，县管理部根据2003年州政府印发的《黔南州住房公积金归集管理暂行办法》规定，县属行政区域内国家机关、事业单位、国有企业、城镇集体企业、外商（港澳台商）投资企业、城镇私营企业及其他城镇企业或经济组织、民办非企业单位、社会团体及其在职职工均按国务院《住房公积金管理条例》规定缴存住房公积金。住房公积金用于职工购买、建造、翻建、大修自住住房，任何单位和个人不能挪作他用。

从2005年3月开始，县政府将职工住房公积金单位缴存部分按职工“四项工资”（基本工资）的2%列入县级财政预算，职工住房公积金的缴存额为职工个人缴存部分加上单位为职工缴存部分之和。

2005～2006年，县级财政预算职工住房公积金单位缴存部分为职工“四项工资”的5%。

2007～2009年，县级财政预算职工住房公积金单位缴存部分为职工总工资（不包括住房增量补贴和通讯费）的5%。

2010～2011年，县级财政预算职工住房公积金单位缴存部分为职工总工资（不包括住房增量补贴和通讯费）的10%。

2011年，县政府常务会议研究批复，同意2012年县财政按照职工总工资的12%缴存住房公积金，个人部分也按照12%的比例缴存住房公积金。个人缴存标准从2012年1月起执行，县级财政缴存部分从2012年1月起列入财政预算。

表11-1

惠水县住房公积金管理部2005—2015年归集提取情况一览表

年度	归集总额（万元）	提取总额（万元）
2005	406.58	46.03
2006	789.05	65.24
2007	1515.24	178.65
2008	1753.41	321.33
2009	2022.95	468.67
2010	2741.83	623.67
2011	6088.06	1316.06
2012	6438.41	2756.96
2013	8018.33	2775.50
2014	8740.94	3647.15
2015	10827.21	5321.60

三、缴存

2005年，全县住房公积金开户单位均为机关事业单位；2008年开始有企业缴存住房公积金，缴存企业2个，其中贵州惠水农村商业银行股份有限公司缴存职工279人，惠水县阳光房屋交易中心缴存职工3人。2015年，全县住房公积金缴存单位中，企业41个。

表11-2

惠水县住房公积金2005—2015年缴存情况表

年度	缴存单位（个）	缴存职工（人）
2005	32	1191
2006	81	3097
2007	104	4061
2008	110	4364
2009	116	4492
2010	118	4492
2011	122	4622
2012	133	4972
2013	161	5473
2014	173	5588
2015	185	5901

四、个人贷款

2005年1月开始，管理部根据2002年3月国务院《住房公积金管理条例》和2003年10月州政府《黔南州个人住房公积金贷款管理暂行办法》规定：凡本州行政区域内建立住房公积金制度2年以上的，并连续足额缴存住房公积金，具有完全民事行为能力的职工购买、建造、翻建、大修自住住房时，均可申请住房公积金贷款。贷款期限按照“借款人的年龄与申请贷款期限之和不超过其法定退休年龄”的原则协商确定。购买、建造自住住房贷款期限最长不超过20年，翻建、大修自住住房贷款期限最长不超过10年。

2005年1月前，原管理机构县房改办在管理期间未向职工发放贷款。7月起，管理部按照购买二手房、自建房、大修自住住房不超过60%，购买商品房不超过70%的比例发放住房公积金贷款。购商品房、经济适用房个人贷款须支付所购自住住房总价30%以上的首付款，购买二手房、房改房，建造、翻建、大修自住住房个人贷款须支付所购房屋总价40%以上的首付款。借款人月均还款本息不超过家庭月收入的40%。委托发放个人住房公积金贷款的银行有建设银行惠水支行、工商银行惠水支行。

2004年7月至2005年2月，购买、建造自住住房最高贷款额为10万元，翻建、大修自住住房最高贷款额为5万元。2005年2月20日州住房公积金管理委员会文件规定：凡黔南行政区域内建立住房公积金制度1年以上的，并连续足额缴存住房公积金，具有完全民事行为能力的职工购买、建造、翻建、大修自住住房时，均可申请住房公积金贷款。2005年3月至2010年5月，购买、建造自住住房最高贷款额为15万元。

2006年1月1日起，根据2005年11月州住房公积金管理中心制定的《黔南州住房公积金管理中心关于对个人贷款抵押房屋办理综合保险的通知》规定：凡以个人房屋为抵押物申请公积金贷款的借款人，均须到黔南州中国人民财产保险股份有限公司所属分支机构办理个人贷款抵押房屋综合保险。

2009年7月，根据州住房公积金管理中心制定的《黔南州住房公积金管理中心关于调整我州住房公积金贷款抵押房屋综合保险有关规定的通知》，从8月1日起，取消州中心2005年11月制定的《黔南州住房公积金管理中心关于对个人贷款抵押房屋办理综合保险的通知》，住房公积金贷款借款人自愿选择投保，自主选择保险公司实行自愿办理抵押房屋综合保险或其他险种。

2010年6月起，购买、建造自住住房最高贷款额为20万元，开始执行购买二套房首付比例50%，停止受理审批第三套及以上住房的公积金贷款申请。

2011年2月1日，实施州住房公积金管理委员会下发《黔南州住房公积金管理委员会关于调整住房公积金使用管理政策的通知》，将个人住房公积金贷款最高额度调整为30万元，贷款人及其配偶的月还款额（含住房公积金贷款、组合贷款、其他贷款）应不超过其家庭收入的50%。申请第二套住房公积金贷款，首付款比例不得低于60%，贷款利率不得低于同期首套住房公积金个人住房贷款利率的1.1倍，继续停止受理审批第三套及以上住房的公积金贷款申请。

2012年9月1日，实施州住房公积金管理委员会下发的《黔南州住房公积金管理委员会关于适当调整我州住房公积金使用政策的批复》，将个人住房公积金贷款最高额度调整为40万元，贷款期限调整为30年，将个人住房公积金的还款系数调整为0.5，贷款额度计算公式为：贷款额度=借款人夫妻双方月计缴住房公积金工资总额*12月*50%*借款年限。至2015年个人住房公积金贷款额度计算方法和贷款期限不变。

表11-3

惠水县住房公积金管理部2005—2015年发放贷款情况表

年度	发放贷款户数（户）	发放贷款金额（万元）
2005	150	1034.90
2006	128	946.00
2007	157	1189.90
2008	215	1917.30
2009	257	2760.80
2010	246	3052.10
2011	326	5396.10
2012	311	6274.20
2013	474	10663.00
2014	584	13380.40
2015	437	9916.60

第二章　城镇建设

第一节　机　构

中共十一届三中全会后，惠水城镇建设步入正常发展轨道，被纳入规划发展范畴。

1982年9月，成立县城乡建设环境保护局，下设两室一股，其中规划设计室专事城市规划管理，至1990年规划设计室仍然是县唯一的规划管理机构。

1983年，市容整顿被提上县政府工作日程，成立市容整顿领导小组。完成《惠水县城总体规划纲要》编制，县的主要建筑项目，都要服从总体规划安排。

1987年，城镇建设的具体管理由县城建环保局城乡建设办公室负责。

1991年1月，县城建环保局下设城乡建设管理站（股级事业单位），管理城镇建设。

2001年3月，县城乡建设管理站更名为惠水县城乡规划建设管理站，在城镇建设管理中增加了规划管理职能。

2011年11月，县城乡建设局更名为惠水县住房和城乡建设局（简称县住建局）内设机构有办公室、城乡建设管理股、住房与房地产管理股；12月，成立惠水县住房保障局，为县住建局所属副科级事业单位，由财政全额预算管理。

2012年7月，撤销县住房和城乡建设局所属股级事业单位县城乡规划建设管理站，成立县城乡规划委员会办公室，为县规划委员会下设的日常办事机构，机构性质为县政府办公室管理的正科级事业单位；

8月，成立惠水县建筑工程安全生产监督管理站，为县住房和城乡建设局所属股级事业单位，人员编制3名，设站长1名，由财政全额预算管理。

2014年12月，将县政府办公室管理的正科级事业单位县城乡规划委员会办公室职责划入惠水县住房和城乡建设局。

2015年2月，县住房和城乡建设局内设3个机构：办公室（加挂财务室、行政审批科牌子）；城乡规划建设管理科；住房与房地产管理科。核定行政编制9名，其中：设局长1名，常务副局长1名（正科级）、副局长2名（副科级）、纪检组组长1名（副科级）、科长（主任）3名（股级）。机关工勤编制1名。由财政全额预算管理。同时，将县城乡规划委员会办公室由县政府办公室管理的正科级事业单位调整为县住房和城乡建设局管理的正科级事业单位，保留惠水县规划执法大队，为县城乡规划委员会办公室所属的副科级事业单位；保留惠水县住房保障局，为县住房和城乡建设局所属的副科级事业单位；保留惠水县房地产管理所，为县住房和城乡建设局所属的股级事业单位；保留惠水县建筑工程质量管理站，为县住房和城乡建设局所属的股级事业单位；保留惠水县建筑工程安全监督管理站，为县住房和城乡建设管理局所属的股级事业单位。

是年3月，将县城乡规划委员会办公室划入县住房和城乡建设局，为县住房和城乡建设局所属正科级事业单位，人员编制12名，设主任1名（正科级），副主任2名（副科级），股长2名，由财政全额预算管理。

第二节　城镇规划

一、规划编制

1983年，县计划委员会编制完成《惠水县城总体规划纲要》初稿。

1984年，对《惠水县城总体规划纲要》进行修改，完成《惠水县和平镇1985—2000年总体规划》，并报贵州省人民政府审批。

1985年7月，省政府批复同意《惠水县和平镇1985–2000年总体规划》，从1985年8月起正式施行。

1997年，州城乡建设局规划设计室和县城乡建设局规划建设管理站联合组成《惠水县城总体规划（修编）》专家工作组，对惠水县城总体规划进行一次较大的调整修编。

1998年，完成《惠水县城总体规划（修编）》，报州政府复核后，州政府向省政府转报《惠水县政府关于申请审批〈惠水县城总体规划（修编）〉的请示》。是年11月，时任贵州省人大常务副主任刘玉林和州政府副州长陈琦主持《惠水县城总体规划（修编）》评审会，征求社会各界人士和相关专家的意见。2001年4月，省政府批复同意《惠水县城总体规划（2005—2020年）》。

惠水县城乡规划建设工作会（2011年摄）

2005年，县根据全县经济社会的发展和惠水县城人口急剧增加及城市建设的实际需要，广泛征求县直部门和社会各界的意见建议，对《惠水县城总体规划（2005—2020年）》进行修编，报州政府复核，州政府转呈省政府审核批复。2006年6月，省政府批复同意修编后的《惠水县城总体规划（2005—2020年）》。

2012年9月，县城总体规划已不适应新型城镇化建设的需要，县启动新一轮次的《惠水县城总体规划（2005—2020年）》的修编工作。2013年7月，修编后的《惠水县城总体规划（2005—2020年）》呈报州政府复核，经州政府呈报省政府审核批复。

2014年10月至2016年11月，省、州、县三级规划编制部门共同完成《惠水县县城总体规划（2016—2030年）》修编任务，报省政府审核批复。2017年1月，省政府批复同意《惠水县县城总体规划（2016—2030年）》。

二、规划管理

1987年5月，县政府成立县创建文明县城领导小组，对《惠水县和平镇总体规划》及按规划实施建设实行统筹部署。

1988年，印发《惠水县规划建设管理暂行规定》，县的规划建设进入程序管理的法制化轨道。任何部门、单位或个人，在县城规划区域内进行各种建设需要使用土地（含属国家所有土地、集体所有土地、动迁公房和民房等），都必须首先向当地人民政府和国土资源管理行政部门提出建设用地的书面申请，经审查批准后送县城建部门按照规划管理程序，派出人员亲临现场查看，确定用地位置、用地面积和范围，符合规划的，发给基建定点通知书，再转国土资源管理行政部门进行复查，经复查认可后方可用地。任何单位或个人必须无条件服从规划建设的需要，不得阻挠，更不准趁机抬高价格，严禁私自买卖或以其他形式转让土地。在县城规划区域内使用土地，对环境保护、绿化林地、公共设施、通信设备、文物古迹、专用标志、河道沟渠，以及其他对交通有所影响的，用地单位或个人应报送处理方案，取得有关部门的同意，达不成协议的由县城建部门裁定。县城规划区域内的空地、荒地、水面、河道及其他的城市建设保留用地，严禁任何单位或个人擅自占用，挖石取土，乱倒垃圾和建筑废渣等改变地形地貌的违法活动。任何单位或个人在县城规划区域内进行各种建设，都必须持有经过批准的土地使用证、基建计划、设计图纸及相关文件，由县城建部门按规划定点要求，发给准建证后方可施工。

1989年12月，《中华人民共和国城市规划法》颁布，1990年4月1日起施行。县城市规划建设进入了有法可依、有法必依、执法必严的新时期。根据省、州政府和城建行政部门的相关要求，1990年11月，成立惠水县城建管理监察队，承担城镇规划建设和执法纠偏职责。

1998年，根据城市发展的需要和城建管理的执法要求，惠水县城建管理监察队改称为惠水县城建管理监察大队。

2001年3月，惠水县城乡建设管理站正式更名为惠水县城乡规划管理站，进一步深化县城建部门对城镇规划的依法管理、严格按规划管理的行政职能。

2013年7月，将惠水县城建管理监察大队与惠水县公用事业管理局职责合并，组建惠水县城市管理局（加挂惠水县城市综合执法局牌子），人员编制增加到100名，财政全额预算管理，进一步明确了城镇规划管理的执法主体和依法履行城镇规划管理的职能。

第三节 设施建设

一、市政设施建设

1978年以前，县市政设施仅有主要街道和路段安装少量路灯，园台边至县委门前修成水泥路面，长征路、上马路、新路口、环城路等主要街道修成柏油路面。1985年，县按照城镇建设规划，拆迁县委门前至原武警中队一段居民户，将县府路向南拉直延伸与惠长公路交接。县采取社会集资、国家补助的办法，先后将兰家巷、乡镇企业局门前至上马路交接处，老场坝至汪家大田等铺成水泥路面并修砌排水沟；对县府路、长征路、南门街、道背后、工商银行门前；人大、政协大楼至财政局门前；新民路、和平路、圆台路等街道进行拓宽翻新，铺设水泥路面；1991年，对原国道210线经惠水县城上马路至外环南路1.44千米路段的水泥路面实施翻新改造。

1994年5月，县永红食品厂与广西客商联合成立的民营企业粤红房地产开发有限公司投资250万元开发建设汽车站至西门米厂路段长760米、宽28米，县政府同意将路两边10～20米范围的建房用地拍卖权归粤红房地产开发有限公司。

1997年，县引资960万元，建设西门商品交易中心暨公共停车场；1998年，引资480万元完成西门农贸市场1.46万平方米的规划建设，10月建设县委县政府门口经城关一小至惠兴路口长278.5米，宽14米的步行街；1999年，投资350万元建设惠明路（后称人民路）电信大楼至中国人民解放军预备役团门前路段全长780米、宽28米；投资380万元建设，从县消防队门前至马蹄坡道路全长520米，投资160万元对县人民广场进行扩建改造，铺设地砖，增设花坛、喷水池和旗台旗杆；2000年，完成外环东路32户居民房屋拆迁面积达5550.15平方米；引资500万元拆迁县公安局看守所，改建成商铺和居民住宅楼；引资300万元投入商贸城建设；引资300万元投入“小吃城”建设；投入260万元完成惠水汽车站改扩建工程；采用土地置换方式筹集1400万元建设长4100米的外环路。

2001年，新建改造建设西路、县府路、振兴路、人民北路、涟江路等县城内的街道总长6.13千米，投入资金1646万元。2002年，投入资金350万元建设占地面积达1.55万平方米的涟江广场（涟江公园）。2003年，省水利厅投资210万元建设县城东面涟江两岸的防洪堤水利工程；县投资180位万元完成惠水影剧院改造工程；投资163.6万元拆除20世纪50年代修建的县委招待所，建设凤山宾馆。2004年，完成县府路、人民西路、酒厂路等路段和上马路新场坝改造工程。2005年，投资400万元完成杨梅坡农贸市场建设；投资150万元完成惠明西路建设。

2005至2007年，县实施市政建设项目20多个，完成城区多处人行道小板、灯具、灯箱、广告维护安装，新建垃圾转运站（含公厕）3个，城区116组340盏路灯改造，新增果皮箱200个及主要街道、路口红绿灯警示设施；2007年，投资53万元完成面积达3500平方米的濛江桥头小广场建设，新增惠明路60组路灯和其街道路灯维修，全城街道路灯总数达2500余盏，同时更换安装果皮箱60多个，修建垃圾池10个，购置垃圾清运车1辆。

2007至2008年，县建设“三桥”（涟江大桥、永红大桥、惠明大桥），“两路”（白果大道、永红大道），新建和改扩建工程；2008年，投资851.8万元建设全长1.3千米，宽28米的永红大道；投资636.58万元新建面积1094平方米的县老干部活动中心大楼；投资50万元完成惠明路、惠兴路受凝冻影响破损的道路修复重建，安装文化路、新场坝、杨梅坡、振兴路，拆迁小区等路段路灯和分别在县府路、涟江路等安放环保果皮箱157个。

2009年，启动建设县城路灯节能智能控制系统，维修路灯、广告灯箱，安装城区街道路灯285组、912盏，实现亮化率95%以上。完成县城出入口广告牌，县府路等路段护栏维护、主大街交通标志翻新等。2010年，在县城主要街道安装果皮箱260个，新建垃圾池8个，新建垃圾转运站（公厕）5座；实施永红大道与人民南路交叉道路工程，惠明大桥“涟江春秋”雕塑工程，对城区绿化、小公园、观景台、米丹亭等36个市政设施工程项目进行改造建设。

2011年，投资112万元购置道路清洗车2台；投资4300万元的贵惠大道濛江桥至上马司路口长8500米、宽38米，双向6车道开工建设，2012年完工；投资7000万元的长新路全长1555米、宽28米，双向6车道，为城市次干道开工建设（该路2011年开工，2012年完工交付使用，2017年10月进行改扩建，由28米扩宽至50米）。

2012年，投资3809万元建设生活垃圾填埋场；投资1755.05万元完成商贸街，涟江路街景总长度2350米立面整治；投资500万元完成好花红广场建设前期工程；投资55.6万元对城区街道人行道改造和主要街道“白改黑”（水泥路面改造为柏油路面）；完成春节亮化安装；完成县第四届好花红艺术节氛围营造；投资130余万元购买50辆不锈钢保洁车和6个可卸式垃圾收集车及106个垃圾收集箱体。是年，总投资35000万元建设环城西路，全长4300米、宽28米，为城市次干道，工程于2015年完工交付使用。

2013年，投资3552万元建设县府南路长1200米，宽22米，工程2015年完工投入使用；投资6103万元建设城北新区同心路长1487米，宽28米；投资7354万元建设城北新区和谐路长1738米、宽43米；同年完成市政设施检查维修及应急抢险；安装建设路人行道护栏900米；安装县府路、振兴路路段摩托车停放架140余米。

2014至2015年，投资29000万元建设濛江大道长3200米，宽43米，绿化带4米，双向6车道；高建环卫公司投资229万元购置环卫洒水车3辆，打扫车2辆；2015年，建设圆台西路，长500米、宽20米为城市次干道；建设城北米丹路长238米，宽度15米，双向2车道，为城市支路；建设城西惠广大道长4500米，宽22米，双向4车道，为城市主干道，属惠水通往长顺县广顺的主要出城道路。

二、供排水建设

机构 1963年，建设涟江水利灌溉工程提灌站，在城北牛场坡下的濛江河边建水泵房，在凤山（北门上）建容积为50立方米、高17米的自来水塔1座，濛江水成为县城居民的主要生活水源，开启了惠水县城供自来水的历史。同时，成立县涟江水利灌溉工程管理委员会自来水站隶属县水利局管理。

1970年，县自来水站从县水利局分离出来划归城关镇政府管理。1976年，县自来水站与县房产公司合并，隶属县财政局管理。1982年，县自来水站从县房产公司分离出来成为独立核算的经济实体，称惠水县自来水公司。

1991年3月，在机构改革中，县自来水公司脱离县财政局回归县水利局，为县水利局属下一个独立核算的经济实体，属国有独资企业，占地面积4708平方米，担负着县城及周边村寨的供水任务，直至2015年没有改变。

供水管网建设 1963年以前，县城居民仍挑河、井水饮用。1963年修建涟江水利工程提灌站，投资7500元在牛场桥侧修建简易泵房安装水泵1台，在北门坡上修建容积50平方米的水塔供水，抽取濛江河水为水源。县自来水站在城区铺设6厘米铸铁输水管道1500余米，4厘米铸铁输水管道300余米，解决了县直机关及部分城镇居民的生活用水。1964年，县城各条主要街道的街头街尾建自来水供水房，安装供水开关（水龙头），居民凭水票供应水，每张水票供1挑水。（水票0.1元钱1张，后涨到0.2元钱1张）。1972年，铺设县药材公司至县建筑公司一带6厘米铸铁输水管道400余米；铺设从东门口经长征路至西山坡居民点的4分铸铁输水管道900余米。

1979年，县委县政府确定开发利用城南程番村的地下水源作居民生活用水；1980年在程番村建设水厂，由程番村水厂铺设10厘米铸铁输水管3500余米至县城北门水塔供水，城区居民饮用水可避免地表河流因工业污染所带来的危害。

1985年，分别铺设西山坡居民点，西门至杨梅坡，县武警消防中队至县商业局，和平镇政府门口至县林业局等地段4厘米铸铁输水管道共900余米。

1987年，城区街道路面翻修，县自来水公司分别对和平路、新民路、上马路、长征路、云盘上一带的自来水输水管道进行维修改造，共铺设4厘米铸铁输水管道1500余米，使县城的自来水供水管道形成了以抽取城东程番村地下水为居民饮用水源的自来供水管网，县城自来水输水管网总长度7270余米。

1992年，为扩大县城自来水管网覆盖面，提高自来水供水普及率，铺设直径150毫米的输水管道540米，解决了地势较高的惠水二中和北门上老干区一带的居民用水问题。

1994年，铺设直径100毫米输水钢管500余米，解决地势较高的西山坡、马蹄坡一带居民户的生活饮用水，县城的自来水供水普及率达100%。同年，县投资140万元新建自来水厂工艺楼、清水池消毒间、沉淀池、无阀滤池、新机房等自来水供水设施的土建任务。

1995年，投资300万元完成县自来水厂的升级改造，从小龙鱼梁水库引入水源，同时铺设直径达300毫米输水钢管，全长9700余米，使县城的自来水日供水量达6000吨。

2000年，为完善县城自来水输水管网，投资36.98万元进行自来水输水管网配套建设。

2002年，投资170.45万元新建龙塘自来水厂，修建明渠引水源到城北米丹“琴山逸响”景点的山顶，建设容积达500立方米的清水池1座及其他附属设施，安装直径达300毫米的自来水输水钢管管道3188米，新增县城输水管道长度1661米。

2003年，投资410万元在县城新建街道铺设自来水输水管道；对老城区各条街道的自来水输水管道进行升级改造，小管换大管、旧管换新管，使全城的自来水日供量满足了各单位、部门、企业和居民户的生产生活用水需求。

2006年，投资450万元用于城区自来水供水管网改造。是年改造和新建供水管网总长度达8772米。其中：城东白果大道2635米；城南永红大道2842米；爬头寨至南苑花城小区870米；富康小区等零星路段2425米。

2008年，投资130万元对县府路与建设西路相交会的“金三角”至惠水县中等职业学校、县物资局到县公路养护段，以及满坝村、马打爬、铁锅厂、长岭村等路段的自来水管网进行改造，改造和新建自来水管网总长4000余米。

2011年，对濛江桥至高镇段、马蹄坡、河边寨、泊岸御都小区、杀猪场、杨家寨等路段供水管网进行改造，总长度2630余米。

2012年，为解决县城西南的七里冲茶场至城西北的沙子哨公路沿线村寨居民和工业企业的生产生活用水问题，新建50平方米加压泵房1间，铺设供水管道7606米；配合城市人行道改造对建设西路、县府路、马蹄坡等地段主管网改移957米；完成涟江大桥绿化用水以及县水务局安排完成的九门寨饮水工程供水主管、支管铺设共计2378米。三项共计完成新建改建改造供水管网1.09万米。

是年，为配合城北贵惠大道建设，改移险峰厂自备水源位于高镇村的DN250供水主管70余米；改移大兴村DN110供水主管120米；新建洪番村供水主管1260米；改移龙塘山水源地至县城供水主管120米；改移城北新区（濛江桥至高镇）DN250供水主管120米；因濛江桥改扩建重新安装过桥供水主管120米。上述6处供水主管改移和新建长度1790余米。

2013年，完成涟江路、人民南路、凤山路3条街道自来水分支管道安装2689米；完成其他道路路段分支管道安装1.62万米；完成城北新区长新路、和谐路、同心路等路段供水主管安装1280米；整改城北长田工业园区DN250供水管350米；新建长新路配水主管网2280米；完成濛江桥至长新路路口段供水主管2000米；完成濛江桥至桂花园DN250、DN300供水主管1300余米；完成建设西路至马蹄坡DN200供水主管1560米。全年县城新建和改建自来水供水管道2.76万米。

2014年，完成七里冲片区DN110供水主管改造150米；完成老城区上马南路供水管安装150米；完成白果变电站DN300供水主管迁移改造200米；完成农机厂（涟江大桥东面）及城南杨梅坡DN50供水主管安装700米；完成米丹路DN300供水主管300余米；完成城北新区葛家寨、首创村6组、7组、8组供水管安装400余米。是年，共完成新老城区自来水供水管道安装总长8214米。

2015年，完成七里冲片区供水主管迁移改造924米；完成县城老城区供水主管改造150米；完成城北新区濛江街道高镇一条街供水主管改造1600米；完成城北新区濛江街道交椅村供水主管700米；完成老城区园台西路（园台边至民中桥）供水主管456米；完成环城西路供水主管26米；完成城北濛江街道高镇安置小区供水主管383米；完成永红桥改造供水管150米；完成好花红广场供水主管48米；完成惠水县农村信用合作社（县农商银行）供水主管204米；完成涟江街道杨梅新村供水主管440米；完成安装DN110流量计2台、DN150流量计1台；抢修水源地鱼梁水库至县城供水主管2次、龙塘山水厂至县城供水主管3次。同时，完成总投资4077万元的县城自来水供水改扩建项目工程的50.3%。

供水水源。惠水县城的自来水供水水源地有三处：位于好花红镇小龙村的鱼梁水库，2类水质；位于城东程番村的清溪吐珠，从1979年起是县城的主要供水水源之一，为地下水1类水质；龙塘山地下水源位于濛江街道山后村龙塘组，为地下水I类水质。

县自来水公司现建有三座水厂，设计供水能力为1.4万立方米/日，其中西郊水厂设计供水能力为0.6万立方米/日，位于和平镇人民北路；程番水厂（东郊水厂）设计供水能力为0.4万立方米/日，位于和平镇新城村；龙塘水厂设计供水能力为0.4万立方米/日，位于高镇镇山后村。

随着惠水县城市建设步伐的加快，县城供水量日益增加，县城的三座水厂设计供水能力为1.4万立方米/日，高峰期最高日供水量达1.96万立方米，三个水厂已超负荷运行。

县城自来水价　县城自来水水价1970年前每吨5角，1970年后的较长时间为每吨2角5分。20世纪80年代后期至1998年为每吨6角。1998年后增至每吨1元3角。2004年11月起，每吨自来水增收排污费2角，每吨自来水水价达到1元5角。2007年，每吨自来水排污费从2角增加到6角，每吨自来水水价从每吨1元5角涨到每吨2元5角。此价格一直持续到2012年12月。2015年1月，每吨自来水排污费从6角增加到8角5分，每吨自来水价从2元5角涨到3元4角5分。

排水（排污）沟工程建设　20世纪初至60年代，县城主要街道的排水（排污）在铺砂石路面时，沿着和平路至园台边、上马路至马家桥、长征路至东门口、长征路十字路口向惠水汽车站和向城南方向的街道两侧，修建排水（排污）沟；1972年，自园台边开始，沿县府路门前街道两侧改造排水（排污）沟通道，下水道口加盖钢筋混凝土盖板。

1976年，县城各主要街道由砂石路面改建成柏油路面时，同步重新修建城区各主要街道的排水（排污）沟。

1977年，将老城区的汪家大田、老场坝建排水（排污）沟，与新民路排水（排污）通道和上马路至马家桥排水（排污）通道相连，形成排水（排污）通道网络，使汛期的雨水和平时的居民生活污水排向城外农田。

1982至1984年，在改造翻修县城老城区兰家巷口、县乡镇企业局（原老广播站）门前至上马路、里头院、汪家大田至老场坝等小街巷道水泥路面时，同步修砌排水（排污）沟与各主要街道的排水（排污）沟汇通。

1985至1989年，全面翻新改造县城各街道路面，同步对各街道两侧的排水（排污）沟重新加深、加宽修砌，并在排水（排污）沟上铺盖钢筋混凝土盖板作人行道使用，共翻修改造24处，总长度达5858米。

1990年，县城建部门深挖上马路县物资局门前至马家桥一段街道两侧的排水（排污）沟，加深加宽修砌，沟面上铺设钢筋混凝土盖板。是年，县城内的大小排水（排污）沟通道50余条，形成排水（排污）沟网络，总长度5900余米。

1996年，进一步加强老城区排水（排污）沟的清淤和升级改造，县城内各大小街道排水（排污）沟通道60余条，总长度9000余米，从根本上消除了惠水县城老城区地势低洼地带雨季雨水、污水排水不畅的烦恼，确保了城市安全。

1998至2005年，城市建设步伐加快，街道增加，在建设凤山路、涟江路、建设路、外环路、振兴路、永兴巷、满坝路、市场路等道路时同步规划建设排水（排污）通道，沟深2米、宽1.5米。全城有大大小小的排水（排污）沟100余条，总长度1.7万余米。

2006年，启动编制《惠水县排水治污可行性研究报告和工程设计报告》《惠水县城排水治污工程项目环境报告》，报省发展改革委员会和省环境保护厅。是年10月，省发改委批复同意《惠水县城排水治污可行性研究报告和工程设计报告》。

2008年6月，省环保厅批复同意《惠水县城排水治污工程项目环境报告》。是年，总投资350万元的惠水县城排水排污管网工程建设完工并交付使用。

2009年5月，省发改委批复同意按《惠水县城排水治污工程初步设计方案》实施。从是年6月开始，县政府规定：县城内所有的市政工程项目建设必须同步配套建设排水设施才能开工。

2009年10月至2010年1月，总投资3540万元（其中，中央资金2598万元，省级资金142万元，县级配套资金800万元）的第一座污水处理厂工程开工建设。该厂位于县城东南部大围桥侧面，采用一体氧化物处理县城居民的生活污水，日处理量6532吨，处理率达83%。

2010至2013年，实施涟江南路狗场苑路口一段和白果大道广场路一段的排水（排污）沟工程；完成城市生活污水处理工程管网建设。工程总长度5万余米。

2013年10月，总投资4971万元建设面积约1.28公顷的县城北污水处理厂正式启动，该污水处理厂的污水收集管网总长25.49千米，设计日处理污水能力为0.4万吨，2015年6月建成并正式投入运行。

2014年6月，好花红镇的污水处理厂工程正式开工建设。工程分为两个部分、两个分厂：好花红镇满意村污水处理厂，日处理污水700吨；好花红镇上衙村污水处理厂，日处理污水1300吨。工程总投资2635万元，厂区部分（厂房和设备）投资1672万元，污水收集管网部分投资963万元。污水收集管网总长12千米，污水输送压力管道2.9千米。2015年3月完工，并投入运营。

2015年，总投资3600万元，占地总面积约0.82公顷的城北濛江街道大坝社区龙泉污水处理厂动工建设。项目工程设计污水处理规模为4.8万立方米/吨，分两期实施，第1期工程建设规模为2.4万立方米/吨；第2期建设规模达到4.8万立方米/吨。除了厂房设施主体工程之外，配套建设DN400～DN600污水收集管网总长达到25千米，建设周期为2015至2017年。

第四节　公用事业管理

一、机构

20世纪五十年代，城区公共场地的清扫由村组和街道划片包干管理。

1962年，组建城区清洁组，归县防疫站管理。

1977年，城关镇成立环境卫生站，招收工人10名，负责清运城区垃圾。

1978年，环境卫生站划归城关卫生院管理。

1983年，环卫站划归县卫生局管理。

1985年，环卫站划归县城乡建设环境保护局管理。后改称环境卫生管理站。

1990年，成立县城建管理监察队；1998年，县城建管理监察队改称为县城建管理监察大队。

2000年，惠水县城市公用事业管理局成立，为二级局事业机构，挂靠县建设局；2013年，县城建管理监察大队与县城市公用事业管理局合并，组建惠水县城市管理局，加挂惠水县城市管理综合执法局牌子，人员编制100名，为惠水县住房和城乡建设局管理的正科级事业单位，经费由县财政全额预算管理。2015年，惠水县城市管理局内设办公室和综合科，下设惠水县城市管理综合执法大队一个副科级事业单位；环境卫生管理处、园林绿化管理处、市政工程管理处三个股级事业单位。在编干部职工91人。

惠水县城分为城南、城北两个网格，分别属于城北、城南两个城管中队负责管理。其他具体工作由县城管局内各相关职能部门负责。县城各条街道、公共场所的清扫保洁，公厕管理，生活垃圾收集清运、环卫设施建设及维护等，由环境卫生管理处负责；城区道路建设及维护、排水（排污）管网铺设改造、路灯安装维护、广告牌匾的安装摆放、供气管理等，由市政工程管理处负责；城区街道行道树、街心绿化隔离带、公共绿地、广场、公园、小游园区及风景林地的规划设计和施工管理、重要节日期间各主要街道、广场的花卉盆景布景等，由园林绿化管理处负责。

二、工作开展

1978年至1982年，县城垃圾清运使用马车、人力车进行，以清运人员摇铃为号。1983年，在公共娱乐场所和各主街中心地段设置果皮箱，增建公厕，环卫工人使用竹扫，洋铲和胶轮手推车清除垃圾，购置拖拉机、小翻斗车，平板汽车清运。1988年新购进成都产兰箭130#翻斗车和盛垃汲吊桶30个，设置于各主要街道，改善环卫工人运输条件，1989年新添置华川翻斗车二辆，促进城区环境卫生事业的正常开展。1990年后，县城卫生状况逐年好转，绿化面积不断增大，城区街道清扫、道路、广场等区域卫生清扫保洁垃圾清运工作逐步走上正轨。2000-2001年，投入60万元进行百株大树移植工程，移植107株。县城清扫保洁面积17万平方米，垃圾清运率95%以上；园林绿化投入224.2万元。2005年对园林绿化管理养护工作实行管理养护作业承包改革，全年新增14个垃圾池，日清扫保洁面积80万平方米。日清垃圾80余吨。2009年，投入450万元由贵州绿之梦生态园林工程有限公司施工完成“涟江吧海”二期绿化工程。投入160余万元，完成白果大道路灯建设93组324盏，惠民路（桥）路灯建36组142盏，永红大道路灯建设90组302盏。

2010年，投入140余万元完成县府路、涟江北路绿化改造工程，面积5800平方米；垃圾清运工作按照“小车收集，大车清运，全程垃圾不落地要求”，每日完成130余吨垃圾的清运作业。

2014年，纠正占道经营2100起、沿街乱晾晒156处；暂扣占道物品110余起，其中没收切割机两部，道牙下钢架30多个，约2000多公斤；暂扣流动小摊200余起，教育规范小摊小贩500余起；清除乱涂写、乱张贴、“野广告”5800张，其中立案处理4人次；清除破损门头广告招牌、破旧布标、过街条幅、灯箱200余处；清理乱堆放201处；投入资金6万余元完成城区主次干道雨箅、检查井清淤维修600余个；投入资金2.8万元制作安装城区主大街道路标识标牌40余块；投入60万元完成城区路灯维修4000余盏；投入30万元完成新环城西路与建设西路交叉路口红绿灯安装；投入30万元完成新环城西路与长新路交叉路口红绿灯安装；投入150万元完成309省道路灯安装172组；投入11.2万元完成欢乐岛河堤灯安装40组，投光灯50套，县城区清扫保洁服务面积拓展到73万平方米。

2015年，投入资金100万元完成城区排水沟、雨水口、雨污井、道路、道牙、护栏、文明警示牌、道路标牌标识标线等市政设施日常检查维修维护及应急抢修工作；投入87.4万元在城区主要路段悬挂灯笼、中国结，安装暖白光灯带，制作春节祝福牌匾；投入91.5万元完成马蹄坡、长岭路口、好花红匝道口红绿灯安装工程；投入15万元完成城区路灯维修2000盏，线路维修3000米，老城区新增路灯20盏。将圆台边以路为市的市场200户摊主迁移到上马南路规范经营，结束圆台边以路为市脏乱差的历史。高建环卫公司投入229万元，购买洒水车3台、扫地车2台，加大县城区清扫力度。全年收集转运垃圾4万吨。投入39.6万元购置可卸式垃圾箱、塑料环保垃圾桶、果皮箱各50个。

第五节　公园　广场　城市雕塑

一、公园

涟江公园　坐落于县城涟江北路，涟江河畔，故名“涟江公园”。2001年6月开工，2008年3月建成开放，总建设面积6.2万平方米，种植桂花、银杏、广玉兰、紫玉兰、蜡梅、红枫、雪松、紫薇等多种名贵植物，2014年6月成功申报为国家AAA级旅游景区。

涟江文化体育公园　坐落于县城涟江大桥北侧，2015年开工建设，2017年初步建成开放。建设总面24.5平方米，其中绿化面积9.83平方米，水面景观5.93平方米，形成人与自然相结合的“伴山伴水”公园。

涟江水利风景区　依托涟江河水体、两岸水利工程景观和丰富自然资源，结合惠水好花红特色民族文化元素，建设集水利工程景观、大坝田园风光、布依民族风情等于一体的特色水利景观旅游带。总面积63平方千米，其中水域面积9.8平方千米。2010年12月被评为省级水利风景区，2012年12月获批为国家水利风景区。

鱼梁河国家湿地公园　地处好花红镇小龙村，由鱼梁河、鱼梁水库以及小龙坝荷塘组成，总面积为313.8公顷，湿地率42.1%，包括河流湿地、人工湿地两大类，喀斯特溶洞湿地、永久性河流、洪泛湿地、季节性河流和库塘5个湿地类型。2018年12月通过验收成为“国家湿地公园”。

野梅岭森林公园 位于县城西北面的烂坝林场，总面积656公顷，野生腊梅景观林沿翁吟河峡谷两岸连片生长，其分布之广、集中连片保存之完好，面积约40公顷。

二、广场

人民广场 1959年修建人民会场（兼作电影院），将位于县府路中段老体育场改建为人民广场，配套建设两个篮球场。1983年在人民广场内建设680平方米的旱冰场。1999年对人民广场进行升级改造，铺设地砖，增加公共绿化地3000平方米，建设升旗设施和占地180平方米的彩灯喷水池，安装灯具。

好花红广场 位于县城涟江河畔东侧，与涟江公园隔岸相望，面积9.055万平方米，投资3.8亿元，分A区和B区两部分。A区于2012年9月启动建设，2015年9月内建成使用。广场以惠水县好花红乡布依族民歌《好花红》为文化内涵，集商业、休闲、娱乐、健身为一体的大型广场文化设施，总投资3.8亿元，工程分上下两个部分，地上部分建成供游人休闲、娱乐、健身的大型露天广场，地下部分建成地下购物商城和地下停车场地。

涟江大桥东小广场 位于涟江大桥东侧“涟江国际酒店”旁，占地面积约6000平方米。建有小桥、凉亭和石刻浮雕，浮雕刻着布依民歌《好花红》曲谱。种植多种名贵树木。

三、城市雕塑

“涟江金秋”铜鼓芦笙雕塑 位于惠民中路惠民大桥东侧。雕塑顶端是一面直径约2米多的黑色大铜鼓和两支约5米长的金色芦笙。铜鼓、芦笙的下方是正方形柱体基座。基座四周为花鸟鱼虫石雕图案，基座下方刻有“涟江金秋”雕塑铭文，意为金秋丰收，少数民族群众敲起铜鼓吹起芦笙，踏歌起舞欢庆丰收的欢乐场景。“涟江金秋”铜鼓芦笙雕塑高约20余米，2010年建成。

“飞向未来”雕塑 位于涟江路与惠民路交会处，雕塑高15米，外饰材料为不锈钢，厚度为1.5毫米，主体支架为10号槽钢，厚度为6~8毫米，顶端中心有一圆形不锈钢球体。2001年11月建成。

“凤凰腾飞”雕塑 坐落于惠水民族中学校园内，2001年落成。雕塑分为上、中、下三部分，高约8米。上部是一只展翅腾飞、直指苍穹的凤凰；中部是正六边形立柱体，刻有“（1951—2001）纪念惠水民族中学命名五十周年”字样，背面刻有“贵州省惠水民族中学”校史铭文，为纪念“贵州省惠水民族中学”命名50周年而建造。

“永红牛”青铜雕塑 坐落于“中华第一牛——永红牛广场”（位于永红大桥东侧），雕塑“永红牛”状如“斗牛”，身高2.69米，身长19米，身宽2.19米，体重3.9吨，雕塑基座四周雕刻有形态各异的12头浮雕牛。2009年9月为纪念贵州永红食品有限公司创建25周年庆典而铸造。

“奔牛”雕塑 坐落于濛江桥头的“山水田园城市惠水”小广场，状如一头奔腾硕壮的水牛。雕塑高约15米，基座呈方块形柱形，四周雕刻着少数民族妇女插秧、青年男女谈情说爱及铜鼓、刺梨花等浮雕。

第六节　县城美化

一、绿化美化

1978年后，注重县城区绿化、亮化、美化工程，县各机关办公楼周边，县武警消防驻地营区和县府路、园台路、环城路等城区街道两侧，利用空地修建花圃，铺设草坪，种植各种花草和行道树；1978年，县创建文明县城领导小组，对城区绿化、美化进行规划布局，把绿化美化工作上升到政府行为，1988年规划实施重建园台边街心花园。经创建文明县城领导小组发布启示，广泛征集园台边街心花园设计方案20余份。选定重建后园台街心花园外围最大直径10米，呈6边弧形花瓣形状，铁质花鸟图案围栏杆。园内种植杜鹃、樱花、玉兰、月季、一串红等花卉，树间设置喷水管道，园林面积80余平方米。

1978至1990年，县委机关大院，县政府办公楼前，县人大、县政协、县人武部门前、县武警中队一带空地先后均被开辟为公共园林绿地，分别种有多种花草及常绿树木，县城的绿化美化面积8万余平方米。

1990年，编制《惠水县城1990—1995年近期绿化方案》，主要内容：在城区主要道路及农贸市场四周，在县城4条主要公路出口至城外1千米范围内，沿公路两侧种植行道树（白杨树），在县城孔子庙后面凤山上种植混交林，在七沙坝至三岔河的濛江沿岸、琴山逸响景点至惠水酒厂的涟江沿岸，号召县直机关单位和城镇居民广种杨柳，防洪固土，涵养水源；在县城内高层建筑物前修建花池，在已有公共园林绿地苗圃中补缺，建水泥栏杆圈围，并增设喷灌设施。

1996年，实施《惠水县城1990-1995年近期绿化方案》。县城街道有行道树874株，街心花园340余平方米，机关院落小花园绿化美化面积6300余平方米，阳台绿化美化970钵，校园绿化820平方米，居民庭院绿化美化7058平方米，厂区绿化美化面积1350多平方米，县城的绿化美化率达到13.8%。

1998年，投入89万元县城绿化美化，完成绿化美化面积约3.92公顷，种植行道树1000株，街心公园绿化美化面积350余平方米，机关院落绿化美化面积11400平方米，机关单位和居民户阳台绿化美化1935钵，校园绿化美化面积1675平方米，城区居民庭院绿化美化面积7500平方米，厂区绿化美化面积3145平方米，县城绿化美化率达21%。

1999年2月，县印发《关于加快实施城乡绿化工程的决定》。4月，成立县城镇园林绿化管理站，对全县城乡的绿化美化工作实行统一部署，统一领导，统一管理。12月，县城街道两侧的行道树达到1325株，街心公共绿地（中央绿化隔离带）面积为700余平方米，街头花园1604平方米，建筑物垂直绿化面积450平方米，机关单位庭院绿化面积1.6万余平方米，屋顶绿化美化面积800多平方米，机关单位和城区居民阳台绿化美化2270余钵，校园绿化美化面积2300余平方米，城区单位和居民庭院绿化美化面积3200余平方米，厂区绿化美化面积4000多平方米，县城绿化美化率约25.1%。按是年县城常住人口计算，人均绿化美化面积约3平方米。

2000年12月，县召开城市绿化工作会议，号召县直各部门、各乡镇开展“百棵大树、百颗奇石”进城活动。各乡镇、部门必须购赠1棵大树。至2001年1月，移植进城的大树共114棵，赠树单位70个，个人5个，全县投入县城绿化美化资金共计164.7万元，其中个人集资10余万元。

百棵大树进城工程（2000年摄）

1998至2004年，县城绿化美化共投入资金500多万元，种植行道树2547棵，主要街道街心花园（中央绿化隔离带）1508平方米，铺设公共绿地草坪3.57万平方米。

2005至2012年，县投入资金700多万元，实施“百万绿化系列改造工程”，先后完成濛江桥头、惠民路、商贸街建筑物阳台、涟江河堤、涟江岸边生态长廊绿墙、人民广场等多处的绿化美化建设；完成白果大道行道树池青石道牙安装；完成惠民大桥桥头绿化、白果大道涟江吧海二期绿化美化、城南永红大道、园台东路等绿化美化建设工程，历年均完成国庆节、元旦节、春节3个重大节日的装点，在县城各主要街道、广场、街心花园、公共绿地等摆放鲜花数万钵，营造幸福、吉祥、喜庆的节日氛围，打造惠水“山水田园城市”形象。

2013至2014年，投资5256.5万元绿化美化县城。完成县府路、金惠圆盘、交警圆盘，涟江吧海1期、2期等人流量较大的地方摆放鲜花9万盆，营造蛇年新春节日氛围；完成人民广场、人民北路、濛江桥头、商贸街、金三角花池、涟江路、建设路、永兴巷、振兴路等处的公共绿地和街心绿化隔离带及行道树的补植，共补植灌木苗1.24万株，乔木44棵；完成涟江广场、惠龙花池和人民路街心绿化隔离带的改造工程；完成建设路、惠民路、惠兴路及园台边等街道路段的行道树树池铺设草砖，共铺设597个树池；对城区街道道牙进行维修，对涟江公园所有的绿化美化设施进行维修翻新；配合城区街道的“白改黑”（水泥路改为柏油路）工程，移植补种道路施工中受损伤的行道树56棵，在涟江路补种香樟树165棵，用防腐木制作树箱25个种植老人葵，完成4.4万盆国庆节日鲜花摆放布置；在建设西路两侧种植樱花树466棵，打造惠水县西大门樱花大道；完成惠民东路广玉兰种植75棵；完成涟江路道牙维修100余处，对濛江桥头的假山水泵进行2次维修。

完成涟江路街心花园绿化隔离带补植小叶女贞1.03万株，对全城所有公共绿地、公园内的花草树木进行施肥和病虫害防治；在涟江路隔离护栏的花箱里种植石竹、孔雀草、吊兰等时令花卉绿化美化了人行道护栏，将城市立体绿化用到了道路绿化中；完成涟江公园“AAA”级景区创建工作；启动惠水县城“省级园林城市”创建活动。

2015年，县城的绿化美化共投入资金205.95万元。其中，投资87.4万元完成在城区主要街道两旁悬挂红灯笼、中国结，安装暖白光灯带，制作安装春节祝福公益广告牌匾；投资21.8万元完成贵惠高速县城东出口匝道恢复绿化美化景观和国庆、春节的鲜花摆放布置；投资3.6万元完成两次城区公共绿地、公园、广场、行道树等树木花卉的施肥和病虫害防治；投资13万元完成贵惠大道城北新区一段道路隔离护栏花箱种花工程和309省道过县城道路两侧的场地平整工程；投资5万元完成滨河广场绿化美化品位提升工程；投资2.15万元完成惠民东路和园台东路行道树树池安砌工程；投资73万元完成城西珠帘洞道路绿化建设工程，面积1.5万平方米，百鸟河数字小镇道路绿化美化建设工程，面积5000余平方米；完成从大龙社区移植308棵桂花树、188棵紫藤花树到惠民大桥与永红大桥之间的滨河广场和秦家寨一段河岸种植，移植527棵桂花树到309省道过县城段种植，移植35棵桂花树到涟江街道高坪村路旁种植；完成贵惠高速惠水县城东出口匝道更换枯死花草的任务，种植多年生海棠5000盆；完成城东十字路口水岸国际惠民大桥东头永利首座楼盘空地和好花红广场的绿化美化工程，摆放布置各种鲜花2.85万盆，大面积提升了县城绿化美化的品位和档次。

二、花园、公园、广场建设

为把惠水建成贵阳市后花园，打造惠水“山水田园城市”形象，县加大城镇建设力度对县城整体布局规划、市政基础设施建设、县城绿化、亮化、美化等方面投入人力物力，打造建设新惠水。

1、花园

1999年建成位于建设路与人民路相交会的逗号花园（因花园周围金属图案造型围栏像“，”号，园内种植一棵高约20米的红豆杉树，故称逗号花园）；并建成地处建设路与惠兴路交会中心位置的金惠圆盘花园；2001年建设人民路街心花园和涟江南路街心花园；2002年建设与涟江公园平行一路向北至濛江桥头的涟江路长1900米的街心花园；2015年10月，建设贵惠大道惠高段长2685.41米的街心花园。

2、公园

涟江公园：2001年6月投资建设，地处惠民大桥和涟江大桥之间的沿江西岸，建设分几期完成。涟江公园，为用涟江河道治理项目资金建设的公园，总投资3000多万元，总建设面积6.2万平方米，2014年6月成功申报为国家AAA级旅游风景区。

涟江文化体育公园：位于涟江大桥北面的涟江河岸，2015年初完成设计方案，是年底破土动工（2016年底至2017年初第1期建设工程完工，第2期工程于2017年初至是年10月初步建成并向游人开放），建设规模和内容为广场地面铺砖3.98万平方米，绿化美化9.83万平方米，水面观景5.93万平方米，总投资21000万元。

3、广场

人民广场：位于县府路中段孔庙前的老体育场1959年改建为人民广场，配套建设了惠水电影院和两个篮球场。1983年，人民广场内建设面积680平方米的旱冰场。1999年，为迎接中华人民共和国成立50周年大庆盛典，投资200万元对人民广场进行升级改造，铺设了地砖，增加了公共绿化地约3000平方米，建设了升国旗用的旗台旗杆和占地180平方米的彩灯喷水池，安装了各种照明和装饰灯具300余盏。

好花红广场：好花红广场与涟江公园隔岸相望，面积9.055万平方米，投资3.8亿元，分A区和B区两部分。A区于2012年开工建设，施工单位为中海城投公司，2014年端午节前A区广场地面建筑基本完工，端午节时向游人开放，地下商场部分2014年建成，2015年春节地下商场开张营业。白果大道从好花红广场A区和B区间穿过。好花红广场B区建设尚未完工。

第七节　旧城改造与城北新区开发

一、县城建设和改造

20世纪50年代，县内各区乡及所属机构公共建筑，均以改建为主，着重投资于学校及医疗卫生机构，公共建筑总面积达37328平方米。县城50年代建有县委、县政府、县人民医院住院部、县民族贸易公司、县商业局（原老五金公司）等均系砖木结构双层建筑，水刷石灰抹面，总面积1680平方米。60年代末建有县文化馆、百货公司、水电局、林业局、外贸站、邮电局、人民银行、老服务公司等，以砖混结构为主，二层以上，总建筑面积6500平方米。70年代建有邮电局营业楼、农业局、土产公司、中西药公司、农贸公司、食品公司、糖酒公司等，总建筑面积5500平方米，均为三层砖混凝土结构，使用特点为办公、营业两用。

1980至1990年，县公共房屋建设速度较快，建成的公共房屋有：种子公司综合楼、保险公司综合楼、民族贸易公司综合楼、石油公司综合楼、商业综合楼、建筑公司综合楼、新华书店综合楼、工行综合楼、县总工会综合楼、妇幼保健站综合楼、百货综合商场综合楼、服务公司综合楼、轻工局综合大楼、农行大楼、盐业公司大楼、中医院门诊大楼、物资局大楼、广播电视办公大楼、饲料公司大楼、水

80年代县城场天一角

头水库综合楼、汽车站营业楼、城关镇工业办公室大楼、农业局新办公楼、畜牧局综合楼、交警监理站综合楼、防疫站冷链库、水文站综合楼、物资局综合楼、城关工商贸易大楼、法院审判楼、检察院大楼、纪委大楼、县委新办公楼、人大大楼、政协大楼、财政税务工商大楼、粮食系统综合楼、人民银行综合楼、供电局综合楼、劳动服务培训中心大楼、县计生委大楼、县环境保护监测站大楼、涟江水管所、星光村综合服务楼、交通局大楼、烟草局综合大楼、人民医院住院楼、县民族职业中学、民中教研楼、师范教学楼、预备役团综合办公楼、武装部办公楼、二中实验大楼、县土肥站办公楼等53项。总建筑面积57459.51平方米，其中含配套公共住宅面积11283.75平方米。其设计式样新颖，采用框架结构、瓷砖、大理石贴面装饰，房高四至五层。

随着经济发展和城镇化建设加速，县城的建设特别是道路，街面、绿化、亮化等也随之变化。

1994至2015年，对县城道路、桥梁等基础设施进行新建和升级改造，建成惠兴路、惠民路、人民路、步行街、外环路、建设路、涟江路、环城西路、园台东路、园台西路、白果大道、永红大道、濛江大道等城市主次干道；新建濛江桥、涟江大桥、永红大桥、民中桥等桥梁；对1943年建设的惠民大桥进行加宽升级改造。

2001至2015年，建成涟江公园、涟江文化体育公园、好花红广场。以住房制度改革为契机，结合房地产开发和棚户区改造，建成一批商品住宅小区、商业服务设施、学校和高档酒店。商品住宅小区有：涟江尚品、永利首座、水岸国际、泊岸御都、山水田园城、涟江印象、南苑花城、钻石城、金域广场、恒基大厦、中心花园、瑞星大厦、金惠大厦、剑桥小镇、学府佳邻、铂金名园、希望城、财富中心、嘉和中央城等。商业服务设施有：商贸街、步行街、金域广场超市、好花红广场超市、财富中心超市、农贸市场等。学校有：县第四中学、惠水民族中等职业学校、县思源实验小学、城关一小改扩建、城关二小改扩建、惠水民族中学改扩建、惠水县第二中学改扩建、贵州财经大学商务学院建设、贵州大学科技学院建设。旅店有：夜郎大酒店、涟江国际大酒店等。

二、城北新区开发

基础设施　2003至2017年，城北新区新建长田大道、惠安大道、龙泉大道、南部大道、北部大道和改造经开区道路39条，其中：新建31条，升级改造8条，总长度77.92千米，总投资16亿元。

2013至2015年，投资49.71万元建设城北污水处理厂；2015至2017年，再投资3600万元建设城北新区龙泉污水处理厂。

城市主次干道　2010至2015年，城北新区建设城市主次干道，构建城北新区道路交通网络。主干道贵惠大道，南北向，全长24千米，宽40米，双向8车道，投资12亿元；与贵惠大道相连接，东西向的次干道：长新路（濛江实验小学至高河坎）全长1.56千米，投资8000万元；同心路（大庄路口至沙子坡），全长1.48千米，投资6103万元；和谐路（长岭寨至桂花园），全长1.7千米，投资7345万元；米丹路（欢乐鸟路口至米丹桥）全长238米，投资581万元。2012至2015年，新建成濛江大道和环城西路：濛江大道南北走向，全长3.2千米，投资29000万元；环城西路，南北走向，全长4.3千米，投资3500万元。城北新区主次干道的建设和经开区道路连接，形成了快捷方便四通八达的城北新区交通路网。

公共服务建设　2010至2015年，城北新区新建4所公办幼儿园（长田幼儿园、高镇幼儿园、大坝幼儿园、惠水县第五幼儿园）；建成惠水县濛江实验小学、惠水民族中学濛江校区（高中）；改扩建原有的高镇中学、高镇小学、长田小学、大坝小学、甲烈小学等学校，解决了城北新区人民群众从幼儿园到高中阶段的就学需求。

城北新区人民群众就医，有高镇医院、险峰医院和社区医院（村卫生室）。群众的医疗保险、养老保险、低保均在本社区得到服务。

拆迁安置、移民安置、房地产开发、全民健身中心建设　2012至2015年，城北新区建成高镇安置点项目，由县永利房地产开发有限公司代建，贵州建工集团第七建筑工程有限公司承建，总占地面积2.4万平方米，总建设面积6.84万平方米，总投资1.6亿元，建成城北新区首创村生态移民、易地移民、拆迁安置综合项目，建成安置楼46栋，其中：6层建筑34栋，17～24层建筑12栋，总占地面积7.94万平方米，总建筑面积30.35万平方米，安置移民户和拆迁安置户共1140户。

城北新区建设朝顺公园道1号商品住宅小区，总用地面积2.16万平方米，总建筑面积22万平方米，其中：地下车库部分面积4.31万平方米，地下超市面积9767.64平方米，地上住宅部分面积14.47万平方米，入住1451户，总投资达6.27亿元；城北新区建成碧桂园高档住宅小区，分为1号、2号、3号、4号地块。城北新区碧桂园是贵州区域子公司在惠水县打造的“劳斯莱斯”品牌项目，按照集团最新标准设计的英伦商业街与双梯住宅，和花园景观洋房相结合，首期占地6.8公顷，建筑面积12万平方米，可入住530余户，有商铺1.66万平方米，住房5.09万平方米，绿化面积8650平方米，总投资2.22亿元。

城北新区新建全民健身中心项目，是县面积最大、功能设施齐全的体育设施建设项目，含体育场和体育馆两大部分：体育场面积1.702万平方米，有固定座位1.23万个，活动座位3020个，体育馆面积9552.2平方米；配套设施有停车位371个及美化绿化设施等。全民健身中心项目总面积2.66万平方米，总投资2.7亿元。

第三章　乡镇建设

第一节　机　构

1950年，县设立建设科着手于筹划县内建设，1951年撤销建设科，建设事宜由交通科及各有关建设业务机构分别管理。1958年成立县建设局，乡镇建设管理为县建设局职责之一。历年来，县乡镇建设管理隶属县城乡建设环境保护局行政主管。

1991年5月，在原和平镇、姚哨区、三都区、摆金区、雅水区、断杉区、王佑区设立乡镇建设管理所，各镇管理所设所长1人，工作员1人。

是年9月，县以下行政区划改革，全县51个乡镇调整合并为25个乡镇（8镇17乡），原各区（镇）的乡镇建设管理所随之更名为村镇建设管理所。当时未设立村镇建设管理所的毛家苑乡和羡塘乡在1994年设立了村镇建设管理所。

2014年，县进行乡镇行政区划调整，将原25个乡镇合并为好花红镇、断杉镇、羡塘镇、摆金镇、岗度镇、雅水镇、王佑镇、芦山镇8个镇，涟江、濛江2个街道。涟江街道、濛江街道事业机构分别设立城市建设服务中心，股级单位。

8个乡镇除好花红镇、摆金镇外，其他6个乡镇分别设立村镇建设服务中心，为股级事业管理机构。

第二节　乡镇规划

1978年后，县城所在地原和平镇完成编制发展规划。

1984年12月，完成编制《惠水县和平镇1985—2000年总体规划》，1985年7月，省政府批复同意该规划。

1985年，制定《1985—1995年11年期间村镇近期和远期规划建设目标》。提出：把集镇建设成为商品经济服务的基地，建设成为发展乡镇工业的阵地和农村经济腾飞的载体。组织技术力量深入农村，对全县农村村镇自然条件、人文社会、经济基础、资源开发能力和发展趋势等进行全面的调研分析，从全县51个乡镇确定34个乡镇为首批规划示范点，先后编制出34个乡镇的发展规划草案，1989年报县政府审批。1991年3月，县政府批复同意34个乡镇的发展规划。9月，已编制完成并批复同意的34个乡镇发展规划，按新的行政区划作出调整。

1999至2005年，各乡镇将修编后的乡镇总体发展规划报县政府审核批复。

2006年，编制完成《高镇镇区110公顷控制性详细规划》《长田乡行政办公区（长田工业园区管委会）4.68公顷修建性详细规划》以及原好花红乡辉岩村、大龙乡九龙新寨、高镇镇抵濛寨、“琴山逸响”景点、高旺桥景点7.21公顷地形图测量及建设规划。

2007年，编制完成《大龙乡生态示范区龙洞片区修建性详细规划》和《三都镇龙苑新区修建性详细规划》。

2010年，全县25个乡镇总体发展规划编制任务完成，各乡镇在乡镇总体发展规划的大框架之下，根据当地特色和区位优势进一步制定乡镇发展的控制性详细规划。

2011年，完成沿省道101公路沿线的长田乡、高镇镇、和平镇、大龙乡、三都镇、好花红乡、甲戎乡、断杉镇、抵季乡、羡塘乡及沿省道309公路沿线的岗度乡、摆金镇、芦山镇等原13个乡镇35个行政村的地形测量和规划编制任务，并报县政府审核批准。

2011年，编制完成与两条省道公路沿线村庄整治、村庄规划配套的《惠水县村庄整治指导图集》。

2014至2015年，全县各镇（街道）的总体规划相继修编完成，规划年限从2014年到2030年。岗度镇完成《惠水县岗度镇总体规划（2014—2030年）》并报县政府审核批复。

第三节　基础设施建设

一、镇、村供水设施建设

1955至1965年，以灭疟防病，预防传染病源传播为目的的改井治水工程普遍在全县农村开展，新建和改造村镇水井15处共21眼。

1966至1976年“文化大革命”期间，农村改水工程基本处于停滞状态。

1979至1984年，随着全县乡镇建设事业的发展，在三都区、摆金区、断杉区、雅水区原4个区中心所在地及人口较多、商贸较发达的芦山镇，先后建设自来水塔，安装总长约5980多米的自来水管道，抽取地下水作自来水水源。

1985至1986年，由县民族事务委员会，县水电局和县卫生防疫站3个部门出资，先后在金石乡旧场寨，关山乡大场寨，甲烈乡冷水寨，甲浪乡杉木村，本抵乡摆惹寨，下摆乡，雅水乡的倒立寨，党古乡摆色村，太阳乡麦董村，董朗乡纳各村，甲戎乡，王佑乡的平坝村等原乡镇少数民族聚居的山区村寨建蓄水池12个，利用水源自然落差的高水位安装自来水管道6810米，建半封闭式水井2眼，解决了水源严重缺乏山区1.5万人民的饮水困难。其间，全县仍有占乡总人口84%的地区沿袭饮用河水，井水或山塘蓄水。其中约三分之一的地区仍处于人畜饮水时断时续的状况。

1987年，为改善涟江中游两岸村庄乡民的生产生活用水，县环境保护监测站从征收的企业排污费中拨出4.6万元，资助惠明乡高旺村、雅羊寨村，三都镇旧司村、马田村，毛家苑乡农联村、辉油村等涟江沿岸村独户或联户打水井，共安装手摇机制水井设备265套，解决了8000多人的生产生活用水问题。

1990年，除县城以外的六区（姚哨区、三都区、摆金区、雅水区、断杉区、王佑区）所在地及4个建制乡镇均已建有高位水塔，抽取地下水源外，全县另有25个村寨也相继安装了自来水供水设施，以自来水作饮用水源，解决当地村民生产生活用水。原岗度乡王松村、大寨村在惠水籍台湾同胞的资助下动工建设自来水供水设施，是年建成。

1991至2015年，县实施农村饮水工程项目，全县农村生产生活用水条件得到根本改善。

二、村镇道路设施建设

1958年，以县城为起点，先后修建了东部通往摆金、雅水，南部通往断杉、羡塘，北部至赤土、大坝、洞口至湾河、姚哨至杨家山煤厂等区、社、队的村镇道路13条，总长达126.3千米。

1962至1979年，全县农村区、社、队、村新修建村镇道路189条，总长达785.5千米。

1980至1987年，全县农村修通了乡镇到各行政村的村镇道路共201条，总长达827千米。

1988至2012年，乡镇通往村组的村镇道路由于投入资金有限，大部分是标准不高的砂石路，部分偏远的村组甚至路都没有修通，老百姓出行难的问题仍是制约农村经济社会发展的瓶颈。

2013年起，逐年实施的村镇道路（乡村公路）建设项目的强力推进下，各乡镇通村、通组、通联户的水泥道路均建成，农村群众行路难的问题得到解决，极大地促进了农村经济社会的全面发展。

三、村镇照明设施建设

中华人民共和国成立前，县农村地区没有任何照明设施建设，地方官绅富户夜间照明用的是蜡烛、桐油、洋油（煤油），普通人们夜间照明用的是松油柴和葵花杆。1953年，县政府组织桐油下乡投入农村市场，村民夜间照明开始用上桐油并逐步得到普及。1956年，煤油开始大量供应农村市场，比桐油灯更好更亮的煤油灯成为农村夜间照明的主要灯具。1957年，在原姚哨乡的水利渠上修建一座装机容量为100千瓦的水力发电站，姚哨乡所在地及周边少数村寨使用上电灯照明。1958至1959年，中央大型国有企业贵州重型机床厂（1966年改称“贵州险峰机床厂”），在高镇自建1000千瓦的火力发电厂，除供厂区生产生活用电外，还覆盖周边村寨。

1968年，杨家山变电站建成，姚哨区所辖范围大部分村寨享用到国家电网供电照明。

1973年，建成摆金变电站，向县境东部乡镇村寨供电。

1985年，全县6区4个建制镇和7个集贸市场使用电灯照明。

1990年，县内区、乡、镇所在地及25个农村集贸市场、近500个村寨都用了电灯照明。期间，县境东南部、南部及西南部大部分山区村寨和偏远的少数民族村寨没有通电，靠煤油灯照明。

1991至2015年，随着农村电网的逐次延伸拓展和电力设施的升级改造，全县农村全部用上电灯照明。

第四节　小城镇建设

一、省级小城镇建设试点

1988年，原雅水镇被列入省小城镇建设试点乡镇，镇政府所在地道路在省级小城镇建设试点中拓宽、拉直、延伸，建成长250米、宽20米的混凝土主街道；修建长80米，宽2米的雅水场坝边沿的水泥人行道；将镇政府门前呈斜坡状的沙土场坝升级改造建成梯级式水泥硬化场坝，场坝梯面共4级，平均高差2米，级面宽20米，长60～80米，场坝周边修建临时售货亭45个、水磨石板面营业摊位300余个；改变了镇政府所在地供电线路布局，安装路灯30余盏；改造简易公厕3个；街道两侧及镇属机关院落植树种花，绿化美化，改变镇容镇貌；利用水源自然落差修建自来水供水站，使雅水镇的自来水普及率达70%；在雅水场坝边沿的少数民族村寨建半封闭式水井5眼，改善了村民的生活用水条件；在镇政府所在地修建了灯光球场、电视卫星接收站、电影院、图书阅览室等文化体育设施；建设了旅社和饮食服务楼；新建了邮电、工商、税务、财政、农技服务、公检法等部门综合办公楼。雅水镇在1988年的省级小城镇建设试点中，使城镇的基础设施条件得到极大改善，昔日雨天的“水泥路，”晴天的“扬灰路”，变成了真正的水泥硬化道路。镇政府所在地集镇场坝的脏、乱、差、臭状况得到了根本的改变。由于雅水镇在省级小城镇建设试点过程中，把上级拨付的项目资金真正用在小城镇建设中，经县、州、省各级检查考评，获得“贵州省村镇建设三等奖”。

二、小城镇建设概况

1990至1994年，先后改造原三都镇、摆金镇、王佑镇、雅水镇、高镇镇等6个镇政府所在地主街道6条，总长度1.54千米，并将其中的884米兼作过境路的城镇主街道升级为柏油路面，扩建和改建了6个集市场坝，共建成水泥硬化场坝1.36万平方米，修建了砖混结构单层商业店面14间、水磨石板面摊位445个、营业性钢管撑架玻璃瓦顶棚4000余平方米，拓宽平整市场5000平方米；建灯光球场4个、电影院8个，建起了地面电视卫星接收站、图书室、文娱活动室、卡拉Ok等公共文化设施。

1994至1995年，在高镇镇建成长2000米、宽28米，路面硬化总面积2.62万平方米的工贸结合型城镇主大街。

1996至1999年，高镇、摆金、雅水、芦山4个乡镇城镇居民住房、公共文化娱乐场所、集市场坝等基础设施有较大改善，通自来水，开通程控电话，城镇主要街道全部实现硬化。

2000至2004年，高镇镇、摆金镇、雅水镇、断杉镇、芦山镇、王佑镇、羡塘乡、摆榜乡等乡镇，在完善水、电、路等设施基础上，进一步抓好过境道路和集镇建设，建成集镇大街13条，总长7200米。建成乡镇集贸市场17个（2000年建成雅水牛马市场1个）。2004年完成摆榜乡783户贫困户房屋帮扶扩建工程和120户极贫户茅草房改建工程。建设摆金镇小城镇移民安置区综合开发工程项目（2005年完成投入使用）。

2006至2011年全县共投入小城镇建设资金113764.8万元。

2012年，好花红乡列入州级小城镇建设示范之一，共投入建设资金1108万元。其中：投入“千户布依寨”1期工程623万元，投入120万元完成150户村庄住房改造，投入165万元完成通组道路9100米路面硬化，投入200万元进一步完善好花红村基础设施。

2013年，成立了惠水县好花红镇千户布依寨特色小城镇建设工作领导小组，好花红镇制定《创意好花红——山水田园·布依乡小城镇建设方案》《好花红镇2013年小城镇建设方案》实施。

2013年，好花红镇建设用地3000平方米，建成2000平方米的农贸市场；建成位于好花红镇千户布依风情寨内总面积990平方米的社区服务中心；建成占地6000平方米的好花红市民广场（好花红村广场）；建成好花红镇敬老院；完成通村道路硬化33.77千米、通组道路21.8千米；建成标准化卫生院1座；建成教师公租房6套，完成新建和危房改造住宅3.61万平方米，人均绿地面积达到3平方米。

2014年，好花红镇在“全省100个示范小城镇”建设中，突出山地生态特色，完善小城镇功能和基础设施建设，整合发改、住建、国土、财政、水利、交通、供电、扶贫等部门资金1.5亿元，修建小城镇主干道、机耕道、生产便道共计142千米，修沟渠93千米，建成蓄水池10个；建成标准化大棚1688个；建成冷库1个和马铃薯储藏库2个（容量5200立方米）；建成校县联合科技馆1个，花卉培育培训中心1个；完成好花红大道3.62千米建设工程和1.6千米老街改造工程，好花红湿地广场和总体镇容镇貌改造工程；完成“一事一议”道路硬化45.35千米；完成河道治理3千米；实施生态移民搬迁120户。2014年，好花红镇在全力推进省级示范小城镇建设中，引进企业40家（公司21家，合作社19家）到位资金3.05亿元。

2014至2015年，濛江街道在小城镇建设中，把重点放在几个合并的农村社区，建成文化广场6个，完成乡村道路建设约80千米，完成太阳能路灯安装800盏，建成公厕4个，升级改造集镇街道800米，设立农村信用社营业网点4个，电信网点4个，集镇4个，建成自来水供水厂1个，污水处理厂2个，村村寨寨实现水、电、路三通。

2015年，在好花红镇投资1800多万元，完成了三都至雅水、辉油至努力、满意至石头关、青藤至龙上、小河至水源等村级公路硬化建设，通村公路新增里程50千米，行政村通村硬化路达93%，“一事一议”通组路覆盖率达35%，完成易地扶贫搬迁122户。

第五节　乡村建设

1978至1990年，全县乡村建房679.05万平方米，农村村民的住房条件得到较大改善。

1991年，投资7.81万元帮助三都镇马田村等村民建设机制水井14眼，避免了因惠水造纸厂污水进入涟江后给当地两岸村民生活饮用水造成的危害。是年，毛家苑乡清水村投资4.2万元（其中，县民委和县交通局资助2.2万元，村民集资2万元）建成4小孔石拱桥1座，清水苑村村民投工投劳2200个。

1992年6月，高镇镇平寨村村民投资19万元，其中，县交通局资助3万元，建成三岔河新民大桥（米丹桥）。

1993年，高镇镇姚新村野鹿井组组织村民投工投劳，县民委适当资助，历经两年时间，于1995年7月，修通高镇姚新村至野鹿井寨子长达7千米，宽3～4米的乡村道路，解决行路难的历史问题。

1999至2003年，投资15万元对摆金镇苏新、单耙、摆本3所村级小学校舍进行维修改造，改善了基本办学条件。

2003至2004年，投资35万元，建成大龙乡九龙村长6.6千米，宽5至6米的通村柏油路和寨内水泥路，建成沼气池45个、蓄水池6个、村级卫生室1间，安装了地面卫星接收器。

2004年，投资4万元建成约1000平方米的摆金牛马市场。

2006年7月，县政府将大龙乡九龙村新庄（原新寨组）列入惠水县新农村建设试点，同意《惠水县大龙乡九龙新庄建设（整治）规划》，由大龙乡政府组织实施。是年，高镇镇长新村抵濛寨列入省建设厅新农村建设试点，并按《惠水县高镇镇长新村抵濛寨新农村建设（整治）规划》实施；投资250万元对好花红村、九龙新寨两景点的重要道路、布依长廊、公共厕所、布依风情民居、村民住房、景观水池、观景亭等项目进行改造建设。

2006至2007年，县向州政府推荐申请呈报命名为小康村有：和平镇惠民村、长田乡桥洞村、三都镇平地村、大龙乡大瓦村、摆金镇摆金村、岗度乡黄土村、雅水镇雅水村、断杉镇八大村和木兴村、羡塘乡龙虎村、芦山镇芦山村、王佑镇红星村、高镇镇司濛村和长新村、好花红乡辉岩村等。

2011年7月，全县农村以“村庄整治”为主攻目标的乡村建设项目开始实施，全县完成村庄整治任务911户。

2012年，投资村庄整治经费1060万元，完成村庄整治任务1343户，涉及公路沿线乡镇12个、行政村26个、自然村寨27个，共6850人受益。

2013至2015年，原断杉镇完成3个村792户新农村民居立面整治项目，其中：新场村完成142户、八大村完成103户、摆惹村完成147户；完成通村组道路2488平方米，修建休闲娱乐场所（小广场）723平方米，建篮球场1个。

第六节　新农村试点建设

一、好花红村

好花红村位于县城南18千米处，是一个以布依族为主体的少数民族村寨。全村面积7.76平方千米，辖14个村民小组、15个自然村寨、660户、总人口2988人，布依族2864人，占全村总人口的96%。全村耕地面积212.8亩，水稻和金钱橘是主要农作物。

1968年，村民投工投劳，开山运石，拦河排水，修建跨涟江的3孔石拱大桥，于1972年春将长72米，宽12米的大桥建成，解决了交通不便，村民进出仅靠一条渡船摆渡的问题。2006年，启动社会主义新农村建设，县投入15万元在桥上建长廊，将这座石拱桥建成风雨无阻的风雨桥。是年，编制完成《好花红村社会主义新农村建设发展总体规划》，村党支部、村委会根据总体规划大力调整产业结构，重点发展金钱橘种植和以“好花红”文化品牌为特色的乡村旅游，传承和保护好当地的布依族传

统文化，带动全村经济发展。村庄基础设施不断改善。实现三通（户户通电，通自来水，通水泥路），户均有彩电、洗衣机、电冰箱、电磁炉等家用电器，村民购买了农用车、农机具、摩托车或微型车。村党支部、村委会建成办公楼，并设村党员活动室、图书室、卫生室、便民服务站、爱心超市等；新型农村合作医疗参合率达100%。全村各项社会事业不断发展。建起了村民文化家园、活动广场、露天舞台、垃圾池等公共设施，建起了布依文化长廊，布依寨门和维修了“中华布依第一堂屋”，组织了布依歌舞队和八音座唱队，开展各种文体活动，丰富村民文化生活。拓宽了村民增收致富渠道。抓住国家扶持少数民族发展和新农村建设的机遇，突出抓好林果业、养殖业、旅游业、调整产业结构，至2012年，好花红村金钱橘种植面积达到3000亩，挂果面积2600多亩，年产量3000多吨，产值1000多元万，仅金钱橘一项，村人均增收2000元以上；全村家家养猪，养5头以上的有376户，10头以上的118户。新农村建设取得显著成效。2006至2012年，县投入新农村建设资金共1100多万元，建成村水泥路500多米、石板步道3000多米、村庄整治87户，建成休闲广场1个、篮球场1个、停车场1个、休闲亭1个和风雨桥、布依寨门，田间小道等基础设施，多次成功举办好花红艺术节，促进了乡村旅游业发展，每年接待游客近万人次，实现年旅游收入近百万元。

2013至2015年，好花红村坚持以美丽乡村建设和新农村建设为重点，投入资金1.9亿元建设好花红桔乡花海旅游扶贫项目综合建设，通过“支部+公司（合作社）+农户”发展模式，形成了好花红精品旅游、产业扶贫结合格局，发展成效明显。2015年3月23日，好花红村举行“中国最美休闲乡村”授牌仪式，省农委有关领导为好花红村授牌。

二、九龙村

九龙苗族村寨，位于县佛教圣地九龙山下，距县城西8千米。

九龙村有6个自然村寨，7个村民小组，405户，1946人，其中苗族1931人，占总人口99.23%。全村总面积14.5平方千米，山地占76%，丘陵占24%，为典型的喀斯特地形地貌，平均海拔1150米，耕地面积1518亩（田224亩，土1294亩），人均耕地面积0.6亩，全村森林覆盖率为40%。九龙村水资源缺乏，农作物以种植玉米为主，2001年，九龙村被确定为省级一类贫困村。2006年，九龙村被推荐为全省社会主义新农村“百村试点”之一。2007年，县编制完成《惠水县大龙乡九龙村社会主义新农村建设发展规划》。2010年，九龙村被列为全县5个新农村建设的重点规划村之一。2011年，九龙村被写进《惠水县大龙乡少数民族特色村寨保护与发展“十二五”规划（2011—2015）》之中，成为县乡政府重点保护和大力扶持的少数民族特色村寨。

自2006年开展新农村建设以来，累计投入资金1000多万元搞基础设施建设，建成宽6米、长8千米的九龙村景区柏油路；建成田间道路600米；建成1100米长的石梯步道；建成移动通讯机站；建成人畜饮水工程、石步梯及村寨主干道、茅草房改造三大工程。完成房屋包装50户，老叭井土地综合治理200亩，蓄水池63口；建成入户步道900余米、村寨道路434米；建成小桥护栏、观景台、垃圾池、公共厕所、停车场、图书室、文化活动室、改建学校等，实现水、电、路、广播、电视、通信“六通”。2008年，建成长51米的苗族文化长廊和具有苗寨特色的九龙村苗寨大门；2009年，九龙村整合扶贫整村推进资金、茅草房改造资金、危房改造资金，完成危房易地搬迁70户，总建筑面积8400平方米；2011年，引进民间斗牛协会资金110万元建成斗牛场，成功主办了两届大规模的民间斗牛大赛；2012年，建成800平方米的苗族舞蹈表演场地，组建了一支苗族文艺表演队。为了美化景区环境，种植了香樟1563棵、雪松400棵、黄花槐1.2万株；2013至2015年，九龙村大力调整产业结构，发展多种经营，采取“公司+合作社+农户”等多种模式加快发展步伐，引进种植32万多棵优质桃树发展精品水果，开办小旅行社和农家乐发展乡村旅游，享受国家精准扶贫、精准脱贫等政策，各种基础设施和景区景观设施不断完善，村容村貌大为改观，人均住房面积达到30平方米，人均收入从2012年的4014元提高到5950元，增加了1946元。同时开通了县城至九龙公交线路，方便游客和村民进出，促进了旅游业发展。

第七节　农村危房改造

2006年，黔南州城乡建设局筹资21.5万元，由惠水县城乡建设局具体组织实施，对斗底乡六磨村23户贫困户进行茅草房改造。

2008年，全县25个乡镇农村危房进行普查：按当时的标准，全县有农村危房9731户，其中：五保户343户，低保户2185户，一般户1544户，地质灾害户98户。

2009年，全县25个乡镇进行农村危房鉴定和白蚁防治，鉴定农村危房建筑面积6000平方米，出具农村危房鉴定报告37份；是年启动农村危房改造分两批进行，政府共补助资金1136.5万元（中央资金789.6万元、省级资金666.8万元、州级资金308.5万元、县级匹配资金249.39万元），第一批1—6月改造危房418户，第二批7—12月改造危房530户，涉及全县25个乡镇农村危房和县民政局的五保户集中建房点，是年实施完工、入住。

2010年，县农村危房改造817户，政府补助资金1634万元，其中：中央和省级资金达1176.15万元，州级匹配资金37.81万元，县级匹配资金417万元，是年实施完工，入住率为100%。

2011年，县农村房改造2361户，政府补助资金1890.35万元，其中：中央和省级到位资金1466.83万元，州级到位资金37.81万元，县级应匹配资金385.72万元。

2012年，全县农村危房改造2665户（第一批2257户，第二批追加任务408户），政府补助资金1838.83万元。其中：中央和省级资金1417.74万元，县级匹配资金385.6万元，县级多拨付11.75万元用于补足提前实施的14户农房危改资金。由于是年有第二批追加任务数，部分农村危房改造拖到2013年初才算完成。

2013至2015年，全县三年共实施农村危房改造10808户，其中：一级危房1204户，二级危房6550户，三级危房3054户。政府补助资金8256.57万元，其中：中央和省补助资金5776.24万元，州级匹配资金800.7万元，县级匹配资金1679.63万元。

第四章　建筑行业管理

第一节　机构及管理

一、机构

1983年，县城乡建设环境保护局内设惠水县建设安装施工管理站，履行县内建筑行业的行政管理职责。

1984年，县建筑安装施工管理站改称“惠水县建筑安装施工管理股”。

1985年3月，在县城乡建设环境保护局内设立建筑安装施工管理站和建筑工程质量监督站。在县城乡建设环境保护局领导下，实行“一套人马两块牌子”，人员配备在县城乡建设环境保护局编制内解决。经费开支按1983年黔基施字第005号文件执行，从收取的管理费中开支。收取标准根据省、州文件精神，提出报物价部门审核，财务管理上按规定实行企业管理，严格执行国家统一的财经制度。

同月，县建筑安装施工管理股恢复原惠水县建筑安装施工管理站的名称。

2011年11月，县实施政府机构改革，县建筑工程质量监督站仍被保留作为县住房和城乡建设局的内设机构。

2012年2月，明确县建筑工程质量监督站的机构设置和人员编制，核定事业编制5名，其中：设站长1名，经费开支由财政全额预算管理。8月，设立惠水县建筑工程安全生产监督管理站，核定事业编制3名，其中设站长1名，经费开支由财政全额预算管理。在实际工作中，由于人员缺编，惠水县建筑工程质量监督站和惠水县建筑工程安全生产监督管理站实行“两块牌子一套人马”运作模式。质安站同时承担建设行政主管部门建筑业科、招投标办、节能办、应急办等部门职能。

二、建筑管理情况

建筑工程项目的招标投标管理 在县住建局成立建筑工程招标投标管理办公室，设在建筑工程质量监督站。县建筑工程招标投标管理办公室，负责各类房屋建筑及附属设施和市政工程项目的招标投标活动的监督执行，为建筑工程的招标投标活动提供相关的政策咨询服务，受理和处理投标人和其他利害关系人的投诉；负责做好建筑工程招标投标的备案工作。

建筑工程质量与安全生产管理 建筑工程质量管理依据的法律法规是：《中华人民共和国建筑法》《建设工程质量管理条例》和《建筑工程施工质量验收统一标准》（GB50300-2013）等相关法律法规和规范规定。

建筑施工安全生产依据的法律是：《中华人民共和国安全生产法》《建设工程安全生产管理条例》和《建筑施工安全检查标准》（JGJ59-2011）等相关法律法规和规范规定。

建筑工程质量管理机构和安全生产监督管理机构必须以相关法律法规和行业标准等作为依法行政依据。建筑施工企业和相关建设工程项目必须履行相关法律法规和行业标准等规定的法定职责，接受管理机构的监督。

县建筑工程质量监督站（安全生产监督管理站）主要对参建的建设、施工、监理、设计、地勘和检测机构等在地斟、设计、招投标、施工、监理和检测等环节履职情况进行依法监督，对项目建设过程中落实相关强制性标准情况监管，全面落实质量和安全生产主体责任，按规定对施工过程工序监管，强化企业质量和安全文明施工标准化建设，确保工程质量和安全文明施工。

在依法监督过程中，严格落实企业的主体责任，督促完善项目的安全生产保障体系和施工质量保障体系建设，落实应急预案、演练、处置和应急物资储备等制度，施工质量和安全。

施工质量和安全生产事故发生和处置 县建筑工程安全生产监督管理站成立后，全县房屋建筑和市政基础设施工程施工领域未发生过较大及以上安全生产事故，未出现过重大质量事故。

在施工过程中，开展排查治理，及时消除质量和安全隐患，坚决遏制质量和重大安全事故的发生。发现一般质量和安全隐患，责任监理单位按规定严格督促施工单位按规范整改完善；发现重大质量隐患，依法要求停工，落实“五到位”，由设计方出具整改设计方案，再由施工单位编制整治专项方案，按规定通过“编审批”按规定实施后，由建设、施工、监理和设计等单位共同验收合格方可申请复工，整治后需要检测的须依法委托具有资质的第三方检测机构检测合格；对有重大安全隐患，依法要求停工，落实“五到位”，须由施工单位按规定编制专项方案，报请监理单位审查通过后，由监理单位督促施工单位严格按方案排除隐患，须监测的按规定进行监测。

施工过程中出现安全生产事故，须立即启动应急预案，各应急处置组到位，立即开展救援工作，做好隔离排险等应急处置工作。并及时排打报警电话，按规定上报行政主管部门。县政府成立事故调查处理组对事故按照“四个不放过”的原则进行调查处理。

第二节　建筑企业

一、县内建筑企业

1952年县城的木工、石工、泥工自愿组成合作小组，承修县政府办公楼；1956年国家对私营工商业进行社会主义改造，合作小组发展为建筑生产合作社，隶属县手工业局管理；1958年建筑社发展到近千人，改称建筑公司，隶属建设局领导；1962年底，经调整复称建筑生产合作社，属手工业管理局领导，职工精减到200人；1981年又复称县建筑公司，隶属县计划委员会领导。

1984年经济体制改革，建筑公司改称总公司，下属四个工程队改为分公司，独立核算，自负盈亏。

惠水县内的建筑企业经营管理体制，从1982年起，基本形成了集体、个体和合股3种经营模式。

1986年，县城乡建设环境保护局通过资质审核认定的县内建筑企业共有22家，其中：集体性质的建筑企业8家，股份制建筑企业6家，个体建筑企业8家。

集体性质建筑企业8家。惠水县建筑公司（3级资质企业）、险峰机床厂建筑工程队（4级资质企业）、城关建筑队（5级资质企业）、108地质队建筑队（5级资质企业）、永安电机厂建筑队（5级资质企业）、涟江建筑队（其他类企业）、劳动服务公司建筑队（其他类企业）、城关星光村建筑队（其他类企业）。

股份制建筑企业6家。惠明乡雅羊建筑队（其他类企业）、惠明乡回龙建筑队（其他类企业）、王佑镇新兴建筑队（其他类企业）、大龙乡桥涵工程队（其他类企业）、芦山镇硐口修建队（其他类企业）、城关镇多菱建筑队（其他类企业）。

个体经营建筑企业8家。三都镇龙朝顺修建队（其他类企业）、毛家苑乡王科福修建队（其他类企业）、金石乡雷明怀修建队（其他类企业）、金石乡陈必胜修建队（其他类企业）、惠明乡丁德贵建筑队（其他类企业）、惠明乡郝建中建筑队（其他类企业）、惠明乡曾永昶修建队（其他类企业）、城关镇刘永福修建队（其他类企业）。

1989年，县城乡建设环境保护局根据国家整顿建筑市场的相关文件要求，重新对县域内的建筑企业进行资质等级的考核、整顿和审批。

1990年，县城乡建设环境保护局报黔南州城乡建设环境保护局审核批准的3级资质企业1家（惠水县建筑公司），4级资质企业2家（险峰机床厂建筑工程队、惠水县永合建筑队），另有等外甲级建筑企业7家，非等外甲级建筑安装企业3家。

2001年，根据《中华人民共和国建筑法》，对县内建筑企业进行考核整顿、整合重组。经整合重组并报州城乡建设局批准认定的县内3级资质的建筑企业有3家：惠水县兴惠建筑有限公司、惠水县鑫联建筑工程有限责任公司、惠水县永合建筑公司。未达到3级资质的其他建筑企业，按《建筑法》的规定退出建筑市场。

2015年，惠水县兴惠建筑有限公司、惠水县鑫联建筑有限公司、惠水县永利建筑有限贵公司、惠水县永合建筑有限公司4家建筑企业，经过市场的检验和县住建局的严格考核评估和报送黔南州住建局批准，由原来的3级资质企业晋升为2级资质企业。

二、外来建筑企业

1986年，经州城乡建设局审批并发给承包许可证的外地来县承包建筑工程的建筑企业有：四川省铜梁县第二建筑公司第九队（40人，法人代表雷亚基）、四川省岳池县九龙建筑公司第九工程队（45人，法人代表张桂林）、四川省岳池县建筑建材安装公司第三队（66人，法人代表唐家法）；贵州省第一建筑公司（66人，法人代表傅汝志）等4家。

1988年，外地来县从事建筑施工的建筑企业有：四川省铜梁县第二建筑公司第九队、四川省岳池县九龙建筑公司、四川省岳池县石垭建安公司第三队3家。

1990年，仅有四川省铜梁县建筑公司第九队一家外地建筑企业在县从事建筑工程承包施工。

2001至2015年，在县内从事建筑施工的外来建筑企业有：贵州省第二建筑公司、四川省泸州永寿建筑公司六盘水分公司、都匀市第二建筑公司、广东省汕头市潮阳建筑总公司贵阳分公司、中建四局二公司、四川省峨眉山市红山建筑公司、黔南州建筑公司、中国有色七冶第一建筑工程公司、贵州省城乡建设工程总公司、黔南州诚信建筑工程有限公司、贵州建工集团第八工程公司、平塘县第二建筑工程公司、贵定县建筑工程有限公司、长顺县飞鸿建筑有限公司、福泉县建安建筑公司、贵州新城开发建设有限公司、贵州建工集团第七建筑工程有限公司、贵州国发城市建设投资开发有限责任公司、贵州金辰通信服务有限公司、浙江正和建设工程有限公司、福建兴隆路桥建设有限公司、贵阳骏丰建设有限公司、贵州川江建设工程有限公司、二十一冶建设有限公司等20余家。

第三节　勘测设计

1958年8月，县建设局设立县规划设计室。县内机关、单位、学校的建筑工程设计任务2～4层建筑均由县规划设计室承担。1962年，撤销县建设局，县规划设计室划归县计划委员会。县规划设计室有设计人员2人，一直延续到1982年2月。同年3月，恢复建设行政主管部门，设立惠水县城乡建设环境保护局，县规划设计室从县计划委员会回归县城乡建设环境保护局，事业机构编制。县规划设计室负责编制城乡规划和7层以下建筑物的勘测设计任务。县规划设计室经上级业务部门审定，技术等级为丁级。从1990年开始，县规划设计室工程技术人员由原来的2人增加到8人，其中：有高级工程师1人，助理工程师2人，技术员4人，资料员1人，规定承担7层以内的建筑设计任务。

1996至1999年，县规划设计室，返聘高级工程师1人，有工程师1人，助理工程师和技术员4人。

2000至2003年，县规划设计室，返聘1级注册结构师1人，工程师3人（有2人未在岗），2级注册建筑师1人，其余为助理工程师和技术员。

2004至2008年4月，县规划设计室有各类人员10人，其中，1级注册结构师1人（返聘），1级注册建筑师1人（未在岗），2级注册建筑师2人，工程师3人（2人未在岗），助理工程师和技术员3人。县内10层以下建筑工程的勘测设计任务由县规划设计室承担。

2008年5月，为拓展业务县规划设计室与贵州建筑勘测设计有限公司联合成立“贵州建筑勘测设计有限公司惠水县分公司”，仍属县住房和城乡建设局管理的一个业务股室，业务范围：岩土工程勘测甲级（岩土工程勘察、设计、咨询、监测检测）、建筑工程设计甲级、市政公用工程设计乙级（排水、风景园林）、地质灾害防治工程勘察设计和施工甲级、地质灾害评估甲级、水文地质勘查和工程测量乙级、房屋建筑工程和市政公用工程施工总承包3级（含建筑地基、土石方、水工建筑物基础处理专业施工）、工程勘察劳务（岩石工程治理、钻探、凿井）等。公司办公地址在县住房和城乡建设局9楼。2012年，在县机构改革中，县规划设计室被撤销，贵州建筑勘察设计有限公司惠水县分公司一并解散，设计室原在编人员划入县住房和城乡建设局其他部门。

第四节 建筑工程

县电信局大楼 县电信局大楼位于建设路与人民路相交的十字路旁边，总建筑面积2240平方米，总投资400余万元，7层，楼高25米，框混结构，由省邮电规划设计院设计，县建筑公司第三工程队承建，县建筑工程质量监督站监建。1992年8月1日动工，1993年10月竣工投入使用，被评定为优良工程。

县供电局调度大楼 县供电局调度大楼位于建设西路，总建筑面积3080平方米，总投资400余万元，10层，楼高44米，跨度10.8米，框架结构。由县规划设计室设计，县建筑公司承建，县建筑工程质量监督站监建，贵阳新黔装饰公司做内部装修。1993年9月1日开工，1995年9月10日竣工投入使用，优良工程，是惠水县城最早安装电梯的公共建筑。

惠水县委县政府办公大楼 县委县政府办公大楼位于县府路中段，总建筑面积4318.32平方米，总投资400余万元（土建部分投资337.61万元），5层，框架结构，楼高22.3米，2类建筑，6度防震。由县规划设计室设计，县永合建筑公司承建，县建筑工程质量监督站监建，贵阳威力建筑装饰工程有限公司内部装修。1998年10月开工，2001年1月竣工，优良工程。

县住房和城乡建设局大楼 县住房和城乡建设局大楼位于建设东路，总建筑面积2950平方米，总投资300万元，楼高45米，钢混框架结构，方形建筑，中间是方形天井，围绕天井为各层办公室。由县规划设计室设计，县建筑公司承建，贵州协同岩土工程有限公司进行地质勘查，县建筑工程质量监督站监督，安装浙江省杭州市新马电梯厂生产的价值30万元的电梯1部（1～9楼），屋顶安装山东省烟台市持久钟表厂生产的四面时针的圆形大钟1个，价值18.5万元。1998年12月18日开工，2000年9月20日竣工投入使用，合格工程。

县广电中心广电大楼 县广电中心广电大楼位于县府路人民广场，与县人大县政协办公楼相邻，总建筑面积5070平方米，总投资190余万元，7层，2栋，高25.2米，框混结构。由贵阳建筑设计院设计，县房屋建设施工公司承建，黔南州建筑工程建设监理公司惠水县分公司监理。2001年7月开工，2002年8月18日竣工投入使用，优良工程。

县第二中学综合楼 县第二中学综合楼位于县城凤山处，总建筑面积4546平方米，地下1层，地上5层，框架结构，总投资591万元，由黔南州建筑设计院设计，龙里县华兴建筑公司承建，2010年6月2日开工，2011年12月3日竣工投入使用，合格工程。

县国土资源局国土大楼 县国土资源局国土大楼位于建设东路，总建筑面积3250平方米，总投资171.8万元，8层，框架结构，由都匀市建筑设计院设计，黔南州建筑工程建设监理公司惠水县分公司监理，县建筑公司承建，2000年4月10日开工，2001年12月1日竣工，合格工程。

惠水民族中学（凤山校区）综合楼 惠水民族中学（凤山校区）综合楼，总建筑面积3580平方米，1栋6层，地面以上高度20米，地下室为阶梯教室及入口。1层高4.5米至6米，2层为阅览室640平方米，3至

5层为电教室640平方米，实验室及库房1830平方米，造价162.5万元，框架结构。由国家电力公司贵阳勘测设计研究院设计，黔南州诚信建筑工程公司承建，黔南州建筑工程建设监理公司惠水县分公司监理。2004年4月18日开工建设，2005年1月24日竣工投入使用，合格工程。

县人民法院综合楼 县人民法院综合楼位于白果大道好花红广场旁边，总建筑面积3554.57平方米，总投资177.17万元，5层，框架结构，由贵州地质八普地质勘查基础工程公司勘测，贵州长城建筑设计公司设计，贵定县建筑公司承建，黔南州建筑工程建设监理公司惠水县分公司监理，2004年4月18日开工，2005年10月18日竣工投入使用，合格工程。

县人民检察院综合楼 县人民检察院综合楼位于白果大道好花红广场旁边，总建筑面积2584平方米，总投资148.5万元，4层，框架结构，由贵州协同建筑设计有限公司设计，贵州建工集团第四建筑工程公司承建，黔南州建筑工程建设监理公司惠水县分公司监理，2004年9月20日开工，2006年4月14日竣工投入使用，合格工程。

县烟草专卖局综合楼 县烟草专卖局综合楼位于永红大道与人民南路交汇的十字路口，总建筑面积4788平方米，总投资271.68万元，5层，框架结构，由县规划设计室设计，县兴惠建筑公司承建，黔南州建筑工程建设监理公司惠水县分公司监理，2005年3月开工建设，2006年12月12日竣工投入使用，合格工程。

县和平镇政府办公楼（涟江街道办事处办公楼） 县和平镇政府办公楼位于永红大道旁，与县中医院相邻，总建筑面积4500平方米，总投资201.75万元，6层，框架结构，由县规划设计室设计，县兴惠建筑公司承建，黔南州建筑工程建设监理公司惠水县分公司监理，2006年10月25日开工，2008年1月15日竣工投入使用，合格工程。

县第四中学（教学楼、宿舍楼、综合楼） 县第四中学是一所全新重建的学校，总建筑面积1.19万平方米（教学楼4800平方米，学生宿舍楼1974平方米，综合楼4345平方米），总投资649.99万元（教学楼212.81万元、学生宿舍楼83.19万元、综合楼354万元），教学楼、学生宿舍楼为县规划设计室设计，县鑫联建筑公司承建，教学楼于2005年10月26日开工建设，2006年8月22日竣工，学生宿舍楼于2005年11月22日开工建设，2006年7月23日竣工；综合楼由县规划设计室设计，都匀市第三建筑工程公司承建，2008年5月8日开工，2011年7月26日竣工。3个项目均由黔南州建筑工程建设监理公司惠水县分公司监理，均为合格工程。

县青少年活动中心大楼 县青少年活动中心位于县第四中学校园内，总建筑面积1960平方米，总投资187.91万元，由贵州开程岩土工程有限公司勘测，贵州建筑勘察设计公司设计，都匀第三建筑工程公司承建，黔南州建筑工程建设监理公司惠水县分公司监理，2009年12月8日开工，2011年11月竣工投入使用，合格工程。

县财政局综合楼 县财政局综合楼位于建设东路与涟江南路相交路口处，总建筑面积3043平方米，总投资430.17万元，框架结构，由贵州建筑勘察设计有限公司进行勘测和设计，贵州建工集团第一建筑工程公司承建，黔南州建筑工程建设监理有限公司惠水县分公司监理，2008年8月31日开工，2010年6月8日竣工，合格工程。

县交通局综合楼 县交通局综合楼位于城北新区贵惠大道，总建筑面积3203平方米，总投资336.8万元，由黔南州建筑勘察设计院进行勘测和设计，县鑫联建筑公司承建，黔南州建筑工程建设监理有限公司惠水县分公司监理，2010年3月1日开工建设，2011年12月29日竣工投入使用，合格工程。

中国人民解放军惠水县人民武装部办公大楼和民兵训练中心 中国人民解放军惠水县人民武装部办

公大楼和民兵训练中心位于城北新区贵惠大道，总建筑面积4557平方米，总投资563.98万元。两栋建筑均由贵州省地质勘察公司负责地勘，县规划设计室设计，县兴惠建筑公司承建。2010年6月19日开工，2011年3月9日竣工投入使用，合格工程。

惠水县武警消防大队大楼及营房 县武警消防大队大楼和营房位于城北新区贵惠大道，与县人民武装部大楼和县交通局大楼相邻。消防大队大楼建筑面积990平方米，4层，砖混结构，营房建筑面积1200平方米，3层，框架结构，总投资164万元，2006年6月25日开工，2006年9月30日竣工投入使用，合格工程。

惠水民族中等职业技术学校（教学楼、1号2号学生宿舍楼） 惠水民族中等职业技术学校（简称惠水职校）是易地搬迁重建的学校，位于永红大桥桥头一侧，惠水职校教学楼、1号、2号学生宿舍楼总建筑面积1.383万平方米。总投资1097.87万元。教学楼由贵州省地质八普地质勘察设计院做地勘，县规划设计室设计，县鑫联建筑公司承建，黔南州建筑工程建设监理公司惠水县分公司监理，2007年4月5日开工，2008年8月16日竣工，合格工程；1号学生宿舍楼由贵州省辰龙水利水电工程咨询有限公司做地勘，县鑫联建筑公司承建，黔南州建筑工程建设监理公司惠水县分公司监理，2008年12月10日开工，2010年2月4日竣工，合格工程；2号学生宿舍楼由贵州开程岩土工程有限公司做地勘，龙里县华兴建筑有限公司承建，黔南州建筑工程建设监理公司惠水县分公司监理，2011年11月17日开工，2013年4月13日竣工投入使用，合格工程。

县人民医院医技综合楼 县人民医院医技综合楼是2009年实施的改扩建项目，总建筑面积1.12万平方米，总投资1468万元，6层，框架结构，由贵州新基石建筑设计有限责任公司设计，贵州鼎盛岩土工程有限公司做地勘，贵州建工集团第一建筑工程有限公司承建，贵州众益建设监理咨询有限公司监理，2009年9月30日开工，2011年7月26日竣工投入使用，合格工程。

县中医院医技综合楼 县中医院是从长征路（县第一幼儿园对面）易地搬迁后重建的县内最大的公立中医院，位于人民南路爬头寨坡脚。县中医院医技综合楼总建筑面积1.27万平方米，总投资1587.32万元，框架结构，地下1层，地上5层，由贵阳建筑勘察设计有限公司做地勘，贵州同盛建筑设计有限公司设计，遵义通达建设工程有限公司承建，黔南州建筑工程建设监理公司惠水县分公司监理，2010年11月23日开工，2012年7月23日竣工投入使用，合格工程。

县濛江实验小学建筑群 县濛江实验小学的前身是惠水县长岭小学，是易地搬迁重建的学校，位于城北新区濛江大道旁，校园占地面积约5.33公顷，学校建筑群有教学楼、科技实验楼、综合楼、学生宿舍楼、食堂和标准塑胶运动场，建设规模2.6万平方米（其中，学生宿舍楼和食堂等生活用房1万平方米，科技实验楼和综合楼、教学楼1.6万平方米），总投资1.2亿元（其中，以中央资金为主，地方政府资金配套，惠水县永利房地产开发有限公司捐资1000万元），由湖北佳境建筑设计有限公司设计，贵州建工集团第七建筑工程有限公司承建，黔南州建筑建设监理公司惠水县分公司监理，2013年启动建设，2014年8月建成投入使用，合格工程。

惠水民族中学（濛江校区）建筑 惠水民族中学（濛江校区）位于城北新区贵惠大道，是与城北新区同步开发建设的高中学校项目。2013年启动建设，用地面积7.8万平方米，总建筑面积7.89万平方米，总投资2.5亿元，2014年8月完成第1期项目建设并投入使用，建筑面积3.8万平方米，耗资1亿元（2016年12月底启动第2期项目建设，建筑面积4万平方米，耗资1.5亿元）。学校建成后可容纳高中住校生6000名。惠水民族中学（濛江校区）是由中冶集团设计，贵州建工集团第七建筑工程有限公司承建，黔南州建筑工程建设监理公司惠水县分公司监理。

县思源实验小学建筑　县思源实验小学位于城南永红大道（纸酒大道）。校园用地5.2万平方米，总建筑面积2.8万平方米，标准塑胶运动场1.056万平方米，项目总投资6500万元（其中，香港言爱基金会捐资1000万元），由贵州中建建筑科研设计院设计，贵州建工集团第七建筑工程公司承建，黔南州建筑工程建设监理公司惠水县分公司监理，2014年启动建设，2016年8月建成投入使用，合格工程，可容纳学生2400余人。

贵州盛华职业学院建筑群　贵州盛华职业学院位于惠水县百鸟河风景区，是贵州省人民政府和教育部批准设立的一所全日制普通高等职业学院，是贵州省现代职业教育改革创新试点院校。2011年选址建设，占地20公顷，总建筑面积6万平方米，投资2.5亿元，由清华大学工美设计师进行建筑设计，2012年基本建成开始招生，到2015年秋季有在校生3800人（2016年起开始扩大学院建设规模，扩展区占地约53.33公顷，总投资15.6亿元，容纳学生1.5万人，是台湾爱国企业家王雪红、陈文琦夫妇创办的一所以公益兴学、教育扶贫为办学使命的非营利性民办公益大学）。

贵州财经大学商务学院建筑　贵州财经大学商务学院是2001年经贵州省人民政府批准，2004年教育部批准确认的独立学院，是贵州财经大学与希望教育集团签订合作办学协议，共同举办的全日制普通高等院校，位于惠水县城西面的濛江大道，占地72公顷，1期建设占地约53.33公顷，2期建设占地约18.67公顷，教学行政用房等建筑总面积16万余平方米，总投资12亿元，2014年建成投入使用开始招生，至2016年秋季学期有在校大学生1.2万余人。

贵州大学科技学院建筑群　贵州大学科技学院是经贵州省人民政府批准、教育部批准确认的贵州大学与贵州捷星惠旅航空空乘咨询服务有限公司签订合作协议，共同举办的全日制普通高校，位于惠水县城西面濛江大道旁，占地约53.33公顷，总建筑面积43万平方米，英伦式建筑风格，总投资8.5亿余元，分2期建设。2015年启动建设，2017年9月建成开始招生。

惠水县金惠大厦、涟江尚品大酒店、机关服务综合业务用房、金域城市广场一期、永红花园、朝顺公园道壹号一期、永利首座、希望英伦城邦一期等项目，2011至2015年间分别获“黔南州建筑安全文明施工样板工地”荣誉称号。机关服务综合业务用房和希望英伦城邦一期等项目获得贵州省“建筑安全文明施工样板工地”荣誉称号。

第五章　房地产业

第一节　住宅建设

一、私人住宅建设

1950年，惠水县城有私人住宅面积5.4万平方米，按当时县城户籍人口计算，人均住房面积7.38平方米。

1950至1980年，县城私人建筑面积，在新中国成立初期私人住宅面积5.4万平方米的基础上，净增1.8万平方米，占私人建房总面积的25%；20世纪70年代末，县城私人住宅建筑面积在新中国成立初期基础上，净增2.28万平方米，占私人住宅建筑总面积的29.7%。

1980至1990年，改革开放促进了县域经济的发展，县城私人住宅建筑面积27.05万平方米，净增14.8万平方米，占私人住宅建筑面积的54.8%，是新中国成立初期县城私人住宅建筑面积的5.01倍。1989年，县城住宅建筑面积为31.59万平方米，其中：私人住宅建筑总面积为27.54万平方米，单位职工住宅建筑总面积为3.05万平方米，按是年县城户籍登记住户6279户24142人计算，县城人均住宅建筑面积为13平方米，其中：人均住宅建筑面积在4至8平方米之间的有988户，占县城总户数的15.74%；人均住宅面积8平方米以上的4467户，占总数的73%；个人无私人住房，在单位又没有分到住房而暂住他处或租房住的职工有824户，占县城总户数的11.36%。

1994至1995年，县城经审批拆旧建新和农村私人住宅建设有5040户，总建筑面积30.8万平方米，其中：县城居民拆旧建新住宅80户，建筑面积9500平方米，村镇建设中私人住宅建设4950户，总建筑面积30.97万平方米，总投资952万元。

表11-4

1998—2015年县城乡私人住宅建设情况表

年度	户	建筑面积（平方米）	投入资金（万元）
1998	—	—	1042
1999	—	—	1153
2000	—	2.39	931
2001	—	1.6	5.76
2002	—	4.79	1792
2003	—	4.88	1626
2004	59	201	735
2005	75	3.3	1038
2006	60	2.22	861
2007	65	2.23	788
2008	102	5.2	4159.3
2009	94	6.13	4158.5
2010	98	6.23	10640.9
2011	104	5.3	5294.6
2012	91	5.23	9680
2013	根据相关政策规定，不在审批办理私人住宅建房手续，停止私人建房。		
2014			
2015			

2013至2015年，根据国家城市棚户区改造和新农村建设与房地产开发的相关政策规定，县住房和城乡建设局不再审批办理私人住宅建房申请的相关手续，停止私人建房。

二、住宅小区建设

教师新村住宅 教师新村住宅小区由县教育局主导建设，教师筹资建房，每平方米造价345元。1998

年初征拨土地9.8亩，年内开工建设住宅楼5栋，每栋6层，楼高20.5米，砖混结构，总投资492.1万元，总建筑面积1.48万平方米（不含煤房面积），共解决教师住房140户。建设项目由县规划设计室设计，县房屋建筑施工公司、县和平建筑公司，县永合建筑公司承建，县建筑工程质量监督站、县建筑工程安全生产监督管理站监建，2000年6月竣工，合格工程。

供电职工住宅　供电职工住宅小区由县供电局主导建设。项目用地7000平方米，建住宅楼5栋，楼高5层，砖混结构，总建筑面积6896平方米，总投资250万元，由贵州协同岩土工程有限公司作地勘，县规划设计室设计，县建筑公司、县和平建筑公司承建，县建筑工程质量监督站和县建筑工程安全生产监督管理站监建，1999年上半年开工，2001年1月竣工投入使用，合格工程。

三、单位职工集资建房

以职工集资、单位提供土地形式为本单位住房困难职工建住宅楼的单位有：县邮电局职工宿舍楼（1997年，总建筑面积2100平方米，总投资70万元）；县公安局职工宿舍楼（1999年，甲、乙两栋总建筑面积4300平方米，总投资149.75万元）；惠水民族中学教师宿舍楼（1998至2001年，5栋，总建筑面积6500余平方米，总投资370万元）；县教育局职工宿舍楼（2000年，总建筑面积1500平方米，总投资75万元）；惠水二中教师宿舍楼（2003至2004年，2栋，总建筑面积4318平方米，总投资194万元）。

一些单位在房屋拆旧建新时，新建的房屋底层作商铺出租或售给商家做店铺经营，2层以上住宅出售给本单位职工，解决本单位职工的住房困难问题。如：县委商住楼（1999年，3栋，总建筑面积8664平方米，总投资377万元）；县商贸中心商住楼（2001年，总建筑面积9900平方米，总投资350万元）。

根据国家住房政策的相关规定，从2004年起，由系统（部门）主导建“住宅小区”和由单位职工集资建房的形式被叫停。

第二节　公共租赁住房

一、公共租赁住房（含廉租住房）建设

2008至2018年，县内保障性住房规划建设项目共计60个，其中廉租房项目9个，公租房项目51个，建设保障性住房6853套，建筑总面积311424平方米，项目建设投资72000万元。

县城区公租房（含廉租住房）。建设项目9个共2659套，总建筑面积146373平方米。分别为：2008年建设项目2个180套，共9000平方米；2009年建设项目1个180套，共9000平方米；2010年建设项目2个488套，共25440平方米；2011年建设项目3个371套，共19353平方米；2013年建设项目1个312套，共18720平方米；2014年建设项目1个1020套，共51000平方米；2015年建设项目1个396套，共13860平方米。

廉租住房竣工暨入住仪式举行（2001年摄）

集镇公租房（含廉租住房）建设。

建设各类公租房项目49个共3918套，总建筑面积165051平方米。分别为：2012年建设项目11个587套，共29626平方米；2013年建设项目22个818套，共32830平方米；2014年建设项目8个907套，共37145平方米；2015年建设项目8个1606套，共65450平方米。

二、落实措施

规划选址 在项目建设时合理规划，选择地理位置较为优越地块，进行保障房建设或通过与商品房配建等方式，防止保障性住房聚居区成为城市“贫民窟”，让住房困难群体生活更美好、更舒适、更便捷、更有尊严。高标准、高品质规划建设，让中、低收入群体住房拥有与商品房住户同样的生活起居环境，共享小区环境和专业物业公司的管理与服务，有效避免社会阶层隔离和形成“贫民窟”，这些系统化的考虑，保证入住廉租房的低收入阶层享受到中档商品房的居住标准。

建设 在工程建设中，进行建筑设计时，便把室内装饰工程作为工程建设的一个部分纳入整体规划，住房室内均铺地砖、墙砖，在厨房建有灶台、洗菜池，安装套装门和防盗门，对每一套廉租房进行水电立户安装，节能灯、水龙头等基础设施一应俱全，达到拎包入住的条件。

主体施工和配套设施 为改善小区居住环境，使居民有舒适的人文享受，采取工程主体施工与配套设施同步规划实施，争取上级建设补助资金，专项用于配套基础设施建设。完善小区道路、绿化、亮化等基础设施，确保完工即可入住。

第三节 房地产开发与管理

一、房地产开发

1993年11月，在县城乡建设局成立惠水县房屋开发公司，2000年更名为惠水县城建房地产开发公司，属县城乡建设局领导下的集体所有制企业。

1994年，县房屋开发公司在环城西路征拨土地1852平方米，修建“94-1号”“94-2号”2栋商住楼，总建筑面积1426平方米。

是年5月，惠水汽车站到西门米厂的惠兴路（长760米，宽28米）动工建设，县政府与粤红房地产开发有限公司签订建设合同，同意该公司在规划建设道路的同时，拥有该路段两侧10～20米范围内建房用地的土地拍卖经营权，至1996年末，惠兴路临街两侧高楼有序排列，日杂百货、五金交电、饮食餐馆等商铺沿街开设，为惠水房地产市场的开发起到了推动作用。

1995年，县房屋开发公司开发环城西路“94-3号”“94-4号”2栋商住楼，总建筑面积1741.5平方米，竣工后实现销售收入79.4万元。同时，还承建其他建筑项目5个，总建筑面积4187平方米，是年竣工1991.5平方米，次年竣工2196平方米。

1996年，县房地产管理所对位于县城东门的原办公用房拆旧建新建成1栋5层商住楼，底层为门面店铺，2楼以上为住宅，建成后出售给私人居住。

1997年，县房地产管理所对位于长征路的原办公用房和出租房进行拆旧建新改造，建成后作为商品房直接出售给居民住户。

是年，县投资500万元对县委门前的公有老旧房屋折旧建新，建成2栋7000平方米的商贸楼，1层为商铺，2层以上为住宅，出售给干部职工。

1998年，县引资480万元建农贸市场，建筑面积1.46万平方米；投资720万元实施商贸城工业品批发市场建设，建筑面积1.17万平方米，1层为商铺，2楼以上作为商品房出售给市民居住。

1999年11月，县出台《关于投资开发县城老场坝和汪家大田市场有关优惠政策的通知》，将县城老场坝和汪家大田市场的开发权出让给四川省峨眉山市开发商刘文斌进行商品住宅楼开发建设。优惠政策是：对销售不动产营业税、投资方向调节税、土地增值税、实行即征即返。对房屋出租营业税、个体户进场营业的增值税，实行先交后返。第一年全额返还，第二年返还50%，第三年返还30%。免收基础设施配套费、规划管理费、占道费，免收一年的工商管理费。2000年4月，开发商对老场坝、汪家大田市场两处商品住宅楼工程项目开工建设。2002年竣工，共8栋，楼高4至6层，总建筑面积1.28万平方米，总投资600万元。在建设过程中，开发商2000年11月退出，部分工程由惠水县城建房地产开发公司承接完成。

保障性住房集中开工现场会（2014年摄）

2000年，县房地产管理所启动对中府巷由本单位直管的出租公房拆旧建新改造，总建筑面积2100平方米，总投资80万元，建成后作为商品住宅出售给市民居住。是年，县引资300万元建设商贸城工程项目。是年，县引资650万元建“小吃城”餐饮区工程项目。

2001年，引资500万元开发位于县府路原县公安局看守所位置的综合市场工程项目，2栋6层，总建筑面积1.16万平方米，1层为商铺，2至6层为商品住宅，楼高21.3米，建成后全部出售给市民经商或居住。

是年5月，为了盘活几家公司位于县府路临街地面的房地产资源，适应旧城改造的形式要求，拟拆除县百货公司、民贸公司、糖酒公司、中西医药公司、惠蜜商场危房后，与惠水县昶鑫房地产开发有限公司合作新建商品住宅楼，总建筑面积8600平方米（其中，营业性用房面积800平方米，商品住宅面积7800平方米），总投资410万元，建设资金全由县昶鑫房地产开发有限公司采取资本置换的方式进行筹措，建设时间从2001至2002年。

是年9月，由惠水县宏业房地产开发公司开发建设“金三角商贸中心”（位于县府路原武警中队营房地块）总建筑面积1.3万平方米，总投资1100万元，临街1楼营业用房2180平方米，2楼以上商品住宅1.082万平方米，2001年11月开工，2003年建成公开出售。

2002年1月，县城乡建设局与县昶鑫房地产开发有限公司签订了《惠民西路项目投资合同书》，规定从原县烟草局办公楼门前经原和平镇人民政府门前过长征路（十字街路口）至人民广场路口，长356米、宽80米，共拆迁居民旧房3.42万平方米，沿惠民西路街道两侧建商品住宅楼20栋，总建筑面积5.1万平方米，总投资2920万元，2004年末基本建成出售，骑楼式建筑。惠民西路项目建成后，因商家林立，故惠民西路又被老百姓称为“商贸街”。

4月，恒基房地产开发有限公司在振兴路投资开发广恒商住楼工程项目（其中，商品房建筑面积1872平方米）和惠明农贸市场工程项目（其中，商品房建筑面积9580平方米）总投资580万元。

5月，惠民房地产开发有限公司根据县委县政府对惠水影剧院进行招商引资的要求，在原惠水影剧院地址上开发商品房建设项目，占地802平方米，总建筑面积4300平方米，总投资330万元。

11月，城建房地产开发公司投资在人民南路开发南苑花城住宅小区1期商住楼工程项目（1号～6号楼）总建筑面积1.16万平方米，总投资519.8万元。

表11-5

2003—2015年县房地产开发情况统计表

年度	开发商	开发工程项目	总建筑面积（平方米）	总投资（万元）	住宅面积（平方米）	商业面积（平方米）
2003	县恒基房地产开发有限公司	凤山路公务员小区商住楼	2140	80	—	—
2004	县城建房地产开发有限公司	惠源商住楼	1339	80	—	—
2005	县城建房地产开发有限公司	人民南路南苑花城住宅小区2期商住楼	29000	2021	—	—
2005	县恒基房地产开发有限公司	振兴路商住楼	4938	559.29	—	—
2006	县恒基房地产开发有限公司	杨梅坡脚中心花园商住楼	13000	755	—	—
2006	县城建房地产开发有限公司	人民南路鑫鑫公寓	1132	147.85	—	—
2007	县城建房地产开发有限公司	人民南路南苑花城住宅小区1期7～11号商住楼	3410	162	—	—
2008	县信德房地产开发有限公司	泊岸御都 B区6号～11号商住楼	17700	1500	—	—
2008	县时映房地产开发有限公司	人民南路景致新城A区1号–22号 商住楼	47800	2000	—	—
2008	县永利房地产开发有限公司	长征路凤山商住楼	2410	608.5	—	—
2008	县城建房地产开发有限公司	圆台边圆台新苑商住楼	1600	161.1	—	—
2008	贵州能迪达房地产开发有限公司	新象花园商住楼	9412	521.8	—	—
2008	贵州凯维房地产开发有限公司	圆台西路县商业总公司综合楼	8666	522	—	—
2008	县恒基房地产开发有限公司	圆台东路信用联社综合楼	3200	300	—	—
2008	县城建房地产开发有限公司	建设西路 西山商住楼	1836	75	—	—
2009	县时映房地产开发有限公司	人民南路景致新城A区26号、27号 商住楼	11200	500	—	—
2009	县时映房地产开发有限公司	人民南路景致新城A区36～40号、42～47号、B区24～33号 商住楼	38000	4500	—	—
2009	县永利房地产开发有限公司	惠明西路山水涟江商住楼	9243	899	—	—
2009	县永利房地产开发有限公司	建设西路水利商住楼	4975	700	—	—
2009	贵州万顺房地产开发有限公司	上马路万顺商住楼	4211	500	—	—
2009	县信德房地产开发有限公司	泊岸御都A区5号商住楼	17700	1316	—	—

续表11-5

年度	开发商	开发工程项目	总建筑面积（平方米）	总投资（万元）	住宅面积（平方米）	商业面积（平方米）
2010	县时映房地产开发有限公司	景致新城A区28～32号、54+1号、B区1～23号商住楼	27000	2817	—	—
	县恒基房地产开发有限公司	建设路恒基大厦商住楼（30层，县内首座安装电梯商住楼）	49000	8325	—	—
2011	县永利房地产开发有限公司	惠兴路金惠大厦商住楼	18000	1700	—	—
	贵州德豪房地产开发有限公司	涟江尚品商住楼1～4号楼	45300	10309	—	—
	县时映房地产开发有限公司	景致新城C区商住楼	76000	15860	—	—
	县城建房地产开发有限公司	涟江商住楼	6620	1320	—	—
	县金域房地产开发有限公司	金域广场1期工程	45700	19208	—	—
2012	贵州德豪房地产开发有限公司		21370	7515	20100	1267
	县恒基房地产开发有限公司		76200	24200	41700	17100
	县顺天房地产开发有限公司		5078	1084	3638	370
	县惠兴房地产开发有限公司		17240	4672	14600	2652
2013	县金域房地产开发有限公司		74000	26958	61000	13000
	县朝顺房地产开发有限公司		26530	7130	—	—
		希望玫瑰园	23430	6500	18910	4519
	县永利房地产开发有限公司		14024	3200	9613	4412
	贵州泰恒房地产开发有限公司		22140	58036.36	—	—
	惠水县展硕房地产开发有限公司		34700	9977	27900	6778
	县涟江房地产开发有限公司		4053	800	3482	57
	县永利房地产开发有限公司		102200	40063	93750	8402
	贵州泰恒房地产开发有限公司		17310	58038	—	—
	县恒基房地产开发有限公司		39700	45000	3010	963
	县恒基房地产开发有限公司		17640	17000	13300	7308
	县嘉和房地产开发有限公司	嘉和中央城	59800	—	—	—
	惠水县展硕房地产开发有限公司		50600	17500	41900	8625
	县都美房地产开发有限公司		7485	4500	—	—
	贵州泰恒房地产开发有限公司		11800	58308	—	—
2014	贵州泰恒房地产开发有限公司		17500	58038	—	—
	惠水县瑞星房地产开发有限责任公司		28600	10648	21850	6746
	县鸿顺房地产开发公司		21300	10564	14100	7179

续表11-5

年度	开发商	开发工程项目	总建筑面积（平方米）	总投资（万元）	住宅面积（平方米）	商业面积（平方米）
2014	县五月阳光房地产开发公司		3478	14840	—	—
	贵州中海城投房地产开发公司		38300	37146	—	—
	县都美房地产开发有限公司		5320	34000	—	5320
	县五月阳光房地产开发公司		9996	14840	1358	8638
	县永利房地产开发有限公司		298980	13000	—	29890
	县都美房地产开发有限公司		18950	34000	—	18950
	惠水县展硕房地产开发有限公司		33861	27500	24300	9561
	县方添泰房地产开发公司		7772	2000	52000	25670
	县五月阳光房地产开发公司		8549	11130	1759	6790
	贵州泰恒房地产开发有限公司		17240	58038	—	—
2015	县妍绮房地产开发公司	腾宇广场	82208	—	73450	8758
	县顺天房地产开发有限公司	珀金铭园	49720	—	38000	3227
	惠水县展硕房地产开发有限公司	展硕3期2号地块	52800	—	28370	6824
	县鸿顺房地产开发公司	涟江印象2期项目	21450	—	—	—
	县五月阳光房地产开发公司	希望英伦域邦1期	96430	—	26300	511
	县五月阳光房地产开发公司	上马南路二期项目	71630	—	24700	10790
	县恒基房地产开发有限公司	恒基时代广场A区商业街	321500	—	—	4197
	贵州泰恒房地产开发有限公司	朝顺公园道壹号	115750	—	—	115750
	县盛世风华房地产开发公司	钻石城1期	125060	—	50430	41900
	县恒基房地产开发有限公司	恒基城市A区	242400	—	53600	11000
	县嘉和房地产开发有限公司	嘉和中央城1期	136200	—	39630	7547
	县恒基房地产开发有限公司	恒基时代广场项目	321520	—	9512	1933
	县光德房地产开发有限公司	太阳城商业楼	12940	—	—	—

二、房地产管理

县房地产管理所是县内的房地产管理机构，其前身是1958年成立的惠水县房地产公司，曾先后隶属于县税务局、城关镇政府和县财政局；1982年，县房地产公司划归县城建局；1996年，撤销县房地产公司，改称惠水县房地产管理所，隶属县住房和城乡建设局至今。

第四节　产权产籍与房地产交易管理

一、产权产籍管理

1987年，首次开展城镇房屋产权清理登记工作和随后的房屋产权证的发证工作。

1994年7月《中华人民共和国城市房地产管理法》颁布，县内房地产管理步入法治轨道。

1997年10月，建设部颁布《城市房屋权属登记管理办法》，县内房地产登记管理有了依据和可操作性。

1999年6月，县房管所房地产产权产籍登记和发证工作进入电脑缮征管理体系，脱离了手工记账式操作，至2002年，县内房地产产权产籍全面实现电脑管理，实现了管理的规范化、科学化、现代化。

2005年，县房地产管理所成立了“惠水县阳光房屋交易中心”。

1999至2015年，惠水县城市房屋产权产籍登记户数已经累计达到2.29万户，与1999年的1152户比较，净增了2.173万户，累计发证面积413.35万平方米。

表11-6

1999—2015年县房地产权登记统计表

年度	房屋登记（户）	发证面积（万平方米）	年度	房屋登记（户）	发证面积（万平方米）
1999	1152	31.06	2008	1087	20.05
2000	1826	12.34	2009	1262	26.71
2001	999	16.58	2010	918	21.54
2002	1030	16.82	2011	1902	49.79
2003	1154	20.32	2012	2001	56.16
2004	1156	17.55	2013	663	8.6
2005	1110	20.32	2014	1409	12.27
2006	1120	20.41	2015	1438	16.40
2007	1380	29.54	合计	21607	396.46

表11-7

1999—2015年县房屋产权交易统计表

年度	交易宗数（宗）	交易面积（万平方米）	交易金额（万元）	年度	交易宗数（宗）	交易面积（万平方米）	交易金额（万元）
1999	49	0.39	83.20	2009	185	2.25	2538
2000	53	0.50	252	2010	204	2.35	28058
2001	61	0.73	400.88	2012	844	11.27	21316.88
2002	225	0.84	990.61	2013	1676	19.98	68488.9
2003	260	2.07	1709.06	2014	2048	23.75	90219.3
2004	211	2.1	1145.17	2015	2594	27.46	120874
2005	246	2.3	1806				
2006	232	1.98	1500	合计	9405	104.32	345563.72
2007	189	2.26	2034				
2008	328	4.09	4147.72				

二、重点房地产企业

惠水县城建房地产开发公司 1993年11月成立，是县内第一家由县政府批准设立，隶属县城建行政部门的集体所有制企业，具有3级资质。至2015年，有高级管理人员10余人，1993至2015年，开发商住楼工程项目有：县委商住楼、老场坝汪家大田商住楼、公交停车场、县环卫综合楼、建设路改扩建、南苑花城1期2期商住楼、园台边新苑商住楼、鑫鑫公寓商住楼、西山商住楼、茗桂园商住楼、振兴商住楼、涟江商住楼、文化新村商住楼、长顺县水晶花城商住楼、雅水镇移民搬迁工程、芦山镇生态移民搬迁工程等30多项，总建筑面积120多万平方米。

惠水县永利建设工程有限公司 2014年3月成立，注册资金2000万元，经营范围有房屋建筑、市政工程、机电设备、消防设施安装、土地整理、复垦、开发等。公司有房屋建筑施工总承包2级、市政工程施工总承包2级、消防设施工程专业承包2级、建筑机电安装工程施工专业承包3级、公路工程施工总承包3级、水利水电工程施工总承包3级、钢构工程专业承包3级、古建筑工程施工专业承包3级等资质。公司下属2家子公司：惠水县永利建筑工程劳务有限公司、惠水县永利建材有限公司。拥有各类中高级专业技术人员60人，各类管理人员80人，各种劳务人员2000余人。

惠水县永利房地产开发有限公司 2005年8月成立，注册资金2000万元，资质为商品房开发2级，公司有高级管理人员17人，2005至2015年，开发商住楼工程项目有：凤山商住楼、永利商住楼、涟江商住楼、永红江与城商住楼等项目。

贵州德豪房地产开发有限公司 2008年3月成立，是从河北省招商引资到县内的一家集房地产开发、五星级酒店运营管理、电缆生产销售、矿山建筑材料开发等为一体的多元化、股份制大型民营企业集团的一部分，注册资金2100万元。开发的项目有：涟江国际大酒店、涟江尚品等项目，建设面积20余万平方米。

贵州希望玫瑰园房地产开发有限公司 贵州希望玫瑰园房地产开发有限公司是成都华西希望集团旗下的一家专业从事房地产开发与经营的大型房地产股份制企业，2010年3月在惠水县注册成立，注册资金5000万元，有高级管理人员15人，中级以上专业技术人20余人，公司开发项目有：园台东路旧城改造玫瑰园项目，项目总建筑面积43万平方米。

惠水县金域房地产开发有限公司 2009年7月成立，2010年12月，通过招投标方式取得县府南路（北组团）旧城改造“金域·城市广场”项目开发权。“金域·城市广场”工程项目总占地面积2.96万平方米，总建筑面积18万平方米，建筑总高80米，分两期施工。第1期工程于2011年10月开工建设，2013年4月竣工并通过验收，419套商品住宅和130间商铺全部交付业主使用。第2期工程于2012年10月开工建设，2014年6月竣工通过验收，532套商品住宅和110间商铺全部交付业主使用。

惠水县时映房地产开发有限公司 2004年，挂靠县城建房地产开发公司名下投资开发南苑花城2期商品住宅楼项目；2006年，注册成立惠水县时映房地产开发有限公司，投资开发南苑花城第3期“景致新城”项目。2009年，承建了首批廉租房工程项目233套，总建筑面积1.4万平方米。2010年投资5000万元建“天宝双语幼儿园”。

惠水县恒基房地产开发有限公司 2002年成立，开发的项目主要有：杨梅坡中心花园、惠民安置小区、恒基大厦工程等项目，工程建筑面积超过1.5万平方米。

贵州泰恒房地产开发有限公司 2011年进入惠水房地产开发市场，开发的商住楼工程项目“朝顺公园道1号”，总投资58038.2万元，总用地面积5.79万平方米，总建筑面积21.61万平方米。

惠水县瑞星房地产开发有限公司 2011年11月成立，开发建设商住楼工程项目瑞星大厦，用地5088

平方米，总建设面积3.74万平方米，其中：住宅面积2.54万平方米，商业用建筑面积7647.2平方米，地下车库4290.2平方米，总投资10648万元。

惠水县嘉和房地产开发有限公司　2012年成立，开发的项目“嘉和中央城”商住楼工程项目总用地面积10.37万平方米，建筑占地2.21万平方米，总建筑面积30.27万平方米。其中：住宅建筑面积19.25万平方米，商业使用面积4.26万平方米，配套设施用房面积1380平方米，停车泊位1820个（地下1650个，地上170个）。

惠水县展硕房地产开发有限公司　2010年成立，开发“展硕水岸国际”商品住宅楼项目，总占地面积6万平方米，商业使用面积4.92万平方米，住宅面积11.40万平方米，配套设施用房4.06万平方米，有停车泊位1295个。

第六章　环境保护

第一节　机　构

1980年2月，建立县环境保护监测站，时有15人，归口县计委管理。1984年2月，县城乡建设环境保护局成立，环境保护监测站为其下属独立核算事业单位。1995年8月，在县环境保护监测站基础上，增设县环境监理站。

1997年7月，成立惠水县环境保护局。1999年9月，明确县环境监理站、县环境保护监测站独立设置。2003年6月，“惠水县环境监理站”更名为“惠水县环境监察大队”。至2005年底，环保局共有职工14名，实行“两块牌子、一套人马”开展工作。

2011年11月，县调整环保局职能、内设机构和人员编制。内设办公室、综合业务股，下设两个事业性机构：县环境监察大队、县环境保护监测站；2012年3月，县环境监察大队升格为副科级事业单位。

2015年，县环境保护局设办公室和综合业务科（加挂行政审批科牌子）；核定行政编制7名，机关工勤1名，由财政全额预算管理。保留县环境监察大队，为县环境保护局所属副科级事业单位，核定人员编制16名；保留惠水县环境保护监测站，为县环境保护局所属股级事业单位，核定人员编制10名。

第二节　环境监测

一、软件建设

2010年前，由于没有开展实验室计量认证，环境监测仅从事一般性污染源监督性监测。对项目环评、地表水常规监测和城市环境质量背景值监测等业务，均委托黔南州环境保护监测站进行监测。2010年，恢复惠水县环境监测能力，下拨恢复建站资金94万元，其中：省厅资金75万元、本县自筹资金19万元。2012年12月，完成持证上岗考核。2013年，取得贵州省质量技术监督局颁发的“实验室资质认定计量认证证书”，具备水、气、噪声、振动四大类共34个项监测能力，率先在黔南州取得县级环境监测站资质认证；按照三级站建设标准，完成监测站实验室改造装修工作。

2015年，惠水县环境监测站机构编制10名，占编9名。内设站长、副站长各1名，由财政全额预算管理。在人员结构和比例中，监测站人员均未取得中级职称，尚未达到中级职称人员为50%的标准要求。

二、硬件建设

监测经费 按照西部地区三级站建设标准，每年每人业务费不低于3.0万元，按照10人标准计算，监测站每年业务经费至少需30万元。大气自动监测子站运行费用10万元/年，仪器设备维护费约6万元/年，监测经费共计约为46万元。

监测用房 1984年10月，县划拨3412.88平方米土地建设县环境保护监测站，化验楼建筑面积656.55平方米，1985年竣工交付使用，并完成化验室全部设备的安装调试和平水期地面水监测上报任务。2013年，争取得到中央和县级匹配资金120万元，筹建监测执法业务用房。2016年，新监测办公楼建成投入使用，建筑面积2000平方米。

基本仪器配置 按要求，基本仪器设备需满足饮用水源水质61项指标分析能力，仪器必须通过计量检定并在有效期内，仪器设备覆盖的项目必须通过计量认证。县环境保护监测站已取得计量认证证书，但对照标准只具备17项饮用水源监测能力，无细菌类、重金属类、有机物类项目分析能力。尚缺的基本仪器设备有原子吸收分光光度计、原子荧光分光光度计、气相色谱仪、液相色谱仪、红外测油仪等。

应急环境监测仪器配置 对照标准，尚缺应急监测数据库、便携式多种气体分析仪、应急检测箱、个人防护装置、发光细菌毒性检测仪、水上救生设备、PID检测仪。

三、监测工作

1981至1984年，主要负责酸雨定期监测，定期完成地面水质丰、平、枯期的监测，对惠水县造纸厂进行污染源监测，对险峰机床厂等进行噪声、粉尘监测。1984年，完成“水土放射性水平调查”两次采样任务，共采取水样14个，底泥样14个。

1985年，监测站人员增加到10人，其中，业务技术人员7人。是年，建成办公楼和化验室，完成监测站业务房修造工程，建成水质实验室。有电光分析天平两台，721和72型分光光度计各1台，生化培养箱1台，电冰箱2台，电热恒温调节器2台；有交通运输汽车2辆。2月、5月、8月、12月，分期进行酸雨测报工作，为贵州省以及惠水县环境质量评价提供有效数据70个。

1986年，完成涟江水质丰、平、枯三期监测和酸雨监测任务，取得数据786个。监测数据为县环境质量状况评价、指导有关部门生产、服务社会提供依据。农业部门根据酸雨监测资料，将酸雨污染严重的柑橘产地涟江盆地南迁到涟江下游的毛家苑、甲戎、董郎等乡生态环境好、无污染源的地区。

1987年，完成贵州省布置的地表水涟江河段常规监测任务，开展大气、噪声、生物、土壤的监测，取得有效数据694个。

1989年，进行涟江河水质丰、平、枯三期监测和酸雨监测上报。完成水质监测765项次，酸雨监测62项次；对部分土壤重金属的污染及群众送来的样品进行测定，完成测定150项次。

1990年，完成地表水常规监测数据530个，降雨酸度测定数据40个，其他工农渔业生产服务数据300余个。

1991年，例行完成涟江河丰、平、枯三期的常规测定，为省《环境年鉴》提供数据122个；对县木螺钉厂、永红食品厂、芦山造纸厂等企业的“三废”测定；参与省科委审查批准的“纸废水综合利用研究”课题研究，取得数据30余个。

1992年，完成涟江河丰、平、枯的定期监测，取得有效数据357个；完成全省66家重点污染源之一惠水造纸厂监督监测；对黄花塘电站农灌水质监测，取得有效数据70个。

1994年，惠水造纸厂被列为“贵州省重点工业废水污染企业”。为使省重点污染源数据库的工作做到动态化管理，监测站组织力量对造纸厂5个废水污染物指标进行监督测定，取得数据14个。

1997年，对县内部分企业进行服务性监测，对1个引资项目进行渔业用水技术咨询监测。全年共获得数据180个，其中：水质130个、大气40个、噪声10个。

1999年，对8个重点工业企业进行监督性监测，完成全县创卫环境背景值的监测，取得数据180个（组）。

2000年，高考期间进行县城考点噪音仪器监测；配合县城综合治理专项工作对县城主要交通区4个点、主要歌舞厅4个点进行噪声监测，取得监测数据52个；对4个服务行业烟尘治理验收监测；对县境内13个企业开展污染物排放达标监测，取得数据80余个。

2001年，常规性监测1次，取得数据200多个。县环境监测站划为国家环境监测系统三级站。

2002年，协助黔南州监测站对县城大气质量监测和宏矶公司验收监测，为好花红艺术节综合整治开展噪声、烟尘监测。

2003年，州县两级环境监测站对县境内26个排污单位开展“三废”及噪声等环境污染物监督性监测工作；完成县城背景值监测。

2004年，共监测废气、噪声、废水等污染源23家，取得污染源、地表水、大气、噪声功能区等各类监测数据145个。

2005年，请黔南州监测站对县天益铁合金冶炼公司、川东集团公司等9家企业进行常规性监测，县监测站对22个企业进行监督性监测和服务性监测。全县共监测废水、噪声、废气等污染源（点）39个，取得各类监测数据140个。

2006年，完成县内20个小型企业的污染源监督性监测；配合州监测站完成县城大气环境质量、地表水环境质量、城市环境区域噪声的布点采样监测工作；配合州监测站完成县永红食品公司、宏泰磷化工公司的验收监测工作。

2007年，完成36家污染源监督性监测、验收监测和排污申报监测；协助州环境监测站完成1家企业的验收监测和4家污染源普查监督性监测。

2008年，落实惠水县人大常委会对《贯彻执行〈环境保护法〉情况报告》的审议意见，抓好污染物排放的监测、监管，对重点区域、重点行业企业下达污染源监测任务，完成20家企业的污染源监督性监测工作。协调州环境监测站到和平镇、羡塘乡等6个乡镇开展土壤污染调查采样工作，取得40个土壤样品。

2009年，完成县城3个集中式饮用水源水质和县重点河流丰、平、枯三期水质采样送样工作；协助州环境监测站完成县10个重点污染源监督性监测和县城大气背景值监测工作。

2010年，完成县饮用水源地渔梁水库、程番地下水源、龙塘地下水源3个监控点水质的采样送样工作；完成涟江河抵门、羡田、大围3个断面丰、平、枯3期的地表水采样送样工作；开展2个应急监测对象水质采样送样工作；协助州环境监测站完成县2期城市环境背景值监测和水质采样送样工作。

2011年，委托并配合州监测站完成涟江河抵门、羡田、大围3个断面丰、平、枯3期的地表水常规监测工作，完成县上半年和下半年的城市环境背景值监测工作。县集中式饮用水源水质达标率90%以上，涟江河地表水水质保持稳定（县城以上段保持在Ⅱ类、县城以下段保持在Ⅲ类）、城市环境空气质量均达到功能区要求。

2012年，对县城集中式饮用水源地渔梁水库地表水源、程番地下水源、龙塘地下水源和涟江河监控点定期监测监控，县集中式饮用水源水质达标率100%。涟江河地表水水质保持稳定（县城以上段保持在Ⅱ类、县城以下段保持在Ⅲ类）、城市环境空气质量均达到功能区要求（空气质量良好）。

2013年，配合黔南州环境监测站完成县城集中式饮用水源地水质每月2次监测、城市环境背景值2期监测、涟江河背景值及出境断面3期监测的采样送样工作，督促监测公司完成全县22个乡镇集中式饮用水源监测工作。率先在全州各县环保系统取得贵州省质量技术监督局颁发的《实验室资质认定计量认证证书》，正常开展水、气、噪声、振动四大类34个项目的监测工作。

2014年，集中式饮用水源地水质符合《地表水环境质量标准》（GB3838-2002）及《地下水质量标准》（GB/T14848-93）Ⅲ类水质标准，水质达标率100%；涟江河3个断面水质达到或优于规定功能区水质类别标准的比例为100%。县城环境空气共监测365天，优良天数360天，优良率98.5%。空气质量自动监测站自2013年5月开始筹建，于2014年4月建成通过验收，每日24小时正常自动监测。

2015年，涟江河地表水抵门、大围、羡田达到Ⅲ类及以上水质要求。城市环境空气质量均达到功能区要求（空气质量良好），全年共监测365天，空气质量优良天数365天，县城环境空气优良率为100%。集中式饮用水源水质达标率100%。

表11-8

2010—2015年惠水县涟江河水质状况表

年度	2010			2011			2012			2013			2014			2015		
断面	枯水期	丰水期	平水期	枯水期	丰水期	平水期	枯水期	丰水期	平水期	枯水期	丰水期	平水期	枯水期	丰水期	平水期	枯水期	丰水期	平水期
抵门	Ⅳ	Ⅱ	Ⅲ	Ⅲ	Ⅰ	Ⅱ	Ⅱ	Ⅲ	Ⅰ	Ⅳ	Ⅱ	Ⅱ	Ⅰ	Ⅱ	Ⅱ	Ⅱ	Ⅱ	Ⅱ
大围	Ⅳ	Ⅱ	Ⅲ	Ⅴ	Ⅰ	Ⅲ	Ⅲ	Ⅲ	Ⅰ	Ⅳ	—	—	—	—	—	—	—	—
羡田	Ⅳ	Ⅱ	Ⅲ	Ⅱ	Ⅱ	Ⅰ	Ⅲ	Ⅲ	Ⅱ	Ⅲ	Ⅱ	Ⅱ	Ⅱ	Ⅱ	Ⅱ	Ⅲ	Ⅲ	Ⅱ
海里电站	Ⅱ	Ⅱ	Ⅱ	Ⅱ	Ⅱ	Ⅱ	Ⅱ	—	—	Ⅱ	Ⅱ	Ⅱ	Ⅱ	Ⅱ	Ⅱ	Ⅱ	Ⅱ	Ⅱ

第三节　污染源

一、工业污染源

（一）污染源概况

县无民用能源消耗统计数资料，仅对工业能源消耗废气排放状况进行分析。1985年，全县工业污染源调查，工业三废的排放，主要来源于现有12个行业中33个工矿企业，其中，惠水纸厂的废水排放，其等标污染负荷1238.050×10吨/年，等标负荷比为99.23%。主要污染物为挥发酚、生化需氧量、硫化物。是年，排入涟江河的有害物质4506吨。废气排放主要来自水泥厂、惠水造纸张、险峰机床厂，以及零星分布的砖瓦窑。有害物质为氮氧化物、硫氧化物、二氧化碳等。废渣排放主要为居民生活垃圾和工矿企业的固体废弃物。全年的排放量为27913吨。其中，有26134吨作填坑铺路处理，431吨进行综合利用作农肥，空间排放量为1348吨，占废渣排放的4.83%。

是年，工业废气排放量22335万标立方米，其中，二氧化碳排放量1066吨/年；氮氧化物排放量160吨/年；烟尘406吨/年；一氧化碳1279吨/年。大气中污染物二氧化硫的大量污染，致酸雨严重。1983至1987年，测定结果pH值在4.3～4.9之间，酸雨出现率在70%以上。

表11-9

1983—1987年惠水县酸雨监测结果统计表

年度	采样数	酸雨样品百分率（%）	降雨量	降雨平均pH值	降雨中酸雨所占比（%）	备注
1983	43	89	670	4.6	91	
1984	20	80	175	4.9	85	
1985	33	61	277	4.3	77	
1986	53	96	878	4.5	96	
1987	45	98	859	4.3	97	

2015年，全县工业废气排放总量283.2957亿标立方米，比2010年度56.1634亿标立方米增加404.4%；烟（粉）尘排放量7611.53吨，比2010年度3649.74吨增加108.55%；SO_2排放量2868吨，比2010年度1495.53吨增加91.77%；NO_X排放量4302吨，比2010年度1776.64吨增加了142.14%。工业废气污染处理中，主要去除的是烟（粉）尘。全年烟（粉）尘去除量519241.88吨，比2010年度248748.32吨增加108.74%。

表11-10

2010—2015年惠水县工业废气排放、处理利用情况表

指标名称	单位	2010	2012	2013	2014	2015	2015年较2010年增（减）率（%）
工业废气放总量	亿标立方米	56.1634	105.9029	157.70	241.7729	283.2957	404.4
二氧化硫排放量	吨	1495.053	1406.449	1293.608	1514.598	2868	91.77
烟（尘）去除量	吨	248748.32	—	—	—	519241.88	108.74
烟（粉）尘排放量	吨	3649.74	2037.597	2446.607	11832.479	7611.53	108.55
氮氧化物排放量	吨	1776.64	2528.571	2805.395	2819.743	4302	142.14

同2010年相比，2015年工业废气中主要污染物二氧化硫、氮氧化物、烟（粉）尘排放量均呈上升态势。县主控污染物二氧化硫、氮氧化物排放量较2010年均上升，主要原因：随着县经济社会的发展，惠水经济开发区入驻企业逐年增长，居民住房、能源、交通需要等逐年增长导致。

（二）工业大气污染物排放地域分布状况

工业二氧化硫地域分布。全县工业二氧化硫排放地域主要分布于原高镇镇，占全县工业二氧化硫排放量50%，该区域集中了全县主要的非金属矿物制品制造、燃煤锅炉使用等企业。

工业烟（粉）尘地域分布。县工业烟（粉）尘排放主要分布于原高镇镇，占全县排放总量的35%，其次为好花红镇，占全县排放总量的23%。

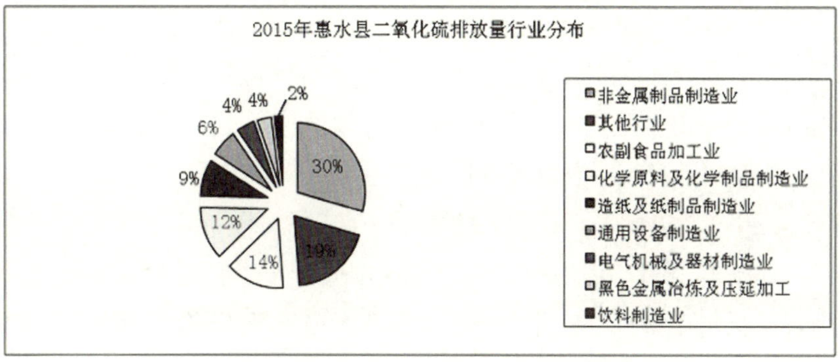

县工业二氧化硫排放行业分布图

氮氧化物地域分布。县氮氧化物排放主要分布于濛江街道，占全县排放总量的95%，全县氮氧化物排放量最大的水泥制造业贵州豪龙水泥有限公司和黔南州泰安水泥有限公司分布于该地境内。

工业大气污染物排放行业分布

1、工业二氧化硫行业分布。

二氧化硫排放来源于燃烧过程中产生，是生产过程中使用锅炉的企业和非金属矿物制品制造业中添加外燃煤燃烧产生，主要分布于原高镇镇，该区域集中了全县主要的非金属矿物制品制造业（水泥厂和部分页岩砖厂）。

2、工业烟（粉）尘行业分布。

工业烟（粉）尘排放来源于非金属制品制造业，占全县工业烟尘排放量96%以上，主要分布于原高镇镇，其次为原三都镇。

3、氮氧化物行业分布。

工业氮氧化物排放来源于非金属制品制造业，占全县工业氮氧化物排放量98.6%，主要为水泥企业和页岩砖制造企业；其他行业占1.4%，主要分布于原高镇镇，其次为原大坝乡。

工业废气年际变化分析

表11-11

2010—2015年惠水县工业废气污染物排放情况表

污染物项目名称 \ 污染物排放量 \ 年度		2010	2011	2012	2013	2014	2015
二氧化硫	排放量（吨）	1495.05	1545.57	1406.45	1293.61	1514.6	2868
	比上年变化（%）	—	3.38	~9	~8.02	17.1	89.36
烟（粉）尘	排放量（吨）	3649.75	2118.61	2037.6	2446.61	11832.48	7611.53
	比上年变化（%）	—	~41.95	~3.8	20.1	383.63	~35.67
氮氧化物	排放量（吨）	1776.64	2019.83	2528.57	2805.4	2819.74	4302
	比上年变化（%）	—	13.69	25.19	10.95	0.5	52.57

2010至2015年，工业主控污染物中氮氧化物历年均持续上升；二氧化硫、烟（粉）尘排放量虽在十二五期间有上升和下降情况，但总体来说至2015年，二氧化硫、烟（粉）尘排放量均在2010年基础上增加。

二、农业污染源

随着联产承包责任制、农业农村经济不断完善和发展进入较好时期，粮食生产实现连续稳定增长，同时由于畜禽养殖业、水产养殖业、种植业化肥、农药和农膜等在农业上的不合理使用，严重破坏了农业生态和自然环境，农业污染较为严重。

（一）农业面源污染存在的问题

养殖环节对环境的污染未能实现彻底管控。县畜禽养殖业规模养殖未全面形成，畜禽粪便等废弃物资源化利用率低，散养户对畜禽粪便污染重视不够，片面认为畜禽养殖粪便是最好的农家肥，随意堆放，直接排放现象较为突出，使畜禽养殖废弃物由传统农家肥变成了污染物，致使对周边环境造成一定程度的污染；个别规模化养殖户圈舍布局不合理，在养殖中对环保重视不够，投入不足，污水处理容积小，处理能力低，粪便无害化不达标；县水源较为丰富，一部分鸭、鹅养殖户直接将鸭、鹅散养于水面、水塘中，个别水产养殖户的养殖水体未经处理直接排放入河流中，对河流水体造成一定的污染

据统计，2015年，全县存栏生猪20.14万头、牛1.77万头、羊0.4万只、马0.5万匹、鸡213.27万羽，鸭54.62万羽，鹅23.87万羽；县域内共有规模化畜禽养殖12家，其中：生猪养殖6家、肉牛养殖场2家、蛋鸡养殖场4家，年饲养量为：生猪2.645万头、肉牛0.765万头、鸡24.5万羽，年排放化学需氧量15.7吨、氨氮0.93吨、总氮76.5吨。

农业生产环节对面源的污染未得到根本性控制。1. 粮食作物生产化肥用量不合理，农户过度追求快长快大，蔬菜和瓜果等经济作物盲目过量施用化肥，破坏团粒结构，土壤肥力下降、污染土壤环境。

2. 单位面积农药使用量较高，由于农药使用初期，国家对高效低毒农药缺乏管控，高毒经过降水、地表径流和土壤渗透进入水体，导致土壤和环境质量恶化，破坏生态，影响生物多样性；据调查，涟江、濛江周边农业种植面积约为6.26万亩，每年的化肥使用量平均达443千克/平方千米。中国环境科学研究院的研究表明，水田对化肥的利用率为30%～50%，旱地的利用率为40%～60%，其余的随地表径流进入水体。

3. 受市场影响，反季节农产品价格好，销量大，农膜使用普遍，农户使用中重使用轻回收，废弃的塑料和农膜降解难，残留危害严重，影响土壤结构，造成对农田的污染；

4. 秸秆综合利用技术短缺，利用程度低，随意进行秸秆焚烧造成对大气环境的污染；

5. 随着农业机械的推广使用，部分农机主保养农机启用中，未经清洗直接投入田间生产，导致保养油料对农田造成一定的污染。

据2015年底统计，是年农用化肥使用10366吨、农业用塑料薄膜689吨、农药使用量333吨，较2014年分别增长7.69%、5.03%、0.3%。

生猪定点屠宰环节存在投入不足。县生猪定点屠宰分散，屠宰企业规模较小，未形成集中统一屠宰局面。几家定点屠宰企业在环保方面的投入不足，建设的沼气池体量较小，满足不了宰杀环节中的污水处理，对固体废弃污物处理程度较低，达不到排污许可的标准，对周边环境造成一定污染。

（二）农业面源污染治理及环境保护采取的措施

加强监测农业面源污染预警能力。常年在好花红镇上衙村建立露地蔬菜农业面源污染监控监测点1个，开展土壤墒情监测5个。2013年，开展土壤重金属污染调查，全县采集土壤样品295个，植株样品85个。

推进化肥农药科学施用。全面普及测土配方施肥技术，常年推广面积35万亩以上；普及全县农作物种植，实施绿色防控等技术，推广使用高效低毒低残留及生物农药；开展农作物病虫专业化统防统治等工作，启动和实施化肥农药使用量零增长行动，到2020年，实现农药和化肥零增长的目标；开展“稻鸭共生”，以鸭子捕食害虫代替或减少农药使用，以鸭子采食杂草代替除草剂，以鸭子粪便作为有机肥代替部分化肥，实现水稻绿色增产增效，减少化肥、农药的使用等。

推进畜禽养殖污染防治。启动实施畜禽养殖粪便干湿分离、有机肥堆呕技术；因地制宜发展农村沼气工程，提升农村养殖粪便污水处理能力；推广循环农业技术等的实施，减少农业面源污染。

开展秸秆综合利用。重点开展有机质提升工程26万亩；编制《禁止焚烧秸秆的通告》《秸秆禁烧综合利用致广大农民朋友的一封信》等宣传发放工作，启动县对各镇办签订的秸秆综合利用目标责任状，

根本上解决因秸秆焚烧或乱堆乱放、腐烂变质而带来的环境污染，改善村容村貌、提高空气质量、保护生态环境，实现秸秆转化升值。

编制完成县农业面源污染防治方案，重点从大力推广节水新技术，有效控制农业用水总量；大力推广科学施肥技术，确保化肥使用零增长；大力推广绿色防控技术，实施统防统治，确保农药使用零增长；大力推广使用双降解膜、无纺布，实施清洁生产工程，基本实现废弃农膜有效回收处理；大力推广秸秆综合利用技术，实施资源循环利用工程，基本实现农作物秸秆资源化利用；大力推广清洁化养殖和屠宰，实行粪污无害化处理，基本实现畜禽养殖排泄物资源化利用等六个方面农业面源污染有效治理，最终实现测土配方施肥技术覆盖率90%以上，农作物病虫害绿色防控技术覆盖率30%以上，肥料、农药利用率40%以上，主要农作物化肥、农药使用量实现零增长，秸秆综合利用率75%以上，规模化畜禽养殖场（区）配套建设废弃物处理设施比例达80%以上，粪便资源利用率达75%以上，农膜当季回收率逐年提高，无公害绿色有机农产品产地认证面积比重达85%，农业面源污染得到明显改善。

2013年以来，县对新建、扩建的各类畜禽养殖场均先通过环评才能申办“动物防疫合格证”。在禁养区，严禁新建、扩建各类畜禽养殖场，禁养区内现有的畜禽养殖场污染物的排放要符合《畜禽养殖污染物排放标准》的要求。

三、生活污染源

（一）生活污染源概况

生活污染源主要为城乡居民日常生产生活过程中产生的污水和垃圾。

公厕管理。民国时期，县城无公厕设施，集市街道僻静处有农户设置的简陋公厕，以便收集粪便出售或自用作粪肥。

20世纪60年代初期，将原老场坝、西门街等处的厕所维修成公厕，并在原西门外交路口新修公厕1个。1972年，修建原和平镇对门道背后路口公厕。1974年，修建牛场坡物资局对门公厕。1976年，修建医药公司旁右侧巷道内公厕1个。1980年，修建南门车站公厕。1982年，修建电影院左侧水刷石瓷砖贴面墙公厕。1988年，修圆台西路中段公厕。1990年，维修十字街西门口等处公厕，连同机关单位修建公厕在内，城区各主要街道及背道处公厕共20余个。

公厕管理除各单位修建的厕所交与农户包干清扫除粪外。至1990年，环卫站负责清扫的公厕有6个，设专职管理工1人。每天清扫、冲洗一次。厕所粪便由城区新光大队农户清扫除运作农肥，不作出售处理。

清扫街道与清运垃圾。民国时期，街道清扫者在逢场第二天清扫一次，且多以集市地为重点，每6天清扫一次，面积不过900平方米。

20世纪50年代，集市场坝的清扫基本沿袭过去做法。街道清扫按片区由居民住户就地包干清扫。1962年，有专职环卫工人后，城区中心地段的圆台路、长征路、县府路由环卫工人定期清扫，清扫面积889平方米。农贸市场由工商行政管理所负责组织清扫。是年日清扫挑运垃圾1吨左右。1977年，街道清扫面积扩大为3889平方米。是年，用马车运输，日清运量3吨余。1984年，清扫面积为23970平方米。1984年起，使用拖拉机运输，日清运量10吨。1985年，扩大至43051平方米。是年，使用翻斗车运输，日清运量22吨。1986年起，新增平板汽车运输，日清运量达28吨。1987年，清扫面积增加至48451平方米。1988年新增垃圾车1辆，日清运量35吨，1990年，除少数背街巷道由居民住户清扫外，环卫清洁工清扫的面积遍及各条主街。清扫面积55000余平方米，其中，含工商所负责农贸集市场地的清扫管理面积15000

余平方米。是年，日清运量已达45吨。由于运输工具不足，致使垃圾清扫的堆积量与清运量失调。每天由居民倾倒的生活垃圾以及清扫街道后堆积的垃圾，都未能及时清运。

垃圾处理。1980年前，清运的垃圾按指定地点运往七里冲倾倒，开始用于农田改良土壤。在城西门外粮油仓库旁侧的潜育化稻田中，定产括取表层土壤，请环卫垃圾车将垃圾就近运至田中倾倒刮平，然后以表层土覆盖。共填入垃圾近300吨，入夏种植水稻，基本消除该田水稻坐蔸黑根现象，长势喜人。

1983年起，城区垃圾全部运往城西郊七里冲，按农民要求倾倒于低洼沙地堆积，撒泼粪便与之混合发酵。筛制成颗粒肥料施用于沙土作肥，改良土壤结构，增加土壤肥力，1988至1990年，与县农业综合开发办配合，全部垃圾运至七里冲作砂质土壤改良种植果树。

2015年，全县总人口458651人（其中，城镇73100人，乡村385551人）。据《第一次全国污染源普查——生活源》，城乡居民日常生活污水排放量约为120升/人/天；生活垃圾约为0.35千克/人/天。全县生活污水日排放量55038.12吨（其中：城镇人口排放生活污水8772吨，乡村人口生活污水排放46266.12吨），生活垃圾产生量约为160.5吨（其中：城镇居民生活垃圾约25.5吨，乡村居民生活垃圾约135吨）。

（二）生活污染源治理

2009年，县城污水处理厂（一期）建成投用，设计日处理生活污水7000吨。

2013年，县城生活垃圾卫生填埋场建成投用，设计日处理生活垃圾120吨，主要服务濛江街道、涟江街道、好花红镇。其他镇村生活垃圾处理方式基本为就地焚烧或简易填埋，不能实现无害化处置。

2015年，县城北污水处理厂、三都污水处理厂、好花红污水处理厂建成，设计污水日处理量分别为4000吨、1300吨、700吨，受限于污水收集管网，未投入正常使用。

第四节 区域环境综合治理

一、城区环境综合整治

1980年以来，县内各新老厂矿企业先后增加锅炉除尘设备；1982年，险峰机床厂、永安电机厂购置安装电镀废水处理装置，控制了电镀废液污染源的危害；1983至1984年，在农村推广应用环保站研制的“惠环一号”节柴灶，在厂矿居民住户推广使用“二四六型”家用节时节煤灶，对防治和减少烟尘污染源起到一定的控制效果；1984年元月，惠水造纸厂投资5.88万元完成老锅炉改造，安装10吨和6.5吨锅炉麻石水磨除尘器两套，使厂区内外粉尘污染有明显改善；1984至1985年，惠水造纸厂投资13.67万元，建成日处理自来水3000吨的自来水回收装置一台；1985年，险峰机床厂投资28万元，增设污水处理装置，为改善环境起到较好的防护效果。

1981至1985年，县环境保护监测站开始对全县河流布点取样分析、化验结果，永安厂、险峰厂、县水泥厂、酒厂、铸钢厂、冷冻厂、长顺化肥厂等企业，特别是惠水造纸厂每日向涟江河排放3000立方米的废水，使废水变棕黄色，含大量有机酸钠、残碱纤维等有害物质，按国家规定，建立污染源档案外，共向上述排污单位收取排污费205635元，处理污染事故5起。

1986年，对惠水造纸厂废水实行在原征收的标准上增加50%收费，促使造纸厂提出了白水回用、灰渣灰膏加收和煤渣制砖3个治理项目，由乡镇企业组织力量开办煤渣砖厂，年耗渣量4000吨，为“综合治理，变废为宝”首开先例，年产值可达2.3万元，同时减轻污染负荷。

在县内26个有废气排放的企业中，6个单位共安装除尘装置10套，日处理废水3000吨，处理率16.5%。

全年征收排污费7.26万元；开展工业企业污染调查，被调查单位60余个。

1987年，开征排污费项目由1986年的废水，扩大为废水、废气，开征单位由1986年4个企业增加到21个。共征收排污费9.4万元；惠水造纸厂白水回收工程竣工验收，日处理白水2000多吨，回收纸浆1000多千克，白水中污染物去除率达90%；是年，处理污染事故4起。

1989年，严格执行环境影响评价制度，否决联营冶炼厂换发生产许可证的申请，协同县农药厂搞好治理设施建设工程的规划，使防止污染源的环境管理工作转向以“预防为主、防治结合”的轨道上；协调处理3起环境污染纠纷；全年征收排污费单位由1988年的23家减少为13家，征收排污费11.5万元。是年，提出采用氧化塘法治理废水的污染得到重视，县指派环境保护监测站配合惠水纸厂、县城建局到省外学习考察治理纸厂废水污染的方法，此期间，建立污染防护小组，推广节约能源节柴灶300余个，节煤灶200余个。

1999年，开展县城环境污染综合整治，重点是城区燃煤生活锅炉、经营性燃煤炉和一些扰民严重的个体企业，取缔了600多家经营性燃煤炉灶，改燃煤为燃气。县城市民用气率达50%以上；责令拆除县城区内2台生活燃煤锅炉，督促10台生活燃煤锅炉治理达标；取缔县城敏感区6个型煤加工厂，强制拆除涟江坝区212座土法砖瓦窑；开展涟江河城区河段的环境综合整治，清理拆除沿河两岸的9户违章建筑；责令抵门桥废旧塑料制品厂搬迁，清运马家桥排水沟、牛场桥脚下等上百吨生活垃圾。决定对贵州宏矾金属工业有限公司等8个污染源单位限期治理，并完成8个污染源单位编报污染物排放达标计划书；对县境内新建项目环境保护审批或转批7项；处理污染事故与纠纷5起；对县15个企业污染单位的56个“三废”、噪声污染源（点）排污口进行规范化整治；向排污单位颁发“排污许可证”共22个；全年征收排污费68.5万元。通过关闭惠水造纸厂等措施，县环境质量大幅好转。

2000年，按照国家、省、州的要求，对县上报考核的23个企业进行技术指导、监理督察、上门服务等工作。是年底，23个企业中形成自然达标的4个，关闭2个，具备条件达标的5个，治理后分步达标的8个，共19个企业达标，实现达标率82.6%；全年对县星光铁合金厂、宏光磷化公司、涟江漂流项目、2个砖厂、2个新装热水热炉、1个轮胎翻新项目进行权限审批，审批率100%；全年办理人大议案和政协提案各1起，接待群众来访6批30人次，办理来信8封。其中，涉及水的2封、气4封、噪声2封，处理率100%。在涟江坝区7个乡镇进行《环境保护法》《黔南州城市水污染防治条例》《惠水县人民政府关于加强惠水涟江河城区河道管理的通告》等宣传，发放各类宣传资料8期3700多份；全年对县境内35个企业征收排污费95.9万元。

2001年，对新建的6个项目进行审批，发放28个排污许可证；例行现场监理35次，发出监理执法通知书20份，对23个工业企业排污情况、后续管理情况、限期治理项目进度、三废治理实施运行情况实施现场监理25余次，依法取缔2家企业生产项目，对东山生态园路口52只石灰窑，6处打沙场进行拆除搬迁，对县城内6个蜂窝煤厂、1个木材加工厂进行搬迁；对县城内35个企业征收排污费113万元；接待环境信访13次，查处环境污染事件及纠纷7起，涉及经济赔偿2.1万元。

2002年，督促县黄磷厂扩大废水处理池和强化厂区环境责任管理，实现黄磷废水零排放和部分残渣被水泥砖厂回收；天益铁合金厂进行冷却循环池的技改解决热污染问题；进行渔梁水库饮用水源保护工作，在保护区内划分为一级保护区和二级保护区。一级保护区面积3751.35亩，二级保护区面积5858亩，改善了水库水质，确保涟江坝区中部居民饮用水质达标。搬迁县城区内石碑加工点4个，取缔草粉加工点、石棉瓦加工点和石粉加工场各1个，使县城脏、乱、差的死角环境得到改善。全年共进行环境现场监理执法38次，参加现场执法84人次，对24家存在未能按要求安装或擅自停运环保设施，未办理环境保护手续的企业视其情节采取相应处罚。

2005年，督促金惠大酒店投入4万余元进行锅炉脱硫除尘设施的改造；督促贵州永红公司、奇鑫纸业有限公司、大兴酒厂等企业投资100余万元开展工业污染源治理；促使县人民医院、中医院、血站环保治理设施；责令县城4家娱乐歌舞厅限期整改，设置隔音设备，降低噪声分贝；组建联合执法组，采取明察暗访、日常监察、联合执法和夜间突击检查方式共对50多家排污单位进行执法检查，出动执法人员100多人次，出动车辆50余台次，查处违法行为13起，其中，关停2家，停产治理1家，限期整改1家，督促3家企业补办环保手续，取缔1家土法炼油点和1家甲敌粉农药生产线，制止县城周边5家个体户的私屠乱宰违法排污行为，规范县城屠宰市场。对县城区8家有锅炉设施的企业全部上环保设施，初步解决城市上空“黑龙”现象。全年对54家工业污染企业进行排污登记工作，其中，重点污染源企业11家，一般污染源企业43家。根据申报登记结果，分别对每家企业的污染物排放量进行审核、监测，确定收费标准。共对30家工业企业核定征收排污费60万元。推行排污许可证制度，全年共核定发放排污许可证21份；全县累计投资与工业和三产污染源治理资金达1227万元。

2006年，审批建设项目32个，拒批不符合国家环保法律法规、不符合国家产业政策和行业准入标准的项目5个；对10个污染项目下达治理计划；补助环保资金42万元，较好完成西电龙腾、永红食品、川黔磷化工厂3家企业的污染治理设施改造；开展“整治违法排污企业，保障群众健康”环保专项行动，会同水利部门加强县城饮用水源地保护管理工作，以造纸行业、水泥、铁合金和磷化工行业、违规建设项目等为清理整顿重点，先后对一家房地产开发项目和长田工业项目聚集区建设项目执行“三同时”制度情况进行全面检查，对2家“三同时”滞后建设项目进行处罚。查处了惠水县恒通纸厂未办理环保手续擅自开工建设、宏矶金属工业公司和金惠大酒店环保设施运行不正常、县城区内的一木材加工厂和一汽修厂噪声超标排放、惠水县申宝铁合金厂工业粉尘超标排放等环境违法案件。全年共进行环境监察企业58家167次、查处环境违法行为5起，下达处罚决定书5份、停产整顿3家、罚款5万元。全年累计征收37户排污费33.68万元。其中：污水排污费2.3万元；废气排污费31.38万元。依法按程序足额征收，全额纳入财政管理。

2007年，开展县城集中式饮用水源点渔梁水库、程番地下水源、龙塘地下水源的水污染防治工作。编制《惠水县县城供水水源保护区划定方案》，省人民政府已批准实施；编制《惠水县饮用水源保护区环境污染事故应急预案》，已由县政府公布实施；在渔梁水库饮用水源保护区设置2块永久性标志石碑，公告相关规定；根据程番水源和龙塘水源地下水源取水的特点，分别在取水点修筑围墙建立日常污水隔离沟，防止污水进入饮用水源取水点；聘请专人管理，保护饮用水源；责令关闭位于程番饮用水源一级保护区2个新建的废旧塑料颗粒加工点；责成拟选址位于程番水源一级保护区的龙王山陵园有限公司的公墓项目另行选址。城区集中式饮用水源地饮用水水质达标率100%。

启动城区污水处理项目和县城垃圾转运站项目。污水处理项目获得省级补助资金253万元，县城垃圾转运站已完成选址工作；协助对贵州永红食品有限公司总投资79万元的废气治理项目，争取15万元的州级环保补助资金，对川东化工集团总投资110万元的废气治理设施，给予15万元的县级环保补助资金，为二氧化硫削减提供有力保障。2006至2007年，用于企业污染防治的专项补助资金总额52万元，在治理老污染、削减排污量方面起到了积极作用；与16个部门联合开展2007年整治违法排污企业保障群众健康环保专项行动，集中整治影响涟江流域环境质量、威胁饮用水安全的污染和隐患、工业园区的环境违法行为、建设项目环境违法、二氧化硫超标排放和群众投诉的突出环境问题。现场检查3个集中饮用水源地、

2个工业园区、69家排污企业。查处7起环境违法行为，对杨家山煤矿擅自停运废水环保设施的违法行为罚款1万元，对杉木林煤矿未完成限期治理任务的违法行为罚款5仟元，对长田5家煤矿废水违法排污行为，报请县政府下达停业整顿处罚决定，解决了群众关心的突出环境问题。

2008年，对县重点工业污染企业、环境统计重点单位、新扩改建排污单位实施排污许可证管理，共核发许可证45家（本）；依法关闭惠水黔峰造纸厂、顺惠兴盛造纸厂、德惠福利造纸厂3家废水污染严重的企业和限期治理不达标的惠水天惠橡胶制品有限公司；对惠水县食品贸易发展有限公司生猪屠宰场废水超标排放、江河矿粉厂生产粉尘超标排放下达限期治理任务；与城建、工商等部门联合开展城区环境综合治理工作，取缔城区经营性燃煤炉灶，督查锅炉环保设施运行，加大建筑工地环境管理减少扬尘及噪声污染；严查环境违法行为，对全县65家企业、3家医疗单位和12户浴室进行执法检查，督促4家企业完善环保手续，5家投入资金进行废水和噪声污染整治，全年征收61.49万元排污费。督办川东集团贵州惠水企业按要求清空磷泥沉淀池和黄磷废水事故应急池，投入资金6万元修建雨水沟，实现雨污分流；投入5万余元进行2万吨五钠生产线环保设施和锅炉废弃处理设施的改善和维修。完成20家企业的污染源监督性监测工作。协调州环境监测站到和平镇、羡塘乡等6个乡镇开展土壤污染调查采样工作，取得40个土壤样品。

县环保局在高镇现场处理油罐车漏油（2008年摄）

2009年，在县城3个集中式饮用水源地设置永久性标志石碑，公告渔梁水库饮用水源保护区相关规定；先后对川东磷化公司、西电龙腾公司、县水泥厂、县永红公司、豪龙水泥公司、新金龙水泥厂、金芳屠宰公司、新老23家煤矿等重点企业和重点建设项目进行现场监察；对未办理环评手续擅自开工建设的县渔弯页岩砖厂进行现场检查，督促办理环评手续并处1万元罚金；对县闽鑫洗涤房、黔龙磷化工公司的环境污染行为作出停产、停业整改的处罚决定，对擅自改产未进行环评的1家企业进行了行政处罚。全年共出动执法车168车次，执法人员584人次，现场检查162家次。协调处理通过“12369”平台、群众来电来信和网上环境污染纠纷投诉16起，结案16起，涉赔金额3万余元，结案率100%。

2010年，制定《惠水县主要污染物年度减排计划》，县政府与8个乡镇、6个直属部门、27个工业企业签订2010年度主要污染物总量减排目标责任书，将减排指标、减排工程治理项目和淘汰落后产能项目等落实到具体实施单位。在调整产业结构减排上，淘汰浪费资源、污染严重的水泥机立窑落后产能8.8万吨。完成县怡合园宾馆、县粮友浴室废气限期治理任务，年底关停惠水县新金龙水泥有限公司。全年共出动528人次环境执法人员，对124家企业进行执法检查，处罚环境违法企业5家，共处罚金16万元。接到群众投诉28件（其中网上投诉11件，来信来访来电投诉17件），是年调解成功23件；涉及赔偿金额10.07万元，受理人大议案2件、政协提案1件。完成全年排污费任务数60万元。

2011年，督促企业新上环保治理设施12台（套），全县环保投资789余万元。联合公安、建设等部门对中、高考期间，环境噪声管制和县城商业街噪声整顿工作；联合县水利局、住建局对县城区域内擅取地下水、无照经营、违法排污的洗车场进行清理整顿。开展整治违法排污企业保障群众健康环保专项行动、“三同时”执行情况检查、危险化学物品专项检查等10项专题执法行动，共出动环境监察执法人员457人（次），检查企业166家（次）；对各类环境违法行为下达环境监察执法通知书22份；对天鹅煤矿、长龙金属加工有限公司环境违法行为予以立案查处，共处罚金3万元。是年，取缔1家县城小蒸吨燃煤锅炉，取缔1家土法磷泥回收加工作坊；关闭4个废旧塑料加工厂，取缔1家专清洗运生猪汽车的洗车点，责成惠水县金芳公司新增1套水污染物处理设施。全年共完成COD削减量419.86吨，氨氮削减量24.06吨，SO_2削减量23.73吨，氮氧化物削减量4.64吨。全年污水处理厂累计处理污水198.73万吨，日平均处理水量7279吨；全年共征收排污费148.60万元。

2012年，审批环境影响报告表22个，环境影响登记表52个，否决拒批不符合产业政策、污染严重的项目5个，环保竣工验收项目10个，核（换）发排污许可证31个。与25个乡镇、11个部门、3家企业签订《惠水县2012年环境保护目标减排责任书》，至2015年，县辖区化学需氧量和氨氮排放总量分别控制在0.22万吨、241吨以内；二氧化硫排放总量控制在0.21万吨；氮氧化物排放总量控制在0.09万吨以内。是年，关闭朝晖磷化工公司、奇鑫纸业公司等5家企业，共削减COD23.48吨、氨氮0.22吨、二氧化硫145.89吨、氮氧化物4.2吨。县城污水处理厂完善污水收集管网建设，累计处理污水207.13万吨，日均处理量5674.79吨，污水COD进口浓度均值约200.52毫克/升、出口浓度均值约20.8毫克/升，完成COD削减量368.19吨；污水氨氮进口浓度均值约19.95毫克/升、出口浓度均值约1.74毫克/升，完成氨氮削减量37.26吨，实际处理率达设计规模81.1%，完成管网建设27513米；县城垃圾处理场完成建设，投入试运行阶段；县城污水处理厂二期（设计处理规模7000t/d）及长田工业园区污水处理厂（设计处理规模8000吨/日）、垃圾填埋场编制可行性研究报告。县高镇镇污水处理厂、县三都镇污水处理厂以项目形式向上级部门申报资金；加强贵州豪龙水泥有限公司和黔南州泰安水泥有限公司脱硝设施建设项目的监管力度，采取现场监察、座谈、调研等形式，督促动工建设，要求是年完成建设并投入试运行；督促贵州永红食品有限公司改进生产工艺，减少废水排放量，有效阻止COD和氨氮新增量；督促4家重点污染源安装运行在线监控设施，提高动态监管能力。

是年，督促14家企业投入3100余万元，新建和完善环保处理设施，其中：煤矿行业投入800万元、水泥行业投入1050万元、食品行业投入250万元、重金属冶炼行业投入1000万元；对5家超标排污企业下达限期治理任务，关闭2家污染严重的塑料制品企业。

2013年，重点对长田工业园区、惠水经济开发区大坝建材工业园等13家非煤矿山进行整治，以点带面推进全县非煤矿山粉尘污染治理工作，2家企业建成了灰岩矿山开采粉尘处理设施；开展县城燃煤锅炉整治专项行动，重点取缔城区额定蒸发量小于2吨/小时的燃煤锅炉，6家浴室拆除了燃煤锅炉，并进行技术改造。全年核发排污许可证27个，开展排污申报72家企业，征收71家，征收排污费共计265.5万元。

2014年，督促贵州永红食品有限公司、贵州德力钙业有限公司对污染治理设施进行整改并申请验收，以减少主控污染物排放量。对超标排污的贵州太和建材有限公司下达限期治理。是年，德力钙业公司通过州环保局环保竣工验收，太和建材公司完成治理并进行环保监测。责令贵州豪龙水泥有限公司、贵州惠水西南水泥有限公司脱硝设施正常运行，确保烟气综合脱硝率达70%以上。对产能落后的贵州长龙金属加工有限公司、惠水铁合金厂实施关停，并进行设备拆除。督促长田工业园区巨能化工、百年原址酒业完成煤改气工程。10月，惠水县泰安机动车尾气检测有限公司正式投运，开展机动车环保检验合格标志（黄绿标）办理工作，截至12月底，办理黄绿标2631张。全年排污申报99家（次），依法征收排污费共计309.9087万元。

2015年，重点对贵州豪龙水泥有限公司、贵州惠水西南水泥有限公司、惠水县同壹水务有限公司、贵州永红食品有限公司、贵州省惠水县金芳畜革贸易有限责任公司长田生猪定点屠宰场、贵州省惠水化工有限公司、惠水县德力钙业有限公司、惠水县佳宇造纸厂、惠水县城市垃圾填埋场、贵州味莼园食品股份有限公司和贵州阿乐食品有限公司等11家重点工业污染源实施现场检查，重点排查环保设施运行状况、维护保养、固体废物堆放场所及周边的环境安全隐患。开展1000人以上集中式饮用水水源保护区划分，划定了摆金镇棺材洞、断杉镇龙头桥、岗度镇蛇场、王佑镇翁松、羡塘镇红旗、雅水镇拉力6个水源地保护区。全年依法征收排污费92家（次）共204.3618万元。

二、农村环境综合整治

2009年，在三都镇上衙村五组实施省级农村环境综合整治，项目建设资金50万元。其中，中央、省财政拨付40万元，地方政府配套10万元。建设内容有：排污收集管网1套、人工湿地污水处理站1座、排污沟1500米、村寨道路硬化800米。项目由贵州明威技术有限公司承建。项目建成后运行正常，污水收集处理率达98%，日处理生活废水20吨，水处理效果良好，经黔南州环境保护监测站对其出水进行监测，出水水质达标。

2010年4月，三都镇金田环境综合整治。由镇政府组织金田村村支两委负责实施工程。建设内容包括排污沟渠新（改）建1200米，生活垃圾收集池13个，工程建设资金16万元；排污沟建设涵盖金田13至21组的寨院及公路两侧，为毛砼结构。垃圾池建设地点根据群众生活习惯进行择点建设，公路两侧6个，寨院内7个，为砖混结构，购置垃圾清运车1辆。本项目2011年12月通过州环保局验收。

2011年，雅水镇雅水村村寨环境整治工程项目实施并竣工。该项目包括生活污水收集渠1500米、生活垃圾房4个、村寨道路硬化2375平方米等建设内容。项目总投资34万元（州级补助15万元）。7月底，长田乡桥硐村环境综合整治项目实施。该项目于是年9月底通过省环保厅验收。9月，甲烈乡红星村环境整治项目委托甲烈乡政府实施，同年11月与施工单位签订施工合同并投入施工，次年建成验收。

2013年，上级投入专项补助资金70万元，开展和平镇大新村、高镇镇山后村环境综合整治项目，是年完成建设并通过州环保局验收。

2014至2015年，完成县濛江街道司蒙村、涟江街道杨番村、好花红镇好花红村、百鸟河村农村环境综合整治4个项目，并通过州环保局验收。

三、涟江河综合治理

（一）污染源分析

涟江河与境内所有河流均属于珠江流域红水河水系。涟江河与境内坝王河和曹渡河一道，组成县较大的3支河流。涟江流域覆盖面积达1190.5平方千米，占全县面积48.2%。涟江河是惠水境内贯穿南北的最大河流，其干流经青岩、黔陶，于洛屯（洛凳）入境，自北向南纵贯县境，流经长田、王佑、打引11个乡镇，全长89.5千米，最后由打引乡打场寨出境，出境高程666米，出境河口多年平均流量43.88立方米/秒，多年平均径流量5.7亿立方米。出境注入濛江后经罗甸县石门坎、双河口，与曹渡河汇流后在罗甸县罗妥乡双江口处汇入红水河，最后汇入珠江流域。

涟江、濛江的污染源主要来源：

工业污染。县境内化工、食品加工、造纸、铁合金、水泥建材等是水体污染较大的主要行业。2011年，涟江河流域企业工业废水排放量为61.37万吨，化学需氧量（COD）排放392.68吨，氨氮排放19.21吨，石油类排放6.14吨。

煤矿污染。县境内金顺煤矿、大冲煤矿、长田乡小凤山煤矿、长田煤矿、烂坝画眉冲煤矿、一碗井煤矿、大龙煤矿、天鹅煤矿、芦山煤矿、王佑煤矿、紫马冲煤矿、昱城煤矿等14家煤矿分布在涟江流域，全县煤矿生产废水年排放量约为889.92万吨、化学需氧量（COD）排放量为1156.89吨、石油类排放量为35.21吨，由于煤矿污水处理设施落后或处理效果差，造成大量废水超标排放，从而引起涟江河水体遭受污染，支流悬浮物、石油类超标，导致水生物中毒死亡，加重涟江河水质的富营养化程度。

农业面源污染。首先，是农田化肥、农药施放造成的污染。其次，是畜牧业污染。

化学肥料的使用始于1963年，主要为氮素化肥，品种有硝酸铵、氯化铵、硝铵钙、尿素等。1967年起施用磷钾肥。1973年，各类化肥在县内已普遍推广施用，施用量为3972吨，其中，氮肥1713吨，磷肥2259吨。1983年，农用化肥施用量上升至9795吨，其中，氮肥6188吨。磷钾肥3607吨。10年中化肥用量增加150%。1984年起，各类化肥的年施用量超万吨。1990年，化肥施用量为13205吨，由于施肥技术差，肥料利用效率低，残留量逐年聚集，造成农田生态变劣。据土肥业务部门研究，氮肥利用率最大仅30%。磷肥利用率在20%～60%之间，钾肥利用率为30%～50%。残留物逐年增加，造成土壤结构破坏，物理性黏粒退减，地力衰退，是中、低产田土面积加大的原因之一。一些生理性离子的汇集，加大土壤溶液浓度，随水流失或汇入河流小溪污染环境，危害人民。农药的施用，20世纪70年代主要为有机磷杀虫剂；80年代转向有机氮类农药；1980年，年施量为5.6吨，耕亩均农药14克。1990年，全年使用农药31.084吨。10年内施用量上升至亩均农药104克，涟江盆地坝区亩施农药用量在500克以上，以喷、洒为主。附着于植物株叶上的农药，经雨水淋洗后残留于土壤溶液中，是危害较大的污染源之一。

生活污水污染。县境内的涟江、濛江周边居住人口10万余人，由于污水管网未能做到100%全覆盖，县城原建路网未实施雨污分流，老城区管网须随市政路网的改造逐步完善，加之少数不文明市民，将垃圾倾倒已建成的收集管网，出现堵塞现象，导致生活污水未经任何处理直接排入河中。

县境外污染影响水质存在重大隐患：1. 位于党武的花溪大学城，其未来30万人的生活污水将进入夜郎谷，最终汇入涟江；2. 处于涟江上游的青岩镇旅游开发，其产生生活污水排放逐年加大，对涟江上游水质构成威胁；3. 党武乡及亚泰学院片区生活污水进入涟江上游支流；4. 长顺县威远工业园区已有28家企业落户，废水产生量为2258685吨/年，相当于水头水库一半的日常容量。

按《城镇生活污染物综合产生系数表》核算，2011年生活源COD排放量1738.40吨，氨氮排放量246.53吨，总氮排放量365吨，总磷排放量30.66吨。此外，沿岸村镇生活垃圾堆放不规范，经雨水冲刷后，含有氮、磷等生化营养物质的雨污水流入涟江河，加速河流的富营养化速度。

2011年以来，涟江、濛江富营养化程度加重，河中的藻类水生植物大量繁殖，富营养化破坏了生态平衡，降低了两江的旅游价值。2012年4月22日至8月21日，涟江水体富营养化状态日趋严重，导致县城区河段藻类疯长，各种水生植物大量繁殖，破坏水体生态环境。为科学分析涟江河水质富营养化的成因，县经多次深入实地调研、采样分析，证实沿河村寨生活污水、养殖场排放的畜禽粪便、农田施放化肥等是氮、磷等营养物质超标的主要污染源，是造成涟江河富营养化的主要原因，提出相应的防治措施。

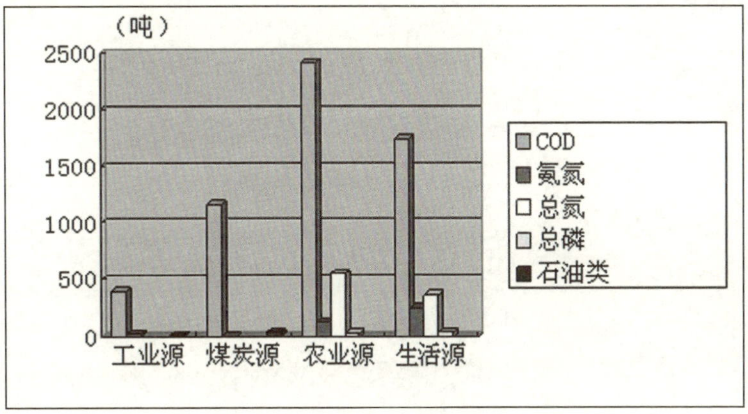

2011年各类污染源污染物排放量图

（二）水质监测和富营养化评价

在涟江河确定3个监测断面，分别位于抵门桥、大围、羡田。每个断面分别在贫水期、丰水期和枯水期各安排一次连续两天的采样监测。

水质监测项目：pH、DO、SS、CODMn、CODCr、NH3-N、总氮（TN）和总磷（TP）。

水体富营养化评价方法：水体中叶绿素a（Chla）、透明度（SD）、总氮（TN）、总磷（TP）与CODMn等是反映水体营养状态的主要指标，这些指标与富营养化程度存在着明显的相关性。评价方法采用TSIm营养状态指数法，计算公式为：

TSIm（Chla）=10（2.46+lnChla/ln2.5）

TSIm（SD）=10［2.46+（3.69+1.53lnSD）/ln2.5］

TSIm（TP）=10［2.46+（6.71+1.53lnTP）/ln2.5］

借此方法制定富营养化指数评价标准。

表11-12

评分	富营养程度	叶绿素a（毫克/立方米）	透明度（米）	TN（毫克/升）	TP（克/升）	COD_{Mn}（毫克/升）
0～10	极贫营养ppE	<0.26	>27	<0.02	<0.9	<0.12
11～30	贫营养pE	<1.6	>8	<0.08	<4.6	<0.48
31～60	中营养E	<26.0	>1.3	<0.65	<50	<3.60
61～80	富营养hE	<160	>0.4	<2.3	<250	<14.0
81～100	重富营养hhE	<1000	>0.1	<9.1	<1230	<54.0

涟江河水质监测结果

表11-13

项目	年度	抵门断面			大围断面			羡田断面		
		贫水期	丰水期	枯水期	贫水期	丰水期	枯水期	贫水期	丰水期	枯水期
pH	2009	8.55	8.02	8.50	8.60	7.86	8.57	8.60	8.13	8.19
	2010	8.10	8.06	8.14	7.94	7.98	7.98	8.10	8.06	8.17
	2011	8.08	8.08	8.41	7.86	8.14	8.60	8.04	8.03	8.52
DO（毫克/升）	2009	7.2	7.1	8.5	8.0	6.6	4.6	6.2	5.7	6.8
	2010	4.0	7.0	7.0	4.5	6.6	6.1	4.3	6.3	7.5
	2011	6.3	8.1	7.3	4.7	8.6	8.5	6.8	5.9	7.7
SS（毫克/升）	2009	12	6	4	11	5	4	9	5	5
	2010	6	6	4	6	6	6	6	5.5	4
	2011	4	12	54	6	24	16	4	15	30
COD_{Mn}（毫克/升）	2009	1.3	1.8	2.5	2.4	1.8	3.0	2.4	1.8	3.1
	2010	3.7	0.5	0.6	2.4	0.5	1.3	3.0	0.5	0.9
	2011	0.7	1.1	0.8	1.2	1.0	1.2	1.3	1.3	1.0

续表11-13

项目	年度	抵门断面			大围断面			羡田断面		
		贫水期	丰水期	枯水期	贫水期	丰水期	枯水期	贫水期	丰水期	枯水期
COD_{Cr}（毫克/升）	2009	18	5	6	5	8	12	6	5	6
	2010	14	15	8	11	14	10	11	9	10
	2011	10	5	8	22	5	18	13	6	14
NH_3-N（毫克/升）	2009	0.22	0.06	0.41	0.50	0.40	0.94	0.37	0.08	0.34
	2010	1.10	0.10	0.29	0.80	0.12	0.48	0.79	0.18	0.19
	2011	0.54	0.18	0.10	1.79	0.08	0.14	0.45	0.48	0.12
TN（毫克/升）	2009	0.86	0.41	0.60	1.03	1.03	1.26	1.10	3.33	0.65
	2010	1.68	1.38	1.02	1.17	1.74	1.93	1.15	1.95	1.30
	2011	1.08	1.30	1.88	2.34	1.55	2.40	1.81	1.57	2.22
TP（毫克/升）	2009	0.04	0.07	0.08	0.09	0.20	0.09	0.08	0.20	0.07
	2010	0.06	0.05	0.06	0.10	0.08	0.08	0.05	0.06	0.08
	2011	0.02	0.02	0.04	0.08	0.05	0.04	0.04	0.04	0.04

根据GB3838-2002地面水环境质量标准，涟江河水质评价结果为：贫水期涟江河为Ⅳ类水质；丰水期涟江河为Ⅱ类水质；枯水期涟江河为Ⅳ类水质。涟江河水质随季节变化明显，丰水期水质较好，其余两期明显差于丰水期。

涟江河“贫、丰、枯”三期富营养化评价结果

表11-14

项目	抵门断面			大围断面			羡田断面		
	贫水期	丰水期	枯水期	贫水期	丰水期	枯水期	贫水期	丰水期	枯水期
COD_{Mn}（毫克/升）	1.9	1.13	0.96	2.0	1.1	1.83	2.23	1.2	1.67
COD_{Cr}（毫克/升）	14	8.33	7.33	12.67	9.0	13.33	10	6.67	10
NH_3-N（毫克/升）	0.62	0.11	0.27	1.03	0.2	0.52	0.54	0.25	0.22
TN（毫克/升）	1.21	1.03	1.17	1.51	1.44	1.86	1.35	2.28	1.39
TP（毫克/升）	0.04	0.04	0.06	0.09	0.11	0.07	0.06	0.10	0.06
富营养化因素	TN、COD_{Mn}			TN、COD_{Mn}、NH_3-N			TN、COD_{Mn}		

水体富营养化（eutrophication）是指在人类活动的影响下，生物所需的氮、磷等营养物质大量进入湖泊、河口、海湾等缓流水体，引起藻类及其他浮游生物迅速繁殖，水体溶解氧量下降，水质恶化，鱼类及其他生物引起死亡现象。从“十一五”期末的统计情况看，惠水县化学需氧量（COD）排放总量为1249.195吨、二氧化硫（SO_2）排放总量为8492.19吨，较2005年的94.21吨、1016.17吨分别增加了13.26倍和8.36倍，涟江河水质由过去的二类水体向三类水体退化。

（三）治理状况

惠水县先后共投入1.4亿余元，加大对涟江河流域治理力度，修建翻板坝，使中心城区河道脏、乱、差的面貌得到较大改善。但由于流域面积大，流经里程长，治理任务主要有：

1. 沿河两岸缺少垃圾箱、转运站，没有垃圾车定时定点运输及处理，导致垃圾大量沿河倾倒。

2. 涟江河上游惠水经济开发区和长田工业园区，大量的生产废水和生活污水的排污，对涟江河流域污染尤为严重。涟江沿岸煤矿生产废水对河流水质造成恶化，煤矿污水处理设施不完善，处理效果不理想，造成污水超标排放。养殖场的排污对河流的污染也十分严重。流域工业和生活污水处理能力低下，污水处理设施建设跟不上水环境污染的速度，生活污水处理率不足4%。

3. 县城应设置污水收集管道80千米，只改造了18千米，占应改造的22%。受旧城改造、街道狭窄等影响，老城区应有20千米的管网需建设，该片区仍有10个大的排污口直流涟江。沿涟江河铺设的污水收集管网，由于设计标准偏低，断面过小，铺设欠周虑，导致大量污水流入河中，一部分河水流入污水收集管道，增加了污水处理厂处理量。

4. 县城总人口7万余人，日产生显性污水约1.05万吨，按污水处理厂最高设计处理能力7000吨容量，不能满足需要。

第五节　河道治理

一、概况

县中小河流治理项目，从2009至2015年，规划内的工程共10个，综合治理长度34.69千米，分布于城镇9个，保护人口12.5万人，保护农田1.1万亩，规划投资14313万元。其中：2009年试点项目为和平镇段河道治理工程、2011年涟江河翁吟河段河道治理工程、2012年涟江河高镇镇段河道治理工程；2013至2015年，计划实施7个项目，已全部完成初步设计及审查，截至2015年，已实施芦山河道、涟江河金石段河道、坝王河羡塘段河道、坝王河摆金镇河段4个河道治理。

二、项目实施

涟江河县城段河道治理　2009至2013年，完成县城段河道综合治理6.62千米，防洪标准为20年一遇，保护人口7.92万，保护县城面积4.46平方千米，工程建设总投资4283.51万元，分为三期建设。其中：涟江河和平镇段河道治理工程，为2009年度中小河流治理试点项目，投资为890.51万元，工程于2010年4月开工，是年8月，按期完成河道堤防建设1.22千米，2011年10月通过竣工验收；涟江河翁吟河段河道治理工程，为2011年度中小河流治理项目，工程建设投资为2900万元，河道综合治理长度为4.792千米，新建堤防7.646千米，工程于2011年10月开工，2014年10月完工；涟江河高镇镇段河道治理工程，为2012年度中小河流河道治理项目，工程建设投资为493万元，河道综合治理长度1.83千米，新建堤防1.43千米，工程于2012年10月开工，2013年10月完工。工程建成后解决城区的防洪治涝问题，减少洪灾对人民生命财产安全的威胁，另以城市规划为主线，使防洪堤与生态园林城市景观的主题相协调，让涟江河治理的整体生态效果与县城防洪要求有机统一和完美结合。

芦山河河道治理　2013年度，启动芦山河河道治理项目，批复审定投资947万元，河道综合治理长度为3.6千米，防洪标准为10年一遇。项目实际到位资金870万元，其中：中央到位资金757万元，省级到位配套资金113万元。工程于2013年10月开工，2016年3月完工。

涟江河金石河段河道治理　该工程为2014年度河道治理项目，批复审定投资为637万元，河道综合治理长度2.6千米，防洪标准为5年一遇。项目实际到位资金585万元，其中：中央到位资金509万元，省级到位配套资金76万元。工程2014年3月动工，2016年2月完工。

鱼梁河生态清洁型小流域水土流失重点治理　鱼梁河生态清洁型小流域水土流失重点治理工程。项目位于原三都镇，于2014年2月开工，工程总投资376.00万元。

坝王河羡塘河段河道治理　该工程为2014年度河道治理项目，批复审定投资为1535万元，河道综合治理长度5.5千米，防洪标准为5—10年一遇。项目实际到位资金1412万元，其中：中央到位资金1228万元，省级到位配套资金184万元，工程于2014年3月开工，2016年11月完工。

坝王河摆金镇段河道治理　该工程为2014年度河道治理项目，批复审定投资为1895万元，河道综合治理长度4.5千米防洪标准为10年一遇。项目实际到位资金1743万元，其中：中央到位资金1516万元，省级到位配套资金227万元。工程于2014年3月开工，2017年3月完工。

第十二篇　商　贸

第一章　商　业

第一节　商业体制改革

一、商业机构

20世纪80年代，县商业局有行政编制23人。1984年，商业局班子设一正两副、内设政工股、财会股、业务股、保卫股；行政编制16人；1986年，商业局作为全县商业系统的行政管理机构，辖有13家国有企业：即9家公司（百货公司、民贸公司、五金公司、服务公司、糖酒公司、盐业公司、食品公司、副食杂品公司、工矿区贸易公司）和4个商办厂（县酒厂、县肉联厂、县酱菜厂、县蜜饯厂）。

90年代初期，由于县财政困难，将商业局供养人员由原财政全额拨款变为定额拨款，资金不足部分靠收取下属公司的管理费补充。1994年，实行机构改革，将商业局更名为商业总公司，其行政职能未变。2001年，根据惠党发〔2001〕31号文件明确："县人民政府不再设置工业、商业、物资管理部门和行政性公司，其行政职能并入有关部门…，认真做好人员定岗分流工作，妥善安排分流人员。"将商业总公司行政职能划入县经贸局，未撤销商业总公司机构，单位的归属和性质未明确，人员也未作分流和妥善安排，至2015年仍属县"财政定补"单位。2001年机改后，商业总公司内设办公室、财务室。

2002年5月，商业总公司下属各公司进行资产重组合并，合并后仅存4家公司［原县食品公司与县副食杂品公司、县工矿区贸易公司合并为"食品贸易发展有限公司"，原县百货公司与县民族贸易公司合并为"民族商贸发展公司"，五交化公司（不变），原县饮食服务公司与糖业烟酒公司合并为"综合服务公司"］。

县糖业烟酒公司（1999年摄）

2004年，商业总公司组织下属4家公司制定改制、安置方案并拟进行企业改革改制，但在实际操作过程中，由于受到县综合服务公司全体职工的强烈反对，导致改制工作流产，为了稳定，改制工作未能进行下去，至

2015年仍保留2002年合并时的模式维持运转。

原县商业局办公大楼位于县府路（圆塘坎），1998年10月，为支持县旧城改造，商业局办公大楼被无条件拆除，办公地点搬迁至五交化大楼3楼（租用）办公，率先在全县实行会计集中统一办公。2010年4月，再次搬迁至圆台北路综合服务公司综合楼3楼（租用）办公至2015年。

二、直属企业

随着计划经济向市场经济转轨，下属各公司连年亏损，处于名存实亡的国有特困企业，管理费的收取早已停止。商业总公司性质处于既非行政又非事业，更无财政划拨工作经费，每逢重大节日都安排部署好对下属国有特困企业职工的走访慰问，解决好职工的养老、失业、医疗等社会保险费用缴纳，下岗职工生活费发放等突出问题，维护职工队伍稳定。

自从酱菜厂、肉联厂、蜜饯厂分别相继停产倒闭后，商业总公司克服自身经费不足利用厂区空地、厂房车间、闲置设备等进行招商引资和整零租赁，创造收益用于解决退休人员、下岗职工、遗属遗孤的福利待遇和生活费发放，注重重要节日的走访慰问至3个厂彻底完成改制安置，仍承担这3个厂55名退休人员医疗保险、节日慰问、丧葬办理等善后工作。

县酒厂　始建于50年代中期，位于惠水著名的十大景点之一“清溪吐珠”旁，距县城约2千米，是全县最早的商办工业企业，隶属县商业局管辖。90年代前厂长、副厂长及中层管理干部均由县商业局任命，20世纪90年代中期自县政府任命第一任厂长后，升格为副科级企业。2000年后，自然脱离商业总公司，归属县经贸局。2008年，惠水酒厂宣布破产，该厂被惠水永红食品有限公司收购，同年12月底，一次性安置所有职工，改制工作顺利结束。

肉类联合加工厂　前身为县食品公司冷冻厂，位于惠水县城城南程番，与惠水酒厂相邻。1985年1月1日，根据县人民政府批复，划转为独立核算、自负盈亏的国有商办工业企业，称为惠水县肉类联合加工厂（简称肉联厂），隶属县商业局管辖，主要从事各类肉品冷藏储备及加工，计划经济时期起着调配和确保全县及周边地区食肉市场的供应。1996年下半年，该厂全面停产。2010年4月，经县政府同意，公开拍卖肉联厂全部资产，惠水永红食品有限公司以230万元价格竞拍成功，同年9月，商业总公司用拍卖所得资金，对肉联厂所有在册职工进行一次性安置补偿，安置工作结束。

县酱菜厂　前身为蔬菜公司下属酱菜厂，位于惠水县城城南程番，与县酒厂相邻。根据县人民政府批复，1984年12月1日起，划转为独立核算、自负盈亏的国有商办工业企业，名称为惠水县酱菜厂，隶属县商业局管辖，主要生产散装酱油、醋。1994年底全面停产；1999年11月，商业总公司向县政府报告，该厂全部资产以100万元价格转让给“贵州金康制药有限公司”，所得转让资金在扣除各种债务和转让费用后，用于安置酱菜厂全部职工。至2001年6月，对14名在册职工进行一次性安置补偿，该厂安置工作结束。

县蜜饯厂　始建于1958年，位于惠水县城南12千米处的三都镇小龙村东侧小龙河畔，全厂区域约200亩（133340平方米），其中：厂房占地面积13330平方米；宿舍占地面积13000平方米；鱼塘占地面积3330平方米；桔园100亩（66667平方米）；闲山空地50亩（33334平方米），属县商业局管辖的商办工业企业。该厂原以种猪、海狸鼠饲养为主，兼有鸡、鸭、鹅等综合饲养。1969年主要从事饮料、蜜饯生产，建厂时只有简易车间400平方米左右，没有机械设备，生产工艺全靠手工操作。1978年起，进行扩大生产改造，增加生产环节和产品种类，成为当时省内独具经营生产饮料、果脯系列产品的厂家。1982年以后，蜜饯厂向银行贷款100余万元，扩大生产线，车间面积扩大至5000平方米左右，购进生产设备实现了机械化生产，自有橘园面积扩大至可种植橘树5000余株，年产橘子2万余千克。1986年，产品种类已发展至四大类15个品种（即：饮料类有橘子汁、广柑汁、刺梨汁、杨梅汁；蜜饯类有冬瓜糖、姜片糖、橘饼；果脯类有话李、话梅、刺梨脯、黄金李；罐头类有糖水橘子、糖水杨梅、糖水李子、红烧牛肉），产品畅销省内、外市场，供不应求，产值达109万元。1988年，“橘子原汁”“冬瓜糖”获贵州省优质产品奖，“蜜枣”获贵州省四新产品奖。销售到河南、宁波、江苏、黑龙江等地。1997年初，由于缺乏生产资金投入，机器设备老旧，技术产能落后，迫使全面停产。1999年11月，经县政府同意，全部资产有偿（200万元）转让给“瑞雪食品有限责任公司”，因未完全按合同约定履行付款，形成改制遗留问题。至2013年8月，再次请示县政府同意，经县法院、县工信局、县商业总公司共同协调，受让方筹措到资金236万元。同年12月底，完成对该厂所有职工一次性安置补偿，彻底解决了搁置十三年的改制遗留问题。

县百货公司 计划经济时期，主要经营日用百货、服装鞋帽、床上用品、文化体育用品、钟表、家用电器、针纺织品等。曾设有第一门市部（即：百货大楼，位于县府路）、综合商场（位于惠民路）、第二门市部（位于县城老场坝）、第三门市部（位于县城十字街）、第四门市部（位于圆台边轻工局楼下）、待业青年门市部（位于惠民路综合商场侧）、处理商品门市部（位于县府路五交化大楼下）、第一批发部（位于百货大楼后面）、第二批发部（位于长征路天主教堂）。1994年，随着计划经济向市场经济转轨，公司所有门店柜组全部实行“国有民营”承包经营。2001年5月，为支持县委、县政府对县府路、惠民路的旧城改造，“百货大楼”“综合商场”及经营门面被无偿拆除，百货公司已无开展商品经营的场所，大部分职工下岗失业。2002年5月，根据县政府批复，百货公司与民族贸易公司资产重组为“惠水县民族商贸发展公司”（简称商贸公司），重组后公司未开展商品经营业务，靠收取门面租金维持运转。2010年12月，经多次与中国长城资产管理公司（贵阳）办事处谈判，将民贸公司于1994年1月27日至1995年4月14日，向县工商银行抵押贷款（并案含五金交电化工公司，本金2422000元，利息6072041.05元，本息合计8494041.05元）。最终协商达成让利到两家公司共计还款110万元的《债权转让协议》，后经请示县政府同意，民族商贸发展公司（重组后）委托黔南恒信评估事务所有限公司，对位于县府路民贸大楼的一个门面（87平方米）进行评估（价值95.87万元），后委托贵州紫东拍卖有限公司拍卖所得115万元。12月6日，由商业总公司组织协调会议，议定由商贸公司偿还65万元，一次性终结与中国长城资产管理公司（贵阳）办事处的所有债务。

县民族贸易公司 1982年9月1日，把百货公司原经营的民贸、针纺业务划出来，成立惠水县民族贸易公司（简称民贸公司），主要经营民族商品。曾设有第一门市部（位于县府路老商业局办公大楼底层）、第二门市部（位于圆台边五金公司商场旁）。1988年建成新“民贸大楼”，1989年9月正式营业。2002年5月，根据县政府批复，民贸公司与百货公司资产重组为“惠水县民族商贸发展公司”（简称民族商贸公司），重组后公司未开展商品经营业务，靠收取门面租金来维持运转。

县五金交电化工公司（简称五金公司） 成立于20世纪50年代，主要经营五金、交电及化工产品。1985年8月，为对口管理，根据省、州、县相关文件精神，成立县石油公司，石油产品业务从五交化公司划出，石油公司归口上级单位直管。1992年11月，建成新“五交化大楼”（县府路百货大楼正对面）开业经营，部分职工子女被安排就业。1996年以后，实行“国有民营”，全部柜组承包给职工个人经营，单位靠收取门面租金维持运转。2010年12月，经多次与中国长城资产管理公司（贵阳）办事处谈判，将五金公司于1995年11月14日至1996年8月2日，向县工商银行抵押贷款（并案含民族贸易公司，本金2422000.00元，利息6072041.05元，本息合计8494041.05元）。最终协商达成让利到两家公司共计还款110万元的《债权转让协议》，后经请示县政府同意，五金公司委托黔南恒信评估事务所有限公司对位于县府路的一个门面（45.63平方米）进行评估（价值51.12万元），后委托贵州紫东拍卖有限公司拍卖所得55万元。12月6日，由商业总公司组织协调会议，议定由五金公司偿还45万元一次性终结与中国长城资产管理公司（贵阳）办事处的所有债务。

县综合服务公司　前身为惠水县饮食服务公司，计划经济时期主要从事饭店、理发、澡堂、旅社住宿等经营服务。经营门店分别位于新民路（县城二小老校门右侧）、和平路（构皮街）、县府路。1986年，拆除县府路“跃进饭店”老楼重新修建，1988年竣工，新大楼一楼为饭店，二楼以上为旅社。1994年，计划经济体制大转变，饮食服务公司独家经营的局面被打破，随着个体服务行业的大量涌现，加上经营方式的灵活性，迫使国营服务业门店相继退出了市场。根据国家有关政策，公司将所有门店实行“国有民营”，优先照顾公司内部下岗职工承包经营，其余再对外出租，后期基本未开展业务经营，靠收取门面（房屋）租金维持运转。2002年5月，经县政府批准，与原县糖业烟酒公司合并重组为“惠水县综合服务公司”。

县糖业烟酒公司　计划经济时期，主要经营烟、酒、糖等商品，经营商店位于县百货大楼旁。2001年，因县城启动旧城改造，临街经营门面被拆除，2002年5月，经县政府批准，与县饮食服务公司合并重组为“惠水县综合服务公司”。

县食品贸易发展有限公司　前身为惠水县食品公司，1985年后，随着生猪经营政策放开，主要从事生猪、蛋、禽的经营业务。1996年5月，根据国办发〔1995〕88号《关于进一步加强生猪等畜禽屠宰检疫管理工作的紧急通知》、国内贸易部《家畜定点屠宰场管理规定》及县政府1996年4月30日《关于在县城实行牲畜定点屠宰的通告》精神，建成全县第一家“定点屠宰场”；1997年，将全县30余个私屠滥宰点整治归建为3个（县城、三都镇、毛家苑乡）集中屠宰场。1998年，县政府批准县工商局在爬头寨建立一个屠宰点。1999年，经县政府批复，与县工矿区贸易公司合并为“食品贸易发展有限公司”。2000年上半年，建成“高镇镇定点屠宰场”。同年5月，由于210国道过境公路改造扩建，占用县城内公司位于河坎边的定点屠宰场，县政府重新在爬头寨脚划拨2000余平方米土地给公司重建定点屠宰场投入使用，经营过程中，由于各种原因与邻近的“工商局屠宰场”发生一定纠纷，同年11月，最终两家合并为一家（食品贸易公司定点屠宰场）。2002年5月，经县政府批准，原副食杂品公司又合并到该公司。

县副食杂品公司　该公司成立之初为惠水县蔬菜公司，计划经济时期，主要经营酱油、食盐、醋、味精、豆腐（制品）、干菜、蔬菜等，经营场所位于县城闹市区圆台边。20世纪80年代中期，为便于与上一级部门业务对接，更名为惠水县副食杂品公司。1994年，受个体经营市场的冲击，所有经营门店逐步退出市场，后期未能开展经营业务，靠收取门面（房屋）租金维持运转。2002年5月，经县政府批准，合并到“县食品贸易发展有限公司”。

县工矿区贸易公司（简称工区商店）　计划经济时期，主要为惠水高镇片区工矿企业（国营险峰机床厂，永安电机厂）职工及家属生活物品购买服务，经营品种有日用百货、服装鞋帽、五金交电、副食杂品等一应俱全，为两个大厂的生产建设和发展起到助推作用，也为两厂上千人职工和家属及当地居民日常生活提供便利。1994年，因大量涌现的个体商户冲击，所有门面及各柜组逐步承包给个人经营，公司只收取门面租金，未开展任何经营业务。1999年3月，经县政府批准，与原县食品公司合并为“惠水县食品贸易发展有限公司”。由于险峰厂家属居住区的转移及“商业一条街”配套建成，使得整个工区商店成了商业死角，已基本上完全废弃。

县盐业公司 2001年，惠水县盐业公司从惠水商业局剥离，收为省管，更名为“贵州省盐业集团惠水分公司”，同时成立“贵州省业务管理局惠水支局”，两块牌子，一套人马。统一管理全县盐业的分配、调拨、运销等工作。之后，在全县范围内普及加碘小包装盐的供应，取得较好社会和经济效益，名列全省同行业之前。

表12-1

1979—1985年县商办工业企业主要产品产量统计表

单位/品名/年度	冷冻厂	食品厂		蜜饯厂		酒厂		酱菜厂	
	杀猪（头）	糕点（吨）	糖果（吨）	橘汁（吨）	瓜条糖（吨）	45度粮酒（吨）	45度代粮酒（吨）	酱油（吨）	米醋（吨）
1979	7346	130.6	75.5	111	22	173.55	167.71	207	—
1980	3526	121	95	486.8	43	155.24	176.35	248.2	20.2
1981	2072	177.3	115.65	135	28.7	331.53	104.95	287.4	39.6
1982	7178	185.5	169	150	76	364.87	96.3	397	44
1983	7482	185.5	100	188	167	292.2	79.4	485.8	41.4
1984	100吨	191	43.6	271	208	227.7	122.1	—	—
1985	158吨	141	—	372	—	431	—	402	—

表12-2

1979—1985年县商办工业企业产值统计表

单位/年度	工业总产值（万元）				
	冷冻厂	食品厂	蜜饯厂	酒厂	酱菜厂
1979	61.5	32.04	40.9	53.15	8.93
1980	48	35.16	30.1	52.75	9.12
1981	36.6	47.6	45	76.5	11.3
1982	77	57.8	51.5	79	13.1
1983	75.3	51.8	81.9	85	15.4
1984	93.9	33.9	91.2	90.8	13.5
1985	44.5	25.1	90.16	115.61	14.56

第二节 商品购销

1986至1998年商业系统商品购进计划、销售及工业产值完成情况表

表12-3 单位：万元

年度	商品购进		商品销售		工业产值	
	计划数	实际完成	计划数	实际完成	计划数	实际完成
1986	840	1010	1700	1955	343	411
1987	830	1180	1720	2020	380	559
1988	400	997	1280	1988	500	506
1989	740	996	1710	2018	560	614
1990	900	812	1820	1998	635	590
1991	720	847	1140	1173	780	1017
1992	720	453	1140	1157	1120	647
1993	530	353	980	1135	870	370
1994	1320	1539	1100	885	400	569
1995	1300	1076	1480	1316	650	608
1996	1300	1162	1500	1391	450	372
1997	1000	1211	1350	1474	450	192
1998	1130	1110	1400	1306	330	220

惠水县全民所有制商业商品购、销、存总值（一）

表12-4

品名 \ 购销存 \ 年度	单位	1979			1980			1981		
		国内纯购进	国内纯销售	年末库存	国内纯购进	国内纯销售	年末库存	国内纯购进	国内纯销售	年末库存
商业局	万元	634.79	916.63	354.53	425.82	1761.28	400.66	358.87	995.64	475.53
肥猪	头	21487	13166	1961	11275	15810	269	7000	10400	381
菜牛	头	969	63	66	180	180		461	34	113
酒	担	10624	12504	2846	6048	9066	2131	5812	5187.6	327
卷烟	箱	—	2654	83	1353	5909	401	30	3387	582.4
肥皂	箱	1418	4535	2742	—	4057	2653	2800	73600	9000
洗衣粉	千克	4000	32487	12177	—	44182	5401	—	444400	29000
缝纫机	台	—	813	30	—	765	1	—	890	18
自行车	辆	—	599	40	—	820	47	—	1191	—
电视机	台	—	87	—	—	105	235	10	231	3
电池	10支	—	57808	3277	—	71797	6502	—	27990	9290
电筒	支	—	12034	1571	—	19524	4946	—	19100	1200

惠水县全民所有制商业商品购、销、存总值（二）

表12-5

品名	单位	1982			1983			1984		
		国内纯购进	国内纯销售	年末库存	国内纯购进	国内纯销售	年末库存	国内纯购进	国内纯销售	年末库存
商业局	万元	457.40	1230.41	504.35	522.78	1369.94	567.61	563.78	1390.72	502.56
肥猪	头	14800	13200	2500	15200	14500	2500	16080	13303	286
菜牛	头	77	7	17	38	9	—	86	—	85
酒	吨	298	868	45	176.5	758.5	128.5	338.54	281.5	200.25
卷烟	箱	792	4363	463	1497.8	5091	298	533.8	3908.29	563.15
肥皂	箱	—	5000	1000	1800	2400	1300	5179	8813	1424
洗衣粉	吨	10	89	18	5	97	19	37.81	131.98	24.96
缝纫机	台	572	1631	345	70	1477	515	70	1050	607
自行车	辆	240	1365	204	110	1643	333	—	1614	195
电视机	台	20	491	141	30	459	176	—	548	59
电池	百支	2642	10665	2047	116	5493	651	—	—	—
电筒	百支	70	191	17	—	235	148	—	—	—

惠水县全民所有制商业商品购、销、存总值（三）

表12-6

品名	单位	1985			1986			1987		
		国内纯购进	国内纯销售	年末库存	国内纯购进	国内纯销售	年末库存	国内纯购进	国内纯销售	年末库存
商业局	万元	510.08	1387.81	565.16	714.20	1501.46	607.72	661.51	1585.13	588.13
肥猪	头	2115	3364	28	6325	6420	200	4266	4215	44
菜牛	头	22	21	—	2850	340	500	—	—	—
酒	吨	169.65	366.35	95.04	276	311	66	98.21	154.52	13.67
卷烟	箱	477	5278.84	623.65	13224	874977	96067	90.58	8005.08	139.04
肥皂	箱	4585	5637	458	15600	11800	2000	6610	6535	889
洗衣粉	吨	100.92	157.56	28.21	150	208	679	32.61	147	13.57
缝纫机	台	2170	1469	625	140	2113	681	—	1304	431
自行车	辆	220	1716	273	219	2818	1538	50	1522	129
电视机	台	—	515	230	250	605	327	—	531	35
洗衣机	台	532	597	317	—	889	542	60	616	56
电冰箱	台	—	65	21	—	27	27	18	86	—

表12–7

惠水县全民所有制商业商品购、销、存总值（四）

品名 \ 单位 \ 购销存 \ 年度		1988			1989			1990		
品名	单位	国内纯购进	国内纯销售	年末库存	国内纯购进	国内纯销售	年末库存	国内纯购进	国内纯销售	年末库存
商业局	万元	687.02	1463.82	590.39	889.85	1483.82	634.24	755.82	1594.49	658.01
肥猪	头	7073	17905	8	6927	2367	140	5082	2483	—
盐	吨	—	1551.42	204	—	521.2	711.6	—	1893.61	1073.55
卷烟	箱	1	8290.23	348.32	562.86	5906.06	332.3	0.63	841526	61409
酒	吨	110.88	190.28	50.11	300.93	386.93	48.78	105.67	143.3	152.31
肥皂	箱	7308	8920	597	1534	1206	181	1075	1673	249
洗衣粉	吨	34.94	128.57	18.10	5.39	55.47	27.51	0.5	39.17	11.49
缝纫机	台	40	2758	162	150	1163	653	—	989	264
自行车	辆	20	2048	275	47	1858	446	540	1852	435
电视机	台	—	458	179	35	528	116	325	1137	330
洗衣机	台	—	1081	127	208	625	137	164	763	124
电冰箱	台	—	102	15	—	37	7	—	106	27

第三节　商品市场及经营

20世纪80年代初期，县酒厂生产的“惠水大曲”在省内、外享有盛名，产品畅销吉林、黑龙江、河南等省。1983年9月，“惠水大曲”在贵州省第三届评酒会上，被誉为“贵州名酒”打入香港、新加坡、马来西亚等国外市场，尤其是“黑糯米酒”填补了贵州黄酒空白。黑糯米原汁香槟荣获“贵州省优秀产品”称号。1986年，该厂生产的“惠水大曲”“黑糯米酒”获得惠水县科技成果一等奖，黔南州科技成果二等奖。1992年，在美国洛杉矶国际酒类展评会上，由惠水酒厂送展的3个产品（涟江醇、黑糯米酒、涟江大曲）均获国际金奖，涟江醇获“神童杯”金奖，黑糯米酒获“神女杯”金奖，涟江大曲获全美“金牌”奖。

1986年，县蜜饯厂产品种类已发展至四大类15个品种（即：饮料类有橘子汁、广柑汁、刺梨汁、杨梅汁；蜜饯类有冬瓜糖、姜片糖、橘饼；果脯类有话李、话梅、刺梨脯、黄金李；罐头类有糖水橘子、糖水杨梅、糖水李子、红烧牛肉），产品畅销省内外市场，供不应求，产值达109万元。1988年，“橘子原汁”“冬瓜糖”获贵州省优质产品奖，“蜜枣”获贵州省四新产品奖。产品销售到河南、宁波、江苏、黑龙江等地。

1987年，县肉联厂开始试制牛肉干系列产品，注册商标为“美味”牌，产品在省内市场销售，还销往海南、江西等省；1988年，生产猪、牛肉小包装冷冻产品，主要销往广东、上海等沿海一带城市。

县酱菜厂生产的散装酱油、醋，主要在县城、乡镇及周边县份上销售。

县百货、民贸、五金公司，主要经营日用百货、服装鞋帽、文化体育用品、针纺织品、家用电器、民族服饰、金银首饰、五金交电、化工产品等，各公司商场均有品种交叉经营现象，批发部主要针对乡镇供销社及个体经营户批发。

县食品公司主要经营肉、油、蛋、禽等食品，并在全县乡镇设有食品站。20世纪90年代，随着肉品市场的放开，下属各乡镇食品站先后倒闭，最后只剩县食品公司存在。1996年，建成惠水第一个“定点屠宰场”。

县蔬菜公司主要经营酱油、醋、味精、干菜类、新鲜蔬菜等商品。

县饮食服务公司主要经营饭店、旅社、澡堂、理发等服务。

县工矿区贸易公司主要经营百货、服装鞋帽、五金交电、副食杂品等日用商品，为“永安”“险峰”两大工矿企业职工家属及周边居民提供服务。

2000年后，商业总公司就已彻底退出了全县商业（国营）的行政管理职能，只负责对下属几家公司的国有资产和职工（大部分下岗）进行管理。对现有的各公司自2000年以后，没有再开展商品经营业务，均靠门面（房屋）出租收入维持运转，属于濒临倒闭的特困企业，已经不存在商品市场及经营。

第四节　商品生产及市场建设

酒产品　1990年，惠水县酒厂第一期年产1500吨涟江大曲酒扩建工程竣工验收，总投资750万元。1992年，省财政给予200万元的财政信用资金，在原有200吨生产能力的基础上，再改造扩大350吨生产能力，技改后年产达550吨。1993年，同意县酒厂征拨土地2公顷，用于建设中外合资“贵州惠高黑糯米酒厂”，完成改造扩大黑糯米酒生产能力350吨，4月份投产，年生产黑糯米酒达550吨。1995年，经县政府同意，新厂区转让给中外合资商（惠高酒厂），主要生产黑糯米酒（“红与黑”“黑”酒品牌）。

肉类及相关食品加工产品　1987年，开始试制各种风味牛肉干、牛肉松、牛肉脯等产品，牛肉干形成批量生产投放市场；1988年，生猪屠宰、分割、包装车间建成投入使用；1992年，开始生产“美味牌”牛肉干；1995年12月，新屠宰车间租给“四圆塑料制品有限公司”生产经营；1996年8月，老屠宰车间租给“四维食品厂”生产经营。1996年底，该厂全面停产，该厂区、车间、冷库租赁给客商生产魔芋美容制品；冰棒、雪糕、冷饮食品；散（瓶）装酱油、醋，面条加工等，以解决下岗职工生活费、退休和守厂人员工资。

酱菜及相关食品加工产品　1986至1993年，主要生产散装酱油、醋。1994年底，全面停产，期间，曾利用闲置厂房出租给贵阳花溪“辣椒王”公司，生产辣椒和豆制品系列产品，引进广东客商兴办面粉加工厂等。

蜜饯及饮料、果脯系列产品　惠水蜜饯厂建成之前，原以种猪、海狸鼠饲养为主，兼有鸡、鸭、鹅等综合饲养。1969年，改为生产橘子汁、杨梅汁、刺梨汁、广柑汁等系列饮料。建厂时只有简易车间400平方米，没有机械设备，生产工艺全靠手工操作，年产值在20万元左右。1978年起，扩大生产规模及产品种类，生产冬瓜糖、话李、话梅、蜜枣、刺梨脯、黄金李、蜜李、橘子罐头、杨梅罐头等系列果脯品种，成为当时省内独具经营生产饮料、果脯系列产品的厂家之一。1981年，产值上升至45万元，实现利润7000元。1982年以后，蜜饯厂向银行贷款100余万元，扩大生产线，车间面积扩大至5000平方米左右，购进生产设备实现机械化生产。1997年初全面停产。1999至2013年，厂区曾分别出租给全县第一所私立中学——远鸿中学办学；场地出租曾先后开办食品加工厂、海绵加工厂、龙清生态养殖场、云远矿粉厂等。

汽车出租市场　1998年9月，在盐业公司院内组建“惠水县商业发展有限责任公司”，购进10辆云雀牌轿车，开展出租车经营业务，成为县有史以来第一家出租车公司，同年12月24日正式营业。

商业综合市场　2000年4月，利用县府路改造拆除原百货、民贸、糖酒、食品房产旁剩余的空地，建成商业综合市场。

百货市场　1987年5月，利用位于惠民路的原旧仓库，修建600余平方米商品市场，当时为全县最大的综合商场，商品经营5000余种，是年，销售额74.9万元。1994年，随着计划经济向市场经济转轨，公司所有柜组全部实行“国有民营”承包经营。1999年，利用原“百货大楼”后面的闲散资产，与民贸、糖酒公司联合建成了当时惠水最繁华的“小商品经营市场”，取得了很好的经济效益。

民贸市场　1982年9月，从百货公司分离出来后，主要经营民族商品。经营场所主要有，位于县府路原老商业局办公大楼一楼的“民族商店第一门市部”和圆台边五金公司商场旁“民族商店第二门市部”。1988年，在县府路县委原招待所正对面建成新“民贸大楼”，1989年9月正式营业。1994年以后，各门店、柜组实行“国有民营”。1997年10月，利用大楼底层一半门面引进浙江商户，率先在惠水成立第一家“商品购物超市”——大昌鸿超市。1998年初，通过租用惠民村双龙井的荒山及土地，建成“双龙井经果林农场”，种有科技杨梅、李子、桃子、枇杷等（2006年该农场已转让给个人经营管理）。

五金交电化工市场　1992年11月，建成“五交化大楼”（县府路百货大楼正对面）并开业经营，部分职工子女被安排就业。1993年，增加了副食、成衣、百货、鞋类、床上用品、化妆品等经营项目。1996年以后，实行“国有民营”，全部柜组承包给个人经营，单位靠收取门面租金维持运转。2010年8月6日凌晨3点，由于对外出租的一间仓库加工棉絮的机器电源线短路，引发火灾，将公司建于1958年的三栋砖木（瓦）结构老仓库烧毁，过火面积568.92平方米，烧毁商品（承租人）估算损失28.4139万元，所幸未造成人员伤亡。同年10月，公司为了维护职工队伍的稳定，挽回经济损失，解决近20名下岗职工养老、失业保险缴纳和每月生活费发放。经报请县政府同意，对仓库火灾废墟实施改造，修建简易钢架大棚，引进客商开办“惠康超市”（现为“惠又多超市”），增加了经济效益，也活跃了购物市场。

综合服务市场　1986年，拆除县府路“跃进饭店”老楼，重新修建，1988年竣工，新大楼一楼为饭店，二楼以上为旅社。1994年，进入市场经济以后，流通体制大转变，饮食服务公司独家经营的局面被打破，随着个体服务行业的大量涌现，迫使国营服务业门店相继退出了市场。1998年8月，经报请规划建设许可，公司将位于县城圆台北路与和平路（构皮街）交汇处的老旧办公楼、旅社、饮食店、理发店、澡堂等全部拆除，设计修建集门店、旅社、住宅为一体的“饮食服务公司综合大楼”，1999年9月竣工，一楼大部分门店对外出租，圆台北路临街的2至6楼开办旅社安排富余下岗职工就业。至2001年下半年，将旅社对外承包，后期旅社退出，采取分层出租。2013年初，公司将县府路大楼二楼以上租赁给客商兴办“惠兴医院”。

糖业烟酒市场　1990年，县烟酒公司与贵阳联营，成立了县第一家钟表眼镜专营店。1991年10月，引进技术，因陋就简办起了麦乳精生产车间，产品打入贵阳、安顺等市场，全年生产麦乳精9吨。1996年，利用原食品厂的破旧空车间，拆除后修建了14间门面，出租作饮食店，形成了各种花色品种集一体的饮食小吃城——“太阳城”。1997年，将原食品厂厂房改建成一幢工贸大楼，又开办饮食一条街，建起浴室，引进个体卡拉OK歌舞厅、露天舞厅，办起了腾龙舞厅。1998年，将糖烟酒第一门市部后院老仓库进行改造，因陋就简办起了全县唯一的“旧货交易市场”，后因县府路的扩建工程而拆除。2001年，因县旧城改造，临街经营门面被拆除，2002年5月，经县政府批准，与县饮食服务公司合并重组“惠水县综合服务公司”。

生猪食品市场 1987年，县食品公司生猪收购价上半年为2元／千克，下半年为2.8元／千克，全年食品公司盈利16462元。1993年，食品公司新班子组建县制革厂，产品畅销惠水、贵阳、安顺、四川、广州等地，供不应求。1996年5月，利用县食品公司老屠宰（杀猪）场，建成县第一家“定点屠宰场”。1997年，将全县30余处个体屠宰点整合为3个屠宰场。1998年，县政府批准县工商局在爬头寨建立了一个屠宰场。2000年，公司利用闲置多年的姚哨食品站办起“高镇镇定点屠宰场”。

第二章　供销合作

第一节　供销体制改革

一、管理体制

1978年，县供销合作联社内设：会计股、业务股、储运股、政工股，保卫股，辖4个专业公司：土产公司、农业生产资料公司、日杂废旧物资公司、供销贸易货栈；6个基层供销社，59个分销店。分销店中，姚哨区供销社15个，三都区供销社7个，摆金区供销社13个，雅水区供销社8个，断杉区供销社11个，王佑区供销社5个。基层供销社所在地共设零售门市部34个，采购组6个，发展的代销店78个。

1983年3月20日，根据国家体改委、商业部《关于改革农村商品流通体制若干问题的试行规定》（1983年2月11日国务院发布），恢复县供销合作社联合社。同时，对全县6个基层供销社全面实施体制改革。这次改革：一是清理登记社员股金，核对落实股权，发放股金红利，发动社员扩股、入股，密切与农民的关系；二是恢复社员代表大会制度，各基层社召开第四次社员代表大会，选举产生新的理事会、监事会，按革命化、年轻化、知识化和专业化要求，配备基层社的领导班子；三是打破“大锅饭”和“独家经营”思想，摒弃“官商”作风，加强农商联合，引导社员发展商品生产，成为提供生产服务、技术服务、生活服务的经济联合体。

这次改革，逐步恢复供销社的合作商业性质和在组织上的群众性、管理上的民主性、经营上的灵活性。姚哨供销合作社、三都供销合作社、摆金供销合作社、雅水供销合作社、断杉供销合作社、王佑供销合作社加入县供销联社为社员社，将社员股金的20%作为参加联合社的股金。各基层供销社通过选派代表参加县供销联社的管理、监督，讨论决定县供销联社重大事宜，协调上下级社的关系，执行县供销社下达的各项计划、指示和决定，保证各项任务的完成。

1987年2月，县、区供销社先后召开第五届社员代表大会，选举新一届理、监事会领导班子，审定经营方针、计划、财务预决算、分配方案等。以中央〔1987〕1号文件为工作指导，坚持四项基本原则，深入搞好供销社体制改革，立足支援农业生产，搞活购销业务，促进商品生产发展和流通，提高经济和社会效益，将供销社办成农村经济联合实体和服务中心。

2005年9月前，县供销合作社联合社内设办公室、财会股、计审股、基层业务股，所辖姚哨、三都、摆金、雅水、断杉、王佑6个基层供销社和县农业生产资料公司、惠水县日杂废旧物资公司、惠水县土产公司、惠水县贸易货栈及一个卫生纸厂，均为独立核算企业。县卫生纸厂由于技术原因和环保问题，于1993年底停产，土产公司和贸易货栈由于县城改造经营场所被拆迁，于2001年后停止运转，6个基层供销社也面临经营萎缩的状况。

企业改革改制后，县社股室调整为办公室、财会审计股、业务股和统筹管理股，注销了原11个所属企业，组建惠水县鑫隆农资有限责任公司（注册资金500万元，县供销社控股62%，主要从事化肥、农药、农膜、农业机械等经营）。惠水县兴竹日杂废旧物资有限责任公司（注册资金50万元，县供销社控股76%，主要从事日用工业品、烟花爆竹、废旧再生资源回收等经营）和惠水县好花红农业产业发展有限责任公司（注册资金500万元，县供销社控股28%，主要从事农业产业投资、开发和柑橘生产销售、农产品收购及加工、水果蔬菜贮藏保鲜业务）3个股份制企业。2008年后，因业务发展需要，公司扩大经营规模，惠水县鑫隆农资有限责任公司和惠水县好花红农业产业发展有限责任公司注册资金均增资至500万元。由于注册登记原因，没有成立基层供销社。

二、经营体制

1984年后，社属各公司和基层供销社普遍实行工效挂钩、推行百元销售工资含量经营责任制，供销社现行经营体制弊端仍未得到解决，部分企业出现亏损。

1988年8月，为扭转供销系统企业亏损局面，县供销合作联社根据国家政策，对所属4家专业公司和6个基层供销社实行第一轮经营承包责任制，鼓励企业内部有经营能力、懂经营管理的干部职工承包企业，明确企业承包人的责、权、利。通过对分销店、柜组进行优化组合，实行联销联利，按劳取酬，层层签订经营承包责任书，企业出现了生机，曾发生经营亏损的姚哨供销社、断杉供销社和王佑供销社是年扭亏为盈。

为彻底打破“大锅饭”和“独家经营”的思想，摒弃“官商”作风，惠水县供销合作联社根据国家政策，对所属企业实行经营承包责任制和抵押承包经营责任制，各企业将承包基数分解至各个经营部门，职工分配实行工效挂钩或推行百元销售工资含量，供销社系统层层签订经营承包责任书，明确了企业、职工的责、权、利，基本解决了企业的生存问题。

1991年后，市场进一步放开，个体私营商业迅猛发展，城乡商业分工经营格局全面打破，县供销联社采取“加强一块、开拓一块、放开一块”的经营策略，抓大放小，对柜组实行抽本租赁经营，并将边、小、微、亏的门店转让给职工个人经营，实行自筹资金、自由进货、自主经营、自负盈亏，上缴承包金的改革措施。

三、产权制度

供销合作社自成立以来，其资产的形成主要有两大部分：一部分是社员股金，虽然每个农民入股的金额不多，但入社面比较广。另一部分是经营积累，这部分积累资产中既有社员原始股金的积累，也有国家优惠政策形成的收益和各级政府的扶持，还有上级供销社的投入和支持，以及供销社广大干部、职工长期辛勤劳动的积累。《贵州省促进供销合作社发展条例》第三条明确：供销合作社是以社员或者成员社为主体的集体所有制的合作经济组织，具有独立法人地位。将供销社资产定性为“社有资产”。明确：“供销合作社对合法拥有的各种形式的资产，依法享有占有、使用、收益、处分的权利”。

所属企业资产由县供销社划拨，统筹安排，县供销社行使出资人权利。基层供销社资产由各基层供销社管理，资产的处置必须报县供销社审批。

1978年以来，县供销社系统企业实行“六定一奖”（定人员、定销售、定采购、定奖金、定费用、定利润，超利润有奖）管理，简易核算到门市、店组，并实行拨货计价实物负责制。1988年起开展第一轮承包经营。1990年进行“四放开”（经营放开、价格放开、用工放开，分配放开）试点，翌年全面施行。1991年推行“社有民营、风险抵押、抽本承包”责任制，实行所有权和经营权分离。

2005年9月，经县人民政府和黔南州供销社批准，县供销社以产权为突破口、以创新企业体制和转换人事劳动分配制度为切入点，在系统内企业全面实施改革。

职工安置：1. 分不同情况对原所属企业职工（部分），实行一次性经济补偿，彻底转变原企业职工身份。2. 部分实行内退内养安置，每人每月发放基本生活费，并由县供销社承担企业应交职工部分养老保险金，到法定退休年龄时，为其办理退休手续。3. 部分实行停薪留职，达到内退内养条件，转内退内养安置，享受内退内养人员待遇。4. 将原企业退休职工全部纳入县社养老统筹管理中心管理，按有关政策和《方案》规定，每月发放各种费用。自企业实行改革改制以来，一次性经济补偿安置285人（其中，在岗122人，长期离开单位163人），内退内养安置41人，停薪留职到期转内退内养安置43人，共计安置369人。

企业重组：企业改革将职工安置结束后，根据经济区域和商品流向，结合系统剩余资产实际，依法注销原企业后，按照《公司法》重组新企业。新建企业实行自主经营、自负盈亏、自我约束、自我发展，县联社负责协调、指导和监督。

资金来源：参照国有企业改革文件，企业改革资金全部由县供销社自筹，安置职工费用主要靠处置社现有资产筹集。到2010年底，6个基层供销社资金几乎处置殆尽。

第二节　农副产品经营及废旧物资回收

一、农副产品企业

县土产公司，是集经营管理于一体，指导全县供销社企业进行业务活动的专业公司。担负执行政府的有关方针政策，组织指导全县供销社农副土特产品的流通，完成国家下达的计划和政府委托的其他任务，引导基层供销合作社扶持主管商品的生产。

县好花红农业产业发展有限责任公司（以下简称惠水好花红公司），于2008年7月成立，是供销社控股企业，注册资本500万元。其主要负责供销社农业综合开发，商品生产基地生产和管理。

基层供销社在各乡镇设立农副产品收购站，开展农副产品收购、挑选和整理，解决农民买难卖难问题。

二、农副产品经营

1968至1977年，每年收购额均徘徊在160万～180万元之间。1978年后，农产品物产逐渐丰富，全县供销系统农副产品采购总值完成286万元，超计划27.11%，比上年实绩增长35.14%，其中：收购辣椒1484担，葵花735担，花生700担；蜂蜜9399担，土茯苓14743担，棕片290担，柑橘7695担，烤烟1932担。

1979年3月，实行“放宽集市贸易”和“远途自销”规定，对生产队完成国家计划收购和统一收购的产品，让其发挥市场调节作用，按供求需要，价格浮动，议购议销。

1980年，农产品市场逐步开放，一、二、三类农副产品大部分能自由上市，县供销系统本着“高进高出，购得进，销得出，有赚有赔，总的有盈利的原则”，开展农副产品的议购议销，全年农副产品采购总值完成256.8万元，主要收购的农副产品有：烤烟220担，干辣椒744担，柑橘19565担，柞蚕鲜蚕1504担，生姜3800担，葵花1487担。

1985年，国家取消农产品统购统销政策，对收购农副产品停止实行粮食、布票和化肥奖售，除烟叶、蚕茧等少数农产品外，其他农副产品市场全部放开。

随着城乡市场的逐步放开，供销社根据物资供求变化，逐年减少对农副产品收购，1990年，全年农副产品收购额121万元，到1999年，全年农副产品收购额仅20.9万元，2000年后，放弃对农副产品的收购。

三、废旧物资回收

1979年成立贵州省惠水县日杂废旧物资公司，由省日杂公司直管，1982年后交回惠水供销社管理，税收和利润上交惠水财政。供销社的废旧物资回收业务，由县日杂废旧物资公司的废品收购站和基层供销社农副产品收购门市部直接经营，主要回收废铜、废钢铁、废铝、废铅、废橡胶、破布、破玻璃等10多类120余个品种。1978年，废旧物资收购完成10.08万元，其中，收购废钢铁288050千克，杂铜3379千克。随着群众生活水平的提高，群众手头的废旧物资逐渐增多，收购额逐年上升，收购中注意合理评级定价，每年收购额保持在8～10万元之间。1985年始，市场开放，个体户下村串户参与收购，供销部门收购品种逐年减少，是年，收购额降至4万元，1990年，各种工业品和废旧物资购进6878.8万元，为1980年购进额的6.2倍。1997年以后，供销部门停止回收废旧物资。

第三节　农业生产资料经营

1978年，全县农业生产资料销售额257.7万元，其中：销售各种化肥7781.2吨；各种农药700471千克；农用薄膜4601千克；农用“三油”466290千克；各种中、小农具433400件；牲畜用盐3730担。

1980年，全县供应化肥达13582吨，比1979年增加29.8%，超过历年来化肥的供应水平。全年调剂耕畜3643头，较1979年增加79.4%，在满足省内需要的前提下，协助云南，广东，广西，湖南，山东等省调剂耕牛270多头。全年销售竹制农具97400件，木制农具销售88000件，各种铁制农具销售8590件，供应“三油”286吨。农村推行联产承包责任制后，农民生产积极性提高，加大农业投入，千家万户争购化肥，提高农业产量。随着市场的不断放开，由于体制和经营管理多方面的原因，供销社的农药、农用薄膜、农机器械、中小农具等经营业务逐步被个体商户和私营企业取代，到2012年，县供销系统农业生产资料销售总额7056万元，各类化肥销售总额6722万元。

一、农资经营企业

县供销社所属企业惠水县农业生产资料公司、惠水县鑫隆农资有限责任公司和所属基层供销社负责农业生产资料经营。

惠水县农业生产资料公司是负责全县供销系统农资商品管理和经营的专业公司，2006年6月，改制后依法注销。

2006年7月，在原惠水县农业生产资料公司基础改制成立的惠水县鑫隆农资有限责任公司，注册资本50万元。惠水鑫隆农资公司秉承供销社为农服务的宗旨，承接原惠水县农业生产资料公司的经营业务和职能，承担着全县农业生产资料组织供应的社会责任，对所属各门市部、店（站）、点经营的农资商品，实行连锁配送，以最低的价格向农民销售农业生产资料。

全县6个基层供销社是直接供应农业生产资料，为农业生产服务的组织和服务者，根据当地需要，组织肥料、农药、农膜、农药器械和农具的供应，宣传培训使用技术，全力为农业生产服务。

村级综合服务站是基层供销社设在行政村，以经营生活资料、生产资料、收购农、畜土特产品为主的网点，全系统共建56个。基层供销社以村级综合服务站和乡、镇供销社分销店为支撑点，开展为农产前、产中、产后系列服务。

二、农资商品经营

肥料：尿素、硝酸铵、碳酸氢铵、氮磷钾复合肥、钾肥、钙镁磷肥、普通过磷酸钙、杂肥。

农药：各类杀虫剂、杀菌剂、除草剂、杀虫杀螨剂等。

农器械：压缩喷雾器、手摇喷雾器、超低量喷粉器。

农用塑料薄膜：聚氯乙烯塑料薄膜、聚乙烯塑料薄膜、地膜、微膜。

农具：中小型铁制农具、竹制农具、木制农具、新式农具、园艺工具、车马挽具。

三、技术培训与服务

供销社重视对技术、保管、营业人员的培训，每年采用分别选送出去，参加各种类型专业学习和举办各种类型会议、培训班等办法，培养具有多种层次、适应多种需要的技术力量。

县农资公司和6个基层社均建有庄稼医院，开展送技术服务，向农民传授农业科技知识，介绍农资商品使用技术，指导农民科学施肥，安全合理使用农药。

四、氮肥销售

1982年前，氮肥销售价格执行国家统一的零售价，1982年，氮肥出现多渠道经营，市场出现了多种价格，即统一零售价、计划外商品企业定价和集市价格3种形式。

计划内氮肥，实行统一的零售价，按国家规定分级管理权限制定。

氮肥与粮食的比价关系：1989年，出售0.5千克稻谷可买尿素0.335千克，农民凭票到供销社网点购买。

供销社计划外氮肥销售价格按贵州省规定办法计价，报有关部门批准，执行批货批价或综合销售价。

集市氮肥价格是根据市场情况，随行就市。

五、化肥供应及政策

化肥供应：1989年1月，国务院作出关于化肥、农药、农膜实行专营的决定，国家委托商业部中国农业生产资料公司和各级供销合作社的农业生产资料经营单位，对化肥、农药、农膜实行专营，其他部门、单位和个人一律不准经营上述商品。1992年，化肥经营取消部分计划，废止“双轨制”。2002年以后，化肥经营取消所有限制，全部放开。

2006年起，县人民政府建立化肥淡季储备补贴制度，委托供销社代政府储备农用化肥，每年给予化肥经营企业10万元化肥淡季储备补贴，降低了供销社企业的化肥淡储风险，调动供销社化肥经营企业对化肥淡储旺供的积极性。

2012年，全县供销社系统生产资料销售6722万元，销售各种化肥30067吨，到2015年，全县供销社系统生产资料销售上升到9067万元，销售各种化肥39563吨，其中：尿素15825吨、碳铵6510吨、复合肥14533吨、钾肥357吨、磷肥2338吨。

第四节　城乡生活资料经营

供销社担负向全县农民供应生活资料，其网点90%在农村。计划经济时期，日用工业品属供销社兼营，一些紧俏商品如自行车、手表、缝纫机等重要生活资料供应，实行统购统销，均按供应人口范围分配，各种商品价格由国家制定，形成农村市场由供销社独家经营、一枝独秀格局。供销社所经营的商品有日用百货、棉布、针织品、五金交电、副食品等几十类数千个品种。

1978年，全系统生活资料零售额958万元。

随着改革开放不断深入，“以国营为主导，多种经济成分、多种流通渠道、多种经营方式购销”的格局逐步形成，工农业生产呈现新的起色，市场商品逐年增多，物资丰富。随着市场经济的初步形成，供销社一统天下和单一流通渠道被打破，20世纪80年代初期，开始出现个体经济，跨省、跨市、跨行业的购销形式逐步形成。改革开放之初，供销社所属专业公司和基层供销社对个体商户营销工业品开展批发业务，将竞争对手变为助手，跨区跨县赶场和增设摊点营业，扩大销售。1980年，共销售各种香烟11798箱，各种胶鞋128100双，各种布类123万2千米，自行车463辆，手表289只，缝纫机469台，成衣成裤1100多件，日杂陶瓷器93万件，各种大小铁锅21000口，摆金供销社到贵阳加工银饰品种16个。

1985年1月，贵阳市举办春节农产品进城展销会，县联社组织各区供销社和县公司运送10车商品参展，在贵阳大南门邮电大楼前设摊销售，三都的猪肉，芦山的豆腐，摆金的晚米（粳米）粑，雅水的大米，日杂公司的筛子、簸箕等日用杂品，市民踊跃购买，运去的商品当天销售一空。以后几年的元旦和春节前夕，各区供销社都运商品到贵阳参加展销。三都、摆金和王佑区供销社，先后购置客车，开展旅客运输，每日开贵阳往返。三都区供销社每天清晨运鲜蔬菜到贵阳出售，扩大经营项目。县内多次举办国庆节夜市，各区供销社运来商品销售，尤以削价处理商品深受群众欢迎。随着城乡人民生活水平提高，购买力增强，供销社根据群众需要，逐年扩大经营品种，分销店经营品种在300种以上，区供销社所在地门市部经营品种在1800种以上。对高档的电冰箱、彩色电视机和结婚用品，供销社都超前进货经营，并扩大经营水泥和玻璃等建筑材料。1990年，销售量上升的商品主要有：粮食酒8.1吨，香烟1.8万条，棉布14.8万米，床单8007张，各式成衣8783件，洗衣机307台，电视机113台，电冰箱22台，电风扇164台，玻璃8150平方米，水泥175吨等，全年生活资料销售额1095万元，首次突破全年销售额超千万元，创供销社销售历史最高纪录。

随着社会主义市场经济的不断完善，不同形式的个体和私营经济发展迅猛，其灵活多变的经营方式给供销社带来极大的冲击，加之供销社各种遗留历史问题，经济包袱沉重，同时，受管理体制、经营机制的束缚，经营逐步萎缩，部分企业出现亏损。为扭转局面，1992年，全系统实行抽本租赁经营，由承包柜组自由进货、自主经营、自负盈亏，上缴承包金的经营模式。

第五节　生产扶持

1978年，随着多种经营的发展，全系统因地制宜建立了辣椒、葵花、花生、柞蚕、柑橘、烤烟、土烟等品种的商品生产基地56个。全年全系统组织供应花生种30644千克、葵花种1257.5千克、生姜种23360千克、辣椒种598千克、茶叶种2510千克、麻种100千克、柞蚕种495千克、黄花苗20万株、烤烟苗75万株、阳核桃4700株、黄岩梧苗187600株。1979年，县供销社试验放养双季柞蚕成功，成为贵州省年放养双季柞蚕成功的第一个县。

1984年，全系统支持“两户”213户，其中，种植业252户，养殖业47户，加工业15户，主要品种有：生姜、花生、西瓜、芹荸荠、柑橘、辣椒、五倍子、饲养鸡、鸭、鱼、中药材等28个品种，产值达22万元，同时，签订278份农商联营合同，各种形式的联营295户，总值达15.5万元。签订15份长达20年的合同，全系统组织供应各种种子750千克，发放预购订金、生产扶持资金1.2万元，优先供应各种化肥137吨。

一、技术指导

印发资料 长期以来，帮助农民发展多种经营，县供销社和基层供销社配备专职生产辅导员，经常深入产地，指导生产，并翻印大量技术资料，印发各基层供销社的收购站、农民，指导采收、加工。其中，比较系统全面的宣传资料，有贵州省土产公司收集土产6类75种、废旧物资7类65种、副食果品2类56种资料《贵州土产手册》，为社员代表订阅《贵州农民报》，同时，开展好产前、产中、产后服务。

技术培训 为扶持发展烤烟、桑蚕、柑橘、蔬菜、葡萄和其他农产品生产，扶助农民发展多种经营，县供销社采用多形式多层次举办农村实用技术培训班，培训生产、采购人员，选派技术骨干参加上级供销社和有关部门举办的专项或综合培训。1980年，举办农产品采购员培训班，全县供销系统所有收购站的78名收购员和53名社员参加培训。2010年以来，每年均举办柑橘、葡萄、蔬菜种植培训，每年有200名农民和供销社职工受训。

应用技术推广 1988年后，与贵州农学院合作，聘请教授、专家作为供销社柑橘种植技术顾问，在供销社龙摆尾柑橘种植示范基地研发惠水金钱橘，促进了惠水柑橘产业的发展。2010年，供销社在三都镇实施农业产业化“185”工程示范园建设，聘请葡萄种植能手进园管理，辐射带动全县近1000亩葡萄种植。

二、资金扶持

县供销社资金扶持农副产品生产，有苎麻、桑蚕等品种预购资金，80年代，根据有关规定，供销社从利润留成或税后盈利中提取10%作为扶持生产资金。

三、基地示范

在扶持农村发展生产的同时，县供销社因地制宜发展商品生产基地。1985年，三都区供销社在区属毛家苑公社龙摆尾租赁荒山约500亩，建设柑橘生产基地，主要种植温州蜜橘，1980年，县土产公司在距县城3千米处的七里冲一带建设108亩橘园，成为供销社的第二个柑橘生产基地，辐射带动附近村寨农民的柑橘种植。1990年，收获7.5万公斤。经过多年改造，现已成为惠水县最大的“牛肉红”柑橘种植示范生产基地。三都区供销社办橘园有成效，对社会产生很大影响，激发了多户农民发展家庭小果园的积极性，对本县农村发展水果生产，增加农民收入，提高生活水平，产生了很好的社会和经济效益。1994年后，县土产公司在七里冲一带橘园被划为县工业园区而停止生产，橘园土地转让给有关企业建厂。

四、社办工业

1987年，县社筹办惠水县卫生纸厂，1990年7月，经验收试产，产品质量达到设计要求。由于生产技术原因，1992年租赁给惠水造纸厂，作为惠水造纸厂的一个生产车间。2001年10月，承包给湖南邵阳纸厂生产经营。2007年，因环保问题关闭并注销。

第六节 社员代表大会 股金管理

一、社员代表大会

供销社社员代表大会是供销合作社实行民主办社、民主监督和民主决策的基本制度，是供销合作社的最高权力机构。它的主要职权是：制定、修改或讨论通过本社章程；审查和批准本社理事会、监事会工作报告和财务报告；选举和罢免本社理事会、监事会成员；接纳或取消社员社（成员单位）；讨论并决定有关本社的其他重大事项。

1956年前，县供销社系统实行民主管理，先后召开两届社员代表大会，成立了理事会、监事会，始终依靠群众，并置于群众监督之下，使供销社确实成为群众自己的合作经济组织。

1962年，党中央采取一系列措施，国民经济开始好转，国家度过了困难时期，供销社的一切工作恢复正常，基层供销社和县供销合作社联合社分别召开了第三届社员代表大会，进行了盈利分红和增资扩股工作，加强供销社在组织上的群众性。

1983年3月20日，全县6个基层供销社召开第四次社员代表大会，选举产生新的理事会、监事会，按革命化、年轻化、知识化和专业化要求配备了基层社的领导班子，成立惠水县供销合作社联合社，并召开第四次联合社社员代表大会。

1987年2月，县、区供销社先后召开第五届社员代表大会，选举新一届理、监事会领导班子，审定经营方针、计划、财务预决算、分配方案等。至此，未再召开社员代表大会。

二、社员股金

1983年，全系统对社员股金进行清理，落实股权，进行分红，在此基础上进行增股扩股。截至8月底，全县新老社员入股33366股，股金61377.97元，各基层供销社根据其盈利情况进行分红，最高的基层供销社每股2元股金分红利2.6元。1986年底，经过几年的增股扩股，全系统社员股金增至10.05万元。2005年9月，全县6个基层社实行改革改制，按企业改革改制实施方案清退了部分社员股金，到2012年底，全县供销社社员股金8.1万余元，县供销社通过公告、基层社通知、社员互传等方式，社员股金户需带社员股金本或其他能证明持有社员股金的有效证件到供销合作社办理清退手续。2012年到2015年期间，清退社员股金100余元。2015年后，社员股金仍陆续的清退至退完为止。

第三章　粮油贸易

第一节　机　构

1950年1月，成立县粮食局，负责全县粮食流通和行业管理工作。1978年，县粮食局内设：人事保卫股、财会统计股、业务储运股、基建加工股。

1980年6月，贵州省人民政府以黔发〔1980〕88号文件批转《贵州省粮食厅关于成立粮油议购议销公司的请示报告》：同意惠水县成立“惠水县粮油议购议销公司”，1989年11月，更名为“惠水县粮油贸易公司”，为企业单位，实行独立核算，专管粮油议购议销工作。业务上受县粮食局和上级公司双重领导。

1981年成立“县粮食局车队”，1983年成立“惠水县粮食局计统股”和“饲料公司”。1984年工业区粮店并入姚哨区粮食管理所。

1984年末，县粮食局内设人秘股、业务股、财会股、储运股、基建加工股、计统股、粮油议购议销公司和饲料公司；下属三都、姚哨、摆金、雅水、王佑、断杉6个粮食管理所；姚哨粮食管理所辖赤土、长田、大坝、上马4个粮站；三都粮食管理所辖三都、卧龙、大龙、九龙、毛家苑5个粮站；摆金粮食管理所辖摆金、甲烈、岗度、宁旺、祥摆、本底、斗底、甲坝8个粮站；雅水粮食管理所辖雅水、洛平、太阳、牛场、董照、党古、鸭寨7个粮站；断杉粮食管理所辖断杉、甲戎、抵季、羡塘、新场、西混、定里、花山、拉林9个粮站；王佑粮食管理所辖王佑、雅羊、芦山、长安、打引5个粮站。县粮食局直属管理城关粮店、西门仓库、粮油加工厂和车队。

1993年1月，将惠水县粮油加工厂和县饲料公司合并组建“惠水县粮食局粮油工业贸易公司”。是年2月，惠水县人民政府〔1993〕7号文件批复：同意县粮食局成立“惠水县粮油食品工贸总公司”，与县粮食局机关实行两块牌子、一套人马，行政职能不变，粮油供销渠道不变，财务结算不变。粮食系统各基层单位同时成立公司，实行一套人马两块牌子，即：惠水县粮油工业贸易公司、惠水县粮油贸易公司、西门粮油公司、城关粮油公司、姚哨粮油公司、三都粮油公司、摆金粮油公司、雅水粮油公司、断杉粮油公司和芦山粮油公司。

1999年5月，经惠水县人民政府批准，成立惠水县粮油收储总公司，同时，以各粮食管理所、直属仓库、城关粮店所辖范围为单位建立粮油收储公司，撤销以原各粮食管理所、仓库、粮店为单位设立的粮油公司。并从5月1日起，启用“惠水县粮油收储总公司”及西门、和平、惠民、三都、姚哨、断杉、芦山、摆金、雅水9个粮油收储公司印模；作废“惠水县粮油贸易公司”“惠水县粮油食品工贸总公司”及城关、西门、三都、姚哨、断杉、芦山、摆金、雅水8个粮油公司印模。

同年10月，成立“惠水县粮食购销公司”，为独立核算、自主经营、自负盈亏、自我约束、自我发展的经济实体。将原各粮食管理所、直属仓库、粮店为单位设立的粮油收储公司更名为粮食购销分公司（和平分公司、姚哨分公司、三都分公司、断杉分公司、芦山分公司、摆金分公司、姚哨分公司、西门分公司）。2000年5月，启用惠水县粮食购销公司及分公司印模，同时，作废县粮油收储公司及各收储分公司、各片区粮食管理所印模。

1998至1999年，县粮食局内设：办公室、业务股（含储备调运股）、计财股，核定行政编制15人。

2003年进行粮改，惠水县粮食购销企业结构调整为：独立核算的粮食购销公司1个（惠水县粮食购销公司），下属报账制公司7个（和平、高镇、三都、摆金、雅水、断杉、芦山），基层收购站、点24个。

2006年，县粮食购销企业实施产权制度改革，重组粮食购销公司，将原7个分公司调整重组为3个分公司，即将高镇、摆金、雅水分公司合并组建为雅水分公司；将断杉、和平分公司合并组建为和平分公司；将三都、芦山分公司合并组建为三都分公司。

2001至2011年4月，县粮食局内设机构改为：办公室、市场流通股、储备基加股、计划财务股，核定行政编制8人，事业编制5人。

2011年5月，政府机构改革，撤销县粮食局，将其承担的职能划归县发展和改革局。县发展和改革局内设“粮食储备及流通股”，承担粮食流通和粮食储备管理职能。

2015年1月，惠水县粮食购销公司与和平、雅水、三都3个分公司进行整合重组为“惠水县粮食购销公司”。

第二节 粮油体制改革

1978年前，粮油贸易实行高度集中的计划经济统购统销流通体制。1978至1984年，粮食征购实行统购统销制度。1985年，取消粮食统购，实行国家合同定购，粮食流通体制从高度计划的统购统销走向合同定购与市场收购的“双轨制”购销体制。

1989年，惠水县粮食议价经营归口议价公司核算和经营。

1990年，粮食合同定购改为国家粮食定购。1993年，取消购粮证，粮油经营和价格全面放开，粮食企业从管理型走向经营型，走向市场，参与市场竞争。

1993年1月，为适应粮食经营体制转换，将惠水县粮油加工厂和县饲料公司合并组建“惠水县粮食局粮油工业贸易公司”。

1996年1月1日起，实行两条线运行，核心内容是把政策性业务和商业性经营严格分开，基本原则是“统一领导，两线运行，明确职责，分别核算，稳定市场，搞活经营”。要求县粮食局组织和领导所属基层单位，认真做好划分政策性业务和商业性经营工作，实行财务分账，分别核算，防止费用互相挤占。对政策性业务单位和承担政策性业务的商业性经营单位由财政按定额代理费用及时足额给予补贴。商业性经营单独核算、自负盈亏，不承担政策性亏损。

是年，县粮食局制定了实行两条线运行的实施方案，建立内部结算中心。从1996年元月1日起，惠水县粮食系统类贷款全部由结算中心向发展银行统贷统还，对企业实行上贷下划。

1998年，取消粮票使用，完成新旧体制的磨合。惠水粮食购销体制完成了从计划经济体制到市场定价、自负盈亏、市场自主流通的市场化转变。

1999年5月，根据国务院《进一步深化粮食流通体制改革的决定》精神，实行粮食行政主管部门与收储企业人、财、物彻底脱钩，经惠水县人民政府批准，成立惠水县粮油收储总公司，同时，以各粮食管理所、直属仓库、城关粮店所辖范围为单位建立粮油收储公司，撤销以原各粮食管理所、仓库、粮店为单位设立的粮油公司。

是年10月，根据《惠水县人民政府办公室关于印发惠水县粮食局〈推进粮食流通体制改革，实行政企分开的实施方案〉的通知》精神，惠水县粮食系统实行政企分开。

2000年，县粮食局指导粮食购销公司建立健全各项规章制度，完善经营体制。县粮食购销公司及所属分公司，独立自主开展各种粮食购销经营活动。原惠明粮食购销分公司和西门粮食购销分公司实行合并，进行重组。对连年亏损的县饲料公司实行关闭停产，人员转岗分流。将雅水精米车间和三都精米车间分别从所属分公司剥离出来，作为新成立的“惠水县米业公司”的生产加工车间。

2003年，根据《省人民政府关于我省国有粮食购销企业改革和发展的实施意见》和《县人民政府关于我县国有粮食购销企业改革和发展的实施意见》，稳步推进惠水县粮食购销企业改革。

粮改前，惠水县粮食购销企业在册职工350人（其中：在职249人，离退休101人）；粮食购销企业布局为：1个独立核算公司（惠水县粮食购销公司），8个报账制购销分公司（和平、高镇、三都、摆金、雅水、断杉、芦山、西门），购销经营站点39个，遍布25个乡镇，总仓容3.7万吨。全县粮食购销企业总资产为3222万元（其中：固定资产419万元，流动资金2802万元），全县粮食总库存12315吨（其中：代省级储备1389吨、企业周转10926吨）。截至2003年6月，全县粮食购销企业共欠缴养老保险金、失业保证金90余万元。惠水县粮改领导小组在调查研究的基础上，广泛听取企业职工意见，并结合惠水县粮食购销企业的实际，研究制定了《惠水县粮食购销企业改革实施方案》和《惠水县粮食购销公司关于职工安置和全员竞聘上岗实施方案》。在粮食企业系统内部召开了三个层次的会议（县粮食局领导班子会议、企业经理会议、职工会议）进行充分讨论，报惠水县人民政府审批后公布实施。按照实施方案，分三步实施粮改：第一步，通过竞聘产生县粮食购销公司经理和副经理；第二步，竞聘产生各分公司经理、副经理；第三步，通过竞聘确定上岗人员。对粮食购销企业（含饲料公司、工贸公司）富余人员，男满55周岁以上，女满45周岁，或工龄满30年，原则上不置换身份，实行企业内部退养。内退期间，由企业按相关规定发放生活费，并为其缴纳社会养老保险，直到退休年龄时办理退休手续。对不能实行内部退养的职工，企业按黔南州1104.00元/人年的统一标准，给予一次性经济补偿。改革资金由省、地、县财政共补助242.1万元，缺口部分采取公开拍卖部分闲置资产、门面和清理职工短欠款的方式筹措，截至2003年底，共进行资产置换272万元。2006年8月底，惠水县粮食购销企业改革取得阶段性成果。

通过实施粮改，粮食购销企业职工得到了妥善安置和分流。一是全县粮食购销企业，通过竞争，重新确定上岗62人。二是明确内退88人，每月每人按258元发放基本生活费。三是有101人与企业解除劳动关系，2003年7月底领取一次性补偿安置费。四是粮改后，粮食购销企业职工由原来的251人减少为150人，职工总数比粮改前减少40%。五是企业结构调整为：独立核算的粮食购销公司1个，下属报账制公司7个（和平、高镇、三都、摆金、雅水、断杉、芦山），基层收购站、点由39个减为24个。2003年6月，资产处置资金收入240万元。

2006年，县粮食购销企业在2003年粮改基础上实施产权制度改革：一是按政策安排24名职工内退内养，实行一次性补偿安置28人，共支付补偿金67730元。二是重组粮食购销公司，原则上实行国有独资，承担县政府委托的县级储备粮，救济救灾和军粮供应，负责全县粮食政策性业务，负责粮食行政管理部门委托管理国有资产保值增值。三是将原7个分公司调整重组为3个分公司，即将高镇、摆金、雅水分公司合并组建为雅水分公司；将断杉、和平分公司合并组建为和平分公司；将三都、芦山分公司合并组建为三都分公司。四是企业实行合同聘用制。结合企业经营现状，重新聘28名职工，6月底，全县粮食购销企业重新聘用上岗人员39人。

惠水县粮食购销公司1997年创建并注册的“雅晶”牌大米，2003年10月获贵州省“优质农产品”名牌称号；2004年12月获得国家食品安全认证QS证书；2005年9月被中国粮食协会评为“放心米”称号；2006年元月荣获农业部颁发的“无公害产品”称号；2006年11月在湖南长沙举行的中国第五届优质稻米博览交易会上荣获中国优质稻米最高奖“金奖”称号。2007年11月获贵州省粮食行业协会颁发的“放心粮油”证书。

截至2011年，惠水县在县城主城区建成4个放心粮油店，2个放心粮油配送中心（三都、雅水），基本形成辐射惠水县20万人的放心粮油销售网络。

2011年7月，贵州金晨农产品开发有限公司入驻惠水，参与全县粮食种植、生产加工、销售和储备。

2015年1月，惠水县粮食购销公司与和平、雅水、三都3个分公司进行整合重组为“惠水县粮食购销公司”，年末公司员工25人。承担中央和县级储备粮保管、检验、推陈储新、余缺调剂、收购、加工、销售等职责。

惠水县粮食购销公司位于惠水县涟江街道，辖2个精米加工厂，拥有日产50吨精米加工设备、色选设备、自动包装等设备2套，粮油专用送货车2辆。仓容量17132吨（其中：有效仓容11050吨），截至2015年，连续11年完成县级2000吨粮食储备任务，三年一轮换，进行了三轮推陈储新工作，是年完成第四轮入库工作。同时，完成中央储备粮管理5000吨的中储粮任务。

第三节　粮油收购

1978年，县粮食收购任务仍统一执行全国征购超指令性计划，稳定“一定五年”的12955吨粮食征购任务，是年，全县实际完成征购超任务23526700斤，占任务的90.8%，统购价格：即100市斤（籼稻谷11.55元、大米16.00元、小麦15.70元、玉米11.6元）。

1980年9月11日，县革委会决定，成立惠水县粮油议购议销公司，负责全县粮食议购议销工作。是年，粮食征购超额完成10302150千克，其中，大米7879250千克，杂粮1896750千克，粮食议购894550千克。

1984年，按省人民政府黔府〔1984〕77号文件规定，从9月1日起，收购稻谷、玉米、小麦，不再分别按统购超购计价，实行综合计价办法。即每50千克（籼稻谷15.80元，籼米22.50元、小麦19元、玉米15元）。

1985年，取消粮食统购，实行计划定购，其收购价格改为比例收购价（综合收购价），即每50千克（籼稻谷16.1元、玉米15元、小麦19元、大豆34.5元）。

1987年，调整部分粮食价格，即每50千克统购价（籼稻谷12.93元，超购价19.4元，比例价18.1元；玉米13.3元，比例价17.4元）。

1989年，根据不同品种的生产、供应情况，对每50千克粮食标准等级的定购价调整提高（籼稻谷由现行18.1元提高到23.1元；玉米由现行17.7元提高到18.7元；小麦，由现行23.2元提高到24.7元；菜籽油，由现行148.4元提高到158.4元）。

1992年，明确定购粮食超过原定价任务83%以外部分的收购价格，按每50千克（含奖售平议差0.5元）（大米50元、小麦36.10元、玉米27.20元）。

1993年，是放开粮食价格经营的第一年，按随行就市、保本微利原则，合理测定定购粮的定购价，执行1992年议定购粮食定购价格作为保护价的规定，凡是定购计划内的粮食一律按保护价收购，公粮（农业税）结算价格每0.5千克（稻谷0.31元、大米0.45元、玉米0.31元），余粮随行就市，由粮食部门组织收购。

1997年，发挥粮食购销主渠道作用和市场粮价形势的主导作用，对农民留足口粮，种子粮、饲料粮和必要的储备以外的余粮，坚决做到按保护价敞开收购、不拒收、不限收、不停收、不打欠条，并不得代扣各项提留款。是年，县收购定购粮9525吨，市场收购2151吨，总计收购粮食11676吨。执行的保护价格，按每50千克粮食（中籼稻65元、中籼大米94.2元、玉米61元、小麦66元、桂朝稻59元、晚籼大米100元）。

1998年，粮食流通体制按“三项政策、一项改革”执行，按保护价敞开收购农民余粮，国有粮食购销企业实行顺价销售，粮食收购资金实行封闭运行和加快国有粮食购销企业自身改革。是年，为保护农民种粮积极性，维护粮食市场秩序，5月，实施国务院颁布的《粮食购销行为违法处罚办法》。

2003年，是县购销企业实施改革的第一年，全县共收购粮食5000余吨，同比增加3000余吨。

2004年，全面放开粮食收购市场，为实现粮食购销市场化和市场主体多元化，建立对种粮农民直接补贴机制，保护粮食主产区和种粮农民的利益。是年，购销企业收购粮食10916吨，为确保县地方粮食安全，在发生重大灾害事件或严重自然灾害等特殊情况下有粮供应。

2005年，全县购进粮食4922吨，比上年同期少收购20820吨，其中：稻谷4323吨，大米668吨，玉米22吨，收购量占上年秋粮收购初期的70%。

2006年，在市场粮价持续下跌情况下，公司履行承诺，按每百斤高于市场价格5～6元收购价，兑现收购4000余吨订单粮食，让种粮户增加收入40多万元。2007年，根据全县25个乡镇不同种粮情况，公司在三都、雅水、羡塘等产粮区，以高于同等粮食收购保护价与种粮户已签订订单收购粮食5770吨。

此后至2013年，粮食收购采取以优质米订单协议上门收购，实行“公司+基地+农户”的模式，带动农户脱贫增收，即县财政出资购买种子免费提供给种植户。2013年，在全县推广高粱育苗移栽技术种植16423亩，在三都镇和雅水镇建立高档红米种植基地，落实优质红稻8000多亩，惠水特色黑糯米2000亩。

表12-8

1978—2004年惠水县粮油收购（议价）统计表

单位：吨

年度＼收购	粮油征收							议价收购					
	任务数	完成数	其中					总数	其中				
			大米	杂粮	大豆	糯米	油菜籽		大米	小麦	大豆	杂粮	油菜籽
1978	—	11763.3	—	—	—	—	—	—	—	—	—	—	—
1979	—	10493.7	—	—	—	—	—	—	—	—	—	—	—
1980	—	10302.15	7879.25	1896.75	—	—	—	894.55	—	—	—	—	—
1982	10860	12304.85	8568.25	3533.4	281.2	—	—	1700	894.5	291	56.5	—	—
1983	11050	11293.85	8728.95	2214.95	113.1	210.15	1652.8	2305.8	1754.4	320.3	—	—	—
1985	10350	10350.65	8899.55	1381.65	136.4	—	1372.35	3945	—	—	—	—	—
1986	9200	9203	7079	1659.4	—	—	—	868	443	—	85	340	—
1987	9200	8129.8	6470.4	1659.4	—	—	—	1689	1085	—	—	604	964.7
1988	9200	8874	—	—	—	—	—	5340	—	—	—	—	—
1989	9200	9413.5	7747	1666.2			102.6	2357	167	—	—	—	306.5
1990	9826	9151	—	—	—	—	—	—	—	—	—	—	—
1992	9200	10082.9	4956.7	910.7（稻谷）	4215.5（稻谷）	—	—	—	—	—	—	—	—
1995	—	9370.7	4741	1188.7	4887.3（稻谷）	62.7（小麦）	—	8074	4469	1767	—	—	294
1996	—	9526	4494	1183	—	46（小麦）	—	5470	3131	1438	5	1438（玉米）	451
1997	—	12870	—	—	—	—	—	2151	—	—	—	—	—
1998	—	13746	—	—	—	—	—	3655	—	—	—	—	—
1999	—	10526	—	—	—	—	—	3047	—	—	—	—	—
2000	—	15265	—	—	—	—	—	6887	—	—	—	—	—
2003	—	4873	—	—	—	—	—	2473	—	—	—	—	—
2004	—	5367	—	—	—	—	—	10916	—	—	—	—	—

第四节　粮油销售

粮油销售分平价、议价“双轨”运行，议价以平抑市场略有利润为目的，贸易中不受太大约束。平价（包括中价、比列价、超购价加费用）受政策限制。销售对象分农业和非农业，农业包括民工、救灾、救济、菜农口粮、母猪下崽饲料；非农业包括城镇居民、工业、事业、饲料厂等。

1978年，粮油销售统销价格，即每50千克（大米13.9元、面粉14.5元、玉米9.6元、菜油75元）。城镇居民口粮根据规定、按定量凭购粮证供应，驻军凭军用粮票供应，供应价格按统销价执行；食油凭贵州省粮食局发放油票按定量供应。是年，城镇居民口粮供应标准：1周岁以下仍按每月定量7斤，1周岁以上3周岁以下儿童每月定量6千克，3周岁以上5周岁以下8千克，6周岁以上9周岁以下10千克，10周岁以上儿童及城镇居民12千克，轻体力职工11.5千克、重体力18千克、矿井伐木工种和部队每人每月22.5千克，特重体力无变动，食油供应每人每月4两。粮食销售基本上实行统购统销，农村除救灾的定销外，采取议价粮食供应办法解决农村缺粮户，城镇非农业人口粮食执行“一人一份口粮，干什么工作，吃什么定量”的政策，把销售指标按人口、工种下到各粮所（站点），压缩不合理销售，按规定供应粮油。

1980年，开展粮食议购议销工作，是年，议购议销各种粮食494750千克，从此作为粮食部门的一项业务。1984年6月起，对贵州省地方食油票供应，实行只收不发，至1985年1月1日起，在全省停止使用。

1985年，根据粮食价格调整规定，每50千克粮食统销价调整为（大米13.9元，比例价23.00元；玉米9.60元，比例价15.00元，籼稻谷比例价16.10元）。

1991年5月1日起，调整粮油统销价格，这是继1966年以来对粮油统销价格的一次重大调整，即粮食每1斤调高〈籼米（中等）0.25元，面粉0.27元，玉米0.16元〉。

1995年，粮食销售实行不限数量，不限品种，随行就市，敞开供应办法，由于统销价格已接近市场价，定量人口的粮食供应仍按原来的规定办理人口定量的增减和迁移手续，购粮本由本人或由集体户单位妥善保存备用，县留作周转的粮油票，于4月27日前上解州粮食局集中统一销毁，凭购粮证和粮票买粮历史结束。

2004年12月，公司拥有注册“雅晶”牌商标惠水大米，获全国食品行业“QS”认证标志。2005年9月，被国家粮食行业协会授予“放心米”荣誉称号；2005年，全县粮食销售8001吨，实现粮食销售收入1337.85万元，比上年同期少销售1029吨，占上年销售量的89%，上年粮食销售主要有“消化”老库存高价粮8085吨。是年底，全县购销企业实现销售收入1337.85万元，粮油经营量16360吨，累计亏损81.2万元，其中，和平分公司亏损22.54万元，姚哨分公司亏损22.00万元，三都分公司亏损3.94万元，摆金分公司亏损20.42万元，断杉分公司亏损10.08万元，芦山分公司亏损1.16万元。是年粮食经营亏损主要是玉米经营亏损，因上年收购玉米价格较高，且质量差、水分重，到是年销售时，有些分公司收购玉米开始霉烂变质。全县粮食购销企业仅玉米霉烂就损失11.2万元。

2006年1月，国家农业部授予“无公害食品”称号，同年11月，在湖南长沙举办中国第五届优质稻米博览交易会上，“雅晶牌”大米荣获中国稻米最高奖“金奖”称号，提高县大米的知名度和市场占有率，拓展了广阔的经营空间，先后与贵州军供粮站提供部队用粮，给贵阳黄果树集团、贵阳一中、贵州铝厂、贵阳火车站客运段等单位签订了大米供销合同，年供应量均在3000吨以上。

2004至2007年，在购销企业累计销售的29718吨各类粮食中，“雅晶牌”系列品牌大米约占企业累计销售量的32%，成为县购销企业粮食产业化经营中一个新的经济增长点。

2009年，县从事粮食经营120多户，除4家以公有制为基础的国有粮食购销储存企业外，其余为以非公有制为主的农村粮食经营、加工企业和个体工商户。是年，县从事粮食经营120多户，办理粮食收购许可证32户，其中，国有粮食经营收储企业5户；非公有制粮食经营企业27户，其中，非公有制转化为粮食企业4户，粮食加工企业5户，上规范个体粮食购销经营18户。

2010年，落实《关于实施放心粮油工程意见》，为拓展粮油销售渠道，在县城区实施三个“放心粮油经营店”建设，共投入专项配套建设资金171600.00元，其中，用于支付人民北路放心粮油经营店6000元；长征路放心粮油经营店4180元；上马路市场街放心粮油经营店6980元。项目建设单位自筹资金部分主要解决各店面装修、粉刷，地面防潮设施和必要部分设备器材等。

县人民北路放心粮油经营店，多年来，经营县粮食购销公司生产的“雅晶牌”“卧龙牌”等优质精装大米，以及“金龙鱼”、鲁花等其他品牌的桶装油，同时，经营其他精装大米和精装菜籽油，年经营各种粮食10吨左右，食用油经营量30吨左右。县长征路放心粮油经营店，主要以经营安徽、河南等省正规厂家生产的高精粉、面包粉、面条粉、油条粉等七八个品种，直接从县乡镇收购大米整理质量后零散销售，还经营各种桶装、散装菜油。年面粉经营600吨左右，大米经营80吨左右，菜油经营30吨左右。县市场街放心粮油经营店除经营县粮油购销公司生产的品牌优质精装、散装大米外，经营各种桶装调和油，散装菜油、面粉、面条和各种杂粮。年销售各类粮食2000吨左右，面条150吨左右，菜油50吨左右。

2010至2013年，粮食销售采取成立“放心粮油配送中心”和县城内的3个“放心粮油经营店”方式进行销售，同时，在全县救济和突发性灾民的粮食供应中，分别在三都和雅水建立2个粮食应急加工点。随时准备供应200吨大米应急供应。是年，共组织供应救济粮525吨，军供粮食177吨。另销售粮食1954吨，实现销售利润9.59万元。

2014年，粮食购销公司采取掌握充足粮源，开展规模经营，金晨公司在惠水雅水镇建立2500亩红米种植基地，100亩良种繁育基地，12000亩优质米生产基地，主动向订单农户推荐种植“惠水老红米”“丰优雪占”等优质品种，公司是年销售收入2000万元，净利润150万元。解决就近就业人员35人，取得10000亩无公害农产品产地认证。

2015年，县承担县武警中队、县消防大队、贵阳军供站、龙里军供站军粮代供工作，县共供应军粮75800万斤。共组织供应救灾救济粮食1129吨，随时备足225吨大米保证应急需要。是年，全县粮食实现销售收入7167.45万元，粮油经营量为36289吨，实现盈利486.86万元。金晨公司荣获贵州省农业产地化经营重点龙头企业称号；荣获省商务厅授予省级电子商务示范企业培育点称号；贵州省粮食协会授予“省级放心粮油示范加工企业”；获国家质量监管检验检疫总局批：“惠水县人民政府获批惠水黑糯米为国家地理标志保护产权”。

1980—2004年惠水县粮油销售（市场）统计表

表12-9　　单位：吨

销售 年度	粮油销售							议价销售			
	任务数	完成数	其中					总数	其中		
			非农业	农业	救灾粮	储备粮	食油		大米	杂粮	大豆
1980	—	—	—	—	—	—	—	894.85	—	—	—
1982	—	7648.25	4765.25	2880.6	—	—	—	1390	—	—	—
1983	—	10649.25	7423.25	3226	—	—	—	1095.85	—	—	—
1985	—	—	635	1081	—	—	—	2550	—	—	—
1986	—	9414	7378	2036	—	—	—	3950	1620	1700	425
1987	—	7166	9255	911	—	—	—	—	—	—	—
1988	—	10496	8017	2479	—	—	—	7500	—	—	—
1989	—	7875	—	—	—	—	—	1391	—	—	—
1992	—	6898	—	—	—	—	222.7	—	—	—	—
1995	—	—	4310	—	310	2000	62	—	—	—	—

续表12-9

年度＼销售	粮油销售							议价销售			
	任务数	完成数	其中					总数	其中		
			非农业	农业	救灾粮	储备粮	食油		大米	杂粮	大豆
1996	—	3588	—	—	400	—	287.7	11943	—	—	—
1997	—	15884	9956（大米）	1262（小麦）	3542（玉米）	—	90.8	—	—	—	—
1998	—	6505	—	—	—	—	—	—	—	—	—
1999	—	—	8641（陈化粮）	—	—	—	—	7896（顺价）	—	—	—
2000	—	15474	1337（政策性）	—	—	—	—	6977	—	—	—
2003	—	6504	1364（陈化粮）	—	—	—	—	5140	—	—	—
2004	—	12345	—	—	—	—	—	—	—	—	—

表12-10

1998—2015年惠水县粮食购销公司购销统计表

单位：吨

年度	收购加工成品收回					销售				加工原料付出	本期结存				备注
	大米	稻谷	玉米	菜籽	大米	大米	稻谷	玉米	菜籽	稻谷	大米	稻谷	玉米	菜籽(油)	
1998	1234	17308	1961	369	1184	2913	2330	656	392	1864	639	29186	2332	—	其中：甲字粮2670吨，省级储备1450吨，县级储备1450吨
1999	1716	9254	669	1437	4509.1	4656	9394	2422	1485	7515.2	1026	24209	578	—	同上
2000	4332	14750	833	631	3104.2	6467	9970	1243	631	5173.6	413	27352	663	9	同上
2001	870	3952	426	—	1714.8	3571	6127	1035	—	2856.8	413	20847	39	8	同上
2002	365	487	283	—	263.4	548	9506	39	—	438.4	237	8822	435	1	其中省级储备1389吨
2003	108	1201	177	—	216	450	3256	185	—	360	115	7658	16	—	同上
2004	711	2020	1272	—	150.2	313	8700	16	—	350.4	657	3509	1272	—	其中县级储备944吨
2005	668	4232	22	—	636	1325	5401	1272	—	1060	232	2751	22	—	—
2006	491	3981	46	—	438	914	2623	67	—	713	94	3584	—	—	县级储备2000吨
2007	174	4651	46	—	414.24	863	3664	46	—	690.4	—	3510	—	—	同上
2008	1502	4676	—	—	720.96	1502	5842	—	—	1201.6	—	4344	—	—	同上
2009	343	2735	—	—	226.8	471	3273	—	—	376.8	130	3368	—	—	同上

续表12-10

年度	收购加工成品收回					销售				加工原料付出	本期结存				备注
	大米	稻谷	玉米	菜籽	大米	大米	稻谷	玉米	菜籽	稻谷	大米	稻谷	玉米	菜籽（油）	
2010	1114	668	9	—	491.76	1366	826	9	—	819.6	335	2438	—	—	同上
2011	1197	1236	—	—	729.1	1519	674	—	—	1215.2	—	3000	—	—	同上
2012	615	929	—	—	302.88	631	1581	—	—	504.8	—	2349	—	—	同上
2013	848	1505	—	—	407.04	848	955	—	—	678.4	—	2898	—	—	同上
2014	243	274	—	—	66.72	139	915	—	—	111.2	104	2249	—	—	同上
2015	1056	9791	—	—	594.72	1239	9559	—	—	991.2	37	2251	—	—	同上

第五节　粮油储运

1978年前，县内农户仍然采用传统的储存方法储备粮食，稻谷普遍采用编织袋、囤箩和地面散存方式，受鼠咬、虫蚀、霉变等因素影响高产低存的质量问题。

20世纪70年代，县代保管甲字粮180余万千克，1981年，建成岗度，党古、城关、直库、打引合理仓6栋，仓容量280万千克，面积1850平方米。在粮油装具上，购买油罐28个，储油17.5万千克，修建断杉和西门仓库油棚2栋，解决县粮油仓储问题。

是年，全县有41个存粮点，仓容2398.5万千克，存粮1768万千克，经普查，实现“四无”（无鼠、无虫、无霉、无雀）粮仓1268万千克。上调大米156万千克，菜油12.5万千克，桐油3万千克，面粉19万千克；调进小麦33.07万千克，玉米27.25万千克，省外调入稻谷118万千克。

1982年，粮仓调入528.07万千克，其中，小麦252.72万千克，大米47.91万千克，大豆7.06万千克，玉米等220.38万千克。与1981年对比，多调入194.33万千克，其中，小麦少调入11.34万千克，大米多调47.91万千克（主要为瓮安议价作平价调入），大豆少调10.53万千克，玉米多调168.28万千克。粮仓调出416.98万千克，其中，小麦7600千克，大米4140千克，玉米21950千克，与上年同期对比，多调出180.64万千克，其中。小麦少调42.76万千克，大米多调268.45万千克，玉米等少调45.06万千克；食油调出（括籽折油）1750千克，与上年同期对比，少调出10.6万千克；桐油调出2.69万千克，与上年对比少调出2700千克。

1983年，全县有43个储粮点（直库、城关、工区粮店），仓容3210万千克，存粮1753.01万千克。实现“四无”仓容2615.51万千克，实现“四无”存粮1416.5万千克，“四无”粮仓占总仓容82%，比上年同期（78%）上升4%，“四无”存粮占总库存的81%，与上年同期保持平衡。是年底，储粮库存844.77万千克，与上年同期对比增加169.07万千克，原因为多购进和多调入。小麦库存比增加27.29万千克，大米增加92100千克，杂粮增加142.64万千克，食用菜油增加19450千克，菜籽增加41.92万千克。

1984年，全县储粮点41个，仓容334.5万千克，储粮1316.92万千克，其中，安全粮1285.42万千克，半安全粮（高水分）31.5万千克，虫粮（一般）63.25万千克，严重虫粮8.25万千克，安全粮占总储粮97.7%。

通过普查鉴定，全县实现“四无”仓容3013.5万千克，占总仓容（3345万千克）的90%，实现“四无”粮食1197.47万千克，占总储粮（1316.92万千克）的91%，“四无”粮仓与上年同期相比上升28%，实现巩固“四无”粮仓4个（摆金粮所、直属库、王佑、姚哨粮所库）；实现“四无”粮站8个，即雅水区洛平、董照、太阳、断杉区甲戎、新场、断杉、西混、定理。

1985年，州下达粮食调出计划300万千克，实际完成303万千克，调入计划280万千克，实际完成321.8万千克。是年，粮食库存831万千克，其中，小麦48万千克，大米663.5万千克，大豆12万千克，杂粮107.5万千克，食用油脂25.5万千克，食用油料29万千克，非食用油脂4万千克。品种库存中，小麦比1984年少40万千克，大米少22.5万千克，大豆增加4.5万千克，杂粮增加44.5万千克，食用油增加9万千克，菜籽增加23万千克。

1989年，县保管粮油1082.1万千克，其中，科学保粮648.2万千克，占总储粮的72%，整晒处理高水分粮8.86万千克，熏蒸虫粮1199.78万千克，实现“四无”粮食占96%。

1991年，面临储粮多，仓容紧张，全县年平均库存达1800多万千克，年仓容使用率在60%以上。采取推陈储新，把存粮死角点放在1990年前入库大米75万千克，处理60万千克，整晒高水分粮36.3万千克，熏蒸虫粮累计225万千克，全县实现“四无”仓容10211.6万千克，实现“四无”粮油5493.4万千克。

2002年，全县粮食购销企业总资产3222万元，其中，固定资产419万元，流动资产2802万元，全县粮食总库存12315吨。其中，代省级储备粮1389吨，企业周转粮10926吨。是年底，全县粮食购销企业累计亏损3208.56万元，其中，1998至2002年末，新增亏损2071.56万元。

2004年，粮食局请示县人民政府同意建立县粮食风险基金50万元，建设县级储备粮3000吨（稻谷），权属县人民政府，首期启动2000吨粮库修建。是年底，完成收购县级储备粮（稻谷）2000吨任务。

2005年，公司针对库存粮食减少，坚持“以防为主、综合防治”的保粮方针，加强粮食储存监管，经组织相关人员到各库点核查，全县粮食储存“四无”达标100%，且账表、账账、账实、账证四相符。县级储备粮食2000吨，已安全保管近一年，粮食安全无事故。

2006年，县有粮油专用货车两辆，共有储粮库点12个，仓容量17132吨，其中，有效仓容11050吨，实现地槽、地上笼机械通风降温仓容10200吨（三都粮站仓容量7500吨）。公司与农户签订水稻种植订单，原粮收购仓储，原料采购严格按照质量标准分级分仓存放，杜绝高水分粮、霉烂粮、变质粮、陈化粮及污染粮收购入库。

2011年，代储中央储备稻谷5000吨保管任务。2012年，县粮食购销总公司连续八年承担和完成县级2000吨粮食储备任务。三年一轮换，进行了两轮推陈储新，圆满完成是年第三轮入库工作。同时，完成代中央储备管理公司5000吨的中储粮任务。

2013年，县粮食购销公司已连续9年承担完成县级2000吨储粮三年一轮换，进行了两轮推陈储新工作，储粮保管无疏漏。同时，完成中央储备5000吨储备任务，对代保管的中央储备粮食和县级储备粮食均达到“一符、三专、四落实”的标准。另开展实施“农户科学储粮专项建设”民生工程，争取中央、省、州科学储粮补助资金80万元，农户自筹资金72万元，向全县25个乡镇，4000农户发放彩钢板科学小型储粮仓4000台套。降低农村储粮损耗和霉变等问题。

2014年，县级储备粮2000吨，3月，完成对2011年的中央储备粮5000吨的出库，实现“四无”仓容量17132吨。全县储备粮完好，数量真实，粮食仓储“一符四无”，合格率连续10年保持100%，安全生产零事故，全系统科学保粮率达95%。是年，根据省、州对“危仓老库”维修改造实施方案，争取到县维修改造仓容10000吨，维修改造资金200万元，据实施方案完成第一期67万元资金改造工程。

2015年，完成2000吨县级储备粮变卖和3500吨储备粮及300吨菜籽油的入库工作，并对库存粮食开展了春秋普查，结果显示，县代保管的中央储备粮和县级储备粮均达标。

惠水县粮食购销公司仓储资产清单

（坐落：惠水县三都镇卧龙村）

表12-11

名称	建筑结构	建筑面积	层高	建筑年代	使用情况
办公室	砖混	284.8平方米	1	90年代	良好
仓库	砖木	468平方米	1	70年代	良好
仓库	砖木	512.5平方米	1	70年代	良好
宿舍	砖木	118.3平方米	1	70年代	良好
仓库	砖木	585平方米	1	70年代	良好

惠水县粮食购销公司仓储资产清单

（坐落：惠水县三都镇街上）

表12-12

名称	建筑结构	建筑面积	层高	建筑年代	使用情况
办公室	砖混	81.2平方米	2	90年代	良好
仓库	钢架	600平方米	1	90年代	良好
仓库	钢架	600平方米	1	90年代	良好
仓库	钢架	600平方米	1	90年代	良好
仓库	钢架	600平方米	1	90年代	良好
仓库	钢架	600平方米	1	90年代	良好
宿舍	砖混	225平方米	2	80年代	良好
仓库及加工厂	砖混	531平方米	1	90年代	良好

惠水县粮食购销公司仓储资产清单

（坐落：惠水县雅水镇（满扛村））

表12-13

名称	建筑结构	建筑面积	层高	建筑年代	使用情况
仓库	砖木	561.8平方米	1	80年代	良好
仓库	砖木	645.3平方米	1	80年代	良好
仓库及加工厂	砖木	598.5平方米	1	80年代	良好
宿舍	砖木	342平方米	2	80年代	良好
办公室	砖混	277.6平方米	2	80年代	良好
新建办公室	砖混	320平方米	2	90年代	良好
新建仓库1栋	砖混	438平方米	1	2001年	良好
新建仓库2栋	砖混	236.5平方米	1	1999年代	良好

惠水县粮食购销公司仓储资产清单

（坐落：惠水县摆金镇街上）

表12–14

名称	建筑结构	建筑面积	层高	建筑年代	使用情况
办公室	砖混	211.3平方米	2	80年代	良好
仓库	砖木	871.3平方米	1	70年代	良好
宿舍	砖木	287平方米	1	80年代	良好
仓库	砖木	341.3平方米	1	80年代	良好
新建仓库	砖混	309.6平方米	1	二十一世纪初	良好
经营部及宿舍	砖木	530平方米	2	90年代	

第六节 粮油加工

1978年前，全县粮油加工不足50万千克，（年购油菜籽25万千克，桐籽15万千克）。1978年，全县加工大米5589.2吨，加工面粉783.4吨，加工菜油54.49吨，加工桐油13.21吨，加工面条66.9吨，增加利润29036.56万元。

1981年，县粮油加工独立核算企业仅有直属米厂1个（括雅水打米厂），有职工70人，另有摆金、断杉均属附属米厂，年加工粮食750万千克以上。是年，县粮油加工采取挖、革、改措施，共加工面粉233万千克，菜油275.58万千克，桐油3.9万千克，面条11万千克，大米180万千克，完成产值214万元，占年度计划112.6%，实现利润42800元，超利润计划22800元，占年度计划214%。

1982年，加工小麦279.82万千克，收回成品179.88万千克，出粉率64.28%；加工稻谷336.44万千克，收回大米218.69万千克，出米率65%，加工油菜籽119.3万千克，收回菜油37.73万千克，出油率31.62%。

1988年，粮油加工5317吨，较上年加工增加438吨，其中，小麦1783吨，加工稻谷2972吨，加工菜籽562吨。

1989年，粮油加工厂全年亏损5万元，县粮食局下达计划盈利1.4万元，主要原因受市场物价影响，加工成本增加。是年，全县粮油加工总产值完成233万元，加工大米完成676吨，面粉完成1264.4吨，油脂完成244.5吨，面条完成500吨，饲料完成2328吨。

1991年，受全国性粮油商品流转普遍较困难影响，大多加工企业都不愿意接收粮食调入。是年，油脂加工出油率34%，比上年增加0.8%，一改连续两年亏损，年终全厂盈利1198万元。1997年，加工稻谷2800吨，面粉91吨，饲料414吨。

1998年，投资70万元，新建三都米厂，在县境内粮食主产区基本安装精加工设备。改善稻谷加工条件，提升大米品质，提高大米销售价位，增强粮食市场竞争力。

1999年，成立惠水县粮食购销公司（下设雅水分公司、摆金分公司、三都分公司、和平分公司、芦山分公司、断杉分公司、西门分公司），建成日加工50吨大米两条生产线。根据当时各公司粮源及人员配置特点，这两条生产线建在雅水、三都分公司，各公司自主经营，自负盈亏。

雅水分公司利用日产50吨大米生产线，以市场价格向农户直接收购富余稻谷，加工成规格为10千克、15千克、25千克、50千克包装（袋）大米上市销售，生产加工的“雅晶牌”金丝米深受欢迎。三都分公司时年加工的“卧龙牌”及后来的“好花红牌”大米畅销省内、外市场。是年，两个打米厂共加工稻谷30680吨。

2005年，争取到技改资金25万元，自筹11.3万元，分别在雅水、摆金、羡塘增设日加工20吨大米生产线各一台（套），主要加工收购稻谷和为农户加工。是年，完成大米加工3261吨，副粮产品997吨，实现工业产值833.7万元（按现行价）。另有一定规模的个体企业3家，其中，雅水2家。

2006年，公司拥有精米加工厂2个，年加工精米5000吨，公司又投入80余万元技改资金，更新生产设备，建成领先的大米自动化加工生产线，使产品质量在加工硬件上有保证。对大米加工设备除平时进行例行维修保养外，随时保证厂内外清洁卫生、防虫防鼠，每个加工批次需经本公司化验室化验，化验人员签证合格后才能发货。

2013年，争取到上级部门技改资金10万元，投入到三都优质米加工生产线，更新抛光机、色选机、风网管道等一批粮食加工设备。

2015年，实施日生产100吨红米加工项目，在雅水优质米产业园区建1500平方米粮食收购储备点，在三都直属粮库修建168米排水沟，修复770平方米稻谷晒坝。

第四章　物资管理

第一节　物资体制与供应

一、体制改革

1963年，成立政企合一的惠水县物资管理局，1981年，更名惠水县物资局，1984年2月，机构改革，称惠水县物资供应公司，1990年7月，恢复惠水县物资管理局，实行县物资供应公司与县物资管理局一套人马两块牌子的体制，1994年3月，改称为惠水县物资总公司。

在国家计划经济体制下，计划管理体制统得过多，管得过死，物资流通不畅，库存大，周转慢，经济效益差，很难适应社会主义商品经济发展的需要。中共十一届三中全会后，随着国家经济体制改革的深入和对市场的逐步开放，集体和个人参与销售、经营已放开的物资商品，对国营物资企业的销售产生影响。为贯彻《中共中央关于经济体制改革的决定》，把过去生产资料的单一性计划分配调、切块分割，按行政层次供应的体系，改为以物资企业为主体的经营生产资料和兼营相近的其他产品的多渠道、少环节、少设库的开放式流通体制，形成城乡畅通地区畅通的网络，县从1984年起进行物资流通体制改革。在物资供应体制上，经历了从计划分配调拨到市场经营服务的过程；在物资管理体制上，经历了从执行行政计划分配供应为主管理，到政企职责分开，按企业行为组织购销，物资部门作为物资企业主管部门，侧重加强对企业管理协调服务，共同创造经济效益的过程；物资企业经历了依靠计划分配供应到依靠市场买卖的转轨变型转换经营机制的过程。

2006年9月，实施《民用爆炸物品管理条例》，对现有民爆物品销售企业销售公司进行重组，压缩企业数量，提升企业规模，培育企业集团，推进民爆物品一体化进程，实现服务、储存、运输专业化、集约化。当时，惠水县物资供应公司不具备相关条件，无法获取民用爆炸物品的销售许可，经请示惠水县经济贸易局，同年11月，同意惠水县物资供应公司参与组建贵州黔南化轻民爆器材有限责任公司，2007年7月，报经省国防工办同意，同年8月组建完毕。2008年后，公司实行两块牌子开展经营活动，民爆器材的经营以贵州黔南化轻民爆器材有限责任公司惠水分公司的名称进行，其他业务仍沿用县物资公司的名称开展。2011年元月，启用新建位于和平镇新城村的民爆物品仓库。2013年，县人民政府收回闲置的沙子哨炸药仓库。

二、物资供应

1978至1979年，州物资管理局权限下放，原为国家指令性分配物资的分配调拨计划，每月由州物资局下达，县物资局在县计委的指导下开展工作，严格按照县计委分配到生产单位的指标供应，无权对计划物资进行销售。

物资局经营的品种有：有色金属、黑色金属，机电类：机床、汽车、电工器材、轴承、仪器仪表等，化工类：轮胎、传动带、三角带、纯碱、炸药、雷管、导火索等，建材类：水泥、玻璃、沥青、石棉制品，还另经销县内生产的砖瓦、砂石。1980年9月，将社队生产的建筑材料拨给县社队企业局经销。

1979年以后，随着国民经济的调整，物资供应工作以“计划经济为主，市场调节为辅”，除搞好计划内物资供应外，还根据市场需要组织计划外物资调剂，同时，把过去以“收抵支，收支平衡”改为“合理计费、合理盈余”的收费原则。1985年，国家改革计划物资管理，实行双轨制（即计划经济与市场经济相结合），重大工程项目或重要生产所需的物资原料，计划配备一部分，通过市场周转一部分，仍然实行计划生产。1992年后，物资市场放开，取消计划分配，公司逐渐退出建材、钢材经营，只经营国家严格管控的民用爆炸物品。物资的储备，资金向紧俏物资倾斜，储备适销对路的物资（钢材、水泥等），其他物资以销进货。1993至2015年，物资经营以炸药为主，储存不超过30吨库存允许存量，库存量10吨左右的需求联系进货。

第二节 计划与协作物资管理

一、计划管理

1979至1980年，指令性分配的物资，先由生产单位、需货单位在上年底向物资局报次年的需货计划，汇总后报州物资局。州物资局根据州计委的计划安排和县需货计划申请，经综合平衡，分项目下达物资分配调拨计划或物资预拨分配计划。根据州物资分配调拨计划或预拨分配计划、县计委的物资分配计划，对需货单位、生产单位和基本建设单位编制的要货计划进行综合平衡，优先满足农业生产，确保计划内基本建设工程需要，同时，兼顾地方国营工业和轻手工业生产及人民生活需要，坚持“先国家后集体，先计划内后计划外”的原则，安排物资供应，做到生产有计划，建设有项目，供货有依据。

1980至1984年，在“改革、开放、搞活”发展国民经济的方针指导下，分配指令性计划物资时，根据州物资局物资分配调拨计划和预拨分配计划安排，从县内工农业生产、基本建设和人民生活实际需要出发，坚持“先计划内后计划外，先生产后生活，保证重点，兼顾一般”的原则，安排物资供应。1985年后，随着经济体制改革的不断深入，为满足生产建设和人民生活需要，国家开放生产资料物资市场，同时，减少指令性计划的分配。州物资局计划调拨物资分配逐年减少，为顾全大局，凭县计划物资分配单供给用户计划物资，同时，通过市场渠道进行市场调节，扩大市场物资销售，搞活物资流通，弥补计划分配的不足，对临时性的生产和建设急需物资，防洪抗旱救灾物资，用户或生产单位报告规格、型号、数量，专题申报州物资局解决。二、三类生产资料物资由生产单位或用户，根据生产和生活需要定期或不定期提出需货申请，按需组织货源供应。当时的计划物资有钢材、生铁、铜、铝、铅、烧碱、纯碱、水泥、轮胎、炸药、汽车、玻璃、裸铝线、橡胶等。1992年后，计划物资基本上全部取消，物资市场全面开放。

二、协作管理

1980年后，生产建设和人民所需的物资在数量、规格、品种不断增多，特别是1985年后，国家指令性分配物资逐年减少，为解决供需矛盾，调动业务人员的积极性，制定了短缺物资采购的暂行办法，凡采购短缺原材料和紧俏物资的给予一定的奖励。扩大物资企业经营范围，改革不适应生产发展的经营方法，开展多种经营活动，以经营生产资料为主体兼营相近的其他产品，搞活物资流通，开展多种形式的物资经营联合体。在自愿互利原则下，与省内外国营企业，国营与集体企业，如工与物，商与物联营，组织产品见面，疏通产销渠道，扩大物流面。通过市场渠道，多方向多层次组织进货，1988至1991年，在河南、贵阳等地数次调节钢材2600多吨，水泥3000吨，玻璃600标箱，石蜡20吨，沥青30吨，摩托车400辆，电视机400多台，录音机400台，冰箱200台，汽车8辆，丰富了市场的需要。1992年，由于公司市场占有率降低，资金紧张，协作物资业务基本上没有再展开。

第三节　市场经营

1979年以后，随着国民经济体制改革的逐步展开，物资流通体制改革发生了一系列的变化，缩减了国家指令性计划和市场调节以及企业支配物资的自主权，放开了计划外生产资料的价格，着手建立和培育生产资料市场。完善承包经营，1988年，县人民政府与物资供应公司签订了承包经营合同，公司实行内部承包（金属科、建材科、机电科）。推行目标管理责任制，实行工效挂钩，结合劳动人事制度改革的规定，逐级聘任和优化组合，并安置好富余人员，把职工的责、权、利结合起来，责权利落实到每个岗位，把经理承包变为全员承包，较为有效地强化了经营机制，公司采取每个职工的工资扣留15%作风险基金，取消固定工资，然后依据每个职工的岗位不同购进总额，销售总额和创利，按一定比例计奖计酬，从而调动了职工的积极性，使工作效率和经济效益都有明显提高。在三都设置门市部，在贵阳设立办事处，开展多种经营，是年实现销售300万元（承包指标金额130万元），利润10万元（承包指标金额3.5万元）。

1992年以后，由于物资经营权放开，公司市场占有率逐年减少，经营萎缩，公司实行承包经营，分组经营，将公司门面承包，但收效甚微。1995年，公司停薪留职有10余人，在岗职工5人。1995至2001年，公司主要经营国家严格管控的民爆物品，每年销售炸药80多吨，雷管10多万发，导火索8万多米。当时，退休人员没有进入社保，16名退休人员的工资全由公司支付；公司多年亏损，2001年10月，公司不得不将1989年修建的物资大楼7个门面和二楼作价65万元抵押给县工商银行，偿还所欠贷款。

2002年以后，随着西部大开发在贵州的具体实施，惠水基础建设的投资增大，向山要地、农田基本设施的新建，以及煤矿企业的增加，民爆物品需求逐年增大，企业逐渐摆脱困境，2007年为职工办理缴纳社会养老保险。2011年后，由于多家爆破公司进入惠水市场，竞争激烈，加之民爆政策管理的调整，全县砂石料场均不具备施爆资质，只有请营业性爆破公司进行施爆，全县所有煤矿企业处于关闭状态，爆破公司直接从厂家进货，没有客户到公司购买民爆物品，公司民爆物品销售急剧减少。2015年9月，公司与贵阳新联爆破责任有限公司签订5年的合作协议，将民爆物品仓库整体出租给其使用，由新联公司负责民爆物品的储存和配送，新联公司付租金给县物资公司。

第四节　汽车贸易

1978至1984年，汽车严格按国家计划生产和进口，为国家指令性分配物资。惠水县属单位购买汽车，将提前在上年底前向县计委提出书面申请报告，经审批同意后，县计委将采购指标下达到县物资局，县物资局将材料上报上级主管部门，由上级主管部门统一按国家相关规定采购，然后通知购车单位到指定地方提车。

1985年，单位和个人可直接到国内汽车生产厂家和汽车贸易市场购买汽车。1992年后，市场销售全面放开，汽车贸易均走向市场。1985至2007年，惠水县单位或个人购买汽车，均到县境外厂家或汽车市场购买。

2008年6月，贵州省惠水县隆升贸易有限公司成立，为县内第一家专门从事汽车贸易的企业。随着县域经济发展，车辆需求量增加，汽车贸易企业逐年增加。2011年注册两家，2012年注册3家，2013年注册6家，2014年注册10家，2015年注册6家。截至2015年，全县共有汽车销售企业28家。

2008年前，惠水汽车销售企业销售的汽车只有五菱面包，2010年为五菱宏光。2011至2014年，惠水各汽车销售企业主要销售经济实惠的中低档汽车。载客车型有国产长城、航天、奇瑞、比亚迪、吉利、东风等；中外合资有五菱宏光、宝骏、雪佛兰、大众、启亚、现代、本田、丰田、日产等。载货车型有五菱、长安、东风、有骏、五尊、解放等。2015年11月，贵州惠水腾飞汽车贸易有限公司开始销售奔驰、宝马、奥迪、路虎、凯迪拉克等豪华品牌轿车。

表12-15

2015年惠水县汽车销售企业统计表

单位：万元

企业名称	住　所	注册资金	注册日期
贵州省惠水县隆升贸易有限公司	和平镇人民南路	30	2008/6/2
惠水县纵横汽车销售有限责任公司	高镇镇姚新村	10	2011/4/25
惠水县诚信货运有限公司	高镇镇赤土村	500	2011/11/4
惠水福海汽车销售有限公司	和平镇涟江北路	10	2012/5/8
贵州好风光旅游巴士有限责任公司惠水分公司	和平镇涟江北路	0	2012/7/11
贵州融通物资贸易有限公司	和平镇人民北路	100	2012/11/15
贵州惠水腾飞汽车贸易有限公司	高镇镇姚新村	1000	2013/1/7
惠水县路瀚汽车商贸有限公司	涟江街道白果大道涟江尚品小区一楼门面5号	300	2013/4/22
惠水县诚荣汽贸有限公司	涟江街道白果大道（涟江尚品1栋1号--5号）	60	2013/7/19

续表12-15

企业名称	住　所	注册资金	注册日期
贵州省志洪汽车商贸有限公司	高镇镇姚新村	50	2013/8/14
惠水盛丰汽车销售有限公司	和平镇建设西路	50	2013/8/26
贵州省惠水县光明汽贸有限责任公司	高镇镇首创村一组（惠高大道旁）	10	2013/12/12
贵州海宇投资有限公司	城北新区（桂花园旁）	500	2014/1/2
贵州世伟汽贸有限公司	和平镇建设西路	200	2014/4/3
贵州佳运汽车租赁有限公司	和平镇涟江南路	100	2014/5/20
惠水县三合汽贸有限公司	和平镇满坝路口	200	2014/6/25
贵州传政建材有限公司	高镇镇姚新村五组	100	2014/8/13
贵州长兴汽车商贸有限公司	高镇镇首创村	100	2014/8/19
贵州省惠水县正豪汽贸有限公司	和平镇爬头寨（涟江汽贸城1号门面）	800	2014/8/20
贵州乾通盛汽车销售服务有限公司	和平镇纸酒路（恒基时代广场一楼）	500	2014/10/22
贵州至尚农业机械有限公司	高镇镇长岭村十二组	100	2014/11/24
贵州雄海汽车销售有限公司	和平镇爬头寨（涟江汽贸城5号门面）	80	2014/12/23
贵州彬星汽车贸易有限公司	和平镇涟江汽贸城	500	2015/3/12
贵州德润投资有限公司	和平镇白果大道涟江国际酒店21楼	5100	2015/3/27
惠水县芦山顺达汽车贸易有限公司	芦山镇客车站内	50	2015/4/21
贵州寰誉汽车销售有限公司惠水分公司	涟江街道爬头寨（涟江汽贸城）	0	2015/4/23
贵州浩旺汽车贸易有限公司	和平镇惠明村高旺一组	200	2015/5/14

第五节　民爆物品管理

县物资公司严格按《民用爆炸物品管理条例》进货、储存和销售，库房严格按照公安部门的规定和要求，选择在离县城远、人烟稀少、交通方便、较为安全的地方修建库房，保管员选择政治觉悟高，工作责任心强的人担任，库房门实行双门双锁，库区全天3人24小时值班，并每小时巡查一次。进货时在县公安局办理相关的手续到生产厂家进货，按指定的路线，规定的时间运输；供货时严格按照县公安局批准的品种、数量供货，并将购买证同票据存根联存查，且必须保存2年以上，任何人不得乱开、多开，违者严格追究责任。库区配有专职保卫人员，负责库区的安全保卫，严禁烟火，严禁易燃易爆物品入库，严禁无关人员进入，进入人员须进行登记。2007年起用手持机后，民爆物品做到账务相符、账卡相符、流向清楚，储存民爆物品不超存、不混存。

2008年5月5日，县安监局对公司沙子哨炸药库进行安全检查，发现炸药库与高压线距离不符合国家有关规定，存在重大安全隐患，责令停止使用该库。沙子哨炸药库停止使用后，经公安、安监部门同意，暂时租用位于高镇学庄的烟花爆竹仓库作为炸药的临时储存点，继续经营。2008年9月16日，与贵州电力调度局达成协议，同意补偿140万元，作为搬迁沙子哨民爆仓库的补偿费。2009年，完成征地、设计，新库选址在和平镇新城村，2010年3月开工建设，新库严格按照（GB50089-2007）《民用爆炸器材工程设计安全规范》进行，其库容为30吨，雷管库为50万发，消防水池226立方米，经过半年多的施工，标准民爆仓库建成；2011年1月21日，通过省工信委专家组的验收和煤炭科学研究总院的安全现状评价，27日正式启用，学庄临时储存点的炸药和在沙子哨仓库的雷管搬进新库。2012年公司购买了2台民爆物品专运车辆，对民爆物品进行专车配送，公司多年未发生一起安全事故。

表12-16

1980—1990年销售纳税统计表

单位：万元

项目 年度	销售额	利润	所得税	营业税
1980	101	4.3	2.4	0.14
1981	81	5.24	2.2	0.2
1982	88	5	2.7	0.2
1983	88	6.2	3.4	0.2
1984	114	6.3	3.4	0.17
1985	121	6	2.2	0.58
1986	126	4.5	1.6	1.01
1987	71	1.3	0.3	0.48
1988	301	10	4.4	1.88
1989	402	6	2.2	2.78
1990	328	4	1.4	3.43

表12-17

2002—2015年炸药销售情况表

炸药：吨　雷管：万发

年度	炸药	雷管
2002	150	10
2003	215	16
2004	320	17
2005	400	20.5
2006	450	20
2007	500	20
2008	450	21
2009	800	25
2010	950	21.5

续表12-17

年度	炸药	雷管
2011	960	26
2012	770	20
2013	920	9.5
2014	820	9
2015	280	2.7

第五章　专卖品贸易

第一节　石油经营

一、机构设置

惠水石油分公司隶属中国石化销售股份有限公司贵州黔南石油分公司，全称为中国石化销售股份有限公司贵州黔南惠水石油分公司。1979年下半年，由惠水县商业局五金公司分离出来，成立独立的惠水县石油公司，自主经营，时有库带站一座，即马蹄坡老油库。成立之初，职工4人，后逐渐增加会计、统计等，职工共16人。1979至1984年，惠水县石油分公司划入县商业局的下属企业。

1982年，惠水县石油公司综合办公楼正式建成，集办公室、门市部、职工宿舍为一体的五层综合办公楼，坐落于县府路。

1985年，划隶省石油总公司黔南石油分公司，更名惠水石油支公司，自主经营，独立核算，自负盈亏。

1994至2000年，在经济发展大潮的推动下，惠水县石油公司先后从农机公司收购了涟江加油站和毛家苑加油站，新建高镇加油站、西门加油站、城南加油站、摆金加油站、芦山加油站，共计7座加油站。所辖加油站8个，油库1个，门市部1个，并新建综合性办公大楼一座。

1998年，惠水石油支公司随省公司整体划入中国石化集团公司，并由黔南石油分公司划归贵阳石油分公司统一管理，不再是独立核算单位，经营管理实行经理负责制，年度经营工作按上级公司下达的各项考核指标组织实施，资金管理实行收支两条线，商品进、销、存实行“五统一”，即油品统一采购、车辆统一管理、人员统一调配、运力统一安排、费用统一结算，商品定价严格执行省、州物价局制定的价模拟器，根据市场供需情况，在物价局指导下适时调整。

2000年，中国石油化工股份有限公司成立，集团公司对企业人员、资产进行整体重组改制，精简机构，管理人员设经理1名、委派会计1名，职工买断工龄或改变用工身份，引进劳务派遣，同工同酬，财务实行费用报账制，对加油站实行量、利、费考核，人员实行一年一聘制。惠水石油支公司上划成为中国石油化工股份有限公司贵州石油分公司的下属分公司，全称为中国石油化工股份有限公司贵州黔南惠水石油分公司。

2004年，根据集团公司要求，加油站全面形成网络化管理的经营模式，惠水石油分公司与长顺石油分公司合并管理，统称为中国石油化工股份有限公司贵州黔南惠水石油分公司（简称中石化惠水片区）。

2011年，由于行政区域工作属要，惠水片区重新划分为惠水石油分公司、长顺石油分公司，按行政区域划分管理，重新划归黔南石油分公司管理。

2012年7月，根据体制改革及管理要求，管理人员设经理、财务管理、直销管理、零售管理、安全数质量管理、非油品管理等岗位。

2014年10月，中国石油化工股份有限公司贵州黔南惠水石油分公司名称变更为中国石化销售有限公司贵州黔南惠水石油分公司，隶属于中国石化销售有限公司贵州黔南石油分公司。

二、经营管理

1979至1991年，油品供应主要由惠水老油库（马蹄坡处）负责供应，惠水老油库是当时惠水县唯一油品供应单位，1979年，轻油主要有70#汽油和0#柴油，70#汽油当时售价0.728元/千克，0#柴油0.655元/千克。1979至1984年，加油站加油采取落差直流加油，1985年，第一台加油机引入惠水马蹄坡加油站使用，后逐渐增加管控设备，1998年，开始从独立核算转为非独立核算并开始使用电子账表，加油机上的销售数据与管控同步传输，销售数据实时传输至后台，至2008年，管控已全部推广到8个加油站使用，加油站的进、销、存资金管理主要靠管控系统进行监管，销售数据通过人工输入电子账表，人工导入财务系统，3.0财务系统使用到2008年10月后SAP系统正式上线（该系统包括所有物料的进销存，资产、设备设施、费用、资金管理等），SAP系统全国联网，数据同步，实现数据共享。

2009年，加油站营业区开始增设视频监控，到2014年，视频监控覆盖各个加油站的营业区、生活区及油罐区。

2010年，开始引入自助加油机，顾客可凭加油IC卡自己加油。

2011年，为了更好地为日益增多的加油车辆服务，集团公司成立了非油品管理部门，注册了中石化加油站便利店专用商标——易捷便利店，在全国范围内全面开展了非油品的销售工作。2012年，为了保证各加油站便利店商品质量，确保易捷万店无假货，省公司取消各地市公司非油品的采购权，成立中央仓配送管理中心，各便利店不得私自进货，由中央仓统采统配，中央仓主动配送与加油站主动点餐报需求相结合的经营模式。通过及时调整经营与管理思路，借公司架构改革契机，为各县（市）公司选配专人进行非油品管理，并通过系列培训提升专职人员业务能力。同时，通过各项规章制度及奖惩政策的制定与完善，有效增强了商品管理力度。而销售品类的不断增加、硬件设施的不断完善、便利店经营规模的不断扩大、信息化程度的提高、各类便民业务的开展，以及对顾客做出的“易捷万店无假货”承诺均能更好地服务社会，承担应有的社会责任。

2014年，惠水石油公司成品油经营总量达4万吨，其中，零售经营量3.2万吨；直销批发经营量0.8万吨；非油品营业总额达400万元；员工年平均收入5万余元。

为保证贵州石油梦的顺利实现，根据分公司提出的三个转变要求，2014年，惠水毛家苑加油站和高镇加油站实行自助经营模式，2015年，考虑到顾客的接受能力，更好地为顾客服务，8个加油站均采用自助加油和员工服务加油两种方式，同时，对马蹄坡加油站进行整体改造，将西门、城南、马蹄坡加油站增加成24小时营业加油站。

表12-18

2008—2015年油料销售一览表

年度	汽油（吨）	柴油（吨）	直销（吨）	非油品（万元）
2008	1439.81	2707.68	731	4.63
2009	5797.34	11162.1	814	12.07
2010	5956.53	11149.22	1923	37.04
2011	7375.75	13011.91	2358	96.54
2012	9007.01	13650.2	3162	150.15
2013	9581.08	14006.64	4817	196.08
2014	15796.41	16935.48	6329	394.51
2015	16071.79	17043.1	7964	520.34

第二节　盐业专营

一、机构

1978年，县盐业公司隶属县商业局管理，负责县内盐业经营，在册职工9人。1992年，贵州省盐务管理局惠水支局成立（简称惠水盐务支局），内设盐政股，与县盐业公司实行一套人员两块牌子体制，惠水盐务支局、惠水县盐业公司职能分设，合署办公。惠水盐务支局是县内盐业行政主管机构，负责本行政区域内盐政执法和食盐专营行政管理工作；县盐业公司负责盐业批零兼营业务。

2001年，县盐业公司人、财、物划入贵州盐业（集团）有限责任公司，垂直管理，改称贵州盐业（集团）有限责任公司惠水分公司；惠水盐务支局同时上划贵州省盐务管理局直管，局（公司）在册职工39人。

2011年，贵州盐业（集团）有限责任公司惠水分公司划由贵阳分公司代为管理。2015年，惠水盐务支局内设盐政股；贵州盐业（集团）有限责任公司惠水分公司内设财务股、办公室、运销股，在职职工38人。

二、种类

1. 食盐

品种规格　惠水不是产盐区，是食盐纯销区，食盐需外省供给，以四川地区供给的盐为主。县内销售食盐均采用小包装，也称小包盐。

1978年前，惠水食盐销售品种主要有淮盐、闽盐等散装颗粒海盐，食盐销售用杆称称。随着国内盐业形势变化，

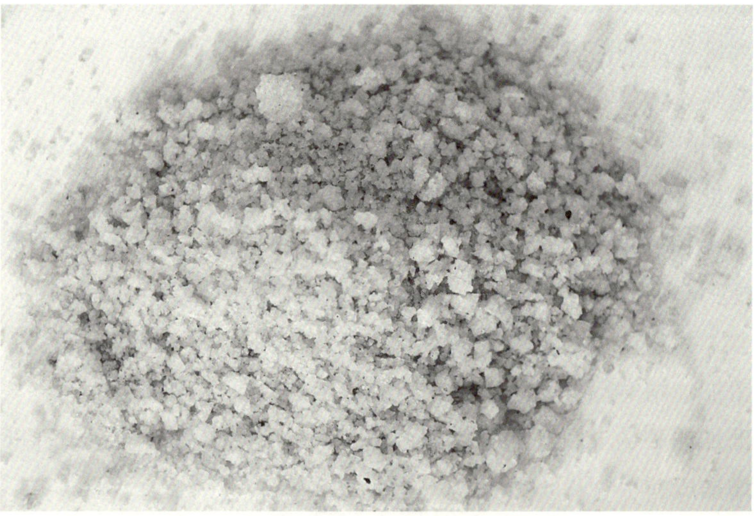

散装颗粒非碘盐

县盐业公司购进井矿盐供应，主要品种为川花盐（精细盐）。1980年开始，试销产地为四川的加碘盐。1983年起，推出密封小包装加碘食盐供应，销量逐年上升；1986年，县城普及小包装加碘食盐供应，并向乡村发展，非加碘食盐逐渐退出市场。1989年起，供应惠水市场的散装加碘食盐，改用以1000克为单位的塑料单膜袋包装，后为复膜包装，由贵州省盐业公司统一订制，分发县盐业公司包装销售；1996年，县内全面普及袋装加碘食盐。2002年起，贵州盐业集团实行营销网络建设，全省食盐包装袋统一定为“碧盐”商标，规格为500克，按国家计划发送县盐业公司经销。2015年，县内销售的加碘包装食盐规格主要有350克海藻盐，250克低钠盐，350克绿标盐，均为“碧盐”牌。

第十五届防治碘缺乏病活动日（2008年摄）

网点渠道　1978年，县内食盐主要由县城内县盐业公司待业青年门市部、县烟酒公司、县蔬菜公司和设在各区的基层供销社销售。20世纪80年代，允许个体商店（户）到县盐业公司批发食盐后进行零售，到1988年，全县食盐销售网点有153个，其中：国营9个，供销系统46个，合作商店9个，青年待业店8个，个体户81个；1990年后，县食盐销售网点不断发展。2004年后，按照《贵州省碘盐配送网络建设总体规划》全面推行网络建设，优化布局，实行访销配送，经营户实行户籍化档案管理，网点设置遵循“便于管理，方便群众，布置合理，辐射到位”原则，在全县先后设置食盐零售网点180户，其中县城设食盐零售网点80户，在24个乡镇设置100户；同时在食盐零售网点180户中摆金地区选择5户、岗度地区选择4户资金实力强、辐射能力广的个体食盐零售专卖经营户作为县盐业公司二级代理商，兼具批发业务。

2012年，为适应盐业市场的逐渐放开，提高市场竞争力，提供消费者直接购买合格加碘食盐的场所，县盐业公司在县城内设置“盐天下”品牌直营店1个，连销加盟店2个。

2015年，全县食盐经营户仍有180户；县盐业公司有经营仓库一个，占地面积四百余平方米，储盐200吨；战备盐仓库一个，占地面积八百余平方米，储盐900余吨。

价格　县内食盐由县盐业公司专营，购进、销售、调拨计划均由省盐业（集团）公司制定并配送，价格随物价和盐税计征办法的改变相应调整。

1978-1985年全县食盐不分盐种，价格执行统一的销售价格，零售价每市斤0.15元，批发价每担13.20元。

1986年，省特价委、省商业厅联合下发〔1986〕黔物字399号通知，恢复地区差价，加碘盐零售价调为每市斤0.17元，批发价为每担13.94元。

1988年，食盐零售价格再次进行调整。县内加碘盐最高零售价每市斤0.29元，1989年加碘盐每市斤价格调整为0.33元。

1990年，县内加碘盐批发价调整为每件（50包、1000克规格）29元，零售价格为每包0.65元。1994

年，加碘盐批发价调整为每件41.92元，零售价调整为每包0.9元。1996-2000年，加碘盐批发价调整为每件52.3元，零售价调整为每包1.2元。2001年后，县内的加碘盐规格包装数次改变，其批发、零售价格按实际情况相应调整；2015年，县内销售的350克铝膜海藻盐批发价每件（70包）137.20元，零售价每包2.5元；250克低钠盐批发价每件（80包）200元，零售价每包2.90元；350克铝膜绿标盐批发价每件（70包）98元；零售价每包2元。

2. 工业盐

县内工业盐主要用于企业锅炉水处理、腌制皮子等，先后向惠水县酒厂、川东磷化有限公司、永红食品有限公司、金芳畜革贸易有限责任公司供应。

3. 食品加工盐

食品加工盐也是食盐的一种。县内食品加工盐主要供应永红食品有限公司、贵州阿乐食品有限公司。

4. 畜牧盐

县内畜牧盐主要是农户用来喂耕牛、羊，维持牲畜体力，一般销量不大。

1978—2015年盐业购进和销售统计表

表12-19　　单位：吨

年度	购进				销售			
	食用盐	工业盐	食品加工盐	畜牧盐	食用盐	工业盐	食品加工盐	畜牧盐
1978	—	—	—	—	—	—	—	—
1979	—	—	—	—	—	—	—	—
1980	—	—	—	—	—	—	—	—
1981	—	—	—	—	—	—	—	—
1982	41	—	—	—	37	—	—	—
1983	39	—	—	—	44	—	—	—
1984	49	—	—	—	41	—	—	—
1985	2300	—	—	—	44	—	—	—
1986	2200	100	—	—	2195	100	—	—
1987	2200	100	—	—	2205	95	—	—
1988	2200	100	100	—	2250	100	90	—
1989	2200	100	100	—	1850	100	85	—
1990	2200	100	120	—	2260	100	105	—
1991	2200	100	120	—	2203	100	100	—
1992	2200	100	120	—	2236	100	110	—
1993	2200	100	140	—	2016	95	135	—
1994	2200	100	180	—	2250	105	185	—
1995	2000	100	200	10	2150	100	180	6
1996	2000	100	200	10	2000	100	195	7.5

续表12-19

年度	购进				销售			
	食用盐	工业盐	食品加工盐	畜牧盐	食用盐	工业盐	食品加工盐	畜牧盐
1997	2000	100	200	10	2060	100	180	8
1998	2000	100	200	14	2040	100	195	12
1999	2000	100	220	15	2160	100	210	10
2000	1800	100	220	15	2156	100	200	16
2001	1800	100	200	15	1842	100	185	11
2002	1800	100	200	14	1850	100	180	10
2003	1650	100	200	15	1736	100	190	10
2004	1242	100	220	15	1751	100	200	13
2005	1384	100	200	15	1626	100	210	15
2006	2225	100	200	10	1617	100	190	10
2007	2000	133	220	30	1456	131	250	35
2008	2356	100	300	40	1570	100	550	40
2009	2000	100	350	50	1490	100	380	46
2010	1202	186	374	20	1621	179	365	9.3
2011	1330	178	363	—	1490.8	169	379	10.7
2012	1513	117	262	10	1498	109	256	7.9
2013	1545	152	282	—	1600	168	9	—
2014	1406	180	176	15	1426	183	181	2.5
2015	1398	160	185	10	1282	153	182	16

三、盐务盐政

1988年下半年至1989年上半年，县内出现抢购商品风，食盐供应实行凭票定量。

1992年，县对食盐零售实行许可证制度，个体经营户必须向盐务局申领到零售许可证，才能从事食盐零售，全年制发食盐零售实行许可证100个。是年，县加强食盐市场监管，惠水盐务支局派人参加贵州省人民政府法制办举行行政执法培训班，取得《贵州省行政执法证》，组建县盐业行政执法队伍，从事盐政执法工作，盐业管理开始走上法制化轨道。

1994年后，县盐务支局每年都开展防治碘缺乏病日宣传活动。

2008年1月，县内遭受凝冻灾害，惠水盐务支局成立应急领导小组，服从县政府应急指挥部统一指挥，县盐业公司组织5吨食盐送往县内重灾区摆榜乡，保证食盐供应，并参与全县处理道路融雪工程撒盐工作，提供融雪用盐10吨。是年，开展碘盐普及示范学校建设，选定大坝乡大坝小学作为试点，县盐务支局为学校捐资捐物两万元。

2011年3月17日，受日本核辐射谣言的影响，县内出现有历史记载以来最大的突发性食盐抢购事件，全县165吨库存食盐被抢购一空。事件发生后，县盐业公司启动预案，采取限量批发、限量零售的措施，向市场投放食盐289.38吨，稳定群众情绪，满足购买需求。惠水盐务支局配合县人民政府加大宣传，打击不法商贩扰乱食盐市场秩序的违法行为，19日，全县食盐抢购风潮平息。

是年5月12日，惠水盐务支局在和平镇六坡村查获惠明酱料厂违法购进的工业盐，对惠明酱料厂法定负责人罚款5000元，没收非法购进的20吨盐品。

截至2015年，惠水盐务支局累计查处盐业违法案件140件（起），没收盐品38吨。

第六章 服务业

第一节 餐饮酒店

20世纪80年代，县内住宿餐饮业仅停留在满足于供吃住，主要服务对象为单位部门召开会议及公务接待，规模小。在饮食特色上，以本地口味为主，有肉类蒸菜、各式炒菜等，当时比较有名的是上马路原物资局旁申朝信经营的申记饭店，东门口的高升饭店和高老四排骨粉面馆等。

80年代末，综合服务公司开始经营，前身为惠水县饮食服务公司，计划经济时期主要从事饭店饮食、理发、澡堂、旅社住宿等营业性服务。经营门店分别位于新民路（县城二小老校门右侧）、和平路（构皮街）、县府路一带。

1986年，拆除县府路"跃进饭店"老楼重新修建，1988年竣工，新大楼一楼为饭店，二楼以上为旅社。

20世纪进入90年代后，餐饮酒店业进入快速发展时期，县城内先在圆塘坎一带形成小吃一条街，后建小吃城落成并投入使用。在环城路一带新建的居民房区域，各类设施比较配套的住宿业开始出现，来往的商客逐渐增多，随之而来的有县府路的惠悦轩饭店和红果饭店；环城西路的立青毛肚火锅店、张鹅肉馆、老客车站旁的李信狗肉馆等。酒店时有惠水大旅社、蒋记旅社、金惠大酒店、惠龙酒店。

1999年，餐饮业市场主体3户（其中企业3户）。

2000年以后，随着市场化改革的大步推进，生活水平不断提高，环境与设施逐步提升，至2004年，餐饮业市场主体共有173户（其中企业11户，个体162户），2005年11月4日惠水县鸿源宾馆注册，标志着县内住宿行业多样化发展，2008年惠水县和平镇县府中路惠水县好花红宾馆注册，住宿环境得到了较大的改善。随着经营规模逐渐扩大，经营网点和经营形式不断增多，服务设施不断完善，在县城区基本形成了以品牌企业为龙头，大众餐馆为主体、方便快餐为补充的餐饮市场。先有以涟江南北路为代表的餐饮住宿服务行业，后出现了惠水涟江国际酒店、米立方酒店等集餐饮住宿为一体的综合性酒店；餐饮方面，涌现了惠水车记摆金马肉、胖哥羊肉馆等，并名扬省内外。

2009年，餐饮业市场主体共有705户（其中企业17户，个体688户），至2014年，餐饮业市场主体共有1661户（其中企业64户，个体1597户），2015年，全县办理餐饮业市场主体4522户，其中企业456户，个体4066户。

第二节 影相 广告

影相 20世纪90年代初，在县城老电影院处有惠水照相馆，在构皮街处有惠水县照相部，业务项目有标准相、艺术照、婚纱照、证件照等，相片分黑白、彩色两种色彩。在芦山镇有专门的照相馆。到90年代后，数码相机开始上市，胶卷式相机被淘汰。较有名的有金夫人、薇薇新娘、罗文江照相馆等，均使用全数码相机，相片冲洗均采用电脑控制机器自动完成，基本达到立照立得。

至2014年底，县内照相摄影企业1户，注册资金10万元（一户已注销）。个体摄影17户，注册资金124.2万元。2015年底，县内照相摄影企业2户，注册资金45万元。个体摄影44户，注册资金19.66万元。

广告 20世纪90年代初，广告经营模式较小，业务项目主要以手工制作各种牌匾。有构皮街的李多一画室、供销社侧坡一则坡顶的刘明美装潢店。90年代中期，增加到有大幅标语、灯箱广告等。1993年2月4日，贵州省惠水县广告装饰工程中心注册，广告装潢逐渐呈多样化发展，2005年以后，广告业发展迅速，是年2月17日，惠水县星宇广告有限责任公司注册，随后涌现出一批广告行业的个体户与企业，其中比较有名的有艳阳广告、艺丰广告、辉煌广告、创新广告、布依好花红装饰公司等，业务项目有广告设计、制作、发布、室内外装饰、广告营销策划；广告信息咨询；LED电子产品销售、制作。

网络世界电子工程和大数据时代的来临，给全县经济发展带来了商机，也给县内广告业带来了发展。主要表现在登记注册时经营内容扩大，从传统的广告设计、制作、发布，到各种策划、社会经济咨询；群众文化及各类服务；各类室内外装潢服务。到2009年底，县内广告类企业4户，注册资金70万元。个体广告6户，注册资金21.4万元。2014年底，县内广告类企业30户，注册资金2195万元。个体广告25户，注册资金183.5万元。2015年底，全县广告类企业38户，注册资金3991万元。个体广告户37户，注册资金215万元。个体装潢业11户，注册资金80万元。

第三节 美发 洗浴 茶馆酒吧

美发 80年代末至90年代中期，个体发廊开始出现。县城内在原十字街有唐记理发店、卢记理发店、廖记理发店、长征路南门街古月发廊、县府路浪花发廊。理发对象多以男性为主，理发设备相对简单，基本为一张椅子、一把理发剪刀、一把推子、一张帕子。期间，在步行街小吃城对面，开了一家温州发廊，服务对象不再是以男性为主，另有中青年男女和中老年女性，理发也不仅是剪发，还有烫发、染发、拉直头发等项目，在当时引起许多年轻人对新潮发型的向往，生意一度红火。

2005年，全县个体美发美容户27户，注册资金21545.7万元。

1997至2008年，美容美发进入了一个快速发展时期，服务设施和水平也进一步提高，不再是单一的理发，而是集美容美发为一体。比较有名的有标榜、丝语、卡宾造型、发无界、流行前线等。2009年，全县个体美发美容户104户，注册资金98814.56万元。

2010年后，韩式护肤中心进驻，同时还有尹莲百丽等，业务项目集美容美发服务、个人形象咨询服务等综合性，个性化的出现，标志着县这一行业向高水平技术迈进，个性化服务更加受到消费者的青睐。

至2014年，县内个体美发美容户277户，注册资金99949.5万元。

2015年，全县美发美容企业1户，注册资金100万元。个体美发美容户71户，注册资金827.44万元。

洗浴 80年代，县内洗浴业有县委招待所洗浴室，凭票进入，不提供对外服务。对县城群众提供服务的，是坐落在圆台边的县国营服务饮食公司，室内有一长方形大池和淋浴，水龙头个数少，这种澡堂规模普遍较小，服务比较单一。

90年代初期，澡堂子在县内依旧是传统的洗浴方式。90年代末，现代服务、休闲和保健理念开始融入现代沐浴业。随着商品经济的发展，商贸活动、商务往来的增多，县城流动人口增加，给洗浴的发展带来了一定的商机。县城和平镇和平路和汪家大田曾出现峰华浴室、海林浴室、龙记浴室，当时生意兴隆，很受群众欢迎。但县城洗浴业仍是单个经营方式，俗称大众浴室。这类浴室主要是满足人们的洗浴要求，场地往往坐落在老城区和城乡结合部，经营面积较小，还是淋浴、池浴等为主营业务。

2000年后，洗浴业出现大变化大发展，相对较高消费的洗浴室进入人们的视线。这时的洗浴除了传统的清洁身体外，还出现了擦背、修指甲、修脚、按摩等服务，服务水平进一步拓宽和提升。在县交警队路段中心圆盘左上的怡和浴海。新型浴室具有明显的特征：一是费用高。比普通浴室门票贵四倍价格。二是手艺好。比普通师傅专业性更强，服务更耐心更细致。三是有桑拿房。有小木屋似的蒸汽室，让人通体舒畅。

至2009年底，县内个体洗浴业9户，注册资金88万元。

2013年，洗浴行业拓宽了服务领域，婴幼儿游泳生活馆开展兴起，是年6月，县城第一个婴幼儿游泳生活馆在涟江中路落成，让婴幼儿得到了游泳、健身、玩乐、抚触、护理的享受。

2014年底，县内洗浴企业1户，注册资金1亿元。个体洗浴业23户，注册资金880.2万元。

2015年底，全县洗浴企业1户，注册资金400万元。个体洗浴业13户，注册资金470.2万元。

县内洗涤行业一直发展较为滞后，2010年前没有一家洗涤企业，只有几家从事衣服洗烫的个体工商户。至2014年后，县内有一定规模的洗涤行业出现，但规模均不大，主要从事床上用品和餐具的洗涤消毒服务。

茶馆 80年代，县内茶水作为礼节性待客，或是依附于从事主食品而存在。由于茶种单一、质量相对较低，尚未成为独立的经营门类。随着生活水平的提高，90年代初期，在县城三小门口有家惠水老茶馆，从业2人，到90年代后期，县城振兴路农贸市场对面，出现了集吃喝娱乐为一体的情缘吧，茶艺在实践中不断发展演变。

进入21世纪后，茶艺表演这个新的元素，推动茶馆业的大步前行。茶艺表演是在茶文化的基础上，努力突破原有的形式，加入更多的文化表现内容。与各地茶艺表演的形式不同，县城内依托江边的优势，做足做好茶饮品牌。茶吧在涟江广场一带已形成产业消费链，夜幕降临，此处家家相连，户户灯牵，河水静淌，笑声不断。人们品着茶、嗑着瓜子、欣赏着涟江夜景，看着广场的人们跳舞，古老的涟江河畔在经济浪花里焕发出迷人的景色。

进入21世纪，各类以餐饮、小吃为主营的会所也得到了发展，为广大居民闲暇时休息娱乐提供了场所，这些会所即为消费者提供了餐饮、小吃服务，同时也提供中西饮品服务。到了2010年后，由于广大消费者消费习惯的改变使得会所基本不再从事经营。

至2015年，县内以茶饮为主营的企业、个体工商户逐渐出现。

酒吧 20世纪80、90年代，酒水服务依附于餐饮服务而存在。酒类品种单一，以本地自酿土酒为主，价格较低，尚未成为独立的经营门类。随着生活水平的提高，2000年，以提供特色小吃、餐饮为主的小酒馆开始出现，酒类品种开始增多，有位于园台路的光年小酒馆等。

2000年后，酒吧文化兴起，泡吧成为一种潮流，酒吧作为一种新兴业态，随着第三产业迅猛发展，在繁荣地方经济，丰富人民生活起到越来越大的作用。这一期间的酒吧种类繁多，以音乐酒吧为主，工作繁忙之余，邀几个朋友，到酒吧里听听歌跳跳舞，也是一种极好的娱乐活动。酒吧内不光有本地散装老土酒，各种啤酒、红酒、洋白酒涌现，部分酒吧配有调酒师。营业较早的有建设东路惠水县尘缘吧酒吧服务部，于2004年注册。2005年底，县内注册酒吧经营主体有个体户2户。2010年，酒吧娱乐消费进一步升级，酒吧服务结合歌厅娱乐服务，成为一种高端消费的象征。规模较大的有惠水县英煌商务会所、惠水县涟江一号娱乐会所。2010年底，全县注册各类酒吧经营主体8家，均为个体户经营。

至2015年底，全县注册各类酒吧经营主体31家（其中企业1家），其中，是年新增注册11家。

第四节　典当寄卖　家电维修

典当寄卖　改革开放初期，惠水的旧货市场重新得以恢复，寄卖业则依附于旧货市场。90年代初，由于行政区划调整，城市建设步伐加快，市民搬进新居的同时淘汰了部分旧家具家电，这些旧物品流入了旧货市场进行变卖。

1995年后，随着国家大力发展和积极培育旧货市场，作为旧货行业中的业态之一，寄卖商店及旧货市场以及其他经营机构开始出现。经营者均以外地人居多，经营的方式是废旧回收。早为圆台边一家名为“当”的店铺，因规模小经营不景气，半年后其自生自灭了。2001年，县内开展第一次城市规模建设，但寄卖业也难有大发展。2005年后，随着惠水房地产开发时代的来临，寄卖行算是正式登上舞台，出现了尹记寄存寄卖行、圆满寄存寄卖店、速成寄存寄卖店、荣权寄存寄卖店、洪元寄存寄卖行、容诚寄存寄卖店、其明寄存寄卖店、惠水县兴隆寄存寄卖铺、惠水县兴超寄存寄卖经营、惠水县德鑫寄存寄卖经营部等。

2005年，县内典当寄卖企业为1户，注册资本为0万元（分公司，已吊销）。

2009年，县内典当寄卖企业为1户，注册资本为0万元（分公司，已吊销）。个体寄卖户6户，从业31人，注册资金25003.8万元。

家电维修　80年代，家用电器多为收音机、收录机，且只是单位和少数经济宽裕的人家拥有。在县城圆台边从事家用电器修理的淼师傅，已年过六旬，他是县内早期家用电器修理业的见证人。80年代中期，小型录音机的市场销路很好，除放音乐外，还有录音功能，可以学英语，也可以用录自己唱的歌曲，深受年轻人的欢迎。有圆台边马家桥的申记修理店；供销社旁边的汪记修理铺；长征路的诚信家电维修铺；原公安局旁边的杨记家电维修；构皮街的廖记家电维修铺等。

2000年以后，随着经济的快速发展，家用电器已成为日常百姓家庭的刚需产品，人们对于损坏的电器不再喜欢花钱维修，有时甚至选择以旧换新。2006年，各行各业竞争激烈，并采取在服务质量上进行竞争，特别是售后服务的质量一定程度上关系到产品销路，一些品牌产品实行了售后一年以内免费保修、上门维修等，直接将服务送到店内变成了上门服务。

2010年后，家用电器的修理遇到了不小的挑战，利润变少使得该行业步履维艰。家电技术的进步使修理业的空间缩小。家电产品保修期延长给修理业的商机产生巨大影响。

至2014年底，县家电维修企业4户，注册资金330万元，个体家电修理32户，注册资金7265.6万元。2015年底，全县个体家电维修65户，注册资金122.5万元。

第五节　快递物流

改革开放初期，县内快递物流业务均由国有企业邮电局承担。1998年10月，原邮电局分设为邮政局、电信局，邮政局继续承担全县信件或物品的寄递业务。

1999年，县内首家物流企业险峰运输公司注册成立。2000年底，注册物流经营主体2户。2001年，惠水县汽车站注册成立专业客运,随之物流企业开始入驻。2003年后，随着长田工业园的创建，以及县内良好的区位和通达的交通优势，货运物流发展加速。运输品种呈现工业原材料、工业成品、民爆物资、包裹快递等多样化运输服务。2005年底，全县共计注册物流经营主体26家，含个体1家。2006年5月，由供销社出资，建成占地1000平方米的农资配送中心于七里冲。2008年，惠水县首家民营快递，韵达快递服务部入驻。2010年底，全县共计注册物流经营主体41家，含个体16家。

2012年，随着电子商务的发展，除原有的国有邮政网点外，国内许多快递公司相继在本地设立分公司，其分支机构迅速延伸到各乡镇，全县多种经济成份的快递业竞争正式拉开。至2015年，共有中通、申通、圆通等10余家服务部入驻，并在部份乡镇开设网点。

2014年，惠水县逢源日用品配送中心在经开区建成，配送中心建筑面积12000平方米，配送车辆35台。2015年10月9日，成立惠水县物流协会，层峰物流有限公司总经理李天伦任会长。年底，全县共计注册物流主体86家，含个体22家，其中，是年新增注册18家。

第十三篇　财政　税务　金融

第一章　财政管理

第一节　财政体制改革

1979年，财政体制改革时，实行“划分收支，分级包干”的管理体制，惠水财政抓住改革发展机遇，通过对财政资金的统一分配，全面发展财政经济，重点扶持农业，发展乡镇企业，推动工业建设步伐，一批初具规模的乡镇企业迅速建立壮大，惠水经济进入恢复发展期，财政收入由1979年（“五五”期末）的390万元增长到1993年的2612万元，财政基础进一步增强。

1994年，全国实行“分税制”财政管理体制改革，进一步明确了中央和地方的事权和财权，建立了中央与地方收入分配机制。分税制改革，使财力向中央集中，中央调控力度增强，有效规范了地方财政行为，扶持落后地区经济发展。欠发达的惠水，受益分税制改革的激励机制（中央转移支付、税收返还），加快财源建设，优化产业结构，重点发展城镇和基础设施建设，狠抓征收管理，实现了财政收入的稳步增长。

2002年，推行被称之为“中国农村第三次改革”的农村税费改革在全县铺开，这次改革，是继1949年，新中国成立以来实行的土地革命和改革开放初期，推行的家庭联产承包责任制之后的又一次重大改革，实施主要内容：取消涉农三项收费。据统计，税改前，全县人均税费负担64.67元，税改后人均税费负担27.59元，减负37.08元，人均减负率57.3%。2005年，全面实行免除农业税，几千年来，压在农民身上的“皇粮国税”退出了历史舞台。

2015年，惠水财政收入由1995年（“八五”期末）的3411万元增长至113，727万元，增长了33倍。

第二节　财政收支

改革开放以来，全县财政总收入由1978年的508.7万元，增长到2015年的113,727.4万元，增长224倍。财政总支出由1978年的642.6万元，增长到2015年的241,962万元，增长377倍。

1978—2015年惠水县财政收支情况表

表13-1　　单位：万元

年度	本年财政总收入		上级补助收入	本年财政支出			
	合计	其中：税收收入		合计	其中		
					教育	卫生	医疗
1978	508.7	422.7	366.3	642.6	121.4	49.4	8.9
1979	390.3	394.8	414.3	688.2	133.3	39.7	11.0
1980	360.5	359.6	361.4	695.4	150.4	37.2	12.7
1981	311.2	348.7	458.0	798.3	177.5	49.8	16.9
1982	409.8	376.3	538.1	815.4	197.8	51.9	14.7
1983	477.0	434.6	532.5	937.1	209.3	54.2	24.0
1984	540.5	489.8	627.5	1,199.1	259.7	60.0	26.9
1985	571.1	657.5	710.8	1,132.1	312.0	60.4	28.5
1986	792.2	775.5	602.6	1,348.3	360.1	78.2	34.9
1987	992.9	987.5	795.4	1,661.0	364.1	89.4	41.3
1988	1,286.1	1,239.3	545.5	1,825.4	451.0	108.8	50.6
1989	1,427.4	1,380.3	640.5	2,118.3	511.7	115.6	54.9
1990	1,443.7	1,408.9	661.7	2,140.8	567.6	121.5	60.9
1991	1,355.5	1,292.8	617.0	1,971.3	604.3	124.0	64.6
1992	1,617.9	1,531.1	666.0	2,439.4	740.7	165.3	64.9
1993	2,611.5	2,393.4	864.1	3,504.2	806.8	201.6	169.8
1994	3,100.7	2,823.9	2,248.8	3,270.1	1,033.6	207.8	59.2
1995	3,410.7	2,971.1	2,106.9	4,171.9	1,339.9	208.8	28.4
1996	4,103.9	3,553.2	2,005.2	4,551.9	1,407.8	272.6	44.4
1997	4,635.6	4,107.2	1,930.7	5,356.9	1,485.0	291.5	37.7
1998	5,095.6	3,898.6	2,684.0	6,078.0	1,670.0	333.0	53.0
1999	5,265.3	3,993.3	3,616.0	7,731.0	1,955.0	359.0	44.0
2000	5,842.5	4,458.5	5,205.0	8,815.0	2,342.0	441.0	69.0
2001	6,390.1	4,778.1	9,273.0	12,724.9	3,921.0	632.0	39.0
2002	7,078.3	5,778.3	10,363.0	16,901.0	4,593.0	793.0	118.0
2003	8,018.8	6,888.8	14,459.0	18,766.2	5,741.0	789.0	159.0
2004	10,035.8	8,455.8	18,309.0	22,640.3	6,761.0	899.0	213.0

续表13-1

年度	本年财政总收入		上级补助收入	本年财政支出			
	合计	其中：税收收入		合计	其中		
					教育	卫生	医疗
2005	11,422.9	9,030.9	21,250.0	28,968.4	8,798.0	1,166.0	231.0
2006	13,026.3	10,551.3	28,300.0	35,269.0	11,086.0	1,444.0	230.0
2007	15,018.0	12,690.0	41,057.0	47,851.0	14,475.0	1,666.0	1,666.0
2008	17,076.5	12,721.5	58,777.0	64,195.9	18,348.0	2,045.0	2,949.0
2009	21,359.2	17,840.0	70,389.0	79,240.5	21,192.0	5,593.0	4,042.0
2010	28,010.3	23,951.3	88,112.0	101,932.0	25,366.0	3,380.0	6,119.0
2011	40,116.6	30,976.8	110,369.0	134,333.0	27,629.0	6,128.0	9,277.0
2012	60,328.4	45,304.8	127,405.0	160,109.0	37,969.0	8,292.0	10,634.0
2013	80,612.6	62,631.8	149,875.0	196,369.0	42,821.0	7,300.0	12,197.0
2014	100,041.7	84,981.1	168,483.0	219,083.0	52,128.0	12,543.0	14,163.0
2015	113,727.4	94,837.4	183,981.0	241,962.0	65,811.0	14,801.0	16,490.0

第三节 财政管理与监督

一、管理机制

1990年，县财政局增设国有资产管理股。1992年，惠水县财政局国有资产管理股更名为惠水县国有资产管理办公室，升格为县财政局管理的副局级机构。

2001年，县财政局设立局办公室、预算股、农财股、企财股。2003年，增设惠水县会计结算中心，惠水县农业税征收管理局、财政监督股。2004年，增设政府采购办公室。2005年，增设部门预算改革办公室；是年县级机构改革时，撤销县国有资产管理办公室，将原国有资产管理职能与国有企业资产管理职能划归县经贸局管理。2006年，将惠水县农业征收管理局更名为基层财政管理局。2011年，设立惠水县国库集中支付中心、惠水县非税收入管理局，惠水县财政局国有资产管理办公室、经济建设股。2013年，增设惠水县农业综合开发办公室。2014年，设立惠水县人民政府金融债务管理办公室。乡镇区划调整后，全县（镇）街道财政机构设置为涟江街道办事处财政分局、濛江街道办事处财政分局、好花红镇财政分局、摆金镇财政分局、岗度镇财政分局、雅水镇财政分局、断杉镇财政分局、羡塘镇财政分局、芦山镇财政分局、王佑镇财政分局。

二、管理制度

行政事业单位集中核算 1999年，惠水财政推行会计委派制，委派财会人员到县属49个单位进行财务核算。2003年，惠水县会计结算中心对县直行政事业单位财务核算，实行“集中管理、统一开户、分户核算”的办法，财务核算进一步规范，支出结构得到有效控制和优化，确保工资、项目等主要支出，财政财务管理水平逐步得到提升。2010年，惠水县国库集中支付中心负责对全县65个单位进行统一管理，逐步实现财政科学化、精细化、规范化管理目标。

政府采购制度 2004年，政府采购管理改革启动，惠水县财政局政府采购办公室，惠水县政府采购中心（隶属县人民政府直接管理），明确履行监管和执行职能，实行“管采分离”。2005年，出台《惠水县政府采购运行规程》《惠水县政府采购资金管理办法》，把申报、委托、执行、验收、付款等各个环节全部纳入制度化管理。2008年，进一步规范采购人行为，提高政府采购效率，制定《惠水县采购人政府采购行为规则》和《惠水县政府采购协议供货制度管理办法》，强化采购人行为管理和创新政府采购方式。2011年，制定《惠水县政府采购合同和履约验收管理办法》，使惠水政府采购以《采购法》为核心、三个部长令为准则的制度体系进一步完善。整个制度涵盖了对采购人、供应商、评审专家、执行机构以及监管机构行为的规范管理。8年间政府采购规模累计11,466万元，共计节约采购资金1,138万元，平均节约率超过9%，呈现采购规模逐年扩大，采购成本逐年下降的良好局面。2013年，县通过政府集中采购资金达4,780.03万元，采购规模与上年相比，增加2,115万元，增长79.8%；2014年，通过政府集中采购5,831.86万元，采购规模与上年相比，增加1,051.83万元，增长18.04%。2015年，通过政府集中采购的资金10,375.5万元，采购规模与上年相比增加4,543.64万元，增长77.9%，减少了政府的财政支出1,143万元，资金节约率为9.92%。同时，政府采购资金实施国库集中支付和政府采购专户相结合的管理方式，提高采购资金的安全使用和使用效益。

部门预算 2004年，部门预算改革工作启动。是年安排县国土局、县农办、县中医院三家单位作为部门预算编制试点，财政局抽调12名工作人员组成部门预算编制试点办公室，负责以上三家单位的部门预算编制试点。2005年，部门预算工作在上年试点的基础上增加到10个试点单位，并成立专职的部门预算改革办公室。2006年，增加到16个单位，是年，考虑到县中医院属财政差额拨款事业单位，将该单位退出部门预算编制试点。到2010年，纳入部门预算编制试点单位34个，占全县所有行政事业单位（不含乡镇）的50%。2010年7月，国库集中支付改革工作正式上线运行，在2011年的部门预算编制工作中，将所有独立核算的单位全部纳入部门预算编制范围。

三、监督管理

“乡财县管” 2008年，国家出台缓减乡镇财政困难的政策措施，惠水县启动“乡财县管”，进一步理顺乡镇财政监督管理体制，规范乡镇财政收支秩序。

政府非税收入管理 2010年，启动县直机关政府非税收入收缴管理工作，2010年，实现非税收入13,076万元，纳入预算管理11,998万元（其中一般预算收入4,055万元，同比增加536万元，增长15%）。2011年，在县直单位改革的基础上将监督管理范围扩大到25个乡镇，建立起横向覆盖所有执收单位，纵向覆盖县城、乡镇互联互通的全县政府非税收入征管网络体系。是年，实现非税收入35,246万元，纳入预算管理34,117万元（其中一般预算收入9,140万元，同比增加5085万元，增长125%）。是年，全县122个应纳入改革单位全部上线，上线率达100%；通过非税收入收缴系统进行财政票据领用单位122个，票据领用率达100%；执收执罚职能的单位全部通过系统开具收缴业务27576笔，开票率达100%。

国库集中支付管理 2010年7月，国库集中支付启动，集中支付和会计集中核算两项制度融合，利用“会计结算中心”的人员、机构、网络和机制，节约行政管理成本。建立全县国库单一账户体系，加强对单位预算执行过程的监督管理，单位财务管理意识和管理水平得到明显提升。2013年，随着国库集中支付管理改革深入，县级65个预算单位所有资金实行国库集中支付，累计拨付资金29.73亿元，有效控制了大额取现、调整资金用途等现象发生。2015年，为适应新常态国库集中支付业务工作需要，完善国库集中支付对账管理，不断探索创新国库集中支付对账方式，在财政业务大平台上成功加载“国库集中支付对账表”模块，实现了预算单位国库集中支付“远程对账”管理目标。

镇（街道）财政管理　2015年7月，镇（街道）财政管理体制改革实施后，县与镇（街道）之间的财政分配关系进一步理顺，县、镇（街道）两级财政发展经济、培植财源、增收节支的积极性得到发挥，实现了县与镇（街道）风险共担、利益共享、城乡协调发展的财政管理机制。

第四节　国有资产管理

1990年12月，县财政局设立“国有资产管理股”。经县人民政府1992年9月10日第42次常务会议研究决定：将“国有资产管理股”更名为“国有资产管理办公室”，升格为副局级机构，属县财政局管理。同年，根据县编制委员会《关于对县财政局将国有资产管理股升格为惠水县国有资产管理办公室报告的批复》，成立“惠水县国有资产管理办公室”，管理全县国有资产。

2005年，县级机构改革，撤销县国有资产管理办公室，将国有企业国有资产管理职能划归县经贸局管理，县财政局将国资管理股与企财股合并为企财国资股，管理全县行政事业单位国有资产，明确工作职能包含国有资产管理。2011年11月21日，根据惠水县人民政府办公室《关于印发惠水县财政局主要职责、内设机构和人员编制规定的通知》，设立国有资产管理办公室，负责全县行政事业单位国有资产的综合管理，承担全县国有企业（县工信局监管的除外）的产权登记等管理工作。

2004年改制前，全县有国有企业27户，资产总额10,931万元，企业国有资产净额455万元。改革改制后，至2011年底，全县国有企业15户，资产总额52,779万元，企业国有资产净额42,537万元。资产增加的主要原因是成立县国有资本营运公司，行政事业单位资产注入增加资本，该公司2011年底资产总额46,998万元，国有资产净额40,547万元，占15户企业国有资产净额的95.32%。

2006年5月，开展行政事业单位国有资产清查，经清查，是年底，全县行政事业单位资产总额49,222万元（行政单位13,186万元，事业单位36,056万元）。其中：固定资产总额32,487万元，占资产总额的66%。2007年资产清查后，省财政厅建立了行政事业单位国有资产管理系统平台，全县行政事业单位国有资产管理进入全省信息系统。至2011年底，全县行政事业单位资产总额113,143万元（行政单位27,188万元，事业单位85,955万元）。其中：固定资产总额42,284万元，占资产总额的37.37%，比2006年末增长30.16%，全县行政事业单位国有资产净额89,470万元，比2006年末增长126.08%。

2013年，开展对全县行政事业单位及国有企业国有资产清查，此次资产清查涉及全县行政事业单位167户，国有企业20户，经清查，全县187户清查单位账面资产总额86,543.75万元，土地635宗1,336.81万平方米、房屋建筑1630处建筑面积101.22万平方米，车辆513辆价值6,389万元。

同年，抓好行政事业单位国有资产处置，全年共处置资产37笔，资产账面原值804.29万元，残值收入93.67万元，全部缴入国资专户。年末，全县国有资产总量158,021.11万元，（其中：国有企业资产净值50,845.44万元，行政事业单位资产净值107,175.67万元），全县国有企业20户，资产总值为86,543.75万元，企业国有资产净值50,845.44万元，比2012年增加5,694.58万元，增长12.61%。

2014年，县行政事业单位资产管理信息系统管理单位有158户，其中：行政单位54户、事业单位104

户，全县2014年资产总额203,117.72万元，与2013年资产总额151,213.54万元相比，增加51,904.18万元，增长34%。其中：2014年固定资产数92,733.76万元，与2013年固定资产数81,194.65万元相比，增加11,539.11万元，增长14%。

2015年，经全面清查，全县上报经营性资产的行政事业单位22家，其中：经营门面77个，建筑面积3517.34平方米；单位经营性房屋建筑面积47832.57平方米；农场4处，占地面积2306204.7平方米。

第五节　一事一议财政奖补和美丽乡村项目建设

2010年，县被列为贵州省村级公益事业建设“一事一议”财政奖补项目试点县之一，由县财政部门牵头实施“一事一议”财政奖补项目建设，按照“农民自愿，量力而行，合理规划，突出重点，因地制宜，实事求是”的原则，具体抓项目落实。

是年6月，召开全县“一事一议”财政奖补动员大会，财政牵头主抓，乡镇统筹实施。财政部门履行一事一议财政奖补项目牵头职责，实地调研测算，指导项目点村支两委和受益农户开好议事会议，组织开展一事一议项目公益事业财政奖补竞争立项试点会，各乡镇党委政府做好统筹组织群众积极参与投工投劳，协调指导项目点，村支两委抓好项目建设，解决群众行路难道路硬化和文体活动场所、太阳能路灯、污水处理的基础设施建设，逐步建设“生产发展、生活富裕、乡风文明、村容整洁、管理民主”的美丽乡村，加快惠水同步小康建设步伐。

2011年，县实现通组道路硬化项目87个，126.9千米（其中：财政奖补项目83个，108.8千米；整合项目4个，18.1千米），项目总投资1,995万元（其中：申请中央、省财政奖补资金1,095万元，本级预算安排500万元，县级财政整合400万元）。

2012年，实施“一事一议”财政奖补项目203个，硬化通组道路248.7千米，美丽乡村示范村寨1个，项目总投资3,809万元（其中：申请中央、省财政奖补资金2,349万元，本级预算安排1,460万元），项目点覆盖全县23个乡镇。

2013年，村级公益事业“一事一议”财政奖补通组道路硬化项目总投资1,606万元（其中：省级财政奖补资金1,106万元，县级配套资金500万元）。项目72个，共涉及22个乡镇、54个行政村，硬化道路103.86千米。实施2012年度一事一议财政奖补示范村寨长田乡桥洞村，甲戎乡青河村，断杉镇八大村，甲烈乡红星村4个，项目53个，总投资490万元。

“一事一议”项目（2011年摄）

2014年，实施省综改办追加县2013年度“一事一议”财政奖补资金369万元，项目23个，覆盖5个镇（街道），8个行政村，14个自然村寨，受益人达11374人。实施2013年度，第三批“一事一议”财政奖补“普惠制”项目22个，项目总投资287万元。硬化通组道路5.23千米，修建文体活动场所3370平方米，公共厕所1

个，休闲长廊160米，宣传墙116米，寨门1个，安装太阳能路灯215盏，垃圾桶20个，改造桥梁2座，绿化树240棵。建设“一事一议”财政奖补美丽乡村示范村寨5个，72个项目，项目总投资1,050万元。修建通组道路硬化4.35千米，沿河道路硬化2.1千米，寨内步道硬化3.23千米及文化广场6625平方米等项目。实施2014年度，“一事一议”财政奖补“普惠制”项目89个，项目总投资1,974万元。硬化通组道路89.84千米，人行步道2.47千米，修建排污沟2.15千米，消防池2个，庭院硬化132户，安装太阳能路灯543盏。

2015年，实施省综改办追加县2014年度，“一事一议”财政奖补“普惠制”资金140万元，项目12个，覆盖2个镇，3个行政村，3个自然村寨，受益人达5539人。建设2014年度村级公益事业建设“一事一议”财政奖补美丽乡村示范村寨4个，65个项目，项目总投资840万元。修建通组道路硬化6.2千米，寨内步道硬化5.3千米及文化广场7400平方米，安装太阳能路灯310盏等项目建设顺利推进。实施2014年度“一事一议”财政奖补“普惠制”项目105个，项目总投资1969万元。硬化通组道路98.5千米，修建文化广场3200平方米，安装太阳能路灯1315盏。委托贵州省贵民投资有限公司融资4,231万元，打造涟江街道、濛江街道、好花红镇、断杉镇、摆金镇、王佑镇等34个行政村40个自然村寨道路硬化、太阳能路灯等村内基础设施。

县“一事一议”财政奖补项目启动实施以来，好花红镇好花红村借力“美丽乡村”项目建设机遇，打造农旅结合观光产业成为惠水建设“四美”新农村的样板，群众通过发展乡村休闲观光旅游增收致富；涟江街道排楼村在“一事一议”政策帮助下，建成文化广场、健身场、休闲长廊，充分利用向上争取财政资金80万元发展特色集体经济业态产业洗姜场、保鲜库、水产养殖，带动了洗姜场、葡萄产业、旅游产业的发展，丰富群众精神文化生活、促进群众增收致富和壮大村级集体经济，推进同步小康建设。

第二章 税 务

第一节 机 构

1978年，由县税务局负责全县税收工作。

1984年，机构改革。县税务局内设秘书股、人事股、计会股、税政一股、税政二股共5个股室，设纪检员岗位。下设城关、姚哨、三都、断杉、摆金、雅水、芦山等7个税务所。

1994年，实行新的财税体制改革，由地方财政包干制变为分税制。是年，惠水县税务局分设为惠水县国家税务局、惠水县地方税务局。

一、惠水县国家税务局机构

1994年9月28日，惠水县国家税务局成立（简称县国税局），人员编制、机构设置、工资经费由国家税务总局垂直管理。内设办公室、税政股、征收管理股、计划会计股、人教股、监察室。直属税务稽查分局、发票管理所。下属和平税务所、高镇税务所、三都税务所、摆金税务所、芦山税务所、断杉税务所、雅水税务所。

1995年，县国税局机构设置包含内设机构、直属机构和征收机构三部分。内设机构有办公室、政策

税务文化作品-《为国聚财》（2014年摄）

法规股、管理服务股、计划财务股、人事教育股、监察室，直属机构有稽查分局、直属征收分局，征收机构有三都征收分局、摆金征收分局。

1998年，撤所建分局，成立直属征收分局、三都分局、摆金分局。

2008年7月，县国税局稽查局升格为副科级单位。

2009年，县国税局内设8个机构（正股级）：办公室、政策法规科、收入核算科、征收管理科、人事教育科、监察室、办税服务厅、税源管理科，直属机构、事业单位、派驻机构无变化。

2015年，县国税局各内设机构、直属机构、事业单位、派驻机构保持不变，在职干部职工72人。

二、惠水县地方税务局机构

1994年9月28日，成立惠水县地方税务局（简称县地税局），为惠水县人民政府和黔南州地方税务局双重领导、以县人民政府领导为主，内设人秘股、税政股、征收股、征管股、计划会计股、税务稽查队；下设25个乡镇税务所。

1996年，县地税局内设办公室、监察室、人事教育股、税政股、征收管理股、计划会计股、政策法规股、票证管理所；下设直属征收分局、税务稽查分局；和平税务所、高镇税务所、三都税务所、摆金税务所、断杉税务所、芦山税务所、雅水税务所7个中心税务所。

1998年，地税实行省以下地方税务局垂直管理为主。

2011年，县地税局内设办公室、人事股、政策法规股、计划财务股、征管和科技发展股（兼电子税务中心）、纪检监察机构。设立3个派出机构，分别是一分局，二分局，三分局，一分局为纳税服务分局，负责全县地方税费的征收工作；二分局为评估分局，负责全县存在涉税风险点的纳税评估工作；三分局为税源分局负责全县地方税源管理工作，三个分局均为副科级规格。2015年，县地税局各内设机构、派出机构均维持不变，在职干部职工53人。

第二节　税种税率

1973年税制改革后，全国开征的税种有工商统一税、屠宰税、工商税、城市房地产税、工商所得税、车船使用牌照税、牲畜交易税、盐税。1984年10月，实行利改税改革。此次改革后，县境内征收的税种有：产品税、增值税、营业税、资源税、国营企业所得税、集体企业所得税、私营企业所得税、中外合资企业所得税、外国企业所得税、外商投资企业和外国企业所得税、个人所得税、个人收入调节税、城乡个体工商户所得税、牲畜交易税、屠宰税、车船使用税、城镇土地使用税、城镇房地产税、建筑税、城市维护建设税、印花税、国营企业工资调节税、固定资产投资方向调节税、国营企业奖金税、集体企业奖金税、城镇土地使用税等税种。

1994年，实行分税制后，县地税局负责征收的税种有8项：消费税、增值税、外商投资企业和外国企业的各项税收（含消费税、所得税）、出口退税的管理、中央税的滞补罚收入、按中央税、共享税附征的教育费附加、能源交通重点建设基金，国家预算调节基金；县地税局负责征收的税种有14项：营业税、个人所得税、土地增值税、城市维护建设税、车船使用税、房产税、屠宰税、资源税、土地使用税、投资方向调节税、企业所得税（包括地方国有集体、股份制、私营企业，不含地方和外资银行及非银行的金融企业所得税）、印花税、地方税的滞补罚收入、按地方税附征的教育费附加。

1.增值税

增值税以增值额为计税依据征收的一种税，1994分税制后由国家税务局负责征收，税收收入中75%为中央财政，25%为地方收入。一般纳税人适用的税率有：17%、13%、11%、6%、0%等。小规模纳税人适用征收率为3%。

1992年5月，县税务局对惠水县制鞋厂、惠水县五金厂、惠水县木器厂缴纳增值税给予减免2年。1996年，凡转让国有土地使用权、地上建筑物及其附着物并取得收入的单位或个人，必须缴纳土地增值税和营业税。土地增值税按国家规定的四级超率累计税率计征。

2001年，根据《关于对若干农业生产资料免征增值税问题的通知》《关于延续若干增值税免征政策的通知》，县国税局对经营种子的9户个体业户和经营化肥的20户个体业户，从2001年6月1日至2002年5月31日，给予免征增值税1年。是年，县内工业企业使用的增值税专用发票和商业企业使用的万元版增值税专用发票纳入防伪税控系统管理，停止供给手工版增值税专用发票。

2002年，县国税局对县自来水公司销售自来水按6%征收率征收增值税，对其购进独立核算水厂的自来水取得增值税专用发票上注明的增值税税款（按6%征收率开具）予以抵扣。

2003年，县国税局对56户个体饲料经营户和岳阳岳集团科技饲料贸易有限公司惠水经营部，于2003年7月1日起至2004年6月30日止，予免征增值税。

2005年，县国税局对从事废旧物资回收经营业务的单位（简称回收经营单位）、销售下脚（废）料的增值税纳税人（以简称产废企业）、利用购入废旧物资进行生产的增值税一般纳税人（简称用废企业）。对其中回收经营单位销售其收购的废旧物资免征增值税。

2008年1月1日起，县国税局对纳税人申请抵扣的增值税进项税额抵扣凭证统一改由纳税人自行保管。纳税人增值税进项税额抵扣凭证包括：增值税专用发票；海关进口增值税专用缴款书；农产品收购发票；货物运输发票；废旧物资专用发票；其他经主管税务机关认可的抵扣凭证。增值税进项税额抵扣凭证的保管期限为10年。

2009年1月1日起，县国税局全面推开增值税转型，小规模纳税人增值税征收率由6%和4%统一下调至3%，每月个体工商户减免税收14万元，同时实施消费型增值税。

2.消费税

消费税是1994年税制改革，在流转税中新设置的一个税种。由国税部门负责征收，共设置15个税目，在其中的3个税目中设置13个子目，列举25个征税项目。实行比例税率21个，实行定额税率4个。共有13个档次的税率，最低3%，最高56%（2008年9月1日起排气量在1.0升（含1.0升）以下的乘用车，税率由3%下调至1%）。

3.营业税

1994年后由地税部门负责征收。广告服务业、转让无形资产、销售不动产、金融保险业税率均为5%，邮电通信业、文化体育业、交通运输业税率为3%，建筑工程业税率为3%，娱乐休闲业税率为20%。

1996年，凡是转让国有土地使用权、地上建筑物及其附着物并取得收入的单位或个人，必须缴纳土地增值税和营业税。单位或个人销售不动产，以销售额的5%计征营业税。

2012年8月，开启交通运输业和部分现代服务业营业税改征增值税试点工作。

2014年，县地税局开展对电信业“营改增”试点。

4.企业所得税

企业所得税是中国境内的企业（居民及非居民企业）和其他取得收入的组织，以其生产经营所得为课税对象所征收的一种所得税。

1994年1月1日起施行，纳税人应纳税额按应纳税所得额计算，税率为33%。

2007年3月16日，《中华人民共和国企业所得税法》出台，自2008年1月1日实施，规定一般企业所得税税率为25%，符合条件的小微型企业，减按20%的税率征收企业所得税。国税主要负责的是外商投资企业和外国企业的企业所得税征收。

1994年后，国税部门和地税部门各自按管辖范围负责征收。

5.个人所得税

1993年10月31日，工资薪金所得税实行超额累进税率，税率是5%～45%。2001年9月1日，工资薪金所得税率调整为3%～45%，个体工商户生产、经营所得和对企业、事业单位的承包经营、承租经营所得实行超额累进税率，税率为5%～35%，财产转让所得的税率为20%，利息、股息、红利和偶然所得的税率为20%。1994年后，除个人储蓄存款利息所得税外，其余全部由地税部门负责征收。

6.投资企业和外国企业所得税

1991年7月1日起实施，税率是30%，另按3%比例税率征收地方所得税。2008年停征。

7.购置税

车辆购置税税额是征收汽车售价（不含税价）的10%。

2005年1月1日起，车辆购置税由县国税局负责征收。

2015年9月底，实行1.6升及以下排量乘用车实施减半征收车辆购置税的优惠政策，时间从2015年10月1日到2016年12月31日。

8.屠宰税

1950年开征，1994年后屠宰税实行的是固定税额，猪每头3元、牛每头2元、羊每只0.4元。1998年3月1日，调整为猪每头10元，牛每头10元、羊每只2元，自养、自宰、自食牲畜减半征收。2004年2月12日，暂停征收屠宰税。

9.资源税

由地税部门负责征收。

惠水实际征收资源税的矿产品主要有原煤、砂石、硅石以及石灰岩。原煤：2008年从0.6元每吨调整罚2.5元每吨；砂石：2元每立方或者1.4元每吨；石灰石：3元每吨，硅石2元每吨。

10.城镇土地使用税

1986年开征城镇土地使用税，开征范围和标准由县人民政府决定。1994年后由县地税局负责征收。

1996年，一等地段按每年3元/平方米征收，范围如下：园台路、县府路、西门路、南环路、十字街、南门路71号和150号至南门路45号（客运站）及环城南路109号的临街地段、环城西路1号至供电局调度大楼街道两侧、惠罗公路西门路口至纸厂路口两侧。二等地段按每年2元/平方米征收，范围如下：新民路、上马路、长征路、凤山街、园塘街、环城南路除一等地段以外部分、民中路、和平路、和平镇范围内未列举地段企事业单位（包括私营企业）生产经营用地、险峰、永安、八普矿区。三等地段按每年1元/平方米征收，范围如下：市场街、茶叶巷、牛场街、供销巷、新场坝、园台北路、县委大院、县政府大院、园林路、和平镇人民政府所在地范围内未列举地段个人生产经营用地、高镇镇、三都镇、摆金镇范围内企事业单位（包括私营企业）生产经营用地。四等地段按每年0.8元/平方米征收，范围如下：云盘上、道背后、白衣庵、太平寺、文化路、水巷子、河坎边、老干区、中府巷、东王巷、人民路、高镇镇、摆金镇、三都镇、芦山镇范围内个人生产经营用地。五等地段按每年0.6元/平方米征收，范围如下：断杉镇、雅水镇、王佑镇范围内生产经营用地。

2007年，对征收范围和税额进行明确和调整。一类土地按10元/平方米征收，二类土地按8元/平方米征收，三类土地按6元/平方米征收，四类土地按3元/平方米征收。征税范围和税额标准参照《惠水县人民政府关于调整城镇土地使用税征税范围和税额标准的通知》

2015年，再次对征收范围重新进行调整。一级土地按10元/平方米征收，二级土地按8元/平方米征收，三级土地按6元/平方米征收，四级土地按3元/平方米征收。征税范围和税额标准参照《惠水县人民政府关于调整全县城镇土地使用税征税范围和税额标准的通知》。

11.房产税

1986年开征房产税。1994年后由县地税局负责征收。房产税征税分为从价计征和从租计征。从价计征的，依据房产原值一次减除10%至30%后的余值为计税依据（贵州省具体减幅为30%），税率为1.2%；从租计征的，出租的房产，以租金收入为计税依据，税率为12%。

12.城市维护建设税

1985年，开征城市维护建设税。纳税人所在地在市区的，税率为7%，纳税人所在地在县城、镇税率为5%，纳税人所在地不在市区、县城或镇的，税率为1%。1994年后由县地税局征收。2015年，全县境内城市维护建设税税率为5%。

13.土地增值税

1994年，开征土地增值税，由县地税局负责征收。土地增值税实行四级超额累进税率：增值额未超过扣除项目50%部分，税率为30%；增值税额超过扣除项目50%、未超过扣除项目金额100%的部分，税率为40%：增值额超过扣除项目100%、未超过扣除项目200%的部分，税率为50%；增值额超过扣除项目200%部分，税率为60%。纳税人建造普通标准住宅出售，增值额未超过扣除项目金额20%的，免征土地增值税；增值额超过扣除项目之和20%的，应就其全部增值额按规定计税。

14.车船使用税

1986年10月，开征车船使用税。1994年实行分税制后由县地税局征收。2007年1月1日停征。

15.车船税

2007年，开征车船税，由县地税局负责征收大型客车（载客人数大于或者等于20人）每辆600元、中型客车（核定载客人数大于9人且小于20人）每辆480元、小型客车（核定载客人数小于或等于9人）每辆360元、微型客车（发动机汽缸总排气量小于或者等于1升）每辆180元。载货汽车按自重每吨60元、三轮汽车低速货车按自重每吨72元、摩托车每辆60元征收。船舶：略。

2012年，乘用车：按排气量1升（含）以下每辆180元、1升至1.6升（含）300元、1.6至2升（含）每辆360元、2至2.5升（含）每辆660元、2.5至3升（含）每辆1200元、3至4升（含）每辆2400元、4升以上每辆3600元征收；中型客车：按每辆480元；大型客车：按每辆600元征收；货车：每吨60元；挂车：每吨30元；专用作业车、轮式专用机械车：每吨60元。

16.印花税

1988年，对书立、领受条例所列举凭证的单位和个人，按比例税率或者按件定额计算征税。购销合同、建筑安装工程承包合同、技术合同按购销金额、承包金额、所载金额的万分之三贴花；加工承揽合同、建设工程勘察设计合同、货物运输合同、产权转移书据和记载资金的账簿按加工承揽收入、收取费用、所载金额、实收资本与资本公积的合计金额的万分之五贴花；财产租赁合同、仓储保管合同按租赁金额、仓储保管费用的千分之一贴花；财产保险合同按投保金额万分之零点叁贴花；借款合同按借款金额万分之零点五贴花；权利许可证照、其他营业账簿按件贴花五元。1994年实行分税制后，由县地税局征收。

17.烟叶税

烟叶税指在中华人民共和国境内收购烟叶（指晾晒烟叶、烤烟叶）的单位为烟叶税的纳税人，依法缴纳的一种税种。2006年4月，征收烟叶税，税率为20%，由县地税局负责征收。

18.契税

1997年7月7日，《中华人民共和国契税暂行条例》颁布，同年10月1日开始实施，此前契税是由财政部门征收，2009年，契税改由县地税局征收，税率为3%。对个人购买普通住房且该住房属于家庭（成员范围包括购房人、配偶以及未成年子女）唯一住房的，减半征收契税；对个人购买90平方米及以下普通住房，且该住房属于家庭唯一住房的，减按1%税率征收契税。2016年2月22日起，个人购买家庭唯一住房、第二套改善性住房在90平方米以下的减按1%征收契税；个人购买唯一住房在90平方米以上的减按1.5%征收契税；个人购买第二套住房在90平方米以上的减按2%征收契税。

19.耕地占用税

1987年，开征耕地占用税由财政部门征收，2009年，耕地占用税改县地税局征收。税额为每平方米20元。根据贵州省政府令第167号，从2016年3月1日起，惠水县适用20元/平方米税额；经国务院或者省人民政府批准成立的国家级、省级经济开发区和高新技术产业开发区，适用税额在原行政区划适用税额基础上提高20%；占用基本农田的，适用税额在上述两条规定的当地适用税额基础上提高50%。

20.固定资产投资方向调节税

1994年，实行分税制后，固定资产投资方向调节税改由地税局征收，实行差别税率，按其单位工程分别确定使用税率。税目、税率依照《中华人民共和国固定资产投资方向调节税暂行条例》所附的《固定资产投资方向调节税税目税率表》执行，税率分别为3%的投资项目、5%的投资项目、30%的投资项目。税目税率表未列出的固定资产投资（不包括更新改造投资）税率15%。2000年1月1日，暂停征收固定资产投资方向调节税。

21.农业税

农业税是以农业收入为征收对象，以常年产量为计税依据，农业税一直都是由财政部门征收，2006年1月1日起，国内全面取消农业税。

22.教育费附加

1986年7月1日，执行《征收教育费附加的暂行规定》，以各单位和个人实际缴纳的增值税、消费税、营业税税额为计税依据，税率为2%，对从事生产卷烟和烟叶的单位减半征收。1994年2月，将附加率改为3%。1994年分税制后，由县地税局征收。2011年10月1日，教育费附加随增值税、消费税在县国税局缴纳，随营业税在县地税局缴纳。

23.国家能源交通重点建设基金

1994年，国家能源交通重点建设基金划归国税征收，征收比例为15%。

24.国家预算调节基金

1994年，国家能源交通重点建设基金划归国税征收，征收比例为15%。

25.代收的其他收入

包含代收价调基金、文化事业建设费、地方教育附加、煤炭价格调节基金、残疾人就业保障金、工会经费等。

第三节　征收管理

1986年，《中华人民共和国税收征收管理暂行条例》出台，惠水县税务局到各乡镇进行税法宣传。1992年起，税务系统每年4月的“税收宣传月”集中开展税法宣传。

1988年前，惠水县税务局税收征管实行税务人员“征、管、查”一体、“一人进厂（场）统管各税”的税收专管员模式。1988年后，实行征收、管理、稽查三分离，税务人员按照不同的环节和岗位各负其责。

1978–1993年惠水县税收收入一览表

表13–2　　单位：万元

年度	1978	1979	1980	1981	1982	1983	1984	1985
税收收入	319.9	278.3	259.5	262.7	269.1	290.9	348.7	494.5
年度	1986	1987	1988	1989	1990	1991	1992	1993
税收收入	594	794.7	1006	1101.5	1145.8	1016.5	1224.3	2077

（一）国税征管

1994年，征管体制实行“申报、代理、稽查”三位一体。

2001年，县国税局实现“金税工程二期”的开通。

2002年，推行电话语音申报，全县的集贸市场、街道划分为特级、一级、二级、三级场镇，按照繁华程度将所有的街道划分为一、二、三等路段，对每个路段确定最低的基准定额。

2003年1月1日，在全县范围内推广应用城市综合版税收征管软件。1至6月，执行起征点调整，对辖区内不达起征点的个体工商业户进行分类汇总统计。

2004年，建立“以申报纳税和优化服务为基础，以计算机网络为依托，集中征收，重点稽查，强化管理”的征管模式。

2005年1月1日，上线运行《综合征管软件》。

2006年，县国税局作为全省国税系统一体化考核的试点单位，完成一体化考核办法的制定。

2009年，开展卷筒式发票推广工作；推行“一人一窗一机”和“同城通办”等办税模式；开展短信提醒和预防诈骗服务；实施网上申报纳税和增值税防伪税控网上认证及抄报税。

2011年，办税服务厅实现“一厅式”和“一窗式”办公。同时，推行国税局、地税局联合办税，建

县国税局开展送税法进校园活动。图为送税法进惠水民中（2009年摄）

立网上电子申报、税库银联网、税企QQ群等，提高办税效率。

2012年2月，与县27个部门联手建立综合治税联席会议制度、涉税信息交流制度、奖惩制度和涉税信息交流等制度，形成综合治税，打击偷税、逃税、骗税、抗税等行为。

2013年8月1日凌晨20分，惠水县“营改增”试点工作正式实施。9月1日，实现“营改增”6户小规模纳税人与2户一般纳税人，第一个征收期首日顺利申报，共征收税款3.34万元。总体实现8月1日的成功开票和9月1日的顺利申报；9月16日，完成全县66户“营改增”小规模纳税人和2户一般纳税人的顺利申报，新增试点纳税人41户，实现入库增值税32.22万元。

2014年10月1日起，全面施行《纳税服务规范》。推行网上办税，99%的纳税人办理数据电文登记；推新财税库银横向联网工作，县财税库银扣税率达80%，位居全州首位。

2015年9月，金税三期顺利上线，正式实施《全国税收征管规范（1.0版）》；是年10月1日起，全面推行“三证合一”（工商营业执照、组织机构代码证和税务登记证）登记制度改革，全县国税部门新增“三证合一”纳税人227户。

表13-3

县国税局1994-2015年税收收入一览表

单位：万元

年度	两项收入合计	税收收入						教育费附加
		小计	增值税	消费税	企业所得税	个人所得税	车购税	
1994	2142	2142	2131	11	0	0	0	—
1995	1756	1756	1734	22	0	0	0	—
1996	1722	1722	1712	10	0	0	0	—
1997	1804	1804	1794	10	0	0	0	—
1998	1878	1878	1853	10	15	0	0	—
1999	1976	1976	1946	13	10	7	0	—
2000	2330	2330	2270	12	3	45	0	—
2001	2683	2683	2553	8	0	71	51	—
2002	3012	3012	2875	7	3	71	56	—
2003	3971	3971	3736	7	74	73	81	—
2004	5136	5136	4711	6	230	91	98	—
2005	5824	5824	5526	6	81	99	112	—

续表13-3

年度	两项收入合计	税收收入						教育费附加
		小计	增值税	消费税	企业所得税	个人所得税	车购税	
2006	6770	6770	6660	7	-136	135	104	—
2007	8318	8318	7756	9	106	155	292	—
2008	9902	9902	9106	9	272	87	428	—
2009	11828	11828	10553	322	349	34	570	—
2010	18667	18667	15420	726	1551	8	962	—
2011	18772	18772	14208	922	2554	4	1084	—
2012	21792	21792	16252	1490	2168	1	1881	—
2013	25259	24714	16867	1426	3869	1	2551	545
2014	33490	32800	20691	1677	5864	0	4568	690
2015	33912	33192	18384	3212	4536	0	7060	720

表13-4

县国家税务局2013-2015年征收其他收入统计表

单位：万元

年度	价调基金	文化事业建设费	地方教育附加
2013	420	14	364
2014	524	20	460
2015	433	19	481

（二）地税征管

1995年，制定“管好大税、紧抓小税、清理欠税、整顿难税”的工作方针。委托公路运输管理所代征和平、高镇、三都片区的交通运输营业税、车船使用税。

1996年，加强委托代征和代扣代缴工作，除委托18个乡镇财政所代征税款外，还委托运管、交通、国土、计委、城建等部门代征交通运输、不动产交易、固定资产投资、建筑安装等行业和项目的税款。

1999年9月，成立税务警察大队。

2000年，实行专管员分片区管理。

2004年，对年纳税额在10万元以上的企业进行监控。

2006年，与安监局、公安局、财政局、国土局共同组成工作小组，对煤矿转让涉税行为开展专项清理。

2007年，抓好重点税源监控，将年纳税额30万元以上的作为重点税源。

2008年，建立车辆数据库，完善户籍管理。加强对房产税和土地使用税的清缴力度，分乡镇、片区、街道对纳税人造册，建立数据库。

2009年，规范不动产交易的征收管理，加强对二手房交易、土地买卖和自建房不动产交易的管理。

2011年，调整吨煤税收标准，将原来四级22.6元至39.4元的吨煤标准调整为七级35元至98.4元。

2012年，强化对股权转让的征收管理，督促纳税人在泰安水泥厂转让事务中缴纳股权转让个人所得税5100万元。

2013年，对房地产和建筑行业实行专人管理，向纳税人推广网络发票，推动财税库银工作，推动“营改增”试点工作，将交通运输业85户试点纳税人移交给国税局。

2014年，推行征管改革，实现征、评、管三分离。

2015年，完成“金税三期”系统中相关数据的采集和补录。

表13-5

县地税局1994-2015年税收收入一览表

单位：万元

年度	1994	1995	1996	1997	1998	1999
两项收入合计	215.6	438	960.1	1132	1171	1435
一、税收收入合计	215.6	431.6	887.1	1101	1130	1377
营业税	—	231.7	348	624	466	435
企业所得税	—	109.9	338	304	196	426
个人所得税	—	40.2	68	77	108	148
资源税	—	0.3	1.1	3	8	7
城建税	—	8.8	48.1	44	45	47
投调税	—	6.4	47.1	13	256	255
房产税	—	10	11.1	12	17	21
印花税	—	2.2	1.4	2	1	5
土使税	—	3.4	4	—	7	6
车使税	—	6.2	10	9	7	6
屠宰税	—	12.5	10.3	13	19	21
二、教育费附加	—	6.4	73	31	41	58
年度	2000	2001	2002	2003	2004	2005
两项收入合计	1641	1814	2191.7	2495	2974	3321
一、税收收入合计	1567	1730	2092.7	2371	2806	3108
营业税	865	837	1228.2	1,102	1045	1365
企业所得税	296	496	423.7	678	877	751
个人所得税	177	188	198.5	253	465	456
资源税	15	16	17.8	30	36	58
城建税	116	58	57.8	185	245	342
投调税	1	39	—	—	—	—
房产税	40	37	109.9	60	59	56
印花税	5	6	5.1	5	9	14
土使税	18	25	30.5	40	55	52

续表13-5

年度	2000	2001	2002	2003	2004	2005
土增税	—	—	0.4	2	—	2
车使税	7	9	10.3	16	15	12
屠宰税	27	19	10.5	—	—	—
二、教育费附加	74	84	99	124	168	213
年度	2006	2007	2008	2009	2010	2011
两项收入合计	4287	5045	6036	8299	10722	15306
一、税收收入合计	4032	4841	5739	7865	10239	14907
营业税	1813	1944	2076	2744	3885	5840
企业所得税	727	1012	899	1164	1129	1458
个人所得税	584	906	1243	1563	2129	2591
资源税	51	55	63	94	390	259
土使税	59	162	240	259	257	347
城建税	403	264	443	669	731	725
印花税	32	57	55	85	122	137
土增税	10	44	55	150	355	480
房产税	93	62	126	97	127	145
车使税	13	30	81	144	163	223
烟叶税	247	305	458	495	406	513
契税	—	—	—	324	405	1075
耕占税	—	—	—	77	140	1114
二、教育费附加	255	204	297	434	483	399
年度	2012	2013	2014	2015	—	—
两项收入合计	27831	46849	52880	62259	—	—
一、税收收入合计	27553	46275	52178	61625	—	—
营业税	9259	19170	22923	20232	—	—
企业所得税	3267	5364	5386	7085	—	—
个人所得税	8864	6573	2683	2978	—	—
资源税	660	1334	1572	1480	—	—
土使税	227	292	516	925	—	—
城建税	930	1520	2135	1992	—	—
印花税	186	344	491	482	—	—

续表13-5

年度	2012	2013	2014	2015	—	—
土增税	767	1341	1633	1366	—	—
房产税	126	160	280	519	—	—
车使税	284	312	415	525	—	—
烟叶税	678	1054	1031	872	—	—
契税	1287	3078	3302	3303	—	—
耕占税	1017	5733	9811	19866	—	—
二、教育费附加	278	574	702	634	—	—

县地税局2008–2015年征收其他收入统计表

表13-6 单位：万元

年度	价调基金	文化事业建设费	地方教育附加	残疾人就业保障金	工会经费
2008	0	3	98	5	0
2009	0	3	144	9	14
2010	11	4	161	42	34
2011	121	7	227	64	15
2012	202	10	184	83	66
2013	310	14	354	100	99
2014	311	16	351	38	74
2015	642	11	469	57	67

第四节 税务稽查

一、国税稽查

1997年，对全县35户企业进行稽核检查，调整会计账户20户，调增税款2.6万元，调减税款2.46万元，清补税款入库16.23万元。

2001年，根据《惠水县国家税务局关于印发〈惠水县国家税务局直属征管分局、三都征管分局、摆金征管分局、稽查局工作职责及各机构协调运转暂行办法〉的通知》，确定稽查局的工作职责。

2001年，运用增值税防伪税控系统，对虚假增值税发票和虚开增值税发票行为进行监控。是年，共检查企业57户，其中立案26户，查补增值税69.96万元，罚款13.89万元，加收滞纳金1704元，查补税款入库率达97.71%，处罚率达19.85%。

2002年，检查企业、个体48户，查补税款25.37万元，其中阳光稽查税款10.36万元，罚款4.25万元，加收滞纳金3889元，入库税款、罚款、滞纳金28.26万元。入库率达94.17%，处罚率达28.25%。对金融行业、信用合作社和酒类企业等行业开展专项检查。

2003年，实施联合税务稽查。是年，检查企业及个体工商户35户，共查补增值税20.67万元，其中阳光稽查税款4.86万元，企业所得税392.04元，罚款3.38万元，加收滞纳金3.54万元，入库率100%，处罚率21.38%。

2004年，查补增值税165.03万元，罚款2.86万元，滞纳金2.26万元。

2005年，检查25户企业，查补税款375.57万元，其中，增值税343.93万元，罚款1.4万元，加收滞纳金30.22万元，入库率100%，处罚率50%。

2006年，实施稽查43户，查补入库税款116.62万元。

2007年，实施专项检查11户，日常稽查24户，分级分类稽查3户。查补入库总额834.27万元，其中，增值税697.88万元，消费税1.45万元，罚款12.5万元，加收滞纳金122.44万元，入库率100%，个案处罚率50%。

2008年，对25户纳税人实施稽查，查补各税入库总额136.6万元，入库率98%，个案处罚率50%。

2009年，对32户企业实施稽查，查补税收入库148万元，入库率100%。

2010至2012年，立案检查5户，自查78户，查补税收入库696.31万元。

2013年，集中开展税收执法检查和执法监察。累计评估入库增值税122.04万元，所得税33.95万元，加收滞纳金8.76万元，调整应纳税所得额1057.01万元，抵减上期留抵15.93万元，进项税额转出抵留底272.18万元；稽查部门自行选案及其他部门风险评估案件转入总查补入库税额407.60万元，加收滞纳金14.72万元，罚款6.03万元。

2014年，对全县基建项目的清理入库增值税83.63万元；评估31户砂石行业企业，入库增值税46.58万元，加收滞纳金2.42万元；对涉及财政补贴资金28户企业进行清理，清理应补缴企业所得税76.8万元。稽查查补入库共计653.41万元。

2015年，对26户企业进行稽查评估，稽查查补入库共计479.80万元。

二、地税稽查

1995至1997年，共检查69户，查补税款38.7万元，个体工商户765户，补缴税款4.32万元。

1998年，检查纳税单位及个人641户次，补缴税款509872元，加收滞纳金740元，罚款578元。全年会同公安部门查处抗税案件2起，罚款700元，行政拘留2人。

1999年，检查处理问题单位、企业12户，查补税款及罚款100.14万元，检查竣工项目93个，查补入库印花税、投资方向调节税36.07万元，冻结企业银行存款2次，追缴入库税款31万元，查封企业财产1次，追缴税款入库2.8万元。同县纪委配合，查补个人所得税入库52万元，查处个体户4户，查补税款262元，罚款600元。9月18日，成立税务警察大队，设立地税中队，9至11月，以县城为重点对私人建房税收进行清理，共检查建房122户，补征税款32833.71元。

2000至2001年，对供电、供水、盐业等行业开展专项稽查，对高能耗高污染企业实施重点稽查，对工资收入偏高人员的所得监控，依法检查企业39户，查补税款398.86万元。

2002年，全年共检查149户，其中企业49户，个体100户。配合州局开展房开企业专项检查，检查房开企业4户。全年共查补税款入库200万元。

2003年，共检查纳税户31户，其中企业28户、个体3户。查补税款、滞纳金和罚款138万元，查处一起暴力抗税案件。

2004年，开展对货物运输、医疗卫生机构、企业所得税和个人所得税等专项检查，全年检查纳税户14户，查补入库66万元。

2005年，对房开、烟草、电信以及金融行业开展税收专项检查，查补入库地方各税费、滞纳金及罚款298万元。

2006至2009年，采用查促管的方式对房地产、高收入行业等开展税收专项检查，累计查补入库301万元。

2010至2011年，通过选案和专项检查，对房开企业、自开票纳税人进行检查，共查处案件14起，税款、滞纳金合计入库693万元。

2012年后，撤销县级地税局稽查局，由州地税局稽查局统一选案和实施检查，县地税局成立稽查组，配合州局稽查局查案。

第三章　金融业

第一节　金融体制改革

一、银行体制

1978年，县内有人民银行、建设银行、农村信用合作社等金融机构。

1979年2月，国务院发出《关于恢复中国农业银行的通知》，中国农业银行惠水县支行第四次恢复建立。

1981年，银行系统实行垂直管理，人员由州级以上行统一调配，业务由州级以上行统一下达，资金由州级以上行统一调拨。

1984年9月，辖区内农村信用社完成第一次体制改革，建立县农村信用合作社联合社，划归中国农业银行惠水县支行代管。

1985年1月，中国工商银行惠水县支行成立，与人民银行合署办公。建设银行惠水支行从县财政局分离，由原来的单纯财政职能转变为财政、银行双重职能。

1986年7月，人民银行惠水县支行、工商银行惠水县支行分开办公，人民银行惠水县支行履行央行职责，重点是对货币政策调控和金融监管，邮政局开办邮政储蓄。

1996年3月，中国人民建设银行惠水支行更名为中国建设银行惠水支行，职能向商业银行转变。年底，农村信用社联合社与农业银行脱离隶属关系，归属中国人民银行惠水县支行管理。

1997年，农行、建行、工行3家专业银行基本实现国有专业银行向国有商业银行的过渡，银行混业经营改为分业经营。2000年后，农行、建行、工行内部体制改革力度加大，注重资金的效益性、安全性、流动性，做到自主经营、自担风险、自负盈亏、自我约束。州级机构将贷款权限、贷款额度逐年上收，并缩减和调整内设机构，对成本大、效益差的基层网点，经业绩考核后报金融管理机构批准撤销，基本撤销乡镇一级的基层网点机构。建行、工行先后进行股份制改革。在人员的管理上，各家银行实行“双聘”制，形成竞聘上岗，进行业绩考核，建立责任追究制度，裁减在职人员，员工达到一定的工龄和年龄可以申请提前内退或买断工龄。

2003年12月，农村信用社实行以县为单位的统一法人社改革。

2004年3月，中国银行业监督管理委员会黔南监管分局惠水办事处成立。同年5月29日，按照上级行安排长顺县货币发行库撤销，并入人民银行惠水县支行货币发行库，结束了长顺县货币发行库成立运行以来54年的历史。人民银行长顺县支行货币发行库被撤销后，农业银行长顺县支行、长顺县农村信用联社直接到人民银行惠水县支行货币发行库办理现金存取业务。自此，惠水支行承担着惠水、长顺两地发行业务。

2005年，经贵州省银监局批准成立惠水县农村信用合作联社，建立以县联社为一级法人的行业管理体系。

2007年3月，邮政储蓄银行有限责任公司惠水县支行成立。

2014年3月13日，惠水县恒升村镇银行有限公司正式开业运行。

2015年10月29日，惠水县农村信用合作联社改制为贵州惠水农村商业银行。是年，全县金融管理机构2个：人民银行惠水县支行和惠水县银监办事处；国有股份制银行县支行4个：建行惠水县支行、工行惠水县支行、农行惠水县支行、县邮政储蓄银行；法人机构1个：惠水农村商业银行；村镇银行1个：惠水县恒升村镇银行。

至2015年，形成以人民银行、银监办、国有商业银行、农村信用合作社、村镇银行为主体的银行业金融机构。县内各项存款余额607754万元，比1978年增长701.79倍；各项贷款余额482123万元，比1978年增长274.87倍。

二、管理与服务

存款　1978年后，国内计划经济体制逐渐向市场经济体制过渡，各金融机构把“存款立行”作为生存与发展的根本，实行工资、奖金与储蓄任务挂钩，以存定贷，多存多贷的管理模式，形成多元化、多渠道组织存款格局。

1994至1996年，各金融机构窗口开展文明用语、限时服务、服务承诺、上门服务、电话银行等揽储活动。从1994年开始，推行储蓄业务电子化建设，增强金融服务功能。至2015年末，县辖内各金融机构已实现储蓄业务辖内电子化联网，通存通兑业务和代发工资业务等。信用卡业务得到快速发展，长城卡、牡丹卡、金穗卡、龙卡、中质卡、通保卡等信用卡代理存、取款业务。2015年末，全县金融机构各项存款余额607754万元，比上年增加101042万元，增长19.94%，同比增速全州排名第12位。

贷款　辖内金融机构按照国家产业政策和宏观调控的目标要求发放贷款，品种有：农业贷款、乡镇企业贷款、农村工商业贷款、工商企业贷款、企业技术改造贷款等。1978至2015年，工商信贷管理由“区别对待、择优扶植”，发展到对重点支柱产业的信用评估，以科学的评估体系对工商信贷进行风险机制的管理。对县内企业进行分类，划分一、二、三、四类企业，重点支持一、二类企业，限制三、四类企业。按照“控制总量、优化增量、调整存量、加强管理、挖掘潜力、提高效益”的信贷指导思想，一方面筹措资金支持县内经济上项目、上规模、上档次，另一方面对生产滞销、压库、呆滞产品企业进行清理挖潜，盘活信贷资金存量。

农村信用社利用人民银行支农再贷款，把支农资金重点投放到农业、养殖业、种植业生产。2002年，在全县开展“信用乡镇、信用村、信用户”创建活动，各营业网点优先向信用乡镇、信用村、信用户发放小额农户贷款，支持“两高一优”（高产、高效、优质）农业的发展，扶持一批养殖户、种植户和个体民营户。2008年后，辖内金融机构加大对县域基础设施、旧城改造、能源、交通、县城新区、工业园区建设的信贷力度。2015年，人民银行对惠水农信社（农商行）发放茶叶专项支农再贷款3000万元、发放奖励性支农再贷款4364万元，执行较低的再贷款利率，贷款期限均为1年。

到2015年末，各项贷款余额482123万元，比上年增加89805万元，增长22.89%，同比增速全州排名第10位。其中，中长期贷款余额28.42亿元，同比增加4.9亿元，增长20.85%；发放涉农贷款和小微企业贷款分别为326986万元和227592万元，同比增长17.26%和29.26%；发放民贸民品优惠利率贷款25090万元，受惠企业20家；指导农信社通过“双加”模式发放定向惠农贷款13675万元。支持金融机构开展应收账款质押、“两权”抵押、金融租赁、票据贴现等业务产品，支持规范政府平台融资及债务管理。

表13-7

1978—2015年惠水县存、贷款统计表

单位：万元

项目 年度	各项存款			各项贷款
	合　计	单位存款	储蓄存款	合　计
1978	866	457	76	1754
1979	1020	669	104	1673
1980	1144	735	166	1217
1981	1011	673	232	1412
1982	1111	666	307	1621
1983	1618	1066	448	2694
1984	1886	1085	646	2839
1985	2881	1481	1163	4283
1986	3143	1686	1228	4622
1987	3614	1489	1600	4791
1988	3069	1177	1669	4866
1989	3863	1734	2266	6674
1990	4631	2016	2950	8015
1991	5783	2587	3196	9629
1992	6736	3043	3708	11454
1993	9134	4269	4711	14021
1994	11177	5253	6452	15333
1995	13112	5772	7828	19283
1996	16511	6695	10025	21579
1997	20462	8055	12345	24016
1998	25904	7388	18049	31242
1999	27246	8457	19231	34236
2000	29122	9622	19798	33352
2001	35409	12003	23247	33698

续表13-7

年度＼项目	各项存款			各项贷款
	合　计	单位存款	储蓄存款	合　计
2002	44332	15475	29140	40638
2003	56644	22567	34096	43002
2004	74439	32928	41363	43395
2005	91949	39931	50806	44986
2006	119693	25914	55309	53591
2007	139935	66406	71369	91943
2008	165223	64637	91793	110718
2009	200818	78468	115401	129634
2010	254158	93282	145738	152376
2011	335337	130443	194934	163622
2012	397653	135455	233594	215371
2013	442949	142400	295029	260908
2014	506712	163244	333360	392318
2015	607754	243490	354920	482123

支付结算　1991年，继续实行1988年12月颁布的《银行结单办法》，结算方式为异地结算使用汇票、本票、汇总、委托收款，同城结算使用支票。此后，国有商业银行签发50万元以上大额银行汇票通过人民银行清算资金，各商业银行跨系统汇划款项和系统内50万元以上大额汇划款仍通过人民银行清算资金和转汇，所使用的结算工具有汇票、本票、支票、信用卡、托收承付、委托收款，支付结算办法明确支付结算当事人和关系人的权利和义务，强化支付结算纪律和责任。

2015年，规范完善助农取款服务“村村通”工程，打造金融服务“最后一千米”。年末，全县共设立“村村通”金融服务点229个，全年累计交易14.23万笔，金额达2270.02万元。推广移动金融服务，全县安装使用存、取款一体机具74台，比年初新增13台；安装使用POS机具1311台，比年初新增299台；金融IC卡在全县27辆公交车的刷卡应用，给予公交公司乘车刷卡消费打折。

货币发行　惠水县人民币的发行、流通和停止使用与全国同步。1991年2月6日，中国人民银行发出《关于第三套人民币贰元券、五角券只收不付的通知》。于3月1日正式执行。实现第四套人民币单一流通，中国人民银行决定，自1991年3月1日起，人民银行发行库对第三套人民币中贰元、五角券只收不付。1992年8月，第四套人民币发行完毕共9种面额。在第二套、第三套的基础上，增加了50、100元两个大面额券别，同年6月1日，发行了1元、5角、1角三种金属人民币。1999年12月9日，中国人民银行发布公告，即日起到2000年7月1日，停止第三套人民币在市场上流通。1999年10月1日至2004年7月30日，陆续发行了第五套人民币，面额分别为100元、50元、20元、10元、5元、1元、5角、1角券8种面额，与第四套人民币混合流通，具有同等的货币职能。2005年8月31日，发行2005年版第五套人民币。该套人民币共有100元、50元、20元、10元、5元纸币和1角硬币6种券别。2006年9月，人民银行总行通知，自2007年4月

1日起，第二套人民币纸分币1953年版5分币、2分币、1分币在市场上停止流通。集中兑换时间为2006年10月1日至2007年3月31日，兑换期结束后，第二套人民币纸分币持有者可到指定的金融机构继续兑换。2015年11月12日，2015版第五套人民币正式发行。

反假币 1978年后，假人民币在流通中时有发现，大部分为第三套人民币10元券。1994年11月，国务院首次反假货币工作联席会议决定：反假货币联席会议成员由：中国人民银行、中共中央宣传部、国家计委、公安部、财政部、海关总署、国家工商行政管理院、国家安全部、最高人民法院、最高人民检察院、工行、农行、建行、中国银行等单位的主管领导及有关人员组成。中国人民银行主要负责人为会议召集人。反假货币联席会下设国务院反假工作联席会议办公室，设在中国人民银行，全国各地由地方政府牵头，设立相应的反假货币机构。各金融机构加强反假工作，对假人民币一经发现，要按照程序进行收缴，不得再退回客户，对收缴的假币、反假资料要专人保管，认真清理、登记、造册，移交当地人民银行。按照中国人民银行黔南州中心支行的要求，惠水县支行协助辖内金融机构建立人民币管理监督员网络机制，每年集中开展一次人民币知识宣传月活动，送人民币知识下乡，把反假工作的重点放在农村。同时，人行协助公安机关严厉打击制、贩、使用假人民币的犯罪活动。

金银收兑业务 1994年8月24日，中国人民银行发布《关于调整白银经济政策问题的通知》。对白银的收购价格、配售价格、联行调拨价格作了具体规定，于是年8月1日起执行。2001年5月29日，中国人民银行发布《关于实行黄金周报价制度有关问题的通知》，是年6月11日起，对企业收购、配售黄金原料的价格实行周报制度。中国人民银行每周公布按照人民币兑美元汇率折算黄金收购、配售价格，实行挂牌收购、配售黄金，跟踪国际黄金市场价格波动，与国际金价接轨。2002年1月8日，《中国人民银行关于做好当前金银管理工作的通知》规定：从2002年起，人民银行收购黄金不再下达收购计划，各分支行应取消收购计划考核办法。黄金交易所正式运行后，人民银行只收购成色低于99.95%（不含99.95%）的黄金，但最低成色应不低于98%。各分支行严格遵守收兑操作程序，防止误收造假、掺假黄金，防范收购风险。同年，人民银行惠水县支行将收兑的金银以及金银比对牌等直接上交贵阳中支，至此，金银收兑业务结束。

安全管理 各金融机构开展防抢劫、防诈骗、防盗窃，确保国家资金和工作人员安全。县公安局内保科对全县金融单位实行定期政审制度、教育培训制度、运钞车安全许可证制度、金库营业网点安全防范设施合格证制度、协同联防制度、发票追究制度等管理，全县金融系统对安全保卫工作实行一把手负责制，逐级签订责任书，各行、社均设立安全保卫部门，制定岗位工作职责，及时修订安全保卫制度、措施、办法，管理逐步规范化。各行、社均制定应付突发抢劫和盗窃应急方案，定期不定期进行预案演练，每年组织干部职工进行武装常识培训及实弹射击训练。各行、社营业网点均配备安全器械，安装电视监控、“110”报警联网系统，执行检查和装备枪支弹药管理，发现问题，限期整改。计算机安全检查，保证计算机系统及网络正常运行，加强对国库会计、发行、保卫等要害岗位人员安全防范教育，定期或不定期对要害岗位人员进行考核，至2015年，境内金融运行正常。

第二节　中国人民银行惠水县支行

1983年9月，按国务院关于中国人民银行专门行使中央银行职能的决定，不再办理工商信贷和储蓄业务。

1986年5月，恢复县级人民银行建制，同年7月，中国人民银行惠水县支行（以下简称县人行）与工商银行惠水县支行分开办公。分设后的人行内设综合业务、货币发行、会计3个股室。

1987年，金融管理和稽核与计划统计工作分开，成立金管稽核股和计划股。

1988年，内设机构调整为人秘股、保卫股、发行股、计划股、金管稽核股、会计股。

1991年，人民银行惠水县支行围绕优化贷款结构、盘活资金存量，对各金融机构划缴财政存款、利率政策执行、贷款投向以及国有商业银行的成本费用、结算纪律执行、存款业务真实性等情况进行检查。

1994年，重点对乡镇企业及农业银行信贷资金等情况进行清理检查。

1995年10月，撤销人秘、计划统计股、稽核金管股、会计股、国库股和发行股，重新调整为金融监管股、保卫股、营业部、办公室，办公室与金融系统纪检组、监察室合署办公。同年，开展委托贷款专项稽核、储蓄业务专项检查，对非法金融进行清理，加强金融机构的市场准入管理。

1997年7月，增设农村合作金融管理股。同年，开展对进入机构存款业务中不正当竞争行为和金融机构“证、照、章、牌”检查，配合财政部门进行预算外资金、违规经营和账外经营情况清理检查，在金融机构中逐步实施资产负债比例管理。

1998年，对商业银行信贷、农村信用社信贷和中国人保财险惠水支公司的业务范围进行检查。

1999年，重点防范化解风险，督促各金融机构努力降低不良资产，提高信贷资金质量，对境内集资情况进行调查摸底，对辖区内信用社实行责任挂钩监管，对农业发展银行是年度各项资产、负债和损益的合规性、真实性及风险性进行现场检查，对辖区内的国有商业银行、农村信用社合作联社及所属机构是年末资产质量、盈亏真实性以及内控制度、高级管理人员任职资格，进行真实性检查，配合政府完成合作基金会的清理整顿工作。

2003年12月，在县人行内筹建县银监办事处。

2004年3月，县人行与惠水县银监办事处分设办公。银监办分设后，对辖内银行业金融机构变更事项及高级管理人员任职资格等事宜进行初步审查，提出初审意见；负责辖区内银行业金融机构的监管，重点对地方性法人机构（农村信用合作社）的非现场监管和现场检查，收集辖区内金融风险信息并向上级监管机构报告。

2005年，对工行、农行2004年末贷款五级分类偏离度进行现场检查；对农行、建行个人消费贷款进行现场检查。

2007年，每季对银行业机构的不良贷款进行监测，对工行、农行、建行、邮政储蓄银行、农村信用社2005年2月后开展的案件专项治理工作进行督查，对法人机构2006年度新发放贷款投向及合规性、偏离度、是年序时性检查存在问题，进行后续检查。

2009年，对辖内银行业金融机构营业网点按季开展案防工作督查，督促涉农金融机构做好金融和小企业金融服务工作，支持返乡农民工创业就业。督促农村信用社、邮政储蓄银行，严格按照《贵州省金融机构空白乡镇金融便民服务办法》《黔南州金融机构空白乡镇便民服务工作实施方案》在金融服务空白乡，设置固定网点和便民服务点、ATM机和POS机。对辖内银行业金融机构的金融许可证及邮政储蓄银行、农村信用社营业网点和业务库安全情况进行检查。会同州、县公安局对辖内有武装守护押运的银行业金融机构进行检查。

2011年，对县农村信用合作社股金证管理、县农村信用社100万元以上中长期贷款期限管理、县农村信用合作联社政府平台贷款、法人机构银行承兑汇票贴现业务情况现场检查，对农行、邮政储蓄银行、农信社枪支弹药情况及邮政储蓄银行、农信社营业网点、业务库安全情况进行后续检查。

2012年，开展对县农村信用合作社上报的月度、季度非现场监管报表进行初审、收集辖内银行业金融机构报表数据、切实掌握辖内银行业金融机构的业务发展等非现场监管工作。对县农村信用合作社股金证管理、县农村信用社中长期贷款还款管理、县农村信用合作联社政府平台贷款管理、县农村信用合作联社社团贷款管理现场检查。

2014年以来，税收收入电子缴税横向联网业务一直保持全州前列。推动金融IC卡在公交领域有效运用。实施助农取款服务“村村通”等普惠金融政策在全县行政村全覆盖。是年7月，全省首家县支行货币发行人民币回笼券整袋交接系统在惠水支行上线运行。

2015年，中国人民银行惠水县支行内设机构为“一室三部”，分别为办公室（纪检监察室）、国库会计发行部、金融管理部、保卫部，有正式在职在编行员26人，退休职工6人。是年，在全州创新开展“人民币收付业务示范网点”建设，经综合评判，选定了县农信联社（农商行）高镇信用社和恒升村镇银行涟江支行作为人民币收付业务示范网点，受到上级和社会好评。是年5月1日起，实施《存款保险条例》。在全州对县支行的年度综合目标考核中取得第三名，被总行认定为2012至2014年度“模范职工之家”。

第三节　银监办事处

一、机构

2004年3月10日，正式挂牌成立惠水银监办，“中国银行业监督管理委员会黔南监管分局惠水办事处”，办事处未设职能科室。2013年12月，筹建惠水银监办，人员由人行惠水县支行一名副行长和金融监管股、农村合作金融监管股组成，独立履行原人行惠水县支行行使的金融监管职能。2015年12月31日，办事处有干部职工4人。

惠水银监办隶属中国银行业监督管理委员会黔南监管分局（简称黔南银监分局）管辖，根据上级授权开展监管工作，重点是对辖内法人机构（农村信用社至2015年改制为农商行、村镇银行）和邮政储蓄机构的非现场监管和检查，收集辖内金融风险信息并向上级报告。主要职责：行政管理、非现场监管、现场检查、维护当地金融秩序、对银行业金融机构不良资产监测、做好辖内银行业金融机构的案件风险防控，督查、打击社会非法金融活动、配合有关部门取缔非法金融机构和处置非法集资问题、配合做好当地金融改革。

表13-8

2004—2015年惠水县金融机构一览表

年度	工行		农行		建行		邮政储蓄银行				农村信用社		恒升村镇银行		合计（不含部门服务点）
	支行	辖网点	支行	辖网点	支行	辖网点	邮政储蓄	二级支行	支行	代理网点	联社*	辖网点	总行	辖网点	
2004	1	2	1	3	1	1	4	—	—	—	1	25	—	—	39
2005	1	1	1	3	1	1	4	—	—	—	1	25	—	—	38
2006	1	—	1	2	1	—	5	—	—	—	1	25	—	—	36

续表13-8

年度	工行		农行		建行		邮政储蓄银行				农村信用社		恒升村镇银行		合计（不含部门服务点）
	支行	辖网点	支行	辖网点	支行	辖网点	邮政储蓄	二级支行	支行	代理网点	联社*	辖网点	总行	辖网点	
2007	1	—	1	2	1	—	5	—	—	—	1	25	—	—	36
2008	1	—	1	2	1	—	3	2	—	—	1	25	—	—	36
2009	1	—	1	2	1	—	3	2	—	—	1	25	—	—	36
2010	1	—	1	2	1	—	7	2	—	—	1	23	—	—	38
2011	1	—	1	2	1	—	7	2	—	—	1	25	—	—	40
2012	1	—	1	2	1	—	—	—	1	9	1	25	—	—	41
2013	1	—	1	2	1	—	—	—	1	9	1	25	1	—	42
2014	1	—	1	2	1	—	—	—	1	9	1	26	1	—	43
2015	1	—	1	2	1	—	—	—	1	9	1	27	1	1	45

注：2008年，农村信用合作联社在金融机构空白的大龙乡、大坝乡、甲烈乡、摆榜乡、宁旺乡、抵麻乡设立便民服务点6个，其中：大龙乡、大坝乡便民服务点，于2011年11月转为正式营业网点，截至2015年末，便民服务点4个。

2013年11月28日，黔南银监分局批复同意惠水恒升村镇银行开业。

2015年9月24日，经贵州银监局批复同意，惠水县农村信用合作联社改制为惠水农商行。10月29日，惠水农商行正式挂牌成立。上表“*”处改称总行。

二、职能

银行业金融机构业务市场和机构准入监管 惠水银监办根据黔南银监分局授权，协助做好县辖内银行业金融机构的业务市场准入，以及机构准入管理的实地调查和初审，后者主要包括机构网点增设及选址、撤销、升格或降格，机构网点更名、原址装修、迁址及装修，自助银行选址，ATM机增设等事项。

2004年，配合黔南银监分局做好辖区39个银行业金融机构网点《金融许可证》的换发。对撤销农行惠水支行广场营业所、农村信用社凤山分社迁址进行初审。2005年，对工行惠水县支行城关分理处撤销、惠水县邮政局新增设机构网点振兴路支局、上马路支局、邮政储蓄机构迁址、农村信用社大龙分社迁址与更名进行初审。2006年，对工行惠水县支行高镇分理处、农行高镇营业所、建行惠水县支行县府路储蓄所撤销进行初审，并监督其在规定时限完成网点撤销工作。2007年，对工行惠水县支行迁址，农行和平分理处、邮政储蓄县府路支局、邮政储蓄高镇支局营业所原址装修进行监督。2009年，对惠水县邮政局上马支局邮政储蓄、振兴路支局邮政储蓄、高镇支局邮政储蓄营业网点变更为代理营业机构进行监督，对中国邮政储蓄银行黔南州分行筹建的代理营业机构惠水县摆金镇营业所、断杉镇营业所、芦山镇营业所、三都镇营业所筹建工作进行现场监督指导。对惠水县农村信用合作联社长田工业园区分社，拟搬迁临时办公地点装修进行现场查看。

2010年，对筹建的中国邮政储蓄银行有限责任公司惠水县摆金镇营业所、断杉镇营业所、芦山镇营业所、三都镇营业所营业机构安全设施等有关情况进行实地察看，确保网点顺利开业。对农村信用合作联社东门储蓄所、商业一条街储蓄所撤销进行监督，对农业银行惠水县支行营业部因装修搬迁临时营业场所进行察看。2011年，对农村信用合作联社大龙乡、大坝乡便民服务点，转为惠水县农村信用合作联社大龙分社、惠水县农村信用合作联社大坝分社进行现场监督。2012年12月，根据《中国银监会关于中国邮政储蓄银行整体改制成为股份有限公司的批复》，对中国邮政储蓄银行股份有限公司惠水县县府路支行（二级支行）由县府路堰塘坎迁到县和平镇建设路，并更名为中国邮政储蓄银行股份有限公司惠水县支行，在原址设立邮政储蓄代理营业机构，名称为中国邮政储蓄银行股份有限公司惠水县县府路营业所。2013年，初审新设立的惠水恒升村镇银行拟选网址，建行惠水支行拟迁新址，惠水农村信用合作联社羡塘信用社、振兴分社、岗度分社、长田分社拟迁址实际情况，工行惠水支行高镇ATM（自助取款）机装修、邮储银行惠水支行大堂ATM机装修，建行惠水支行车站自助银行选址，以及惠水农村信用合作联社长田、凤山、高镇、雅水基层信用社安装在行式ATM机等。2014年，初审农行惠水支行开发区营业所拟搬迁新址，工行惠水支行贵州财经大学商务学院离行式自助服务点拟选址，惠水农村信用合作联社断杉、雅水、芦山、羡塘基层社原址装修，以及振兴分社迁址，拟新设惠兴分社选址，环南、雅水基层社迁址装修，王佑、断杉、好花红等四个基层信用社网点安装在行式ATM机。2015年，初审农行惠水支行开发区分理处迁址装修、和平分理处原址装修，恒升村镇银行涟江支行选址，惠水农商行拟新增小微支行、南苑分社、涟江分社选址等。通过实地察看，提出安全防卫措施等建议，确保行政审批后营业场所顺利营业和ATM机安全运行。

二、高级管理人员任职履职监管

按照黔南银监分局授权，负责对辖内银行业金融机构变更事项及高级管理人员任职资格等事宜进行初步审查、提出初审意见，对高级管理人员实施约见谈话，参与黔南银监分局组织对县辖内高管人员的约谈等。2008年，配合黔南银监分局开展辖内银行业金融机构高管人员2007年度履职考核，通过述职、测评、谈话等方式，对辖内银行业金融机构高管人员贯彻执行金融方针政策、法律法规、日常管理、合规经营、业务发展、内控制度建设、风险防范、接受银监机构监管和对违规问题整改落实等方面进行综合测评考核，做出监管评价，2010年起，每2年一次。

三、法人机构非现场监管

主要有：做好非现场监管报表审核，确保非现场监管信息完整、准确、及时上报。密切关注流动性指标变化情况，督促法人机构制定流动性风险处置预案，开展压力测试，有效控制流动性风险，确保稳健经营。严格控制授信集中度风险，要求法人机构按季报送大额、社团贷款和代理保险业务等报告，督促其坚持风险分散原则，逐步压降大额贷款比重。督促完善法人治理结构，确保“三会”履职到位。要求及时召开理（董）、监事会和社员代表大会与列席会议，对理（董）事会议进行综合评价。拟写上报季度、年度监管报告和风险分析报告。开展年度监管评级初评，并参加分局复评。结合非现场监管、现场检查、案防督查，做好半年和年度审慎监管会谈工作。按季对辖内银行业金融机构不良贷款进行监测督促各机构拟定清收计划，制订措施，清收不良贷款或盘活现有贷款存量，提高信贷资产质量。

四、现场检查工作

根据黔南银监分局统一安排，参与或承担各项现场检查。及时发现问题和存在的风险隐患，提出整改意见和监管建议，督促被查机构整改。

2004—2015年惠水银监办专项检查一览表

表13-9

年度＼项目	被检查机构	检查项目	备 注
2004	工行惠水支行	信贷资金流向钢铁、电解铝、水泥行业等行业贷款情况	分局授权
	农行惠水支行	信贷资金流向钢铁、电解铝、水泥行业等行业贷款情况	分局授权
	农行惠水支行	商业汇票业务	分局授权
	建行惠水支行	商业汇票业务	分局授权
	惠水农村信用社	内控制度执行情况	分局授权
2005	工行惠水支行	贷款分类偏离度	分局授权
	农行惠水支行	贷款偏分类离度、个人住房贷款	分局授权
	建行惠水支行	贷款偏分类离度、个人住房贷款	
	农行惠水支行	商业汇票业务后续跟踪检查	分局授权
	建行惠水支行	商业汇票业务后续跟踪检查	分局授权
	农发行长顺支行驻惠水信贷组	信贷与风险管理	分局授权
2006	工行惠水支行	贷款分类偏离度、持续跟踪检查	分局授权
	农行惠水支行	贷款分类偏离度、持续跟踪检查	分局授权
	农行惠水支行	持续跟踪检查	分局授权
	农发行长顺县支行惠水信贷客户服务组	2004年以来开办的各项新业务信贷管理和贷款风险分类情况	分局授权
	全辖银行业金融机构网点	安全防范设施达标	联合公安局
	全辖银行业金融机构网点	金融许可证管理情况	分局授权
2007	惠水农村信用社	冒名贷款、序时性检查、贷款偏离度检查	配合分局
	全辖银行业金融机构网点	安全防范设施达标	联合公安局
	全辖银行业金融机构网点	金融许可证管理情况	分局授权
2008	工行惠水支行	高管人员2007年度履职情况检查	分局授权
	建行惠水支行	建行豪龙水泥有限公司固定资产贷款检查	分局授权
	惠水邮政储蓄	惠民路支行及惠水县县府路支行等两个二级支行验收检查	分局授权
	惠水农村信用社	冒名贷款、序时性后续检查	分局授权
2010	农行惠水支行	惠水县人民医院贷款240万元	分局授权
	惠水农村信用社	“三个办法一个指引”贯彻落实情况、监管指标真实性、国家扶持资金使用合规性	分局授权
	全辖银行业金融机构网点	金融许可证管理	分局授权
	农村信用社、邮储蓄银行	枪支弹药及业务库管理	分局授权

续表13-9

年度＼项目	被检查机构	检查项目	备注
2011	惠水农村信用社	股金证管理情况	分局授权
	惠水农村信用社	100万元以上中长期贷款还款方式	分局授权
	惠水农村信用社	监管指标真实性、贯彻落实银监会“三法一指引”情况持续跟踪检查	分局授权
	惠水农村信用社	对公账户风险排查	分局授权
	全辖银行业金融机构	深化银行内控和案防制度执行	分局授权
	全辖银行业金融机构网点	2011年度金融机构安全评估	联合公安局
2012	惠水农村信用社	股金证管理持续跟踪检查	分局授权
	惠水农村信用社	“不规范经营”专项治理检查	分局授权
	惠水农村信用社	100万元以上中长期贷款还款方式后续检查	分局授权
	惠水农村信用社	农商行改制筹备工作验收	分局授权
2013	邮储银行代理营业机构	业务检查	分局授权
	惠水农村信用社	贷款合规性检查	分局授权
	惠水农村信用社	与担保公司合作发放贷款风险检查	分局授权
	惠水农村信用社	贷款偏离度检查	分局授权
	惠水农村信用社	操作风险现场检查	分局授权
	辖内银行业金融机构	安全保卫工作现场检查	分局授权
	县邮政储蓄银行代理网点——惠明路支行	理财业务开办情况协查	分局授权
2014	惠水农村信用合作联社	贷款合规性持续跟踪检查	分局授权
	惠水农村信用合作联社	操作风险后续跟踪检查	分局授权
	惠水农村信用社 恒升村镇银行	同业业务新规执行情况检查	分局授权
	县工行、县农村信用合作联社	突发事件应急管理检查	分局授权
	各银行业金融机构	案件防控暨“双线”风险防控督查	分局授权
2015	各银行业金融机构 保安押运公司	元旦春节期间安全大检查	联合公安局
	恒升村镇银行	“加强内部管控遏制违规经营和违法犯罪”现场检查	分局授权
	各银行业金融机构	优质文明规范服务检查	分局授权
	邮储银行惠水县支行	银行卡业务专项检查	分局授权
	惠水农村信用社	存款账户协查	分局授权

五、定期会议

定期召开辖内银行业金融机构联席、案防工作等会议，传达金融政策和各项规定，提示日常监管中发现的问题和风险，要求各机构落实各项政策规定，及时整改防范风险，在合法稳健经营情况下加强金融服务，支持地方经济发展。

六、案件防范

为遏制当前全国金融腐败和案件高发态势，2005年，在银行业金融机构开展治理商业贿赂和案件防范专项治理。按照属地监管原则，督促、指导银行业金融机构按季召开案件防控工作分析会，按季开展银行业金融机构案件防控督查，督促整改。将案防工作纳入银行业金融机构、高管人员和职工绩效考核年度履职考核，实行“一票否决”制。督促银行业金融机构加强安全保卫，在元旦、春节、“五·一”、国庆等重要节假日进行专项安全检查，配合公安部门开展银行业金融机构安全保卫检查。指导各金融机构按照制定的应急预案开展防抢劫、防诈骗、防盗窃、消防等应急演练。加强制度执行检查和装备枪支弹药管理，加强计算机安全检查，保证计算机系统及网络正常运行，对会计、出纳、保卫等要害岗位人员安全防范教育，定期对要害岗位人员进行考核。至2015年末，辖内金融运行正常，无案件发生。

七、推动农村信用社改革、改制

农村信用社改革　惠水县农村信用社改革试点工作于2003年9月启动。先期由人民银行惠水县支行配合，2004年初，人行与银监机构分设后，惠水县农村信用社改革工作领导小组办公室设在惠水银监办，重点配合政府和督促指导农村信用社开展改革试点。

按照《贵州省深化农村信用社改革试点工作实施方案》的要求，惠水县农村信用合作联社顺利实施了产权制度改革。2005年12月18日，惠水县农村信用合作联社经贵州银监局批准获准开业，实现以县为单位的统一法人社。

2007年7月，完成惠水县农村信用合作联社于2004年12月2日认购的专项中央银行票据1000.00万元的审查，确保票据兑付，并用于惠水县农村信用合作联社置换不良贷款650.40万元、历年挂账亏损349.60万元。

农村信用社改制为农商行　贵州银监局遵循银监会部署，要求省内农村信用社逐步改制为农村商业银行。2012年，惠水县农村信用合作联社迈入改制之路。2015年9月24日，贵州银监局批复，同意惠水县农村信用合作联社改制为贵州惠水农村商业银行股份有限公司，10月29日，正式挂牌成立。标志着惠水县农村信用社深化改革试点取得阶段性成果，农村信用社的产权制度、组织形式和公司治理迈上新台阶。

八、普及并推进乡镇基础金融服务

2014年，实现全县201个行政村基础金融服务全覆盖。此后，惠水银监办督促各机构继续加强基层金融服务。每季对4个便民服务点、惠农服务“村村通”网点服务工作的巡查指导，不断提升金融服务功能；搜集填制惠水县农村金融机构网点和服务覆盖情况，建立“村村通”电子档案；对农信社、村镇银行开展消费者权益保护工作考核。

九、引导社会公众建立金融安全防范意识

2010年，开展“2010年银行业公众教育日活动”，通过发放《信用卡“七问”》等宣传小手册，向社会公众普及现代金融知识。组织农村信用社开展“送金融知识下乡”，共发放宣传资料2万余份，制作宣传条幅近30条。2012年5月，组织辖内银行业开展防范和打击非法集资宣传教育，利用条幅、展版、电子显示屏等载体，宣传防范和打击非法集资。一是利用场天，在集市发放宣传资料，讲解非法集资的定

义、主要表现形式、危害性等，号召群众拒绝高利诱惑，远离非法集资；二是利用惠水新闻播放活动开展情况进行宣传；三是联系移动、联通、电信三家通信公司，利用手机发送宣传短信进行广泛宣传；四是要求各机构在营业网点用LED电子显示屏滚动播出防范打击非法集资宣传标语，在营业大厅用电视播放动漫视频，宣传非法集资的危害性，散发宣传资料，并在乡镇基层网点采取灵活多样宣传。2007年3月，由中国银监会发起的全国银行业“送金融知识下乡”活动在全国范围内正式启动，2014年，在银监会推动下“送金融知识下乡”活动不断深化。是年起，每年9月组织银行业开展“金融知识进万家”宣传月活动，各金融机构通过短信、微信、广告、网站、营业网点海报及滚动屏幕多渠道广泛宣传，使广大群众真正懂得保护自身资金和信息安全知识、能力及技巧。

2014年6月15日，在县城商贸街，惠水银监办与县金融办牵头，组织各银行业金融机构、保险公司利用场天开展打击非法集资集中宣传。

第四节　工商银行

一、机构

1984年1月1日，人行加挂中国工商银行牌子，与人民银行一套人员，两块牌子，资金分开，两套账目，合署办公。1985年1月，中国工商银行惠水县支行成立。1986年7月，人行惠水县支行、工行惠水县支行分开办公，工行内设会计、出纳、计划、储蓄、信贷、人秘和保卫7个股室，辖姚哨1个分理处，城关、东门、姚哨、永安4个储蓄所，干部职工80余人。

1986至1993年，工商银行惠水县支行为国家专业银行。1994年，工商银行由国有专业银行向国有商业银行转变。1999至2000年，随着经营模式转型，工商银行开始减员增效、机构撤并，工商银行惠水县支行相继撤并了永安、场坝、东门3个储蓄所，工商银行长顺县支行撤并后纳入惠水县支行管理，工行惠水县支行人员减至50余人，内设办公室、营业部、业务部，下设姚哨及城关两个分理处。

2005年10月，经过股份制改造中国工商银行由国有商业银行向股份制银行转变，同年12月，更名为中国工商银行股份有限公司惠水支行。同时撤并城关分理处，保留支行本部及姚哨分理处，支行本部内设办公室、营业部、业务部。

2007年，中国工商银行股份有限公司惠水支行租用惠水县商贸发展有限公司大楼，从凤山街与长征路交汇处搬迁至县府路141号办公，同年撤并姚哨分理处，保留支行本部，内设办公室、营业部、业务部。

2011年，工商银行购置惠水县和平镇建设中路“恒基大厦”物业一、二层作为新办公楼，2012年9月，正式搬迁至此营业办公，内设办公室、营业部、业务部，先后在营业大厅安放存取款一体机3台，自助回单打印机1台，产品领取机1台，智能终端3台，为客户提供方便、快捷的自助服务。

2014年以来，惠水工行借改制后第一个发展最快的“黄金十年”（2005—2014），在业务发展、基础管理、内控强化均得到提升，基础管理水平明显提质。

二、自助服务

1998年，工商银行惠水支行在县府路城关分理处设置第一台自动取款机，实现全县第一台自助取款机24小时服务。

2005年，城关分理处撤并后，改造为县府路自助服务区，安装2台存、取款一体机，1台自助终端，为客户提供24小时对外自助服务。

2007年，县府路141号设立附行式自助服务区，安装2台存、取款一体机、1台自助终端，实现24小时对外自助服务。

2009年，在高镇一条街设立高镇自助服务区，安装2台存、取款一体机，1台自助终端，为高镇地区居民提供24小时自助服务。

2011年，在盛华学院内设立盛华自助服务区，安装2台存取款一体机，为学院师生提供24小时自助服务。

2012年，将县府路附行式自助服务区搬迁至恒基大厦一楼，安装3台存、取款一体机和1台自助终端，为客户提供24小时自助服务。

2015年，在南门桥头设立南门自助服务区，安装2台存取款一体机，一台自动取款机，为县城居民提供24小时自助服务。

截至2015年12月，工商银行惠水支行共有自助服务区5个，其中：附行式自助服务区1个，离行式自助服务区4个，共有ATM机15台、自助终端6台，对客户提供全天候存、取款、查询、转账等24小时自助服务。

三、存款

1985年，开办存款业务主要有：对公存款和个人存款业务，对公存款主要为：当时县域惠水县造纸厂、险峰机床厂、永安电机厂及惠水县工矿区商业贸易有限公司、惠水县百货公司、惠水县民族贸易公司。储蓄存款主要为城镇居民提供活期存款和定期存款。1988年，根据发展需要，推广各种新办储种，储蓄存款分为整存整取、零存整取、通知存款、活期存款。1989年，推行保值储蓄，开办企业融资票据转存业务。1991年，设置有价证券交易代办处，代办各种有价证券发行、兑换、转让、保管业务，尤其以国库券为最。开办个人定期储蓄存单小额质押贷款业务。1993年，所辖储蓄网点均以手工办理记账转为通过微机具办理记账。1994年，首次代理承销凭证式国债。1995年，开通储蓄存款通存通兑，开办代发工资业务。1997年，支行机具与省分行中型机联网，实现全省通存通兑。

随着国家逐步由计划经济向市场经济转变，客户可以自主选择银行，大部分工商业存款存留工行，其他行业客户也可选择在工商银行开立账户。

四、贷款

1985年，贷款种类主要有：企业流动资金贷款、技术改造贷款、项目贷款和各类政策性贷款。在计划经济时代，重点支持国有大、中型企业险峰机床厂、惠水造纸厂、永安电机厂的流动资金贷款和技改贷款，同时，支持县域工业企业惠水铁厂、惠水农机厂、惠水酒厂、惠水肉联厂、惠水县小龙蜜饯厂，对惠水县百货公司、民贸公司、五金公司、蔬菜公司、石油公司、惠水县粮食局等部门流动资金贷款。1996年，开办抵押担保贷款，执行“下管一级，监控两级”的模式，法人贷款也延伸至学校、公司等。1998年后，执行“区别对待，择优扶植”的信贷政策，实现信贷台账联网，引入五级分类管理，提升信贷资产管理水平和质量，至2015年12月，公司贷款余额48240万元。

1998年，开办个人住房贷款，支持县城住房改革，为惠水县域开办个人住房贷款最早的银行。2000年后，政府推行市政建设改造，惠水房地产业兴起，工行惠水支行率先贷款支持县第一条商贸街—好花红商贸街建设，个人住房贷款初具规模，以后历年个人住房贷款逐年扩大。至2015年12月，个人住房贷款36866万元。

1999至2000年间，根据统一部署，工行惠水支行向华融资产管理公司剥离不良资产，企业自此减负，资产质量发生根本好转。

2001年，先后开办个人经营性贷款和个人消费贷款，为个体工商户和居民提供经营贷款及综合消费贷款服务，支持地方经济发展，拉动县域消费需求。至2015年底，个人经营性贷款9579万元，消费贷款7984万元。

2007年，工行惠水支行对长田工业园区发放第一笔小企业流动资金贷款，扶持园区小型企业，先后为40余户小企业提供融资服务，解决小企业融资难问题，同时，为民族贸易企业申报办理民贸民品贴息服务，截至2015年12月31日，工行小企业贷款27户，贷款余额25540万元。

2012年以来，工行惠水支行小企业信贷业务发展，小企业信贷份额占全州三分之一以上，为支持地方经济建设发挥积极作用。

表13-10

2006—2015年存贷款情况表

单位：万元

年度	存款	贷款
2006	22253.09	6199.73
2007	24829.9	7754.57
2008	33132.01	11012.67
2009	42856.76	16301.68
2010	50372.17	25699.52
2011	65254.54	36442.84
2012	68434.66	50456.24
2013	59548.82	55641.88
2014	74385.06	79914.52
2015	80911.73	102669.49

五、结算业务

1985年，对单位及个人开办结算业务，单位结算业务主要办理单位电汇、信汇、托收承付、银行承兑汇票等；个人结算业务主要有个人信汇、电汇业务，随着电子化业务的发展，至2015年，汇款业务多数通过智能设备及电子银行完成，缩短客户等候时间，为客户提供方便、快捷的智能化服务。

六、信用卡业务

1994年10月，工商银行注册牡丹信用卡商标，开始发行信用卡，2007年，工行惠水支行开始在县域推广牡丹信用卡业务，经过近10年的发展，至2015年12月31日，工行惠水支行信用卡业务已渗透到县域各单位、乡镇，同时，还延伸至周边长顺、平塘等地，在满足客户多元化经济需求、带给客户方便的同时，拓展支行业务发展空间。2009年，工商银行推出了信用卡分期付款业务，期限分为3个月、6个月、9个月、12个月、18个月、24个月、36个月、60个月八个档次，满足客户不同的融资需求。

七、POS商户业务

2008年，推出POS商户业务，主要是与县域商户合作，将POS机引入超市、店铺等商户，为客户提供购物刷卡便捷服务，搭建客户、商家、银行三方合作平台。截至2015年12月，共有POS商户180户，覆盖县城及各乡镇。

八、电子业务

2000年，惠水工行先后开办个人网上银行、企业网上银行、手机银行业务。2001年，推出汇款直通车业务。2002年，推出“金融e通道”，自电子银行业务开办以来，经过10多年的发展，截至2015年，电子银行品种已涵盖个人网上银行、工银e支付、企业网上银行、电话银行、手机银行、融e联、智能服务等七大类几十个品种，满足不同客户的多元化需求。

2013年，推出融e购电商平台，先后将贵州永红食品有限公司、贵州金晨农产品开发有限公司引入工商银行电商平台，拓宽企业销售渠道。

九、理财业务

2009年，工行开办理财业务，主要是满足法人客户及个人客户资金保值增值需求，分别有法人理财和个人理财。经过发展，工行理财业务已具备一定规模。

第五节 农业银行

一、机构

1979年12月5日，恢复“中国农业银行贵州省惠水县支行”，1980年1月正式挂牌营业，内设人事秘书股、会出股、农业资金管理股、信合股、企业拨款股，人民银行下设各办事处划出改为姚哨（高镇）、三都、断杉、摆金、雅水、芦山6个营业所，全行员工101人。

1981年7月，农业资金管理股更名为社队信贷股。

1984年7月，成立计划信贷科。

1985年1月，企业拨款股、社队信贷股分别更名为工商信贷股、农业信贷股。

1986年6至9月，先后成立资金组织股、支行储蓄专柜、支行办公室。期间，支行办公大楼于8月搬迁至惠水县和平镇上马路。

1988年2至9月，先后成立企业管理办公室、审计稽核股、监察室、保卫股。

1991年1月，人事秘书股更名为人事教育股。

1992年4月，撤销企业管理办公室，业务并入工商信贷股。

1993年12月，国务院明确“中国农业银行转变为国有商业银行”的决定，中国农业银行开始向国有商业银行转轨。

1994年4月，中国农业银行向新组建的中国农业发展银行划转了大部分政策性业务。

1996年8月，根据国务院《关于农村金融体制改革的决定》，中国农业银行不再领导管理农村信用社，与农村信用社脱离行政隶属关系。同年12月，撤销信合股，芦山营业所撤迁至和平镇，租赁县委商用门面更名为和平营业所，12月支行办公大楼搬迁至惠水县和平镇人民北路5号，内部机构重组，设支行办公室、计划财务部、资金组织部、信贷管理部、监察保卫部，下设营业网点有支行营业部、和平营业所、上马路储蓄所、高镇营业所、三都营业所、摆金营业所、雅水营业所、断杉营业所。

1998年5月，断杉营业所搬迁至县城内更名为东门营业所。7月，上马路储蓄所搬迁到县府路，同时，更名为西门储蓄所。12月撤并雅水营业所，业务并入摆金营业所。

1999年7月，中国农业银行向新组建的中国长城资产管理公司剥离不良资产。

2000年2月，西门储蓄所更名为广场储蓄所，12月，摆金营业所搬迁至建设东路更名为开发区营业所。

2001年2月，三都营业所搬迁到和平镇，与广场储蓄所合并后更名为广场营业所。8月，成立风险资产经营部。

2002年6月，支行内设机构精简合并调整为综合部、计财部、业务发展部、风险资产经营部。7月，东门营业所撤并，业务并入支行营业部。

2006年9月，高镇营业所撤并，业务并入开发区分理处。至此，乡镇所有营业网点均撤并到县城内营业。之后再次将机构精简合并，内设综合管理部、客户部，外设营业网点为营业部、和平营业所、开发区营业所，同时“中国农业银行贵州省惠水县支行”更名为“中国农业银行惠水县支行”。

2009年，农业银行成功股改上市，“中国农业银行惠水县支行”更名为“中国农业银行股份有限公司惠水县支行”。截至2015年末，全行在册职员工43人。

二、存贷业务

存款 1980年，开办存款业务。1995年开通金穗卡业务。2013年9月，惠水县农业银行存取款业务实现全国联网。

贷款 中国农业银行惠水县支行恢复后，根据国家信贷政策和信贷投向，参与县域经济建设，组织资金，大力投放信贷资金、支持全县农、林、牧、副、渔产业发展，支持抗旱救灾，支持矿产资源开发加工、农网改造、教育、城市基础设施建设等，信贷投向基本涵盖全县经济建设各个领域。1980年，对农户发放口粮小额贷款；1982年，发放粮食收购贷款、国有企业贷款、集体企业贷款，1984年发放供销社贷款、1985年发放工商个体户贷款，1998年发放个人住房贷款，2007年，根据农业银行总行《服务“三农”总体实施方案》《关于深化和扩大服务“三农”试点工作的意见》，推出农户个人生产经营贷款、惠农卡等产品，重点支持农户、农村微型企业及农村个体户发展。

1980—2015年中国农业银行惠水支行存款、贷款发放情况表

表13-11　　　　单位：万元

年度	存款余额	贷款情况		
		贷款发放	贷款收回	贷款余额
1980	114	344	22	322
1981	151	480	447	355
1982	187	530	410	475
1983	198	520	567	428
1984	279	800	756	472
1985	476	2033	1962	543
1986	624	2033	1722	854
1987	1027	2020	1208	1666
1988	802	1948	1933	1681
1989	890	2045	1598	2128

续表13-11

年度	存款余额	贷款情况		
		贷款发放	贷款收回	贷款余额
1990	972	2318	1748	2698
1991	1452	3100	2193	3605
1992	1586	3000	3037	3568
1993	1781	2508	2029	4047
1994	1899	2450	3758	2739
1995	2070	2863	2345	3257
1996	2270	3274	2790	3741
1997	4417	4698	2459	5980
1998	4643	5070	4985	6065
1999	5620	5139	3048	8156
2000	5871	5546	5130	8572
2001	6242	7472	5476	10568
2002	7869	8860	7009	12419
2003	8677	9358	7427	14350
2004	9335	12065	10128	16287
2005	11606	16560	15505	17342
2006	34651	18135	15816	19661
2007	33983	39688	12922	46427
2008	30752	22635	26637	42425
2009	35094	20867	18125	45167
2010	41675	21455	19569	47053
2011	52085	22152	38489	30716
2012	60070	22948	9930	43734
2013	64762	31286	20024	54996
2014	57431	33389	19575	68810
2015	66042	30611	19034	80387

三、中间业务

1994年，代理农业发展银行业务；1995年，代理国债销售；1998年，开始办理代发工资业务；2003年，开办保险代理业务；2013年，开展贵金属业务。

第六节　建设银行

一、机构

中国人民建设银行“惠水办事处”，成立于1963年2月，1975年3月，撤销“惠水办事处”，成立中国人民建设银行惠水县支行，在惠水县和平镇文化路独立办公。1980年，国务院要求建设银行要努力学会用银行的办法办银行。实行独立核算，有还款能力的企业，进行基本建设所需的投资，由过去的无偿使用逐步变成为有偿使用。建设银行惠水县支行的信贷业务开始得到发展。

1981年，开始转变职能，逐步开展信贷和信托业务。1982年，惠水县支行先着手组织业务人员，对惠水地区工业企业经济进行全面摸底调查。先后编写出《惠水地区省属工业企业经济调查报告》及《惠水县办工业经济情况调查报告》等9份有分析价值的资料上报，1987年，支行内设会计出纳股和业务综合股。同年4月，正式对外开办现金出纳业务，1988年，针对建设银行信贷资金出现供不应求的矛盾，惠水支行在管好压贷的同时，制定措施抓好存款。增加支行人员编制，试行职工岗位轮换，重视财务利润指标考核，组建惠水支行县府路储蓄所，是年6月，正式办理城镇居民储蓄存款业务。并代理发行国家重点建设债券10万余元。1989年后，建设银行进一步实施“筹资兴行”攻坚战略部署。先后设立了建设银行惠水支行汽车站储蓄所和高镇八普储蓄代办所，使支行居民储蓄和现金出纳这两项基础业务得到健康稳定发展。

1992年，建行成立房地产信贷部，开办房屋改革金融业务服务。1993年，国家由计划经济体制逐步过渡到市场经济体制，建设银行惠水县支行由专业银行向商业银行转轨。1995年，建行惠水县支行实行一级法人体制。按照商业银行管理办法制定支行《储蓄人员岗位处罚条例》《记账员主要职责》《出纳员、复核员职责》《储蓄事后监督职责》《对会计出纳操作的违规处罚规定》《枪支管理规定及安全保卫职责》等规章制度，全行实行目标考核。1998年，随着商业银行管理体制的逐步健全完善，建设银行开始实行单位领导和员工聘用制，不断完善员工考勤制度、督察监办制度、规范有价证券、加强微机管理及在岗人员业务知识培训。

2001年，建行惠水支行根据规定，突破传统人事管理制度，开始人事与激励约束机制的改革。开展减员增效，对全行职工采取竞聘上岗，推行员工能进能出（含内退）的灵活有效机制，2002年，建立有效激励与约束机制。推行收入能增能减，实行效益与业绩挂钩，职工工资全部实行浮动，绩效工资向业务发展好的部门及岗位倾斜，每月工资按岗位实绩考核计发。对支行原有机构设置和内部职能部门重新进行审查，实行精简撤并。重组后支行设立两部一室（即公司业务部、营业部及办公室），2005年4月，建设银行进行股份制改造，更名为：中国建设银行股份有限公司惠水县支行，2015年末，内设客户部、营业室、共有员工22人。

二、存贷业务

对公存款　1978年以来，主要吸收基本建设单位、建筑安装企业、地质勘探单位、基建物资供应部门以及建设单位主管部门、城市综合开发企业等存款。1988年，新增工商企业存款，单位定期存款，单位大额可转让定期存单，信托资金存款等18种，1994年，向国有商业银行转轨，逐步向工商、企事业等领域拓展。1995年，推行以审吸存，以贷引存措施，扩大存款业务。2015年，企业存款88911万元。是年企业存款余额66160万元，比2014年增长14561万元。

储蓄存款 1988年，开办个人储蓄存款，先后开办住宅、有奖、定额、大额定期、独生子女、智力投资、定额定期等储蓄业务，是年办理个人存款50万元。1994年，开办希望工程爱心、儿童、妇女爱国、实物有奖等储蓄业务和代发工资业务。1998年，个人存款2989万元，2001年8月，开通速汇通汇存款。2002年，开办本、外币活期一本通、本外币定期一本通、约定转存等业务。2008年，个人存款12017万元，2015年，个人存款27517万元，比1988年新增22701万元，比1998年新增19762万元，比2008年新增10684万元。

贷款 1979年，主要有出口工业贷款、小型技改贷款等，大多属于财政或部门委托贷款，数额小，多数用于简单设备购置或简易厂房建设。1984年，为贵州险峰机床厂发放技改贷款200万元。1985年为惠水县酒厂发放技改贷款720万元（其中：省财政委托贷款200万元，建行信贷资金贷款520万元）、惠水轻工企业技改贷款100万元。

1986年，分别对惠水县水泥厂、农机厂、铸钢厂及石英砂厂等企业发放州、县级财政委托贷款125万元，支持了企业的生产经营发展。1993年，落实信贷收支计划，控制贷款规模，合理投放，坚持集体审批制度。1994年，对惠水供电局发放省基金委托贷款200万元，支持建设惠水县龙岗110千伏输变电工程，改善了惠水地区能源长期供不应求的问题。1996年，信贷经营领域拓宽，开始进入涉农企业项目贷款，信贷工作执行审、贷分离规定。自1995至2002年，先后发放基本建设贷款4400万元，支持惠水涟江资源开发有限责任公司开发建设海里水力发电厂。

1999年2月，信贷体制改革，完善审贷分离，推行信贷经营及责任制度。先后开办信贷资金贷款、政策性房改金融和个人住房抵押贷款，既办理固定资产投资信贷，又办理企业配套流动资金贷款。

2004年，开始代理住房公积金贷款，涉及中间业务主要包括造价咨询、保理业务、财务顾问。2008至2012年，先后对贵州豪龙水泥厂发放贷款10980万元，支持该企业在惠水地区的发展，该企业系惠水地区的纳税大户。2011至2015年，对长田工业园区17户中、小企业发放贷款5800万元，支持小企业的发展。到2015年12月，各项自营性贷款余额49046万元，较年初新增4155万元。其中：公司贷款余额31820万元，个人贷款余额18176万元，公积金贷款余额20386万元。

三、中间业务收入

拓展中间业务收入，营销小企业贷款和保险业务，2008年，中间业务净收入460万元。2009年，中间业务收入145.69万元。2010年，中间业务收入142.30万元，2011年，中间业务收入243.42万元，2012年，中间业务收入411万元。2013年，中间业务收入336万元。2014年，中间业务收入413万元，2015年，中间业务收入311万元。

表13-12 **1992—2015年建行惠水支行存、贷款统计表** 单位：万元

年度	企业存款	企业贷款	个人存款	个人贷款	公积金贷款
1992	560	737	475	—	—
1993	798	705	735	—	—
1994	1635	1220	1115	—	—
1995	1896	1227	1454	—	—
1996	2771	2558	1860	—	—

续表13–12

年度	企业存款	企业贷款	个人存款	个人贷款	公积金贷款
1997	2380	3435	2476	—	—
1998	1998	3345	2986	—	—
1999	2222	5325	3483	—	—
2000	2848	5700	4036	—	—
2003	7670	7394	6503	—	—
2005	3774	19440	21529	—	—
2007	13702	21586	13680	—	—
2008	19278	24956	12017	—	727
2009	21652	20545	13809	—	2150
2010	28223	16198	17362	—	3450
2011	43601	13114	20743	1804	4670
2012	37744	19440	21529	2208	6420
2013	62600	6900	21100	8896	12861
2014	51600	30500	23400	14300	18100
2015	31820	49046	22751	18176	20386

第七节　农商银行

一、机构

1978年，惠水县设51个乡镇，农村信用社随乡镇而建，全县共有农村信用社网点51个。

1980年起，全县由51个乡镇合并为25个乡镇，农村信用社随之合并为25个。

1986年，根据信用社业务发展及经营现状，分期分批设立中心信用社。同年7月，惠水县农行在王佑镇开展信用合作社体制改革试点，将王佑、长安、打引3个信用社合并成立王佑中心社，实行统一核算，分级经营。试点完成后，1987年在全县推开设立。

1992年初，按照上级金融管理部门规划要求，农村信用社必须从农业银行脱离出来，自成体系，自主经营，发展自身业务，更好为“三农”服务。同年6月，开始筹建惠水县农村信用社联合社。于9月13日，经上级向银监部门申请、审查、批准，惠水县农村信用社联合社（以下简称县联社）正式成立，下辖25个营业网点，召开首届社员代表大会。

1993年，县人行报州人行批复同意，惠水县联社由原农行分离，开始独立经营。

1994年，原办公地点已不能满足需要，经县人行报州人行批复同意，联社再次由三都路搬迁至西门路边租房办公，初设了办公室、业务股、安全保卫股、稽核审计股、财务股等部门。

1996年，经县人行报州人行批复同意，联社购买原县小五金厂改建为联社办公用房，地点位于县城圆台边至东门口大路中段右侧，总面积1300平方米，价格56万元。同年10月，联社搬迁至圆台边新址办公，营业部增加6人，设主任、会计、出纳、业务员等岗位。

1997年，十字街信用社迁址到县城惠兴路更名为振兴信用社。

1998年，岗度信用社和鸭绒信用社降格为分社，惠水县联社共下设营业机构28个，其中：法人机构18个，非法人机构10个（分社6个，储蓄所4个）。同年4月，经人民银行黔南州分行批准，将业务发展缓慢、亏损大的宁旺信用社迁址到惠水县城郊，更名为新环城南路信用社。

2000年，惠水凤山城市信用社完成改制，划归县联社管理。是年，惠水县联社撤销资不抵债的长田信用社，把大龙信用社、太阳信用社、甲戎信用社、抵季信用社、振兴信用社降格为分社。年末，惠水县联社共下设分支机构25个，法人机构11个，非法人机构14个（分社12个，储蓄所2个），在职76人。

2002年11月，经上级部门批准，以176万元购置位于人民北路原县粮贸公司办公室作联社办公地点，年底开始装修改造。

2003年10月，开展信用社县级统一法人改革试点。同年，贵州省农村信用社联合社成立，惠水县联社由人民银行管理变更为由省联社直管。

2005年10月，惠水县农村信用社召开成立县级统一法人机构创立大会，产生新一届社员代表大会、理事会、监事会。是年12月，惠水县农村信用合作联社正式挂牌开业，下设分支机构25个，11个信用社，12个分社，2个储蓄所，在职119人。

2006年2月，银监会贵州省黔南监管分局下达《关于惠水县农村信用合作联社分支机构更名的批复》，同意将惠水县原凤山、高镇、三都、好花红、断杉、摆金、雅水、羡塘、芦山、王佑、新环城南路、新城、振兴、凤兴、长田工业园、斗底、鸭绒农村信用合作社，以及雅水社太阳分社、断杉社甲戎分社、羡塘社抵季分社、王佑社长安分社、打引分社，分别更名为“惠水县农村信用合作联社××分社”；将东门储蓄所、商业一条街储蓄所分别更名为“惠水县农村信用合作联社××储蓄所”。上述机构更名后，原机构自行终止，取消原信用社法人资格，其债权债务由惠水县农村信用合作联社承接。

2009年5月，省联社党委决定组建78家联社（行）党委及纪委，并对有关人员进行了任命。其中：组建中共惠水县农村信用合作联社委员会、中共惠水县农村信用合作联社纪律检查委员会。

2010年3月18日，黔南银监分局发文，批准惠水县联社《关于撤销联社东门储蓄所和商业一条街储蓄所的请示》，将二储蓄所有关债权、债务、财务、人员及时按方案进行划转。

2011年11月21日，经黔南银监分局批准，大坝便民服务点和大龙便民服务点升格为分社。

2014年3月3日，县人民政府成立了贵州惠水农村商业银行股份有限公司筹建工作小组，由县人民政府县长任组长，县人行、银监办、惠水县联社、县财政局、发改局、国土局等15家单位负责人为成员。同年6月20日，惠水县联社新增分支机构惠兴分理处获准开业。

2015年1月26日，惠水县联社新增分支机构时代分理处获准开业；惠水农村信用合作联社获中国银行业监督管理委员会下发的批复，同意惠水县联社开展农商行筹建。7月9日，贵州惠水农村商业银行股份有限公司召开创立大会，通过公司章程，产生第一届董事会、监事会，9月24日，贵州惠水农村商业银行股份有限公司获中国银监会贵州监管局下发的批复，同意贵州惠水农村商业银行股份有限公司开业。10月28日，贵州惠水农村商业银行股份有限公司挂牌开业。同年12月23日，经黔南银监分局批准，惠水农商银行凤山支行等27家分支机构开业，惠水农商银行共下设11个支行。16个分理处。

二、管理体制

1978至1979年，惠水农村信用合作社属县人行管理和指导。1980年，划归县农行监管。

1983年，县农行根据中央、省委有关文件精神和总行《关于改革信用社管理体制的试点意见》，是年起，恢复农村信用合作社股金分红付息制度，同时，建立健全经营责任制，严格执行信用社的资金不准抽调，信用社的存、贷款利率不能倒挂，贷款利率可以浮动等制度。

1984年，按国务院《批转中国农业银行关于改革信用合作社管理体制的报告通知》，县农行对全县信用社进行改革，恢复和加强信用合作社的“三性”（组织上的群众性、管理上的民主性、经营上的灵活性），在国家方针、政策指导下，自主经营、独立核算、自负盈亏。

1990年4月，县农行推行中心社主任风险经营承包责任制，信用社的信贷计划、人员安排、财务收支、贷款审批等重大问题由中心社主任统筹安排，6月，县农行贯彻州农行《关于加强信用社综合治理整顿的意见》，全面开展整顿职工队伍，整顿信贷秩序，整顿财务纪律，整顿机构网点，按照有利生产、方便群众、经济核算、便于管理、保证安全等原则进行调整、整顿。

1992年9月13日，县联社成立后，确定县联社独立法人地位，统一管理全县信用社。县联社成立初，仍与县农行合并办公。是年起，基层信用社配有主任、副主任、坐班主任、主任助理、主办会计、出纳、信贷、柜员等多职多岗。

1997年3月，惠水县联社制定〈惠水县农村信用社经营责任制管理办法〉，实行权、责、利挂钩，奖勤罚懒，打破以往的平均分配制度。

1999年4月，县人行规范农村信用社“证、章、牌”，县联社及时完成规范所辖社证、章、牌的使用。9月7日，县人行贯彻中国人民银行《关于印发〈1999年农村信用社调整工作人员工资标准和增加离退休人员离退休费的实施办法〉的通知》，县联社所辖农村信用社实行员工等级制工资标准管理。同年11月9日，县人行对信用社实行等级制管理。

2000年11月5日，县联社下发《关于成立惠水县联社股金改造工作领导小组的通知》，成立以联社相关部门、各基层社负责人为成员的领导小组，全面部署股改工作。此次股改，将原资格股转为投资股，同时大幅增加资本金。

2003年，信用社的监管职能转入银监会。

2005年10月，经贵州银监局黔银监复〔2005〕130文件批复，惠水县农村信用合作社联合社与所辖农村信用合作社以县合并为统一法人，并更名为惠水县农村信用合作联社，实行一级法人、统一核算的管理体制。

2006年5月，惠水县联社全面推行贷款五级分类管理，农村信用社开始试行商业银行标准监管。

2007年3月21日，惠水县联社印发《关于进一步做好农户信用等级评定工作的通知》，布置在全县各信用社开展此项工作；县联社成立农户信用等级评定工作领导小组；摆金、王佑、羡塘信用社所培育的信用村（组）在是年6月底前完成授牌；同时，将工作开展情况列为年终考评项目之一，分别奖惩。

2009年4月，惠水县联社制定经营考核方案，实行百分制考核，内容涵盖案防工作、存款增加额、贷款增加额、不良贷款下降额、已置换不良贷款收回、利息收入、中间业务收入、资产费用率等方面，初步建立了科学完善的机制。

2011年6月，县联社成立“合规管理委员会”，负责组织实施全县农村信用社合规管理工作计划，组织稽核审计部、风险管理部、财务信息部、业务发展部、事后监督部、农村业务部和电子银行部等相关制度，以及合规管理培训及其他相关工作。

2015年10月28日，经中国银监会贵州监管局批准贵州惠水农村商业银行股份有限公司挂牌开业，标志着惠水农信社完成了股份制改造，由集体所有制转变为股份制。

三、信用业务

存款　全县农村信用社主要办理农村集体组织和个人存款、贷款；办理合作农业、个体工商业、服务业、乡镇企业的存款、贷款；办理农村转账结算，负责农村经济单位的现金管理等业务。

1978年后，各信用社组织存款，发展存款业务，年末存款余额逐年递增。

1984年末，惠水信用社储蓄96.9万元，比上年增加3.1万元。

1992年，全县信用社及联社营业部共吸收各项存款984万元，同比增幅达39.97%；为个人储蓄存款，无集体及单位存款余额。

1995年，各信用社（部）存款余额1628万元，增幅45.88%。存款余额中，个人储蓄存款余额1430万元，单位存款余额198万元。是年，县联社坚持“存款是立社之本”，使存款金额由年初的1116万元上升到1628万元，净增额512万元，创建社以来的最好水平。是年5月，中国人民银行贵州省分行和中国农业银行贵州省分行联合下发《关于对农村信用社开办特种存款的通知》，并下达惠水县农村信用社特种存款计划任务。

1997年7月，根据人民银行贵州省分行关于大额现金支付登记备案实施办法的规定，惠水信用社全面实施支取大额存款备案制度。

2010年，各项存款年末余额75929万元，同比增加15265万元，增幅25.15%。其中，个人储蓄存款余额55164万元，首次突破5亿元大关，同比增长32.7%；单位存款余额20765万元，同比增长21.49%。是年，10月20日和12月26日，分别对存款利率作调整，其中第一次作降低调整，第二次作提高调整。

2003年，进行电子化建设，使用计算机办公，柜台业务实现电子化。8月8日，县联社营业网实现参与贵州省第三批开通储蓄通存通兑业务。

2005年，全县农信社各项存款余额突破2亿元，达到20145万元，其中：储蓄存款12760万元，对公存款4609万元。

2006年，在储存款利率持续走低、商业银行消费信贷业务发展迅速、保险部门营销力度加大、国家大量发行国库券等导致资金分流多的不利因素影响下，县联社制定和完善管理制度，落实各项责任制。上半年，按照省联社下发的《农村信用社储蓄业务柜员制管理暂行办法》，健全储蓄业务柜员监管机制，向客户提供优质、高效的金融服务，稳住老客户，吸引大批新客户。

2008年，全县信用社实现全国信合系统通存通兑和跨行电子汇兑业务。储蓄存款仍是信用社存款的主要来源。

2010年，各项存款年末余额14771万元，同比增加34319.88万元，增幅32.2%。其中，个人储蓄存款余额109639.63万元，同比增长32.7%；单位存款余额31085.35万元，同比增长31.7%；其他存款余额159.79万元。

2013年，个人客户在CCIS系统开户，新增了账户核实。即客户需在个人存款账户核实系统核实后，才能在CCIS系统开户，开户时，若输入的户名、身份证号不正确，系统会提示，避免开错户出现非真实账户的情况。

2014年，二代支付系统上线，系统界面清晰，操作简单，办理业务效率提高，更好满足广大城乡居民多样化的金融服务需求，提升支付结算服务水平和核心竞争力。

2015年，全行存贷款余额突破50亿元，达到50.56亿元，存款超额完成全年任务。其中，各项存款余额28.67亿元，较年初增加7.3亿元，增幅34.14%，完成省联社计划任务的191%。

贷款 1978年后，全县农村信用社发放贷款，贯彻以承包户、专业户（重点户）为主，以农业生产和流动资金为主的方针，在保证农业贷款需要前提下，发放农村工商信贷。

1983年，信用社体制改革后，全县信用社积极为农业经济发展提供信贷资金服务，发放支农贷款逐年增多。1985年，信用社贷款实行期限管理，坚持贷款的期限性、偿还性，及时收回到、逾期贷款，加速资金周转。

1987年，建立贷款责任制，实行“包放、包收、包效益”管理，对大额贷款实行可行性研究，由集体研究审批，避免盲目支持，促使每笔贷款做到放得出、收得回。

1991年，中国农业银行于7月29日提出：在贷款管理上，要健全完善贷款合同制度、贷款“三查”制度、贷款集体审批制度、贷款担保抵押制度。县联社于8月制定《农村信用社违章违制处罚暂行规定》，各信用社必须按照《贷款管理通则》操作规范，各项手续齐全，凡缺项的按规定罚款；年终擅自突破信贷规模的，罚主任20至50元，并视其情节给予一定行政处分；不准发放跨地区贷款、人情款、越权款、冒名顶替款、自批自贷；不准发放行社干部贷款或替人介绍担保贷款、以信用名义替单位（个人）担保贷款，行社干部家属贷款必须严格控制，并报经县支行审批；不准发放政策规定外贷款。严格执行“五公开一监督”。

1992年6月12日，中国农业银行贵州省分行以黔银发〔1992〕177号文件通知，农村信用社贷款利率在农业银行贷款利率的基础上，上浮幅度为60%，由各县农行掌握，县联社具体实施。上浮超过60%的，要报人民银行二级分行批准。

1995年，建立自有资金补充制度，提高风险抗御能力，在支持“三农”粮、棉、油、种、养、加农村经济发展的同时，走多业发展道路，扩大工商业、消费等领域贷款，为“三农”、城乡居民、企业提供方便、快捷、灵活的金融服务。

1996年，人总行下发《农村信用合作联社管理暂行办法》和农总行下发《农村信用合作社贷款管理暂行办法》后，县联社按照《规定》和《办法》加强联社内部和贷款管理，并制定和修改相关制度。

1997年，县联社制定改进和加强支农服务十条意见，要求调整信贷结构，支持农业和农村商品经济发展。

2000年，全县各信用社共发放各项贷款1189万元，同比增加904.42万元，累计收回各项贷款998万元，年末贷款余额为2968万元。是年，县联社按照年初人总行下发的《农村信用合作社农户联保贷款管理指导意见》和州中支行的有关文件精神，开办“农户联保贷款”业务。

2002年2月，根据人民银行总行《农村信用社农户小额信用贷款管理指导意见》，县联社开办农户小额信用贷款，及时解决农户急需的化肥、种子、农药等资金需求。同年3月，人民银行贵阳中心支行下发《贵州省农村信用社评定信用农户、信用村及信用乡镇实施办法》，惠水县联社开始农村信用工程建设工作。

2005年，全县信用社累计发放各项贷款75130.22万元，累计收回125万元，贷款余额14771万元，贷款发放主要投向农、林、牧、渔等涉农项目，涉农贷款余额为13536万元，占贷款总额的91.64%。

2006年5月9日，根据省联社下发《贵州省农村信用社信贷资产风险分类实施细则》，县联社推行沿用至今的信贷风险五级分类标准。是年7月，县联社开办大学直通车生源地助学贷款业务。

2007年12月6日，县联社印发《惠水县农村信用合作联社农户建档、评级的指导意见》，详细规定了建档评级工作的具体内容、项目，并要求各社分片落实责任，规范建档、评级。

2008年，全县信用社累计发放各项贷款32268万元，同比增加7411万元，增幅为29.81%。贷款总额中，农户贷款23031万元，占总额的71.37%。

2010年，全县信用社贷款余额62990万元，同比增加15380万元，其中，正常贷款余额60061万元，不良贷款余额2929万元，占4.65%。是年，贷款发放主要投向农、林、牧、渔等涉农项目，涉农贷款余额为57729万元，占贷款总额的91.65%，涉农贷款增长率完成“三个高于”各项指标。

2012年，全县信用社累计发放各项贷款101741万元，突破10亿元大关，同比增加22162万元，增幅达27.85%。贷款发放主要投向农、林、牧、渔等涉农项目，农户贷款发放68457万元，占贷款总额的67.29%。按照省、州、县经济工作会议和贵州省农村信用社工作会议精神，县联社及时调整信贷投向，坚持服务“三农”的市场定位。在乡镇市场，信贷政策向农户、农民经营大户、农民专业组织、农业产业化龙头企业倾斜。在城区市场，信贷政策，向以行政事业单位职工为主体的社区居民、个体工商户、中小微企业倾斜。适时把握贷款投向、投量和节奏，重点对“三农”和中小微企业的支持力度。同年，惠水县促进就业小额贷款担保中心和惠水县农村信用合作联社共同举办了是年创业促进就业小额担保贷款发放仪式，向首批25名贷款申请人发放小额担保贷款169万元，标志着促进就业小额担保贷款正式在全县推广。

2013年，惠水联社举办“信贷规范管理强化年”动员会，对规范信贷业务操作进行安排，标志着县联社信贷管理水平再上台阶。

2014年，县联社首笔“绿丝贷”花卉园艺经营贷款在凤兴分社成功发放，这是县联社根据人民银行“双加”模式贷款进行的一次创新，为在本地经营花卉的外地人解决了“融资难题”。

2015年，各项贷款余额21.89亿元，较年初增加4.19亿元，增长23.63%，完成省联社计划任务的118%。涉农贷款余额21.5亿元，较年初上升4.11亿元，增长23.65%，高于全部贷款平均增速的0.02个百分点，涉农贷款占比98.18%，较年初上升0.01个百分点，同比多增0.85亿元，新增涉农贷款占新增贷款的98.24%；农户贷款余额14.43亿元，较年初上升3.17亿元，农户贷款占比67.13%，较年初上升3.53个百分点；农村企业及各类组织贷款余额7.07亿元，较年初上升0.94亿元，占比32.87%，较年初下降1.7个百分点。小微企业贷款余额10.35亿元，较年初增加2.6亿元，增速33.59%，高于各项贷款平均增速9.59个百分点，小微企业贷款1905户，较去年同期新增471户，小微企业申贷获得率98.6%，较去年同期上升0.17个百分点，完成小微企业贷款“三个不低于”，累计发放“3个15万元”微型企业贷款449万元，余额2366.6万元。

表13-13　**1991—2015年全县农村信用社存、贷款情况表**　单位：万元

年度	存款			贷款	
	合计	储蓄	对公存款	合计	其中涉农贷款
1991	703	703	0	780	—
1992	984	984	0	990	—
1993	923	923	0	1113	—
1994	1116	1003	113	1361	—
1995	1628	1430	198	1776	—
1996	1805	1682	123	1968	—

续表13-13

年度	存款			贷款	
	合计	储蓄	对公存款	合计	其中涉农贷款
1997	2230	2103	127	1994	—
1998	2371	2213	158	2372	—
1999	2601	2411	190	2777	—
2000	2453	2274	179	2968	—
2001	4755	3955	800	5198	—
2002	6723	6033	690	9687	—
2003	8895	7921	974	11357	—
2004	14653	10044	4609	12156	—
2005	20145	12760	7385	14771	13536
2006	25754	18387	7367	18184	15623
2007	38237	23722	14515	24857	21186
2008	46299	33660	12639	32268	28245
2009	60664	43572	17092	47610	42316
2010	75929	55164	20765	62990	57729
2011	105749	78681	27068	79579	71185
2012	131815	97282	34533	101741	91103
2013	181330	134050	47280	134472	130574
2014	213726	161664	52062	177082	173839
2015	286697	178397	108300	218933	214953

三、其他业务

2011年12月8日，县联社取得保险兼业代理业务许可证，开始办理代理业务。

2014年，惠水县联社获得银监批复，获许开办保管箱业务。

2015年，惠水县联社经黔南银监分局同意，开办银行承兑汇票业务。

表13-14

1991—2015年全县农村信用社资产情况表

单位：万元

年度	股金	资产				
		总计	固定资产	盈利	亏损	不良贷款余额
1991	75	—	—	—	—	—
1992	82	—	23	—	—	—
1993	67	1743	33	—	40	—

续表13-14

年度	股金	资产				
		总计	固定资产	盈利	亏损	不良贷款余额
1994	54	2100	113	—	10	744
1995	133	2848	121	—	46	633
1996	108	4050	210	—	90	930
1997	106	4515	210	—	74	857
1998	111	4997	244	—	194	1355
1999	111	5264	245	—	243	2548
2000	117	5874	346	—	416	2721
2001	230	12047	401	—	115	2250
2002	358	19023	691	—	138	2077
2003	623	22829	938	—	206	2279
2004	1194	32140	940	214	—	1465
2005	1596	24878	984	100	—	1188
2006	2017	29753	1082	411	—	1753
2007	2102	43508	1178	468	—	1630
2008	2086	58064	1193	603	—	2007
2009	2160	70163	1340	823	—	2861
2010	2160	94250	1369	778	—	2929
2011	5147	128605	1422	1794	—	3218
2012	5147	165598	1531	2809	—	3121
2013	10802	223504	1740	3384	—	5147
2014	10802	277219	2164	6068	—	6137
2015	10623	433952	2857	7423	—	7562

四、社员代表大会

1983年，县内各信用社分别召开第二届社员代表大会，建立理事会、监事会。

1992年9月13日，县农村信用社联合社召开第一届社员代表大会，宣布惠水县农村信用合作社联合社正式成立，通过《惠水县农村信用合作社章程》，常设机构为联社管委会，共11名成员，其中，农行3人，信用社主任8人。

1998年7月30日，县农村信用合作社联合社第二届社员代表大会召开，选举联合社理事长兼主任，选举联合社监事长。

2001年9月19日，县联社召开第三届社员代表大会，共21名社员代表参会，修改了《惠水县农村信用社联合社章程》，会上选举第三届理事会理事长，选举第三届监事会监事长。

2005年10月20日，县农村信用合作联社创立大会暨首届社员代表大会召开，建立以县为单位统一法人的惠水县农村信用合作联社。会上选举第一届理事会理事长，选举第一届监事会监事长。

2012年4月，召开惠水县农村信用合作联社第二届社员代表大会第三次会议，补选理事会理事长。

2015年7月9日，贵州惠水农村商业银行股份有限公司召开创立大会，会议通过公司章程，产生第一届董事会、监事会，选举第一届董事会董事长和第一届监事会监事长。

五、增资扩股

1984年，全县农村信用社全面开展以恢复“三性”为主要内容的体制改革，按照国务院批转农总行《关于转发（改革农村信用社管理体制的报告）的通知》精神，年初起，全县信用社对1954年建社以后吸收的社员股金进行逐户清理核对，落实股权，张榜公布，换发新社员股金证，补发拖欠的股息，适当提高每股金额，吸收新社员个人入股，同时，动员重点户、专业户和乡镇企业入大股，逐步壮大信用社资金实力。

1998年，惠水信用社开展财务整顿规范工作，至年末，完成账务、资金、财产清理工作，面向社员募集股金，共募集股金54万元，募股后股本金为214万元。

2005年2月，黔南银监分局批复，同意惠水县联社依法增资扩股2600万元。是年，增资扩股后股金总额1596万元。

2010年，经黔南银监分局批准，惠水县联社增资564万元，增资后注册资本变更为2160万元。

2012年6月18日，经黔南银监分局批准，惠水县联社增资扩股2987.2万元，增资后注册资本为5147.2万元。

2013年8月，经黔南银监分局批准，惠水县联社增资5000万元，增资后注册资本变更为10802万元。

第八节　邮政储蓄银行

一、机构

邮政储蓄银行的前身邮政储蓄，可追溯到1919年开办的邮政储金业务和专设的邮政储金局，至今，已有近百年历史。1953年，邮政储蓄业务停办，邮政继续办理汇兑业务。

1986年，国家恢复邮政办理储蓄业务。是年5月，根据邮电部安排，惠水县邮电局设置惠水县惠明路储蓄所，正式开办邮政储蓄业务，主要开办个人活期、定期储蓄。

1996年，邮电部门全面开办活期储蓄异地通存通取业务，在银行业率先开办全国异地存取业务，惠水县邮电局在惠明路支局开通全国异地通存通取网点一个。

1998年，邮电开始分业经营，分营后成立惠水县邮政局，统一经营管理全县邮政储蓄业务。2001年，国家邮政局设立了计算机异地交易系统，惠水县邮政局邮政储蓄网点开通了电子汇兑业务，同时也开展了邮政代理保险和代理国债业务。

2003年，国家对邮政储蓄开始实行“新老划段、新增资金自主运用”的改革，邮政储蓄业务步入了关键的发展期。通过发展中间业务，开展资金自主运用，邮政储汇向资产、负债、中间业务的全面与协调发展迈出坚实的一步。此期间，惠水县邮政局完成了邮政储蓄统一版本、电子汇兑、联网互通，并行联入代理保险、代理国债发行与兑付、代理证券基金，国际汇兑、外币储蓄等多个全国性应用系统，邮政储汇专业信息化水平得到了本质性改善与提高。

2007年3月，中国邮政储蓄银行挂牌成立。同年12月，中国邮政储蓄银行贵州省分行成立。2008年3月，中国邮政储蓄银行黔南州分行挂牌成立，标志着邮政金融改革不断深化。按照改革方案，惠水县邮政局在原来的县府路支局、惠明路支局改制成立中国邮政储蓄银行县府路支行、中国邮政储蓄银行惠明路支行，隶属惠水县邮政局管辖。2009年，中国邮政储蓄银行惠明路支行成立信贷营业部，获得授权开办信贷业务。2010年3月，信贷部开始发放贷款。

2012年，邮政储蓄银行改革进一步深入。同年12月5日，中国邮政储蓄银行黔南州分行在惠水县设立全功能银行机构，成立中国邮政储蓄银行惠水县支行，支行位于惠水县建设路，全面开办个人储蓄、个人理财、信用卡业务、小额贷款、个人综合消费贷款、个人商务贷款、个人信用贷款、小企业贷款、公司业务等。

二、业务开展

截至2012年末，居民储蓄存款余额606万元；

至2013年末，各项存款余额2586万元，年度新增1980万元。其中，居民储蓄存款余额2279万元，年度新增1673万元，单位存款余额307万元，年度新增307万元；各项贷款余额6546万元，其中，个人贷款余额6406万元，企业贷款余额140万元。

2014年末，各项存款余额4739.8万元，其中，居民储蓄存款余额4459.8万元，年度新增2180万元，单位存款余额280万元，年度新增-27.16万元；各项贷款余额10926.85万元，其中，个人贷款余额9366.85万元，年度新增2960.26万元，企业贷款余额1560万元，年度新增1420万元。

2015年末，各项存款余额4255万元，其中，居民储蓄存款余额3919万元，年度净增-540万元，单位存款余额336万元，年度新增56万元；各项贷款余额15008.82万元，其中，个人贷款余额10978.82万元，年度新增1611.97万元，企业贷款余额4030万元，年度新增2470万元。

2012—2015年邮储银行惠水县支行历年各项业务发展情况统计表

表13-15　　单位：万元

年度	各项存款余额	其中：居民储蓄存款余额	其中：单位存款余额	各项贷款余额	其中：个人贷款余额	其中：企业贷款余额
2012	606	606	0	—	—	—
2013	2586	2279	307	6546	6406	140
2014	4739.8	4459.8	280	10926.85	9366.85	1560
2015	4255	3919	336	15008.82	10978.82	4030

第九节　恒升村镇银行

一、机构

2013年6月，成立惠水恒升村镇银行筹建组；11月召开惠水恒升村镇银行股份有限公司创立大会暨第一次股东大会，选举产生第一届董事会董事、监事会监事。2014年1月19日惠水恒升村镇银行试营业，2014年3月13日正式运营，是贵州省3家恒升村镇银行中首家开业运营的村镇银行。2014年，惠水恒升村镇银行内设业务管理部、财会科技部、综合保障部3个职能部门，营业部1个营业机构，有干部职工23人。

2015年7月，惠水恒升村镇银行第一家支行--涟江支行开业运营。年底，惠水恒升村镇银行内设业务管理部、财会科技部、综合保障部3个职能部门，下设营业部、涟江支行2个营业网点机构，ATM机5台，有干部职工33人。

惠水恒升村镇银行是由浙江温州瓯海农村合作银行主发起设立的一级法人股份制商业银行，发起设立股东14名，其中法人股东3名，自然人股东11名，注册资本人民币5000万元，行址位于惠水县涟江街道人民北路金域城市广场。

二、存贷业务

2014年，惠水恒升村镇银行各项存款余额为5058万元，其中对公存款34户、存款余额1435万元，个人存款1746户，余额3623万元；发放各类贷款488笔，余额12121万元，收回贷款731万元。已发放贷款中，发放小企业贷款8笔，余额1795万元，发放个人经营性贷款127笔，余额5229万元，发放个人消费贷款361笔，余额5097万元。各项营业收入为778万元，各项营业支出1107万元，全年实现利润-256万元。

2015年，惠水恒升村镇银行各项存款余额为6834万元，较上年末增长1776万元；各项贷款余额20129万元，较年初增加8008万元；其中涉农贷款余额14911万元，较年初增加4892万元，小微企业贷款12笔、4093万元；贷款户数691户，户均贷款29.13万元，不良贷款率为0.14%，各项营业收入为881万元，各项营业支出836万元，实现利润32万元。

三、其他业务

2014年，经中国银联复函同意惠水恒升村镇银行获准发行银联借记卡及从事POS机收单业务，是年安装POS机21台；2015年正式发行惠水恒升村镇银行银联借记卡“恒升卡”，为黔南州第一家正式发行银联借记卡的村镇银行，年底发行“恒升卡”3033张，安装POS机133台。

第十节　保险业

一、保险体制

1980年，保险公司代理处恢复，是全县唯一的保险业务机构；1984年，改为保险公司惠水支公司。开办险种有：机动车辆保险、人身险、家庭财产保险。1985年，全县保费收入18.7万元，理赔支出16万元，综合赔付率达85.56%。

1996年，保险公司惠水支公司分设：中保财产保险股份有限公司惠水支公司、中保人寿保险公司惠水支公司，全县有保险业务机构2个。分营后，中保财险惠水支公司主要业务为：除长期性人寿保险外，开办雇主责任险、个人贷款抵押房屋保险、金锁家庭财产综合保险，中保人寿保险公司惠水支公司主要经办长期性人寿保险。

2003至2009年，先后成立太平洋财产保险股份有限公司惠水营销部（后更名为中国太平洋财产保险股份有限公司惠水支公司）、中国人寿财产保险股份有限公司惠水互动服务部、中国太平洋人寿保险股份有限公司惠水营销部、泰康人寿保险股份有限公司惠水支公司、中国平安财产保险股份有限公司惠水营销部，均开展保险业务。2012年，全县共有保险机构6个。

二、财产保险

1980年10月，恢复保险公司代理处，开办保险业务。1983年，开办机动车辆保险。1984年6月，改为支公司，由县人民银行代管。10月，成立中国人民保险公司惠水县支公司，为独立机构，隶属黔南州中心支公司，实行报账制，有副经理1人。是年，开办团体人身险、家庭财产（电冰箱、电视机、收录机等高、中档家用电器）保险。

1985年，中国人民财产保险股份有限公司惠水支公司与民政局联合成立惠水县保险促进委员会，为办理农房保险打基础，随后开办货物运输保险、简易人身保险、老年平安保险、学生平安保险、井下职工意外伤害保险等险种。1986年，公司共有在编员工7名，取消报账制，实行独立核算。按贵州省人大常委会通过的道路交通管理条例规定，开办机动车辆第三者责任险强制保险，成为公司第一大险种。1988年，开办烤烟保险。

1990年，共办理保险项目15个，主要有简易人身、老年平安保、养老金、学生平安、子女教育、家庭财产、农村房屋、企业财产、煤矿团体人身意外伤害、建筑工人意外、机动车及第三者责任、拖拉机、货物运输、公路旅客意外伤害、机动车驾驶员及乘客意外保险伤害等项目。1991年，开办家庭财产两全保险、一年期家庭财产还本保险。

1996年6月，因产、寿险分业经营，成立中保财产保险股份有限公司惠水支公司，设业务部和综合部，主要经营财产保险方面业务，相续开办雇主责任险、个人贷款抵押房屋保险、金锁家庭财产综合保险等。根据《保险法》关于财产保险和人身保险分业经营的要求，同年4月，中国人民保险公司惠水支公司重组为中国人保财险惠水支公司和中国人寿惠水支公司，中国人保财险惠水支公司继承原中国人民保险公司财产保险的经营范围开展经营业务，主要经营：财产损失险、责任保险、信用保险、意外伤害险、短期健康险、保证保险等人民币或外币保险业务及与上述相关的再保险业务；各类财产保险、意外伤害险、短期健康保险及其再保险的服务与咨询业务；代理保险机构的相关业务；国家法律法规规定的或国家保险监管机构批准的其他业务。1997年，开办雇主责任险。1999年，办理个人贷款抵押房屋保险，分为商业贷款和住房公积金贷款。

2000年，公司改制升级为集团公司，再次更名为中国人民财产保险股份有限公司惠水支公司（简称：中国人保财产保险惠水支公司），公司由原县府路搬迁至现建设路。

2001年，机动车辆附加险承保范围增多，在原来的基础上增至24个附加险种。推出金锁家庭财产综合保险，分综合型、自助型（即家安险、家顺险、家泰险）。2003年，重新开办学生平安保险。2006年7月1日，按《国务院462号令》开办机动车辆交通责任事故强制保险（简称交强险）。2007年，公司开办承保能繁母猪5.2万头，总保费312.7万元，支付赔款242万元。2008年，公司开办能繁母猪保险，承保能繁母猪达300万元。是年，受全国凝冻灾害的影响，公司能繁母猪赔款高达400多万元，赔付率高135.16%。是年3月，被惠水县妇联授予“巾帼英雄”示范岗的荣誉称号（公司80%为女员工）；是年，被黔南州人民政府授予能繁母猪保险“一等奖”称号。

2011年，承保大小车辆6500余辆；为30000余学生提供保险保障，承保面占全县学生人数的33%；为惠水工业园区落户的企业业主提供保险保障50%以上；2012年，公司设经理室、业务部、综合部、理赔分部，共有员工20人。6月，惠水县召开“三农”保险工作会议。增开了私家车、家庭电话投保和私家车网上投保业务，方便新老客户随时随地进行保险业务的办理。是年，惠水支公司保费收入1634.02万元，其中：车险保费收入1374.21万元，占比84.10%。

2013年，惠水支公司保费收入1976.10万元，其中：车险保费1624.80万元，占比82.22%，被总公司再次评为全国“标杆县支公司”。

2014年，惠水支公司保费收入2733.56万元，车险保费1886.20万元，占比69.02%，同年，公司开办了政策性水稻种植保险和林业保险。保费收入522.04万元，政策性农房保费收入91.58万元。公司对受灾烤烟赔偿45万余元。截至11月，公司对全县烤烟、水稻、玉米等保险进行理算赔偿，赔偿金额达270万余元。

2015年，惠水支公司保费收入3220.92万元，其中：车险业务2251.02万元，非车险456.92万元，农业保险513.38万元，全年车险赔款882.77万元，农险赔款249.28万元。

三、人寿保险

机构 1984年10月，恢复县保险公司，1986年，成立中国人民保险公司惠水支公司，年末有在编职工4人，1990年后，公司业务量不断扩大，机构日益完善，内设办公室、人险股、财险股、农村业务股，在全县多处乡镇设代办点。

1996年6月，中国人民保险公司惠水支公司分为两家经营，其中一家为中保人寿保险有限公司惠水支公司，承接原中国人民保险公司惠水支公司所有人身险业务：设办公室、人险科、计财办公室，在编员工2人，聘用兼职代办员3人，其中：公司设经理1人，公司营业厅3人。1997年4月，增设个人代理营销部，聘用专业个人代理营销员10人。1999年3月，更名为中国人寿保险公司惠水支公司，设支部办公室、经理室，办公室、团险销售部、个人代理销售部（简称营销部）、计财室，员工3人，扩大个人代理营销团队业务员20人。2002年，设中介代理业务部，聘用中介兼职代理业务员1人。2003年6月，更名为中国人寿保险股份有限公司惠水支公司。2006年，增设高镇、摆金网点。2011年至2015年，设办公室、团险销售部、个人代理销售部、银行保险部、综合部、客户服务部，在编员工6人，其中，设经理1人、综合部1人、团险部1人，客户服务部3人。聘用代办员27人，其中，个人销售25人，团险2人、银行保险部1人。

保险业务 保费收入。1996年6月，主要经营人寿保险业务，原中国人民保险公司惠水支公司经办长期性人寿人身保险业务全部移交中保人寿保险公司惠水支公司办理，有养老金保险、义务兵养老保险、简身险、子女教育婚嫁保险、夕阳红养老保险B型、团体人身还本保险、个人养老保险、福寿安康保险及短期性人身意外伤害保险。

1997年，开办险种：88鸿利、99鸿福、英才少儿、66鸿运A和B型、子女教育AB型、如意两金、养老还本、康宁定期、康宁终身（简称重大疾病保险）、祥和定期、松鹤养老、金色夕阳红养老A和B型等多种长期、定期性人寿生、老、病、死、残保险及短期性人身意外伤害保险，并开办学生疾病住院医疗保险，执法人员人身意外伤害保险等20多个短期性险种。

寿险宣传（2003年摄）

1998年，逐渐停办97版以前老险种业务，保险责任继续有效，更新保险新型险种，长期性及定期性利差返还型产品：98版鸿寿养老、

88鸿利终身、99鸿福终身、66鸿运A和B型、重大疾病终身、定期，简易人身、子女教育婚嫁备用金、养老还本、义务兵养老、个人养老A和B型，另设福寿安康、全家福卡拆式、个人购房贷款定期性险种条款。1999年，更新98版以前短期性人身意外伤害保险品种29个项目，有学生幼儿平安保险、附加意外伤害、疾病住院、国寿团体人身保险、国寿团体人身意外伤害、国寿执法人员团体人身意外伤害、国寿机动车驾乘人员意外伤害、国寿乘客人身意外伤害、国寿家庭幸福、国寿全家福A和B型、国寿计划生育安康、国寿病员安康、附加疾病住院、人身意外综合性保险。

2002年，停办利差返还型98版以前业务，由中国人寿保险股份有限公司继续承担以前老业务外，开办理财分红型产品，有国寿千禧理财、鸿祥两全、鸿运少儿、鸿丰两金、鸿盛终身、鸿福相伴两金等10多个新型分红型险种。同年，与农行、邮政储蓄、农村信用合作社合作开办中介代理销售业务，经营鸿星少儿、鸿丰、鸿泰两全、安享一生、美满一生、鸿富、鸿盈分红型险种产品及农村小额信贷保险，与县相关单位、团体联系开办《团体职工补充医疗保险》（简称高额医疗保险）。

2012年，公司开办险种有：国寿个人养老年金保险（分红型），国寿福禄双喜两全保险（分红型），国寿福禄尊享两全保险（分红型），福星少儿两全保险（分红型），国寿康宁终身重大疾病保险，国寿康宁定期重大疾病保险，国寿英才少儿两全保险，国寿子女教育两全保险A款，国寿子女教育两全保险B款，国寿鸿运少儿两全保险（分红型），团体险种有：国寿学生儿童定期寿险（A款），国寿附加学生儿童残疾和烧伤意外伤害保险，国寿附加学生儿童意外伤害费用补偿医疗保险（A款），国寿附加学生儿童住院费用补偿医疗保险A款，国寿小额信贷保险，国寿病员安康保险，全家福卡A和卡B，英才C卡，吉祥卡B和卡C，假日乐行卡，惠农卡A和卡B；中介代理险种有：国寿鸿盈两全保险（分红型），国寿鸿富两全保险（分红型）国寿美满一生年金保险（分红型），国寿鸿泰两全保险（分红型），国寿鸿星少儿两全保险（分红型），国寿安享一生两全保险（分红型）。

2013至2014年，新开办险种有：国寿瑞鑫两全保险（分红型）（2013版）、国寿附加瑞鑫长期意外伤害保险（2013版）、国寿附加瑞鑫提前给付重大疾病保险（2013版）、国寿金账户年金保险（万能型）、国寿康宁定期重大疾病保险（2013版）、国寿金如意年金保险（分红型）、国寿保险金转换年金保险（2014版）、国寿金账户年金保险万能型（豪华版）。

理赔。主要采取“主动、迅速、准确、合理、合规”的理赔原则，及时处理各项人身、人寿保险赔案，对经济发展和惠水的社会稳定发挥积极作用。

2004—2015年惠水支公司保费及赔款支出情况统计表

表13-16

年度	保费收入（万元）	赔款支出（万元）	备注
2004	1.17	0.32	—
2005	972.43	96.2	—
2006	1138.89	116.83	—
2007	1142.22	123.01	—
2008	1894.27	143.06	—
2009	2037.41	92.81	—

续表13-16

年度	保费收入（万元）	赔款支出（万元）	备注
2010	1745	461.5	—
2011	2108	311.15	—
2012	1641	305.33	—
2013	1910.60	943.15	—
2014	1581.02	721.45	—
2015	1798.93	605.99	—

四、其他保险

中国平安财产保险股份有限公司惠水支公司 2006年，中国平安财产保险股份有限公司惠水支公司（简称县平安保险公司）筹建；2008年，县平安保险公司成立，设综合业务岗位有职工2人，位于惠水县交警大队正对面。2014年县平安保险公司搬至惠水县爬头寨；2015年，县平安保险公司内设市场岗，综合内勤岗，人伤查勘岗，车物查勘岗，车商业务岗，综合业务岗，有职工23名人。县平安保险公司经营交通强制保险及代收车船税业务、机动车辆团体、个人保险、团体人身意外险，借款人身意外保险、家庭财产保险、建工责任保险等业务，2014年、2015年连续两年位居惠水县财产保险市场份额第一位。

表13-17

2008—2015年业务经营情况表

年度	保费收入（万元）	赔款（万元）	理赔案件数
2008	280	110	1250
2009	750	260	2500
2010	1060	390	3600
2011	1750	660	6800
2012	2190	900	9600
2013	2700	1000	10500
2014	3150	1250	13400
2015	3650	1300	14600

中国人寿财产保险股份有限公司惠水县支公司 2007年10月，设立中国人寿保险股份有限公司惠水互动服务点，有员工1人；2013年，筹建中国人寿财产保险股份有限公司惠水县支公司；2014年中国人寿财产保险股份有限公司惠水县支公司开业，经营地址为惠水县和平镇建设西路186号，公司内设承保岗、理赔岗、有员工4人；2015年，中国人寿财产保险股份有限公司惠水县支公司内设岗位和人员不变。

2007年-2015年，中国人寿财产保险股份有限公司惠水县支公司主要办理业务范围有：车险、责任险、意外险、财产险等业务。

表13-18

2008—2015年业务经营情况表

年度	保费收入（万元）	赔款（万元）	理赔案件数
2008	89.15	13.66	87
2009	55.02	33.54	130
2010	103.08	12.77	74
2011	121.97	62.98	111
2012	104.27	42.80	121
2013	77.40	23.16	72
2014	200.46	83.86	123
2015	443.23	149.80	206

中国太平洋财产保险股份有限公司惠水支公司　2003年7月，成立中国太平洋财产保险股份有限公司惠水营销服务部，有副经理1人、营销员4人。是年，开办机动车辆保险、短期意外伤害险等险种业务。2008年，增办团体人身意外险，与银行开办个人房屋抵押贷款保险及借款人身意外保险、家庭财产保险等业务全年完成保费212万元。2009年，正式更名为中国太平洋财产保险股份有限公司惠水公司。2015年，中国太平洋财产保险股份有限公司惠水支公司内设经理室、综合管理部、业务部、理赔部，有职工6人，保费收入412.5万元。

泰康人寿保险有限责任公司贵州黔南惠水支公司　2009年10月筹建泰康人寿保险有限责任公司贵州黔南惠水支公司，2010年12月14日正式挂牌营业。设立有内勤和外勤岗位，内勤岗位有：支公司经理：1名，组训：1名，综合内勤：1名。外勤由续期督导员和67名代理人组成。2015年内勤岗位及人员维持不变，外勤代理人110人。

泰康人寿保险有限责任公司贵州黔南惠水支公司业务范围主要开展人寿保险、健康保险（不包括团体长期健康保险）、意外伤害保险等各类人民币、外币的人身保险等。

2010年挂牌营业后到2015年，公司主要销售的险种有：财富人身终身年金保险、财富人生C款年金保险、财富人生D款年金保险、财富人生E款年金保险、永福人生、卓越人生终身寿险、吉祥健康保险、健康人生重大疾病保险、万里无忧两全保险、老年恶性肿瘤疾病保险、康逸人生保险、全能保2015保障计划。

表13-19

2011—2015年业务经营情况表

年度	保费收入（万元）	理赔支出（万元）
2011	50	0
2012	90	2
2013	100	4
2014	130	5
2015	140	10

第十四篇 人力 劳动 社会保障

第一章 人 事

第一节 干部考核

1978至1983年，干部考核统称“干部考核”和“干部鉴定”。考核工作由县组织人事部门负责。干部所在单位配合，个人填写干部鉴定表，组织审查作出鉴定或考核结论。全县副县级以上干部由州委组织部考核，县委组织部配合；科（局）级干部由县组织部门考核，其他干部由所在单位考核。

1993年后，按照《国家公务员考核暂行规定》和《事业单位工作人员考核暂行规定》及干部管理权限，对国家机关和事业单位人员实行以德、能、勤、绩为主要内容的年度考核。方法为：个人总结述职、民主评议，民主测评，考评委员会作出考评意见，主管部门审核定等次（优秀、称职或合格、基本称职或基本合格、不称职或不合格4个等级）。并向被考核人反馈本年度考核结果。机关、事业单位工勤人员亦参照考核标准进行考核。

1995年，据省委组织部、省人事厅《关于对全省党政群机关、事业单位工作人员进行1994年度考核的通知》，以及州的安排。会同县委组织部对全县机关，事业单位应考核5223人，实参考核5185人。考核结果：优秀等次593人，占实考人数1.44%；称职4320人，占83.32%；不称职27人，占0.32%；未参加考核25人（其中县处级以上13人由州审定）；新参加工作不满一年的245人（不列考核，只写评语，不定等次）。科（局）级（含相当职务）1002人，评优秀等次151人，占这部分人员15.06%；称职843人，占84.03%；未考核8人。科员办事员职务3636人，评为优秀431人，占11.85%；称职3115人，占85.67%，不称职或未参评90人，占2.47%。

1997年，干部考核步入正轨，对1996年应考5573人，实考5561人。其中，评优秀等次525人，占应考数9.44%；称职4770人，占85.77%；不称职21人，占0.37%；只写评语不定等次245人，占4.4%；未参考12人，占0.02%。

2001年，对2000年县党政群机关，事业单位党政群应考1917人，实考1910人，占应考数99.6%。其中，优秀等次212人，占应考数11.1%；称职1538人，占80.5%，其本称职8人，占0.4%；不称职16人，占0.84%；不定等次136人，占7.1%。全县事业单位应考4621人，实考4615人，占应考数99.9%。其中，优秀等次414人，占实考数9%；合格3964人，占85.9%；基本合格5人，占0.1%；不合格13人，占0.28%，未定等次219人；占4.8%。

2003年，对2002年6328人考核，实考6323人。其中，党政群实考1422人，其中，优秀等次145人，占

10.2%；称职1269人，占84.2%；基本称职4人，占0.28%；不称职4人，占0.28%。事业单位考核4896人，其中，优秀等次466人，占9.5%；称职4422人，占90.3%；不合格等次8人，占0.2%。

2004年，对2003年应考6200人，实考6183人。其中，优秀等次602人，占9.7%；称职5156人，占83.4%；基本称职11人，占0.18%；不称职8人，占0.13%；不定等次153人，占2.4%。

2007年，全县应考公务员639人，事业人员4628人。应参考6402人，实考6391人，其中，优秀等次636人，占10%；称职5629人，占88.03%；基本称职2人，占0.03%；不称职4人，占0.06%；未定等次120人，占1.88%。

2011年，全县应参考核6948人，实考6893人。公务员实考1448人，其中，优秀等次13.91%；称职占85.5%；基本称职0.07%；不称职0.21%；未定等次占0.97%；未参加考核占0.14%。事业人员应考4641人，实考4593人；其中，优秀等次557人，占12.13%；合格占84.82%；不合格占0.02%；未定等次占3.0%；未参加考核占1.03%。事业单位应考857人，实考852人，其中，优秀等次占11.03%；称职占87.32%；基本称职占0.23%；未定等次占1.14%；未参加考核0.58%。

2012年，全县应参加考核人数7246人，实际参加考核7234人。其中：机关单位人员1590人，机关单位实际参考1589人，其中：优秀等次221人，占13.90%；称职等次1342人，占84.40%；基本称职等次1人，占0.06%；不称职等次1人，占0.06%；未定等次24人，占1.52%；未参加考核1人，占0.06%；事业单位专业技术人员应考4899人，实际参考4895人，其中：优秀等次584人，占11.93%，合格等次4035人，占82.36%；不合格等次4人，占0.08%；未定等次272人，占5.55%；未参加考核4人，占0.08%；事业单位职员应考核757人，实际参加考核750人，其中：优秀等次69人，占9.11%，称职等次504人，占66.58%，不合格等次1人，占0.13%，未定等次176人，占23.25%，未参加考核7人，占0.93%。.

2013年，全县应参加考核7820人，实际参考7761人。其中：机关（参公管理单位）工作人员应参加考核1625人，机关单位实际参考1625人，其中：优秀等次225人，占13.85%；称职等次1324人，占81.48%；基本称职等次1人，占0.06%；不称职等次1人，占0.06%；未定等次74人，占4.55%。事业单位专业技术人员应参加考核4946人，实际参考4888人，其中：优秀等次723人，占14.62%；合格等次3726人，占75.34%；基本合格等次1人，占0.02%；不合格等次6人，占0.12%；未定等次432人，占8.73%；未参加考核58人，占1.17%。事业单位职员应参加考核1249人，实际参考1248人，其中：优秀等次166人，占13.29%；称职等次968人，占77.50%；不合格等次1人，占0.08%；未定等次113人，占9.05%；未参加考核1人，占0.08%。

2014年，全县应参加考核8444人，实际参考8405人。其中：机关（参照公务员法管理单位）人员应参加考核1760人，机关单位实际参考1758人，其中：优秀等次302人，占17.16%；称职等次1407人，占79.94%；未定等次49人，占2.79%；未参加考核2人，占0.11%。事业单位专业技术人员应参加考核5718人，实际参考5686人，其中：优秀等次800人，占13.98%，合格等次4441人，占77.68%；未定等次444人，占7.77%；未参加考核32人，占0.56%。事业单位职员应参加考核966人，实际参考961人，其中：优秀等次130人，占13.46%；称职等次798人，占82.61%；不合格等次1人，占0.10%；未定等次32人，占3.31%；未参加考核5人，占0.52%。

2015年，全县机关（参照公务员法管理单位）人员（科级以下）应参加考核898人，实际参考894人。其中：优秀等次132人，占14.70%；称职等次674人，占75.05%（含11名驻村的副主任科员）；未定等次88人，占9.8%（其中4人为受党纪政纪处分，84人为试用期公务员）；未参加考核4人（均为常年外出在编不在岗、已停发工资人员），占0.45%。全县事业单位人员应参加考核6518人，实际参考6465人。其中：优秀等次1084人，占16.63%；合格等次5136人，占78.80%；基本合格等次1人（因旷工累计达两个月以上），占0.01%；不合格等次4人（其中1人被开除党籍，1人违规办酒记过处分，1人不服从学校工作安排，工作散漫，1人挪用公款，开除党籍），占0.06%；未定等次240人，占3.68%（其中3人为受党纪政纪处分，237人为试用期人员）；未参加考核的有53人（均为常年外出在编不在岗、已停发工资人员），占0.82%。

第二节　人事管理

一、计划招收、招聘招考，由“统一分配”到“凡进必考”

1986年，惠水县按照国家劳动部关于《吸收录用干部问题的若干规定》录用干部。在国家计划指导下，逐步改革劳动人事制度，全面推行公开招收，统一考试，全面考核，择优录用办法。实行多渠道配置干部，继续做好统一分配大、中专毕业生（均为干部身份）和军转干部的安置以及“民转公”等。是年，经考试考核选录干部92人（电大毕业生2人，选聘乡干1人，原“以工代干”89人）。年底，全县机构人员配置为：县党政群计463人，县辖六区一镇411人，县属135个事业单位2565人。

1989年，贯彻省委组织部，省人事厅规定：新增干部，除统一分配人员外，一律实行聘用；招收干部要实行“公开、公平、竞争、择优”的原则。之后，依然执行“统筹安排，合理使用，加强重点，兼顾一般，面向基层”的方针和原则，仍实行分配后见习期一年。见习期间，由用人单位对其进行政治思想，业务能力，组织纪律，道德作风等进行全面考核。见习期满决定按时转正或延期转正。

1993年，推行干部聘用制，坚持乡镇干部选（考）聘制和企业干部聘任制。是年，为计生、卫生、广播、农机部门聘干35人，报批转干手续9人，聘用不包分配大，中专毕业生28人。

1997年，实施大、中专毕业生毕业后，参加社会实践三年后再分配办法。是年起，毕业的大、中专生，除师范类外，一律赴国内经济发达地区“打工”，此期间，由县发给一定量的生活补助费。直按此模式，延续至20世纪90年代末期。县对大、中专毕业生统一分配持续到2001年。

2003年起，全面推行“凡进必考”的进人制度，对公务员，参公人员、纯事业及事业管理人员等招录。采取由县人事人才调动调配工作领导小组及办公室，根据县属单位、部门缺编人员情况，确定各年度招考计划，报州级人事部门审批同意，再通过报名、资格审查、笔试、面试、体检、政审合格后办理录用手续。公务员招考由州级组织，其余由县级组织。是年，组织县、乡两级公务员招考28个职位，报名764名，笔试后有82人参加面试。

2013年，面向社会公开招聘事业单位工作人员220名，公开招聘工作遵循公开、平等、竞争、择优的原则，采取考试与考察相结合的办法，实行公开报考条件、公开考试程序、公开考试结果“三公开”制度。招聘工作按照编制招聘计划、发布招聘公告、报名和资格审查、笔试、面试、体检、考察、公示、聘用审批的程序进行。本次考试是县首次在网上进行公开报名，使用电子信息平台进行资格初审。经报名初审后，笔试工作于6月15日分别在县城关一小、县民族中学、县第二中学3个考点进行。

2014年，由黔南州统一组织实施2014年面向社会公开招聘事业单位工作人员考试工作，其中惠水县共招聘事业单位工作人员343名。本次招聘工作采取“统一部署、分级负责”的方式。根据招聘计划，按照相对集中、方便考务工作的原则，设都匀经济开发区、福泉、独山、平塘、荔波、三都、瓮安、贵定、惠水、长顺、罗甸11个考区。成立州、县两级2014年事业单位招聘工作考务机构，州级考务机构负责统筹安排全州考务工作，县级考务机构具体负责组织实施本考区的考务工作。

2015年，由黔南州统一组织实施2015年面向社会公开招聘事业单位工作人员考试工作，其中惠水县共招聘事业单位工作人员200名。本次面向社会公开招聘工作采取“统一部署、分级负责”的方式进行。全州统一发布简章、统一网上报名、统一笔试时间，按管理权限分级负责组织实施，共设州本级、都匀、福泉、瓮安、贵定、龙里、惠水、长顺、独山、三都、荔波、平塘、罗甸、都匀经济开发区14个考区，分别成立州、县两级2015年事业单位公开招聘工作考务机构。州级考务机构负责统筹安排全州招聘考试考务工作和组织实施州本级考试考务工作，县（市）考务机构具体负责组织实施本考区的考试考务工作。

二、工勤增员

20世纪80年代中后期至90年代末，实行“五公开一监督”原则。五公开：安置政策、安置计划、安置程序、安置对象、安置结果实行公开；一监督：接受人民群众监督。2003年前，县对工勤人员统一安置对象有：部队荣立二等功以上复退军人，英烈亲属，7~9级伤残复退军人，士官（部队服役一定年限的志愿兵），城镇户籍退伍军人；县内有国家正式职工到龄退休时政策性顶替，照顾特困家庭子女就业问题。2003年以后，工勤增员，仍采取“凡进必考”办法（符合安置条件义务兵除外），另有县建设系统，国土资源等单位，定期不定期地通过县人事部门招收部分自收自支的劳动合同制工人（与其统交“五险一金”。）

第三节 公务员过渡

1993年，国家颁布实施《国家公务员暂行条例》。1996年，县据省、州有关文件精神，开始实施党政机关、从事部分行政管理的事业单位及群团组织工作人员过渡为国家公务员。经过培训、职位分类、资格审查后，符合条件的人员基本过渡。按照有关文件精神，明确非领导职务任职条件，主任科员应具备中专、高中以上文化程度和任副科级职务3年以上；副主任科员应具备中专、高中以上文化程度和任科员职务3年以上；科员应具备中专，高中文化程度和任办事员3年以上；办事员应具备高中以上文化程度。1995年，对县不具备国家公务员学历的机关、事业单位中仍在干部岗位的420名“以工代干”，经审查，举办三期培训班，以参加全省统考转干。

1996年，对县机关、事业单位“以工代干”360人，经组织参加转干报名、培训、考试、报州审批350人符合转干转聘。同时，开展全县机关、事业单位干部进行公务员过渡上岗培训考试。全县参训1555人（县处级9人写论文），参考1546人，取得过渡合格1543人。

1998年，实施公务员制度工作，对县新录用公务员，党的机关工作者开展公务员初任培训；对聘用干部进行上岗培训。是年，全县分4期，共计720人参加微机上岗培训，经考试，95%获培训合格证。此后，在干部队伍管理中，实现定编定员，分类管理，计划培训，年度考核等工作逐步走上规范化、制度化轨道。在加强公务员队伍管理中，重点抓好“进、管、出”三关。

职务确定。1987年，贯彻省、州人事部门关于确定干部行政职务文件精神，确定机关和事业单位部分人员的主任科员，副主任科员，科员和办事员一般行政职务。

1989年，省委组织部、省人事厅下发《关于国家机关，事业单位干部晋升一般行政职务有关问题的通知》规定，新进入县、乡行政、事业单位从事一般行政职务的干部，均确定行政职务。新分配的中专毕业生和从社会上招收的干部，经一年试用，能胜任本职工作者，一般确定为办事员；大专以上毕业生，经一年试用，能胜任本职工作者，一般确定为科员；工龄满30年，年龄满50周岁的工作员，工龄满15年以上的大专以上毕业生，现在地、县工作部门从事行政工作的，可确定为副主任科员，可不占比例限额。

1993年，全县599名干部晋升和确定职务，其中，主任科员137名，副主任科员285名，科员148名，办事员29名。此后，县将干部晋升一般行政职务列为经常性工作，1998年以后，取消了主任科员，副主任科员从这个渠道的行政职务晋升工作。

1997年5月，根据省、州有关文件精神，在行政机关开展国家公务员过渡考试，有1000余名行政机关人员参考。

2006年，根据《中华人民共和国公务员法》及《贵州省公务员登记实施办法》（暂行），惠水县11月起，开展公务员登记工作，全县行政机关共有行政编制1235人，符合登记条件并经上级部门审批登记有940人，暂行登记326人。

2008年，根据中共贵州省委组织部、省人事厅关于印发《贵州省事业单位参照公务员法管理工作实施意见》的通知，是年，股级以上事业单位上报66家，经省人事厅批准，审批惠水县农业机械服务中心、惠水县旅游局、惠水县招商引资局、惠水县安全生产监督管理局、惠水县供销合作社联合社、惠水县档案局、惠水县卫生监督所7家单位，符合登记条件并经上级部门审批登记有64人，暂行登记6人。同年，惠水县行政机关开展了从2006年以来公务员补充登记工作，报经州人事局审批，县政府部门共有28个单位、新增149人登记，新增24人暂缓。

2009年，县纳入登记的事业单位7个，行政（事业）编制76名。其中：农机服务中心行政（事业）10名，安全生产监督管理局行政（事业）11名，招商引资局行政（事业）9名，旅游局行政（事业）10名，供销社行政（事业）12名，食品监督管理局行政（事业）9名，档案局行政（事业）15名。

2010年，根据州人事局安排，在政府系统参公管理事业单位开展人员登记工作。此次登记涉及的事业单位共有在册在职人员76人，报经州人事局审批，符合登记条件64人，暂缓登记6人，不予登记6人。

2013年，根据省委组织部、省人事厅《关于印发贵州省事业单位参照公务员法管理工作实施意见》精神，惠水县新增参公单位两家，分别是惠水县社会保险事业局，惠水县劳动保障监察大队。

2014年，根据省委组织部、省人事厅关于印发《贵州省事业单位参照公务员法管理工作实施意见》精神的通知，惠水县新增参公单位惠水县就业局。

2015年，根据公务员法和《中共中央办公厅国务院办公厅印发〈关于县以下机关建立公务员职务与职级并行制度的意见〉的通知》及有关规定，在行政机关开展职务与职级并行，由人社部门审批享受的有113人，其中：由科员晋升为副科级职的有35人，由科员转任为副科级职的有42人，由科员转任正科级职的有36人。

第四节　人才交流与管理

一、管理方式

1996年，制定全县人才人事开发工作计划，拟定八项工作目标。根据省、州文件精神，建立惠水县人才交流服务中心。是年，向州推荐3名优秀科技人才参加州“科技兴农人才库”选拔；在县开发县、乡、村农村适用人才，培养乡土人才；为乡镇引进和培养懂经营、有技术、会管理人才。

2000年，调整人才结构，建档入库。针对县机关部门人才过剩，乡镇短缺，将县1998至1999年统一分配的大、中专毕业生，全部安排到乡镇工作，开展乡村实用人才工程，把农村的“土专家”“田秀才”“种植能手”“农民企业家”纳入人才培养管理。

2004年，据全州人才工作会议精神，拟定《惠水县十五时期2006至2010年人才资源需求预测分析》《惠水县人才结构情况报告》《惠水县实施工业强县、人才开发方案》以及《惠水县实施农村人才开发对策及措施》。

2005年，完成2004年度人才资源统计，全县事业单位人才、专业技术人才计4727人；建立乡土人才库，是年，统计建库乡土人才498人。制定2006年度《惠水县人事人才工作目标管理考核办法》《惠水县技能型人才队伍建设问题与对策》。是年，贵州省委组织部副部长、贵州省人事厅厅长李先忧带队到惠水开展人事人才工作调研。

2006年，按要求对全县企、事业单位管理人才，专业技术人才资源统计入库。全县企、事业单位管理人才，专业技术人才计4756人，其中，管理人才655人。

2008年，继续抓好“人才管理和服务”的人才资源统计，分布于公务员队伍487人；事业单位4918人；国有企业管理63人；集体企业管理9人。2012年，落实政府人才工作综合管理，引进职业教育教师2名；采取引才引智，直招69名，县外调入成熟型教师30名。是年，成立县建设人才交流平台工作领导小组。2015年，全县公有制企业管理人才13人、技术人才30人、技能人才53人。

二、“一村一名大学生”工程

2006年，据省、州关于引导和鼓励高校毕业生面向基层就业精神，成立“惠水县引导和鼓励高校毕业生面向基层就业工作领导小组”，制定《惠水县“一村一名大学生工程”需求计划》和《惠水县“一村一名大学生工程”实施方案》，实施“一村一名大学生”工程，是年选聘31名，经报名、笔试、体检、政审、考核，择优录取，安排到有关乡镇的村“两委”岗位工作。

2007年，选聘“一村一名大学生”29名，均签订赴村服务协议书；按要求完成对大学生实习指标任务。开展全县人才流动统计，接收各类大、中专院校毕业生档案管理服务。是年，县人才交流服务中心共管理院校毕业生档案360件。

2008年3月，省“引导办”及成员单位有关领导赴惠水县调研“三支一扶”大学生及选聘生工作；是年，招聘27名选聘生，完善5名续聘生手续，对是年底服务期满两年的大学生拟报考公务员或事业人员录用中办理加分手续；同时，建立大学生回乡登记制度，是年，登记44人。

2009年，实施“一村一名大学生”工程的选聘生，“三支一扶”大学生，“西部计划”志愿者，特设2个岗位招聘4人，另到部分高校应届毕业生中直招28名紧缺人才，引进成熟型人才6人。规范人才流动工作，是年，登记报名大、中专毕业生64人，累计1288人，新增学生档案24卷，累计282卷，办理人才流动手续8人；提供人才政策咨询150余人次，人才需求信息47名，岗位158个，推荐成功就业158人。

2010年，全县共有基层在岗工作大学生89名，其中，“一村一名大学生”59名，在村任村干部30名。打引乡建华村党支部代理书记，作为大学生村干部被邀出席“为亚运喝彩，向祖国汇报——全国大学生村官倡行红段子网络文化”座谈会并发言。

2011年，事业人员招考名额中，单列15个职位供“一村一名大学生”。“到村任职者”“西部志愿者”“三支一扶”服务者报考。引导和鼓励大学生村干部参加村、支两委换届选举，有2名大学生村官当选村支书，9名大学生村干部当选村支部副书记，1名当选村委会主任，10名大学生村干部当选村委会副主任。另在惠水县长田工业园区建立大学生见习基地。

2012年，共有基层服务大学生75名（其中："一村一名大学生工程"20名，到村任"村官"55名），人员分布在全县25个乡镇，主要从事村主任助理工作。全年基层服务大学生考取公务员2名，考取事业单位20名，退出服务19名。是年度，参加考核"一村一大"6人、"到村任职"28人。

2013年，县基层服务大学生计33人，其中："到村任职"30人，"一村一名大学生工程"选聘生3人。全年有4人考入公务员队伍，11人考入事业单位，1人考入金融系统，1人自主创业。年末，在岗基层服务大学生计16人（其中："到村任职"13名，"一村一名大学生工程"选聘生3人）。

2014年，"到村任职"基层服务大学生10人，分别服务于好花红镇、甲戎乡、断杉镇、和平镇等9个乡镇。全年有3人考入惠水事业单位。

2015年，"到村任职"人员7名，全年有5人考入公务员、选调生和事业编制，另有两名到期自主择业。

三、大学生见习计划

2014至2015年，安排高校毕业生就业见习60人，安排在涟江街道办事处、好花红镇人民政府、县文广局、县城投公司等23家企事业单位见习。

第五节　职称评聘

1986年，对县22个单位，2043名专业技术人员职务摸底分类，其结构是，大学本科毕业生：1955年前5人，1956至1966年46人，1967至1970年15人，1971至1980年39人，1981年后43人；大专毕业生：1955年前3人，1956至1966年32人，1967至1970年3人，1971年后123人；中专毕业生：1955年前34人，1956至1966年142人，1967年后1011人；高中及以下：1955年前146人，1956至1966年279人，1967年后122人。从专业技术分布看：中小学教师1423人，卫生技术人员259人，工程技术68人，农业技术61人，经济类33人，会计47人，统计1人，新闻1人，播音1人，图书、文博16人，档案资料4人。从申报各级专业技术职务结构看：高级职务17人，中级职务82人，助理级792人，技术员830人。

1993年，推进职称"以考代聘"：组织晋升中、高级系列外语考试，共参考57人，合格46人；组织专业理论考试48人，合格43人；对报考经济专业46名考生进行资格审查，合格者参加1994年统考。同时，对全县中专以上学历知识分子普查计2467人，进行登记、填卡、报州局输入微机管理。

1995年，实施县1994至1995年职称评聘工作，上半年完成卫生、农林、教育等系统高、中级职称评审、推荐、委托上报177人，其中，高级10人，中级167人。组织教育、卫生、农林等系列需晋升中级以上职称34人，到州参加外语培训和全省统考。组织县经济系列职称资格报名、考试。

1996年，严格实行"空额补缺"原则，上报晋升副高级专业技术职务9人，中级专业技术34人；县工程、卫生、农业、教育四大系列初级送审228份，评审通过223人。其中，169人取得助理专业技术职务，54人取得中级专业技术职务。组织财政局1996年度会计系列专业报名考试，经审有175人符合报考。

1997年，对各专业技术职务中级以上职称实行"空额补缺"，县有347人获初级专业技术职务资格，推荐、报送高级技术职务3人，中级专业技术职务34人到州由相应评委评审。

1999年，深化职称工作改革，主要措施：加大宣传力度，提高职称工作申报、推荐上报透明度；完善人事部门指导下的专业技术人员组成社会评价机制；推行卫生系列职称考核答辩试点经验，全面推行各系列考核答辩工作，通过考试、答辩、评审，评定任职资格；配合有关部门，加强聘后管理，严格任职考核制度。是年，对县初级职务331人评审，全获任职资格；向州推荐，报送中级专业技术职务31人，有9人参加考试、考核、答辩、评审程序获任职资格。

2001年，事业单位专业技术职务从过去的指标管理过渡到岗位管理，从人员的微观管理过渡到人才队伍职级宏观调控，即全面推行职务聘任制的基础工作。是年，全县4080名专业技术人员，高级技术职务42人，中级570人，初级3418人，并对专业技术职务资格证书实行三年一审，审核3740人，并对2500多名高、中、初级资格证书给新办和换发证。

2002年，向省、州推荐委托评审183人，其中，副高12人，中级171人；县经济系列考试报名11人，参加全国职称外语考试报名56人；组建教育、农业、工程三个系列初级评委会，完成县内评审初级专业技术职务342人，其中，教育系列334人，农业系列8人。

2003年，对全县事业单位4095名高、中、初级专业技术人员造册，全县副高以上职称45人，其中，教育系列32人，党校系列1人，卫生系列12人；本科27人，大专18人；在城镇工作42人，乡镇3人。全县中级专业技术人员748人，其中，教育系列637人，党校系列1人，卫生系列62人，农业系列25人，工程系列20人，档案文博系列3人；本科学历55人，专科161人，中专507人，其他25人；在城镇工作311人，乡镇437人。全县初级专业技术人员3302人，其中，教育系列2356人，卫生系列428人，农业系列187人，工程系列311人，档案文博系列30人；本科学历118人，专科715人，中专2088人，其他381人；在城镇工作1088人，乡镇工作2214人。同年，据上级评审结果，审核批准178名专业技术任职资格，其中，副高12名，教育系列10名，卫生系列2名；中级166名，即教育系列162名、农业系列4名。受上级评审委委托，由县评审专业技术人员191名，其中，副高12名，中级175名，初级4名。组织全县经济系列考试报名18人，职称计算机考试104人，职称外语考试24人。

2004年，全县审批181名专业技术人员任职资格，其中，副高11人，中级182人，初级4人。向省、州送评高、中级专业技术人员83人，其中，副高5人，中级78人。向州推荐上报5名高、中级评审人才。

2006年，推行实施专业技术职务“评聘分开”工作；据上级评审结果，审核批准339名专业技术人员任职资格，其中，副高14人，中级323人，初级2人。据县初评委评审结果，审核、批准教育系统193名专业技术人员任职资格；向州委托送评338人，其中，副高32人，中级305人，初级1人；据2002年核准结构比例，结合各单位现有专业技术人员数，核准聘任127名专业技术人员，其中，副高13人，中级116人，初级2人；为专业技术人员办理资格证、聘任证。

2007年，据2006年上级评审结果，审核批准307名中、高级专业技术人员任职资格，指导审核2007年108名中、高级技术人员材料送审。完成全县事业单位95名副高专业技术人员信息采集上报；为县专业技术人员办理、审核资格证、聘任证1740本，审核中、高、初级资格证2590本。

2008年，据州《关于推荐职称评委专家库人选工作通知》，县推荐1名专业技术人员为黔南州农业系列职称评审专家库人选；推荐教育系统30名专业技术人员为黔南州教育系列专家评委人选。

2009年，报送省、州参评高级职称29人，中级237人，初级3人。其中，18人获高级职称资格，217人获中级职称资格，3人获初级职称资格。办理中级资格证书153本，初级资格证书3本。

2011年，完成高级职称申报14人，中级申报16人，初级申报191人。在评审非公经济19名初级基础上，探索非公经济系列中级职称的初评和报审工作。同时，对2012年有55名中、高级职称和180名初级职称评审申报。

2012年，报送省、州委托评审专业技术职称高级18人，中级212人，初级45人。县级初级评审198人，评审非公经济工程系列12人。

2013年，报送省、州委托评审专业技术职称正高级1人，副高级73人，中级95人，初级28人。县级初级评审138人。

2014年，报送省、州委托评审专业技术职称副高级133人，其中，基层事业单位副高级101人，中级320人，县级初级评审187人。

2015年，送省、州委托评审专业技术职称副高级133人，其中基层事业单位副高级18人，中级150人，县级初级评审201人。

第六节　工资福利

一、工资制度

1978年后，机关、事业单位对接收的大中专毕业生和新录用人员，仍执行试用期（见习期）。试用期一般为1年，期间执行初期工资。期满后，录用单位对试用人员提出转正定级考核意见，报县人事部门批准后执行。转正定级的工资级别档次，根据国家规定和本人的学历、表现确定。

1986年，贯彻“巩固、消化、补充、改善”方针，兑现教龄、护龄津贴。根据《关于我县国家机关、事业单位职工退休回农村安置后发放住房维修补助费有关规定》，办理历年来退休回农村住房维修补助74人，金额40100元。其中，30年以上工龄32人，补助金额19200元；20～29年工龄42人，补助金额20900元。是年，县享受教育津贴1229人（党校2人），占教师总数1597人的76.96%。

1990年，对全县机关、事业单位进行工资改革调整：政策统一性，即全省、州、县统一在同一政策标准上；普调一级，人人有份；解决突出问题，即把事业单位专业技术人员与贡献较大的部分机关工作人员为重点，对号入座，不搞群众评议。是年调整档次：全县机关、事业单位在册职工4694人，按政策规定，升级4459人，月净增资52134.80元，人均增资11.69元；在普调基础上调升二级3071人（其中，按机动指标升级1116人）。升两级面占在册职工数85.42%；提高见习期工资、初级工资待遇208人，各种原因不符合调整规定27人，占在册职工数0.58%。具体档次：国家机关在册793人，按政策升级766人，人均月增资12.11元，区、乡机关在册人员501人，按政策升级482人，人均增资10.75元；全县事业单位在册人员3267人，按政策升级3089人，人均增资11.75元；县供销社机关在册17人，政策规定全升，人均月增资12.78元。全县招聘的农税员、农经员、计生员计116人，按政策可升105人，人均月增资9.13元。全县机关、事业单位离退休724人，提高离退休待遇，月增资10014.11元，人员月增资10.7元，其中，离休153人，人均月均增资13.97元，退休656人，人均月增资15.33元。

1993年，对全县机关、事业单位人员工资基金制度实行改革管理，即各单位按季度持“工资基金管理手册”到编委办审批。是年，全县机关、事业单位工资总额14515560元，其中：行政（乡镇）单位96个，1465人，月工资301790元；事业单位399个，5043人（含民办人员），月工资907840元。

1996年，对全县机关、事业单位4879名称职以上职工晋升一档职务工资，月增资106985.5元，人均月增资21.92元，不列入普升工资397人，其中，1995年9月30日前提升或普升技术等级增加工资超过一个档差的87人，不称职、不定等次和其他档次310人。县离退休（退职）人员增加待遇工资与在职职工正常晋升档次同步进行。全县机关、事业单位1995年9月30日前，已办理离退休（退职）手续1092人，离退休（退职）人员月增资23718元，人均月增资21.72元。

从1997年起，实行“连续两年考核称职以上的干部职工，可在本人职务工资标准内晋升一个工资档次”的规定。逢单年（大轮晋升），离退休人员按照同职务在职人员晋升，退休人员每月增加20元。连续5年考核称职合格以上的（含5年中有1年基本称职或基本合格的），在本人职务对应的级别上晋升一级工资。1998年，据全县1996至1997年考核结果，对全县机关、事业单位称职以上4789人晋升职务工资；对连续三年获考核优秀等次人员晋升级别或职务工资（副局以上除外）。

1999年，对县6435名机关、事业单位人员调整工资标准，月总增资78万元；为县机关、事业单位1412名离退休人员增加退休金，月增加离退休金155992元，补发离退休费467976元，对全县遗属561人人均增加遗属补贴60元，月增资33660元。

2002年，对2000至2001年在册职工6478名除907人因考核未满两年或其他原因不能晋升外，对两年考核称职的5571名职工，于2001年10月1日起晋升一档职务工资，全县人员月增资182159.5元，人均增资32.5元，增资幅度为4.11%。

2003年，审批机关事业单位2002年年终奖金6298人，计发一次性奖金4196333元。对2001至2002年560人晋档审批和事业单位101人获考核连续三年优秀晋档审批。

2007年，对全县8225名机关事业单位人员进行工资套改。全县每年共增资2417266元，补发19217868元；每月共增加艰苦边远地区津贴670375.5元，补发5340635.3元；办理浮动及浮转固工资、机关晋升级别工资、事业单位晋升薪级工资，三项增资5179元，月增资206070.1元，共补发2512798.2元。办理是年6069人年终一次性奖金计6365865.8元。

2009年，按照党中央、国务院关于改革公务员工资制度和规范公务员收入分配秩序的总体要求和州纪委有关文件精神，在清理归并现有津贴补贴的基础上，实施规范公务员津贴补贴工作。全县机关事业单位中参与规范公务员津贴补贴共计2467人，其中，执行公务员工资的在职工作人员1720人，离休人员36人，退休人员709人，退职人员2人。规范公务员津贴补贴后，在职工作人员人均月增资586.16元，离休人员人均月增资818.26元，退休人员人均月增资256.06元，补发2009年1至9月津贴补贴共计1079.85万元。同年，落实黔府办发〔2009〕58号文件精神，对全县执行事业单位岗位绩效工资制度的义务教育学校正式工作人员实施了绩效工资改革。实施绩效工资的义务教育学校共有44所，符合实施绩效工资条件的共计4649人。在职工作人员人均月增资673.32元，退休人员人均月增资235.86元，补发2009年1至9月增资共计2042.12万元。

2010年，对全县执行事业单位岗位绩效工资制度的公共卫生与基层医疗卫生事业单位正式工作人员实施绩效工资改革。实施绩效工资的公共卫生与基层医疗卫生事业单位共计53个，符合实施绩效工资条件的共计862人。在职工作人员人均月增资649.51元，退休人员人均月增资275.1元，补发2009年10月至2010年12月增资共计440.1万元。

2011年，对执行事业单位岗位绩效工资制度的其他事业单位正式工作人员实施绩效工资改革。实施绩效工资的公共卫生与基层医疗卫生事业单位共计84个，符合实施绩效工资条件的共计1977人。在职工作人员人均月增资664.42元，退休人员人均月增资239.99元，补发2010年1月至2011年12月增资共计2023.7万元。同年，根据人社部发〔2011〕75号文件精神，对全县机关事业单位在职人员和离退休人员的艰苦边远地区津贴进行调整。在职工作人员人均月增资98.69元，离退休人员人均月增资88.02元。

2013年，实施第二步规范公务员津贴补贴，同步实施第二步绩效工资。规范后，在职人员人均月增资424元，离退休人员人均月增资652元。补发2012年10月至2013年5月增资4215万元。同年，根据黔南人社通〔2013〕62号文件精神，对全县机关事业单位在职人员和离退休人员的艰苦边远地区津贴进行调整。在职工作人员人均月增资36元，离退休人员人均月增资36元。补发2012年10月至2013年5月增资284万元。

2014年，调整全县公务员津贴补贴和事业人员绩效工资。调整后，在职人员人均月增资363元，离退休人员人均月增资320元。补发2013年1月至2014年6月增资9912万元。

2015年，调整机关事业单位工作人员基本工资标准和增加机关事业单位离退休人员离退休费，同时，将部分津贴补贴和部分基础性绩效工资纳入基本工资。调整后，在职人员人均月增资436元，离退休人员人均月增资258元，补发2014年10月至2015年7月增资4280万元。

二、福利待遇

补贴种类　1985年工资改革后，按照省政府关于实施国家机关和事业单位工资制度方案若干问题补充规定。是年起，将提高工资区类别，所增加的工资冲销其粮贴；冲销后保留标准；原行政24至23级月2.9元；22～21级月2.8元；20～18级月2.6元；17～16级月2.4元；15至14级月2.3元。各类工资标准人员，一律按行政级别继续享受粮价补贴。

1986年，机关事业单位人员，按工资标准（基础工资、职务工资合计）确定粮价补贴。1992年，根据国务院《关于提高粮食统销价格的决定》和省政府办公厅有关文件精神，原凭证吃国家平价供应粮的机关、事业单位职工及有关人员，每人每月补贴5元，均于1993年工资改革时停发。此外，享受的各种补贴有：副食品价格补贴，菜篮子补贴、知识分子补贴、纪检、监察、审计人员工作补贴、高龄补贴、部分人员生活补贴等。20世纪90年代初，开始实行高龄补贴，凡年满70周岁以上的离退休人员，均可享受每人每月20元高龄补贴，随工资按月发放。

各种津贴　主要有：教龄津贴、班主任津贴、特级教师津贴、卫生、防疫岗位津贴、教（护）龄津贴、从事放射、化学工作人员保健津贴、计划生育岗位津贴、畜牧兽医医疗卫生津贴、林业系统有毒有害岗位津贴、公安干警执勤岗位津贴、人民警察警衔津贴、检察院干警岗位津贴、法院干警岗位津贴、司法助理岗位津贴、政法委工作人员岗位津贴、信访工作人员岗位津贴、档案管理人员保健津贴、艰苦边远地区津贴。2006年工资制度改革后，规范和执行了津贴补贴。

福利　1988年7月起，县执行国务院规定：女职工产假90天，难产者增加15天，多胞胎者每多1胎增假15天。同年9月，省人民政府办公厅行文规定：女职工晚育产假120天，晚育并办独生子女证的，产假半年，产假期间工资照发。

病、事假期间的工资待遇　1995年6月起，据黔人福〔1995〕8号文件规定，机关事业单位工作人员病假期间的工资待遇：连续病假两个月以内的，工资照发；连续病假超过两个月不满6个月的，从第三个月起，病假期间按下列标准发给病假工资；工作年限不满10年的，发给本人基本工资的90%；工作年限满10年以上的，工资照发。连续病假超过6个月的，从第七个月起，病假期间按下列标准发给病假工资；工作年限不满10年的，发给本人基本工资的60%；满10年不满20年的，发给本人基本工资的70%；满10年不满30年的，发给本人基本工资的80%；满30年以上的，发给本人基本工资的90%；新中国成立前参加革命工作的，工资照发。1949年至1952年底以前参加革命工作的，病假期间基本工资照发。获得省人民政府或国务院部委以上授予劳动模范称号并保持荣誉的，病假工资可在上述标准的基础上酌情提高5%至10%；提高后，不得超过本人原工资。特种病人（癌症病、麻风病、精神病）病假期间工资照发。

工作人员事假期间的工资待遇 连续事假一个月以内的，工资照发。连续事假超过一个月不满3个月的，从第二个月起发给本人基本工资的50%；连续事假超过3个月不满6个月的，从第四个月起发给本人基本工资的40%；连续事假超过6个月的，从第七个月起停发基本工资。事假必须是因特殊情况，不能坚持正常上班并经组织批准的，方能生效。凡未经组织批准，擅离工作岗位的，按旷工处理。旷工期间，停发一切工资福利待遇。

带薪年休假 1987年7月，执行省人民政府规定职工假期：工龄5年以上不满10年的10天；10年以上不满20年的20天；20年以上不满30年的25天；30年以上的30天。1989年4月，执行省人事厅规定：因工作需要，是年未休假而本人又不愿累计假日的，可按本人基本工资计发给予补贴（1991年停止执行）。

1992年1月1日起，实行：党政机关、事业单位、人民团体职工工龄满5年以上的（除实行寒暑假制度的人员外）可享受休假。休假天数：工龄满5年不满10年的，每年可休假5天；工龄满10年不满20年的，每年可休假10天；工龄满20年以上的，每年可休假14天。休假方式一般以就地休假为主，一律不准搞公费旅游，也不得以工作需要不休假为由，向职工发放或变相发放钱物；年休假可与探亲假、婚丧假、生育假等合并使用；年休假原则上按年度安排，不跨年累计。个别确因工作需要，是年不能休假的，经所在单位批准，可与第二年合并使用，不能延至第三年使用。

2008年起，实行：机关事业单位工作人员累计工作已满1年不满10年的，年休假5天；已满10年不满20年的，年休假10天；已满20年的，年休假15天。工作人员工作年限满1年、满10年、满20年的下月起享受相应的年休假天数。国家和省内规定的探亲假、婚丧假、产假和节育手术假以及国家法定休假日、休息日，不计入年休假的假期。依法应享受寒暑假的工作人员，因工作需要未休寒暑假的，所在单位应当安排其休年休假；因工作需要未休寒暑假天数少于年假天数的，所在单位应当安排补足其年休假天数。

2009年，印发《惠水县机关事业单位工作人员带薪年休假实施办法（试行）》，规定：从2009年1月起，全县机关事业单位中连续工作满1年以上的工作人员可以享受年休假。参加工作时间满1年不满5年的，每年休假3天；参加工作时间满5年不满10年的，每年休假5天；参加工作时间满10年不满20年的，每年休假10天；参加工作时间满20年不满30年的，每年休假15天；参加工作时间满30年及以上的，每年休假20天。符合年休假条件的工作人员，所在单位原则上必须安排，在年休假期间工资、福利待遇不变。机关事业单位如因单位原因不能安排年休假的，按规定对其支付年休假工资报酬（因个人原因不休年休假的除外）。年休假工资报酬的支付标准为每应休未休1天，按照本人应休年休假是年日工资收入的300%支付，且应当月兑现。

2015年，印发《惠水县机关事业单位工作人员带薪年休假实施办法（试行）》，规定：从2015年8月22日起，全县机关事业单位中连续工作满1年以上的工作人员可以享受年休假。工作人员累计工作已满1年不满10年的，年休假5天；已满10年不满20年的，年休假10天；已满20年的，年休假15天、符合年休假条件的工作人员，所在单位原则上必须安排年休假，单位应严格控制不能休年休假的人数，坚决杜绝变相发放补贴，确因工作需要不休年休假的人数，原则上不能超过本部门、单位在编工作人员总数的5%。机关事业单位根据工作人员应休未休年休假天数，对其支付年休假工资报酬，支付标准为：每应休未休1天，按照本人应休年休假是年日工资收入的300%支付，其中，除工作人员正常工作期间的工资收入外，其余的200%在下一年度的第一季度内一次性支付。探亲假职工与配偶异地居住者，每年可请探亲假30

天、未婚职工与父母异地居住者，每年可请探亲假20天；已婚者每4年可请探亲假20天，假期内工资照常发放且报销路费。

牺牲病故待遇 1986年起，死亡职工每人补助安葬费400元。1986年7月1日起，机关工作人员和离退休人员因公牺牲的一次抚恤金，按其牺牲时的20个月工资计发；病故的一次抚恤金，按其病故时的10个月工资计发，但其最高数额不得超过3000元。

1992年2月，省人民政府批转省财政厅相关报告，规定：职工死亡要推行火葬，有火葬条件的不施行火葬的不报销丧葬费、死者家属一次性抚恤费。1994年，根据上级有关文件规定，一次性抚恤金发放标准仍按现行规定执行，取消1986年对病故后一次性抚恤金最高数额不得超过3000元的规定。

1995年1月1日起，根据上级有关文件规定，将警衔津贴列入人民警察一次性抚恤金计发标准之中。

2004年10月1日起，国家机关事业单位工作人员及离退休人员死亡后一次性抚恤金标准调整为：烈士为本人生前80个月基本工资或基本离退休费，因公牺牲为本人生前40个月基本工资或基本离退休费，病故为本人生前20个月基本工资或基本离退休费。

2010年10月1日起，县机关事业单位工作人员和离退休人员死亡丧葬费调整为：离休干部2000元，其他工作人员和退休人员1600元。

2011年8月1日起，国家机关工作人员及离退休人员死亡后一次性抚恤金标准调整为：烈士和因公牺牲的，为上一年度全国城镇居民人均可支配收入的20倍加本人生前40个月基本工资或基本离退休费；病故的，上一年度全国城镇居民人均可支配收入的2倍加本人生前40个月基本工资或基本离退休费。

遗属生活困难补助 1988年9月起，国家机关、事业单位遗属生活困难补助标准调整为：居住在自治州、行署所在地的每人每月补助35～40元，居住在县和县以下城镇的每人每月补助30～35元；居住在农村的每人每月补助25～30元；因抢救国家财产或因公牺牲的月增加5元。老红军的遗属生活困难补助，不分居住地区，一律按50元发给。

1991年7月起，国家机关、事业单位遗属生活困难补助标准调整为：居住在贵阳市、自治州（市）行署所在地的每人每月补助40至45元，居住在县和县以下城镇的每人每月补助35至40元；居住在农村的每人每月补助30至35元；因抢救国家财产或因公牺牲的月增加5元。老红军的遗属生活困难补助，不分居住地区，一律按55元发给。

1994年8月起，国家机关、事业单位遗属生活困难补助标准调整为：居住在贵阳市、自治州（市）行署所在地的每人每月补助50～55元，居住县和县以下城镇的每人每月补助45～50元；居住在农村的每人每月补助40～45元；新中国成立前参加革命工作的干部遗属以及在保护、抢救国家财产或在对敌斗争中牺牲的工作人员的遗属不分居住地域，一律按每人每月75元发给，其中，副厅级以上离休干部的遗属，不分居住地域，一律按每人每月90元发给，红军干部的遗属，不分居住地域，一律按每月每人100元发给。

1996年10月起，国家机关、事业单位遗属生活困难补助标准调整为：工作人员死亡后遗属不分居住地，一律按每人每月70～90元的标准发给。新中国成立前参加革命工作在和保护、抢救国家和人民生活财产或对敌斗争中牺牲的工作人员的遗属，不分居住地域，一律按每人每月100元发给；其中，副厅级以上离休干部的遗属，一律按每人每月110元发给；红军和副省级干部的遗属，一律按每人每月180元发给。

1999年7月起，国家机关、事业单位遗属生活困难补助标准调整为：老红军和副省级以上干部的遗属，每人每月在现行补助标准180元的基础上增加100元；新中国成立前参加革命工作和副厅级以上，以及在保护国家财产或对敌斗争中牺牲的工作人员遗属，每人每月在现行补助标准100元或110元的基础上增加80元；其他工作人员的遗属，每人每月在现行补助标准70～90元的基础上增加60元。

2001年1月1日起，国家机关、事业单位遗属生活困难补助标准调整为：老红军和副省级以上干部的遗属，每人每月在现行补助标准280元的基础上增加100元；新中国成立前参加革命工作和副厅级以上干部，以及在保护国家财产或对敌斗争中牺牲的工作人员的遗属，每人每月在现行补助标准180元或190元的基础上增加80元；其他工作人员的遗属，每人每月在现行补助标准130～150元的基础上增加60元。

2001年10月1日起，国家机关、事业单位遗属生活困难补助标准调整为：老红军和副省级以上干部的遗属，每人每月在现行补助标准380元的基础上增加80元；新中国成立前参加革命工作和副厅级以上干部，以及在保护国家财产或对敌斗争中牺牲的工作人员的遗属，每人每月在现行补助标准的基础上增加60元；其他工作人员的遗属，每人每月在现行补助标准的基础上增加40元。

2003年7月1日起，国家机关、事业单位遗属生活困难补助标准调整为：老红军和副省级以上干部的遗属，每人每月增加50元；新中国成立前参加革命工作和副厅级以上干部，以及在保护国家财产或对敌斗争中牺牲的工作人员的遗属，每人每月增加35元；其他工作人员的遗属，每人每月增加25元。

2007年6月起，机关事业单位遗属生活困难补助标准调整为：老红军和副省级以上干部的遗属每人每月570元，新中国成立前参加革命工作和副厅级以上干部的遗属每人每月410元，在保护国家财产或对敌斗争中牺牲人员的遗属每人每月390元，其他工作人员的遗属每人每月280～310元。

2012年1月1日起，机关事业单位遗属生活困难补助标准调整为：老红军和副省级以上干部的遗属每人每月670元，新中国成立前参加革命工作和副厅级以上干部的遗属每人每月510元，在保护国家财产或对敌斗争中牺牲人员的遗属每人每月490元，其他工作人员的遗属每人每月380～410元。

2015年1月1日起，机关事业单位遗属生活困难补助标准调整为：老红军和副省级以上干部的遗属每人每月820元，新中国成立前参加革命工作和副厅级以上干部的遗属每人每月660元，在保护国家财产或对敌斗争中牺牲人员的遗属每人每月640元，其他工作人员的遗属每人每月530～560元。

第二章　劳动与社会保障

第一节　劳动就业

一、企业人事改革

1986年，据上级关于企业机构改革和简政放权有关文件精神，县采取以下措施推进企业人事制度改革：下放企业职工退休、退职、转正定级、奖惩审批权。对过去统一由县审批为企业自行审批报县人劳局备案；下放工资基金、奖金审批权。改原由县局逐人审批为按季度下达计划，银行监督支付；企业的奖金发放，由企业单位据有关规定自行确定；对县直各企业单位招收使用的季节工、临时工、合同工由县局下达指标计划，改由各企业单位自行确定；简化企业职工调动手续，下放企业职工调动审批权。改变原县属各企业之间职工调动，统一由县局审批为企业与企业之间互相商调办理；下放劳动保健食油审批权。改变原由县局审批为企业造册到有关部门购买；据县委、县人民政府指示，下放三级机构干部的任免权。

1993年，改进劳动计划管理，改革传统计划用工制度，推行双向选择，鼓励大、中专毕业生到生产第一线。是年新招收71名自费大、中专、技校、职校毕业生中，分配到企业的30人。

1996年，贯彻国有企业转换经营机制的有关条例和企业用工、工资分配等自主权落实有关文件精神，为企业自找发展创造宽松环境。在人员调配中，凡县内、外企业人员调入机关、事业单位者，必经县人事工作领导小组讨论决定。因是年县国有企业面临困难，采取引导企业自救，帮助困难职工，全县国有企业、集体企业下岗人员约2300人，失业率达3.5%。1997年，为做好企业社会养老保险工作，推进企业劳动制度改革，第一季度，全县企业职工养老保险方案经测算报州，实现企业职工步入社会保险轨道。

1997年，全县企业出现停产、半停产，亏损企业有所增加。全县参加离退休费社会统筹的国有企业49户，在册职工2251人，离退休2946人，占在职员工数的40.02%，企业减发、停发职工工资和离退休费高达518人，占退休职工数54.75%，部分职工连续三年未领到生活费。

1998年，随着经济结构调整力度加大，企业改革深入，下岗职工基本生活保障和再就业成为新的矛盾和问题，县成立再就业工程领导小组，形成政府、企业主管部门、企业三级管理网络，在全县有下岗职工的22户国有企业建立再就业服务中心。全县下岗职工654人，各企业接纳619人，对未接纳的161名按每月81元发给基本生活费。

1999年，重点解决国有企业下岗职工基本生活保障和再就业工作，全县954名下岗职工，各企业已接纳513人，占下岗总人数53.7%，对下岗进入再就业服务中心的99名职工发放失业保险金，并代交养老保险金，对下岗职工分流中，鼓励自谋职业，如创办实体，县府、税务部门收取税费等给予优惠。

2000年，对县28名企业下岗职工办理“待工证”，19名下岗职工在县城开设服装、医药、家电维修、打字等商业网点，31名下岗职工在乡镇企业找到适合岗位。继续做好国有企业下岗职工基本生活保障和再就业工作，共有下岗职工434人，其中：有122人签订了第二次“进中心协议”，占下岗职工总数28%（比上年减少32人），122名下岗职工按规定领到了基本生活费。

2004年，加强企业经营管理人才队伍建设，8～9月开展企业经营者培训，系统学习劳动保障、社会保险和相关法律法规知识，全县参训企业计76户。实施以下几点企业再就业扶持政策：办理企业下岗职工再就业优惠证为重点，共办理《再就业优惠证》309本，完成任务数的88%；协调相关部门，按照再就业扶持政策减免相关税费；开发公益性岗位，解决大龄困难群体就业；全面开展下岗自主创业小额贷款；稳步开展下岗职工出“中心”经济补偿，争取上级资金支持，为下岗职工顺利出“中心”，与原企业解除劳动关系，是年，此项经济补偿金计24.8万元。

二、企业用工

企业劳动用工，主要指劳动部门在非农业人口户籍中招工录用。随着改革开放和各项政策的不断放开，国有企业用工制度逐年进行了相应的改革，打破“铁饭碗”，企业与职工签订劳动合同。改革传统用工制度，改进劳动计划管理，推进“双向选择”，积极鼓励大、中专毕业生到生产第一线去，打破过去计划用工制度的格局。

1979至2015年，全民所有制工业企业职工增加人数为699人。

就业工作由县劳资局专管，招工对象以上山下乡知识青年为主。1982年9月，在县劳资局设立“惠水县劳动服务公司”负责城镇待业人员的管理。1983年，插队落户的城市知识青年基本安置完毕。

1984年，县属国家单位招工作了改革，推进劳动合同制度招工，采取“公开招收、统一考试，全面考核、择优录用”，在政治和身体考核合格的基础上，文化知识的考试成绩张榜公布。按考分高低，依次录取。同年，全县城镇户口人员办理待业证450人，就业安置1276人，培训418人，共招收合同制工人111人。发放扶持生产周转金125.300元，扶持鞋革厂，青年废旧回收店等20个单位的青年149人。是年起，县劳动服务公司按照“劳动部门介绍就业，自愿组织起来就业，自谋职业”相结合的方针安置就业。1992年，惠水县劳动服务公司更名为“惠水县劳动就业办公室”，2007年改为“惠水县就业局”。2010至2015年，全县城镇新增就业25353人。

2012年6月，成立惠水县促进就业小额担保贷款中心与县就业局合署办公，实行“两块牌子一套人马”。2010年以来，共申请州审核批准贷款38万元。2012至2015年，惠水县促进就业小额担保贷款中心，累计为各类自主创业人员664人提供小额担保贷款业务，发放创业扶持贷款5009万元，扶持创业的领域包括种、养殖业、零售业、餐饮业、服务业、加工业及新兴行业，带动城乡劳动者近4000人实现就地就业，为各类自主创业人员营造良好环境。2011至2015年，通过开展“春风行动”招聘会，“民营企业招聘周”，“大学生服务月”“惠水县农民工专场招聘会”“长田工业园区专场招聘会”等15场招聘活动，提供就业岗位累计40000余个，35000余人报名求职登记，与用人单位达成录用意向17000人。

三、下岗再就业、“4050”和零就业家庭人员就业

随着城乡国有、集体企业改革步伐不断加快，下岗失业、城镇失业，“4050”（男满50周岁，女满40周岁）和零就业家庭人员成为城乡统筹就业的一大难题。1998年，成立惠水县再就业工程领导小组以来，形成政府、企业主管部门、企业三级管理网络，全县有下岗职工的22户国有企业建立再就业服务中心，并配备专（兼）职人员。县围绕州人民政府下达的促进下岗失业人员再就业工作目标任务，以开发就业岗位为目标，以促进下岗失业人员再就业为重点，以落实政策和加大资金投入为手段，加强职业技能培训。在全县机关事业单位中，开发公益性岗位，把公益性岗位开发作为解决下岗职工再就业的主渠道，重点帮助“4050”零就业家庭，下岗再就业困难人员提供就业帮助。一方面，鼓励企业对下岗职工进行开发性安置；另一方面，鼓励下岗职工多渠道就业，转变择业观念。此外，在招商引资兴办企业中，吸纳下岗职工，以及下岗职工自谋职业或兴办实体，工商、税务、卫生等部门在税费等方面给予一定的优惠照顾。

2002至2003年，县被黔南州劳动和社会保障局评为就业再就业统计先进单位；2004年，县工商部门共免收138户自主创业的登记费、管理费共10.3万元；税务部门共免收138户办证工本费、税款7.09万元；卫生防疫部门免收36户行政性收费1244元；烟草部门免收95户工本费1140元。全年共为下岗职工办理小额贷款11人，贷款22万元，均用于自主创业。2005年，对县城附近被国家建设征用土地的农户在就业上提供支持和帮助，给予办理农转非手续，对符合条件的办理低保进行扶持等措施，确保被征地农民原有的生活、生产水平不降低。是年，县获得黔南州就业再就业工作一等奖。

2005至2013年，全县通过公益性岗位政策，帮助下岗失业、城镇失业、零就业家庭人员、就业困难高校毕业生等社会特殊群体1300余人实现就业。2010至2015年，累计通过公益性岗位政策帮助下岗失业、城镇失业、零就业家庭人员、就业困难高校毕业生等社会特殊群体645人实现就业。共办理《就业失业登记证》3364人，失业人员实现再就业2438人，失业人员926人，失业率2.94%，控制在州要求的4.2%以内。

四、劳务输出

惠水县劳务输出工作始于1983年，羡塘乡是全县劳务输出较早、人数最多的乡镇。1988年3月，首批

外出有300～500人到广东惠州市秋场镇务工，年底回乡后，自发带动群众外出务工。第二批于1989年初到广东惠州务工，约1100人，以后逐年递增，呈现“以亲带亲，戚帮戚，同学找同学”的外出务工模式，并带动其他乡镇剩余劳动力外出务工。1996年，全县有组织劳务输出共9批，计1581人，其中，省外500人，省内1081人，均经县就业办出具介绍信，办证外出打工的7200人，全年输出8000多人。据邮电部门不完全统计，是年，外出务工人员汇回资金900多万元，比1995年增长50%。外出务工人员比较多的羡塘乡，年汇回资金达208万元，地处麻山地区的王佑、长安、打引3个乡镇年汇款达81万元。

20世纪90年代中后期，县的劳务输出逐年减少，自发性输出成为全县劳务输出的主渠道。劳务输出对推动贫困和不发达地区的经济发展具有促进作用。2000年后，各级政府每年均下达任务指标，下一级政府向上一级政府签订工作落实责任状。2002年，县成立“惠水县劳务输出工作领导小组”，各乡镇建立“劳务输出工作站”，此项工作得到全面铺开。大部分乡镇完成了富余劳动力的调查，外出务工人员、返乡人员调查摸底等基础工作。2003年“非典”期间，完成了“非典”返乡人员调查、跟踪，数据上报等项工作。摆金镇、摆榜乡、斗底乡、抵麻乡积极组织人员到广东、贵阳等地务工，实现了有组织劳务输出零的突破。

2003年，县政府与州政府签署了劳务输出3000人的目标责任状，其中，组织输出1000人。年底，全县农村富余劳动力输出36908人。其中，自发输出35821人，有组织输出1087人。其中，省内7337人，省外29571人。是年，全县新增外出务工人员3163人，占任务数的126.5%。其中，有组织输出1087人，占任务数的108.7%。全县外出务工者汇回劳务款数额达12163万元。

2004年7月，在羡塘乡召开全县劳务输出工作现场会，推广劳务输出工作经验做法。

2003至2015年，全县约8万农民常年在县外务工，占惠水县农村富余劳动力的80%，主要集中在长三角、珠三角一带，人均月工资在2500至3000元。每年外出打工人员汇回资金保持在1.9亿元以上，每年自发外出务工农民工保持在7000人的规模，其中，初次外出务工的农民约占40%，有组织输出的农民工每年保持在1300人以上。

劳务输出对于开发利用农村富余劳动力资源，促进农村经济发展，增加农民货币和调整农村产业结构，发挥积极作用。农民外出务工，学习先进发达地区的管理经验和生产技能，积累一定资金，为回乡创业打下了基础。县为返乡农民工牵线搭桥，立足于长田工业园区等县内几十家企业，专门开辟返乡农民工就业绿色通道，免费为返乡农民工提供职业介绍、就业指导和政策咨询等服务，千方百计为返乡农民工提供职业介绍。返乡农民工借助在外打工时建立的人际关系和掌握的信息，引进资金、技术和人才，发展农村二、三产业，成为农村带民奔富的引路人。通过劳务输出“借地育才”，2008年，惠水县农民工返乡创业大规模开展。农民工返乡创建的企业有：惠水县昌庆塑料制品有限公司、吸纳农村富余劳动力170余人；惠水县腾飞建材有限公司，拥有厂房3500平方米，固定资产总值600万元，年销售收入800万元，吸纳城乡劳动力和下岗失业人员40余人；惠水县富强阳光水晶工艺品厂，吸纳城乡劳动力60余人，年产值900万元；惠水玉美门窗加工厂，2011年创建投产，2012年销售额为200余万元。

2015年，全县共有14341名农民工返乡就业创业，返乡创办家电维修、汽车修理、种植养殖、加工业等。随着惠水县成立促进就业小额担保贷款中心一系列创业政策的出台，大量农民工看准时机，选择返乡创业。其中：2013年，共718人返乡创业；2014年，共3685人返乡创业；2015年，共5420人返乡创业。创业促就业氛围浓厚。

第二节　劳动监察与保护

一、劳动监察

2004年，《劳动保障监察条例》（中华人民共和国国务院令第423号）颁布。县政府机构改革在原劳动保障监察工作基础上批准成立劳动保障监察股为内设机构，加挂“惠水县劳动保障监察大队”，并在和平镇、高镇镇建立劳动保障事务所。2011年6月，“惠水县劳动保障监察大队”单列设为县人力资源和社会保障局下属的副科级事业单位。各乡镇设置人力资源和社会保障服务中心，不再设置和平劳动保障所、高镇劳动保障所。2013年10月，惠水县劳动保障监察大队列入参公管理。2015年，在全县各镇、办成立劳动保障监察中队。

采取主动监察、定期监察、专项检查和执法大检查等形式相结合，开展查处劳动者举报、投诉的劳动纠纷案件；开展养老金清欠执法，清收拖欠养老金等劳动保障监察。同时，查处全县非法使用童工情况，从源头遏制使用童工现象；监督检查企业对未成年及女职工实行特殊保护政策的行为。2012年，县劳动保障监察大队被贵州省人社厅评为劳动保障监察工作先进集体。

2004至2007年，每年多次开展专项检查和主动检查。共计检查国有企业、集体企业、私营企业、个体经营者，港澳台商投资企业和其他企业1238户，涉及劳动者44089人，督促用人单位为劳动者续签、补签劳动合同5838人，受理案件102件，为1186名农民工追讨工资168.84万元。

2008年1月1日，《中华人民共和国劳动合同法》实施，企业与劳动者签订劳动合同成为劳动保障监察的重点检查项目之一。2008至2012年，共计接待来访来电2200余人次；协调处理劳动纠纷169件，涉及劳动者1492人，涉及金额312.28万元。每年开展专项检查及日常巡查不少于5次。共检查企业1621户，涉及35128人，督促用人单位与劳动者签订劳动合同5629人次。

2011年，结合新《工伤保险条例》和《社会保险法》颁布实施，开展“一法一条例”专场宣传会2场，发放各类劳动法律、法规宣传资料3000余份。日常巡视检查中，查出未缴纳社会保险用人单位4户，限期责令补缴社会保险4户。办理劳动用人单位劳动用工备案82户，涉及劳动用工1632人；建立劳动用人单位“劳动用工管理信息台账”99户；共收取11个工程的工人工资保障金计171.4万元。

2013年，共接到劳动维权投诉82起，涉及劳动者1064人，共为农民工追讨工资1297.6万元。结案率达97.5%。同年，开展各类专项行动6次，共检查各类用工单位390家，涉及劳动者7933人次、发放各类宣传资料5000份，现场解答群众咨询800余人次，责成用人单位与劳动者补签劳动合同2100份。

2014年，共检查用人单位381户，涉及劳动者2986余人次，现场责成签订劳动合同950余份，为农民工追讨工资1753.2万元。

2014年起，加强与公安协作，每年均向公安局移送恶意欠薪案件，请求公安协助追讨欠薪。是年移送7件，2015年10件，共计为1252名工人追讨欠薪1434.89万元。同年，劳动违法行为投诉案件年结案率95%，劳动合同签订率为93.5%，集体合同签订率达85.3%，处置欠薪62起，涉及劳动者1561人，为农民工追讨工资2046.88万元。

2015年共开展劳动保障监察专项行动5次，共检查用人单位368户，涉及劳动者8948余人次，共发放各类宣传资料4300余份，现场解答群众咨询2800余人次，现场责成签订劳动合同600余份。共受理投诉62起，共涉及劳动者1561人，共为农民工追讨工资2046.87万元。其中向公安局移送恶意欠薪案件8件，共涉及工人439人，欠薪751万元。

二、劳动保护

1986年10月1日起，开始对用工制度进行改革。即企业对新用的职工实行劳动合同管理，称为劳动合同制工人，其福利待遇与原固定职工基本相同，工资待遇与原固定职工工资多15%的工资性补贴。对国营企业新招工人实行劳动合同制，退休后按月发给退休费至死亡。

1986年，全县企业共有工人4776名，其中，全民所有制2725人，集体所有制1076人，个体965人。县推行劳动合同制工作主抓三点：建立劳动制度改革领导小组；设置社会保险事业机构，配备专人办公；宣传推行劳动合同制优越性。在招工、用工方面推行劳动合同制，坚持面向社会、公开招收、统一考试、择优录用。全年共招收劳动合同制工人172人，其中，退休顶替131人。据黔府［1986］70号文件规定，对具有合同制工人的22个单位收缴合同制工人退休养老保证金。

1996年，县属各类企业实行平等协商，签订全员劳动合同企业64户，占企业总数的98%；职工3464人，签订全员劳动合同计3189人，占职工总数的92.06%。是年，开展帮助困难企业、困难职工，引导企业自救，以县政府名义，由劳动、工会、经委等部门人员组成帮困办，采取由财政拨一点，经济好的企业拿一点，筹集“帮困资金”75100元。

2003年，依法对1户国有企业121人，1户股份制企业250人，2户私营企业18人签订劳动合同进行鉴证。部分企业濒临停产、半停产境地，一些企业尚未实现脱困目标，职工虽与企业存在劳动关系，实际上处于“隐形失业”状态。

三、劳动技能培训

围绕全县经济建设和社会发展对人力资源的需求，加大劳动技能培训工作，协调县畜牧局、县职校、贵州大学神农培训中心等单位，借助外来培训资源，丰富培训工种，提升劳动者素质。培训工作主要分为：公务员过渡培训；事业单位人员上岗前培训；事业单位人员职称考试培训；机关事业单位技术工人职业道德培训；劳动保障法律法规政策宣传和培训；下岗职工再就业培训；就业前技能培训；返乡农民工创业培训；乡土人才培训等。内容主要有：公务员通用能力、公务员电子政务和计算机应用能力、科普教育、法律法规、电脑、汽修、驾驶、烹饪、缝纫、美容美发、幼师、文秘、园艺花卉、家禽饲养、动物防疫等。通过实践，培训工作还开创了将培训班办进乡、村，方便群众的培训新模式。

第三节　劳动争议仲裁

劳动争议，是指劳动关系的当事人之间因执行劳动法律法规和履行劳动合同而发生的纠纷，即劳动者与所在单位之间因劳动关系中的权利义务而发生的纠纷。县主要采取聘由县总工会、工商行政部门、工商联代表组成的劳动争议仲裁委员会，担负全县劳动争议案件的仲裁工作。劳动争议在无法解决时，可直接向人民法院起诉处理，之后，中央劳动部陆续撤销劳动争议机构，县劳动争议仲裁机构随之撤销，有发生的劳动争议，按照归口交办原则，由信访部门承担。

1986年4月，中央关于认真执行改革劳动制度相关文件下发后，7月，国务院印发了关于发布改革劳动制度相关规定，提出加强劳动人事部门组织建设，相应建立了劳动争议仲裁机构。

1987年7月，国务院印发《国营企业劳动争议处理暂行规定》，10月，中共十三大报告中正式提出了劳动争议仲裁制度，惠水县劳动争议仲裁委员会恢复。县劳动部门设立机构开展劳动争议仲裁工作。仲

县劳动争议仲裁委员会依法开庭审理劳动争议案件（2010年摄）

裁处理中，坚持维护劳动者和用人单位的合法权益。坚持依法行政，坚持工会、经贸、劳动部门一起合议，统一结论。

1993年8月，《中华人民共和国企业劳动争议处理条例》颁布实施。1994年《中华人民共和国劳动法》颁布实施。劳动部印发劳动仲裁员聘任管理相关办法，形成一调、一裁、两审的劳动争议处理程序，即发生劳动争议先调解、再仲裁，再经过两次审判程序。是年，县将54个基层调解组织调整充实为36个，初步形成全县调解网络体系。

2003年9月，成立县人事争议仲裁委员会，下设办公室。2006年，完善人事劳动争议仲裁制度，按标准制作统一的仲裁文书。从县相关部门聘任17名人事争议仲裁员（专职4人，兼职13人），发放司法文书及相关培训资料。

2009年11月，建立惠水县非公经济调解委员会，办公室设于县工商联合会，建长田工业园区劳动争议调解委员会。2010年，县共建立用人单位劳动人事争议调解委员会190个。

2011年6月，县劳动争议仲裁委员会与人事争议仲裁委员会整合为惠水县劳动争议仲裁委员会。同年12月，县劳动人事争议仲裁委员会办公室升格为副科级事业单位，即惠水县劳动人事争议仲裁院，下设主案庭、审理庭、审监庭。

2012年，全县成立基层劳动人事争议调解组织210个（乡镇25个，事业单位94个，企业85个，社区4个，行业性1个，区域性1个），并对全县25个乡镇建立的劳动人事争议调解室挂牌。

2013年，办结2012年受理结转案件2件，结案涉案金额10.48万元；处理案外调解案5件，涉案金额约44.79万元；受理案件34件，涉案金额122.31万元；对全县25个已建立劳动人事争议调解组织的乡镇设立劳动人事争议调解室并挂牌。

2014年，共办理案件122件。办结2013年受理结转案16件，结案涉案金额64.21万元，其中：裁决14件，调解2件。是年受理案件100件（其中：集体劳动争议10件），涉案金额808.17万元，其中：裁决10件，调解86件，撤诉4件。处理案外调解案3件，涉案金额13.70万元。处理不予受理案3件。所受理案件时限内结案率100%。全县共成立基层劳动人事争议基层调解组织192个（其中：镇、街道10个，企业85个，事业单位94个，行业性调解组织1个，区域性调解组织2个），在全县2个区域性调解组织设立劳动人事争议调解室并挂牌。

2015年，受理结案37件，经仲裁院调解结案29件（含调解撤诉案件5件、26人集体劳动争议1件），涉案金额102.89万元，调解率为78.38%，办理案外调解案件4件，涉案金额6.24万元。

第四节　企业职工工资

1986年，企业单位实施工资制度改革，分两个阶段：第一阶段，对企业进行一、二步工资改革，即调整偏低工资，提高工资区类区位次，套入新拟统一工资标准，于1985年底完成。是年，主抓企业工资套改的第三步，即升级工资，对县有国有企业51户，列入企业工改48户，在册职工2332人，符合升级范围2004人，占在册职工数85.93%；上报审批实际升级1823人，占在册职工数78.11%；占符合升级职工数的90.96%，升级月增资额19358元，人均0.62元。其中，升一级185人（企干3人），占在册职工数7.93%；升二级1084人（企干120人），占在册职工数6.48%，升三级553人（企干101人），占在册职工23.71%；升四级1人，占在册职工数0.4%。

1993年，增强企业宏观调控，巩固扩大“工效挂钩”。企业工资总额继续采用“双控办法”调控，企业单位按季度持“工资基金”管理手册，到劳动工资股按固定审核工资、奖金、福利；对挂钩企业效益工资，仍严格按核定差数和浮动比例提取，对各企业工资发放实行监督，控制工资收入中存在不合理增长基数。巩固扩大企业工效挂钩成绩。挂钩企业由1992年的9户扩大到32户，占全县企业数49.2%。健全企业工资总额正常增长机制和职工工资正常升级制度。按照效益增长，工资总额同时增长，奖励升级指标统一安排原则，对挂钩企业进行结算。是年，全县65户2787人升级，其中：升二格1852人，升一格935人。同时，加强劳动统计和企业内部分配指导服务。

1995年，继续推行和完善企业工资分配宏观调控。对未实行工资挂钩企业采取工资总额包干办法。对工效挂钩的21户国有企业和11户集体所有制企业于第二季度初，对1994年工效挂钩全部进行工资清算和核定1995年挂钩基数，扩大和巩固工效挂钩成果。是年，粮食局所属8户企业，商业总公司所属2户，农业局所属1户企业实行工资总额同经济效益挂钩办法。全县40户国有企业中，实行工效挂钩达32户，挂钩面占国企总户数80%。

1996年，对未实行工资总额同经济效益挂钩企业，采取工资包干使用办法；对实行工资总额同经济效益挂钩的32户国有企业和11户集体所有制企业进行1995年度结算。会同财政局、地税局核定这些企业1996年挂钩税利基数和工资总额，以及相关指标要求，特别是对国有资产保值增值具体要求。凡国有资产达不到保值增值要求的，一律不能提取新增效益工资，以遏制国有资产流失。是年，新增挂钩企业1户，全县工效挂钩企业达44户。

1999年，会同财政部门对县32户国有企业、12户集体企业1998年工效挂钩进行结算，核定1999年挂钩基数；会同审计部门对有关企业进行工资内、外收入分配审计，对企业职工中未达新定级工资标准进行定级的，在此基础上，对企业职工普遍进行增加工资。

2001年，对全县44户国有和集体企业，进行2000年度工效挂钩结算及挂钩工资基数审批，审批分配进企业单位大、中专毕业生和专业技术人员的浮动工资，办理2001年度进企业大、中专毕业生185人工资审批手续。

2004年，继续对全县21家企业，实行工资总额与经济效益挂钩方案进行年终测算和测算批复。为企业单位78户办理增资，月增资2432.00元；为企业单位466人办理调资，月增资31853.00元。

第五节　社会保障

一、养老与失业保险

（一）养老保险

1984年，国家部署在全国市、县一级实行退休费用社会统筹，即企业职工的退休养老保险基金，由社会保险机构根据养老保险制度的规定，统一筹集、统一管理、统一支付。1985年7月，省政府发布《贵州省国营企业职工离退休金统筹试行办法》，确定在遵义市、安顺市、惠水县的国营企业组织试行，待取得经验后，再在全省范围内推广，对国营企业单位职工离退休金实行社会统筹。县于1986年，开始实行企业职工退休金社会统筹，统筹金的征集按照“以收定支，略有结余”的原则，平均按基本工资总额19%的比例提取。对各企业征集的离退休统筹基金，采取余额上缴，差额拨付办法调剂使用。

1986年7月12日，《国务院关于发布改革劳动保障制度的四个规定的通知》，从1986年10月1日起，对用工制度进行改革。即企业对新招用的职工实行劳动合同管理（称为劳动合同制工人），其福利待遇与原固定职工基本相同，工资待遇比原固定工工资多15%工资性补贴，由企业按照合同制工人工资总额的15%，本人按标准工资的3%缴费。对国营企业新招工人实行劳动合同制，工人退休后按月发给退休费直至死亡，退休标准按缴费时间长短，金额多少和工作期间平均工资收入的不同比例确定，待遇包括退休费，医疗费，丧葬补助费和供养直系亲属抚恤费，救济费。是年，县按照相关文件实行劳动合同制工人养老保险制度。截至12月，对有合同制工人的22个单位收缴合同制工人退休养老保险金25070.46元，占应缴数68.4%，321个合同制工人从是年10月起按标准工资3%缴纳的1173.07元也全部收清。

1991年，国务院下发《关于企业职工养老保险制度改革的决定》，肯定了国营企业劳动合同制工人实行养老保险社会统筹的改革成果，同时，提出要实行养老保险费用由国家、企业、个人三方共同负担并实行省级统筹的要求。全省范围内普遍实行城镇企业职工个人缴费制度，并按参加统筹企业工资总额的2%提取积累基金，其中，20%上缴省养老保险基金委员会调剂使用，部分积累制基金筹集模式初步形成。1993年元月1日起，县执行国有企业固定职工缴纳基本养老金制度。全县国有企业共26家，660个固定职工缴纳养老金，缴纳金额422881.56元，占应缴纳人数10%，是年12月，又增缴纳108600元，根据规定上缴州9301.5元。

1993年10月，印发《惠水县全民所有制企业及集体所有制企业职工实行社会养老保险的暂行规定》，年底共有1520人办理养老保险手续和缴纳养老金258400元。开展企业职工工伤和职业病普查，历年来因工致残职工138人，矿山井下患硅肺病19人。同年，全县国有企业全部参加县级统筹，占应参加数的100%。59户中上缴统筹金的22户，占总户数37%，持平的24户，占40%，受益的13户，占22%。通过平衡全年上缴统筹金63840元，支付37200元，实际收缴43800元，占应缴数的68%。

1997年，为企业职工建立养老保险个人账户。县政府将《惠水县城镇企业职工养老保险制度改革实施意见》报州政府，为养老保险制度执行统筹与个人账户相结合的平稳过渡作充分准备。是年，为县农机厂、铸钢厂、煤厂、酱菜厂、肉联厂等22户停产、半停产企业的特困职工和262名退休工人发放救济金，养老金计119000元。全年，收“两金”（职工养老金、职工待业保险金）526800元，实收433300元，占应收总额81.6%。

1998年，收“两金”42.8万元，占应收总额87.9%。根据中央关于对离退休人员工资要及时足额发放有关文件要求，对全县59户国有企业的执行情况进行认真清理、调查、核实。对全县893名退休人员中405人被拖欠的退休工资19396元，县政府从社保机构借出52100元对长期拖欠退休人员养老金的农机厂、铸钢厂、蜜饯厂、食品公司等8户企业，兑现了110名退休职工的养老金。

1999年，全县参保企业53户，参保人数1937人，全年应收缴养老统筹金221.21万元，实收322.37万元（其中：州拨45万元，历年补交54万元，收缴率96.5%），企业离退休人员910人（其中：退休人员887人，离休人员23人），支付养老金240万元。是年底，为全县国有企业937名离退休职工增加和增发养老金15.59万元。

是年，县政府印发《惠水县机关事业单位社会养老保险改革办法（试行）》，开展全县机关事业单位养老保险工作。全县参加机关事业单位养老保险的单位101个，参保5837人，月职工工资总额2247875.6元，月交纳保险费112377.3元。其中，单位缴费67493.1元，个人缴费44884.2元，财政全额拨款的单位85个，5601人，月工资总额2166054.4元，应交养老保险费108312.8元，其中，单位缴费65054元，个人缴费43258.8元，自收自支事业单位16个，236人，月职工工资总额81270元，应交养老保险费4064.5元，其中，单位交费2439.1元，个人交费1625.4元。

2005年12月3日，《国务院关于完善企业职工基本养老保险制度的决定》出台，主要包括调整企业职工基本养老保险个人账户规模，逐步做实个人账户；统一城镇个体工商户和灵活就业人员参保缴费政策，扩大覆盖范围；改革基本养老金计发办法，建立参保缴费的激励约束机制；根据经济发展水平和各方面的承受能力，合理确立基本养老金水平；发展企业年金，建立多层次养老保险体系；推进退休人员社会化管理服务；加快提高统筹层次；不断提高社会保险管理服务水平等内容。

2006年6月，省政府印发《省人民政府关于完善企业职工基本养老保险制度的通知》，从2007年7月1日起实施。惠水县根据上级文件精神贯彻落实。

2012年，全县共计9360人参加企业职工基本养老保险，征缴基金4761.90万元，支付养老金4737.24万元，全县企业退休职工平均养老金水平每月达到1345.72元。2013年，全县共计12407人参加企业职工基本养老保险，征缴基金4975.54万元，支付养老金5668.86万元，全县企业退休职工平均养老金水平每月达到1457.76元。2014年，全县共计13981人参加企业职工基本养老保险，征缴基金5788.06万元，支付养老金6771.05万元，全县企业退休职工平均养老金水平每月达到1685.57元。2015年，全县共计14541人参加企业职工基本养老保险，征缴基金6211.26万元，支付养老金7802.35万元，全县企业退休职工平均养老金水平每月达到1857.49元。

2013年，全县共计12407人参加企业职工基本养老保险，征缴基金4975.54万元，支付养老金5668.86万元，全县企业退休职工平均养老金水平每月达到1457.76元。

2014年，全县共计13981人参加企业职工基本养老保险，征缴基金5788.06万元，支付养老金6771.05万元，全县企业退休职工平均养老金水平每月达到1685.57元。

2015年，全县共计14541人参加企业职工基本养老保险，征缴基金6211.26万元，支付养老金7802.35万元，全县企业退休职工平均养老金水平每月达到1857.49元。

（二）失业保险

贵州省内在失业保险制度正式启动以前，一直执行国有企业职工待业保险规定。1986年10月1日，国务院颁布《国营企业职工待业保险暂行规定》，开始进行失业保险制度改革。1993年4月，《国有企业职工待业保险规定》正式出台；1994年，《贵州实施〈国有企业职工待业保险规定〉办法》出台。1995年上半年，全县职工待业保险金收缴4.82万元，占全年应缴数的33.35%。1996年，县在帮助困难企业困难职工及引导企业自救的同时，以政府名义由劳动、工会、经委等部门领导组成“帮困办”，采取由县财政拨一点，经济效益好的企业拿一点的办法，筹集“帮困基金”7.5万元（其中就业办由失业救济金中拨出3.1万元）用于解决困难企业困难职工的生活救济。是年，全县54户应缴纳待业保险金9万元，由于企业生产经营不景气，增加了收缴难度，全年共收缴3.5万元，应占收缴的38.88%，剔除贵阳市驻县的永安、险峰、纸厂三户企业应缴未缴数，全县收缴率达80%。

1999年1月，国务院发布《失业保险条例》，要求城镇企业事业单位职工依照规定应缴纳失业保险费并享受相关待遇，贵州省政府分别于2000年和2001年，出台了《贵州省失业保险办法》和《贵州省失业保险金申领办法》，自此，全省失业保险制度正式建立。

2001年11月，县对失业保险金开始征收个人缴纳部分，截至12月，共征收企事业单位失业保险金17万元（财政负担部分也未缴纳），支付失业保险金9万元。

2002年，共征收失业保险金31万元（事业单位由财政缴纳部分未划入），上解上级调剂金2.4万元，发放失业保险费0.1万元。

2003年，全县参加失业保险的单位127户5542人，其中，企业单位67户1429人，事业单位60户4113人，共征收失业保险金58.6万元。2004年，全县参加失业保险的单位137户6033人，其中，企业76户1846人，事业单位61户4187人，征缴保险费88.81万元，完成州下达任务87万的102%，新增参保人数231人，同比增长95%。全年共发放失业救济金4.25万元。

2012年，全县共计0.7328万人参加失业保险，征缴基金707.49万元，发放失业保险金120万元。失业金标准为518元/月。

2013年，全县共计0.9264万人参加失业保险，征缴基金880.18万元，全县新增领取失业金人员272人，累计发放2787人次，失业金共计184.20万元，代缴职工基本医疗保险89.77万元。代发异地参保人员失业金455人次，共计31.71万元。失业金标准为721元/月。

2014年，县共计1.0141万人参加失业保险，征缴基金1079.71万元，累计支出失业保险基金257.37万元，其中：全县新增领取失业金人员81人，累计发放失业金120.04万元，代缴职工基本医疗保险费58.02万元。是年7月起，失业金标准为875元/月。

2015年，县共计1.0880万人参加失业保险，征缴基金1041.26万元，累计支出失业保险基金213.48万元，其中：全县新增领取失业金人员146人，累计发放失业金184.67万元，代缴职工基本医疗保险费28.81万元。是年10月起，失业金标准为1120元/月。

二、医疗与生育保险

（一）医疗保险

城镇居民医疗保险制度，是一项由政府和个人共同筹资。以住院统筹为主，主要解决城镇参保居民的住院和门诊医疗支出问题的医疗保险制度。

惠水县分别于1951年和1952年针对企业职工实行“劳保医疗”和针对机关事业单位职工实行“公费医疗”制度。1992年以后，贵州省开展探索社会统筹及个人账户相结合的城镇职工医疗保险制度试点改革。

1999年4月，惠水县内医疗改革工作启动。全县参加医改单位275个，其中，行政机关116个，事业单位106个，企业单位53个，总计10183人，其中，在职职工7724人，退休2310人，离休72人，下岗职工71人，其他6人。

2003年4月1日，贵州省省本级医疗保险正式启动。原享受公费医疗的在筑省级机关事业单位和中央驻黔事业单位及其职工全部纳入医疗保险。2004年，黔南州印发《黔南州城镇职工基本医疗保险暂行办法》，县按照文件实施。2008年12月，惠水县正式办理城镇居民医疗保险。2009年，全县城镇居民医疗保险参保31151人，其中，职工医保256户，参保11828人，居民医保9613人，新农合医保5381人，县属省直管厂74329人。2010年，全县医疗保险基金征缴2246万元（其中，城镇职工基本医疗保险征缴2126万元，城镇居民基本医疗保险征缴120万元，占任务1390万元的161.58%。离休干部、二等乙级伤残军人、武警、消防战士医疗保险基金收入314万元）医疗保险总支出1061万元，（其中，城镇职工基本医疗保险支出937万元，医疗保险个人基金为487万元，基本医疗保险统筹基金450万元）城镇居民基本医疗保险支出124万元。离休干部、二等乙级伤残军人医疗基金123万元。

2011年，医疗保险参保单位500户，参保39524人，其中，职工医保15905人，居民医保23619人，全县医疗保险基金总收入2772.7万元，占征缴任务1970万元的140.75%（其中，城镇职工基本医疗保险征收2651万元，包含医疗保险个人基金收入1314万元、基本医疗保险统筹基金收入1337万元）；城镇居民基本医疗保险征收121.78万元。医疗保险总支出1812.4万元，其中，城镇职工基本医疗保险支出1644万元（医疗保险个人基金905万元，基本医疗保险统筹基金739万元）；城镇居民基本医疗保险支出168.4万元。

2012年，全县共计4.08万人参加城镇基本医疗保险，征缴医疗保险基金3537.16万元，支付医疗保险费2356.87万元。

2013年，全县共计4.18万人参加城镇基本医疗保险，（其中：职工医疗保险参保17311人，居民医疗保险参保24468人）；征缴医疗保险基金3871.87万元，（其中：城镇职工基本医疗保险征收3788.51万元；城镇居民基本医疗保险征收83.36万元）；医疗保险总支出2890.83万元，其中：城镇职工基本医疗保险支出2310.89万元（在职职工医疗保险待遇支出1336.66万元，退休人员医疗保险待遇支出为974.23万元）；城镇居民基本医疗保险支出403.94万元。离休干部、二等乙级以上伤残军人医疗保险费收入184.53万元，医疗费支出175.69万元。

2014年，全县共计4.29万人参加城镇基本医疗保险，（其中：职工医疗保险参保18304人，居民医疗保险参保24655人）；征缴医疗保险基金4888.78万元，（其中：城镇职工基本医疗保险征收4793.70万元；城镇居民基本医疗保险征收95.08万元）；医疗保险总支出3875.29万元，其中：城镇职工基本医疗保险支出3286.41万元（在职职工医疗保险待遇支出为1936.00万元，退休人员医疗保险待遇支出为1350.40万元）；城镇居民基本医疗保险支出588.88万元（住院支出578.13万元，门诊大病支出10.75万元）。离休干部、二等乙级以上伤残军人医疗保险费收入49.40万元，医疗费支出54.30万元。

2015年，全县共计4.45万人参加城镇基本医疗保险，（其中：职工医疗保险参保19023人，居民医疗保险参保25521人）；征缴医疗保险基金5201.49万元，（其中：城镇职工基本医疗保险征收5090.87万元；城镇居民基本医疗保险征收110.62万元）；医疗保险基金全年总支出3850.38万元，其中：城镇职工基本医疗保险支出3311.44万元（在职职工医疗保险待遇支出2175.34万元，退休人员医疗保险待遇支出1136.10万元）；城镇居民基本医疗保险支出538.94万元（住院支出522.92万元，门诊大病支出16.02万元）。离休干部、二等乙级以上伤残军人医疗保险费收入51.80万元，医疗费支出54.18万元。社保局中心端全年接受转诊转院报销625人次，其中：职工医疗保险报销302人次，居民医疗保险报销323人次。

（二）生育保险

1995年2月20日，贵州省劳动局转发劳动部《企业职工生育保险试行办法》，要求在各地试行。2005年4月7日，《贵州省职工生育保险工作实施意见》出台，全面规定贵州省生育保险的基本政策。2006年，黔南州政府公布了《黔南州职工生育保险暂行办法》，自2007年3月1日起实施。

2007年起，惠水县严格按照《黔南州职工生育保险暂行办法》执行。2008年，全县企业参加生育保险864人，占全年任务数的86.4%，征缴生育保险费5.1万元，占全年征缴任务数的102%。

2009年，全县生育保险参保25户，参保1104人，占全年任务数1100人的100.4%，征缴生育保险费7.1万元，占全年征缴任务数7万元的101.4%，申请生育保险待遇11人，经审核共发放生育保险待遇5.3万元。2010年，共有14户参保企业职工享受生育保险待遇，经审核共计发放生育保险待遇6.7万元。其中：机关事业单位于7月份参保后，共有10名职工报销生育保险待遇4.7万元。

2011年，全县生育保险参保7100人，完成全年扩面任务数7100人的100%，征缴生育保险费146万元，占全年基金征缴任务75万元的194.67%。全县共计109人享受生育保险待遇，共计支付生育保险待遇37.6万元，其中：生育医疗费支出16.8万元，生育保险津贴支出20.8万元。

2012年，生育保险参保7368人，征缴生育保险费201.93万元，共支付生育保险待遇90.21万元。

2013年，全县共计0.92万人参加生育保险，征缴基金260.94万元，县共计186人享受生育保险待遇，支付生育保险待遇108.77万元，其中：生育医疗费支出53.01万元；生育保险津贴支出55.76万元。

2014年，全县共计0.98万人参加生育保险，征缴基金271.75万元，县共计161人享受生育保险待遇，共计支付生育保险待遇132.98万元，其中：生育医疗费支出69.19万元；生育保险津贴支出63.79万元。

2015年，全县共计0.99万人参加生育保险，征缴基金308.28万元，县共计140人次在社保局中心端报销享受生育保险待遇（其中：女职工125人次，男职工15人），共计支付生育保险待遇96.16万元，其中：生育医疗费支出68.77万元；生育保险津贴支出27.39万元。

三、工伤保险

1996年10月1日，贵州省《企业职工工伤保险试行办法》出台，县按照相关规定将少数大型企业职工纳入工伤保险统筹范围。2004年，国务院《工伤保险条例》出台后，全省各统筹地区在认真贯彻《条例》和省的《实施办法》基础上，结合实际相继出台了本地区工伤保险实施细则，进一步细化了工伤保险的政策和具体要求。2005年后，全省工伤保险制度采取一系列配套改革完善措施。黔南州地区根据不同行业的工伤风险程度确定行业的差别费率，一类行业（风险较小），其缴费费率为在职职工工资总额的0.6%；二类行业（中等风险），其缴费费率为在职职工工资总额的1.2%；三类行业（风险较大），其缴费费率为在职职工工资总额的2%；机关事业单位费率为0.5%。惠水县自1996年开始，严格按照《工伤保险条例》以及省、州制定的相关文件执行。

2005年，惠水县启动工伤保险征缴工作，全县参保人数为1221人，完成任务的81.4%，征缴基金4万元。

2006年，全县参保1002人，完成州下达任务的100.2%，征缴工伤保险费17.3万元，完成州下达任务的108.1%。

2008年，全县参保186户3092人，完成州下达任务的101.6%（其中农民工参保人数为964人）。征缴工伤保险费33万元，完成州下达任务的82.5%。

2009年，全县参保192户，参保3305人，其中，农民工参保1403人。全县征缴工伤保险费60.2万元，占全年征缴60万元任务数的100.3%。全县工伤认定经审核符合条件受理29件，不予受理1件，认定为工伤的26件，共计发放工伤待遇43.5万元。

2010年，共有13户参保企业21名职工发生工伤事故，共计发放工伤待遇39.1万元，其中，工亡待遇32.3万元，工伤医疗待遇6.8万元。

2011年，全县参保9323人，其中，农民工参保1942人。全县征缴工伤保险费308万元，占全年基金征缴任务175万元的176%，全年累计46人享受工伤保险待遇，共计发放工伤保险待遇263.5万元，其中，工伤医疗费73.1万元；伤残津贴54.2万元，一次性伤残及工亡补助金136.2万元。

2012年，全县参保9955人，共征缴工伤保险费355.24万元，共发放工伤保险待遇710万元。

2013年，全县参保人数12620人，共征缴工伤保险费406.82万元，累计121人次享受工伤保险待遇，共计发放工伤保险待遇1083.50万元，其中：工伤医疗待遇支出83.28万元，伤残待遇支出81.58万元，工亡待遇支出908.57万元，劳动能力鉴定费支出0.74万元，工伤预防费支出8.47万元。

2014年，全县工伤保险参保13287人，共征缴工伤保险费360.06万元，累计146人次享受工伤保险待遇，共计发放工伤保险待遇610.37万元，其中：工伤医疗待遇支出241.10万元，伤残待遇支出170.78万元，工亡待遇支出181.29万元，工伤康复费支出0.73万元，其他费用支出2.78万元；劳动能力鉴定费支出0.93万元；工伤预防费支出12.77万元。

2015年，全县参保13402人，共征缴工伤保险费389.50万元，工伤职工社保局中心端报销69人，其中：一级至四级1人，五级至六级7人，七级至十级25人，未定级34人，工亡2人。共计发放工伤保险待遇429.86万元，其中：工伤医疗待遇支出167.79万元，伤残待遇支出51.08万元，工亡待遇支出209.81万元，工伤康复费支出0.60万元，其他费用支出0.45万元，劳动能力鉴定费支出0.13万元。

四、非农居民保险

城镇居民医疗保险制度，是一项由政府和个人共同筹资，以住院统筹为主，主要解决城镇参保居民的住院和门诊医疗支出问题的医疗保险制度。

2008年12月，惠水县启动办理城镇居民医疗保险。

2009年，全县城镇居民医疗保险参保31151人，其中，居民医保9613人。

2010年，全县医疗保险基金征缴2246万元（其中，城镇居民基本医疗保险征缴120万元）医疗保险总支出1061万元，城镇居民医疗保险支出124万元。

2011年，医疗保险参保单位500户，参保39524人，其中，居民医保23619人，全县医疗保险基金总收入2772.7万元，城镇居民基本医疗保险征收121.78万元。城镇居民基本医疗保险支出168.4万元。

2012年，全县共计4.08万人参加城镇基本医疗保险，征缴医疗保险基金3537.16万元，支付医疗保险费2356.87万元。

2013年，县共计4.18万人参加城镇基本医疗保险，（其中：居民医疗保险参保24468人）；征缴医疗保险基金3871.87万元，（其中：城镇居民基本医疗保险征收83.36万元）；医疗保险总支出2890.83万元，城镇居民基本医疗保险支出403.94万元。

2014年，县共计4.29万人参加城镇基本医疗保险，（其中：居民医疗保险参保24655人）；征缴医疗保险基金4888.78万元，（其中：城镇居民基本医疗保险征收95.08万元）；医疗保险总支出3875.29万元，其中：城镇职工基本医疗保险支出3286.41万元；城镇居民基本医疗保险支出588.88万元（住院支出578.13万元，门诊大病支出10.75万元）。

2015年，县共计4.45万人参加城镇基本医疗保险，（其中：居民医疗保险参保25521人）；征缴医疗保险基金5201.49万元，（其中：城镇居民基本医疗保险征收110.62万元）；城镇居民基本医疗保险支出538.94万元（住院支出522.92万元，门诊大病支出16.02万元）。社保局中心端全年接受转诊转院报销625人次，其中：居民医疗保险报销323人次。

五、农村居民保险

1992年，省政府印发《关于开展农村社会养老保险工作的通知》（老农保）后，贵州省农村社会养老保险工作先后在遵义、息烽、福泉等10个县（市）开展试点工作。2009年，《国务院关于开展新型农村社会养老保险试点的指导意见》印发后，省政府印发《关于开展新型农村社会养老保险试点的意见》，本着“保基本、广覆盖、有弹性、可持续”的原则，在修文县、息烽县等11个县（市）进行试点工作。

2012年4月，惠水县印发《惠水县城乡居民社会养老保险试点实施方案》，新型农村社会养老保险和城镇居民社会养老保险合并实施，同步推进。7月1日起，开展城乡居民社会养老保险试点工作。

是年，根据《贵州省人民政府关于进一步做好被征地农民就业和社会保障工作的意见》和《黔南州人民政府关于进一步做好被征地农民就业和社会保障工作的通知》文件精神。5月，印发《惠水县被征地农民就业和社会保障工作实施方案》，开始筹备被征地农民养老保险工作。

2012年，全县城乡居民参加社会养老保险101664人，征缴基金620.79万元，发放城乡居民社会养老保险待遇1474.27万元，60周岁以上老年人每人每月享受基础养老金标准为55元。

2013年，全县城乡居民参加社会养老保险157593人，征缴基金1262.98万元，发放城乡居民社会养老保险待遇2981.55万元，60周岁以上老年人每人每月享受基础养老金标准为55元。

2014年，全县城乡居民参加社会养老保险199850人，征缴基金1515.70万元，发放城乡居民社会养老保险待遇3019.06万元，60周岁以上老年人每人每月享受基础养老金标准为55元。

2015年，县将被征地农民养老保险工作纳入十件民生实事，召开两次专题会议，研究被征地农民就业和社会保障工作进展情况，成立惠水县被征地农民就业和社会保障工作领导小组及办公室，印发《惠水县被征地农民养老保险经办规程》《惠水县被征地农民养老保险工作推进方案》，全县被征地农民养老保险工作正式启动，从2012年开始补为办理参保时间。

是年，全县城乡居民参加社会养老保险231037人，征缴基金1610.90万元，发放城乡居民社会养老保险待遇4540.41万元。是年2月，对60周岁以上老年人每人每月享受基础养老金标准调整为70元，自2014年7月起执行。

第十五篇　教育　科技　卫生

第一章　教　育

第一节　教育体制改革

1985年5月27日，《中共中央关于教育体制改革的决定》发布实施后，国务院印发《关于开展国家教育体制改革试点的通知》，明确了改革目标、改革项目和政策措施等。此次改革包括十大试点任务，其中基础教育有三项，分别是加快学前教育发展、推进义务教育均衡发展和探索减轻中、小学生课业负担的途径；另外4项是改革职业教育办学模式、改善民办教育发展环境、健全教师管理制度和完善教育投入机制。惠水县根据上级要求启动推进教育体制改革。

一、管理体制改革

县内的教育有：学前教育（托儿所、学前班、幼儿园）、义务教育（小学、初中）、高中阶段教育（普通高中、中等职业学校）。

在教育事业管理上，幼儿园、小学、初中归县管。“文化大革命”期间，小学分公办小学和民办小学。公办小学归县管，民办小学（村级学校）由大队管。公办教师由财政发工资，民办教师工资由财政安排少部分补助，主要以生产队记工分，年终以粮食为主、现金为辅的方式安排。初中学校有公办和民办两种类型，公办中学有惠水民中、惠水二中、姚哨中学、摆金中学、雅水中学、三都中学、断杉中学、王佑中学8所，办在县城、区委区公所所在地。民办中学过去称农业中学（简称农中），办在区以下的公社，有三都农中、三合农中以及戴帽中学（部分农小附设初中班）。公办中学教师工资发放由县财政列支，民办中学教师工资也是由财政安排少部分补助，公社年终以粮食或现金为辅的方式补助。1985年前，县没有民办幼儿园，县城内的幼儿园属于公办，由县教育局管理。惠水民族中学、惠水二中由县教育局管理。

1978年，根据教育部《全日制小学暂行工作管理条例（试行草案）》的规定，全县各小学相继撤销了“学校革命委员会”或“文化革命领导小组”，恢复实行“党支部领导下的校长负责制”。中学教育进入正常发展的新时期。中学管理体制恢复到“文化大革命”前的党支部领导下的校长负责制，党组织不健全的中学实际实行校长负责制。1985年以后，学校实行由地方党委和教育行政部门领导下的校长负责制。

1987年3月，将王佑小学作为学校目标管理、岗位责任制试点。9月全线各校根据学校实际制定学校目标管理、岗位责任制。

1987年9月，启动教师专业技术职务评聘。1988年前，教师工资按相应级别的行政工资发放。1988年

7月起，按相应级别的专业技术职务工资标准发放。

1990年，教育部颁发《幼儿园管理条例》和《幼儿园工作规程》，教育局配备了幼儿教育专职干部，同时任命县幼儿园园长兼任全县幼儿教育视导员，协助幼教专干工作。同时，要求各区（镇）教育组加强对本辖区的幼儿园（班）的督导管理。至此，全县自上而下形成了幼儿教育的三级管理网络。

1993年2月，《中国教育改革和发展纲要》规定："中等及中等以下各类学校实行校长负责制（党支部、校长、教代会三位一体的新型校长负责制）"。县教育局先后在城关一、二、三小和三都小学等进行"校长负责制"试行探索。

20世纪90年代中后期，"中学校长负责制"全面推行。1998年后，全县中学完成由"党支部领导下的校长负责制"到"校长负责制"的过渡。

实施中、小学管理体制改革后，学校组织机构一般设有党支部、校长室、教育工会、教务处（教导处）、总务处、政教处、办公室、团支部、学生会（小学设少先队大队部）等组织机构。均有明确的岗位分工和职责要求。根据各中、小学校规模的大小，校级领导设校长1人，副校长1至3人。

通过实施教育事业体制改革，由县教育局代表县政府管理县内的幼儿园、小学、初中、高中及中等职业学校。全县教师的调动、招聘、校长的任命和教师职务（职称）评聘等由县教育局统一安排管理。教师的岗位聘用，由县教育局根据学校编制数和按照岗位结构比例要求，向县人力资源和社会保障局呈报，获批准通过后聘用。

公推直选校长（副校长）公开推荐大会（2007年摄）

2000年，全县小学推行"四制一管理"制度，重点是实行"校长负责制"。21世纪初，全县小学全面推行"校长负责制"的管理制度。

2007年，对惠水职校、惠水四中、惠水城关二小进行校长（副校长）公推直选，选出郝星海任惠水职校副校长，程定国、潘延坤分别任惠水四中和惠水城关二小校长。

公推直选产生的人选由县委组织部任命，职校实行县政府领导下的校长负责制，四中、城关二小实行教育局党组领导下的校长负责制，其业务工作服从县教育局的统一领导，每届任期三年，任期满后，经教育、教学管理考核达到满意者，由公推直选校长试点工作领导小组研究决定是否续任。

2008年，对城区中小学、幼儿园试行"综合考核、末位淘汰"转岗工作机制，转岗11人。2009年，实行"综合考核、末位调整"工作机制，逆向调动6人。

2008年起在城区学校教师缺额推行"凡进必考、择优选调"机制进行补充。2008年选调54人、2009年选调41人、2010年选调47人、2011年选调84人、2012年选调96人、2013年选调92人、2014年选调173人、2015年选调97人。

2014年5月，县教育局在教育股增设学前教育管理机构，负责全县学前教育管理工作，包括对民办幼儿园办学的评估、审批、颁发办园许可证等工作。

2015年，根据《省教育厅关于开展集团化办园试点工作的通知》，县教育局制定《惠水县学前教育集团化办园实施方案（试行）》，在全县范围内推行学前教育“集团化办园”模式，以县一幼、县二幼和天宝双语幼儿园为核心园设立3个集团园。

二、学制改革

1970至1984年，县内小学、初中、高中的学制不统一，小学实行五年制，也有六年制的。1973年，恢复初中三年制，1976年，增设的农村高中实行两年制。1984年后，小学恢复六年制，高中恢复三年制。另有20世纪80至90年代，在城区中小学，学生学习成绩本年级特别优秀，能达到高一年级的优秀水平，经学生家长申请，学校批准，并参加高一级的学年统考，成绩均优秀，准予从本年级中间年级过渡可升至高一年级（称为跳级）。

三、教师子女顶替父母上岗

20世纪50年代至80年代中期，根据国家相关政策，实行工作人员退休时，符合相应条件要求的子女，可顶替其父母安排工作。在教育系统，父亲或母亲有一方为正式员工，退休时可由其中一个符合条件的子女直接顶替工作；若父母亲均是国家正式在编教师的，退休时可有两个子女直接顶替工作。学校根据顶替父母子女的能力和实际情况，分到两种岗位上：具有初中以上文化程度，能胜任教育教学工作的，作为教师使用；文化程度低，不能胜任教育教学工作的，则作为学校工人使用。作为教师岗位使用的，月工资待遇与从正规中等师范学校毕业的教师相当；作为学校工勤岗位使用的，月工资待遇则要相对较低（5元左右）。

四、民办教师转公办教师

1978年以来，县教育局对工作积极、素质较高、品质较好的民办中、小学教师，通过考核评审、考试，逐步转为公办教师。“九五”期间，民办教师转为公办教师数量较多。

1986年，对县内民办中、小学教师队伍进行整顿，全县有民办教师625人，通过文化业务考核，综合评审，合格379人，占60.6%；基本合格203人，占32.5%，综合考核不合格的43人予以辞退。对经整顿后取得合格的民办教师颁发任用证书，基本合格的民办教师颁发试用证书。1987年起，县贯彻落实国务院关于民办教师“关、招、转、辞、退”五字方针，不再增加民办教师。到2001年12月，全县民办教师队伍整顿全面完成。

表15-1

1978—2001年惠水县教师民转公一览表

年度	民转公人数	年度	民转公人数	说明
1978	12	1993	31	1978—2001年，全县民办教师转为公办教师共789人
1981	52	1994	100	
1986	78	1996	140	
1987	11	1997	51	
1988	17	1998	76	
1991	28	2001	179	
1992	14			

五、教师专业技术职务（职称）改革

1986年5月19日，国家教委印发《关于中小学教师职务试行条例的实施意见》。1987年秋季学期开学后，全县首批中、小学教师专业技术职务（职称）评聘工作正式开始，乡镇中心小学、初级中学、县属学校设职称改革领导小组，县教育局设初级教师职务审批委员会，中、高级教师职务（职称）评审工作由县把关后，报送材料到州中、高级教师评审委员会评审。幼儿园教师职务纳入小学教师职务系列评聘。1988年9月，县内首批教师专业技术评聘工作全部结束。1988至2005年，中、小学教师职务（职称）采取评聘结合，即评上的是年可聘任上岗。2000至2011年，实行职称评聘分开，即评上后待有岗位才能聘任上岗。2012年，中、小学教师职务实行评聘结合，即评即聘。2015年前，乡镇教师专业技术岗位不受教师结构比例限制。

六、基础教育实行免费教育

1978至1986年，县内小学、初中实行有偿教育，收取书费、学杂费。1986年4月12日，《中华人民共和国义务教育法》颁布，是年7月1日起实施。2006年秋季起，小学、初中学校分批实行免费教科书政策。到2008年秋季，全县所有义务教育学校全部实现免费教科书。是年起，县内小学、初中逐步实行免收学杂费制度，免学杂费后，每年由国家拨付生均公用经费到学校，初期为小学生每生300元，初中每生500元。2012年起，小学增加到生均500元，初中生均700元。对农村义务教育学校贫困住校生实行生活补助。是年起，实施农村义务教育学生营养改善计划。

第二节 学前教育

一、学前教育的发展

“十一五”期间，实施学前教育突破工程和学前教育三年行动计划，到2015年，全县共有公、民办幼儿园59所，保教人员共966人，在园（班）幼儿11170人，学前三年毛入园率71.14%，学前一年毛入园率99%。

公办幼儿园 1953年，惠水县和平幼儿园创办，1967年，惠水县和平幼儿园改称惠水县东方红幼儿园。1980年，更名为惠水县幼儿园。1991年，更名为惠水县第一幼儿园；1958年，惠水县机关托儿所创办，1991年11月，惠水县机关托儿所更名为惠水县第二幼儿园；1978年，摆金公社设立摆金幼儿园，隶属惠水县摆金小学。

2012至2014年，全县总投资4000余万元，新建、改扩建乡镇中心幼儿园20余所，基本实现每个乡镇有一所公办幼儿园目标。2015年，全县共有公办幼儿园26所，其中州级示范性幼儿园2所，乡镇社区中心幼儿园24所，在园幼儿5300余名，幼儿园保教人员400余名。全县共有村级小学附设小幼班53个，在班幼儿近2800人，小幼班保教人员110人。

民办幼儿园 2010年后，民办幼儿园发展迅猛，至2015年底，全县民办学前教育机构33个。经教育局聘请幼儿教育专家进行评估，有11所民办幼儿教育机构取得办园许可证，在园幼儿3000余名，保教人员近250名。民办学前教育机构的快速发展，弥补了公办学前教育资源的不足。

二、部分幼儿园简介

（一）公办幼儿园

惠水第一幼儿园 创办于1953年，园址位于涟江街道长征路7号。办园综合设施均逐步完善，是县内较典型的公立幼儿园。园内有多功能活动室、创意手工坊、科学发现室、音乐表演区、建构乐园。厨房

设备先进，功能齐全，操作间布局科学合理。2014年，被列为黔南州“星晖幼教集团”成员园、“邓忠颖名师工作室”成员园。是年3月，成为惠水县第一幼教管理集团的核心园、龙头园。2015年，幼儿园有教职工67人，其中，高级教师24人，本科学历以上教师占全园专任教师总数的34%。共有12个教学班，在园幼儿566人。是黔南州和惠水县示范幼儿园。先后获得省、州、县文明学校、先进基层团组织、先进集体、文明单位、十佳基层妇女组织、创先争优先进党组织、五好基层党组织、语言文字示范校等殊荣。

惠水第二幼儿园 建于1958年，前身是县机关托儿所，位于老城区十字街，至今已有58年的历史。1991年，更名为第二幼儿园，2004年，迁址到涟江街道凤山东路。占地面积2330平方米，建筑面积2308平方米，户外活动面积1500平方米。园内有活动室及睡房12间，办公用房9间，有厨房、沙池、水池、植物角，滑梯、玩具柜等。教学办公设施有复印机、电视机、音响设备、多媒体、电脑、打印机、电子钢琴、钢琴等。2015年，有保教员42人，共11个教学班，在园幼儿538人。是黔南州示范性幼儿园。先后被授予“黔南州先进基层党组织”“黔南州三八红旗集体”“黔南州先进女职工之家”“贵州省五四红旗团支部”“县文明学校”“县级示范幼儿园”“州级示范幼儿园”“省级一类幼儿园”等荣誉称号。

（二）私立幼儿园

天宝双语幼儿园 天宝双语幼儿园位于涟江街道南苑花城景致新城C区。天宝双语幼儿园，由惠水时映房地产开发公司董事长马时武投资近亿元建设，2011年启动建设，2013年建成并投入使用。占地约2公顷，建筑面积17万平方米。其中，综合教学楼3栋，教师公寓1栋，幼儿公寓1栋，现代化大型厨房一个；幼儿活动室、睡房各40个。幼儿园设施设备齐全，有动植物园（园内有山鸡、孔雀、兔子、鸽子、啄木鸟，桃树、李树、花红、杏子等动植物）、大型淘气堡、玩水池、玩沙池、游乐园、运动场等；有培养幼儿兴趣与能力的各类区域活动室、多媒体教室、钢琴室、音乐厅、舞蹈厅、图书室。现有教师87名，共有教学班18个，在园幼儿470余名。是贵州省占地面积最宽、园舍条件最完善、办园设施最先进的民办幼儿园之一。

贵州惠水天宝幼儿园开工奠基仪式（2011年摄）

蓝精灵幼儿园 位于惠明村爬头寨（原农科站），始建于2011年3月，是一所全日制民办幼儿园。园内建筑结构合理，布置安全、童趣、幼儿化，活动场地配有大型滑梯、室内配有电子琴、空调等设备，另配有各种小型动手动脑玩具。有保教员39人，在园幼儿300多名。

金贝贝幼儿园 位于惠水县凤山东路（凯胜农贸市场旁），创建于2003年，全园占地面积约0.12公顷，建筑面积900平方米。设有5个班，在园幼儿200人，教职工20人。2006年，获县“儿童手工才艺比赛”二等奖；2007年，获县“韵律操比赛”三等奖；2011年，获“庆‘六一’文艺活动比赛”最佳舞蹈设计奖；2013年，获“国际儿童节文艺会演”特等奖；2015年，获“3～6岁儿童学习与发展指南知识竞赛”三等奖。

表15-2

2015年惠水县公办幼儿园一览表

单位名称	班级数（个）	幼儿数（人）	教师数（人）	建园时间（年）
惠水县第一幼儿园	12	597	67	1953
惠水县第二幼儿园	11	530	59	1958
和平幼儿园	3	135	11	2014
大龙幼儿园	2	65	4	2014
高镇幼儿园	6	263	26	2013
大坝幼儿园	3	91	5	2014
长田幼儿园	3	122	15	2015
甲烈幼儿园	1	45	3	2016
三都幼儿园	6	301	26	2012
好花红幼儿园	5	241	20	2013
甲戎幼儿园	2	51	6	2013
雅水幼儿园	5	205	9	2014
太阳幼儿园	1	34	3	2016
抵麻幼儿园	3	79	7	2013
摆金幼儿园	6	328	27	1978
鸭绒幼儿园	6	300	21	2014
摆榜幼儿园	3	110	9	2014
岗度幼儿园	3	115	6	2015
宁旺幼儿园	1	59	3	2016
断杉幼儿园	3	133	10	2014
抵季幼儿园	2	102	4	2014
羡塘幼儿园	4	200	15	2013
王佑幼儿园	4	150	13	2013
打引幼儿园	2	43	6	2014
长安幼儿园	2	30	3	2014
芦山幼儿园	4	192	20	1994

表15-3

2015年惠水县村级小学附设学前班一览表

单位名称	班级数	幼儿数	教师数
排楼小学	1	20	2
回龙小学	2	164	4
青龙小学	1	18	1
响水小学	1	9	1
小瓦小学	1	10	1
山口小学	1	13	1
斗蓬小学	1	33	2
龙井小学	1	31	2
毛栗坪小学	1	19	1
大坝明河小学	1	39	2
甲烈摆王小学	1	21	2
辉岩小学	1	28	1
打冉小学	1	34	1
清水小学	1	48	2
河西小学	1	36	1
金平小学	1	22	1
羡田小学	1	15	1
小龙小学	1	43	1
九门小学	1	42	1
栗木小学	1	13	1
青藤小学	1	26	1
摆俄小学	1	12	1
洛平小学	1	10	2
撒米小学	1	8	1
摆金小学	1	72	2
大华小学	1	70	2
鸭寨小学	2	118	6
甲浪小学	2	142	4
苏新小学	1	58	3
高寨小学	1	52	2
党古小学	1	36	2
上摆榜小学	2	89	2

续表15-3

单位名称	班级数	幼儿数	教师数
关山小学	1	61	3
本底小学	1	40	2
柏栗小学	1	38	2
摆朗小学	1	34	2
火阳小学	1	14	1
新场小学	1	41	2
董朗小学	1	20	2
花山小学	1	20	1
拉林小学	1	18	1
蛮纳小学	1	20	1
新寨小学	1	14	2
绸绢小学	1	32	2
西混小学	1	15	2
比纳小学	1	40	1
董照小学	1	41	2
红星小学	1	31	1
建华小学	1	29	1

2015年惠水县取得办学许可证的民办幼儿园一览表

表15-4

单位名称	班级数	幼儿数	教师数	建园时间（年）
惠水天宝双语幼儿园	15	408	69	2013
小太阳幼儿园	4	126	15	2008
世纪之星幼儿园	4	94	12	2011
惠水金贝贝幼儿园	5	200	24	2003
金摇篮幼儿园	4	79	7	2002
东方之星幼儿园	4	93	15	2011
蓝精灵幼儿园	7	172	20	2011
小花蕾幼儿园	6	200	17	2002
高镇险峰厂幼儿园	6	252	23	2011
高镇蓝天小精灵幼儿园	5	175	16	2005
长田知心幼儿园	6	258	22	2006

第三节　小学教育

一、概况

1978年，全县小学恢复成绩考核和升留级制度。1979年，惠水县举行首届小学毕业班学生语文、数学竞赛。1980年，惠水、长顺、罗甸三县进行联考制度。每学期小学语文、数学、自然3科的学期考试，3县教研室轮流出题、共同审题、统一考试，此项规定延续1996年。1981年，根据《中共中央、国务院关于普及小学教育若干问题的决定》精神，全县小学教育围绕“调整、改革、整顿、提高”的八字方针有序发展。1982年12月，印发《惠水县“六五”计划期间小学教育事业发展规划（草案）》；1983年，印发《关于加强和改革全县教育工作的意见》，要求1987年全县实现普及小学教育，小学入学率达到95%。1983至1985年，经调整学校布局，学校所数减少，但在校生人数增加。1985年12月，印发《惠水县普及初等教育验收评分十条标准》，推进初等教育标准化。1986至1990年，按上级要求继续推进初等教育标准化建设，全县小学教育事业稳步发展，至1990年10月，抵季、西混、关山、定里、新场、清水苑、宁旺、岗度、水源、翁吕、甲烈、祥摆、本底、洛平、斗蓬15个乡，经县组织验收，认定为“基本普及初等义务教育乡”。1992至1993年，全县逐步实行分级办学分级管理体制。初期，由于部分乡镇贯彻落实《义务教育法》不力，农村教育附加费未能足额征收等原因，全县小学入学率从1991年的94.5%下滑到87.36%，下降7.14个百分点，引起县委、县政府的高度重视。1994年7月，县召开全县教育工作会议，印发《惠水县基础教育实行分级办学分级管理暂行规定》，推进基础教育工作。1995年基础教育取得新进展，全县小学207所，有在校生50470人，入学率上升到96.87%。经过1995年的巩固提高，全县小学教育的基础更加扎实。1996年12月，县普及小学教育工作顺利通过黔南州政府普及初等义务教育团队的检查验收。1997年，县加大基本普及九年义务教育、基本扫除青壮年文盲的“两基”工作力度，是年，全县小学入学率达97.2%。1999年，全县小学201所，在校生51482人，入学率为97.58%，女童入学率达97.68%，三类残疾儿童入学率达56.7%。2000年后，惠水小学教育以立德树人为根本任务，以实施素质教育为主题，以改革创新为动力，以促进公平、提高质量为重点，深化改革创新，加快现代学校管理制度建设，全面提升小学办学水平，推动全县小学教育健康、协调、持续发展。2003年8月，召开全县“两基”攻坚动员大会，对全县“两基”工作作周密部署，为2004年县接受省人民政府“两基”工作验收奠定基础。2004年，全县教育工作以“两基”攻坚为重点，以提高教育教学质量为目标，推进各项工作。11月，惠水县“两基”工作顺利通过省人民政府的验收，认定为“基本合格”。2005年9月，全县适龄儿童入学率为99.1%；残疾儿童少年入学率为80.1%；全县中、小学辍学率分别为1.6%、0.32%。“两基”工作接受国家教育部复查。2007年10月，县“两基”工作接受州人民政府复查，11月接受省人民政府复查，复查结果认定为“合格”。2008年10月，县“普实”工作接受州人民政府督导评估。11月接受省人民政府评估验收，验收结果认定为“合格”。2013年，全县有小学152所（含教学点），小学在校生33857人，全县有教师4000余人。小学辍学率为0.2%，入学率为99.74%，初中入学率为95.9%；小学寄宿率25.3%。2015年，全县小学辍学率为0.06%，九年义务教育巩固率为95%，小学寄宿率为31.4%，三残入学率90.16%，均达到省定指标要求。是年，全县共有小学127所，在校生31994人，专任教师1969人。

1985—2015年惠水县小学教育发展情况统计表

表15-5

项目 数据 年度	学校数					毕业生数			在校学生数			校内外学龄人口数	学龄人口入学数	入学率
	合计	教育部门办			其他部门办	合计	教育部门办	其他部门办	合计	教育部门办	其他部门办			
		小计	小学	教学点										
1985	259	259	204	55	—	6613	6613	—	44132	44132	—	47652	42410	88.99
1986	259	259	204	55	—	6545	6545	—	46019	46019	—	48664	41364	84.99
1987	218	218	165	53	—	6854	6854	—	45389	45389	—	48351	42549	88.00
1988	217	217	167	50	—	6991	6991	—	43857	43857	—	48985	41470	84.65
1989	206	206	156	50	—	7219	7219	—	46997	46997	—	49971	45624	91.30
1990	194	194	145	49	—	7251	7251	—	50206	50206	—	48206	45121	93.60
1991	196	196	147	49	—	7289	7289	—	47230	47230	—	48121	45474	94.49
1992	203	203	157	46	—	7301	7301	—	44422	44422	—	48952	42686	87.19
1993	197	197	151	46	—	7315	7315	—	42818	42818	—	40171	35150	87.50
1994	199	199	153	46	—	7412	7412	—	48274	48274	—	49205	47660	96.86
1995	207	207	171	36	—	7503	7503	—	50470	50470	—	50995	49455	96.98
1996	198	198	141	57	—	7551	7551	—	49488	49488	—	50442	48863	96.86
1997	198	198	143	55	—	7513	7513	—	50524	50444	80	51853	50443	97.28
1998	201	201	146	55	—	7467	7452	15	50614	50532	82	51108	49677	97.20
1999	201	201	146	55	—	7324	7306	18	51482	51399	83	51442	50197	97.57
2000	198	198	143	55	—	7401	7385	16	49386	49310	76	46101	44861	97.31
2001	209	209	154	55	—	7420	7405	15	45765	45693	72	46712	45717	97.86
2002	212	212	152	60	—	7466	7451	15	46640	46570	70	47346	46494	98.20
2003	213	212	152	60	1	7427	7417	10	50233	50170	63	49618	48675	98.09
2004	210	209	154	55	1	7582	7571	11	55319	55231	88	50451	49498	98.11
2005	204	203	154	49	1	7571	7548	23	55450	55351	99	51482	50586	98.25
2006	199	198	149	49	1	8328	8301	27	55263	55170	93	49747	49304	99.11
2007	190	189	140	49	1	10254	10254	—	54952	54854	98	46555	46168	99.17
2008	190	189	149	40	1	9565	9565	—	52884	52791	93	49036	48650	99.21
2009	182	181	135	46	1	10254	10254	—	49799	49670	129	46397	46148	99.46
2010	172	171	132	39	1	8662	8622	40	47429	47226	203	44923	44691	99.48
2011	165	164	133	31	1	8529	8513	16	44611	44380	231	40611	40423	99.54
2012	160	159	132	27	1	8661	8590	71	38374	38133	241	35849	35756	99.74
2013	152	152	111	41	—	8589	8549	40	33857	33682	175	33409	33325	99.75
2014	147	147	108	39	—	6981	6934	47	32288	32093	195	30142	30084	99.81
2015	127	127	78	49	—	6174	6110	64	31994	31803	191	29203	29181	99.92

表15-6

1990—1991年惠水县（建并撤前）学年初小学基本情况统计表

单位		合计	和平镇	三都区	姚哨区	摆金区	断杉区	王佑区	雅水区	108地质队	永安厂	险峰厂	惠水纸厂
学校数	合计	198	8	24	29	42	23	36	32	1	1	1	1
	完小	149	6	16	22	32	17	28	24	1	1	1	1
	教学点	49	2	8	7	10	6	8	8	0	0	0	0
班级数		1203	86	182	223	233	226	218	211	6	6	6	6
学生数		50996	8437	2498	7662	8024	8141	7847	7606	191	182	205	203
教职工数		1670	346	232	181	322	181	211	113	21	24	26	13

表15-7

2015年惠水县秋季学期小学基本情况统计表

单位名称	班级数	学生数	教师数	建校时间（年）	备注
惠水县城关第一小学校	57	2406	138	1906	
惠水县城关第二小学校	38	1545	83	1907	
惠水县城关第三小学校	20	845	53	1963	
惠水县第四小学	20	755	55	1964	
惠水县第五小学	21	802	49	1907	
惠水县第六小学	13	484	45	1938	
惠水县沙子哨小学	5	70	12	—	
惠水县毛栗坪小学	6	104	8	—	
惠水县斗蓬小学	6	156	10	—	
惠水县龙井小学	6	169	9	—	
惠水县九龙小学	4	114	7	—	
惠水县岩脚小学	3	35	4	—	
惠水县山口小学	4	51	6	—	
惠水县排楼小学	4	68	4	—	
惠水县青龙小学	4	79	7	—	
惠水县响水小学	4	44	5	—	
惠水县小瓦小学	3	31	4	—	
惠水县大龙学校	17	477	52	—	九年制学校
惠水县濛江实验小学	38	1558	88	—	
惠水县高镇小学	17	673	49	1930	

续表15-7

单位名称	班级数	学生数	教师数	建校时间（年）	备注
惠水县长田小学	16	581	44	—	
惠水县赤土小学	10	320	30	—	
惠水县双井小学	4	112	8	—	
惠水县冗普小学	4	81	8	—	
惠水县摆王小学	2	17	6	—	
惠水县冗哨小学	2	21	5	—	
惠水县兴河小学	2	17	3	—	
惠水县山河小学	6	223	15	—	
惠水县明河小学	6	109	9	—	
惠水县大保小学	5	148	6	—	
惠水县长岩小学	6	94	8	—	
惠水县板长小学	5	81	3	—	
惠水县甲烈小学	10	302	28	1933	
惠水县大坝学校	23	934	50	—	九年制学校
惠水县好花红镇三都小学	14	495	33	1924	
惠水县好花红镇金平小学	5	70	9	—	
惠水县好花红镇河西小学	6	186	12	—	
惠水县好花红镇羡田小学	4	62	10	—	
惠水县好花红镇栗木小学	4	51	8	—	
惠水县好花红镇小龙小学	6	144	14	—	
惠水县好花红镇九门小学	6	156	14	—	
惠水县好花红镇水源小学	3	22	5	—	
惠水县好花红镇青藤小学	3	74	6	—	
惠水县好花红镇石门小学	3	24	5	—	
惠水县好花红镇吉安小学	1	12	2	—	
惠水县好花红镇好花红小学	16	619	36	1915	
惠水县好花红镇辉岩小学	7	175	14	—	
惠水县好花红镇打冉小学	4	97	7	—	
惠水县好花红镇满玉小学	6	160	11	—	
惠水县好花红镇清水小学	10	312	13	—	
惠水县好花红镇藤子小学	5	80	5	—	

续表15-7

单位名称	班级数	学生数	教师数	建校时间（年）	备注
惠水县好花红镇甲戎学校	19	773	50	—	九年制学校
惠水县雅水镇雅水小学	18	665	46	1934	
惠水县雅水镇太阳小学	21	819	37	—	
惠水县雅水镇洛平小学	12	313	34	—	
惠水县雅水镇摆俄小学	8	263	9	—	
惠水县雅水镇合爱小学	9	274	15	—	
惠水县雅水镇甲来小学	6	172	7	—	
惠水县雅水镇抵麻小学	8	257	24	—	
惠水县雅水镇播潭小学	2	15	3	—	
惠水县雅水镇西牛小学	1	9	1	—	
惠水县雅水镇栗木小学	2	17	2	—	
惠水县雅水镇下兴小学	2	33	1	—	
惠水县雅水镇撒米小学	4	62	7	—	
惠水县岗度镇岗度小学	12	411	30	1945	
惠水县岗度镇火阳小学	2	26	1	—	
惠水县岗度镇祥摆小学	4	76	4	—	
惠水县岗度镇摆朗小学	3	60	4	—	
惠水县岗度镇高火小学	6	92	6	—	
惠水县岗度镇江龙小学	4	47	1	—	
惠水县岗度镇摆坝小学	4	64	3	—	
惠水县岗度镇本底小学	8	249	8	—	
惠水县岗度镇柏栗小学	6	160	6	—	
惠水县岗度镇宁旺小学	23	798	43	—	九年制学校
惠水县断杉镇断杉小学	12	423	27	—	
惠水县断杉镇新场小学	7	242	6	—	
惠水县断杉镇拉林小学	6	145	8	—	
惠水县断杉镇董朗小学	4	58	6	—	
惠水县断杉镇令当小学	6	89	6	—	
惠水县断杉镇野洋小学	6	163	7	—	
惠水县断杉镇新寨小学	1	10	1	—	
惠水县断杉镇马场小学	6	105	7	—	

续表15-7

单位名称	班级数	学生数	教师数	建校时间（年）	备注
惠水县断杉镇摆惹小学	10	316	14	—	
惠水县断杉镇抵季小学	12	402	27	1941	
惠水县断杉镇花山小学	6	163	7	—	
惠水县断杉镇定理小学	6	129	7	—	
惠水县断杉镇雅州小学	6	109	7	—	
惠水县断杉镇翁吕小学	6	115	7	—	
惠水县断杉镇蛮纳小学	6	78	6	—	
惠水县断杉镇上坝小学	3	21	2	—	
惠水县断杉镇代京小学	3	29	2	—	
惠水县摆金镇摆金小学	17	651	34	1908	
惠水县摆金镇苏新小学	6	225	9	—	
惠水县摆金镇高寨小学	8	242	11	—	
惠水县摆金镇大华小学	7	239	16	—	
惠水县摆金镇甲浪小学	12	393	22	—	
惠水县摆金镇关山小学	11	335	9	—	
惠水县甲坝民族小学	21	816	37	—	
惠水县摆金镇摆榜小学	18	723	33	1942	
惠水县摆金镇斗底小学	6	138	13	1931	
惠水县摆金镇党古小学	7	240	10	—	
惠水县鸭绒民族小学	21	816	41	—	
惠水县摆金镇鸭寨小学	12	401	20	—	
惠水县羡塘镇羡塘小学	13	447	27	1933	
惠水县羡塘镇绸绢小学	6	209	8	—	
惠水县羡塘镇西混小学	6	99	8	—	
惠水县羡塘镇比纳小学	6	153	6	—	
惠水县羡塘镇杨梅小学	6	82	4	—	
惠水县羡塘镇落浩小学	6	63	6	—	
惠水县羡塘镇甲奉小学	3	28	2	—	
惠水县羡塘镇新安小学	6	84	6	—	
惠水县羡塘镇董照小学	21	816	41	—	
惠水县羡塘镇英桥小学	6	146	7	—	

续表15-7

单位名称	班级数	学生数	教师数	建校时间（年）	备注
惠水县王佑镇王佑小学	16	545	32	1936	
惠水县王佑镇红星小学	6	149	8	—	
惠水县王佑镇平贡小学	6	102	6	—	
惠水县长安民族学校	6	120	20	1916	
惠水县王佑镇新华小学	3	28	5	—	
惠水县王佑镇西南小学	6	79	8	—	
惠水县王佑镇火塘小学	6	76	7	—	
惠水县王佑镇建华小学	6	99	7	—	
惠水县王佑镇打引小学	10	316	22	1940	
惠水县王佑镇中水小学	6	142	7	—	
惠水县王佑镇打永小学	1	7	1	—	
惠水县王佑镇董上小学	1	7	1	—	
惠水县芦山镇芦山小学	14	492	27	1918	
惠水县芦山镇雅羊小学	6	205	14	—	
惠水县芦山镇龙塘小学	2	28	4	—	
惠水县芦山镇纳桥小学	4	86	6	—	
惠水县芦山镇硐口小学	9	266	13	1916	
惠水县芦山镇滩绕小学	5	70	6	—	
惠水县濛江实验小学	28	1558	88	2013.8	
惠水思源实验学校	—	—	—	2015.3	

二、部分小学学校简介

惠水县城关第一小学 位于县府路，始建于清光绪三十二年（1906），时名“定番州官立高等小学堂”，校址：惠水东门中峰书院（清朝，现一幼一带），校长胡伦芝。1907年，改称“定番州官立第一初等小学堂”。1911年，改称“定番州初高两等小学堂”。1912年，改称“定番州初高两等小学”。1914年，改称“定番县立城区两等小学”，后改称“定番县立两级小学”。1926年，改称“定番县立第一两级小学”。1934年，改称“定番自治实验县实验小学”。1936年，改称“和平镇小学”，嗣又奉令改称“定番县城区小学”。1939年后，改称“定番县表证小学”。1941年，搬迁到学宫处（现县委、政府一带），改称“惠水县城区小学”。1943年，改称“惠水县标准小学”。1946年，改称“惠水县示范小学”。1955年，学校搬到现址（原江西会馆），新中国成立后，校名先后改为惠水县城区第一小学，惠水县新一小，惠水县和平镇城关一小，惠水县城关第一小学校。

新中国成立后，学校经过60年代初、1971年、1977年、1985年、1998年、2001年等多次拆建，到2015年，学校占地7622.84平方米，有3栋教学楼，建筑总面积8479.5平方米，内设图书室、实验室、美术室、计算机室、阶梯会议室（多媒体教室）等专用教室。在职教师136人，其中，大专以上学历129人，小学高级教师（中级）78人，县级以上骨干教师22人，中共党员44人。学校开设39个教学班，在校生2415人，其中，少数民族1327人，占总数57.7%。

1978至2015年，学校先后获全国“青少年普法教育活动组织奖”“零犯罪学校奖”和省、州、县“文明单位”“实验教学示范学校”等30余项荣誉称号。

惠水县城关第二小学 始建于清末光绪三十三年（1907年），初名为定番州官立第二初等小学堂，校址在寿佛寺（原县法院位置），时有教员5人，学生44人。先后为定番州（县）立城区初等小学校、定番县立第二两级小学校、定番县立第一两级小学校分校、定番县立实验小学男学部等；1946年恢复重建，迁至今校址（原为四川会馆），名为惠水县和平镇第二中心国民学校。新中国成立后，曾名为县立和平镇完全小学校（与一小合并）、和平镇城区第二小学校、惠水县城关第二小学校等。建校百余年来，在校学生累计万余人。2015年，学校占地面积5757平方米，校舍建筑面积3735平方米；在校学生1545人，26个教学班；专任教师83人，本科学历13人，专科学历64人，高中、中师6人；专业技术职称结构为：小高41人，小一34人，小二5人，未定等级3人。

1978至2015年，学校荣获省、州、县“红领巾”学校称号、“五有建设达标红旗大队”“贵州省德育工作先进学校”“教书育人先进集体”“黔南州小学教师继续教育示范校”“惠水县2012—2013学年度‘教学科研先进单位’”“惠水县先进学校”“惠水县文明学校”等各类荣誉20余个。

惠水县城关第三小学 始建于1963年8月，当时属城关镇管辖的民办小学。经过17年的发展，1980年转为公办学校。学校有教职工47人，学生985人，15个教学班，校园面积达3200平方米，建筑面积3178平方米。有教学楼2栋，教室15间，综合教室1间，舞蹈室1间，科学实验室1间，图书阅览室1间，教师办公室6间，图书室藏书6500余册。2004年6月，城关三小被指定为新课程改革实验学校，率先进入新课程改革的行列。2005年9月，在城关三小举办全县教学观摩活动得到上级领导、专家的好评。在组织学生参加州、县组织的英语、作文、书法、绘画、手工才艺等活动中多次获奖。2007年6月，在县举办多彩贵州舞蹈大赛中，舞蹈《好花红情诗》获一等奖，并代表县参加黔南州多彩贵州舞蹈大赛演出。2010年12月，城关三小少先队组织被共青团惠水县委表彰为“优秀少先队大队”。2011年6月，城关三小党支部被中共和平镇党委授予“创先争优先进基层党组织”；9月，城关三小被中共惠水县委、惠水县人民政府表彰为2010至2011学年度“教育工作先进单位”；2012年6月，黔南州精神文明建设指导委员会授予惠水县城关三小“黔南州精神文明先进单位”称号。2016年秋停办，学校改建为惠水县第四幼儿园。

惠水县城关第四小学 原名“回龙小学”，始创于1964年9月，学校设在回龙村上田寨组，时有学生18人，教师3人。到1978年，学校办到五年级（五年制），有学生154人，教师14人，附设初中3个班，共51人。1988年后，初中部合并到惠明中学。1994至1998年，学校发展到12个班。1998年9月，惠水造纸厂子弟小学划归回龙小学代管，由贵阳市教委拨款20万元，回龙小学自筹8万元，新建教学楼1栋，建筑面积839平方米，1999年竣工。2015年，学校占地面积5079平方米。建筑面积953平方米，11个教学班，学生800余人，教师30人。

惠水县城关第五小学 原名满坝小学，前身是光绪三十三年（1907）定番州官立第三初等小学堂。时有教师1人，学生30余人，校舍为农民住房。民国20年（1931），校舍搬迁到定慧寺，学生40余人，教师1人。1946年，学生发展到50余人，教师3人。20世纪50年代，满坝小学由满坝大队接管，改为满坝耕读小学，校舍仍在定慧寺，面积约为60平方米，学生50余人。1964至1968年，更名为满坝大队民办小学。1968年，满坝大队出资修建草房8间，学校从定慧寺搬迁至现校址，时有4个年级，60余名学生，教师3人，采用复式教学。1968至1975年，姚哨区教育组资助1500元，将8间草房改建为6间瓦房3个教室。1976年，县教育局拨款2000元，改建瓦房6间，共有6个教室，建筑面积100余平方米，校舍占地面积300余平方米，学生增至140余人。1997年，利用世行贷款18万元，新建教学楼1栋，9个教室，3个办公室，另加16个蹲位厕所1个，学校集资10万余元，扩大校园面积，修建校门，筑起围墙，平整水泥场、操场、绿化、美化校园。1998年，学校向社会集资3万余元，至2000年，购置课桌凳160套，教师办公桌18套，文件柜2个，解决学生无桌凳及教师办公困难。2001年4月，满坝小学改称城关五小。2015年，学校占地面积2382平方米，房屋面积1987平方米，17个教学班，学生1076人，教师44人。

惠水县城关第六小学 原名大坡小学。该校创建于民国27年（1938），时称“共和乡第一中心国民小学校”，校舍是老观音庙。1943年，胡伦华、王绍华、胡仲芳、冉敏、焦正纪等筹资重建，后改称大坡小学。1950年在校生250人，学校占地1000平方米。2001年4月，大坡小学改为“城关六小”，是和平镇惠明片区的中心学校。20世纪60年代至70年代初，修建教室9个，学校占地约0.35公顷。1966年，附设农中（初中）1个班。1970年起附设初中部，有3个年级、5个教学班，附设农中班搬迁到老乡公所办学。1978年，建224平方米的水泥平房教室4个。1984年，在平房顶加一层224平方米的教室4个，学校占地约4900平方米。大坡小学时有小学9个班，初中5个班，全校中、小学生660余人，教职工30人。1987年11月，中、小学分家，大坡小学附设初中部和农中班，回龙小学附设初中部撤并至原一〇八子校校址，创建惠明中学。1989年，被县教育局评为教材教法进修考核先进集体；1991年，被县人民政府评为普及初等教育扫除文盲先进单位；1998年，被授予县文明学校称号；同年，被评为县“文明学校”；1999年，被评为“黔南州德育工作先进集体”；同年，被评为“州报刊发行先进单位”。2000年8月，用世行贷款新建900平方米的教学楼1栋，有12个教室，3个办公室。学校曾3次被县人民政府评为“先进集体”；同年，被评为省、州两级“先进实验室”。2015年，学校占地面积7333平方米，房屋面积1953平方米，在职教师37人，在校生595名，12个教学班。

惠水县濛江实验小学 位于城北新区濛江大道旁，是惠水县根据城镇化快速发展的需要，规划新建的一所大型完小，用于解决农村进城务工人员子女、县域留守儿童及易地扶贫搬迁户子女入学难问题。学校于2013年8月启动建设，2014年8月建成并投入使用。校园占地面积约5.33公顷，总投资1.2亿元，可容纳2500名学生就读，可供550名寄宿生住宿。建筑面积26700平方米，其中，教学用房15000平方米，行政综合楼4500平方米，学生生活用房4200平方米，食堂800平方米，体育器材室、值班室等其他用房2200平方米，有200米塑胶跑道运动场1个，篮球场5个。建有少年宫、多功能教室、科技活动室、多媒体教室、科学实验室、图书阅览室、陶艺室、留守儿童之家等设施。2015年，学校有教学班28个，在校学生共1558人，寄宿生445人；教师88名（其中，高级教师53人，占全体教师的60%，大专及以上学历87人），保安、宿管6名，食堂人员15名。是年，学校被国家教育部授予“全国青少年校园足球特色学校”称号，被省教育厅评为“四在学校、幸福校园”省级示范学校，省综治办、省公安厅、省教育厅联合授予“安全文明校园”荣誉称号；中共惠水县委、惠水县人民政府授予“教育工作先进集体”荣誉称号。

惠水思源实验学校 位于县城纸酒大道，是由香港言爱基金会捐资1000万元、县人民政府匹配8500万元规划建设的公办九年制学校。2015年3月奠基，预计2016年8月建成投入使用。学校规划占地68500平方米（约6.87公顷），总建筑面积26995平方米，规划规模为54个教学班，2700名学生，900名住校生。

第四节 初中教育

一、概况

惠水最早的中学创办于1936年，由定番、广顺、长寨（长顺）、罗甸、大塘（现平塘）五县联合创办的“五县联立初级职业中学”（俗称“职中”），校址在惠水城内万寿宫。1937年广顺、长寨、罗甸、大塘四县退出，7月改由定番县府单独负责维持，定名为“定番县立初级职业学校”（根据《乡土教材调查报告》）。1943年与1940年创办的“私立凤山中学”合并称“惠水县立中学”。1950年3月，更名为“贵州省立惠水完全中学”，6月，更名为“贵州省立惠水初级中学”，1951年7月1日，更名为“贵州省惠水民族中学”至2015年。

1969年9月，全县六区一镇和人口较多的公社先后办起小学附设初中部，学制二年。1974年，惠水六区一镇所在地的小学附设初中部与小学分离，成为独立初中（城关镇设立惠水二中）。1976年，各独立初中增设高中部，成为完全中学。1986年，所有区设高中部全部撤销，全县高中部学生集中到惠水民中就读，原有的农村完全中学变为初级中学。

21世纪初，县境内先后增办远鸿中学、鹏程中学、龙泽中学、华溪中学、涟江中学，均为私立中学。远鸿中学，2004年开办，地址在三都小龙蜜饯厂，租用厂房改作校舍。2005年，取得黔南教育局同意设立批复文件，惠水县教育局同意何彦为校长，属于初中教育，有教师20余人，不久后停办；鹏程中学，2003年筹建，由李隆刚、方永平、曹善志合股租用县人事局土地（杨梅坡顶原玻璃厂位置）和购买部分农民土地建校，2005年5月，取得惠水县教育建校批复，2005年9月正式开学，办初中和高中，2009年于志书加入。是年，更名“惠水县文星双语学校”，改为小学和初中，惠水县教育局下文同意招生，至2015年，有学生400余人，教职工30余人；龙泽中学，2005年开办，地址原地质八普子校，办初中和高中，有学生180余人，教职工20余人，2008年停办；华溪中学、涟江中学，办学时间不长。

21世纪初，惠水民族中学撤销初中部，只办完全高中部，部分九年制学校的初中部独立出来成为独立中学，如摆榜中学、岗度中学、羡塘中学、抵季中学等。

1985年，县内普通初中35所，有教学班149个，学生7152人。1995年，县内普通初中31所，有教学班193个，学生8901人。2005年，县内普通初中31所，有教学班458个，学生22917人。2015年，县内普通初中21所，有教学班437个，学生20727人。

表15-8

1985—2015年惠水县初中教育发展情况统计表

年度	学校数					毕业生数			招生数			在校学生数			升学人数			入学率(%)
	合计	教育部门办			其他部门办	合计	教育部门办	其他部门办	合计	教育部门办	其他部门办	合计	教育部门办	其他部门办	合计	普高职高	中专中师	
		小计	独立中学	九年制学校														
1985	35	35	15	20	—	1645	1645	—	2411	2411	—	7066	7066	—	560	478	82	20.3
1986	35	35	15	20	—	1752	1752	—	2499	2499	—	7152	7152	—	532	446	86	20.8
1987	37	35	15	20	2	1869	1817	52	2435	2356	79	7648	7434	214	481	315	166	21.3

续表15-8

年度	学校数					毕业生数			招生数			在校学生数			升学人数			入学率(%)
	合计	教育部门办			其他部门办	合计	教育部门办	其他部门办	合计	教育部门办	其他部门办	合计	教育部门办	其他部门办	合计	普高职高	中专中师	
		小计	独立中学	九年制学校														
1988	27	25	15	10	2	1877	1789	88	2443	2355	88	7724	7422	302	484	303	181	22.7
1989	27	25	15	10	2	1912	1822	90	2447	2346	101	7631	7343	288	519	331	188	22.9
1990	27	25	15	10	2	1857	1755	102	2412	2300	112	7466	7256	210	547	381	166	25.6
1991	35	33	15	18	2	1836	1701	135	2551	2451	100	7789	7601	188	560	396	164	28.1
1992	35	33	15	18	2	1945	1743	202	2504	2504	—	7622	7622	—	621	422	199	29.5
1993	31	31	13	18	—	1843	1843	—	2870	2870	—	7650	7650	—	647	446	201	34.7
1994	31	31	13	18	—	1978	1978	—	3136	3136	—	7988	7988	—	776	550	226	35.1
1995	31	31	15	16	—	2239	2239	—	3687	3687	—	8901	8901	—	811	553	258	38.6
1996	31	31	15	16	—	2123	2123	—	3911	3911	—	9404	9404	—	766	512	254	40.1
1997	30	30	14	16	—	2268	2268	—	4268	4268	—	9552	9552	—	932	669	263	41.8
1998	30	30	14	16	—	2459	2459	—	4901	4901	—	9901	9901	—	1065	780	285	42.2
1999	30	30	14	16	—	2833	2833	—	5203	5203	—	10047	10047	—	1149	892	257	45.1
2000	30	30	14	16	—	3188	3188	—	6005	6005	—	12480	12480	—	1133	1045	88	54.2
2001	16	16	14	2	—	3559	3559	—	6118	6118	—	14581	14581	—	1234	1165	69	59.1
2002	16	16	14	2	—	3965	3965	—	6127	6127	—	16223	16223	—	1176	1104	72	66.3
2003	19	16	14	2	3	4633	4633	—	8658	8455	203	20895	20895	—	1091	987	104	74.4
2004	19	16	14	2	3	5160	5027	133	8347	8025	322	22241	22241	—	1349	1294	55	72.8
2005	31	28	23	5	3	6482	6177	305	7925	7645	280	22917	22917	—	1986	1986	—	71.1
2006	31	28	23	5	3	7191	7083	108	8081	8081	—	23467	23467	—	2249	2249	—	69.6
2007	28	28	23	5	—	7451	7451	—	8977	8977	—	24615	24615	—	2534	2534	—	71.4
2008	28	28	23	5	—	7693	7693	—	9226	9226	—	25097	25097	—	2791	2791	—	72
2009	26	26	22	4	—	7158	7158	—	9467	9467	—	26131	26131	—	2886	2886	—	81.5
2010	28	27	22	5	1	7782	7782	—	8401	8381	20	25728	25680	48	3857	3857	—	93.4
2011	26	25	22	3	1	8271	8258	13	7940	7911	29	24158	24090	68	4262	4262	—	79.3
2012	26	25	22	3	1	8212	8194	18	8026	7984	42	22748	22646	102	4249	4249	—	83.8
2013	26	25	22	3	1	7298	7278	20	7726	7689	37	22540	22410	130	4884	4884	—	95.9
2014	23	22	16	6	1	7122	7089	33	7001	6944	57	22239	22092	147	5808	5808	—	96.5
2015	21	20	16	4	1	7536	7491	45	6447	6390	57	20727	20570	157	6687	6687	—	96.5

说明：初中入学率统计指是年适龄少年在初中就读的比例，是毛入学率。

表15-9

2015年惠水县秋季学期初级中学基本情况统计表

单位名称	班级数	学生数	教师数	建校时间（年）
惠水县第二中学	65	2274	197	1974
惠水县第三中学	33	1544	105	1988
惠水县第四中学	57	2765	159	1993
惠水县高镇中学	33	1619	109	1972
惠水县三都中学	14	634	54	1958
惠水县摆金中学	28	1328	76	1958
惠水县雅水中学	32	1500	90	1958
惠水县断杉中学	23	1057	61	1958
惠水县王佑中学	16	716	54	1958
惠水县好花红中学	22	1050	67	1967
惠水县芦山中学	16	727	56	1969
惠水县抵季中学	18	820	45	1998
惠水县岗度中学	16	719	41	2004
惠水县羡塘中学	19	856	57	1957
惠水县鸭绒民族中学	19	841	54	1971
惠水县摆榜民族中学	14	666	32	1978

二、部分独立中学简介

惠水县第二中学 创办于1974年，是年经县人民政府批准，在惠水党校、惠水卫校搬迁后遗留下来的简陋校舍区域，创办“惠水县第二中学”（简称“惠水二中”）。开始为初级中学，1977年8月开办高中，1988年高中部停办，2001年8月又恢复高中办学，2016年高中部停办，是年秋季开始办成完全初中。

创办之初，接收惠水师范附设初中班为初二班（1个班）。惠水二中招收初一新生4个班，教学设施仅有1栋20世纪50年代末期修建砖瓦结构的两层教学楼，共68间，计1900平方米，教室、办公室、部分教师的住宿全挤在楼内。为解决学生活动场地，全校师生自己动手，挖平教学楼前一座小山头，劈出一个有200米跑道的田径场。

1997年，惠水民族师范学校停办，县将原师范校舍划归惠水二中管理使用，校园面积拓宽，教学设施进一步完善。

是年，社会各界支持，全校师生捐资，修建500多米长的围墙；1998年下半年，新校门竣工落成，为使学生的课外活动丰富多彩，全面提高学生素质，全校师生自己动手扩建田径场，挖掉9000多立方米的土石方，拆除危房老教学楼，建成一个具有400米跑道、足球场、篮球场、羽毛球场等体育设施基本齐全的综合性运动场。2001年首届“贵州惠水好花红艺术节”的主会场设在二中运动场。

1999至2000学年度，惠水二中实行校长负责制。不断加强物理、化学、生物等学科实验室建设，购置30多台电脑，现代化教学设施走进课堂。

到2013年秋，高中部共3个年级共36个教学班，学生2000余人；初中部3个年级共24个教学班，学生1500余人，全校在校生3500余人，教师220名。

2015年，学校占地58000多平方米，校舍面积41149平方米，运动场地面积15000平方米。教学楼、综合楼、学生宿舍楼、学生食堂、微机室、图书室、实验室、多媒体阶梯教室、音乐室、舞蹈室、学生画室等教育教学设施配套齐备；全新标准塑胶田径场、篮球场，人工草皮足球场等教学场地，能满足师生的学习、生活需求。有教职工186人，高级教师26人，州级名校长、省级名校长1人，州级名师3人，县级骨干教师18人，州级骨干教师8人，省级骨干教师1人。在校生2711人，其中，初中部42个班，在校生1916人，高中部15个班，在校生795人。

学校秉承"志存高远、修身致用"的校训，形成"面向全体，分层教学，学有所长，人人成才"办学特色。学校全面推行"高效课堂"教学模式，2008至2015年连续八年中考排名惠水县第一，州内前列。2014年，在州内同级学校评比中排名列全州第一。

惠水县第三中学　位于惠水县城南六坡村，距县城3千米，原名惠明中学。学校成立于1988年，20世纪90年代，该校曾蝉联惠水县中考五连冠，以教育教学质量好而全县著称。2002年，经相关部门批准，学校更名为"惠水县第三中学"。

学校成立之初，学生300余人，教师32人，共9个教学班级，学校始终坚持以提高教育教学质量作为学校发展的"生命线"，2004年，学生由立校之初的300余人增加到1822人，教师100余人，中考成绩曾持续排列全县榜首。多次获县委县政府、县教育局授予："惠水县教育教学质量十佳学校""高考优质生源学校""教育先进集体""初中数学竞赛团体第一名""中考质量二等奖""优秀组织奖""教育教学质量先进单位"等称号。

2012年后，县教育局充实三中领导班子，学校狠抓教研教改，加强师德师风建设，打造校园生态文明学校。学校建有音乐室、多媒体教室、书画室、图书室、实验室、心理咨询室等，布局合理，设施齐备，机构完整，成为一所学生众多、师资雄厚、教学成果突出的大型初级中学。

至2015年，学校占地面积13432平方米，有教学班26个，学生1242余人，教职工107人，其中，专职教师103人，教师文凭合格率为100%。有中学高级教师17人，一级教师62人，州级骨干教师5人，县级骨干教师7人。是年，获贵州省教育厅授予"三生四爱五好"专题教育示范学校。

惠水县第四中学　位于惠水县和平镇新城村白果苑。学校创建于1994年8月，名称为惠水台惠联谊学校，地址在惠水三岔河，是由惠水彭文治、韦汉鸿等联络韦福成、方家学等旅台同乡捐资（20余万元）和县政府拨款（40余万元）共同修建，管理人员主要由旅台同乡指定。1996年，与县教育局、县民委、县财政局联合开设"贫困地区少数民族女子希望班"，招收"麻山地区"少数民族女生50名，并免除一切费用。旅台同乡韦福成捐资设立"俊斋公奖助学金"，有90余人次获得奖助。

1996年，经与旅台同乡商议，惠水台惠联谊学校移交给惠水县政府管理。惠水台惠联谊学校所有管理事宜由县教育局负责。2001年，惠水台谊学校更名为惠水县第四中学。2005年，根据惠水县城规划，学校搬迁到现址。

2015年，学校占地面积42688平方米，校舍建筑面积20879平方米。现有48个教学班，在校学生2642人；教职工167人，其中，研究生学历3人，本科学历132人；中高级职称教师101人；省、州、县级教学能手、骨干教师和学科带头人20余人。

学校有教学楼两栋，学生宿舍楼两栋，学生食堂一栋。综合楼一栋，集教师办公室、实验室、微机室、阶梯教室、多媒体教室等为一体，有微机281余台，班班通55套。运动场地有：1个300米环形塑胶运动场、6个标准塑胶篮球场、1个塑胶足球场、2个室外藤毽球场、1个室内藤毽球运动场。2011年中考，有2名同学进入全县前10名，700分以上有5人。2012年中考，有4名同学进入全县前10名，700分以上有8人。2013年中考，有2名同学进入全县前10名，600分以上有157人。2014年中考，有2名同学进入全县前10名，700分以上有26人，高分段学生人数在全县名列前茅。2015年中考，全县前10名中，该校有2人，700分以上有40人，600分以上206人，高分段学生人数仍名列全县前茅。

2009年以来，不断发展藤毽球体育特色运动，组队代表县、州、省和国家参加国内外大型藤毽球赛事，获各等次奖项若干。2010年，成为天津工业大学体育竞技中心藤毽球贵州人才输送基地。

三、特殊教育

惠水县特殊教育学校　创办于2008年8月，是经贵州省人民政府批准、惠水县人民政府同意成立、由惠水县教育局管理的一所义务教育阶段特殊教育学校，学生主要服务惠水、长顺、罗甸三县7～15周岁特殊群体适龄少年儿童。

学校位于惠水县涟江街道建设西路304号（原老职中校址），占地面积9712平方米，校舍建筑面积1744平方米，拥有教学楼、教辅楼、学生宿舍楼各1幢，塑胶运动场全覆盖、绿化覆盖率40%。

2015年，学校设有2个智障班，4个聋哑班。共有专职教师14人。各种教育教学专用教室、辅助用房及活动场所俱全，设施配套完善，学校设有多功能感官室、感觉统合训练室、个别训练室、体育康复室等功能场室，配备感觉统合训练用具、运动治疗器械、蒙台索利教具等一批康复训练设施，建立网上教师信息管理库、多媒体辅助教学资源库、语言认知训练康复系统，通过信息技术手段完善残疾学生的康复训练工作，开辟学生劳动基地，为学生的教育、康复提供良好的条件。

惠水县雨露学校　位于濛江街道长岭村（原长岭小学），是根据县《创新社会管理服务“三大群体”、落实“三项计划”、实施“十大工程”实施方案》县政府投资30余万元创建而成。

学校于2013年秋季启动，2014年春季开始办学，主要是对13～17岁之间，有严重不良行为、普通义务教育学校管理困难的学生进行教育、挽救、帮助和矫治；教学内容有国文、法律、思品、军训、体育、音乐、美术、心理和技能等，为“问题”孩子搭建健康成长的平台。

学校现有教职工17人，在校生数变化大，最少时有10人左右，最多时有30人左右，在校时间根据学生进校后的成长变化情况确定。

第五节　高中教育

一、普高教育

概况　1970年，惠水民中招收“文化大革命”后期复课闹革命的第一届高中生，之后，县六区（姚哨区、三都区、摆金区、雅水区、断杉区、王佑区）一镇（城关镇）的初级中学，先后增设二年制高中部。1982年，县对部分区（镇）中学的高中部进行撤并。其中，王佑中学高中部撤并到断杉中学，雅水中学撤并到摆金中学；惠水二中、三都中学、姚哨中学的高中部继续保留。1985年后，惠水二中、三都中学、姚哨中学的高中部先后撤销，全县仅有惠水民族中学设有高中部。是年，普通高中招收新生441人，在校生1006人。1987年、1988年、1991年，有魏昕、王文辉、张弢同学先后被北京大学、清华大学录取。

20世纪80年代后期至21世纪初期，惠水的高中教育一度处于低谷。县内优秀的初中毕业学子分别到

高考民中考点（2014年摄）

贵阳一中、都匀一中、都匀二中甚至到更远的瓮安一中、二中就读高中，在惠水县参加高考的惠水籍学生每年仅在700人左右，高考录取率较低。

2001年秋季，为扩大高中教育办学规模，恢复惠水二中高中部。至2013年秋，惠水二中高中部3个年级共有36个教学班、2000多名学生。2014年初，县实施教育综合改革，制定了二中逐步剥离高中、扩大初中招生规模，到2016年办成独立初级中学。2014年秋季以后，二中高中部不再招生。2005年，惠水县委、县政府决定面向社会公开招聘惠水唯一一所高级中学——惠水民族中学校长、副校长。2005年后，县采取到高校直招、面向社会公招、特岗招聘、县内选调和从外地引进成熟型教师等形式，先后补充了高中教师300余名，为高中教育发展奠定基础。2008年，县政府出台高考奖励办法，每年对高考成绩优异的班主任、教师、学生及学生家长进行奖励。到2015年，奖励金额计200万元。2010年，惠水高考成绩名列全州第二。此后，高考成绩一本、二本上线人数每年逐年递增。2011年，惠水民中陆玮同学以648分的优异成绩被清华大学录取。

2015年，普通高中招新生3507人，全县初中毕业生升入普通高中的比例为46.5%，在校生9603人，新招学生数和在校生数分别比1985年增加了3066人和8597人。高考成绩连续6年名列黔南州前列。

表15-10

1985—2015年惠水县高中教育基本信息统计表

年度	普通高中在校生数（人）	招生数（人）	初中毕业生升普高比例（%）
1985	1006	441	26.8
1986	1102	422	24.1
1987	987	315	16.9
1988	882	303	16.1
1989	813	298	15.6
1990	806	265	14.3
1991	799	253	13.8
1992	765	259	13.3
1993	731	246	13.3
1994	744	366	18.5
1995	727	353	15.8
1996	808	312	14.7
1997	991	415	18.3

续表15-10

年度	普通高中在校生数（人）	招生数（人）	初中毕业生升普高比例（%）
1998	1025	516	21.0
1999	1132	562	19.8
2000	1684	668	21.0
2001	1886	799	22.5
2002	1911	804	20.3
2003	1955	687	14.8
2004	2070	594	11.5
2005	2598	1086	16.8
2006	3207	1249	17.4
2007	3753	1534	20.6
2008	4062	1291	16.8
2009	4004	1486	20.8
2010	4491	1557	20.0
2011	5492	2262	27.3
2012	6127	2249	27.4
2013	7395	2884	39.5
2014	8547	3308	46.4
2015	8705	3507	46.5

惠水民族中学 贵州省惠水民族中学，简称“惠水民中”。1936年11月，创办于定番县（今惠水县）城内万寿宫（万寿宫和江西会馆相连，后部分教室设在江西会馆，故当时有校址为江西会馆之说）。初为定番、广顺、长顺、罗甸、大塘五县联办的“五县联立初级职业中学”（俗称“职中”）。1937年广顺、长寨、罗甸、大塘四县退出。7月改由定番县府单独负责维持，更名为“定番县立初级职业学校”。1943年与私立凤山中学（简称“凤中”，1940年创办，校址为孔庙前）合并称“惠水县立中学”（简称“县中”），选址于兴隆观（现惠水民中所在地）新修校舍，1944年迁入，增设高中。1950年改名为“贵州省立惠水完全中学”，同年6月，改名为“贵州省立惠水初级中学”。1951年7月，贵州省文教厅正式行文命名为“贵州省惠水民族中学”，简称“惠水民中”至今。

1966年夏，“文化大革命”开始后，学校上课不正常。1966年秋至1967年秋，学校基本处于停课状态；1967至1968年学校停止招生。1969年秋，恢复初中招生，主要招收“文化大革命”期间城区的小学毕业生，几届学生同时进入初一，并按时段分成三个连（当时称为“小三届”），再按各连人数分成排（“文化大革命”期间，学校号召“学工、学农、学军”，所以是以连、排的形式划分），学制为两年。1970年秋，恢复高中招生，招收“文化大革命”前和期间的部分城乡初中毕业生（通过推荐），学制为两年。1974年秋，高中又停招。1975年秋，学校学习朝阳农学院办学经验，实行“初、高中四年一贯制”，高中停办。1976年秋，又恢复高中招生。2005年8月，初中部停止招生，成为独立高中；2007年9月以后，学校成为惠水县内唯一的一所独立高中。

20世纪90年代中期，学校教育教学质量下滑，社会信任度低，教师不安心教学，大量优秀学生外流，2004年高考名列全州末位，引起惠水广大人民关注，也引起惠水县委、政府的高度重视。

2005年4月，面向省内外公开招考校长、副校长，为学校引进人才。新班子成立后，制定了《惠水民族中学教职工聘任制度》《惠水民族中学五年发展规划》《惠水民族中学高考奖罚方案》等制度，强化了学校的管理措施及管理办法，激发师生教与学的积极性；采取“师带徒”开放式教学，“请进来”“走出去”等方式加强对教师尤其是青年教师的培养，提高了教育教学质量。

学校坚持走“科研立校，科研兴校”之路。2013年7月至12月，承担国家级课题两个：“苗族、布依族聚居地中学课程社会化的研究”“惠水民族中学高中语文少教多写与高效课堂实践的研究”。2014年1至12月，承担省级课题三个：“惠水地区布依族、苗族服饰文化校本课研究”“将惠水布依文化遗产—‘枫香染’融入美术校本课研究”“对教材习题的变式和开放化设计的研究”。

学校先后获得全国“平安和谐校园先进学校”“青少年普法教育先进单位”、省“校园文化建设先进学校”“教育教学质量进步奖”等60余项荣誉称号。学生在参加全国各科竞赛中，曾凡江、李明娜、陈诚、卢泽斌、石广翔、杨潇、彭潇、唐睿、李伟铭、杨永济分获初中物理、化学、数学、中学英语竞赛一等奖。

改革开放以来，先后有肖魏新、王文辉、张弢、陆玮、陈玉春、熊纲、吴大斌、唐旭东、吴霓、王庭俊、罗涛培等优秀学子考取北京大学、清华大学等全国各重点大学。1991年，张弢以528分成绩荣获全省高考文科状元。

2014年8月，惠水民族中学分为新、老两个校区，新校区名为“濛江校区”，老校区名为“凤山校区”。

凤山校区 占地67003平方米。改革开放后，财政拨款和爱心人士捐资办学经费共为5490余万元。新修有实验楼、教学楼、综合楼、逸夫楼、艺术楼、体育馆、治荣学生公寓、科技楼、格致楼、凤翔学生公寓、学生食堂、敏行楼和改建田径场等。

濛江校区 2012年，财政投资新建，学校位于城北新区惠高大道旁，2014年建成，招收新生3308人总投入资金1亿元，占地约89229平方米，建筑面积为65810.3平方米（截至2015年底）。修有教学楼、综合楼、行政楼、实验楼、音体楼、学生宿舍楼、教育服务中心、田径场和篮球场等。

2015年学校有学生8157人，少数民族学生占60%。有教师532人（后勤人员除外），其中有省级骨干教师5人，州级骨干教师29人，县级骨干教师60人，高级教师73人（含特级教师），一级教师256人，二级教师203人。

1978—2015年惠水民中高中、初中毕业生人数及中考高考情况人数统计表

表15-11

年度	毕业人数		录取人数		年度	毕业人数		录取人数	
	高中	初中	中专	大学大专		高中	初中	中专	大学大专
1978	176	210	10	14	1997	156	223	—	72
1979	132	315	47	15	1998	273	357	—	94

续表15-11

年度	毕业人数		录取人数		年度	毕业人数		录取人数		
	高中	初中	中专	大学大专		高中	初中	中专	大学大专	
1980	166	186	73	22	1999	275	203	—	132	
1981	224	277	65	26	2000	218	182	—	143	
1982	187	257	61	29	2001	322	226	—	118	
1983	110	188	25	23	2002	394	250	—	301	
1984	84	161	38	38	2003	595	266	—	149	
1985	169	226	64	50	2004	650	197	—	160	
1986	110	282	65	45	2005	747	57	—	69	
1987	136	243	32	53	2006	686	119	—	148	
									上线数	
									一本	二本
1988	188	368	91	43	2007	719	185	—	18	87
1989	253	309	68	71	2008	805	—	—	52	190
1990	183	276	103	73	2009	948	—	—	65	303
1991	341	149	55	79	2010	1169	—	—	130	468
1992	181	178	68	89	2011	997	—	—	147	550
1993	225	389	—	72	2012	1229	—	—	151	171
1994	300	241	—	52	2013	1169	—	—	163	645
1995	79	309	—	53	2014	1413	—	—	178	751
1996	153	343	—	55	2015	1462	—	—	226	738

说明：1993年后中专录取数未统计，2005年初中停招，2007年后，学校成为独立高中，2007年后录取大专数未统计。

二、职高（中职）教育

惠水职业高级中学　惠水职业技术教育始于民国中期。1936年11月，定番县与长寨县、广顺县、罗甸县、大塘县（今长寨县与广顺县合并为长顺县，大塘县则与平舟县并为平塘县）5县合办联立职业中学，校址设在定番县万寿宫（今惠水县城关一小），学生来自5个县。1937年改称“定番县立初级职业学校”。1943年与“凤山私立中学”合并为“惠水县立中学”，职业学校停办。

1988年9月，根据贵州省政府、省教育厅关于“每个县必须有一所职业高级中学”的指示精神，1989年5月，县启动“惠水县职业高级中学”的筹备工作，校址选在杨家路原骑龙小学，经过两年筹备，建成了建筑面积为1020平方米的四层教学楼1栋，内设教室12间，办公室6间。建成教师宿舍1栋，教师宿舍12套。校园占地面积约0.4公顷，1990年11月正式挂牌招生。开学第一学期有教职工8人，开设土木建筑、畜牧兽医两个专业，共有学生120多人。1991年，增设财会和庭院经济两个专业，招生56人。1992年招不进学生。1993年，增设预备军人专业，招生16人。1994年未设中职学历班，为保住学校，招进初中一年级2

惠水中职服装班（2015年摄）

个班，有学生90多人。1995年，开设法律服务学历班，有学生28人，开设烤烟技术和摩托车维修两个短期培训班，每个班学生30人左右，同时招进初中一年级2个班，有学生96人。1996年，招进法律服务专业学生30人；开设家电维修和计算机两个短期培训班，每个班有学生20多人。1997年和1998年，招不到中职学生，学校以初中学生和短期培训学生为主。

1990至1998年，教职工人数在10人左右。中职在校学生数长期在200以内，学校规模靠附带的初中班和短期培训班支撑着。由于校舍简陋，教学设施设备缺乏，人们对职业教育的认识不足，招生非常困难，办学规模小，职业教育发展缓慢。

1999年，停办初中部，秋季第一学期招进幼师专业学生46人，电子电工专业21人；第二学期，幼师专业学生流失近半，只剩28人，电子电工班学生全部流失。2000年秋季学期招生不足10人，无法开班。2001年秋季学期，招生不足10人，没有开班，学校只有99级幼师班留下的18名学生，全校教职工11人。2002年秋季学期，招进幼师专业学生31人，园艺专业学生48人，2003年秋季学期，招进幼师专业学生42人，服装专业学生36人，计算机专业学生45人。

2004年，中职相关政策陆续出台和实施，秋季学期招进服装专业学生45人，汽修专业学生28人，计算机专业学生52人，教职工增加到21人。

2005年10月28日，据《国务院关于大力发展职业教育的决定》，县职校规模实现历史性突破，招进新生355人，老生258人，在校生600多人。

随着学生的不断增多，原有的校舍和教学设施设备不能满足办学要求。为让出教室给新生上课，把老生提前安排进厂顶岗实习；没有学生宿舍，租学校附近民房给学生住，没有实训教室、实训设备、实训基地。县划拨涟江大坝原惠水酒厂对面5.93公顷土地作为职校新校区建设用地。2008年9月，职校新校区第一教学楼和第一食堂建成，职校搬进新校区办学。职校步入新的发展时期。

2007年后，通过公推直选和招聘考试，学校班子的搭建趋于完善。2015年，学校有教职工103人，在校生规模突破2000人。开设有信息技术、学前教育、酒店服务、电子电工、汽车维修、高铁乘务、服装、护理等专业。学校占地面积约5.37公顷，现有两幢共6975平方米的多功能教学楼，一幢8500平方米的综合实训楼，一幢1500平方米多功能食堂，可供2000余人同时就餐，有两幢学生公寓，共计9256平方米，可住宿1400名学生。在建的汽车维修实训大楼将竣工投入使用。教学设备资产总值达411万元。学生实训室900平方米。

附：惠水县立初级农业职业学校校歌（歌词）

白云云雾跨西东，两山如屏良畴纵横；苗岭背峙濛江通，物产给源端赖林农；会馆改修艺术宫，工读建国旨在宗；思如潮，气如虹，我校永为西南雄。（词：章元玮）

贵州省险峰机床厂技工学校　位于惠水县濛江街道司濛村，占地14300平方米，1978年创办，为永安厂技工学校险峰分校，1980年5月从永安厂技工学校剥离，经贵州省人民政府批准改名为贵州省险峰机床厂技工学校，主要为险峰机床厂培养专业技术人才。2015年，学校开设有机械加工、钳工、电工、铸工、木模工、铆焊工等10余个专业，学制2至3年（高中考生2年，初中考生3年），有学生400余人，教师18人。

贵州省永安电机厂技工学校　位于惠水县濛江街道达子坡，占地2000平方米，创办于1973年8月，名为永安电机厂技工学校，1978年创办险峰分校，1980年5月，险峰分校剥离。开设有车工、电工、铸工、电焊工、冲压工等专业，学制3年，主要为永安电机厂培养专业技术人才，2001年停办。

第六节　厂矿子校

险峰机床厂子弟学校（简称“险峰子校”）　1959年开办，初设小学部。1966年开办初中部。1970年开办高中部。校址位于惠水县高镇村。1998年厂校剥离，划贵阳市教育局接管，中学部命名为贵阳十一中。1999年收并为贵阳二十四中。2003年将永安电机厂子弟学校小学部收并。2013年9月停办高中。2014年9月停办初中，保留小学部。

永安电机厂子弟学校（简称“永安子校”）　1965年开办，初设小学部。1969年开办初中部，1978年开办高中部。校址位于惠水县高洞坡。1998年厂校剥离，划由贵阳市教育局接管，中学部命名为贵阳二十四中。1999年，中学部合并到贵阳十一中。2003年，小学部合并到险峰子校小学部。

贵州区域地质调查大队子弟学校（简称“一〇八子校”）　1969年开办。校址位于惠水县六坡村。初办小学，后增办初中、高中。80年代中期，初中、高中相继停办，保留小学部。1987年9月，该单位搬迁贵阳，学校及校舍整体移交给惠水县教育局，学校更名为“六坡小学”。

地质第八普查大队子弟学校（简称“八普子校”）　1974年开办。校址位于惠水县姚新村。设有小学、初中、高中部。2002年该单位搬迁，学校停办。

贵州省惠水造纸厂子弟学校（简称“纸厂子校”）　1978年开办，是一所全日制完小。校址位于惠水县爬头寨。1998年停办，教职工被收由贵阳市教育局管理，交由惠水教育局安排，该校教职工工资由贵阳市教育局发放。

第七节　师范教育

中华人民共和国成立后，县人民政府接管了学校，城乡中小学相继复课。

1950至1953年，惠水县教育科举办了4期师训班，招收各区具有一定文化程度的人员经政审、考核后参加学习，时间为1至2个月，学习结束后，经考试合格，招为学校教师。

1953至1954年，惠水选送几批人员到贵州省小学教师轮训班学习半年至一年。

1956至1957年，县教育科委任曾永均老师负责开办师训班2期，第一期2个班，第二期4个班，共招收小学毕业生和复员军人195人，时间半年至一年。

1958年8月，县人民政府为解决各区中学的领导骨干与师资力量，在惠水民族中学开办一年制师专文科班，招收部分机关干部和小学教师，赵承炎、鄢文卿、王志国等27人入学，9月1日正式上课。王文贤任党支部书记，王庆绩兼任校长，负责思想教育与业务管理。中学部分老师承担师专班课程，杨志任班主任，主讲《教育学》《心理学》《中学语文教学法》；徐锦江主讲《汉语与习作》；张家桂主讲《历史》等。通过一年的学习，毕业22人。

是年初，县教育科委任杨家泰负责开办小学师资培训班2期。秋季，惠水县正式创办“惠水初级师范学校”校址为现城关一小。次年秋。投资8万元在北门前修建师范学校教学楼。时有教职工33人，学生150人。1961年停办。

1965年，县教育科委任李明庭负责开办在职教师培训班一期，培训教师500余人。1970至1972年续办师训班，3年培训教师300余人。

1972年，通过考核，招收应届高中毕业生、初中毕业生、下乡知青、民办教师50人进入速师班学习，时间一年，毕业后分配到各类学校任教。

1973年，复办师范，称“惠水师范学校”。同年12月，师范开办附设初中班，招收初一新生1个班，50余人，1974年归为二中。

1974年初，县革命委员会任命唐栋为师范党支部书记，李国庆为副校长，负责筹备恢复师范学校工作。师范、二中同在一栋房子。南面为二中、北面为师范。是年秋季开始招收各乡镇推荐的下乡、回乡知青45人，学制2年。县革命委员会拨款50000元，县教育局拨款30000元在大楼之后新建师范教室，为一层楼，砖瓦结构。次年3月，搬进新教室（教室、学生宿舍同为一房）之后，教育局又拨款修建教师宿舍和学生厨房。1974至1975年，招收3届师范生，每年1个班，学员均为“社来社去”（不包分配工作）。

1977年，国家恢复高考。惠水师范招收计划内包分配师范生40人，学生中有高中生、初中生、民办教师等，次年3月入学，学制两年，学历为中师（这届学生因统考时间延迟，只学一年半）。1978年，招收1个中师班，学生40人。1979年，招收1个中师班，学生50人。1980年，招收1个中师班，学生50人，另招1个师训班，学生50人，多为民办教师（年龄可以放宽）、顶替教师，毕业后包分配。

1981年，“惠水县师范学校”更名为“黔南州惠水民族师范学校”（简称“惠水民师”），次年，黔南州教育局拨给民族教育经费240000元修建教师宿舍1栋、学生宿舍各1栋。惠水县民委拨30000元购买校具、教具充实教学设备。

1981至1982年，学校招收初中应届毕业生和具有同等学历的民办教师各一个班，分别为52人，50人，学制3年。

1983年后，惠水民师由黔南州人民政府委托惠水县人民政府管理，惠水教育局代管，按全州计划统一片区内招生，学制3年，规模10个班。其中，设中师班9个，教师进修班1个。招收惠水、长顺、罗甸、平塘、龙里和瓮安6个县的初中毕业生。

1985年，黔南州教育局拨款250000元修建女生宿舍一栋，三层，共18个寝室。另修礼堂兼饭厅1个。次年，贵州省教委拨给民族教育经费320000元，修建1栋（4层）面积为1425平方米的综合实验大楼。

1988年，全校有教职工45人。其中，专任教师30人，具有本科、大专以上学历28人，高中、中专学历2人，高级职称（高级讲师）6人，中级职称（讲师）3人，初级职称（助理讲师）23人。

1994年，黔南州各县教师饱和，惠水民师按规定停招新生，1996年停办，校产划归惠水二中，教师分调到惠水民中、惠水二中任教。

表15-12

1978—1982年惠水师范学校历年学生人数统计表

年度	招生数	全校班数	学生数	少数民族学生	师训班（人数）	备注
1978	40	2	91	36	—	1.1978—1980年招收的中师生学制2年；1981年招收的中师生学制3年。 2.1980年招收师训班1班学员多为民办教师和复员转业军人。
1979	50	3	150	98	—	
1980	50	3	150	98	50	
1981	52	3	152	97	50	
1982	52	3	152	97	50	

表15-13

1978—1982年黔南州惠水师范学校教职工情况表

年度	教职工	行政领导	教师	行政人员	工人	备注
1978	18	3	5	5	5	1.干部中有些是“以工代干”； 2.因1981年秋“惠水县师范学校”改称“黔南州惠水民族师范学校”，故此表名称与上表不同。
1979	21	3	10	3	5	
1980	21	3	10	3	5	
1981	21	3	9	4	5	
1982	26	3	13	5	5	

表15-14

1983—1996年黔南州惠水民族师范学校学生人数统计表

年度	中师招生班数	总班数	学生数		进修班数		学生来源	备注
			总数	少数民族学生数	班数	学生数		
1983	2	4	216	128	—	—	惠水、长顺、罗甸	
1984	2	5	258	150	—	—	惠水、长顺、罗甸、平塘、龙里、福泉	
1985	2	6	350	210	1	48	进修班学院来自惠水教师	是年招收4年制中师班1班
1986	2	6	302	182	—	—	惠水、长顺罗甸、龙里	
1987	2	6	320	180	—	—	惠水、长顺罗甸、龙里	
1988	2	6	312	175	—	—	惠水、长顺罗甸、龙里	
1989	2	6	312	177	—	—	惠水、长顺罗甸、龙里	

续表15-14

年度	中师招生班数	总班数	学生数		进修班数		学生来源	备注
			总数	少数民族学生数	班数	学生数		
1990	2	6	313	170	—	—	惠水、长顺罗甸、龙里	
1991	2	6	312	165	—	—	惠水、长顺、罗甸、龙里	
1992	—	4	308	181	2	100	进修学员来自惠水、罗甸、长顺、平塘、龙里、贵定等县	
1993	2	4	208	120	—	—	惠水、长顺、罗甸	
1994	—	2	104	59	—	—		
1995	—	2	104	60	—	—		
1996	—	2	104	58	—	—		

第八节　成人教育

惠水县最早的成人教育机构，是惠水县中等卫生职业学校（原名惠水卫校），创办于1958年。其他成人教育机构另有省属在惠水的国有企业办的技工学校培训部，县属业务主管部门办的中等培训学校（培训班、进修班），乡镇农民文化技术学校等。

为加强对成人教育的领导和管理，县教育局成立成教股，“两基攻坚”工作完成后，成教股撤销。

一、省属国有企业培训学校

贵州省永安电机厂技工培训学校　1995年9月，经贵阳市劳动局评估验收，永安电机厂技工学校取得“贵阳市职业技能培训”合法资质，开设有车工、电工、钳工、铸工、电焊工、冲压工等专业，主要为工厂培养中级技术工人，也承担初级技工和岗前培训，2001年停办。

贵州省险峰机床厂技工职业培训学校　2003年，贵州省险峰机床厂技工学校，被劳动和社会保障部批准为“国家高级技能培训基地”；2005年，贵州省劳动和社会保障部厅批准为“贵州省国家职业技能鉴定所”；同年，经贵州省安全生产监督管理局批准为“三级安全培训机构”。开设有机械加工、钳工、电工、铸工、木模工、铆焊工等专业，主要为工厂培训高级技能人才和承担国家职业技能的鉴定工作。

贵州省惠水造纸厂职工技术学校　简称“纸厂技校”，1987年下半年筹建，1988年春开学，招1个班，学生40余人，1998年停办。

二、县属部门自办中等培训学校

惠水县中等卫生职业学校　位于县人民医院内，由县卫生行政主管部门领导和办学，创办于1958年，原称“惠水县卫校”。1993年，借助世界银行贷款的卫Ⅳ项目（世界银行对中国农村卫生人力开发）的实施，学校得到新的发展机遇。同年9月，惠水县卫校改称“惠水县中等卫生职业学校”，简称惠水卫校，教师主要由县人民医院具有本科学历或具有中高级专业技术职称的医务人员担任，采取以学科为中心、社区为基础、讲台与形象教学和问题讨论相结合及在县人民医院跟班实习的教学形式。从1958年开办至2012年，惠水卫校培养的学生90%以上成为乡镇卫生院的技术骨干力量，为农村卫生事业的发展和人民健康水平的提高做出贡献。

小学教师进修班　从1983年3月至1996年7月，黔南州惠水民族师范学校共开办小学教师进修班3期，毕业学员148人。

惠水中师函授广播站1984年开始筹建，1985年开始招生，学制3年。

中华会计函授学校惠水函授站　1988年，惠水县财政局成立“中华会计函授学校惠水函授站”。自建站以来，共招收学员11批，毕（结）业学生324人，为全县各基层单位培养了一批合格的财会专业人才。

农民文化技术学校　1980年，恢复农民教育，逐步配备农教专职干部，设立专项经费，1988年实行经费包干取消专项经费。各乡镇的农民文化技术学校，分设于中心小学和村小学，主要任务是承担青壮年农民的脱盲教育和农村实用技术培训，教师由小学教师和农机部门的农业科技人员担任。乡镇中心小学校长和村小学校长，是乡、村两级农民文化技术学校校长，实行“一长管两校，一师教两教”的办学模式。课程主要为专业基础课和技术课两门，采取政治、文化，农村实用技术相结合，普及与提高相结合，单项实用技术与系统培训相结合的办法，不断更新课程内容。1984至2015年，逐步配齐乡镇农教专职干部，农教干部在乡镇中心校长领导下，负责做好农民文化技术学校的工作。

三、其他成人教育模式

1982至1986年，惠水县教育局联合贵州省电大在惠水县教育局开办一期成人大专班，分文、理两个班，文科半脱产，理科全脱产，学制3年。1983年，惠水县财政局联合贵州省电大、黔南州电大在财政局开办成人财经大专班，学制3年。1985年后，惠水县委、惠水县教育局等单位选派多批在职人员通过全省统考，录取到贵州省委党校、贵州师范学院、贵州省电大、贵州省财经学院、黔南州党校、黔南州电大、黔南师专、黔南教育学校等院校及省外部分院校脱产学习，毕业后发给大专文凭。20世纪90年代起，惠水县教育局、惠水县党校、惠水县财政局等联合贵州省师范学院、贵州省委党校等在惠水开设成人自学、函授不脱产或半脱产大专班、本科班、研究生班，学员通过统考合格后入学，学习期间经学校统一考试，成绩合格后发给相应毕业证书。

第九节　大中专院校考录工作

1965 年前，县内实行国家大中专统一考试入学制度。1966 年后，大中专招考工作中断。1972 年根据“自愿报名、群众推荐、领导批准、学校复审”的招生原则，开始招收知青、退伍军人及县属部门、厂矿企业文化青年到大中专学校就读，称为工农兵学员。1977 年恢复大中专入学考试制度，招收工人、农民、上山下乡和回乡知识青年、复原军人、干部和应届毕业生等参加考试，按统一录取线录取。1980 年起高考中考招生按比例实行预选考试制度，1994 至 1998 年高考招生实行会考制度，1999 年取消预考、会考制度。1991 年，惠水民族中学学生张弢以 528 分高考成绩获贵州省高考文科状元，被北京大学录取。2008 年后全县高考成绩稳步上升，2011 至 2015 连续 5 年，高考成绩名列全州第二。1977 至 2015 年全县高考大学录取 16159 人（含专科）。

县内招生考试除普通大中专招考外，还有成人高考、自学考试。2013年前成人高考，惠水设有考点，2014年后惠水考点取消，只负责报名审核工作。2012年前自学考试惠水设有考点，2013年取消惠水考点。

表15-15

1977—2015年惠水县历年各类考试报考、录取人数统计表

年度	普通高考				成人高考		自学考试		初中中考			
	参考人数	录取人数			报考人数	录取人数	报考人数	报考科数	参考人数	录取（中专中师）	高中	五专及中职
		小计	本科	专科								
1977	—	59	—	—	—	—	—	—	—	121	—	—
1978	—	55	—	—	—	—	—	—	—	244	—	—
1979	—	61	—	—	—	—	—	—	—	297	—	—
1980	—	63	—	—	—	—	—	—	—	197	—	—
1981	196	57	—	—	—	—	—	—	518	152	—	—
1982	353	68	—	—	—	—	—	—	526	217	—	—
1983	373	79	—	—	—	—	—	—	524	146	—	—
1984	398	74	—	—	—	—	—	—	513	146	—	—
1985	362	84	—	—	—	—	—	—	527	175	—	—
1986	312	80	—	—	—	—	—	—	521	177	—	—
1987	299	96	—	—	—	—	—	—	533	128	—	—
1988	320	74	—	—	281	—	—	—	580	210	—	—
1989	310	88	—	—	—	—	—	—	603	154	—	—
1990	316	54	—	—	—	—	—	—	611	186	—	—
1991	266	71	—	—	—	—	—	—	656	196	—	—
1992	299	87	—	—	—	—	—	—	641	122	—	—
1993	323	81	—	—	—	—	—	—	673	175	—	—
1994	373	83	—	—	—	—	—	—	713	182	—	—
1995	263	79	—	—	—	—	—	—	702	249	—	—
1996	263	78	32	46	—	—	—	—	957	339	—	—
1997	261	63	23	40	—	—	—	—	622	327	—	—
1998	357	107	33	64	287	—	—	—	1034	389	—	—
1999	325	87	—	—	287	—	—	—	813	286	—	—
2000	347	213	—	—	2242	225	—	—	1961	295	—	—

续表15-15

年度	普通高考				成人高考		自学考试		初中中考			
	参考人数	录取人数			报考人数	录取人数	报考人数	报考科数	参考人数	录取（中专中师）	高中	五专及中职
		小计	本科	专科								
2001	453	315	—	—	393	—	878	2816	2118	616	—	—
2002	514	399	171	228	1939	—	995	2985	2459	385	—	—
2003	623	213	—	—	850	—	941	2515	2753	280	—	—
2004	745	124	—	—	552	482	830	2169	2849	680	—	—
2005	820	238	—	—	294	—	773	2120	2746	800	—	—
2006	1108	414	179	235	212	—	790	2494	2436	844	844	—
2007	1290	536	216	320	546	516	739	2233	2525	1223	1223	—
2008	1466	726	371	355	246	225	951	2858	3071	1570	—	—
2009	1583	887	448	439	136	125	1050	3275	4482	1829	1500	329
2010	1954	1298	844	454	406	338	1163	3630	4289	1824	1512	312
2011	1786	1410	927	483	244	215	963	2775	4605	2508	2220	288
2012	1988	1707	1032	675	267	203	493	2606	4914	2851	2310	541
2013	1869	1595	1147	448	359	291	126	224	4772	3216	3000	216
2014	2444	2085	1373	712	253	226	59	119	5421	3455	3300	155
2015	2517	2237	1313	924	257	202	42	83	5715	3890	3500	390

第十节　教师队伍

一、师资结构

1978年，全县有教职工2260人，其中，师范教师18人，中学教师558人，小学教师1664人，幼儿园教师20人。后因中、小学布局调整和教师改行调出等原因，全县教师队伍人数一度下滑，1987年，全县有教职工1839人，其中，师范教师52人，中学教师434人，小学教师1430人，幼儿园教师50人。全县教师队伍符合国家规定学历的教师比例仅在30%左右。

1987至1988年7月，实行教师专业技术职称改革制度，全县教师参加首次专业技术职称评聘。评出高级教师34人，中级教师331人，初级教师1184人。期间，全县农村中、小学尚有部分既不符合国家规定学历，又不能参与专业技术职务评聘的民办教师。1993年后该项工作常态化。

1978至2001年，全县民办教师转为公办教师共计789人，全县中、小学不再有“民办教师”。

2007年，实施农村义务教育阶段学校教师特设岗位计划，简称“特岗计划”。至2015年，全县共招聘特岗教师1158人，其中，初中特岗教师707人，小学特岗教师451人。

表15-16

2007—2015年惠水县招聘“特岗教师”一览表

年度	招聘人数					三年服务期满留任本县教师人数
	国家计划		县级计划		合计	
	初中	小学	初中	小学		
2007	35	—	—	—	35	28
2008	71	—	—	11	82	74
2009	50	—	—	50	100	88
2010	50	30	—	40	120	101
2011	58	8	—	45	111	101
2012	80	20	—	80	180	173
2013	154	22	—	44	220	207
2014	160	48	21	31	260	252
2015	28	12	—	10	50	服务期未满

2015年，全县共有教师3931人，其中，中学高级教师239人，中学一级教师、小学高级教师共2110人，中小学初级教师1495人，见习期未评职称人员87人。符合国家规定学历的中、小学教师为99.3%。

二、教师培训

2010年前的教师培训

政治培训。1978年前，教师队伍的政治培训以阶级斗争教育为主。之后，教师队伍的政治培训以“忠诚党的教育事业”、教育法律法规、教育方针政策和师德师风提升为重要内容。形式上以校本培训为主，县组织的“师德师风教育论坛”为辅。目的是培养教师的事业心、责任感和教师职业道德、忠诚党的教育事业、依法执教、关爱学生，办人民满意的教育。

业务培训。1978至1984年，县聘请黔南州中师函授学校教师、贵阳市教育局教研室专家、贵阳师范学院和贵阳中医学院教授到县，举办中、小学语文、数学、古典文学辅导讲座4次，全县共有师范学校教师和中小学教师350人现场聆听讲学。

2004年8月，黔南州政府“两基”（基本普及九年义务教育、基本扫除青壮年文盲）工作督导员，黔南州政府兼职督学石明光，在县供电局大会场作基础教育课程改革培训讲座，全县中小学校长、骨干教师500余人参训。

2005年7月10日至13日，邀请由知名专家组成的深圳职业技术学院讲师团到县作“新课程改革理论与实施新课程实验教材的理解与操作”专题讲学。全县1500名中、小学骨干教师和校长参加培训。

2006年7月10日至12日，深圳职业技术学院讲师团在惠水讲学。全县1000余名中小学骨干教师参加培训。

2009年8月，深圳蛇口教育集团来县举办中学语文、数学、英语教学培训。同时，深圳大学李晓冬博士来县作“关注学生社会性发展”教育讲座，全县1100余名中、小学教师和学校领导分别在民族中学、二中、城关一小、二小参加培训。

2010年3月，抽调100名小学教师到贵州师范大学进行一个学期的英语专业学习培训，解决部分农村小学缺英语教师无法按国家要求开设英语课的急需。

2010至2011年，在惠水职校开办两期“麦迪英语教学法”暑期培训班，英语教育专家麦迪老师授课，全县共200余名中、小学英语教师参加培训。

“十二五”（2011—2015年）期间的教师培训

国家培训。2010年，实施“国培计划”以来，教师参加短期培训、网络培训，信息技术能力提升等培训，参训教师22272人次。

省、州培训。根据省、州教育主管部门的要求，县围绕《贵州省“十二五”中小学教师继续教育工程实施意见》，以“中小学教师国家培训计划”为引领，以“中小学教师省级培训计划、州级培训计划”为指导，组织教师参加省、州级教师培训，“十二五”期间，参加省州培训的专任教师3598人。

县级培训。以县级集中培训和校本研修为基础，以深入开展教师专业化发展培训、促进教学质量提升为抓手，以渗透“一德四新”的学科培训为主要内容，开展中、小学教师培训工作。2001年以来，组织实施各学段、学科知识竞赛、优质课比赛、学科教师技能大赛，参赛教师800余人次。举办“百名名师进百校”等送教下乡活动，送课教师200余人次，观摩参训教师5000余人。

幼儿园教师培训。“十二五”期间，组织幼儿教师参加“国培”“省培”等各级各类培训共150余人次。借助幼儿集团化办学，培训乡镇幼儿教师300余人次。

新教师培训。“十二五”期间，对凡新招聘的教师实行岗前集中培训，五年共培训746人。其中，2011年116人，2012年100人，2013年223人，2014年260人，2015年50人。另开展形式多样的新教师培训活动。参训率达100%，培训学时达验收指标120学时。

校（园）长培训。“十二五”期间，组织119名校园长到省内、外，甚至境外学习先进的学校管理理念，提升校园长自身管理能力。

骨干教师培训。选拔县级骨干教师352名，占全县专任教师的8.08%，上级选拔州级骨干老师173名，占全县专任教师的3.97%，省级骨干老师11人，占全县专任教师的0.25%，骨干教师参加国家级、省级培训完成率达100%。

教育技术培训。为提升全县中、小学教师掌握现代教育技术的能力和水平，“十二五”期间，在惠水民中、县职校共举办两期中学与小学教师“英特尔未来教育核心课程”培训，计114人次。办“班班通”教师基本技能培训，共3000余人次。

学历提升培训。县小学专任教师学历合格率96%，基本达标，中学专任教师学历合格率95.2%，超达标指标15.2%，高中专任教师研究生学历达2.02%，超达标指标0.02%。

公需科目培训。2007年起，专业技术人员及管理人员公需科目培训工作，由县人力资源和社会保障局组织，培训时间一般在每年暑假期间，所有专业技术及管理人员均需参加培训，每人每年培训不少于24学时，到2015年，公需科目培训三万余人次。

三、教师待遇

政治待遇　1978至1990年，全县审理复查部分教职工的冤、假、错案，其中，有176人被取消错误的政治结论，有153人重新安排工作，有23人作退休安置。70年代末至80年代中期分批次组织退休教师外出考察学习。1982年6月，经县落实政策领导小组决定，补发舒定策等8位教师在被错误处理期间停发、减发的18500余元工资。2007年12月，全县教职工中有中共党员1127人，占全县教职工总数的31%。2012年底，全县教育系统有中共党员1592人，有29个党总支，64个基层学校党支部，党员教师占全县教师总数的38%。部分优秀教师当选省、州、县各级人大代表和政协委员。

工资待遇 1988年前，教师工资按相应级别的行政工资发放。1987年9月，启动教师专业技术职务评聘。是年7月起，按相应级别的专业技术职务工资发放。从1980年9月起，中、小学班主任享受班主任津贴。根据国家教育部、劳动人事部和省人民政府相关文件规定，中小学特级教师在职务工资的基础上享受“特级教师津贴”。1993年1月至2007年12月，特级教师津贴为每人每月80元，2008年1月1日起增加到每人每月300元。

第十一节 教育资助

2007年，成立学生资助管理中心，2010年，成立普通高中、中等职业学校家庭经济困难学生资助工作领导小组。资助管理中心有独立的办公场所，办公设备基本配齐。2007年，实施义务教育阶段家庭经济困难寄宿学生生活费补助政策；2009年，实施生源地信用助学贷款；2010年，实施普通高中家庭经济困难学生国家资助；2013年，实施学前教育困难家庭学生资助工作；2014年，县级教育基金会成立并运行；2015年，开展教育精准扶贫工作。

一、2013至2015年教育资助情况

学前教育阶段困难学生资助 2013年，资助学前家庭困难学生1560人，资助资金78万元，资助学生占比5%。2014年，资助学前家庭困难学生900人，资助资金45万元，资助学生占比5%。2015年，资助学前家庭困难学生900人，资助资金45万元，资助学生占比8.15%。

义务教育阶段家庭困难寄宿生生活补助 2013年，困难家庭寄宿生生活补助共资助学生23609人，资助资金2629.66万元。2014年，共资助23262人，资助资金2145.98万元。2015年，共资助23977人，资助资金2773万元。

高中教育阶段国家助学金 2013年，对困难家庭学生助学金资助1948人，资助资金292.2万元。2014年，资助1948人，资助资金292.2万元。2015年，资助5096（人次），资助资金509.6万元。

中职国家助学金、免学费 2013年春季，享受国家助学金人数3726人，资助资金27.945万元；免学费406人，资助资金40.6万元。2013年秋季，国家助学金9086人，资助资金68.145万元；免学费1043人，资助资金104.3万元。2014年春季，国家助学金896人，资助资金67.2万元；免学费1000人，资助资金100万元。2014年秋季，国家助学金896人，资助资金67.2万元；免学费1009人，资助资金100.9万元。2015年春季，国家助学金643人，资助资金64.3万元；免学费755人，资助资金75.5万元。2015年秋季，国家助学金549人，资助资金54.9万元；免学费806人，资助资金80.6万元。

生源地助学贷款 2009年，贷款学生588人，贷款金额258.145万元。2010年，贷款学生1260人，贷款金额682.23万元。2011年，贷款学生1826人，贷款金额1046万元。2012年，贷款学生2165人，贷款金额1149.9万元。2013年，贷款学生2477人，贷款金额1346.5万元。2014年，贷款学生2933人，贷款金额1649.6万元。2015年，贷款学生3477人，贷款金额2107.61万元。

精准扶贫资助 2015至2016学年度，教育精准扶贫资助总计2179人，资助资金631.037万元。

县级助学教育基金资助 2014年，资助录取高校二本以上家庭经济困难学生299人，资助金额共计94.7万元。2015年，资助王佑、长安、打引、摆榜录取高中家庭经济困难学生488人，资助金额共计48.8

万元。

二、县营养改善计划工作

从2012年3月起，实施农村义务教育学生营养改善计划，2012年3月至2015年1月，县农村义务教育学生营养改善计划工作由惠水县学生资助管理中心负责实施和管理。2015年2月，正式设立惠水县农村义务教育学生营养改善计划管理中心，编制为主任1人，工作员2人。负责农村义务教育学生营养改善计划的实施管理及营养改善计划资金的监督。

2012年3月起，为义务教育阶段家离学校近的学生提供“鸡蛋、牛奶”课间餐，为少部分家离学校较远，中午不能回家吃午饭及住校的学生提供午餐。6月起，为学生提供完整午餐的供餐模式。

2014年3月，各乡镇对营养改善计划大宗食材进行统购。2015年9月，对营养改善计划所有食材进行“四统”（即：“统招、统购、统配、统送”）。

2012年3月至2014年10月，农村义务教育阶段学生每生每天补助3元，全年按200天计算，每生每年补助600元。每年受益学生4.3万人，补助资金约2580万元。

2014年11月至今，农村义务教育阶段学生每生每天补助4元，全年按200天计算，每生每年补助800元。每年受益学生4.3万人，补助资金约3440万元。

第十二节　教育政务

一、行政管理

县教育局（1973至1994年）　1973年3月，县革委机构进行调整，文教局改为教育局。设局长1名，副局长1名，增设财务股。1983至1993年，局内设有计财股、政工股、普通教育股、成人教育股和办公室。

县教育科学技术局（1994至1996年）　1994年4月，根据县机构改革方案，撤销县教育局、县科学技术委员会，合并组建为“县教育科学技术局”。县教科局设局长1名，副局长2名。内设办公室、政工股、计财股、教育股、督导股、招生办和科技管理股。

县教育局（1996至2015年）　1996年3月，撤销教育科学技术局，恢复县教育局，作为县人民政府管理全县教育事业的职能机构，其主要职责和内设机构基本不变。领导职位设局长1人，副局长2人。2005年，县教育局内设机构增加到“三股、四室”，即计财股、政工股、教育股，教育局办公室、县人民政府教育督导办公室、县招生委员会办公室、教研室。各股室负责人设正职1名，副职1～2名。此外，另设中小学教师继续教育工程办公室、义务教育工程办公室、远程教育工程办公室、教工之家等，挂靠于相关股室。2015年2月，根据《中共惠水县委　县人民政府关于县政府职能转变和机构改革实施意见》，县教育局为县人民政府工作部门，核定行政编制9名，其中：局长1名，常务副局长1名，副局长2名，纪检组长1名，科室长4名。

教育局内设机构　综合科（加挂行政审批科牌子）、政工科、教育科（加挂学前教育管理中心牌子）、计财科（加挂会计核算中心牌子）、教研室、县招生考试管理中心、县学生资助管理中心、县学生营养改善计划管理中心和纪检监察机构（县纪委、监察局派驻机构）。

区、乡镇教育行政机构　1970年，在区（镇）设教育视导组，为县文教局派出机构，负责区内的教育行政工作。1992年2月，在25个乡镇中心校所在地设置教育辅导站，任命站长，选配农教专干和教研员，负责管理乡镇教育工作。2014年8月，在8个镇，2个街道，设置学区教育督导办公室，任命主任1

人，办事员7人，负责管理镇（办）教育行政工作。

二、教育督导与纪律监察

1978至1988年主要由各教育视导组负责各区镇教育督导工作。1989年，成立教育督导领导小组，由教育局局长任组长。1992年，县教育局恢复设立教育督导股。1994年4月，印发《惠水县编制委员会关于确定县教育科学技术局主要职能、内设机构、人员编制和领导职数的通知》，正式确立教育科学技术局内设机构——督导股的法定地位："督导股是县教育科学技术局内设机构之一"。1994年7月，印发《关于设置惠水县人民政府教育督导室的通知》，设立惠水县人民政府教育督导室。县教育督导室下设办公室在县教育局，与县教育局合署办公。2014年7月，惠水县机构编制委员会印发《关于设立惠水县人民政府教育督导委员会办公室的通知》，明确"惠水县人民政府教育督导委员会下设办公室在惠水县教育局，为惠水县教育局管理的正科级事业单位"。同时"核定惠水县人民政府教育督导委员会办公室事业编制6名，其中：设主任1名（正科级）、副主任1名（副科级）。1982年5月，惠水县教育局党组设纪检员，1987年5月设纪检组长；2008年，纪委向教育局派驻纪检监察机构，设纪检组长1名（副科级），监察主任1名，2009年4月，经惠水县教育局党组研究决定成立教育局纪检监察室，监察室在局纪检组长的直接领导下专职负责教育系统纪检监察日常工作。2014年根据惠水县实行"撤乡并镇"区域规划调整，同年8月教育局在各镇（街道）教育集团设置一名兼职纪检监察员，主要负责辖区内的纪检监察工作。2015年，将各级学区办党总支纪律委员纳入纪律监察队伍。

1986至1990年，完成对全县51个乡镇"双教"（普教、农教）验收，开展"五项"（德育工作、教育经费、危房改造、学额巩固、规范收费）督导检查。1987年，高考中查出两名弄虚作假的外省考生，取消预选资格；取消一名中考虚报年龄的超龄生录取资格；民办教师选招中，三名年龄上弄虚作假，没有录取；查处少数教师双边占房的问题。1990年，给予师范学校周某某开除党籍的处分，同时建议长顺总工会撤销其获"五一劳动勋章"；对摆金中学违反控购发给职工电炒锅一事建议按原收回资金上交财政理处；给予惠水民师停办补习班，惠水二中、惠水民中少办补习班的处理决定。1991年，召开"惠水县中小学德育督导评估会"，配合黔南州教育督导评估检查组对试点中小学进行专项督导评估。1994年，组织对全县普及初等义务教育工作进行自评自查。1995年，制定《惠水县实施九年义务教育规划》、巩固"普六"成果。1998年，创建文明学校评估小组，对城关3所小学、全县各独立中学、各乡镇一所完全小学进行评估。1999—2003年，组织对全县"两基"工作进行评估验收。2004—2013年，组织编写《惠水教育科研》季刊，每年编写一期高考特刊。2000年，加强对"两基"各项指标的监测；针对惠水三中"12·1"学生群体食物中毒事件，配合卫生部门开展全县性食品安全大排查；对县内远鸿中学、龙泽中学、华溪中学、鹏程中学、涟江中学督查和监管，并对涟江中学随意办班行为在新闻媒体进行曝光；对私立幼儿园进行详细查看，不具备办学条件的，提出整改意见。2006年，开展对全县中小学、幼儿园进行督导评估；对岗度中学、摆金中学、惠水四中、断杉中学开展专项督导检查；配合县有关部门对鸭绒中学学生食物中毒事件进行善后处理。2007年，处理群众来信来访10起。2009年，查处城关五小拒收学生和四中教师体罚学生事件；查处经济案件、群众来信来访16起；查处各校违规收取住校费、择校费、校服费60余万元；开展"小金库"专项工作治理。2011年，查处群众来信来访8起，计划生育举报3起，师德问题5起；对个别违规办"状元酒"进行诫勉谈话；对幼儿园、学前班开展办学情况和校园隐患大排查；完成对惠水民中、二中、四中素质教育评估。2012年，组织召开全县教育系统预防职务犯罪暨警示教育大会，将近年来在个别学校的违规违纪案例，以案说法；配合县有关部门对全县25个乡镇学校和幼儿园进行为期7天的食品安全大检查；协助黔南州幼教评估专家组对惠水县第一、第二幼儿园申报贵州省“省级一类示范幼儿园”初评验收。2013年，加大治理教育乱收费力度，组织人员对全县中小学收费情况进行重点督查，实现义务教育“零收费”；受理信访14件，办结14件；督促各乡镇抓好教育“9+3”各项工作。2014年，惠水县高中教育突破工程通过省“两项督导”评估验收团专家验收。2015年，制止两起违规办酒，查处两起违规办酒案件，对3起“四风”案件启动“一案双查”进行追责，诫勉谈话校长2人，约谈问题校长12人；对惠水四中，濛江实验小学等6所申创“义务教育均衡发展合格学校”开展多较次专项督导，黔南州督导评估专家组评估全部合格；组织编写《惠水县教育改革发展“十三五”专项计划（2016—2020）》，并定稿上报。

三、教育经费

国家财政教育拨款 1980年为181.3万元。1989年超过500万元。1994年超过1000万元。1998年为1499.9万元。1999年为1955万元。2000年为2429万元。2001年为4896.18万元。2002年为5629.61万元。2003年为6827.56万元。2004年为7813.7万元。2005年为11230万元。2006年为12128万元。2007年为14686万元。2008年为17725.06万元。2009年21137.37万元，其中：工资福利支出15542.86万元、基础设施建设1978.24万元。2010年24820.69万元，其中：工资福利支出15942.66万元、基础设施建设4669.57万元。2011年27621.25万元，其中：工资福利支出18577.63万元、基础设施建设5798.44万元。2012年39602.36万元，其中：工资福利支出23793.49万元、基础设施建设5221.68万元。2013年46272.42万元，其中：工资福利支出29720.36万元、基础设施建设9590.39万元。2014年55208.71万元，其中：工资福利支出36363.13万元、基础设施建设12847.03万元。2015年67009.21万元，其中：工资福利支出40326.97万元、基础设施建设7188.32万元。

社会团体及个人捐资办学 2011至2015年，共计3014.4万元，用于新建全县中、小学校舍及资助家庭贫困学生。

2009—2015年教育费附加用于教育一览表

表15-17

年度	政府征收用于教育税费（万元）				
	税改转移支付资金	教育费附加	地方教育附加	城市维护建设税	小计
2009	634	419.4	144.5	33.45	1231.35
2010	634	483.49	160.88	33.52	1311.89
2011	634	589	359	36.3	1618.3
2012	634	771	511	46.5	1962.5
2013	634	1094	699	60.8	2487.8
2014	634	921	543	60	2158
2015	634	812	570	85	2101

说明：落实“两免一补”政策 “两免一补”是指农村义务教育阶段学校，免教科书费、免杂费、补助寄宿生生活费。

表15-18

2005—2015年惠水县执行"两免一补"政策标准一览表

年度	免费教科书（元/生·年）		寄宿生生活补助（元/生·年）中央（50%）、省级（50%）		生均公用经费（元/生·年）中央（80%）、省级（12%）、州级（4%）、县级（4%）		备注
	小学	初中	小学	初中	小学	初中	
2005	70	140	—	200	50	60	
2006	70	140	—	200	70	90	
2007	70	140	—	450	150	250	
2008	70	140	500	750	225	375	
2009	70	140	500	750	300	500	
2010	100	220	750	1000	400	600	
2011	100	220	1000	1250	500	700	
2012	100	220	1000	1250	500	700	
2013	100	220	1000	1250	560	760	
2014	100	220	1000	1250	600	800	
2015	100	220	1000	1250	600	800	

四、设施建设

学前教育 2011年，全县开始实施学前教育突破工程。其中，2011年实施学前项目3所，建设面积4950平方米，投资633万元；2012年实施学前项目6所，建设面积6570平方米，投资830万元；2013年实施学前项目11所，建设面积14670平方米，投资2128万元；2014年实施学前项目10所，建设面积6809平方米，投资1200万元；2015年实施学前项目7所，建设面积7721平方米，投资950万元。第一轮学前教育突破工程的实施，实现了原25个乡镇应有一所公办幼儿园的目标。

义务教育 1980年后，全县教育事业面临学生增多、校舍紧缺、学校老旧危房多的严峻局面。1981至1990年间，国家投入672.50万元，对全县中、小学校舍进行改建重建，完成建筑面积50258平方米。1991至2000年，国家投入2814.98万元，完成建筑面积79600平方米。2001至2002年，实施"国家贫困地区义务教育工程"小学项目18所，建筑面积11863平方米，投资440万元。2003至2004年，实施"国家贫困地区义务教育工程"中学项目9所，建筑面积28333平方米，投资1414万元。实施"普及九年义务教育工程"项目9所，建筑面积6663平方米，投资271万元。实施"农村中小学危房改造工程"项目13所，建筑面积8989平方米，投资382万元。2005至2006年，实施"寄宿制学校建设攻坚工程"项目13所，建筑面积40077平方米，投资2470万元。实施"危改工程"项目5所，建筑面积2410平方米，投资105万元。其中，2005年5月，按照中共惠水县委常委会议纪要精神和全县中、小学布局调整需要及县城总体规划要求，惠水四中选址新建，地址位于和平镇程番村白果苑，学校占地面积约2.67公顷，总投资886万元，2006年建成投入使用。2006至2015年，实施"贫困地区薄弱学校改造工程"项目，建筑面积248841平方米（其中，教学及教学辅助用房、学生生活用房、运动场63700平方米），投资39539万元。其中，2010年，在涟江街道办（原和平镇）马蹄坡建设惠水县特殊教育学校，建设面积2443平方米，投资565万元；2013至2015年，建设惠水县实验学校及惠水思源实验学校两所"城镇义务教育项目学校"，两校建设总面积51000平方米，总投资25000万元。

高中教育　2011年，开始实施高中教育突破工程，2011至2015年，投资3000万元修建惠水民中凤山校区科技实验楼、学生宿舍、学生食堂、室内体育馆及运动场等。2012年，着手规划建设能容纳6000名学生的惠水县第一高级中学（后更名为惠水民族中学濛江校区），至2015年，基本完成一期工程项目，总计投资1.7亿元。为加快惠水职校的发展，征拨职业技术学校扩建用地3公顷，实施“百校大战”建设项目，投入1376万元建设8500平方米的综合楼，投入1540万元建设10057平方米的学生公寓，投入480万元建设3000平方米的学生食堂，投入146万元建设12000平方米的运动场。

五、教学研究

（一）教研机构

县教育局教研室　为县教育局内设的股级机构。1956年12月，县教育科（今教育局）设立教研室，有教研员5人。1978年前，受“大跃进”和“文化大革命”的影响，教研室工作断断续续。1979年，全县教学研究工作迈入正轨。负责全县教学研究、论文评选、统考试卷出题、改卷、统计等工作。2015年，教研室人员编制为28人。

惠水县教育学会　成立于2004年，是在全县“两基攻坚”取得阶段性胜利的背景下，创立的以广大一线教师为主体的群众性教育科研组织，在县教育局管理下开展工作。

（二）主要教研活动

主要有“县教研室组织的全县性教学研究活动”“基层学校组织的校内教育科研活动”“县教育学会组织的教育科研活动”和“教师个人申请参与省、州教研部门开展的教研论文评选活动”等。

（三）主要教研成果（见下表）

2001—2015年惠水县教师参加州级以上教研活动获奖情况登记表

表15-19

年度	姓　名	奖　项	奖　次	级　别
2001	申江洪	贵州省第二届小学语文优质课评选	一等奖	省级
2005	刘青兰	贵州省第三届中小学优质课评选	三等奖	省级
2006	毛荣翠	全国中小学英语教师教学技能大赛	一等奖	国家级
2006	岑惠平	全国中小学英语教师教学技能大赛	一等奖	国家级
2006	杨　娟	全国中小学英语教师教学技能大赛	一等奖	国家级
2006	王新梅	全国中小学英语教师教学技能大赛	二等奖	国家级
2006	苟　燕	全国中小学英语教师教学技能大赛	二等奖	国家级
2006	杨　涛	全国中小学英语教师教学技能大赛	二等奖	国家级
2006	唐　冰	全国中小学英语教师教学技能大赛	二等奖	国家级
2006	尚孔英	全国中小学英语教师教学技能大赛	三等奖	国家级
2006	班福珍	全国中小学英语教师教学技能大赛	三等奖	国家级
2006	龙清梅	全国中小学英语教师教学技能大赛	三等奖	国家级
2006	岑玉魁	全国中小学英语教师教学技能大赛	三等奖	国家级
2006	汪通萍	全国中小学英语教师教学技能大赛	三等奖	国家级
2006	贺　勇	全国中小学英语教师教学技能大赛	三等奖	国家级

续表15-19

年度	姓　名	奖　项	奖　次	级　别
2006	谢　飞	全国中小学英语教师教学技能大赛	三等奖	国家级
2006	陈　胜	全国中小学英语教师教学技能大赛	三等奖	国家级
2006	陈　婷	全国中小学英语教师教学技能大赛	三等奖	国家级
2006	王炳俊	省优秀自制教具评比	二等奖	省级
2007	焦元凤	省小语优质课评比	一等奖	省级
2012	彭艳霞	省小语优质课评比	一等奖	省级
2012	张咏梅	省小学思品优质课评比	三等奖	省级
2012.6	班　丽	中学化学优质课评比	三等奖	省级
2012.6	付　霞	小学数学优质课评比	一等奖	省级
2012.6	张咏梅	小学思品优质课评比	二等奖	省级
2012.6	杨昌英	小学语文优质课评比	二等奖	省级
2012.6	刘潇斐	中学英语优质课评比	二等奖	省级
2013.3	刘　江	实用技能	三等奖	省级
2014.5	尚孔英	小学英语	二等奖	国家级
2014.1	罗　静	中学数学	二等奖	省级
2014.1	彭　柯	小学数学	二等奖	省级
2014	段启芳	小学思品优质课	三等奖	省级
2015	杨　岚	省实用技能大赛	二等奖	省级

（四）承担课题情况

国家级课题　2007年6月18日，县教育局组织向中央教科所教育发展研究部申报“农村留守儿童心理健康、道德成长教育策略研究”课题，该课题为国家“十一五”教育部子课题。组织实施中，县教育局成立“惠水县留守儿童课题研究领导小组”。由局长任组长、其他副局长任副组长，该课题于2009年6月结题，课题组撰写研究论文40多篇，其中，20余篇论文在《惠水教育科研》杂志上结集出版。课题负责人陈全海。

2013年，惠水民族中学获教育部“十二五”规划课题“高中语文‘少教多学’在中小学语文教学的策略研究”子课题的立项，并成为“少教多学”在中小学语文教育的策略与方法研究课题的实验学校。

2014年，惠水民族中学获国家社会科学基金“十二五”规划课题“苗族、布依族聚居地中学课程社会化的研究”课题立项。

2015年，惠水二中获全国教育科学“十二五”教育部规划课题“中学学科教学中的德育渗透研究”和“有效减轻中学教师工作压力和负担的研究”课题。

省级课题　贵州省基础教育科学研究、教育教学实验一般课题“多途径扩大农村学前教育资源政策研究”（课题号：2010B003，县政府教育督导室颜川、王明刚、罗朝清承担，2015年3月结题）。

贵州省“国培计划”——中小学幼儿园教师课题式研修培训专项课题“对教材习题的变式与开放化

设计研究”（2014年，惠水民中承担）。

其他省级课题　“惠水地区布依族、苗族服饰文化校本课程研究”“惠水山歌调在高中音乐课程中的应用和研究”“黔南民族地区小学数学教学与民族文化融合的实践研究——以惠水县布依族小学生群体为例”等。

（五）省级论文评选获奖情况

主要有：《打造职业能力建构职业型校长——农村中小学校长队伍建设探究》（县政府督导室王明刚）、《对“互动”促进高中英语高效课堂的研究》（县民族中学张晓燕）、《思想品德教师渗透法制教育的“四个注重”》（王佑中学罗朝文）、《Unit 6 I am waching TV.（section A la–lc）教学设计与反思》分别获一等奖等，其他撰写论文共2000余篇。

第十三节　“两基”攻坚

1978年，中共十一届三中全会召开后，惠水普及小学教育和扫盲工作步入正轨。80年代初，全县开始对适龄儿童和青壮年文盲、半文盲进行入户统计。1984年9月，从一年级开始恢复小学六年制学制，1990年7月，第一届六年制小学生毕业，完成了五年制向六年制的过度。

1986年，国家颁布《中华人民共和国义务教育法》后，全县积极动员7至12周岁适龄儿童入学，小学入字率从1978年的70%左右上升至86%左右，巩固率、毕业率均逐年提高。全县青壮年扫盲工作也有序进行，校校办有文化夜校，村村办有扫盲班。1995年，县人民政府出台了《惠水县实施九年义务教育规划》，普及小学教育进入攻坚阶段。1996年12月，惠水县完成了普及初等义务教育和扫盲工作的自查自评工作。1997年8月，惠水县普及小学教育和扫盲工作通过贵州省人民政府验收，称“双高”验收。

一、“两基”攻坚工作部署

“双高”验收工作结束后，县人民政府将普及九年制义务教育作为重点工作，要求全县广大党员干部、各族人民、各级部门和全体教师广泛参与。从1998年1月开始，“两基”（基本实施九年义务教育和基本扫除青壮年文盲）攻坚工作全面展开，以乡镇为重点整体推进。2003年8月7日，“两基”攻坚动员会召开。2003年9月13日，县委召开“两基”攻坚领导小组会议，决定以乡镇为单位整体推进，研究部署工作。

解决师资、课桌、图书紧缺等问题　择优录用2002年、2003年毕业的品学兼优的“三师生”100名到中小学任教；同意按照特殊人才工作调动情况从外地调入部分学历高、专业特殊、教育教学工作经验丰富的教师到惠水任教；从工作量小，机构臃肿的机关单位选派100名干部，通过岗前培训后，安排到25个乡镇支教，要求新招、调入、支教教师必须2004年3月到位。紧急订做5000套双人学生课桌凳。通过购买捐献方式增添图书574000册。

宣传工作　“两基”工作领导小组在《惠水报》、惠水电视台开辟专栏，对“两基”攻坚进行专题宣传和报道，让全社会了解关注“两基”工作。

工作安排　确定2003年10月至2004年9月底为“两基”攻坚的黄金时间；2003年11月为“两基”攻坚宣传月，由教育局拟定实施方案，各乡镇、部门密切配合，掀起“两基”攻坚高潮；2004年11月底前为省人民政府评估验收时间；“两基”攻坚领导小组定期深入乡镇召开专题会议，研究部署“两基”工作，做到分期部署，分期实施，分阶段总结，做好信息收集；县人民政府每月刊发1～2期督查通报，及时表扬和批评工作中的正、反两方面的单位和个人典型；成立县“两基”攻坚督查工作领导小组，参照计划生育工作模式实行挂片包乡，方案于2003年10月20日前以县“两办”名义行文下发；各单位向县人民政府签订责任书，2003年10月底前完成帮扶任务。

二、“两基”攻坚的推进

指标任务 初等教育（小学教育）阶段7～12周岁适龄儿童入学率必须达到98%以上，辍学率必须控制在2%以下；初级中等教育（初中教育）阶段13～15周岁入学率必须达到95%以上，辍学率必须控制在3%以下；三残（盲、聋哑、弱智）少年儿童入学率必须达到60%以上；15周岁人口中初等教育完成率必须达到95%以上；17周岁人口中初级中等教育完成率必须达到80%以上；15周岁以上50周岁以下人口中非盲率在农村必须达到95%以上，城市必须达到98%以上；2001至2003年脱盲人员巩固率必须达到95%以上；乡镇农技校建设率必须达到100%；扫盲与农民文化技术学校（简称农技校）必须在2004年11月前完成培训工作。

文化户口普查 2003年1月县教育局与县人民政府签订文化普查责任书，然后由教育局牵头，以学校为主体，以村、社区区域为单位开始文化普查，并层层签订责任书。由教育局统一制作文化户口普查表册，以乡镇排好固定编号下发给学校，要求以村、社区区域为单位装订成册。重点普查对象为0至50周岁人员。普查时做到不漏村、不漏组、不漏户、不漏人。登记时做到不漏登、不重登、不错录。入户普查时，家主必须签章。普查数据必须“四签字”进行核实。必须按0至50周岁分岁装订成册，必须把普查学龄儿童少年失学对象和青壮年文盲人员列单上报地方党委、政府。

“两基”攻坚措施 县委、县人民政府把“普九”指标任务和扫盲与农技培训任务和完成情况列入2004年度各乡镇党政工作目标考核内容，对完成任务好的给予奖励，反之对主要领导进行诫勉谈话，谈话后仍无明显改进的，可按规定进行免职或引咎辞职。

把“帮扶贫困生入学”和“帮助学校完善基础设施”两大任务的完成情况列入2004年度县直各部门考核内客，对完成任务好的，给予奖励，对完成任务差的部门领导进行诫勉谈话，谈话后工作仍无明显改进的就地免职，直属部门领导列入“惠水人民不欢迎你的人”，并告知其上级主管部门。

成立以四家班子（县委、县人民政府、县人大、县政协）主要领导为组长的“两基”工作巡视组，每月一次对各乡镇“两基”工作进行巡视检查。成立以县四家班子有关领导为组长，县“两基”攻坚小组成员单位负责人为成员的6个督查组，对各个单位“两基”任务完成情况作一月两次的督查指导。

县人民政府教育督导室、县教育局“两基”资料组和督查指导组加强对各乡镇的检查指导，发现问题及时解决。

“两基”攻坚的操作 各乡镇党委、人民政府及时发放《义务教育入学通知书》《扫盲通知书》《农技校培训通知书》，将适龄儿童少年全部组织进学校读书，将文盲人员组织进扫盲班进行脱盲学习，将脱盲人员和农民群众组织进农技校进行实用技术培训。

县人民政府督导室和县教育局加强对各乡镇教育辅导站、中小学“两基”资料员的业务培训和技术指导。根据“两基”验收的需要对近三年的各种资料进行认真查缺补漏，完善资料，核实数据，填好各种表、卡、簿、册，建好乡镇“两基”资料室。

成立由县人事劳动局和社会保障局、公安局、教育局、工商局、团县委、妇联和和平镇等单位组成的清查队，对县城各私营企业、个人摊点、服务场所等进行清查，督促未接受完九年义务教育的童工返校接受教育。

春节期间，各乡镇党委、人民政府采取行政措施，堵住未读完九年义务教育的适龄生外出打工，对在外打工的适龄生，采取耐心细致地说服或行政措施，促使其家长或监护人督促他们务必在2004年2月10日前返乡回校就读。

扫盲班教师主要由乡镇小学教师担任，农技校教师主要由农业、林业、畜牧、卫生等部门人员担任。

从2004年1月1日，全县“两基”攻坚实行倒计时推进，在县城比较醒目位置和县人民政府、各乡镇人民政府以及所有教育单位悬挂倒计时牌。同时针对工作开展中存在的问题及时研究，及时解决。

部门帮扶资金落实情况 2003年8月7日，县委、县人民政府印发《县直机关、部门对口帮扶学校完善附属设施建设的通知》，2004年2月20日印发《关于下达2004年“两基”攻坚部门帮扶困难学生入学任务的通知》，各级各部门采取单位出资、职工捐资、向上级主管部门争取资金等形式筹措帮扶资金。到2004年10月，各部门帮扶到位资金100.17万元，其中用于帮助学校完善附属设施建设资金70.19万元，接受帮扶学校51所，用于资助特困学生入学资金29.98万元，受助学生5621名。

“两基”攻坚宣传 为营造“两基”攻坚氛围，使“两基”工作深入千家万户，得到全县人民的理解和广泛参与，县委、县人民政府决定将2003年12月12日至2004年1月12日定为“两基”活动宣传月。印发了《致全县人民的公开信》；充分发挥《黔南报》《惠水报》、惠水有线电视台、惠水广播站等媒体的宣传作用；在公路沿线及村寨显眼位置上写“两基”攻坚永久性标语，每个乡镇不少于5条，县各有关部门、和平镇各社区、县属各中小学、幼儿园必须书写“两基”永久性标语或悬挂横幅标语；利用流动宣传车到各乡镇、村寨进行宣传；由县文体广播电视局牵头组织送文化下乡活动，各中心小学编排“两基”文艺节目，利用场天进行宣传；县人民政府教育督导室、县教育局印刷《义务教育法》《扫盲工作条例》《国务院关于进一步加强农村教育工作条例》《“两基”知识问答》《“两基”攻坚标语口号》等资料在场天进行宣传。

2001—2004年“两基”攻坚筹措资金统计表

表15-20 单位：万元

年度	合计	义教工程款	省专款	州补助	税改资金	县财政投入	乡镇投入	贷款	部门帮扶	干部职工资助	境内外捐资	财政扶贫资金	上级危改资金	寄宿制工程款	其他
2001	666.3	160	0	20.55	0	203.32	83.45	0	0	0	69.5	81	32.05	0	16.43
2002	1164.23	160	20	33.93	598	102.91	69.21	0	0	0	62	82	16	0	20.18
2003	1862.76	160	273	32.78	617	129.25	65.9	200	35.69	29.98	61.92	0	184	0	31.14
2004	3354.69	325	433.5	46.56	617	239.5	125.5	1700	34.5	44.63	45	5	325.5	1414	42.1
合计	7047.98	805	726.5	133.8	1832	674.98	344.06	1900	100.2	74.61	238.42	168	557.55	1414	109.85

“两基”攻坚考核 根据《惠水县“两基”攻坚分阶段按月推进方案》要求，按每月为一个阶段进行考核，2至9月共考核8次。省人民政府验收结束后，根据8次考核，量化积分（平均分），对各乡镇进行总分排位。

考核方式 采取平时不定期明察暗访和定期考核的方式进行，考核组于次月3日前完成考核，县“两基”攻坚领导小组于次月5日召开调度会，通报考核情况。对目标任务完成较差的，限期整改。对工作不力的乡镇、部门的主要领导，分管领导进行诫勉谈话。对完成好的，给予通报表扬。

结果运用 量化考核积分排名前三位的乡镇，县人民政府给予奖励。第一名，奖金1万元；第二名，奖金0.8万元；第三名，奖金0.5万元。对“两基”攻坚先进部门进行表彰，在年终考核中按考核细则给予奖励。

“两基”攻坚督查 2003年12月12日，县委、县人民政府根据“两基”攻坚工作的实际需要印发了《惠水县“两基”攻坚督查方案》，根据方案成立“两基”攻坚督查工作组，督查乡镇“两基”工作各项指标任务的落实和进展情况。确保7～12周岁适龄儿童入学率达98%以上，确保13～15周岁适龄少年毛入学率达到95%以上；确保15周岁人口初等教育完成率达95%左右；确保17周岁人口初级中等教育完成率达80%以上；确保各乡镇行政村农技校达100%。督查各乡镇近三年扫盲任务的落实情况，农技校办校情况，各中小学“三化”（绿化、美化、净化）情况和“三风”（教风、学风、校风）建设以及基础设施（围墙、厕所、旗杆、球场等）建设情况，对口帮扶任务的落实情况。

2004年，小学适龄人口50451人，入学49498人，入学率为98.11%；初中学龄人口30550人，入学22241人，入学率为72.8%；全县农村青壮年人口16408人，其中丧失学习能力1828人，非文盲14230人，非文盲率为97.6%；城镇青壮年人口12306人，丧失学习能力56人，非文盲12201人，非文盲率为99.6%。

二、“两基”攻坚成果

截止2004年9月，全县7至12周岁适龄儿童51178人，其中残疾儿童191人，已入学50440人，入学率为98.6%，辍学率为0.4%，小学毕业年级全科合格率为90.7%，毕业率为99.6%；13至15周岁适龄少年24535人，其中残疾儿童111人，初中在校生24054人，毛入学率98.5%，辍学率为1.8%，毕业年级全科合格率为90.7%，毕业率为94.3%；7至15周岁残疾儿童、少年302人，其中丧失学习能力121人，已入学152人，入学率84%；15周岁人口7731人，已完成初等教育人数为7799人，完成率为96%；17周岁人口7677人，已完成初级中等教育人数为6310人，完成率为82.6%;青壮年非文盲率为96.8%。

小学专任教师中，取得合格学率为1879人。学历合格率为97.5%；初中专任教师中，取得合格学历942人，学历合格率为94.4%；从2001年起补充小学教师141人，初中教师175人，学历合格率均为100%。

全县小学校舍面积141232平方米，生均校舍面积2.8平方米；初中校舍面积86594平方米，生均校舍面积3.6平方米。

全县小学、初中学校布局、教学班设置、设施配备、入学率、毕业率、辍学率、完成率、非文盲率、生均校舍、师资配备等各项指标均基本达到“两基”验收要求。

惠水县“两基”工作复查汇报会（2007年摄）

三、“两基”评估验收及复查

2004年9月，惠水县开展“两基”工作自查，各项指标基本达到省的要求，县人民政府向州人民政府提出评估验收请示。10月，州人民政府组织州内专家对“两基”工作进行复查。11月5日，省人民政府对惠水县“两基”工作进行评估验收，结果为“基本合格”。2007年9月，惠水“两基”工作通过省人民政府的复查验收。

第十四节　社会办学

一、贵州盛华职业学院

贵州盛华职业学院（Guizhou Forerunner College）位于贵州省惠水县百鸟河数字小镇，距贵阳市区和龙洞堡国际机场约40分钟车程。是经贵州省人民政府批准，报教育部备案，设立的一所全日制普通高等职业院校，也是贵州省唯一的“现代职业教育改革创新试点院校”。国家计划内统一招生，教育部颁发高职（专科）文凭。建于2011年，由华人商界领袖、台湾爱国企业家王雪红、陈文琦夫妇捐资创办的一所非营利性公益慈善大学。2015年在校生2967人，80.8%的学生来自贵州农村。开设28个专业。

贵州盛华职业学院学生在北京唐人坊公司实习（2013年摄）

学院以“公益兴学，教育扶贫”为办学宗旨，以“诚信、爱心、高尚”为校训，以“授之以鱼不如授之以渔”为教学模式，以“创新职业教育、实现教育与产业扶贫”为目标，开设20余个社会热门、市场紧缺型专业。注重学生实践能力的培养，实施“校企深度合作”，分别与百度公司、万豪国际酒店管理集团（Marriot）、HTC公司、用友公司、梦动科技、课工厂、多彩贵州农业生态公司、北京唐人坊公司等企业合作，派出学生到企业实习并对实习合格学生100%推荐就业。全校园免费无线网络Wi-Fi覆盖，设施设备齐全，常年有来自欧美等地区30余名志愿者外籍教师，是贵州省国际化、信息化程度高的花园式高校。

贵州盛华职业学院在《国家中长期教育改革和发展规划纲要（2010—2020）》指导下，探索开创中国职业教育和高等教育的全新范式。倡导“学会学习、学会工作、学会生活”三位一体的成长模式。学生在校学习期间，有组织地直接参与工作，掌握相关就业技能；学生以低学费甚至零学费入学，通过工作学生可获得相应的学资和生活费，用最低的成本或零成本（学费和食宿费）让学生完成学业，并接受真正有价值教育。2015年2月，获贵州省唯一的“现代职业教育改革创新试点院校”称号，为贵州省政府重点支持的职业学院。

二、贵州财经大学商务学院（惠水校区）

2001年，经贵州省教育厅同意成立，贵州省人民政府批准设置，2004年，经教育部确认具有独立法人资格并获得办学许可的实施本科学历教育的独立学院。

2014年4月16日，贵州财经大学根据教育部和贵州省教育厅的相关规定与四川希望教育集团签订合作办学协议，共办贵州财经大学商务学院，选在贵州省黔南州惠水县建立新校区，2014年9月投入使用。

学院依法办学，遵循教育规律，面向社会需求，优化结构布局，提升教学质量，强化实践教学，建立符合个性专业培养目标的课程体系，为学生提供多样化的课程，着力为地方经济建设和社会发展培养具有社会责任感、有扎实专业基础和较强的动手能力，满足社会经济发展需要的以经济管理为主的应用型人才。

2015年学院设有金融学、会计学等27个本科专业，涵盖经济学、管理学、理学、工学、文学、法学等6个学科门类。校区占地72公顷，教学、行政用房16万平方米，在校学生近15000人。全校教职工540人，教师具有硕士研究生及以上学历。现有二级教授1人，三级教授5人、教授23人、副教授70人；具有博士学位的12人，副高以上职称占教师总人数的25%；获全国、全省“五一劳动奖章”和国家级、省级先进教育工作者、师德标兵、优秀教师、省级教学名师10余人次。

学院教学环境优美，教学设备先进，教学生活基础设施俱全，其中，投入近5000万元的“经管实验中心”大楼气势恢宏，内设的VR虚拟实景、证券交易大厅、行政事务大厅、法庭、银行、茶艺室等实验实训设施，满足学生的实习需要。

第二章　科　技

第一节　科技队伍

一、机构

1978前，惠水县由县科学技术局主管科技有关事项，建立四级农科网，县农科所是场所合一的机构，共有公社农科站15个，大队农科队123个，生产队农科组635个。

1979年，撤销科技局设立惠水县科学技术委员会（县科委），负责管理全县科技工作。县从原来的科技局改为部办一级科学技术委员会以来，除原配备的1名副主任和1名计量所所长外，1979年，增调1名科委的主要领导和1名计量所干部。县科委（包括计量所）由年初的10人增加到12人（科委8人，计量所4人）。1980年，县科委明确1名副书记和1名副主任分管科技工作。科委新增技术干部2名（均系大专生），共计10人，计量所增加工人4名，共计8人。到1993年，县科委共计10人，其中，大专以上4人。

1994年，惠水县科委和县教育局合并，成立惠水县教科局，县科委成为县教科局的一个股室，原科委人员未进行调整。科委管理的主要内容有：科技课题项目、成果、信息、技术咨询服务，科技信息统计等方面的管理以及科技宏观管理、科技决策建议等。

2000年，惠水县科学技术委员会更名为惠水县科学技术局，为县人民政府的组成部门，至2011年5月，政府机构改革，撤销县科技局，将其承担的职能划归县发展和改革局，内设科学技术管理股。

2012年8月，成立惠水县科学技术局，为县发展和改革局管理的财政全额拨款正科级事业单位，内设办公室、科技计划股、综合股、政策法规股和生产力促进中心。全局在职人员6人，局长1人，副局长2人，工作人员3人。

2013年3月，惠水县科学技术局恢复单设，仍为县发展和改革局所属正科级事业单位，全局在职人员5人，局长1人（副县级），副局长1人（副科级），工作人员3人，均为大专以上学历，内设综合股和业务股。

2014年，惠水县防震减灾局成立，为科技局管理正科级事业单位，在职3人，防震减灾局局长（科技局副局长兼任）1人，工作人员3人，科技局全局在职人员10人，局长1人，副局长2人，工作人员7人。同年9月，根据黔南州科技产权局工作要求，在惠水县科学技术局加挂知识产权局，单位名称由原来的惠水县科学技术局更名为惠水县科学技术和知识产权局，单位职能不变。

二、科技协会和组织

“文化大革命”前惠水县没有学会组织，1979年建立农学会，第一批吸收学员72人，林学会和水电学会已建立筹备小组。1980年1月22日，县改革委员会发出《关于成立惠水县科学技术协会筹备小组的通知》，筹备小组由13名科技人员和领导干部组成，8月28至30日，召开县科协首届代表大会，共120名代表出席。会议审议了筹备工作报告，通过了会章，民主选举产生第一届委员会，共计委员25名，常委9名，主席1名，副主席3名，并在委员会下设学会、科普和青少年3个工作组。先后成立林学会、水电学会、科普创作学会和畜牧学会。共有会员218人。至1984年，全县建立区乡34个科普协会和6个专业协会，发展会员1900多人。1992年，组建由9名科技人员组成的“民办惠水县生物研究所”和由7名科技人员组成的“民办贵州省惠水县特种米研究所”。

三、科技人员

1979年年底，惠水县实有科技人员366人。其中，被提为站股长级33人，提升为局级2人。吸收科技人员入党的13人。解决科技人员学非所用方面，是年归队12人，其中，调出省1人，调州有关部门2人，本县和本单位调整归队9人。1980年，惠水县科学技术人员有431人，其中，大专144人，中专297人。同年8月，完成第一批工程技术干部，农业技术干部的技术职称套改工作，明确助理工程师5人，技术员28人，助理农艺师14人，农业技术员13人，助理畜牧兽医师7人，畜牧兽医技术员10人。

1984年，在全县科技工作会议上，对1983年44项科技成果项目进行表彰，有117人获科技成果荣誉证书。另对134名在少数民族地区工作20年以上的自然科技工作者颁发荣誉证书。

1990年，县科委配合人事部门完成对全县科技人员的普查工作，至是年底，全县共有各类科技人员3158名。其中，高级职称46名，中级职称442名，初级职称2670名。1995年，全县共有科技人员1165人（教师除外），其中，高级职称的12人，占总数的1%，中级职称87人，占16%。每万人口中有科技人员31名。2007年，全县专业技术人员为4263人（含教师），其中，教学3317人，卫生技术618人，工程技术217人，科学研究1人，其他20人。其中，无职称的有398人，初级职称2704人，中级职称1089人。2009年，全县有专业技术人员5281人，拥有中、高级职称的1270人。2015年，全县有4903名专业技术人员，副高以上职称222人。

第二节　科研活动和科技推广

一、科研项目

1979年，成立县科委主管科技工作后，开展科研和科技推广活动，申报和实施国家、省、州和县各级项目，为推动全县科技事业发展发挥重要作用。

是年，县计划下达的科学技术研究项目共16项，32个课题，其中，省列一项，州列两项，县内切块自行安排的13项，16个科研项目中，农业科研项目13项，占81.3%，医药卫生2项，占12.5%，新科技推广应用1项，占6.25%。是年底，计划下达的16个项目中，全部结束的有10项，中断和撤销两项，续传下年的4个基本完成。全部结束的项目有黑糯米杂交后代优良品系定向培育、低产胶泥田改良、百亩杂粮高产试验、粮食作物新品种培育、小麦油菜丰产试验、牧草改良、杂交鲤鱼第一代优势利用沟渠河道养鱼、中草药治疗子宫脱垂及宫颈糜烂、小麦轻骑播种机试制、远红外苗条烘干机和布鞋烘干机的试制应用。

1982年，是县科委执行中央制定的“调整、改革、整顿、提高”方针的一年，根据这一方针和惠水实际，安排23个科研课题，其中，1981年结转课题5个。农业方面13个，占56.5%，工业方面4个，占17.5%；医疗和其他方面6个，占26%。安排经费计17000元，用于农业方面8800元。主要承担课题：水稻、甜叶菜等农作物良种选育、中低产栽培技术变高产、黑糯米酒试制成功。

1983年，县科研课题仍然安排以农为主，节能、轻工一起抓。除承担州列的3个项目外，县列的课题37个，其中，农业科研课题29个，轻工课题10个，节能1个。安排的经费计40064元，其中，农业课题经费19730元，占49.25%，轻工课题经费18634元，占46.5%，节能课题1700元，占4.25%。县列的37个课题按计划完成18个，占总课题的88.3%。余留的课题转1984年完成。

1987年，全县承担科技项目11个，其中，国家星火计划项目1个，州列科技项目2个，县列科技项目8个。国家星火计划项目《黑糯米栽培及加工技术开发》，由于天旱，全县仅种植黑糯米近百亩，产黑糯米两万千克左右。是年，生产黑糯米酒28.68吨，加上往年生产未销售量，库存累计326.49吨，是年销售100.84吨，库存剩余225.65吨。州列课题为《鹅、鸭、鱼良种引进及商品化生产》和《规范化科学养猪多点示范》。县列课题8个，其中，七里冲果树场承担的《柑橘丰产示范》，1985年开始实施，经过3年努力，全场4万多株柑橘树，共收柑橘5万千克，比1986年的1.5万千克增长2.33倍，创历史最高水平。

1988年，继续搞好国家星火计划——黑糯稻的栽培及加工技术开发，该年主要集中精力抓黑糯米种植，解决原料问题。抓好商品鱼生产基地建设，连江渔场作为州星火计划项目，该年科委派人蹲点，主持课题实施。共养殖成鱼面积79.7亩，投放鲢鱼、鲤鱼、草鱼等大规格鱼种50872尾，全年预计产鱼1.4万余斤，其中，渔场直接掌握饲养管理的43.7亩，预计可收商品鱼4000余千克，产值25000元，利润5000元。全县列课题共7项，其中，新上项目3个，结转项目4个，大部分取得明显效果。

1996年，县科学技术委员会启动创建科技示范乡镇、村试点工作：建立以乡党委书记为组长的创建科技示范乡领导小组，建立了甘昌、排楼、山口3个重点科技示范村和40户重点科技示范户。实施的科技项目有三项州列课题：串叶草养猪试验课题，继续加强对农场检查管理；为发展惠水县养殖业，组建科华养殖试验场（养鹅）；县列百万元产值科技示范村建设项目（实施高效农业、折耳根与玉米套种、高效率养猪技术）

2001年，县科技局对全县的科技成果进行调研，对已申报的三项科技成果进行组织鉴定。分别是：农业局的《开发优质稻生产、优化农产品结构》；县医院的《胶囊2号临床观察应用》；惠水铁合金厂的《高硅钡合金的生产与开发》。向省、州申请科技项目4个，分别是：肉鹅养殖项目、有机复合肥研制项目、金银花示范基地项目、大龙乡野鹿村生态村建设项目。其中，肉鹅养殖项目和大龙乡野鹿村生态村建设项目已立项，正在实施中。向省、州申报科技创新基金项目3个。一是大头萝卜的生加工项目，二是生姜生产与生加工项目，三是苎麻生产项目。

2002年初，组织撰写了8个科技开发项目向省、州申报，其中，申报省“星火计划”基金项目4个，分别是：惠水县方便大头菜加工；惠水县生姜调味品加工；惠水县黑色食品加工；惠水县实施苎麻种植，促进订单农业的发展。申报州科技局支持的两个项目是：惠水县苎麻基地示范种植；惠水县有机多微复合肥研制。

2003年，在深入调研的基础上，制定项目规划和实施方案。向省、州申报火星计划项目，其中，州计划项目两个：一是摆榜乡科技扶贫与开发项目；二是黑玉米试验示范种植，分别在摆榜和高镇实施，效果良好。省计划项目三个：一是惠水县万亩牛肉红金钱橘基地建设；二是惠水县无公害蔬菜丰产栽培技术与沼气试验示范；三是肉用竹鼠及肉鸽养殖基地建设。其中，惠水县无公害蔬菜丰产栽培技术与沼气试验示范项目获省批准，在和平镇和摆榜乡实施。

2006年，获省、州立项项目6个，其中，省立项项目4个（林下养鸡试验示范项目、贵州省惠水县生产力促进中心项目、惠水县科技特派员制度试点项目、贵州惠水牛肉红金钱橘栽培技术培训），州立项目2个（贵州省惠水县生产力促进中心项目、惠水县中药材何首乌种植示范项目）。其中，惠水县科技特派员制度试点项目，2006年经省科技厅批准并投入科技经费6万元。共下派科技特派员24人，分别下派到摆榜乡、断杉镇、高镇镇等项目实施点。研究生学历1人，大学本科7人，大学专科3人，中专学历13人。通过科技特派员制度实施，是年，共实施开发项目4个，示范项目15个，推广新技术17项，引进新品种12个，举办各类培训班85期，培训5500人次，安置农村劳动力1500人。

2007年，县申报“一县一业”和“惠水县科技特派员创业服务专项”项目，得到黔南州科学技术局立项实施，获资金支持15万元。向贵州省科学技术厅申报“创新企业科技产业示范基地规划”，“惠水县金钱橘优良品种改良推广”和“惠水县新型农民培训工程”三个项目，均得到贵州省科学技术厅立项支持，获资金支持11万元。2008年，实施完成“一县一业”“惠水县科技特派员创业服务专项”和“滇杂31引种试验与示范”三个项目，项目的实施带动惠水县科技特派制度的发展和完善。

2010年，县围绕“185工程”目标实施（“185工程”是黔南州委、州政府在学习实践科学发展观活动中创新推出的1项农业工程，其内涵是：通过政府引导和激励、投入技术和资金帮扶，将1亩田地的产值分别提高到1万元、8000元、5000元）。各乡镇向省、州科技部门申报相关农业项目，年初，申报的项目有：惠水县天圣竹鼠特种养殖示范推广；惠水县稻田养殖“青田鱼”示范推广；惠水县百亩水稻抗旱高产示范项目；惠水县摆榜乡中药材种植技术培训项目。是年底，《惠水县百亩水稻抗旱高产示范项目》和《惠水县摆榜乡中药材种植技术培训项目》实施完毕并通过验收。是年，全县获批国家、省、州科技项目8项，争取国家科技扶持资金共计285万元。这些科技项目涉及创新项目、工业攻关项目和火炬计划3个大类。2011年，申报获批立项的科技项目7项，争取国家科技扶持资金共计375万元。这些科技项目涉及创新计划和火炬计划两个大类。

贵州惠水龙塘山风电场项目（一期）开工典礼（2012年摄）

2011年，引进中国水电顾问集

团入驻建设龙山新能源，成立中国水电顾问集团贵州惠水龙山新能源有限公司，选定县宁旺龙塘山建设风力发电厂。2013年底，一期项目建设完成并开始发电，总装机容量4.95万千瓦；二期项目建设于2014年底发电，装机容量1.4万千瓦；两期总装机容量达6.35万千瓦。2015年，全年总发电量为7722万千瓦时。

2012年，申报的项目有：惠水县竹鼠养殖关键技术研究与产业化示范；惠水县涟江花卉林木科技示范基地建设；惠水县主要粮食和经济作物农业气象灾害风险区划；参附汤治疗慢性心力衰竭临床疗效及生活质量观察；惠水县好花红乡弄苑村佛手瓜无公害立体种植模式示范推广。是年底，《参附汤治疗慢性心力衰竭临床疗效及生活质量观察》和《惠水县好花红乡弄苑村佛手瓜无公害立体种植模式示范推广》获批立项，争取国家科技扶持资金154000元。

是年，配合县"工业强县"战略目标尽快实现，紧紧围绕政府工作的中心内容，组织人员多次深入基地调研，帮助企业向国家、省、州科技部门申报科技项目。是年，申报获批立项项目9项，争取国家科技扶持资金共计252万元。项目是：惠水磷酸盐厂的焦磷酸钠制备技术应用与中试；贵州捷成电器制造有限公司的安全电子咖啡机内胆产业化；贵州欧亚特机械制造有限公司的多功能抛光机应用与中试；贵州惠水川东磷化工有限公司的高新技术企业认证；贵州博方民族药业有限公司的生姜低温分离提取技术应用与产业化；贵州巨能化工有限公司的新型SP－80乳化剂合成工艺中试应用；贵州楚智科技建材有限公司的液体水泥助磨剂工艺技术中试；贵州宏洋橡胶制品有限公司和致力穿山机械设备有限责任公司的中小企业知识产权战略推进工程。

2013年，完成惠水县科技富民强县专项行动计划——肉牛养殖技术集成推广与产业化经营项目验收材料的编制及整理归档工作，并通过省科技厅验收。在此基础上向国家科技部申报该项目的后续项目，是年立项，获国家资金支持195万元，进入实施阶段。是年，申报获批立项的科技项目9项，争取国家科技扶持资金共计252万元。

2014年，组织上报各类科技项目36项，其中：川东化工、惠波机械、和元管道、博睿生产力中心等四家企业，获科技部中小企业创新基金项目资金共240万元；农业方面的重楼、玄参两个中药现代化项目，蔬菜、红米和永红食品3个科技成果转化项目，共获省厅科技补助资金160多万元；工业方面的天虹电缆、好花红酒厂、博方民族药业、富源轮胎、永昊热能、外贸神彩、思宇电力等7家企业，获贵州省科技企业补助资金200多万元；州级项目是年获立项补助资金共30万元。天虹电缆被科技部认定为高新技术企业。对全县所有科技项目均建立跟踪服务机制，组织实施的富民强县科技重大专项全面完成，年内验收；配合省、州科技管理部门组织对2012年前的创新基金、知识产权培育工程等5个科技计划项目进行材料验收；对2013年度，取得的13个国家、省、州级科技计划项目进行中期评价。

惠水县"三区"科技人才座谈会（2015年摄）

2015年，组织上报各类科技项目28项，其中：味纯园认定为科技种子型小巨人，楚智科技、惠正药业认定为科技成长型企业，获项目资金共120万元；农业方面的金钱橘提纯，永红食品科技成果转化推广项目，共获科技补助资金160多万元；思宇电力等7家企业与贵州大学、贵州师范大学、重庆大学等科研院所合作，申报省科技厅创新券获项目资金预计560万元；联想之星创客空间获省科技厅项目补助100万元。巨能化工、永昊热能、恒瑞晨被科技部成功认定为高新技术企业并获奖励30万元。另永红食品、昶达数控、致力穿山获省知识产权项目共计15万元。成功将县申报为省级可持续发展实验区，获项目资金50万元。对2014年的科技中小企业创新基金、农业项目、中药材等8个科技计划项目进行中期评价；对2013年度，取得的13个国家、省、州级科技计划项目进行验收。

二、农业科技及推广

1978年，制订惠水县1978至1980年科学技术发展规划：一、杂交水稻综合研究；二、人工防雹和人工降雨的研究；三、农作物优良品种选育；四、改革耕作制度试验；五、耕作栽培技术的革新试验；六、农业病虫害发生规律及防治研究；七、发掘新肥源；八、大牲畜改良；九、果树新品引种试验；十、农机具研究；十一、新技术在工业化的运用。其中，农业科技占十项。

1984年，县农业局承担的黑糯米大面积丰产栽培一题，是年，共种矮秆黑糯1602亩，总产量37.6万千克，单产235千克以上，价值300000元，保证了县酒厂优质黑糯米酒的生产。该酒荣获贵州省优质新产品称号。同年，县建立农村科技示范中心和科技示范村，建立科技示范中心3个，科技示范村1个，分别是：柑橘专业科技示范中心，食用菌科技示范中心，养猪科技示范中心和班家苑科技示范村。

1985年，保质保量完成全县农业区划任务，经省、州验收合格并被评为省农业区划成果三等奖。是年种植面积6968亩，总产量290多万斤，比1984年增长2.8倍。黑糯米的栽培和加工技术开发，上报省和国家科委，正式列入国家"七五"期间"短、平、快"科技项目。惠水黑糯米141良种，被评为省科技成果四等奖。

1987年，开发利用涟江渔场的水面资源，科委、畜牧、乡镇企业等部门，进行多次分析论证，写出涟江渔场商品鱼生产基地建设的可行性报告，得到州委认可，列入1988年全州星火计划项目实施。是年，连江渔场共养殖成鱼面积79.7亩，投放鲢鱼、鲤鱼、草鱼等大规格鱼种50872尾，全年预计产鱼0.7万千克，其中，渔场直接掌握饲养管理的43.7亩，预计可收商品鱼4000千克，产值25000元，利润5000元。1989年，新修了14号塘，购置了渔船，架设生产和照明电路等，在饲养管理上，实行联营承包管理。1990年，是涟江渔场《商品鱼生产基地建设》项目实施第三年，采取"四引进""两支持""一包干"的方式，由养鸭户承包经营鱼塘，实行鸭鱼联养试验。是年底，5500只鸭产蛋50万枚，纯收入3万多元，鱼产预计10000千克，产值达6万元，渔场可得塘租和纯利2万余元，鱼产量比1989年增加40%，总产值比1989年增加2倍。盈利收入增一倍。1991年，是涟江渔场《商品鱼生产基地建设》项目实施以来效益最好的一年，鱼产量比1990年增收60%，总产值比1990年增1.5倍，盈利收入比1990年增37%。1992年，是涟江渔场《商品鱼生产基地建设》项目实施最后一年，是年底，实现商品鱼总产量37833千克，总产值298064元，产鱼苗89941尾，共获利102666元，其中，承包商获利77666元，涟江渔场收入承包费25000元。

1997年，在县城郊承包荒山创办"牛肉红（惠水金钱橘新生系）丰产试验示范基地"。5月，向黔南州科技局申报立项，投入资金4万余元进行基地建设，聘请贵州省柑橘研究所高级农艺师谭功亮老师进行指导，改造标准水平梯土15亩，栽高接大苗200余株，"牛肉红"嫁接苗1500株。2003年，向省州申请星火计划项目，2006年，获省批准通过。

2007年，向科技部申报科技富民强县专项行动计划项目——《惠水县肉牛养殖技术集成示范与产业化经营》，得到科技部立项批准，获资金支持299万元。2008年，新建草地5000亩，改造牛舍5000平方米，发放基础母牛1050头，在和平镇、鸭绒乡分别举办了种草养牛技术培训班143期，召开现场培训会11次，培训农民8496人次，发放各类培训资料15000余份。同时，投资在和平镇大斗蓬和水泡冲等地，修建青贮池2380立方米。扶持龙头企业贵州永红食品有限责任公司，建设“永红肉牛科技养殖场”，投入科技资金50万元。为保证项目顺利实施，与贵州大学动物科学院夏先林教授和贵州省畜牧兽医研究所蔡一鸣所长签订惠水县富民强县项目分项课题任务书《肉牛饲料与饲养技术集成与推广》和《肉牛主要疫病监测及综合防治技术集成应用》，为项目提供技术支撑。2009年，在好花红乡发展养牛农户500户。购进基础母牛1500头，全县牛存栏16.2978万头。完成人工草地建设0.4万亩，完成圈舍改造和修建5000平方米。建成牛改点、兽医室3个。建青贮池320立方米，建小水池5000立方米，修公路15千米。建立村级兽医室3个，培养村级防疫员120人。在和平镇沙子哨建成养殖规模为100头牛的科技特派员创业示范瘦牛育肥场1个，同时，配套建设生产管理用房100平方米，钢架钢瓦大棚约249平方米，青贮池90立方米及其他附属设施。

2009年，滇杂31引种试验与示范项目实施完成，县科技特派员徐先捍引进的滇杂31在摆榜乡试种获得了成功，种植滇杂31的田块增产效果明显。通过项目实施，在摆榜乡示范推广“滇杂31”种植面积7300亩，根据“滇杂31”的特性，结合冷凉山区条件，初步制定一套以“浅、肥、防”为轴心的丰产栽培配套技术。为让这套技术被广大种植户接受掌握，得以推广应用，是年，共开展培训7期，35场次，培训农民3500余人，发放技术资料7000余份。实现了“滇杂31”种植过程中良种良法的有效结合，优势互补。经测产验收，“滇杂31”平均单产591.44千克，比对照品种毕粳37（省品审会指定品种）每亩增收稻谷170千克以上，增产率40%以上。共增稻谷130万千克，折合新增纯收益164.6万元。2433户种植户平均每户增收676.5元。

2010年，在和平镇、好花红乡、甲戎乡、芦山镇发展种草养牛415户，共建植草地3286亩，修建青贮池1480立方米，修建牛改点及兽医室3个，开展“以短补长”试验示范养鹅1000只，新建牛舍4538平方米。是年11月底，国家级龙头企业永红食品有限公司完成产值2.2亿元，实现销售收入2亿元，全年上缴税收突破2000万元。公司“牛头牌及图”注册商标被国家工商行政管理总局认定为“驰名商标”。至2012年，完成惠水县科技富民强县专项行动计划——肉牛养殖技术集成推广与产业化经营项目验收材料的编制及整理归档工作，顺利通过省科技厅的验收。在此基础上，向国家科技部申报该项目的后续项目，是年立项，获国家资金支持195万元。

2011年，促进县肉牛养殖业向规模化、规范化和集约化转变，构建惠水县畜牧信息局域网络，完成电脑采购36台（联想台式电脑），发放到相关乡镇，投资12.78万元；在兴强、犇富、长发养殖场完成实时监控系统建设，投资3.8万元；帮助永红食品有限公司获得贵州省知识产权奖励50万元；支持兴强、犇富、长发养殖专业合作社培训、牧草种植补助6.4万元，开展培训9期，种植草地250亩；支持贞福生态养殖农民专业合作社服务能力建设资金1.2万元。

2012年，帮助基地内企业向国家、省、州科技部门申报科技项目。是年，申报获批立项的科技项目有9项，争取国家科技扶持资金共计252万元。

2013年，县科技富民强县专项行动计划——肉牛养殖技术集成推广与产业化经营项目立项实施，在此基础上向国家科技部申报该项目的后续项目，获国家资金支持195万元。

2014年，农业方面的重楼、玄参两个中药现代化项目，蔬菜、红米和永红食品3个科技成果转化项目，共获省厅科技补助资金160多万元。

2015年，围绕优质米、特种养殖、花卉苗木、蔬菜水果、现代中药材等农业主导产业和优势产业的发展，加快肉牛、金钱橘、红米、重楼、玄参等优良品种的引进与推广。以省级涟江现代农业产业园区科技示范为中心点，以惠水羡塘良惠专业合作社和芦山佰草园中药材种植开发有限公司等为主的中药产业示范基地、惠水肉牛良种繁育场等为示范的肉牛养殖产业示范基地等农业科技示范点作为面，发挥其示范带动作用。促进惠水大龙黑色食品产业园与贵州大学开展技术创新合作，实施特种黑糯米酒发酵、食品安全体系等课题研究。

三、科研成果

1983—2015年惠水县获州级以上科技成果奖项一览表

表15-21

单位（个人）	年度	成果	等级	奖别
惠水酒厂	1983	惠水大曲、黑糯米酒、黑糯米香槟	省级	全省名酒称誉、优秀新产品证书
农机修造厂、石英砂厂	1983	石英砂轮碾机	省级	同类产品第二名
铸钢厂	1983	稀土中锰钢和稀土中碳马氏钢球磨衬板	省级	同类产品第二名
县农机研究所	1984	县农机区划成果	省级	二等奖
吴邦琮	1985	黑糯141	省级	贵州省科技成果四等奖
县科学技术局	1993	科技成果管理	州级	科技成果管理奖
县科学技术局	1996	高效率养猪技术	州级	科学技术进步三等奖
县科学技术局	1997	“牛肉红”（惠水金钱橘新生系）丰产技术	州级	科学技术进步二等奖
贵州省惠水川东化工有限公司	2014	高浓甲酸产品生产新技术	州级	科学技术进步二等奖
惠水县人民医院	2014	参附汤治疗慢性心力衰竭临床疗效及生活质量的观察	州级	科学技术进步二等奖
贵州思宇电力实业有限公司	2014	新型耐高温、防火电线	州级	科学技术进步三等奖
惠水县昶达数控有限公司	2014	f–01系列水晶及宝石程控加工设备	州级	科学技术进步三等奖
贵州永红换热冷却技术有限公司	2015	集成水气分离器式空气压缩机冷却系统	州级	科学技术进步三等奖
贵州巨能化工有限公司	2015	膨化复合油相的开发与应用	州级	科学技术进步三等奖

第三节 科技情报和科普宣传

1978年，制定惠水县1978至1980年科学技术发展规划，提出加强宣传科技情报工作，到1980年，建立科技情报研究室，科教电影队。

1979年，与全国29个省、市、自治区的1594个县（市）地区交换科技情报资料。共收到各种资料4200余份。印刷《惠水科技》4期，刊登惠水县科技工作总结和科技成果介绍资料16篇，编写《科技参考消息》2期和印发《科技情况与资料》3期，介绍国内外科技动态，进行科普宣传和普及，提供科学种田经验。将收集资料分省、分地区装订成册留存，报纸杂志按季度、年度分别进行装订保管。科委聘请业余科技情报员和科普宣传通讯员101人，初步建立情报网，由科委发给聘书。仅一个月连续收稿12篇，其中，有较长科普读物4万余字。至1993年，订阅报纸14种，期刊17种，共31份，整理科技资料2001份，发放给农户科技资料100份，有73人次借阅科技资料。举办农村技术培训班两期，培训农村科技骨干50人次。

1996年，共散发各种资料1000余册，宣传面达20000人次。安排专人负责搜索整理各类科普资料、信息，编印惠水科普二期。对农民进行科技培训二期，培训150人次，发放《惠水科普》300多册。收集整理惠水县科技人员统计和惠水县科技产业现状等情况数据、资料。清理科技文书资料，归档4卷4册。接待群众来信来访15人次，借阅科技书籍30册，科技兴农录像带5盒。1997年，清理历年来的科技档案，装订长期性档案1卷，永久性档案2件。收集有关水稻、玉米、烤烟等农村种、养殖业试用新技术信息资料，整理编印成“科技情况与资料”五期，每期200份，共印1000余份，送发给县乡镇各有关部门和农村科技户。接待群众科技咨询、查阅资料100多人次。在太阳乡、王佑镇各办科学养猪培训班1期，受训200多人，在大龙乡举办生姜、洋芋高产种植培训班3期，受训400多人。

2001年，开展送科技下乡活动，组织卫生、文化、计生、农业、林业、农办、科协等有关部门，深入乡镇开展科技咨询服务，发送各类资料4000多份，宣传面5000多人次。利用“3·18”科技活动日期间，科技局牵头联合有关部门在县城开展大型的文化科技服务，发送各类科技资料，致富信息10000多份。先后在大龙乡野鹿村和毛家苑乡努力村召开实用技术培训会，提高农民科技素质。配合宣传部等8个部门通过竞赛选拔优秀学生代表，组成惠水代表队参加全州科技知识竞赛，并获三等奖。

2002至2004年，广泛开展科技“三下乡”活动。先后在摆榜、王佑、毛家苑等乡镇利用场天设点宣传科技知识，共印发各类技术资料10000多份，接受群众咨询2万余人。组织文艺宣传队深入乡镇巡回演出共12场次，观众5万余人。同时，开展“3.18”科技宣传月活动，发送各类技术资料6万多份，展出崇尚科学反对邪教图片400多幅。开展《中华人民共和国科学技术普及法》的宣传，在县城和各乡镇设点宣传《科学技术普及法》10次，宣传面4万人次。

2005年初，拟定科技、文化、卫生、法律“四下乡、四进社区”活动方案，是年，开展大型宣传活动12次，印发科技、法律、文化、卫生等各类资料12.8万份，接受宣传群众9万余人次，为群众义诊2546人次，共举办各类培训班（会）70多次，办试验示范点70多个，培训农民群众4200人次，投入宣传经费3万余元。至2010年，县利用“3.18”科技活动日和5月科技活动周，组织农业局、文广局、畜牧局、法院、检察院、司法、卫生局、教育局等单位，利用场天下乡镇、进社区等，宣传群众、学生3万余人次，发放各类宣传资料5万多份。是年，科普宣传面占总人口的23%以上。

2011年，开展送科技、文化、卫生、法律、计生“五下乡、五进校园、社区”等一系列科普宣传活动，向群众、学生广泛宣传有关科技、防震减灾、法律法规和农村农业适用技术等知识。2012年5月17日，断杉镇中心小学开展送科技进校园活动，发放科普宣传资料1000余册，悬挂《嫦娥探月工程》《实现可持续发展》《常见传染病、疾病防控》等科普宣传画册。5月18日，分别在长田工业园区管委会五楼和县人民政府四楼会议室举办两期知识产权实务培训班，参训人员有园区管委会职工，20余家企业负责人，全县25个乡镇书记和乡镇长，县属各部门副科级以上干部。5月20日，组织县林业局、县统计局、县科协、县卫生局、县人民医院、县教育局、县财政局、县人事局、县国土局、县计生局、县司法局、县盐业公司等20多家单位，在县城商贸街举办大型科普宣传活动，共发放《矿产资源保护与管理》《经果林种植实用技术》《手足口病防治知识要点》《防治碘缺乏病》等十余类科普宣传资料3000余份（册），接受现场咨询200余人。

2013年，开展送科技、文化、卫生、法律、计生“五下乡、五进校园、社区”等一系列科普宣传活动，在县城举办大型科普宣传活动5次，共发放《矿产资源保护与管理》《经果林种植实用技术》《手足口病防治知识要点》《防治碘缺乏病》等十余类科普宣传资料3000余份（册），接受现场咨询200余人。

2014年，在和平镇、鸭绒乡、摆金镇、摆榜乡等地举办2014年“文化、科技、卫生”三下乡活动。开展以“保护知识产权，促惠水创新发展”为主题的“4·26”知识产权宣传周和“5·12”防震减灾宣传活动。活动中，共发放各种宣传资料5000多份，赠送科技书籍500余册，接受群众咨询600余人次。

贵州省文化科技卫生“三下乡”集中示范活动在惠水举行（2014年摄）

2015年，开展“科技活动周”“知识产权宣传周”“防震减灾宣传周”等宣传活动，共发放宣传资料10000余份，咨询5000余人，开展技术培训3期，培训农村技术人员500人次。举办“知识产权执法培训”“高新技术企业申报培训”“科技特派员信息技术服务”“科技创新券、众创空间项目申报培训”四期，全县相关企业的负责人、技术骨干、财务人员共500多人次参加。同时，组织13家农村合作社参加州举办的“茶叶和中药材种植加工技术培训”。

表15-22

1981—2015年惠水县科技经费投入一览表

年度	投入类别（单位：万元）			
	各类项目扶持资金			县（不包含干部职工基本工资、三项经费等基本投入）
	中央	省	州	
1981	—	—	—	0.65（科研经费）

续表15-22

年度	投入类别（单位：万元）			
	各类项目扶持资金			县（不包含干部职工基本工资、三项经费等基本投入）
	中央	省	州	
1982	—	—	—	1.7（科研经费）
1983	—	—	—	4.0064（科研+项目实施经费）
1987	—	—	—	5（科研+项目实施经费）
1993	—	—	5	4.82（科研+项目实施经费）
2005	—	25		4（科研经费）
2006	—	—		24（科研+项目实施经费）
2007	299	11	15	56（科研+项目实施经费）
2008	—	—	—	102（科研+项目实施经费）
2010	15.4	285		—
2011	—	375		—
2012	252			—
2013	503	380		—
2014	—	699		—
2015	1095			—

第四节　防震减灾

1978年，省财政厅追加黔南州地震事业经费1万元，用于人员工资，公用经费，仪器设备购置和群测群防补助，县获助1500元。

1980年，县财政拨地震经费500元。将地震列入气象观察项目，每天定时观察2次，专人负责资料整理，数据严谨，可靠，完整，列入技术档案保存。县设立民中测报点长期坚持观察，积累数据。

2008年，汶川地震期间，县安排人员进行24小时值班，制定应急预案，建立覆盖全县的震前异兆监测网络，实行一日一报制，组织对乡镇灾情的调查，为县科学决策提供依据。

2011年，完成《惠水县地震应急预案》《惠水县防震减灾工作联席会议主要职责和工作制度》《惠水县防震减灾隐患排查、整治工作方案》等文件编制。同年5月12日9时50分，按照预案，在惠水县民族中学成功举行了防震减灾紧急疏散演练。参加演练人员有县四大班子领导、县民中学生和县防震减灾联席工作会议成员单位的分管领导计4000余人，现场发放《防震避震常识》宣传资料3000份。5月22日，组织城建局、文广局、农业局、国土局、交通局、民政局、卫生局、教育局等县属各有关单位，在县城商贸街举办大型防震减灾为主题的科普知识宣传活动，宣传群众3000余人，发放各类宣传资料5000余份。

2012年，惠水县未设立专门机构管理防震减灾工作，一直由主管科技工作部门负责，其主要职能是贯彻落实国家防震减灾工作的发展战略、方针政策、法律法规和地震行业标准。

2013年，科技局从发改局分离，重新组建中，未开展此项工作。

2014年，成立惠水县防震减灾局。开展“5·12”防震减灾宣传活动。展出防灾减灾、安全生产生活科普展板8块、宣传挂图14幅，发放防震减灾法律法规宣传单1000余份、防震抗震避震常识3000余份。成功申报芦山镇小石村列为民居地震安全示范工程。

2015年，完成芦山镇小石村民居地震安全示范工程项目竣工验收。开展5.12防震减灾宣传活动，展出防灾减灾、安全生产生活科普展板8块、宣传挂图14幅，发放防震减灾法律法规宣传单1000余份、防震抗震避震常识3000余份。

第五节　科技专利与产权

一、专利申请

1982年，水稻、甜叶菜等农作物良种选育、中低产栽培技术变高产、黑糯米酒试制成功。

1991年，县列课题《浸泡皮蛋加工试制》项目，州列《JQ～100A型高温气流牧草烘干机研制》课题，两项科研成果取得成功。

1993年，以摆榜乡当地农民建立科技示范组，引进早熟矮杆香黑糯米进行品种比较试验，找出适应当地气候条件栽种产量较高的黑糯新品种–黑糯72。

1996年，开展科技咨询服务，利用图片、科普资料、科技咨询、种植、农药展销及农业科技、农产品加工等，实施高效农业、折耳根与玉米套种、高效率养猪技术研究，取得良好成果。

2001年，坚持开展送科技下乡活动，营造良好的科学氛围。对申报的三项科技成果组织鉴定。一是农业局的《开发优质稻生产、优化农产品结构》；二是县医院《胶囊2号临床观察应用》；三是惠水铁合金厂的《高硅钡合金的生产与开发》。

2006年，以项目为载体开展实用技术培训和技术研发，抓林下养鸡试验示范、贵州惠水牛肉红金钱橘栽培技术、惠水县中药材何首乌种植技术项目实施进展顺利，技术研发取得新突破。

2008年，制定《惠水县科技工作规则》制度，启动惠水县科技成果奖励工作。制定《惠水县科学技术进步奖励办法》，组建惠水县科技成果专家评审委员会及其他相关筹备工作，为县申报创建科技工作先进县做好准备。

2009年，对县工业企业专利授权情况摸底，了解企业技术创新现状，帮助企业申报项目，据统计，全县工业企业拥有各项专利31件，其中，发明专利11件，实用新型专利4件，商标专利16件。

2010年，为企业申报国家专利16项，获得授权12项，进入实质审查4项，其中，有4项专利获国家专利补助资金共计7200元。帮助2家企业成功申报州级科学技术进步奖2项，分别是贵州博方民族药业有限公司的《生姜低温提取技术与工艺》和贵州富源轮胎制造有限公司的《机模合一硫化机技术》。帮助3家企业进行项目策划，使2家企业实现扭亏为盈，1家企业经济得到大幅增长。

2011年，帮助企业申报国家专利22项，其中，有2项专利获国家专利补助资金共计1200元。

2012年，联系北京联创佳为专利事务所的专利代理人，对长田工业园区内的企业调研，帮助企业申报国家专利112项，获得授权68项。

2013年，对全县专利状况摸底，已登记发明、实用新型和外观设计专利304项。指导企业培育具有自主知识产权产品63个。截至11月，专利申请61项，授权专利27件。

2014年，完成全部专利申报68件，获授权51件，其中，州下达县发明专利申报任务15件，完成15件；州下达专利执法案件任务5件，完成12件。有3家企业获省知识产权项目资金共计15万元。

2015年，完成全部专利申报95件，获授权51件，完成发明专利申报任务28件。川东化工申报并获黔南州科学技术进步二等奖，县人民医院、旭达数控、思宇电力3家（企、事业单位）申报获黔南州科学技术进步三等奖。

二、产权保护

软件正版化 2009年，县成立正版软件工作领导小组，对购置正版软件经费进行测算。到2014年，惠水县科学技术和知识产权局规范使用了正版软件。

专利行政执法检查 2012年5月18日，县举办两期知识产权实务培训班，参训人员有园区管委会职工，20余家企业的负责人，全县25个乡镇的书记和乡镇长，县属各部门副科级以上干部。年内，组织人员对县医药批发企业和超市开展专利检查1次。

2013年，加强知识产权宣传工作，营造保护知识产权的良好舆论氛围。帮助和指导企业建立健全专利工作管理制度。举办2期300多人次的知识产权培训班。

2014年，采取委托执法方式，配合州知识产权执法支队开展市场专利执法，查处涉嫌假冒专利案件12件。开展科技创新和知识产权培训9期，共2000多人次。聘请省科技厅（省知识产权局）、贵州师范大学、州科技和产权局的领导和专家开展专题讲座，加大知识产权培育力度，帮助企业开发、转化和申请专利，培养企业知识产权管理人员。

2015年，开展市场专利执法，查处涉嫌假冒专利案30件，全部结案。开展科技创新和知识产权培训4期，共1500多人次。

第三章　百鸟河数字小镇建设

惠水百鸟河数字小镇管理委员会，是黔南州委、州人民政府和惠水县委、县人民政府坚守“发展和生态”两条底线，坚持创新驱动，抢抓大数据产业发展战略机遇，实现转型升级和跨越赶超规划建设的互联网+大数据应用为引领的新型产业园。

第一节　机构设置

2014年9月，惠水县成立贵州惠水科教创新产业园筹建领导小组。同年9月，黔南州十届常委会第94次会议将贵州惠水科教创新产业园筹建领导小组更名为贵州惠水百鸟河数字小镇建设领导小组。组长：张全毅（州政府副州长），副组长：万庆华（惠水县委书记）、王文旭（惠水县政府县长）、黄淮（州工业信息化委主任）。

2014年11月，将贵州惠水科教创新产业园改名为贵州惠水百鸟河数字小镇。

2015年4月，成立贵州惠水百鸟河数字小镇管理委员会（定职不定编），作为县人民政府派出的临时机构。管理委员会下设“一室四部六科”，即：办公室（含财务管理科和行政后勤科）、农林工作部（含生产管理科和社会事务科）、综合协调部（含综合管理科和环境管理科）、招商引资部、规划建设部，有干部职工44人。其中，从县经开区、濛江街道办、涟江街道办、摆金镇等单位抽调13人。是年，将县七里冲茶果场和黔惠实验林场资源整合划转至惠水百鸟河数字小镇管委会，整合划转职工31人（七里冲茶果场17人，黔惠林场14人）归属百鸟河数字小镇管委会。

第二节　规划建设

百鸟河数字小镇管理委员会委托华中科技大学完成对百鸟河数字小镇的总体规划设计，总规划面积18.5平方千米。委托清华大学清尚规划设计研究院完成小镇核心区5平方千米控制性详细规划编制。核心区规划坚持以组团式、低密度开发为理念，实施“一镇七村”产业规划布局。即：数字小镇、营销村、创客村、养心村、桃李村、汇智村、文苑村、金领苑。

2014年10月，百鸟河数字小镇举行建设奠基暨签约仪式，时任贵州省委书记赵克志、省政协主席王富玉、HTC集团董事长王雪红女士等到场参加。

是年12月，为解决百鸟河数字小镇核心区A、B、C组团（营销村）大数据互联网营销基地项目建设融资款项的通道问题，经县人民政府同意，以自然人（李惠忠、姜成凤）出资的方式成立惠水百鸟河数字小镇投资开发有限公司，采取由县国资公司全额收购惠水百鸟河数字小镇投资开发有限公司的方式转变为国有独资平台公司，负责数字小镇范围内的项目建设、融资、投资、管理、运营、偿债等工作。公司董事长由管委会副主任兼任（抽调干部）、董事由管委会干部兼任（抽调干部）。

为推进百鸟河数字小镇的建设和规划设计，招商引资、咨询发展等工作，先后聘请中国工程院院士倪光南、北航软件学院院长孙伟博士等49位专家学者和业界精英组建成立百鸟河数字小镇专家委员会。

2015年1月，惠水百鸟河数字小镇被贵州省经济信息化委员会，列入《省经济和信息化关于推动工业领域生产性服务发展计划（2015—2017）年》重点项目进行培育。4月，承办是年黔南州第一次项目观摩会；7月，贵州省供销社工作调度会暨农村电子商务观摩推进会在百鸟河数字小镇召开，引来入驻企业23家。时任省人民政府省长陈敏尔考察数字小镇并作出指导；获黔南州科技局“州级众创客鉴间”称号；获中国国土经济开展研究中心等，“百鸟河入选2015年中国避暑小镇百佳榜”。

8月，承办2015年贵州省第二次项目建设现场观摩会，获共青团贵州省委奖牌“省级创新创业基地”称号。

9月，贵州省经济和信息化委员会、黔南州政府、惠水县政府三级共建百鸟河数字小镇，获贵州经济信息化委员会2015年度信息化专项资金100万元，获黔南州工业和信息化委员会信息专项扶持资金500万元。

10月，获贵州省发展和改革委员会“贵州百鸟河大数据产业服务集聚区”称号。即：贵州省省级现代化产业集聚区。

是年底，百鸟河数字小镇如期完成了核心区（A、B、C组团）项目建设及基础配套设施建设。即：营销村A区入驻贵州唐人坊文化创意有限公司、百度大数据百鸟河基地、贵州梦动科技有限公司、贵州迦太利华信息科技有限公司等企业；B区产品发布厅，印孚瑟斯、深圳正大餐饮、竞衡集团、闻康集团等企业入驻。C区为公寓楼，为入驻企业就业员工、盛华学院学生等提供住宿。

表15-23

2015年百鸟河数字小镇企业入驻情况表

企业名称	生产规模及内容	总投资（万元）	从业人员（人）	企业类型	主要产品及市场
HTC梦动科技有限公司	主要业务为在线精准营销和口碑营销	800	600	文化创意与互联网营销企业	为企业提供在线精准行销和品牌口碑营销服务，已与百度、拓尔思、TCL、HTC等大型国内外企业达成战略合作
贵州课工厂教育科技有限公司	数字媒体制作服务，年制作能力100万分钟	1000	50	文化创意与互联网营销企业	国内外各高校、各在线教育网站和慧科集团旗下爱语吧的数字媒体制作服务，其中贵州本地高校的数字小镇媒体已有40%以上有课工厂制作
唐人坊民族艺术品电子商务中心	唐娃娃的设计、制作和销售，年产量20万个以上。	500	150	文化创意与互联网营销企业	融合贵州本地枫香染等民族传统技艺，创新开发Q版唐娃娃和民族特色娃娃
琥珀红黔茶互联网营销中心	“琥珀红”红茶品牌的种植、制作和网络营销，年产红茶2000斤。	600	50	文化创意与互联网营销企业	红茶，通过互联网面向全球销售
贵州东方特酱酒业有限公司	“东方特酱”品牌白酒的互联网营销。	300	12	文化创意与互联网营销企业	白酒，通过互联网面向全球销售
中法庄园—葡萄酒互联网营销中心	葡萄酒互联网营销	600	30	文化创意与互联网营销企业	基于大数据分析的互联网葡萄酒营销
数联铭品大数据创新实验室	大数据的采集、挖掘和分析	700	30	文化创意与互联网营销企业	—
拓尔思百鸟河大数据联合实验室	大数据的采集、挖掘和分析	800	35	文化创意与互联网营销企业	—
亿迅互联网营销技术支持中心	大数据的采集、挖掘和分析	720	42	文化创意与互联网营销企业	—
汉邦高科（贵州）互联网营销中心	高科技安保产品	120	34	文化创意与互联网营销企业	拥有国内成熟、先进的城市安保产品生产、销售和运营经验
百度（中国）有限公司广州分公司（GFC—Baidu联合网络营销中心）	百度广州分公司与盛华学院联合建设500工位的GFC—Baidu联合网络营销中心	550	50	文化创意与互联网营销企业	以百度海量的数据为基础，开展互联网精准营销服务
印孚瑟斯（中国）技术有限公司	建设中印信息产业走廊，打造印孚瑟斯西南地区软件研发外包服务交付中心，年开发量超1亿字节。	1000	10	服务外包企业	软件研发服务，承接总公司发包全球业务和独立开拓西南地区业务

续表15–23

企业名称	生产规模及内容	总投资（万元）	从业人员（人）	企业类型	主要产品及市场
深圳市北斗时空科技有限公司	移动互联网+车联网服务	500	20	服务外包企业	基于GPS定位系统和移动互联网技术，为中小学生、公共车辆、大型车队等提供定位和后台管理服务
家佳网络科技有限公司	软件研发。网页测试等，年开发和测试量超1000万字节。运营旗下购物网站。	400	17	服务外包企业	主要为软件研发和测试外包服务
御纪元网络科技有限公司	软件研发。网页测试等，年开发和测试量超3000万字节。	300	12	服务外包企业	主要为软件研发和测试外包服务
贵州迦太利华信息科技有限公司	软件研发咨询和外包服务，年开发量超6000万字节	600	8	服务外包企业	主要为软件研发和测试外包服务
北斗卫星导航应用技术工程研究院贵州分院	定位导航	120	13	服务外包企业	北斗卫星导航应用技术研究领军机构
联想之星创客空间	种子投资、创客服务、创业培训	500	15	大数据人才教育与培训企业	为入驻百鸟河数字小镇的创业企业提供种子投资和创业培训服务，并作为联想之星CEO培训班的培训基地
贵州百鸟河数字小镇大数据教育培训中心	建设大数据教育培训中心	300	55	大数据人才教育与培训企业	提供大数据产业从业人员继续教育服务，年培训人次可达1400人
贵州电子商务研究院暨电子商务交易技术国家工程实验室百鸟河数字小镇基地	电子商务交易技术研究	200	18	云服务与电子商务	国内电子商务交易技术研究领军机构
深圳市正大饮食电子商务中心	数字小镇内的网络餐饮服务	300	40	其他大数据服务企业	通过互联网订餐并实时配送
中国移动数据体验中心	中国移动大数据展示和体验中心	360	3	其他大数据服务企业	
深圳清华大学研究院百鸟河数字小镇基地	建设深圳清华大学研究院百鸟河数字小镇基地	200	20	其他大数据服务企业	作为清华大学深圳研究院的办公研究基地
—	—	11470	1314	—	—

第四章　卫　生

第一节　医疗体制改革

一、管理体制改革

1951年县人民政府设置卫生科，负责全县卫生行政事宜、布置和督导县区各项卫生工作、组织和领导全县群众性卫生团体、协助政府推行卫生工作。

1961年9月3日。印发《惠水县人民委员会卫生科通知》，县卫生防疫队、保健站与医院分开，成立惠水县卫生防疫站、惠水县妇幼卫生保健站。

1973年，县卫生科从县人民政府分离出来，成立惠水县卫生局。

1990至1996年，乡镇卫生院推行院长负责制，卫生院财务实行自负盈亏。

2002年11月，撤销惠水县卫生防疫站，组建惠水县卫生监督所、惠水县疾病预防控制中心，在乡镇卫生院设立公共卫生科。惠水县卫生监督所，为县卫生局直属副科级事业机构。核定事业编制10人，其中，工勤编制1人；内设综合股和政策法规股。2004年1月1日，惠水县卫生监督所挂牌成立，依法行使卫生监督职责。

2003至2005年，鼓励医务人员承包乡镇卫生院，卫生院医务人员实行竞聘上岗，允许单位富余的医务人员停薪留职从事其他行业，鼓励集体、企业、个人办医。

2009年10月，《食品安全法》颁布实施后，惠水县卫生监督所将餐饮服务监督职能移交惠水县食品药品监督管理局。

2010年7月，惠水县卫生局成立医改工作领导小组，推进和深化医药卫生体制改革，乡镇卫生院管理逐步走向规范化。

2011年5月，印发《关于惠水县人民政府机构改革的实施意见》，将惠水县卫生局、惠水县食品药品监督管理局职能整合，组建惠水县卫生和食品药品监督管理局。

2012年3月，根据《关于复审核准黔南州卫生监督局等11家事业单位列入参照公务员法管理范围的通知》精神，惠水县卫生监督所被贵州省公务员管理局复审核准为参照公务员法管理范围单位。

2014年12月，新一轮机构改革将惠水县卫生和食品药品监督管理分为两部分，原食品药品监督管理局并入市场监督管理局，药品质量及药品生产、经营的监督执法由市场监管局负责。原卫生局与惠水县人口和计划生育局合并为惠水县卫生和计划生育局。

2015年，惠水县卫生监督所在编11人，其中：本科学历3人，大专9人，参照公务员法管理9人，管理人员2人。

二、医保制度改革

1950年起，对国家机关、企事业单位职工实行公费医疗，部分企业职工直系亲属享受单位报销一半医药费的照顾。

1969年，在农村人民公社推行合作医疗制度，由社员筹集一定资金，开办医疗卫生保健事业，国家代为培训赤脚医生。

1971年11月，全县49个公社已有30个公社办起了合作医疗，全县有823个生产队实行合作医疗，有赤脚医生160人。

1992年6月，推行公费医疗管理改革，出台《惠水县公费医疗改革方案》，公费医疗费用实行国家、单位、个人按一定比例承担。

1994年，采取个人账户与社会统筹为基础的社会保险制度，职工看病到各定点医疗机构就诊，职工医疗费用按工龄划分按比例报销（离退休人员据实报销），公费医疗预算经费由县人民医院代管。

1997年，出台《惠水县职工医疗统筹管理改革方案》，取消公费医疗。建立医疗统筹基金与个人医疗账户相结合的基本医疗保障制度，职工按工资总额的1%交纳医疗基金，财政按工资总额5%划拨医保统筹基金。

1998年，推进职工医疗保险管理办法，城镇职工按本人上年度工资收入的2%缴纳基本医疗保险基金。医疗保险早期是建立在以企业职工为对象的劳动医疗保险和以机关事业单位干部为对象的公费医疗制度，农民看病没有医疗保险保障，实行“谁看病、谁付钱”的自费医疗。

2008年，根据贵州省《关于农民工参加医疗保险工作的意见》，各用人单位在招用农民工时为其办理医疗保险参保手续，参保费全部由用人单位缴纳。

三、县级公立医院改革

2011年8月，县人民医院实行4个单病种临床路径管理和医疗行为管理。

2013年11月15日，印发《关于进一步明确惠水县人民医院机构设置、内设科室和人员编制的通知》，通过召开全院职工代表讨论通过，按照450名的编制设置岗位、设院长1名、副院长3名、支部书记1名、科长（主任）23名、中层干部实行竞聘上岗。

2014年5月，实行薪酬制度改革，县人民医院试行《惠水县人民医院绩效考核与薪酬分配管理办法》。

2015年10月，印发《惠水县县级公立医院取消药品加成经费补偿办法（试行）的通知》，成立以常务副县长为组长、分管副县长为副组长，相关医改成员单位负责人为成员的县级公立医院改革、取消药品加成经费补偿工作领导小组。2015年10月21日零时起，两家县级公立医院（县人民医院、县中医院）全部取消药品加成（不包括中药饮片），实行药品零差率销售，缓解群众看病贵的问题。

第二节 医疗网点

1978至1983年，医疗网点有：县人民医院、姚哨区卫生院、三都区卫生院、摆金区卫生院、雅水区卫生院、断杉区卫生院、王佑区卫生院、城关镇卫生院及44个公社卫生所。

1984年4月，在原城关卫生院旧址组建惠水县中医院。

1992年，建镇并乡撤区后医疗网点由6个区卫生院和44个卫生所合并为25个乡镇卫生院：即和平、高镇、摆金、三都、断杉、雅水、芦山、王佑等8个镇卫生院和长田、大坝、甲烈、大龙、毛家苑、甲戎、岗度、宁旺、摆榜、斗底、鸭绒、抵麻、太阳、抵季、羡塘、长安、打引等17个乡卫生院；县属为县人民医院、县中医院、县疾病预防控制中心、县妇幼保健院、县计划生育服务站。

2003年，和平镇城区设立凤山、西山、濛江和涟江四个社区卫生医疗服务站试点。全县共有卫生机构31个，县级医院2个，疾病预防控制中心1个，卫生监督所1个，妇幼卫生保健站1个，单采血浆站1个，中心卫生院5个，一般乡镇卫生院20个；村卫生室156个，行政村覆盖率77.61%；社区卫生医疗服务中心1个；社区卫生医疗服务站4个；个体医疗机构38家。共有村级卫生人员211人，平均每村村级卫生人员1.05人，每千农业人口村级卫生人员0.55人。村级卫生人员报酬35元/月，占村级计生员工资的30%。

2004至2015年，重点抓乡镇卫生院、村卫生室业务用房和机构的内涵建设，医疗网点趋于稳定。

第三节 医疗技术

1999年前，县级两家公立医院主要开展临床常见病、多发病诊疗及常见的中下腹部手术，能独立完成急诊抢救、突发公共卫生事件处理，能满足人民群众基本医疗需求。大部分乡镇卫生院对农村常见病、多发病基本能处理。

2000年后，有卫生项目的支持、较大型诊疗设施和医技人才不断引进，诊疗范围、质量有较大的拓展和提升。至今，以县人民医院为代表的两家公立医院对较大疾病均能独立处理。

内科除能对循环、血液、造血、呼吸、消化、泌尿系统、内分泌系统、代谢性疾病和营养性疾病、风湿性疾病、理化因素所致疾病（中毒）、结缔组织关节性疾病、神经疾病、精神疾病、传染病等系统常见病、多发病做出正确的诊治外，还能对各种心脏病引起的急慢性功能不全，心源性休克，心律失常，肺心病并肺性脑病，哮喘持续状态，急、慢性呼吸衰竭，支扩大咯血，休克性肺炎，液气胸，肝硬化，重症肝炎，肝性脑病，各种原因引起的急性上消化道大出血，急、慢性肾功能不全，尿毒症，急性溶血性贫血（如蚕豆病等），血小板减少性紫癜，DIC（弥散性血管内凝血），糖尿病酮酸酸中毒昏迷合并脑血管意外、糖尿病合并高血压、冠心病，过敏性休克，急性有机磷农药重度中毒，CO_2、一枝蒿、乙醇、安眠药、毒鼠药中毒，脑溢血，脑血栓形成，蛛网膜下腔出血，多发性脑梗死，急性多发性神经根炎，癫痫持续状态，周期性瘫痪，破伤风、中毒性菌痢、感染性休克、钩体大咯血、化脑、乙脑、病脑病及散脑，癔症等部分疑难、复杂和急危重病人做出正确的诊治和抢救。

外科能开展单双孔腹腔镜胆囊切除术和部分肝叶切除等上腹部手术、胃大部切除术、胃肠修补术、胆囊摘除术、肾切除术、肾输尿管切开取石术、乳癌根治术、烧伤治疗、甲状腺次切除术、四肢骨折的手法复位及切开内固定术、肌腱吻合术、各种颅脑外伤的硬膜外及硬膜下血肿清除术。

妇产科能开展常见妇科疾病的诊治、盆腔肿瘤的剔除术、子宫次全切除术、剖宫产、阴道镜检查等。

麻醉科能开展全麻、硬膜外麻醉、臂丛麻醉、颈丛麻醉等。

第四节 医疗设备

1995年前，多数卫生院的诊疗设备停留在“老三件”（血压计，听诊器，体温表）水平。乡镇卫生院配备有X光机的仅三都、芦山、好花红、断杉4个乡镇卫生院；配备有B超机的仅有有三都、芦山、好花红、断杉、摆榜、和平、雅水7个乡镇卫生院；能开展检验工作的乡镇卫生院仅有芦山和三都。1996至1998卫Ⅳ项目实施省卫生厅及州卫生局为县医院，乡镇卫生院增添了消毒锅、X光机、普通外科手术包、人流包、简易手术床、吸引器（电动或脚踏式）、手提式黑白B超和一般的检验设备。同期卫Ⅶ项目（国家西南地区卫生帮扶第七项目，主要内容是计划免疫的冷链运转设备），为各卫生院配置了冷藏包、普通冰箱，当时，卫生防疫站另配置了冷链车、冷藏箱等。

2006年，有6个乡镇卫生院（芦山、摆榜、毛家苑、三都、断杉、雅水）通过项目配备了X光机，有7个卫生院（芦山、三都、雅水、长田、摆金、摆榜、断杉）配备了B超机，能开展三大常规检查的有芦山、三都、断杉、摆榜。

2008年，乡镇卫生院均拥有B超、X线机等医疗设备，开展普通内科、外科、儿科、妇保、儿保、传染病管理、地方病防治等医疗预防保健业务并承担公共卫生、村卫生室管理、新型农村合作医疗和城乡爱国卫生等职能，较先进的卫生院有三都、芦山，医疗设备价值达100万元，好花红、雅水、摆金、断杉、羡塘、高镇设备配价在40万～60万元，一般卫生院有长田、太阳达到15万～20万元，比较边远的卫生院达8万～15万元。

2010年，中心乡镇卫生院医疗设备价值20万元，一般乡镇8万元同时分配到位。

2011年，为11个乡镇卫生院配置相应医疗设备和应急救援车辆。

2013年11月，惠水县人民医院ICU（重症加强护理病房）正式投入使用。

2015年，县级两家公立医院添置了1.5T核磁共振、CT、CR、彩超、电子胃肠镜、腹腔镜、500毫安X光机、全自动生化分析仪等医疗设备。

第五节　疾病控制

惠水县卫生防疫站，建站初期人员27人。1996年，惠水县皮防站并入防疫站，成立皮防科。2002年11月，撤销惠水县卫生防疫站，组建惠水县疾病预防控制中心，为县卫生局直属副科级事业单位，核定事业编制40名，其中，工勤2名，列入县财政全额预算管理。内设综合科、流行病科、慢性病科、监测检验科等。设中心主任1名，副主任1名；各业务科设科长或副科长1名。2015年，设立惠水县疾病预防控制中心，为惠水县计划生育局所属副科级公益类事业单位，设综合科、流行病科、慢性病科、公共卫生科、监测检验科。

一、地方病防治

地方性甲状腺肿（碘缺乏病）　俗称大脖子病。县处于山区，自然环境中缺乏碘元素，属全省57个病区县之一。通过食盐加碘、健康教育等综合防治措施，至2000年阶段评估：居民户食用碘盐合格率94%，尿碘中位数567.40微克/升，8至12岁儿童甲状腺肿大率触诊法10.05%。达到基本消除碘缺乏病目标。2006年11月至2007年3月，开展消除碘缺乏病自查评估工作。按照《实现消除碘缺乏病阶段目标国家评估实施方案》中消除碘缺乏病判定标准，全县组织领导，碘盐管理，健康教育三项指标综合自评91分；尿碘中位数为314.2微克/升、碘盐合格率98.48%和儿童甲状腺肿大率3.25%，三项技术指标达到实现消除碘缺乏病标准。

地氟病　1984年，县被确认为燃煤污染型氟中毒病区，包括24个乡镇、202个行政村，氟中毒病区村51个，8～12岁儿童氟斑牙总体检出率为60.81%。确定病区以来，陆续进行6次调查，基本查清了全县病情和流行原因，1998年，开始干预防制地氟病工作及综合治理，效果显著。2009年，经省级防制效果考核，县达到病区控制标准。

2012年，按省《燃煤型氟中毒防制工作考核验收实施方案》，对全县17个乡镇，149个行政村（社区）的病区进行考核验收。主要指达到消除燃煤污染型氟中毒的标准。全县共调查150个村80588户，炉灶合格率为98.13%，合格炉灶正确使用率为98.69%，玉米正确干燥（保管）率为98.63%，（辣椒）正确干燥（保管）率为98.13%。全县村民健康行为已经形成，炉灶正确使用率和玉米（辣椒）正确干燥（保管）率均达病区消除标准≥95%。调查29858名8至12岁儿童，检出氟斑牙858人，氟斑牙总体检出率为2.87%，氟斑牙指数为0.07，8～12岁儿童氟斑牙检出率≤15%的村占100%。2013年后，主要开展健康行为干预工作，无燃煤型氟中毒的流行区，达到消除燃煤型氟中毒的目标。

二、传染病防治

霍乱　新中国成立以来全县在1998年和1999年两次暴发流行。1998年发病103例，死亡5例，发病率为26.66/10万，病死率4.8%，流行波及：摆金镇、鸭绒乡、大龙乡；1999年发病20例，发病率5.18/10万，无死亡病例，发病主要分布在摆金镇杉木村。两次流行原因是外出务工人员在外地感染，回乡后引起。

流行性脑脊髓膜炎（流脑）　1978至2010年，发病266例，死亡49例，病死率18.42%。1978至1990年为发病的高峰期，共发病224例，死亡44例。发病最高年份为1980年，发病43例，死亡5例。

实行计划免疫后，儿童有偿注射“流脑”疫苗，1990年后发病率下降，但时有发生。2008年，将“流脑”疫苗纳入常规免疫进行免费接种，2010年后无病例发生。

流行性乙型脑炎（乙脑）　1978至2013年，共报告发病332例，死亡25例，病死率7.56%。2001年、2012年无发病报告。1978至1990年、2000至2010年，为两个发病高峰期，发病数分别为133例和97例。其中，1978年发病39例，发病12.76/10万，死亡3例，病死率7.69%，为发病最高年份。2007年、2008年，县对8月龄至10岁的儿童开展乙脑疫苗强化免疫，以及2008年国家实施扩大免疫规划，适龄儿童普遍免费接种“乙脑”疫苗，2008年后发病逐年下降，年发病率在1/10万以下。2014年、2015年无病例发生。

疟疾　新中国成立初期，疟疾是县广为流行的传染病，1952年的发病率高达4439.10/10万。1957年县建立防疫委员会，组建防疫队，开展抗疟试点工作；1961年建立卫生防疫站，组织30人的抗疟专业队，开展抗疟工作。县卫生和防疫部门采取“以消灭传染源为主，结合杀灭传播媒介，保护健康人群”的综合性防治措施，1978年，疟疾发病率下降到77.22/10万。20世纪到80年代开展疟区净化工作，1980至1984年，年发病率平均为15.8/10万。1981年，县加入黔南、黔东南十九县市灭疟联防区，其间，加大对“四热”病人作血片镜检的方法来发现疟疾患者，寻找传染源，达到根治目的。五年共涂制镜检发热病人血片72874人，共治疗4664人（疗程），其中，春季抗复发治疗472人，高峰前治疗1048人，化学预防1996人，处理病灶点服药905人，现症病人治疗184人，假定性治疗59人。在疟疾病灶点实施药物滞留喷洒来蚊计39.5万平方米。1984年发病率下降到2.1/10万。1985至1990年，发病率继续下降至1.68/10万以下，经国家和省考核，宣布达国家《基本消灭疟疾的标准》。1991年，在宁旺乡的祥摆、白水河、中坡、黄土、亚陇等自然村寨出现暴发流行。经过连续三年的综合处置，至1993年消除病灶点。2000至2012年，年发病率控制在1/10万以下。2008年后，无本地感染病例的发生。2012年、2014年各发生一例输入恶性疟疾病例。

狂犬病　又名恐水症，病死率几乎100%。2005至2007年，发病在10例以上。2007年，在县实施狂犬病中央转移支付项目，规范了狂犬病暴露后的预防处置，2013年，在新农合中对狂犬疫苗注射给予报销相关费用，加强了暴露后的规范处置，发病率有所下降，2013年2例，2014年1例，2015年1例。1978至2015年，县共报告发病118例，死亡118例，病死率100%。

麻疹　1978至1986年为发病高峰期，共报告发病7800例，死亡212例，其中，1981年为发病最高的年份，发病3466例，死亡95例，发病率1070.18/10万，病死率2.74%。

实行计划免疫，对适龄儿童接种麻疹疫苗，20世纪80年代后期发病有所下降。但由于冷链设备的缺欠，人员流动造成等原因，进入90年代麻疹时有发生，有的年份出现暴发流行，2003年，在断杉、抵季、羡塘、三都等乡镇出现麻疹暴发流行，全年共报告麻疹发病520例，死亡2例，发病率126.82/10万。为控制麻疹的暴发流行，是年11月，在全县开展了麻疹疫苗补充免疫，对8月龄至12岁的适龄儿童接种麻疹疫苗，共接种96743人，接种率达97.76%。之后，麻疹发病率控制在0.5/10万以下。2015年无病例报告。

1978至2015年，共报告发病10030例，死亡226例。

伤寒副伤寒 1990年为发病最高年份，发病336例，发病率95.76/10万。1990至2000年为发病的高峰期，共报告发病1111例。2007年后无暴发疫情发生，年发病率控制在5/10万以下，2012年无病例发生。2013至2015年，有散在的病例发生，无暴发疫情及聚集性病例。

1978至2015年，共报告发病2199例，死亡15例。

炭疽 2004年，宁旺乡发生暴发流行，共发病16例，死亡1例，经州、县疾控部门联合处置，疫情得到有效控制。2005年后无病例报告。

1978至2015年，共报告发病60例，死亡2例，病死率3.33%。

痢疾 1978至2015年，共报告发病25899例，死亡142例。其中，1988年发病2580例，发病率760.12/10万，死亡22例，病死率0.85%，为发病最高的年份。2000年后，由于卫生监督工作加强，人们生活水平提高，发病率逐年下降，控制在100/10万以下。2012年发病68例，发病率19.62/10万，2015年发病8例，发病率1.96/10万。

病毒性肝炎 1991至2000年，发病以甲肝为主，占当时期总发病的62.17%；2001至2005年，发病以乙肝为主，占当时期总发病70.77%，同时期，丙肝的发病也逐年增加。

1978至2015年，共报告发病4911例，死亡21例。

脊髓灰质炎 1978至1992年，共报告发病11例，无死亡病率。经过多年脊灰疫苗强化免疫及加强常规免疫工作，1993年后全县无病例报告。

麻风病 早在20世纪50年代县建立麻风村，坐落在大坝乡三合村的龙井沟，距县城12千米。全县麻风病防治主要经历3个阶段：即50年代中期和80年代初，将发现的麻风病人强制送麻风村进行封闭、隔离治疗，共发现治疗89人。第二阶段：1982至1986年，对全县进行麻风病流行病学调查，发现治疗32例新病人，基本摸清在县麻风病流行情况。第三阶段为家庭治疗阶段，即开放治疗阶段，1986年以来，推行世界卫生组织先进的联合化疗方案，疗程短、治愈率高，麻风病人无须到麻风村治疗，完全实行全程家庭治疗，此阶段共发现治疗新病例58例。2009年、2012年，分别对4例、2例麻风畸残病人进行手术矫正。2015年，有3例接受治疗的病人。

新中国成立后至2015年，全县共发现病人183例，累计治愈167例，治愈前死亡、失访、外迁共计13人。

结核病 1996年，把结核病纳入乙类传染病报告以来，报告发病率逐年上升，2002年，县获得世界银行贷款/英国政府赠款、日本政府援助，项目资金用于结核病的发现、治疗、管理、宣传、督导、追踪等工作。之后，为控制规范管理治疗结核病人，实施以DOTS（直接督导下的短程疗法）为核心的现代结核病控制措施。2005年后，肺结核是县报告发病最多的乙类传染病。此后，把结核病人纳入系统管理，2005至2015年，登记患者数4412例，系统管理3421人，治愈涂阳病人1237例，完成涂阴病人2420例的疗程。

钩端螺旋体病 1978至2008年，共报告发病1325例，死亡19例。1994年、1997年，发生两次大的流行，主要波及长田乡、高镇镇、和平镇、毛家苑乡、大龙乡等乡镇。1994年发病373例，死亡13例，发病率为99.58/10万，病死率3.48%；1997年发病223例，死亡19例，发病率为58.64/10万，病死率8.52%。2000年后，发病得到有效控制，发病率控制1/10万以下，2009至2015年，已无病例报告。

艾滋病 2004年，发现首例艾滋病感染者（HIV），2004至2015年，每年均有病例报告，共报告130例艾滋病病人及感染者，其中，有45例艾滋病病人。感染者和艾滋病人共死亡35人。感染途径多为经性传播，职业以农民和农民工占多数。2013年后报告数逐年增加。2014至2015年，基本稳定在2013年水平。

手足口病 是一种儿童传染病，多发于5岁以下儿童，2008年，卫生部将手足口病纳入丙类传染病进行管理。县发病率由2008年的13.52/10万上升到2012年的338.19/10万，且局部出现聚集性病率或暴发。2015年，手足口病为县丙类传染病报告中发病最高的疾病。

2008至2015年，全县共报告发病3208例，死亡2例。

丝虫病 1981至1982年，调查共计发现微丝虫幼阳性者126例，属马来丝虫低底流行区，具体分布在雅水区的雅水、洛平、党古、合爱、太阳和摆金区本底。防治主要是采取消灭传染源为主，对查出阳性患者，均给予海群生治疗，对流行地区采取普服海群生拌盐（药盐），普服人口57764人。1983年7月，按卫生部统一制定的考核标准和方法，经省、州考核县达到基本消灭丝虫病。1984至2015年无病例报告。

三、免疫接种

1978至1984年，县的预防接种，主要采取在冬、春季和流行季节，对目标人群开展突击接种。1984年后，计划免疫工作按规划逐步实施。1988年，在全县开展儿童计划免疫保偿工作，计划免疫儿童交纳保偿费，保期3至5年。将基础免疫苗即脊灰苗、麻苗、卡介苗、百白破“四苗”实施冷链运转，按免疫程序接种，接种“四苗”预防“六种病”。1990年，全县“四苗”12月龄接种率，达到以县为单位接种率达85%的目标。1995年，全县“四苗”儿童12月龄接种率，以乡为单位达85%。2003年，将乙肝疫苗纳入儿童基础免疫，接种“五苗”预防“七病”，扩大免疫范围。2005年起，全县儿童基础免疫全部实行免费接种。2006年后，逐步将乙脑疫苗、流脑疫苗、甲肝疫苗等纳入儿童常规接种疫苗，至2013年，免疫规划疫苗达11种，预防12种病。2015年，全县接种疫苗累计124726剂次，11苗22剂次接种率95%以上，建卡、建证共计4712人，建卡、建证率100%。及时接种新生儿乙肝首针4712剂次，乙肝首针及时接种率99.70%。

1993至2004年，每年的12月5日至次年1月5日，开展两轮儿童“脊灰强化免疫”活动。2001年，与全国同步实现了消灭脊灰病的目标。2003年，开展“麻疹控制与麻疹疫苗补充免疫活动项目”，对全县8月龄至12岁儿童进行麻疹疫苗普种，接种96755人，接种率97.78%。2004年，麻疹发病率下降99.81%。2008年，对7至10岁的目标儿童开展乙脑疫苗强化免疫，共接种33397人次，接种率98.51%。2006至2012年，继续开展维持无脊灰状态脊灰疫苗强化免疫。2004至2015年，麻疹发病率在1/10万以下。2015年，白喉、乙脑、流脑、钩体病、麻疹疫情没有病例报告。1994至2015年，全县继续保持无脊灰状态。

第六节 妇幼保健

一、妇女保健

1987年，保健院设立住院部，建立妇产科、妇科门诊、内儿科门诊、X射线室、化验室，建立县、乡、村“三级妇幼保健网”。

1988年，惠水县妇幼保健院成功施行第一例剖宫产。

1989至1993年，开展以保健为中心，走保健与临床医疗相结合，面向群体，面向农村，以妇产科、儿科为主的临床业务。

1994年，据《中华人民共和国母婴保健法》全面实施，保健院建立婚检科室。

2000年，全县启动“三项建设”项目，通过省、州对县的新法接生验收。

2002年，全年出生总数5876人，新法接生5553人，新法接生率94.5%，孕产妇管理5882人，建卡率75.55%，系管理率为50.7%。

2003年，新法接生4766人，接生率为94.02%，产前检查3560人，产检率为70.42%，产后访视率为54.94%，住院分娩率为16.03%，全年产妇5055人，建卡3560人，建卡率70.42%，高危孕产妇管理348人，管理率94.05%，高危住院分娩率为94.5%。

2004年，全县新法接生（接生员双手、接生包、产妇会阴、新生儿脐带均接受消毒）率为92.33%，住院分娩率为17.18%，孕产妇系统管理率为31.32%。

2005年，全县25个乡镇享受“降低孕产妇死亡和消除新生儿破伤风”项目（以下简称“降消”项目），总价值30.006万元的产科设备援助。

2006年，对全县25个乡镇卫生院从事助产技术服务机构及人员210人（次）进行培训和考核，颁发相关证书。

2007年，县人民医院、县妇幼保健院开展出生缺陷监测，救助金额121478.50元，资金使用率100%，同年，作为黔南州唯一一个县出席在开阳召开的贵州省项目工作交流会作发言，工作经验被编入省《“降消”项目经验交流汇编》一书。

2008年，组织在县城、乡镇等地进行宣传6次，解决住院分娩贫困725人，救助金额125371元。

2009年，加强“降消”项目管理，建立孕产妇急救“绿色通道”，全县产妇总数4957人，活产数4959人，产前检查4450人，产检率为89.74%，产后访视率为84.65%，新法接生率为97.76%，住院分娩率为68.86%，高危检出率9.8%，高危住院分娩率为95.68%。

2011年，全县共有产妇4576人，住院分娩率为95.0043%，住院分娩补助率达99.58%，补助金额161.32万元。

2012年，全县孕产妇3861人，孕产妇保健覆盖率为95.09%，孕产妇1例，死亡率为22.4/10万，住院分娩率为97.02%。

2015年，惠水县妇幼保健院与惠水县计划生育服务站整合，成立“惠水县妇幼保健计划生育服务中心”，是年，共完成6000例宫颈癌筛查。

二、儿童保健

1994至1995年，响应世界卫生组织和联合国儿童基金会发起的创建爱婴医院活动，成立“惠水县母乳喂养协调领导小组”“惠水县母乳喂养技术指导小组”。

1996年，县妇幼保健院获授予“爱婴医院”牌子。

1999至2002年，根据《中华人民共和国母婴保健法》，加强保健管理体制和运行机制的管理，达到提高出生人口素质，降低婴儿死亡率目标。

2002年，5岁以下儿童死亡289人，死亡率49.18‰，其中：婴儿209人，新生儿104人。

2003年，7岁以下儿童44958人，管理率13.70%；5岁以下儿童31213人，体检评价正常者3688人，占查实总数11.8%；3岁以下17071人，管理率为2.13%，5岁以下儿童240人，死亡率47.34‰。

2004至2005年，7岁以下儿童39206人，保健管理率30.75%，5岁以下儿童26066人，营养评价实查9389人，体重小于中位数至2S计267人，占实查总数2.84%。

2006年，婴儿死亡率25.6‰，3岁以下儿童系统管理率24.6%。

2007年，全县出生缺陷8例，死胎15例，死产1例，7天内死亡11例，双胞胎13例。

2008年，依法开展孕产期保健、儿童保健和死亡监测工作。

2009年，对乡镇产儿科132名卫生技术人员进行培训，对县17家卫生医疗机构母婴保健技术服务进行执业评审，合格率达98%。

2010年，管理0～36月儿童4631人次。

2011年，开展新生儿疾病筛查，全年活产数4584例，新生甲状腺功能头像症筛查2866例，可疑阳性1例，确诊0例，两病筛查率62.52%。

2012年无新生儿破伤风发生。

2013年，开展出生缺陷监测：围产儿（孕满28周至产后1周）总2888人，出生缺陷23人，发生率0.79%。

2014年，完成儿童中医药保健15944人次共11576人，0～3岁中医药保健率为61%，新生儿甲状腺功能减低症可疑17例，确诊2例。苯丙酮尿症筛查3376人，可疑阳性3例，确诊0例。两病筛查率90.46%。

2015年，全县共有9名儿童死亡，分别于是年4月23日、9月29日，组织县级相关专家进行新生儿死亡评审工作。

表15-24

2002—2015年惠水县妇幼保健情况表

年度	婴儿出生数（人）	新法接生数（人）	新法接生率（%）	住院分娩数（人）	住院分娩率（%）	产前检查数（人次）	产后访视数（人次）
2002	5876	5553	94.50	—	—	—	—
2003	5069	4766	94.02	813	16.03	3560	2785
2004	—	—	92.33	—	17.18	—	—
2005	3491	3317	95.02	793	22.69	3180	2890
2006	4035	3797	94.12	1795	44.5	—	—
2007	3779	3581	94.76	1955	51.7	—	—
2008	4440	4235	95.38	2623	59.08	—	—
2009	4959	4848	97.76	3415	68.86	4450	4198
2011	4584	4560	99.47	4355	95.0043	4.32	4550
2012	3861	3824	99.04	3778	97.02	3703	3783
2013	4142	4139	99.9	4059	97.90	3826	4065
2014	4198	4101	97.6	4110	97.90	4027	4118
2015	4009	3998	99.7	3931	98.05	3886	3936

第七节 卫生监督

一、公共卫生监督

1982年前，公共卫生监督主要有五项内容，即食品卫生、环境卫生、劳动卫生、学校卫生和放射卫生，简称“五大卫生”。由卫生防疫人员，开展相应的卫生检查、检测工作。1982年11月《中华人民共和国食品卫生法（试行）》颁布。1983年7月1日实施后，国家相继颁布了《公共场所卫生管理条例》《生活饮用水卫生管理办法》《学校卫生工作条例》《职业病防治法》《放射性同位素与射线装置放射防护条例》。

此后，五大卫生监督改称为相应的七大卫生监督，即：食品卫生监督、公共场所卫生监督、化妆品卫生监督、生活饮用水卫生监督、学校卫生监督、职业病卫生监督、放射卫生监督。分别规定由县卫生局和卫生防疫站为执法主体，相应的卫生监督员分别由省卫生厅、县人民政府、县卫生局考试考核后聘任，颁发卫生监督员证，卫生监督员统一着装，持监督证件上岗，使用卫生部统一印制的执法文书，实行综合执法，有偿监督监测服务。卫生监督覆盖全县乡镇乃至村组，对需要发放卫生许可证的单位坚持先申请、再审查批准、后送证上门的工作程序。各类从业人员必须经过体检培训合格后发放健康证和卫生知识培训合格证，各项检测均出具检测报告和卫生评价意见书。严格执行收费政策，卫生监督监测收费标准向社会公示。

（一）食品卫生监督

1983年7月1日前，县食品卫生监督工作由县卫生防疫站卫生科负责，将防疫站原卫生科分为卫生科和检验科，卫生科负责全县的食品卫生监督检查工作，1983至1995年，食品卫生监督执法主体是县卫生防疫站，卫生许可证和健康证均由县防疫站签发。1996年《中华人民共和国食品卫生法》将食品卫生监督执法主体变更为县卫生局，新的卫生许可证由县卫生局委托县卫生防疫站代发，直至2003年底。

2004至2009年10月，县共审发食品卫生许可证7640件，其中：食品经营3910件，餐饮服务3060件，食品加工670件。监督检查22921户次，出动卫生监督员9211人次，出动车辆1948台次。立案查处101户次，共计罚款21.5万元，取缔无证经营426户次，限期整改1219户次，共收缴销毁“三无”、过期、变质、劣质食品2.5万千克，价值人民币30万元；培训从业人员15211人次，“五病”调离122人。

（二）饮用水、学校、公共场所、职业卫生监督

生活饮用水卫生监督。2004年，县持有生活饮用水卫生许可证集中式供水单位有惠水县自来水公司、惠水黔惠城乡供水有限责任公司（龙塘水厂）、惠水黔惠城乡供水有限责任公司（程番水厂）。2012年，新增持证惠水县乡镇供水有限责任公司三都供水站，2013年，新增持证惠水县长田工业园区辉腾供水有限责任公司（土桥水厂）。2015年，持有生活饮用水卫生许可证共计5家。

2004至2015年，县共监督检查供水单位及涉水产品生产经营单位2270户次，其中：城镇集中式饮用水单位522户次、农村分散式供水单位852户次、学校饮用水720户次、学校自建供水112户次、桶装水生产经营单位53户次、涉水产品生产经营单位11户次；监督监测供水单位出厂水和管网末梢水水样930份（城市集中式供水630份，农村集中式供水300份），合格772份（城市集中式供水合格630份，农村集中式供水合格142份），合格率83.01%（城市集中式供水合格率100%，农村集中式供水合格率47.33%）。其中：出厂水360份，合格282份，合格率78.33%；末梢水570份，合格490份，合格率85.96%。共出动卫

生监督执法人员和卫生监督协管员2910人次，车辆681台次，下发卫生监督意见书2100余份，立案查处13户次，罚款13.376万元。

学校卫生监督。2004年以来，每年3月和9月学校开学初，均开展两次专项监督检查，主要检查学校食品卫生、生活饮用水卫生、学校传染病防控、学校环境卫生。

2004至2015年，共监督检查中学、小学、托幼机构2512户次，检查校园周边食品生产经营单位1519户次，取缔校园周边饮食摊（点）642户次，立案查处35户次，警告35户次。

公共场所卫生监督。2004至2015年，共审发公共场所卫生许可证1513件，监督检查3349户次，下达卫生监督意见书3340份，出动卫生监督员和卫生监督协管员1521人次，出动车辆1021台次，立案查处412户次，共计罚款34.75万元。培训从业人员1546人次，"五病"调离33人。住宿业、沐浴场所、美容美发场所实行量化分级管理率达100%，监督覆盖率100%。

职业卫生监督。2002年5月1日《中华人民共和国职业病防治法》颁布实施后，县明确对职业卫生监督管理的工作目标、整治范围、整治任务、整治措施、整治重点和工作要求，依法查处违法、违规行为。

2002至2011年，共监督检查职业病危害企业211户次，监督检查职业健康体检单位30户次，下达卫生监督意见书241份；开展职业卫生宣传25次，发放宣传资料9万余份，宣传画1.2万张，张贴标语161张，接受群众咨询561人次；举办职业卫生培训班6次，培训职业病危害企业员261人次。

2012年1月1日，县卫生行政部门将职业病监管相关职能移交给县安监部门，县卫生行政部门的主要职责是对职业健康检查单位和医疗机构放射性职业病危害控制的监督管理等。

二、医疗卫生监督

2004年前，县医疗卫生监督由县卫生局办公室监管，是年，成立惠水县卫生监督所后，县医疗卫生移交县卫生监督所负责监管。

医疗卫生监督。2004至2015年，县共受理医疗机构卫生许可2292户次。监督检查医疗机构、计生服务机构、采供血机构3549户次，下达卫生监督意见书3500余份，出动卫生监督员和卫生监督协管员2322人次，出动车辆1921台次，取缔无证行医、游医315起，异地封存医疗器械351件、药品109箱、B超机2台、吸引器2台，立案查处461户次，共计罚款138.96589万元。举办医疗机构卫生法律法规培训班15次，培训医务人员746人次；受理投诉举报202起；处理医疗纠纷767起，受理尸检17次，受理医学技术鉴定21起。

放射卫生监督。2004年前，县持有放射诊疗许可证开展放射诊疗活动的医疗机构有县人民医院、县中医院及县疾病预防控制中心3家。2006年，新增惠水涟江医院和惠水百姓医院，2012年，新增通慧诊所1家，2015年，惠水涟江医院新增CT1台。截至2015年，全县持有放射诊疗许可证开展放射诊疗活动的医疗机构共计6家；共有普通医用X线6台、CT3台、牙科1台。县10个乡镇卫生院有放射诊疗设备，但因无相关专业技术人员，未办理放射诊疗许可证，一直未开展放射放疗工作。

2004至2015年，县共检查放射诊疗医疗机构213户次，立案查处5起，结案5起，罚款16.5万元。

传染病防治卫生监督。2004年，根据《中华人民共和国传染病防治法》《消毒管理办法》等法律法规，定期或不定期在全县范围内开展传染病防控专项执法检查工作，严厉查处各种违法违规行为，及时发现问题，限期整改，制定监管措施，落实监管职责，提高监管水平，严防重大公共卫生事件的发生，保障群众身体健康及生命安全。

2004至2015年，共对各类医疗机构、学校及托幼机构进行传染病防治监督检查3120户次，下发卫生监督意见书3100份，出动卫生行政执法2213人次，出动车辆1663台次，立案查处113户次，共计罚款8.97万元。

三、卫生监督协管服务

2012年，县启动卫生监督协管服务，通过对乡村卫生监督实行“五统一”管理（机构设置、人员管理、档案管理、制度建设、业务管理），建立以县卫生监督所为中心、以乡镇卫生监督工作站为依托、以村卫生室（社区卫生服务站）为基础的组织体系；建立由卫生监督员、卫生监督协管员、卫生监督信息员组成的队伍体系；建立县卫生监督所、乡镇卫生监督工作站、村卫生室（社区卫生服务站）三级卫生监督制度体系和三级卫生监督考核体系。通过推行卫生监督协管制度，提高卫生监督覆盖率，卫生监督由城镇有效延伸到农村，基本消除卫生监督空白点，被监督单位建档率100%，监督覆盖率100%，卫生监督协管信息报告率100%。2012至2015年，县乡镇卫生监督工作站共巡查饮用水卫生、学校卫生、非法行医、公共场所、医疗机构等经营单位6610户次，出具卫生监督协管意见6600余条，发现事件或线索131条，报告事件或线索131条，协助卫生监督部门查处各类违法案件35起。

2012年10月，惠水县卫生监督所代表黔南州出席在六盘水召开的全省卫生监督协管工作会并作交流发言。

第八节　爱国卫生运动

1978年，惠水县设爱国卫生运动委员会，下设办公室在县卫生局，负责协调全县爱国卫生运动工作。配备专职人员1名。2015年3月，明确县爱国卫生运动委员会办公室为县卫生和计划生育局所属副科级事业单位，核定事业编制8人。

1978至2015年，惠水县爱卫会根据各个时期爱国卫生运动主题，围绕“政府组织，地方负责，总体协调、群众动手、科学治理、社会监督”开展爱国卫生运动。

2000年，县农村自来水覆盖率达50.1%；农户卫生厕所普及达18.1%。未经无害化处理的粪便导致农村肠道传染病和媒介性疾病时有发生与流行，严重影响农民健康。全县开始修建卫生厕所和无害化厕所（卫生厕所指有墙、有顶，贮粪池不渗、不漏、密闭有盖，厕所清洁、无蝇蛆、基本无臭，粪便必须按时清出；无害化卫生厕所指的是符合卫生厕所的基本要求，具有粪便无害化处理设施、按规范进行使用管理的厕所）

2011年，全县卫生厕所累计2.48万个，普及率达28.8%，无害化卫生厕所累计0.018万个，无害化卫生厕所普及率达15.87%。是年，用于农村厕所改厕投资共490.8万元，其中，国家投资319万元，个人投资171.8万元。改水方面，到2011年底，累计建自来水厂183个，水窖11998个，受益32.77万人，受益83.07%，农村改水投资403万元。其中，国家投资310万元，个人投资93万元。

2015年，县卫生厕所累计3.275万个，卫生厕所普及率达36.72%，无害化卫生厕所累计0.02万个，无害化卫生厕所普及率达22.14%，是年用于农村厕所改厕投资共75万元。

1978年后，在县城每年均开展除“四害”（老鼠、苍蝇、蚊子、蟑螂）宣传活动，1995年5月后，县每年拨款一次，在全县范围内组织大面积灭鼠活动，期间，各乡镇、机关、学校、厂矿等同时开展突击活动，乡村结合春耕积肥，发动群众大搞卫生突击，重点是清除垃圾和疏通排污沟。

2014年，爱卫办下发《惠水县2014年开展城区灭鼠活动实施方案》，要求各部门各单位对本单位的除四害工作进行统一安排部署，彻底清除“四害”滋生场所，是年的灭鼠除害工作，未发生中毒事件，做到灭鼠安全有效。

1999年，成功创建省级卫生县城，之后，通过历次省级复审。2015年，县申报国家级卫生乡镇，省级卫生乡镇，省级卫生村，同年底，通过省级评估，县成功创建了好花红国家卫生乡镇，芦山镇、摆金镇2个省级卫生乡镇，摆金的立新、马道，岗度本底、宁旺，好花红的新门等6个省级卫生村。

第九节　红十字会

一、组织机构

机构　1978至2011年，红十字会设在卫生局，明确专人负责，主要开展扶贫、救灾、慰问、无偿献血和宣教工作。

2011年8月，县将红十字会从县卫生和食品药品监督管理局中分离，单独设置“惠水县红十字会”，属正科级机构，列入群众团体组织序列，内设办公室；核定县红十字会机关事业编制5名，其中：设会长1名（副县级领导兼职）、专职副会长1名（正科级）、办公室主任1名、工勤编制1名。人员经费列入县财政全额预算管理。2014年1月5日，迁到县人民政府政务服务中心10楼办公，至此，惠水县红十字会完全从县卫生和食品药品监督管理局剥离出来。

会员代表大会　2014年8月，惠水县红十字会第一次会员代表大会召开，共有正式代表102人。会议选举产生红十字会第一届领导班子，选举会长1人、专职副会长1人、兼职副会长4人、表决通过秘书长1人、会议审议通过县红十字会第一届会员代表大会执行委员会委员7人；社会监督委员会委员6人。

二、基层组织建设情况

2014年6月，中共惠水县委办公室下发《惠水县红十字会基层组织建设工作方案》的通知，将红十字会基层组织建设纳入党的基层组织建设内容。2015年4月，涟江街道甘昌村首家村级红十字会和红十字基层组织建设示范点成立。同年，将贵州盛华职业学院打造为红十字志愿服务示范点，把志愿服务植入校园，在大学生中开展志愿服务活动，发挥志愿服务基地的示范引领作用。红会基层组织建设向村、学校推进。是年底，全县共有52家县直机关单位（其中：镇（街道）共10个）建立基层红十字会组织，发展团体会员单位52个，个人会员50人（特别个人会员3人，普通个人会员47人），志愿者76人。

三、业务工作开展情况

（一）宣传教育工作情况

宣传“人道、博爱、奉献”的红十字精神，形成全社会积极支持参与红十字事业的浓烈氛围。一是结合红十字重要纪念日开展宣传。在世界红十字日、世界急救日、世界艾滋病日、国际志愿者日等开展集中宣传活动；二是结合“倡导文明新风尚、共谱文明新篇章”“明礼知耻·崇德向善”“六五”普法等活动的开展，与县直相关单位联合开展集中宣传活动。

2014至2015年，共开展各类宣传培训6次，发放宣传资料40000余份，现场接受咨询500余人次。

（二）红十字“生命接力工程”情况

加大无偿献血和造血干细胞捐赠宣传力度。无偿献血、造血干细胞捐赠是县红十字会的业务工作之一，一是利用“三八”妇女节、法制宣传日、5·8博爱周等活动契机，对广大居民进行宣传和动员；二是到县直机关单位和各大院校开展宣传活动，进一步提高全民参与的积极性和主动性。

开展无偿献血和造血干细胞捐献志愿招募登记工作。2015年2月2日至4日和3月27日，在县城关一小、摆金镇和贵州盛华职业学院开展3次无偿献血和造血干细胞捐献志愿者招募登记活动，共有320人献血成功，献血量90800毫升，现场对64个志愿捐献造血干细胞人员进行登记和血样采集。（2014年前无偿献血工作由卫计局组织）

根据“88国际体育援助计划”惠水县红十字会为儿童健康开展募捐活动（1988年摄）

（三）应急救护培训情况

应急救护工作是中国红十字会的传统工作和法定职责，2014至2015年，共在贵州盛华职业学院、县红十字会第一次会员代表大会会场、县人民广场、商贸街、好花红镇好花红村、贵州财经大学商务学院，开展应急救护知识培训6次，参训20000余人。

（四）救援、救护和救助工作情况

协助申报天使基金。小天使基金和天使阳光基金是中国红十字总会救助贫困家庭0至14周岁患白血病和先天性心脏病儿童的传统项目。2014至2015年，共帮助摆金镇1名白血病患儿申报小天使基金，帮助芦山镇1名先天性心脏病患儿申报天使阳光基金。二是以关爱弱势群体为重点，多形式开展各类贫困救助活动。

2014年起，争取到省红十字会春节慰问物资价值36万余元，走访慰问贫困群体；“康恩贝健康之旅至老年病防治”博爱项目价值50万元的药品，救治前列腺疾病贫困患者；联合涟江街道甘昌村筹集善款54960元，为摆榜小学等5所小学916名学生定制校服；经与省红十字会积极争取，中国红十字基金会幸福天使基金联合贝因美集团，向县捐赠价值80.02万元的贝因美母婴配方奶粉（共计620件）和价值2万余元的图书，用于帮扶救助县部分贫困家庭婴幼儿、学生和孕妇；联合县残联、慈善总会和贵州财经大学商务学院励志社成功举办“心微笑·爱飞翔”励志公益晚会，现场捐款8292元，用于王佑镇打引小学和董上小学贫困、留守、孤残儿童的帮扶；争取45万元“绿色家园至健康新村”项目，落户濛江街道司蒙村。慰问在校贫困大学生10名，发放慰问金5000元；为好花红镇贫困户吴邦寿送去大米、棉被和5000元慰问金，解决其3个子女开学时的燃眉之急。2015年中秋节，与黔灵女家政公司为环卫工人送去52袋大米、月饼、苹果等物资以表祝福。

第十节　公共卫生（初级卫生保健）

一、机构建立

1991年，成立以政府县长任主任，县直计统、财政、教育、卫生等部门主要领导为成员的“初级卫生保健委员会”，下设办公室于县卫生局，并印发《惠水县初级卫生保健概略规划》，强调“各乡镇人民政府要成立相应的初保领导小组，制定初保规划，把初级卫生保健工作纳入当地国民经济和社会发展规划，切实加强领导，不断建立、巩固和完善农村三级医疗卫生保健网络”。1999年，各乡镇相继设立机构，健全组织，明确专（兼）职人员，制定规划和年度计划，抓好各项初保指标的落实。

二、机制措施

1998年，按党政机关、企事业单位、人民团体干部职工和私营企业人员、个体工商户等每人每年2元，承包耕地的农户每人1元征收的标准，以惠政（1998）28号文建立“惠水县农村卫生基金制度”，明确“乡内统筹、互不平调、乡管村用、专款专用”的基金管理体制。

县人民政府组织召开全县初级卫生保健工作会议，按《惠水县初保工作实施意见》，政府县长与乡镇政府及县直相关部门领导、卫生局局长与卫生院长及县属卫生医疗单位领导，分别签订《初保工作责任状》，落实党政领导亲自抓，相关部门分头抓，职能部门全面抓的“三抓”责任。

三、指标完成

（一）健康教育工作

在县、乡“健康教育领导小组”的监督下，进一步明确专（兼）职人员的职责和任务。落实年度健教计划，开展全民健康教育宣传和协调当地中、小学校开展学生健康教育工作；县教育局完成全县中、小学健教课的设置。全县有中心完小167所，健教开课率100%；有健教宣传栏或宣传资料的行政村156个，覆盖率达77.61%。据《基础健康知识问卷》抽样调查，全县基础健康知识知晓率居民达83.33%，学生达93.79%；基本健康行为形成率居民达80%，学生达90%。

（二）卫生监督监测和疾病防治

随着初保工作的开展，各乡镇传染病、疫情等制度化、规范化管理的模式基本形成，卫生法制意识不断提高。2015年，计免建卡率达98.38%；麻苗、卡介苗、脊灰苗、百白破“四苗”单苗规范接种率分别达96.27%、97.28%、96.25%、94.11%。食品卫生抽样检查合格率92.47%；法定报告传染病发病率318.78/10万，五年递降18.58%，比1990年的610.37/10万下降了47.77%；传染病规范化、制度化管理达100%。碘缺乏病经省、州考核评审，已达基本消除的标准。

（三）妇幼保健

随着20世纪90年代初妇幼合作项目工作的开展，农村妇幼保健网络已经形成，2000年6月初，经州组织专家审评，认定达“普及新法接生标准”。新法接生率94.18%，比1990年提高36.09%；孕产妇及婴儿死亡率分别为18.64/万及35.24‰，五年分别递降42.68%和12.66%，比1990年的54.7/万及63.56‰分别下降65.92%及44.55%。

（四）村卫生室建设

村卫生室作为农村三级医疗预防保健网底，及实施初级卫生保健的前沿阵地，具体工作：

房屋落实：责成有条件的乡镇完成“三室一房”即计生室、卫生室、村支部党员活动室建设，解决村卫生室用房。2002年前竣工的“三室一房”35个，其中，70%已验收投入使用；另一部分村卫生室是以租赁集体公房、私人用房等形式使用。“三室一房”占已建卫生室的22.44%，租用形式占33.33%，私房占44.23%。

技术培训及医疗设施配置：借助卫生人力培训项目的开展，县卫职校完成了三年制、两年制正规化、系统化卫生专业技术人员培训167人，一年制培训166人，目前90%以上的在村卫生室任用。借助卫四项目的开展，卫生室的诊疗基础设施得到一定充实。

村卫生室管理：责成乡镇卫生院督促村卫生室按时完成指令性防保工作，县初保办统一定制门诊工作、处方管理、传染病管理等7个制度发至各村卫生室悬挂、学习，并按初保指标要求，统一规范门诊日志、传染病登记、新法接生登记、出生登记和“两个管理”“两个死亡”等8个工作登记本模式。

公共卫生防治（2009年摄）

2003年，建村卫生室156个，行政村覆盖率达76.5%，应建村覆盖率达93.41%。其中，甲级村卫生室83个，占49.70%，部分已实现“三配套”。在卫生室中，工作运转正常，经考核合格发放“医疗机构许可证”的120个，在整改中待发证的29个，责令整改的7个。

（五）农村合作医疗

2002年7月30日，在好花红乡崇学村举行合作医疗试点揭牌仪式，机关单位及社会各界捐款捐物折款7732元。

（六）农村改水、改厕

2001至2002年，全县新建沼气式卫生厕所1900个，水冲式25个，其他规范性卫生厕所1775个，使改厕工作突破性进展。卫生公厕达90.56%，卫生户厕达47.53%。全县农村改水人口受益率达89.62%，其中，饮用自来水人口受益率达57.70%。

四、初保考核

1999年，经省、州评审验收获80.06分，达基本合格县标准；2003年，评审验收获87.96分，达“合格县标准”。2009年，农村新型初级卫生保健评审验收获88.05分，达“合格县标准”。于2010年，由省卫生厅、省发改委、省财政厅、省农业委员会、省环保厅、省爱卫委、省中医药管理局七部门行文确定。

第十一节 医政管理

一、机构人员

1978年，全县六区一镇（姚哨区、三都区、摆金区、雅水区、断杉区、王佑区、城关镇）、49个公社，建立卫生所的有44个公社。全县卫技人员248人，其中：县属169人，乡镇79人；全县床位数120张，其中：县属80张，乡镇40张。

1981年，国务院首次提出用“乡村医生”代替“赤脚医生”问题，同年2月，国务院批转卫生部《关于合理解决赤脚医生补助问题的报告》。凡经考核合格相当于中专水平的赤脚医生发给乡村医生证书。标志着赤脚医生向乡村医生的转变。

2003年，全县共有卫生机构31个。县级医院2个，疾病预防控制中心1个，卫生监督所1个，妇幼卫生保健站1个，单采血浆站1个，中心卫生院5个，一般乡镇卫生院20个；村卫生室156个；社区卫生医疗服务中心1个；社区卫生医疗服务站4个；个体诊所38家。

全县有全民所有制卫技人员410人，集体所有制卫生人员172人，村级卫生人员211人。卫技人员中大学本科26人，大专89人，中专260人，高中11人，初中以下学历24人；正高级职称1人，副高级职称11人，中级职称45人，初级职称251人。全县201个行政村设有152个村卫生室（24.38%的行政村未设卫生室），共有村级卫生人员211人，平均每村村级卫生人员1.05人，每千农业人口村级卫生人员0.55人。

2013年，全县25个乡镇卫生院病床，由2003年的200张增加到256张，职工由112人增加到308人。中级职称6人、初级职称90人、无职称74人（含卫技人员301人）。

2015年，全县卫技人员1539人（其中：公立医疗卫生机构在职正式职工893人，卫生技术人员838人，执业/助理医师525人，执业护师/护士174人），高级职称37人、中级职称145人、初级职称380人、每千人拥有卫技人员3.3人。平均每千人拥有病床2.55张（按全县46万户籍人口计算）。全县有较规范的民营医院5家，个体诊所13家。

二、医政管理

建章立制，规范执业行为。1993年起，将医疗机构制度建设纳入年终目标考核内容，要求包括卫生行政部门在内的全县医疗卫生机构，严格依据卫生相关法规，按执业内容和岗位分别建立各项规章制度，并归档上墙，接受社会监督。到2008年，县、乡、村三级卫生网络及社会办医机构制度建设趋于规范和完善，有效减少医疗事故及医疗纠纷的发生。

医疗服务。依据有关卫生法律法规，加强对医疗机构、医疗技术和人员资格准入、管理和医师、护士执业注册信息系统应用管理，规范和完善护士执业注册及换发证工作。在诊疗活动中，开展“以病人为中心，以提高医疗质量为主题”的医院管理活动，以医院评审、复查和专项质量检查为手段，不断推进医疗质量的持续改进和提高，保障医疗安全。

“医疗质量万里行”活动和优质护理服务。2012年，开展推行便民惠民措施，优化医院门急诊环境和流程，增设服务窗口，为特殊人群开设绿色快速通道，缩短挂号、诊查、报账、排队等待时间，医疗服务质量，人民群众满意度显著提高。

医疗卫生单位人才储备建设。拓展人才引进渠道，各医疗机构认真推选学科带头人，以送出去进修的方式重点培养，借助卫生项目契机，组织县卫校开展以乡、村两级卫技人员为重点的强化专业技术培训工作。1991至2007年，共完成村卫生员岗前培训284人，复训122人；村接生员岗前培训149人，复训120人；乡村医生一年制岗前培训106人，复训95人；乡卫生人员2年制补课50人；乡卫生员1年制进修95人；医士专业3年制正规化培训117人，乡村医生4年制函授58人和本科17人、大专25人的学历培训，提升医技人员临床处置能力和医疗卫生机构综合实力。同时，加大对医疗广告的监管，对各种渠道医疗广告的监察。

三、卫生执法

成立以业务副局长为组长的督查组，按照医疗卫生相关法律法规，对县、乡医疗卫生机构和社会办医、游医，先后进行全面督查和清查。2002至2009年，对查出卫生院不符执业许可的4名司药人员进行调配、对3家超出服务范围的个体诊所进行规范、对违反服务制度的8家乡、村卫生机构进行批评教育和现场培训指导，对3名游医进行全面清理。规范医疗行为和医疗市场，消除隐患，保护人民群众的切身利益。

四、医院感染管理

按照《医院感染管理办法》和相关技术性规范，对各医疗机构重点环节的医院感染控制工作进行阶段性监督巡查，指导医疗机构建立健全医院感染监测和医院感染报告系统，严格有关医院感染控制技术性标准。多年来未发生群体性医源性感染事件。

五、血液管理

落实《临床用血管理办法》和《临床输血技术规范》，建立临床用血评价体系，完善医疗机构临床用血准入制度，凡达不到临床用血准入标准的医疗机构，均不准予开展临床输血工作。多年来，未间断无偿献血宣传，推动无偿献血工作。

六、医疗纠纷防范和化解

中心卫生院以上医疗机构制定医疗纠纷防范处置预案，进一步规范医疗纠纷处置程序，保护医患双方合法权益，维护社会稳定。加大医院对口支援，提升医疗服务质量。结合浙江李惠丽医院和贵州省中医一附院到惠水县人民医院、惠水县中医院对口帮扶的契机，抓医疗技能和服务质量的提高。2012年，县人民医院顺利通过“二级甲等”综合医院评审，县中医院顺利通过“二级甲等”中医医院评审。

七、民营医院

2005年8月，批准设立惠水县第一家民营医院惠水骨科医院（后改名为惠水百姓医院）。2006年10月，批准设置惠水涟江医院。是年11月，批准设置惠水惠兴医院。同年，批准设置“凤山社区卫生服务站”“涟江社区卫生服务站”“濛江社区卫生服务站”“西山社区卫生服务站”。2010年5月，批准设置惠水仁爱医院。2013年3月，批准设置惠水协和医院。是年，县域内民营医院共有5家：惠水百姓医院、惠水涟江医院、惠水仁爱医院、惠水协和医院、惠水惠兴医院。2015年，完成投资6000万元的惠水百姓医院改扩建项目用地和前期准备工作；完成涟江医院基本建设和晋升二级医院的评审工作；设置惠水安宁医院和惠水东山康复医院，惠水东山康复医院为公建民营医疗机构。

第十二节　药政管理

1999年前，全县有中药店4家，西药店15家，2000至2012年，中药店5家，西药店88家。

2002年，组织药监人员对县城和3个中心乡镇集贸市场进行检查，对无证经营中药饮片，游医自配酒剂、散剂、百货摊点零售药品等均进行查处。在整顿药品、医疗器械流通秩序中，对所发现违法违规的查处率95%以上。

是年，县有监督对象222户（其中，分布在边远农村的对象有157户），监督一次以上的222户，监督建档222户，监督覆盖率100%。全年共出动执法714人次，检查935户次，总处罚140户，总处罚金58756.10元（其中，立案查处37户，处罚金38221.10元，现场行政处罚103户，处罚金2.0535万元），立案处罚37件，结案34件，未结案3件，结案率91.89%，取缔无证经营药品户摊店19户。协助州药监局完成对县1户从事三类医疗器械经营的初审工作，对15户需要经营一类医疗器械的经营企业备案登记。完成见习药师注册审证工作，审发见习药师资格证21本。对中药材种植情况进行调查了解，安排启动5个药品不良反应监测试点工作的开展。

2003年，开展整顿和规范药品市场秩序，对辖区内制假、售假药品做到“五不放过”原则，一抓到底。对农村用药、用械监管，促进农村药品市场健康有序发展。出动药品稽查车56辆次，执法人员365人次，监督检查对象221户，建档221户，监督覆盖率100%。清理集贸市场21个，取缔无证经营药品户12户，端掉制假售假窝点2户。共查处药品、医疗器械案件126件，申请县人民法院强制执行的处罚案件1

件，违法涉案金额16521.8元，总处罚金42694.6元。对18家药品零售企业开展日常监督记分卡制度；完成辖区内51家个体诊所使用药品品种数的备案及检查工作；对11户药品零售企业经营的一类医疗器械备案进行年检登记。

是年，投入车辆、人员及资金，参加抗击“非典”防治工作第一线。与县属相关部门联合开展检查防治“非典”药品、医疗器械行动。检查药品经营、使用单位81户次。定期、不定期联合，开展打击生产、销售、使用假劣药品、医疗器械违法犯罪专项行动。

2004年，有监督对象235家：其中，药品使用单位201家（县属医疗机构5家，乡镇卫生院25家，计生服务站4家，村卫生室118家，个体诊所42家，社区服务站5家，厂矿医院2家，）；药品经营单位31家（药品批发企业1家，药品零售企业19家，乙类非处方药经营企业11家）。一类医疗器械生产企业2家，实际监督对象235家（户），建档235家，监督检查1049户次，监督覆盖率100%，出动执法车65辆次，执法人员337人次。监督执法案件32件，行政处罚15件，共计结案金额28201.11元。是年9月25日至28日，组织召开全县涉药人员继续教育培训，经考试考核合格发给合格证书。

2005年，实施“药品放心工程”和以整顿规范全县药品市场秩序为重点的专项整治，有效打击制售假劣药品违法行为，对疫苗流通使用、特殊药品管理及使用、药品进货渠道进行专项检查。对医疗器械和农村药品市场清理整顿，没收假劣药品货值金额2414.80元，行政处罚3817.59元。加强药品不良反应监测。开展对辖区内药品经营、使用单位进行全面检查，对药品经营使用单位的进货渠道，进行资质认定、备案工作。

是年，以农村药品管理为重点，巩固扩大农村药品“两网”（供应网和监督网）建设工作成果。共收到药品监督协管员、信息员提供的举报线索13条。查处农村中存在的无证经营、使用假劣药品及违法采购药品行为。

2006年，每月对辖区内1家药品生产企业使用特殊药品的购进、储存、发放、领用、数量、投料、生产等方面进行监督检查；对2005年通过GSP认证的26家药品零售企业进行跟踪检查，结合药品分类管理工作进行监督检查，巩固其认证成果，强化动态监管和现场检查。共出动执法人员314人次，执法车58辆次，监督746户次，开展日常监督县城2次以上、乡镇1次以上，监督覆盖率100%。立案查处9件，结案7件，涉案金额14405元；处罚金63740元，实际收缴处罚金额28236元。完成药品放心工程报表、药监报表、业务数据报表、信息等统计上报工作；将广告监管与整顿和规范药品市场工作秩序紧密结合，与工商、新闻媒体等有关部门配合，增强打击合力；完成省、州下达的52项专项应急检查，按规定及时开展检查和上报结果。

是年，“齐二药”制售假药事件发生后，按照省、州局文件精神，安排对“丙二醇”使用情况的专项检查。同时，开展对齐齐哈尔第二制药有限公司生产所有药品的拉网式检查，通过检查，县未发现该厂生产的“亮菌甲素注射液”等假药。查获标识齐齐哈尔第二制药有限公司生产的“双黄莲注射液”450支、“双黄莲口服液”2499瓶，均进行了查封扣押。

2007年，开展市场监管出动车辆72次，出动执法人员316人次，检查监督对象512户次，查处立案27件，涉案金额37590元，处罚金额41614.65元，结案27件；对药品零售企业37家，通过GSP认证药品零售企业35家，2家新开办药品零售企业未经GSP认证，对通过GSP认证企业按照药品零售企业《GSP认证现场检查项目（试行）》条款逐一进行跟踪检查；对发现药品不良反应病例填写上报37例；开展常规和日常监督（内容：药品、医疗器械购进渠道、使用情况；企业从业人员资质登记并归档；个体诊所使用药品品种数和范围，合法执业证照等）。县城达2次、乡镇1次以上；对药品生产企业进行日常监管和特殊药品的监督检查，全年共出动执法人员16人次，监督检查8次对57家药品经营企业是否有超方式经营、超范围经营、出租（借）柜台行为，以及采购渠道，购销凭证是否合法等检查；对重点品种和环节开展了抽查工作，认证审核购进和销售中的账、票、物的核对，对药品经营企业购进的整件药品合格证与内外包装说明书；规范中药材、中药饮片的购进渠道，对经过G S P认证的企业4家进行跟踪检查、检查出的问题，当场下达限期整改和警告，并进行回查配合州局对医疗机构中药材、中药饮片的抽验检查，检出报告劣药3种，并进行立案查处；疫苗流通按照“渠道规范”原则，确保疫苗流通质量，严厉打击使用单位从不具有疫苗生产、经营资质企业购进疫苗的违法行为；开展药品医疗器械专项检查，根据省、州关于对“注射用头孢曲松钠”进行检查的通知，对辖区内药品经营、使用单位进行检查，在21种药品经营使用单位中，查到流通销售的哈药集团制药总厂生产的“注射用头孢曲松钠”1357支，查获实物8支，经对这21家企业进行立案追踪调查，追缴违法所得3224元。开展对“骨结合金属值入接骨板”的专项检查，发现两家县属医疗机构存在不同的违反行为，依法作出相应的处罚；审核批准7家药品零售企业，4家乙类非处方药经营企业，使县域内药品零售企业达57家，扩大解决群众用药难的问题；巩固开展农村药品“两网”（供应网络：农村药品配送由县吉达、贵州腾济惠水中转库两家企业负责配送；监督网络：通过聘请药品质量监督信息员和人大代表、政协委员为药品质量协管员）建设工作。通过监督网络的联动监控，打击违法活动更加深入，县药品市场秩序明显好转。

2008年，共出动执法335人次，执法车辆63次，监督检查355户次，覆盖率100%，检查集贸市场21个次。立案查处10件，涉案金额1.8703万元，罚没款金额6.888万元。明确一名兼职药品广告检查员，每周二、五负责监控本县新闻媒体刊播的各种药品、医疗器械广告，向工商部门移送一件涉嫌以保健食品冒充药品进行宣传的案件；开展药品零售企业GSP追踪及医疗器械经营企业日常监督检查。一是对辖区内33家药品零售企业进行GSP跟踪检查。二是对县城药品零售企业开展“诚信建设”信用信息征集工作；开展农村药品市场监督。

2009年，把甲型H1N1流感防控用药品、医疗器械及相关用品作为监管工作的重点。全年共出动执法车辆65台次，执法人员541人次，检查642户次。配合州局对县大型医疗机构及药品批发企业，开展有针对性的药品抽验63个品种规格；开展中药材及中药饮片、疫苗流通、药品包装、标签和说明书、重大节假日期间等专项检查。与工商部门联合对中心乡镇集贸市场进行一次清理11个。检查发现：以农村群众为对象销售假药违法行为1件，并立案，处罚金600元；以农村群众为对象销售过期药品违法行为1件，处罚金额756.6元；非法渠道购进疫苗1件，处罚金4720元；开展药品零售企业GSP追踪检查，覆盖率达100%；每月对辖区内9家药品使用单位的特殊药品进行专项检查，检查进货及使用情况，对属于管理不规范的问题下达责令整改通知书，要求限期改正并进行复核，严防有流弊事件的发生。

2010年，县内共有涉药（械）单位238家，其中：药品生产企业1家（现停业），药品批发企业2家，医疗器械批发企业2家，医疗器械零售企业4家，药品零售企业57家，医疗机构172家。在各种检查行动中，共出动执法车辆68台次，执法人员350人次，监督检查513户次，监督覆盖率达100%。清理市场19个，立案查处药品案件7件，涉案金额12355.25元，结案药品案件7件，实际罚没款共计16171.3元。

2011年，共出动执法车辆97台次，参加执法454人次，对监督对象检查446户次，监督覆盖率达100%。清理市场8个；立案查处药品案件2件，当场行政处罚案件4件，涉案金额1384.5元，结案药品案6件，罚没款共3498.9元；立案查处医疗器械案件1件，涉案金额3065元，罚没款6660元。药品、医疗器械实际罚没款共计10158.9元。未发生行政复议或行政诉讼案件，有1件医疗器械案件申请法院作强制执行。

2012年，县内共有涉药（械）单位251家，其中，药品生产企业2家，药品批发企业1家，医疗器械生产企业1家，医疗器械批发企业1家，医疗器械零售企业2家，药品零售企业74家，医疗机构共170家。全年检查共出动执法车辆109台次，参加执法人员441人次，对监督对象检查535户次，监督覆盖率达100%。全年立案查处药品案件5件，当场行政处罚案件1件，涉案金额3326.2元，案件结案6件，罚没款共计6841.6元。配合公安经侦队执法检查药品经营企业1次，立案查处1家，涉案金额200元，处罚金额1020元。受理投诉举报事件1件，立案查处1件，处罚金额1600元；答复政府门户网站投诉事件3件；核实答复一起买到假药投诉事件。清理乡镇集贸市场10个，共取缔违规经营使用药品摊点20个，没收摊贩自配药品胶囊11千克、配制药酒14瓶、中药饮片25种共8.5千克、消毒产品冒充药品2件共80瓶，货值金额共计4000余元。

2013年，县内有涉药（械）单位268家，其中：药品生产企业2家，医疗器械生产企业1家，药品批发企业1家，医疗器械批发企业1家，医疗器械零售企业2家，药品零售企业（零售连锁）企业71家，乙类非处方药店13家，医疗机构共177家，（其中：县属医疗机构3家，乡镇卫生院25家，村卫生室97家，计生服务站26家，诊所13家，民营医院5家，社区卫生服务站4家，厂矿职工医院1家，学校及看守所医务室3家）。共出动执法车辆162台次，出动执法人员684人次，对监督对象检查684户次，监督覆盖率达100%，完成了全年的工作检查任务。查处药品、医疗器械违法案件13件，罚没款共计19927.4元。未发生行政复议或行政诉讼案件。清理整顿乡镇集贸市场5个，取缔违规经营使用药品摊点54个，没收摊贩自配药品胶囊8千克、配制药酒40多瓶、中药饮片50种，共计180多千克，价值7000余元。全县药品不良反应基层注册用户163户。截至12月10日，共计上报药品不良反应报告678例，完成医疗器械不良事件报告70例，药物滥用基层报告45例。其中药品：严重不良报告11例，一般报告667例，新的严重的3例，新的一般的68例。

2014年，全年共出动执法284人次，监督检查涉药单位260户次，共收集药品不良反应588例、医疗器械47例，开展药品零售企业GSP跟踪44家，通过认证42家、不合格2家。12月，新一轮机构改革，把惠水县卫生和食品药品监督管理局职能划分为两部分，食品药品监督管理职能划归市场监管局，原卫生局在药政工作上，主要是组织公立医疗机构实施国家基本药物制度，25个乡镇卫生院（社区卫生服务中心）和开展医疗服务的村卫生室全部使用国家基本药物，基本药物全部实行上网采购和零差率销售，村卫生室使用的药品由乡镇卫生院统一采购和配送，实行乡村一体化管理。

2015年，全县共有“四品一械”生产经营使用单位3550家。其中：药品医疗器械生产经营使用单位208家。抽调执法人员配合州局检查贵州汇正制药有限公司和星州药业股份有限公司共4户次，对其进行日常监管、安全生产大检查、中药专项检查及GMP跟踪检查，未发现有违法违规生产行为。共计完成对上述8家4个季度的监督检查工作任务。完成对辖区内85家药品经营企业检查2次以上，监督覆盖率100%。完成对各镇（办事处）监管人员33名、208名村协管员进行业务指导2次，检查集贸市场17个次。完成对镇（街道）以上60家医疗机构开展1次监督检查，58家村卫生室检查1次以上，覆盖率均达100%。开展了疫苗和医用氧的常规检查和专项检查，对2家县级医疗机构、25家乡镇卫生院、58家村级卫生室和4家社区卫生服务站、5家民营医院进行了检查，各医疗机构均按规定管理和使用疫苗和医用氧，未发现有违法违规行为。全年共计组织培训5次，参训人员167人次。

第十三节　新型农村合作医疗

一、机构

2007年起实施，新型农村合作医疗制度（以下简称“新农合”）。县新型农村合作医疗筹资额度主要以政府补助为主，个人缴纳为辅，核心是互助共济。“新农合”主要是年度集中筹资，参合时间一般在每年9月至次年2月底；次年1月1日至12月31日为保障享受期。凡“新农合”缴费期间未缴费参合的，时间截至后不得补办。

成立惠水县农村合作医疗办公室为县卫生局主管的副科级单位，负责合作医疗方案组织实施，组织征收合医资金，医疗资金的补偿核算，审核报销医疗费，选定定点医疗服务机构，为新型农村合作医疗提供管理保障。2011年，变更为惠水县人民政府办公室主管的正科级事业单位，内设综合股、财务股、审核稽查股。2015年末，在职职工13人。

二、“新农合”资金筹集

“新农合”个人筹资标准。由2007年启动之初的10元/年提高到2015年的70元/年，财政配套资金由40元/年提高到2015年的380元/年。2007至2015年，县累计参合为310.89万人，累计筹集资金73299.08万元，其中，农民自筹资金11674.2万元，各级财政配套资金61624.88万元（中央财政配套资金39790.81万元，省级财政配套资金18443.16万元，州级财政配套资金1184.15万元，县级财政配套资金2206.76万元）。

表15-25

2007—2015年惠水县“新农合”资金筹集统计表

单位：万元

年度	参合人数	参合率（%）	筹集资金总额（万元）	其中				
				农民自筹	中央财政配套	省级财政配套	州级财政配套	县级财政配套
2007	296659	80.93	1449.06	296.7	664.72	310.07	88.58	88.99
2008	338054	91	2820.59	338.05	1209	1080.84	91.28	101.42
2009	338537	90.91	3142.03	677.07	1112.55	1151	99.71	101.7
2010	346029	95.95	5340.68	692.06	2573	1964.7	111.77	199.15
2011	364729	98.46	8373.98	1094.19	4508	2356	124.74	291.05
2012	343002	97.26	10126.19	1715.01	5530	2449	120.05	312.13
2013	359280	98.4	11691.37	1796.4	6575.50	2810	143.00	366.47
2014	359285	98.57	14012.11	2514.99	7904.27	3053.92	160.24	378.69
2015	364247	99.05	16343.07	2549.73	9713.77	3467.63	244.78	367.16

三、“新农合”补偿

“新农合”补偿费用由启动之初个人年度封顶6000元提高到2015年的个人年度封顶20万元。2007至2015年，全县累计支出新农合补偿资金78189.96万元，受益参合群众265.56万人次。

表15-26

2007—2015年惠水县“新农合”补偿金支出受益情况统计表

单位：万元

年度	总支出报销补偿金	总受益人次（万）	其中			
			门诊受益人次（万）	支出报销补偿金人次（万）	住院受益人次（万）	支出报销补偿金人次（万）
2007	233.11	2.89	2.71	70.66	0.18	162.45
2008	1990.90	17.15	15.71	598.70	1.44	1392.2
2009	19073.76	18.72	16.79	1412.28	1.93	17661.48
2010	4593.28	31.26	29.38	1912.74	1.88	2680.54
2011	5638.05	23.74	20.29	1066.97	3.45	4571.08
2012	8762.68	33.50	30.59	2058.85	2.91	6703.83
2013	10864.19	44.67	40.49	2683.45	4.18	8180.74
2014	13963.21	45.62	40.51	3148.88	5.11	1221.03
2015	13070.78	48.01	44.22	3287.71	3.73	9586.8

说明：1. 2014年对重大疾病患者，由省、州直补854人次，共支出“新农合”补偿金1095.64万元；

2. 2015年，开展新农合大病商保工作，受益507人次，共支出“新农合”资金196.27万元。

四、“新农合”工作措施

2007至2012年，新农合补偿方案为县级制定实施。2013年起，新农合补偿方案由州级统一制定实施。结合县新农合资金的使用情况，在执行州补偿方案的基础上。2013至2015年，先后制定《惠水县新型农村合作医疗补偿方案》和《惠水县特殊人群补偿方案》，参合群众在享受州级新农合补偿的基础上，继续享受县制定实施的新农合补偿政策。

创新审核方式。按照先拨后审原则，对乡村定点医疗机构实行“信誉度”排名审核制，采取巡查审核、一般审核、重点审核等方式。对信誉度高，资金流量小的采取巡查审核，一年审一次；对信誉度高、资金流量大的实行一般审核，半年审一次；对信誉度低、资金增长过快、资金流量大的实行重点审核，一季度审核一次。对县级医院和民营医院实行会审制，每年会审两次。

创新监管模式。2013年，使“审农合”向“管农合”转变，有效堵住新农合资金流失的漏洞。采取进村入户核查、电话询查、举报倒查等方式。2013至2015年，共组织开展新农合稽查138次，挽回199.02万元新农合资金损失，其中，处理37家定点医疗机构的违规行为，追回违规报销的新农合资金58.35万元，追缴违约金92.98万元，拒付24名不符合新农合政策规定的外伤病人140.67万元的医疗报销费用。

创新报销筹资方式。2014年，实施“新农合医疗金融卡”取代原合医卡工作，参合群众持卡到县合医办报销后，补偿资金直接拨入卡中，减少参合群众报销往返次数，新农合资金真正实现了封闭运行。在筹集参合资金时，可委托银行从该卡上存储的资金扣取代缴的参合资金，实现了新农合常年筹资，为参合群众提供了便利。

施行省内直补工作，减轻参合群众“垫资”负担。2014年起，对到省、州定点医疗机构就诊的重大疾病患者开展直补工作，使县重大疾病参合患者能在省、州定点医疗机构享受即时结报。

第十四节　卫生行政

一、机构

1973年，成立惠水县卫生局，设于原县人民政府左侧老木房内（现县计生局大楼地址），后迁至县妇幼保健院办公（现惠水县妇幼保健院内）。1985年，迁至新建的惠水县卫生局办公楼（现和平镇长征路22号）。2002年，卫生局迁至惠水县卫生职业学校（和平镇太平寺100号，现惠水县人民医院内）。2009年10月2日，迁至现卫生局办公大楼（现惠水县疾控中心左侧）。

2011年机构改革，将县卫生局、县食品药品监督管理局职能整合，组建县卫生和食品药品监督管理局，内设办公室（突发公共卫生事件应急中心）、政工股、公共卫生股（县爱国卫生运动委员会办公室）、医政药政股、食品安全股和规划财务股等。

二、卫生服务

2009年，根据《卫生部办公厅关于印发〈2009年“医疗质量万里行”活动方案〉的通知》，制定县《“医疗质量万里行”活动实施方案》。

2010年1月，印发《惠水县促进基本公共卫生服务逐步均等化实施方案》，启动城乡居民逐步享有均等化的基本公共卫生服务。

2010年3月，实施《促进基本公共卫生服务逐步均等化》项目，共投入专项经费920万元，年人均经费15元。建立城乡居民档案93480份（其中，社区居民建档14135份，建档率为30.20%，占总任务数的102.39%；农村居民建档79345份，建档率为23%，占总任务数的100.18%）。开展65岁以上老年人登记管理7800人，65岁以上老人健康检查7800人，糖尿病管理207人，高血压管理3176人，重性精神病管理23人。

2011年4月，在其余的23个乡镇卫生院全面实施国家基本药物制度，25个乡镇卫生院及所有村卫生室全部实行基本药物零差率销售。

是年，按照《惠水县人民政府办公室关于将村医补助经费纳入财政预算的通知》，将村医定额补助从每人每月200元提高到300元，政府年终考核奖励为1200元。

是年，县完成居民建档235508份，建档率52.33%。其中农村211471份，社区居民建档24037份。完成县级电子健康档案管理信息系统培训工作，并录入电子规范化健康档案235508份。

三、队伍建设

拟订全县卫生和计划生育科技发展、人才发展规划，做好全科医生等急需紧缺专业人才培养，建立完善住院医师和专科医师规范化培训制度并指导实施。

2006年，向社会公开招聘20名卫生技术人员，重点充实乡镇卫生院妇幼保健工作队伍和县医院、中医院医务人员。

2007年5月，针对县近年来医疗卫生专业技术人员严重短缺状况，面向社会公开招考、择优招聘120名事业编制医疗卫生技术人员。

2008年6月，面向社会公开招聘45名卫生技术人员，乡镇卫生院工作队伍和县医院、中医院急需的人才得到进一步充实。

2009年，公开招聘66名卫生技术人员，重点充实乡镇卫生院工作队伍和县医院、中医院急需的人才。合格的55名考生，于9月中旬正式签订聘用合同。

2010年12月，增设各乡镇卫生院人员，由原来编制总数358人增加到543人。是年，招聘56名卫生技术人员。是年10月25日，召开《国家基本药物临床应用指南（基层部分）》和《国家基本药物处方集（基层部分）》培训会。

2011年，为乡镇卫生院招收4名定向免费医学生。组织村卫生室和社区医疗卫生服务机构卫生人员培训220人次。分别对乡镇卫生院院长、公卫人员、药房负责人、财务人员及新进人员等进行基本公共卫生服务项目、疾病控制、实施国家基本药物制度、新农合及重大公共卫生项目等进行知识培训，培训人员1655人次。

是年，计划直招卫技人员38人，经过笔试、面试、体检等测试，录取38人（其中：县人民医院20人，县中医院15人，县疾控中心3人）；面向社会公开招聘44名医务人员，其中，县人民医院12人，乡镇卫生院32人，充实全县医疗卫生单位医疗技术岗位。完成103人执医、助医资格考试报名审核工作；完成22名医师、护士的变更注册工作。

2012年5月22日至25日，开展全县实施营养餐改善计划的学校食堂从业人员、管理人员培训活动。共出动人员21人次、车辆7车次，发放《食品安全法》等宣传资料500余份，培训摆金、雅水、王佑、高镇、断杉、三都、和平7个片区共209所学校（校点），培训相关人员339人。

2015年，县执业医师注册60人、护士注册165人。

第十五节　医院选介

一、惠水县人民医院

始建于1936年，位于惠水县城东部，坐落和平镇太平寺100号。民国时期称为定番县卫生院，新中国成立后改名为惠水县人民医院，经过80年的发展，现占地面积2.89万平方米，有业务用房25600平方米，是县内唯一的“二级甲等”非营利性公立综合医院。

惠水县人民医院集医疗、教学、预防、保健为一体的医疗服务中心，内设有120急救中心、爱婴医院、孕产妇急救中心，是黔南医专教学实习医院，是惠水县、乡、村三级医疗卫生服务体系的龙头单位，全县的医疗和业务技术指导中心，主要负责全县基本医疗服务及危重急症病人的抢救，接受乡村两级卫生院的转诊，承担乡村两级卫生院卫生技术人员的进修培训以及业务技术指导任务，开展教学科研和临床实习工作，负责每年全县大中专、征兵及健康保健等各种体检，同时，承担着全县46万人的医疗、预防、保健工作，完成县委、县政府部署安排的各项工作任务和各种突发事件的医疗救治工作。

1978—2015年惠水县人民医院诊疗情况表

表15-27

年度	门诊人次	住院人次	总诊疗人次
1978	9961	986	10947
1979	12245	1329	13574
1980	18821	1541	20362
1981	20364	1796	22160
1982	25321	2058	27379
1983	29223	2319	31542

续表15-27

年度	门诊人次	住院人次	总诊疗人次
1984	31256	2641	33897
1985	34041	2983	37024
1986	39652	3457	43109
1987	42714	3905	46619
1988	38795	3790	42585
1989	43947	3944	47891
1990	42877	3562	46439
1991	40126	3025	43151
1992	38521	2792	41313
1993	30232	2336	32568
1994	25239	2774	28013
1995	26551	3103	29654
1996	25396	2947	28343
1997	27258	2865	30123
1998	29688	2732	32420
1999	22124	2677	24801
2000	25176	2689	27865
2001	23878	2758	26636
2002	22650	2631	25281
2003	22297	2947	22718
2004	22554	3025	25579
2005	26371	3395	29766
2006	29686	3601	33287
2007	40870	4722	45592
2008	50113	6585	56698
2009	66759	8515	75274
2010	72414	9191	81605
2011	83856	12343	96199
2012	112319	13152	125471
2013	150541	14785	165326
2014	173329	18282	191611
2015	206435	18529	224964
合计	1783600	186712	1967786

二、惠水县中医院

惠水县中医院是一所以中医药为主，集医疗、教学、科研、预防、保健、康复为一体的二级乙等中西医结合医院，是县医保定点医院，农村合作医疗定点医院。

1984年4月，在城关卫生院旧址老场坝的基础上改建为“惠水县中医院”，当时规模极小，条件差，设施极其简陋。1991年，医院搬迁至惠水县和平镇长征路24号，同年，县中医院分设急门诊科、外妇儿科、内科、药剂科、医务科和办公室。年门诊量10381人次，住院1008次。2011年，中医院向县妇幼保健院借用空闲的业务办公区设置妇产科。同时，对B超室和心电图室进行整合，成立功能科；建立胃镜室，提高、扩大医院接诊能力。是年，编制床位200张，事业编制260名；开放床位125张。全院有职工190人（其中在职105人，聘用80人，借用5人）。2012年12月，中医院搬迁至和平镇（现涟江街道）医院占地面积2426.84平方米，建筑面积为3684平方米，年门诊总诊疗67356人次，住院人数3676人次，病床使用率81%。2015年，增设CT、DR、核磁共振等较高端的设备增添卫生服务人员近100人。全年门诊诊疗76542人次，住院4325人次。病床使用率94.8%。

表15-28

1984—2015年惠水县中医院诊疗情况表

年度	门诊人次	住院人次	总诊疗人次
1984	7092	0	7092
1985	15015	0	15015
1986	12540	0	12540
1987	14787	259	15046
1988	13721	138	13859
1989	15711	321	16032
1990	12669	359	13028
1991	11548	358	11906
1992	8934	362	9296
1993	15949	621	16570
1994	11021	410	11431
1995	14279	1090	15369
1996	18381	1208	19589
1997	17894	1168	19062
1998	21648	1069	22717
1999	21820	1048	22868
2000	25134	1391	26525
2001	22513	969	23482
2002	25061	955	26016
2003	20837	1237	22074

续表15-28

年度	门诊人次	住院人次	总诊疗人次
2004	15790	1218	17008
2005	16767	3743	20510
2006	18388	1303	19691
2007	25420	1735	27155
2008	49219	2107	51326
2009	65837	2781	68618
2010	64042	2683	66725
2011	46866	3097	49963
2012	67356	3676	71032
2013	68797	4666	73463
2014	72775	9352	82127
2015	76542	4325	88067
合计	912703	59116	971819

三、妇幼保健计划生育服务中心

1950年，县人民医院内设妇幼保健组，1953年，改称县妇幼保健站，1961年9月，妇幼保健站分设，称县妇幼保健站，位于惠水县城关镇（后更名：和平镇）长征路大礼堂内。当时，妇幼保健站仅由几名具有中专和初、高小文化及略懂一些医疗卫生基本常识的工作人员组成。“文化大革命”期间，为了整合卫生医疗队伍资源和发挥职能，1968至1975年，保健站与县人民医院整合在一起。1975年下半年，保健站从县人民医院分开独立，将保健站设在和平镇风山路6号，与当时的县卫生局在同一楼内开展工作。业务及办公用房就占用原三层楼房的一、二层楼部分房间（县卫生局在三楼）。当时的业务开展为妇科门诊，产科门诊，内、儿科门诊和妇女、儿童保健工作。

1988年后，因业务扩大，改建惠水县妇幼保健院。1993年2月，更名为惠水县妇幼保健院，属全额拨款的事业单位，编制30人；历经八任院（站）长辛勤耕耘，发展为各科室设备、设置和部署合理，功能齐全的一所医疗及业务指导机构，现拥有办公用房约1800平方米，在职职工32人（其中，本科学历9人、大专15人、中专3人、中级工2人、普工2人），车1辆。常年对乡镇开展培训、督导、指导、考核工作，在近年工作中，经省、州考核保持在前三位。

原惠水县计划生育服务站成立于1984年，在上级部门的领导下，历经6任站长的努力经营，由最初的3人发展到18人的队伍（其中：副主任医师2人、主治医师6人、医师2人、医士1人、主管护师1人、护师3人、主管检验师1人、检验士2人），成为全县计划生育相关工作中，人员配置最全面、医疗器械配置最合理、专业技术水平最先进的单位，自成立以来，历年手术并发症及后遗症均能控制在全国平均水平以下。2011年成功创建省级优秀示范县，2014年成功创建全国优质服务示范县。

2015年，惠水县妇幼保健院与惠水县计划生育服务站整合，核编为52人，现实有51人，其中，核编床位22张，实际开放15个床位，专业技术人员49人（副主任医师6人，副主任护师2人，中级职称20人、初级职称19人、不定等次4人），工勤1人，会计1人，整合后的主要职能为对县辖区内25个乡镇卫生院关于国家免费孕前优生项目、新生儿疾病筛查、农村妇女宫颈癌筛查项目、三网监测情况、避孕药具项目、“预防艾滋病、梅毒、乙肝母婴传播”项目、孕产妇保健项目、儿童保健项目、实验室室间质评、住院分娩项目、出生医学证明管理、增补叶酸预防神经管缺陷项目、孕产妇死亡评审等各个项目进行督导、指导、考核、培训、总结并通报；同时，仍开展计划生育相关手术（结扎、取环、上环、人流、药流、吻合术）等。

四、民营医院

惠水百姓医院 始建于2005年8月，现地址在太平寺，是以骨科为主的一级综合性民营医院；2006年7月，通过州卫生局审批成立的综合性一级医院。百姓医院已发展为惠水地区以骨伤为主、具有一定口碑的综合性医疗机构。2013年，日门急诊量由原来的几人次增加到现在50人次左右，年收治住院病人700余人。2007年，纳入国家农合医疗体系，医疗急救体系，成为公共医疗资源的有益补充。

2006年，设床位20张，卫生技术人员13人，2010年，设床位50张，职工35人，2013年，全院共有在岗卫生技术人员45人，其中，高级职称3人、中级职称2人。

医院成立之初建筑面积原有850平方米，通过多年发展，现有2240平方米。编制床位50张。临床科室8个，医技科室5个，骨科综合治疗器械若干台，开放病床50张，职工45人。2013年，向惠水县人民政府申请征用土地18亩，拟建一所二级中西医结合医院。

医院医疗项目由2006年的骨伤科、内科、化验、放射发展到内科、外科、妇科、儿科、急诊科、中医科、医学检验科、医学影像科（B超，心电，CR成像），能够为患者提供便捷的医疗服务。2013年5月，黔南州卫生局组织专家进行艾滋病（HIV）初筛实验室评审，填补了民营医院在惠水地区艾滋病（HIV）检测的空白。

医院有CR影像系统，全自动生化分析仪，B超，麻醉机，呼吸机，监护仪等设备。

医疗多个科室具有较强的专业技术力量，能开展复杂、疑难手术（如髋膝关节置换），一些特色科室与贵阳著名大医院开展横向技术联合。医院重点引进各项医疗技术及人才、更好地为患者提供医疗救治服务，在惠水立足。

医院建有自动化收费系统、药品管理系统，并逐年加大对门诊、住院、药房管理、病案统计、电子病历等方面的投入。

医院立足惠水县城，辐射惠水县25个乡镇和周边县市，多年积极参与县政府组织的各项公益活动，举办多次疾病健康咨询、义诊、讲座等。2015年，门诊诊疗24629人次，住院人数1256人次，病床使用率68.8%。

表15-29

2005—2015年惠水百姓医院诊疗情况表

年度	门诊人次	住院人次	总诊疗人次
2005	1500	120	1620
2006	4012	210	4222
2007	4701	291	4992
2008	5502	350	5852
2009	5800	497	6297
2010	7812	579	8391

续表15-29

年度	门诊人次	住院人次	总诊疗人次
2011	8912	723	9635
2012	10260	893	11153
2013	13527	985	14512
2014	15231	1023	16254
2015	24629	1256	25885

惠水涟江医院　成立于2006年10月，总投资150万元。是由卫生行政部门审批成立的一所综合性二级医院。占地面积360平方米，使用面积2160平方米。

2006年，设临床科室9个，医技科室7个，设床位20张，卫技人员26名，每天门诊量约100人次。2009年，全院职工90人，卫生专业技术人员82人。是年，购进部分医疗设备，开展普外及妇科手术。

2012年，设有外科、内科、妇产科、泌尿科、医学检验、影像科等11个诊疗科室。开放90多张病床，在职职工60余人，其中，副主任医师2人、主治医师8人、执业医师9人、护师2人、护士19人、医技6人、药剂士2人。是年，医院拥有的先进医疗仪器：美国澳普罗计算机X线成像系统（CR）、电视腹腔设备、韩国麦迪逊X6彩色超声诊断仪、体外电磁波碎石机、全自动生化分析仪等设备。

医院可开展如直肠癌、结肠癌根治术、人工全髋关节置换、胃大部切除、胃肠吻合、肝叶切除、开颅颅内血肿清除术、全身多发脏紫损伤、多发处骨折抢救、血肿清除术等高难度手术。

2012年，完成大小手术2898台，其中：大手术1447台，小手术1451台。是年完成业务收入1496.18万元，全年门诊27932人次，入院病人3290人次。2015年，门诊诊疗33251人次，住院3856人次。

表15-30

2006—2015年惠水涟江医院诊疗情况表

年度	门诊人次	住院人次	总诊疗人次
2006	8114	447	8561
2007	10356	520	10876
2008	28923	1394	30317
2009	44217	1987	46204
2010	45726	2268	47994
2011	27002	2373	29375
2012	27932	3290	31222
2013	22236	3698	25934
2014	22870	2840	25710
2015	33251	3856	37107

惠水惠兴医院　原名为“惠水惠兴综合门诊部”，位于惠水县惠兴路（小吃城路口）。2006年11月16日，经黔南州卫生局审批设置内科、儿科、外科、妇科。2009年，其业务用房建筑面积为650平方米，临床科室设内科、外科、急诊室、妇（产）科、耳鼻喉科；医技科室设有化验室、X光室、心电图室、B超

室、消毒供应室、处置室、药房、治疗室、观察室。2010年1月10日，经惠水县新型农村合作医疗领导小组批准为新型农村合作医疗定点机构。

2012年11月27日，更名惠水惠兴医院。2013年6月迁至惠水县县府路（原综合服务公司楼）。是年，综合门诊部年门诊就诊6900人次，住院为640人次，业务总收入由原来的36万元发展到现在230万元。2015年，门诊诊疗8920人次，住院1188人次。

2009年，惠兴综合门诊部共有卫生技术人员15人：医师5人（其中副主任医师1人、主治医师4人）、护士6人（主管护师2人）、其他卫技人员4人；2012年，惠兴医院共有职工72人，卫技人员58名，其中，医师19名、护士29名，其他医技人员10名；有副高级技术职称1人，中级技术职称7人，初级技术职称22人；大学以上学历19人；中专学历39人；开放病床60张。

表15-31

2013—2015年惠水惠兴医院诊疗情况统计表

年度	门诊人次	住院人次	总诊疗人次
2013	26682	1578	28260
2014	6842	2026	8868
2015	8920	1188	10108

惠水仁爱医院　成立于2010年5月11日，坐落于惠水县涟江南路125号，其业务用房建筑面积为1500平方米。2010年，设床位25张，卫生技术人员共18人，其中：医师10人（副主任医师2人、主治医师8人）、护士6人（主管护师4人），其他卫技人员2人。2012年，开放床位55张，有医护人员48人，其中，副主任医师2人，主治医师5人，医师8人；本科以上学历16人，大专21人，中专及以下11人。医院设妇科、内儿科、外科、中医科、麻醉科、耳鼻咽喉科等临床科室和化验室、B超室、心电图室、放射科、理疗室、中西药房等医技辅助科室。先后引进进口宫腹腔镜、三维彩超、全自动生化分析仪、电子阴道镜、体外短波、500毫安X光机、红光治疗仪、盆腔治疗仪等医疗设备。能开展子宫全切（次全切）以及普外、骨外等各类手术。2011年9月被授予“惠水县新农合定点单位”，是“惠水县青年企业家协会会员单位”。2013年6月19日与贵州工商职业学院签约，成为该院的“合作培养基地”。2015年，门诊诊疗36554人次。

表15-32

2010—2015年惠水仁爱医院诊疗情况表

年度	门诊人次	住院人次	总诊疗人次
2010	3980	425	4405
2011	4057	680	4737
2012	4228	736	4964
2013	6427	476	6903
2014	10270	980	11250
2015	36554	780	37334

惠水协和医院　成立于2013年3月15日，租借惠水县保健院作为其业务用房，建筑面积为3500平方米。设内科、外科、妇产科、计划生育科、中医科等临床科室和化验室、B超室、心电图室、放射科、理疗室、中西药房等医技辅助科室。先后引进进口宫腹腔镜、三维彩超、全自动生化分析仪、血液分析仪、心电监护仪、博斯林前列腺腔内消融仪、数码电子阴道镜、体外短波、微波、500毫安X光机、红光治疗仪、盆腔治疗仪、妇科综合治疗仪、海扶聚焦超声妇科治疗系统、等离子低温消融仪和不孕症治疗仪等医疗设备。能开展的手术与治疗，内科：急慢性支气管炎、心脑血管疾病、冠心病、高血压、糖尿病、各种老年常见疾病；普外科：阑尾、疝气、腋臭、痔疮、静脉曲张、甲状腺疾病、妇科：宫颈疾病、卵巢囊肿、子宫肌瘤、各种妇科炎症。2013年，设床位20张，卫生技术人员共17人，其中：主治医师5人，检验师1人，超声1人，放射1人，护师6人，护士3人。

2014年1月15日，被授予“惠水县城镇职工、居民医疗保险定点单位”。是“莆田（中国）健康产业贵州黔南州副会长单位”。医院年门诊量超过2万人次。2015年，门诊诊疗26882人次。

第十六篇　文化　体育　广电　旅游

第一章　文化体制

1981年前县文化工作一直由县文化馆负责。1982年，成立县文化局，为专门主管文化工作的科局级机构，编制4人。县文化局所属单位有文化馆、图书馆、新华书店、电影队。文化局在文化馆办公。1986年4月，建立惠水县民族文工队，成员21人。县政府将新建的电影院交付文化局管理使用，新电影院成为文化局办公地点和文工队排练演出场地。1994年，机构合并成立惠水县文体广电局，文工队解散，成员分散到局各站股工作，部分成员辞职离开单位。2005年，组建惠水好花红艺术团，成员约20人。

1952年7月28日，惠水县收音站建立。1957年7月1日，收音站改建成广播站。1977年9月，成立惠水县广播事业局，下属机构增设电视转播台。1992年底，局下属机构有广播站、电视转播台，有线电视台、技术业务股、行政秘书股。1994年，将县文化局、广电局、体育合并为文体广电局。

1996年6月，设立旅游办公室。1998年，成立县旅游局，与招商局、接待办合署办公。

2000年底，将文化从文体广电局分离出来与县旅游局合并成立惠水县文化旅游局。2002年底，又将文化从文化旅游局分离出来，划归广电体育局成立文体广电局。2007年，全省实施广电网络整合，将各地、县电视网络进行资产评估，组建贵州省广电网络股份有限公司。2008年3月，惠水县分公司挂牌成立（过渡期为一年）。整合初期，由省公司筹备组派专人对全县有线网络进行评估，将评估总值加入省公司实行资产重组，在五年后可参加分红。根据黔委厅字〔2007〕75号文件精神，2007年3月底前在册参加网络管理服务的人员实行全建制整体划转，惠水县划转共31人，除1人为原财政供养之外，其余都是企业自收自支人员和临时工。2011年5月，全县实行机构改革，将县旅游局划到文体广电局成立文体广电旅游局。2014年12月，惠水县文体广电旅游局更名为惠水县文化和旅游局。2015年，全局内设办公室、文化股、体育股、广播电影电视股、旅游股5个内设机构，年末实有公务员23人。下属惠水县广播电视台、惠水县文化市场综合执法大队2个副科级事业单位和惠水县图书馆、惠水县文物管理所、惠水县文化馆、惠水县旅游服务信息中心、惠水县非物质文化遗产保护中心5个股级事业单位，年末，实有行政人员24人；事业编制人员67人。

第一节　文化馆

1982年县文化局成立前，文化馆相对独立。文化局成立之后，文化馆成为隶属于文化局的一个专门服务群众文化生活的部门，编制10人，文化馆在图书馆、文物管理所、文化综合执法大队成立之前，工作职责范围较大，除开展群众文化活动之外，还开展图书借阅、文化市场管理、文物普查与保护等工作。1979年，县财政拨款5万元，在原馆址右侧修建一楼一底文化活动室共300平方米。1999年，新建文化馆，馆舍面积1100平方米。2005年起，省州文化主管部门开始对县级文化馆进行等级考核，作为服务群众文化活动的阵地，惠水文化馆在馆舍面积、人员编制、经费预算、编制作品、下乡演出的场次以及各类艺术培训等方面达到了相应的标准。2012年，文化馆人员编制20人。

一、馆办培训活动和文艺创作

文化馆在群众文化工作中，重点抓阵地活动、辅导培训、文艺创作等工作。1979至1990年，文化馆共举办美术培训班六期，文化馆馆长刘国忠担任美术老师；举办摄影学习班五期、书法培训班七期；举办文学及民间文学讲习班五期，声乐、器乐培训班五期；举办舞蹈培训班五期，时任县文化馆业务干部彭学艳（现为贵大艺术学院副教授、贵州省舞蹈家协会副主席）担任舞蹈老师；文化馆创办《涟江》文艺小报17期。县书法学会、摄影协会、文艺创作协会相继成立。各艺术门类学习班共培训学员800多人，文化艺术活动普及全县，培养壮大一批文艺创作队伍。全县业余作者，在省级以上报刊发表（展出）文艺作品1000多件，在州级报刊发表（展出）文艺作品2000多件。周世雄的花灯剧《典型人家》、大型话剧《官儿头儿兄弟伙》于1981年、1988年参加全国性评奖活动，分别获国家文化部优秀剧目奖、团结奖；张显华、胥忠国、王泽洲等诗人600余首诗作在省级以上报刊发表，部分诗作在相关评奖活动中获奖；杨霜、陈广夫、余泽芳、王道生、路剑的作品多次在省内外获奖；小说作者朱慕文、花应周、杨昌应、雷霆的作品在省内外报刊发表并获奖。音乐、美术、摄影界的作者有1000多件作品在省、州发表（展出）并获奖。

1991年以来，文化馆长期举办各类音乐、舞蹈、曲艺等培训班60多期，在雅水镇举办农民画学习班，在王佑镇举办文学写作学习班，在岗度镇石烧村开展“姊妹萧”演奏培训班等。邀请省文化馆专家到县举办声乐、器乐、曲艺等培训班，提高县文艺骨干的文艺素质。

2007年，由胥忠国作词、吴庆作曲的歌曲《好花红在布依人的心窝》荣获贵州省“五个一工程”奖。2008年，文化馆李晓平作词、作曲的歌曲《好花红的歌美滋滋的唱》荣获第二届黔南州政府文艺奖音乐类二等奖。

2014年，文化馆组建“俏夕阳”艺术团、“好花正红”艺术团、“久久”艺术团、“好花红民乐团”等馆办文艺团队。并组织各团队参加“幸福进万家文化精品乡村行”活动，把欢乐送到千家万户，2014年、2015年分别下乡演出30场。

二、品牌文化活动

自1979年春节县文化馆举办首届猜灯谜活动之后，每年春节期间，县文化部门都在县城举办大型灯谜活动，至今已经举办了20多届，吸引了来自贵阳、都匀等周边县市灯谜爱好者。

1988年春节，文化馆举办惠水县首届迎春征联活动，至今已经举办了25届，应征的联友由本县逐渐扩展到全省、全国乃至海外华人。

自1986年起，每年春节，文化馆都要举办全县少儿“声乐、器乐、舞蹈”比赛。赛前，文化馆业务人员到县内各学校及相关少儿艺术培训单位，精心挑选节目参赛，挖掘和培养本县少儿艺术人才。

2010至2011年，县文化馆举办一月一次“月月好花红”民歌大赛。2011年，按照文化部、财政部《关于推进全国美术馆、公共图书馆、文化馆（站）免费开放工作的意见》要求，文化馆对外免费开放。主要体现在公共空间设施场地免费开放，开展普及性的文化艺术辅导培训、公益性群众文化活动、公益性展览展示、培训基层队伍和业余骨干、指导群众文艺作品创作等基本文化服务项目。2014年“幸福进万家·文化精品乡村行”公益文艺演出活动全面启动。2015年，文化部公布了《全国文化馆评估定级结果公告》，经严格验收综合评审，惠水县文化馆被评为国家二级馆。

第二节　新华书店

一、机构体制

1978年，惠水县新华书店属惠水县委宣传部管理，县文化局代管的事业单位，书店实行企业化管理，经营活动实行经理负责制，有职工12人。

1984年，恢复省级店对县级店的管理体制，人、财、物、业务归贵州省新华书店统管，县新华书店转制为经营性文化企业，惠水县新华书店更名为贵州省新华书店惠水支店，后更名为贵州省新华书店惠水县支店。

2013年，黔南州新华书店有限公司惠水县分公司成立，与贵州省新华书店惠水县支店（简称县书店）实行一套人马，两块牌子的管理体制，隶属于贵州出版集团公司。

2015年，黔南州新华书店有限公司惠水县分公司（县书店）有职工8人，资产1477万元。

新华书店办公大楼

贵州省新华书店惠水县支店，主要经营图书、音像产品、文化用品，担负县内中、小学教材以及一般图书的发行工作。先后在贵州省新华书店集团获2009—2011年度集团租型教材发行先进二等奖，贵州出版集团公司2012年度整合教辅发行进步奖，集团租型教材发行先进单位三等奖，集团整合教材发行进步奖，2013年获集团代理教材发行先进单位奖。

二、网点建设

1978年，县书店在县城设门市部1个，在姚哨区、摆金区、断杉区、王佑区、三都区、雅水区和芦山供销社设7个图书代销网点。

1981年，县书店扩建，在原两层楼房基础上加修第三层楼，全店面积600多平方米。同年，为方便群众购书，在工矿区高镇设图书门市部，配备工作员3人。

1985年，县内各区乡供销社图书销售代销网点发展到28个。

1986年，县书店门市部由柜台封闭式售书改为开架全开放式售书，受到读者欢迎。

1991年，县书店在摆金和断杉各设一个图书销售网点。

1992年，县内各镇供销社图书销售代销网点不再保留。同年，经贵州省新华书店批准，撤销断杉图书销售点。

1997至1998年，县书店再次扩建，投资131万元增修库房和职工宿舍。扩建后，书店综合大楼高7层，时为县内第一高楼，面积2400多平方米。

2003年，县书店设在高镇的门市部停止经营图书销售业务。

2015年，县书店设有县城内门市部1个，摆金镇图书销售网点1个。形成以书店为轴心，以镇（街道）自伸网点为辐射，以个体书摊为补充的图书发行体系。

三、图书业务

1978年，县书店统一发行中小学课本教材和教辅读物，县内门市部和各区公所基层供销社图书销售代销网点设柜台，向读者出售政治、经济、农业、科技、文学、社会科学及连环画等各类图书。

1982年，中共中央宣传部下发25号文件，重申“新华书店是党在思想战线上的一个重要宣传部门”，县书店认真贯彻落实文件精神，切实抓好重点政治理论读物征订发行工作。至2015年，先后向全县征订发行《关于建国以来党的若干历史问题的决议》3000册；《陈云文稿选编》5200本；《三中全会以来重要文献选编》2000本；《邓小平文选》1至3卷3000套；《坚持四项基本原则，反对资产阶级自由化》2500本；《社会主义商品经济若干问题》2600本；新版《毛泽东选集》1至4卷2000套，《江泽民文选》1至3卷3000套；《胡锦涛文集》3000套；《习近平谈治国理政》3000本；中共十二大至十八大报告单行本、辅导读本和《中国共产党章程》累计2万余本（册）。

1984年，县书店发行图书119万册，码洋（销售额）24万元，利润2万元，人均完成销售任务23300元，超过省州下达指标。

1985年，县书店进一步加强经营管理，提高工作效率，开源节流，加快资金周转，图书发行上升到121万册。

1990年，县书店图书发行200万册，完成码洋（销售额）83万元，利润6.4万元，创此前历史最高水平。

1991年，县书店派职工到摆金、断杉设立的图书销售网点进行图书销售采取改直销经营为折扣经营方式，职工个人获销售额的8%至10%优惠奖励，进一步提高了销售人员的积极性。

1992年，县书店图书发行完成码洋（销售额）220万元。

1998至2004年，县书店免费向摆榜乡小学女童班50人发放价值12000元的教科书。

2003至2005年，县书店积极在各乡镇开展全民阅读书展活动，为读者提供购书优惠。

2006年，县书店图书发行完成码洋（销售额）480万元。

2008年秋季学期开始，县书店落实国家义务教育阶段学生全部享受国家免费提供教科书精神，县内义务阶段免费教材发放实现全覆盖。

2009至2010年，县书店根据教材发行体制改革精神，发行县内小学由人民教育出版社版本改为西南师范大学出版社版本的一、二年级语文教材，后又恢复发行人教版。

2010年后，县书店根据省新华书店要求，努力畅通发行渠道，为“农家书屋”工程提供优良服务，每年完成两万多册的农家书屋图书发行运送签收工作。

2015年，县新华书店与县教育局、县文旅局联合在全县中小学举办“少年向上，真善美伴我行”读书活动，征订发行图书34111册，年底全县图书销售578000册，完成码洋（销售额）1156万元。

附：个体书摊、书屋

1978至1985年县城内图书发行渠道仅新华书店1个，城近郊区由新华书店门市部、高镇图书门市部发行，农村由县店依靠供销合作社发行。图书网点发展缓慢，与读者日益增长的需求极不适应，造成“买书难”。1986年后，县书店根据国家出版局《关于建议有计划有步骤地发展集体所有制的书店、书亭、书摊、书贩的通知》精神，积极支持集体书店、个体书摊、农村文化站代销图书，开展多渠道发行的改革，县文化专干有10人为书店代销图书，作为“以文补文”的活动范畴。县城一些个人自筹资金开设街道书摊，自行经营，成为县新华书店发行工作的辅助力量。较为知名的有杜记个体书屋、郑记个体书屋、西门个体书屋、三味书屋等。同时每年元旦、春节前夕，一些居民和书店的家属为书店代销年画、对联和图书，丰富节日文化生活。随着经济的发展，群众对文化生活的需求，县内个体书店快速发展。至2015年，个体图书摊点县内皆有分布，县城内知名的有“松涛”“求知”“国华”“考试”等书店，这些个体书店经营灵活，服务多样，市民购书更为方便。

第三节　图书馆

民国24年（1935年），定番县（今惠水县）成立民众教育馆图书室，有藏书千余册，报纸6种，图书管理员1人。1939年，国民党省教育厅向县馆赠送《丛书集成》数百册。1942年，整顿县民教馆后，设立阅览组，借阅图书、报刊。图书室有《万有文库》一部数百册，小学生文库200多册，英语书籍数十册，共有图书4000多册。到1949年11月初，国民党政府溃败前夕，由于无人管理，图书室内所有图书被盗被毁，荡然无存。

1951年7月，新成立的县人民政府在县城设立大众阅览室，有藏书1000余册，均系军大五分校赠送，以文学、政治书籍居多，有管理员2人。

1952年，县文化馆成立后，在馆内设阅览室。1957年，全县有15个农村俱乐部设有图书室。1966年，“文化大革命”开始后，文化馆图书室4000多册书籍被毁。

1973年，文化馆重新购买一批书籍，图书室又对外开放。

1979年3月，县图书馆正式成立，为事业编制，配职工3人。因图书馆没有馆舍，向文化馆借用60平方米（书库18平方米、阅览室27平方米、办公室15平方米）馆房办公，并接转文化馆图书室的图书3500余册。

1980年，县图书馆在摆金镇租房建图书室，有图书2000多册，聘请专人负责借阅工作。

1984年，县图书馆发放借书证1100个，购买一批儿童读物，开设儿童阅览室，有座位80个，吸引了一批小读者。扶持10个农村文化站建起了图书室。

1985年，县图书馆创新农村图书阅览工作，在下摆乡文化站、雅水小岩脚文化站、合爱乡新寨文化站开展图书挑活动，即由文化站的积极分子把图书装进箩筐，挑着走村串寨，送书上门，方便读者。

1986年，县图书馆订阅杂志226种、报纸41种，读者达28700人次。

惠水图书馆新馆建设于1986年12月开工，1987年7月竣工，建成两层砖混总面积为852.79平方米的馆舍。可藏书十万册，198个座位，书库256.20平方米、阅览室371.95平方米，目录厅、借书处及门厅111.80平方米，采编室及办公室112.84平方米，总投资15万元。

1987年，图书馆贯彻执行《贵州省县级图书馆工作条例》，促进工作规范化，采取办黑板报、墙报等方式向读者介绍新书，建立读者园地，提供信息。在年终评出五好读者，给予表彰。图书馆加强队伍建设，先后有7人次参加省图书馆举办的业务培训班，每期两个月，提高干部职工的素质。开办四期培训班，对农村文化站专干和农村图书室人员进行培训，传授图书分类管理知识，定期在文化站之间相互调换图书，增加图书阅览周转率。县图书馆参加省文化厅创导的“开展创建文明图书馆活动”，开馆时间每周40至50小时，超过省厅规定的时间；文献保障率、费用效果率提高，差错率、拒借率减少。工作人员实行优质服务，在政治、经济、文化、科学技术知识等方面充分发挥图书馆效益。惠水县图书馆6次被评为省、州、县文化系统的先进单位。

1990年起，图书馆向社会发起向图书馆集资捐赠图书活动，1992年，文化部发起向县图书馆捐书活动，召集部分机关、学校、企事业单位开展向图书馆捐书、捐款座谈会，共收到社会各界及省文化厅的捐款12400元、捐书1000册。

1994年，召开图书捐赠座谈会，机关事业单位、厂矿企业、个人36家单位和个人参加会议并向图书馆捐赠图书经费，计20155.46元。时任县委书记黄桂祥、副县长姜克信参加会议。1994年县图书馆参加全国公共图书馆评估，获总分417分，列全州第四名，因硬件设施不足未被定级。

1999年，图书馆在职职工6人，有藏书34543册，（其中期刊6025册），地方文献250册，订报刊149种，每周开放时间7天43小时，共发放借书证1778个。

2004年，爱国美籍华人美国加州圣峪文化协会左四臧女士捐资1.1万元，在长田乡建“健华图书馆”。

2000年12月，惠水县图书馆被贵州省列入2002年“两馆”建设项目县，1月7日，县政府批复修建图书馆大楼，选址于老粮食局宿舍和政府办车库片区及广电中心大楼后面。3月30日，老粮食局宿舍14户、县政府车库1户搬迁完毕。图书馆第二次馆舍修建工程于2004年11月15日动工，2006年5月竣工，建筑面积1010平方米，总投资90万元。其中：县财政拨款27.5万元（20万元用于搬迁）、文体广电局自筹12.5万元、省文化厅下拨中央财政拨款50万元。2008年，迎接全国文化部第四次评估定级，分别在县图书馆二楼、三楼建板房570平方米，馆舍面积达1580平方米。

2008至2010年，完成201个村农家书屋建设。是年底，文化部、省文化厅批准，全国文化共享工程贵州省分中心授牌成立“全国文化信息资源共享工程贵州省惠水县级支中心”，组建开放公共电子阅览室。全县基层服务点于2010年全部完成。

2009年12月，县图书馆参加全国县级以上图书馆评估工作，被文化部评定为“三级”图书馆。

2013年5月，县图书馆参加全国县级以上图书馆评估工作，再次被文化部评定为“二级”图书馆。

2015年10月，由文化部下发省文化厅计划安排拨流动图书车1辆。承担对全县各部门、乡镇图书馆（室）常年坚持送图书下乡，每年送图书资料1000余册，2015年底，县图书馆有藏书8万册（其中期刊杂志12000册），地方文献3000册，订报刊120种。县图书馆常年开馆，节假日不休，每周开馆时间超过48小时。图书馆有综合报刊阅览室1个、少儿阅览室1个、书库1个、贵州省图书馆“惠水流动分馆”1个、资源共享工程电子阅览室1个（有电脑35台），设有地方文献室、采编室、学生自修室、培训厅。

第四节　电影公司

1956年，惠水县电影放映队成立，共两个放映队。

1959年，成立惠水电影院，由贵阳市政府（其时惠水隶属贵阳市）拨款8万元，修建惠水电影院，面积900平方米，观众座席1000个。

1965年，建成电影管理站。

1979年，惠水电影管理站更名为惠水电影公司，分设放管、发行、宣传、财务、机务五个部门开展工作。县电影公司还对永安、险峰厂及108地质队的电影放映组进行业务指导，供给影片。

惠水县老电影院

新电影院

1981年，省电影公司拨款17万元，在县府路动工修建惠水新电影院，1983年竣工。同时，省、州、县三级电影公司投资先后在县修建了摆金、三都、芦山、雅水和断杉乡镇一级的电影院。

1985年，全县有电影放映单位45个，有35毫米电影机11套，16毫米电影机17套，8.75毫米电影机23套，放映员91人，其中，民办放映员61人。全年放映电影5200多场，观众达328万人次。总收入14.5万元。

1988年，电影公司实行承包经营责任制，全县有放映单位24个。

1990年以后，电视及营业性录像放映室逐步普及，县电影放映经营业务急剧下降，各乡镇电影院相继停业。

1993年，对电影发行体制进行改革，抓电影、抓革命传统电影的宣传发行放映工作，放映电影7000场，观众23.86万人，收入19万余元。

1996年，放映电影1460场，观众50万人次，收入22万元。

2002年，实施县城改造，拆迁电影院，在好花红宾馆旁新建县影剧院。

2003年后，电影行业不景气，县影剧院多用于各种会议及演出团体演出场所。

2013年，惠水县城南苑花城开设第一家民营电影院“好花红电影院”，每日放映数字电影。

1998年，国家开始实施2131工程（即在21世纪，广大农村每月至少放映一场电影），惠水电影公司成立了农村公益电影放映工作站，按要求开展农村公益电影放映，让电影放映服务深入乡村，满足农民群众精神文化需求，至2015年，累计放映14472场。

第五节　乡镇文化广电站

县内文化站分为乡镇文化站和村寨文化站两种。乡镇文化站是当地政府领导的文化事业机构，业务上受上级文化部门的指导，是社会主义精神文明建设的前沿阵地。

1979年，始建摆金文化站，配有专职人员1人。1982年，建三都、毛家苑、王佑、芦山、惠明、姚哨、羡塘、雅水乡镇和和平镇星光村共9个文化站。1983至1986年，先后建断杉、定里、翁垒、洛平、甲浪、大坝、长田、太阳、党古、董照、长安、九龙、清水苑、大龙、宁旺、上摆、下摆16个乡级文化站和雅水区中心文化站，以及雅水乡小岩脚寨、莫然村，合爱乡新寨村，鸭绒乡鸭寨村、提同村，洛平乡洞口村，太阳乡蛮莫村，抵麻乡摆列村等村寨文化站。

1984年12月，县文化局根据黔南州劳动人事局、州计委、州文化局《关于录用农村文化站专职工作人员的通知》精神，在全县开展文化专干的招考工作，通过对报名的154人进行文艺表演等考试和文化知识笔试，择优录取文化专干18人。通过开展12天的业务培训后，将18名文化专干安排到各乡镇文化站开展工作。

1985年11月，由黔南州文化局在惠水举办片区培训班，组织惠水、平塘、长顺三县的文化站专干，进行15天的业务培训，由州文化局派员授课，提高文化专干的业务水平。

县内村寨文化站积极开展农村基层文化工作。如，雅水镇小岩脚文化站通过办“农民夜校”“文艺文化学习班”“科普培训班”等，开展丰富多彩的文体活动，促进精神文明建设，被评为贵州省民族团结模范单位，小岩脚被命名为惠水县文明村寨。1986年12月，小岩脚文化站被评为全国先进文化站，文化站站长杨明昌出席在江苏省无锡市召开的全国先进文化站表彰大会，荣获锦旗1面，《人民日报》刊发了小岩脚文化站建设新闻报道1篇。摆金镇高寨文化站将该站组建的苗族歌舞队与摆金驻军宣传队联合组成一支40多人的歌舞队，有计划组织到周边乡村开展文艺演出等活动，宣传党的方针政策；建起了广播站、图书室、文娱室，推动乡村文化建设，共建文明村寨，全村34名苗家青年加入了共青团。文化站要求每位团员争当劳动致富的带头人，帮助群众打开致富门路。高寨军民共建模式引起了中宣部和解放军总政治部的重视，安排人员到高寨考察调研，肯定了军民共建文明村寨的正确方向。9月25日，贵州省创建《艺术之乡》现场会在惠水县摆金镇召开，省文化厅及各地、州、市文化部门有关负责人参观考察了高寨、冗章、清水苑3个民族村寨的文化建设情况，观看了高寨民族歌舞队的文化演出。经组织评议，省文化厅对全省评选出来的十个艺术之乡（含摆金镇）进行命名、授牌表彰。时任省文化厅长王恒富为摆金镇题字：“艺术之乡”。1993年1月，雅水镇成功创建“工艺美术之乡”，王佑成功创建“文学艺术之乡”。1993年6月，《贵州日报》记者段丽娜将摆金文化站站长杨光祥的工作事迹以《摆金有个杨站长》为题在该报刊上报道。1998年，《摆金有个杨站长》收入《贵州艺术之乡》一书。

2009年10月1日，文化部出台《乡镇文化站管理办法》（文化部第48号令），对文化站建设、文化站的行政管理及业务指导作出明确规定，乡镇综合文化站的行政管理由当地人民政府负责，业务指导由县级文化部门负责。“十一五”期间，惠水试点站好花红乡综合文化站于2009年完成，2010年竣工并投入使用。其余24个乡镇综合文化站于2011年6月竣工，2012年投入使用。每个乡镇综合文化站建筑面积不少于300平方米，设有多功能厅、辅导培训教室、计算机与网络教室、图书借阅室等，乡镇综合文化站配套设备（价值12.5万元）由省文化厅配送灯光、音响、电脑、投影、图书桌椅、书报刊架、电子琴、二胡等设备，对群众免费开放。2016年8月，惠水县好花红镇综合文化站被国家文化部评为全国先进文化站。

第六节　群众文化活动

惠水群众文化活动非常丰富。每年“三月三”“四月八”“六月六”和春节等民族节日，各族群众在不同场所集会，开展歌舞表演、跳花场、对山歌等文化活动。1981年，贵州省布依族“六月六”歌节

送文化下乡活动（2011年摄）

在断杉镇董朗大桥举办，全省各地的222名民族歌手、乐手前来参加表演，国家民委、文化部有关领导和专家到场观看指导。1984年惠水举办全县民族“六月六”文艺会演，全县20个文化站175名各族演员参加演出，共在九龙乡歌场和县人民广场演出节目45个。其中，雅水布依族《花棍舞》、羡塘布依族《铜鼓舞》、鸭寨苗族《粑槽舞》、长田苗族《芦笙舞》获奖。1985年，省、州民间舞蹈现场会在惠水举行，惠水县的布依族《香花舞》《花棍舞》和苗族《马刀舞》以及抵麻乡傩戏队的《傩愿舞》参加演出，受到好评。1986年，惠水县民族文工队员赴贵阳参加贵州省民间音乐舞蹈调演，演出的节目《马刀舞》《织布舞》《香花舞》获二等奖。

1990年，贵州省文化厅将惠水县民族文工队组建成“贵州省古傩艺术队”，受邀参加第十一届北京亚运会艺术节的演出活动，在中国科技馆演出39场，受到中外观众的好评。同年，布依族《香花舞》被省文化厅土风艺术团排演并赴北京，参加第十一届北京亚运会艺术节的演出，惠水有两名演员参演。

1997年，举办迎接香港回归祖国系列活动，举办卡拉OK、文艺演出15场，节目257个，观众1.5万人，免费放电影7场。

1998年，由泰籍华人陈立发资助，在长田乡举办“六月六”民族旅游艺术节，参与群众万余人。

2001年，首届“贵州·惠水好花红艺术节”在惠水二中操场举行开幕式，邀请蒋大为、李丹阳、龚琳娜、罗秀英等歌唱家到场演出，受到广大观众的热烈欢迎。全县各乡镇和县直相关单位排练节目参演。次日在“好花红”故乡毛家苑乡（现更名为好花红村）分会场继续举行文艺演出，毛家苑乡编排一台具有乡土气息和民族特色的歌舞节目，在辉岩桥畔的田园大舞台演出。著名歌唱家李丹阳前往“好花红”故乡观摩民族歌舞，同台为乡亲们演唱当地的布依民歌《好花红》，一些外宾也登台和李丹阳一起学唱惠水民歌。

2002年，惠水举办第二届好花红艺术节，主会场设在涟江广场，省军区歌舞团参加演出，艺术节安排10台彩车参加庆祝巡游活动。2006年，举办第三届好花红艺术节暨金钱橘采桔节，主会场设在好花红乡涟江河岸。2012年，举办第四届好花红艺术节暨端午“龙游涟江”旅游文化节。海政文工团曾小燕在大型文艺晚会上演唱布依族民歌《好花红》。艺术节期间，举行龙舟表演、渔舟比赛、好花红民歌大会演、民族服饰展示、大型音乐焰火燃放晚会等活动。惠水及周边县市10余万名群众参加。全国定向锦标赛暨“寻找美丽中华”城市定向活动。2014年，开展“月月好花红”山歌大赛，民族刺绣大赛，“龙游涟江”系列活动及2014老年健身活动展示。2015年，举办“龙游涟江·好花正红”为主题的“国际龙舟邀请赛”暨“好花红”端午民族文化旅游系列活动。来自加拿大、伊朗、澳大利亚、中国香港、中国澳门、江苏、湖北、广东、贵州遵义、贵州荔波等国家和地区共14支龙舟代表队齐聚惠水县城涟江公园，龙舟飞渡，鼓声震天，角逐桂冠，充分彰显了中华民族“龙”文化的精髓。同时举办“好花红民歌大赛”“民族特色美食大赛”。

第七节　文化产业

2007年，成立文化产业办公室。2008年，成立“多彩贵州”歌唱大赛惠水赛区组委会及办公室，制定了工作方案和宣传报道方案。协调各方力量，组织惠水赛区决赛。组织到州参赛节目成绩优异。张丽琴演唱的《彝山阿兹古古尼》和蔡娟演唱的《阿妹出嫁》分别获民族唱法组一、二等奖；由县一小教师合唱队演唱的《好花红在布依人的心窝》获合唱组二等奖；鸭绒乡苗族女子组合演唱的《喜喜冗多干》和大龙乡九龙山男子组合演唱的《阿朵大兜》分别获原生态唱法组二等奖和优秀奖。获奖总成绩名列全州第二，与都匀、独山一起分别获大赛优秀组织奖。

2009年，制订“歌颂祖国·好花更红”迎国庆系列活动以“颂祖国、唱家乡”为主的群众广场文化系列活动；以爱国主义、道德风尚教育为主的系列活动。举办庆祝新中国成立60周年画展、庆“五·一”迎“五·四”“科学发展·火红五月”文艺晚会、“红五月”职工运动会、“四进社区”文艺晚会、全国大学生·青少年藤球锦标赛、贵州省新农村篮球赛黔南赛分区赛暨第三届黔南州新农村运动会、迎国庆歌咏比赛、迎国庆“60米诗书画长卷展”、黔南州老年书画联谊展等活动。组织2009“多彩贵州”舞蹈大赛惠水赛区选拔赛。电视新人推荐上州参赛的10个节目取得6个晋级省决赛、全州第二的好成绩；原生态和民族舞蹈被州选定3个节目参加现场赛，原生态舞蹈《背扇舞》获得三等奖。组织开展百名摄影师游摆榜采风活动，编制了《惠水之声》光碟，在贵州电视台播出。数字电影《好花红》在好花红乡河畔举行开机仪式，举办大型民歌会，确保《好花红》电影顺利开拍。

2011年，开展多彩贵州歌唱大赛惠水赛区选拔赛，本着“广泛参与、层层推荐、个人报名、专家审定”的原则，选出合唱类、美声类、原生态类、民族唱法类、流行唱法类共9个节目参加州复赛，取得了1个二等奖、2个三等奖、3个优秀奖和1个组织奖的好成绩。

2012年6月23日，举办第四届好花红艺术节，“好花红”成为惠水文化品牌，促进惠水县经济发展、文化繁荣，提升惠水县的知名度和影响力。

2013年，举办“多彩贵州”惠水2013端午“龙游涟江”系列活动；全国定向锦标赛暨“寻找美丽中华”城市定向活动。各乡镇组织开展“六月六”“三月三”各种文化活动，全年共开展各类文体活动达100余场次。书协、作协、音协、美协、摄协等参加春节期间开展的各种文体活动，举办第二十一届惠水迎春征联活动，参与举办“迎春文艺晚会”和“两会（惠水县人大、政协会议）文艺演出”，参与策划2013年多彩贵州歌唱大赛惠水赛区的选拔、创作、排练等系列工作，筹办惠水《好花红》文艺季刊，承办惠水县“同心向党·携手小康”、庆“七·一”系列活动中的“美丽惠水小康路”摄影展等等。

2014年，以开发一个好花红文化旅游区、建设一个好花红特色小镇、打造一批好花红旅游民族村寨、打造一台好花红民族剧目、开发一批好花红民族旅游商品的“五个一”品牌建设工程为载体，推进好花红民族文化品牌建设。一是“山水田园·交响音画”大型山水实景演出《好花红》成功首演，共举行了7场公开演出，参加全国民族民间龙舟比赛的运动员及省、州领导、媒体记者及群众约5000人现场观看。实景演出的效果得到了省州领导及媒体记者、广大观众的一致好评，《贵州日报》《黔南日报》《贵州都市报》《金黔在线》等报刊网站进行大篇幅的新闻报道。以惠水县“中国梦”主题创作的《好花红遍·灵秀惠水》专题片及《山水田园梦》《又见好花红》二部MV录制完成。旅游产品链丰富，市场进一步拓宽。以乌龙红茶、枫香染系列、黑糯米酒、苗族刺绣为代表的旅游产品得到进一步开发。举办黔南州第六届旅游发展大会、惠水2014年“龙游涟江·好花正红”文化旅游系列活动、2014中国（惠水）民族民间龙舟大赛系列活动、九龙摔跤节暨民族传统节日活动、“七一”歌咏比赛、月月好花红民歌大赛、《好花红》实景演出等6个大项、17个小项的文化活动。以全省“三下乡”集中示范活动为载体，开展送文化下乡等广场文化活动，深入边远乡镇、企业、学校等地开展“畅想中国梦·文化进基层”文化下乡活动20余场；开展了少儿声、器、舞比赛、大型广场灯谜活动、广场健身舞等大型广场文化活动10场。

2015年，围绕省委书记陈敏尔考察惠水时提出的“一首歌、一朵花、一条河、一条街、一个业态”的总体要求，挖掘打造“一首歌”和“一朵花”文化内涵，举办了“中华一家亲·两岸好花红”三月三民族文化系列活动、国际龙舟邀请赛暨2015端午系列民族文化旅游活动、2015中秋民族经典音乐会等对好花红民族文化品牌的深层挖掘和推介起到积极作用。

第八节　文化市场管理

1987年，设立县音像发行站，配备专职管理人员2人，全县设有七个录像放映点，各放映点每天放映的录像节目按日记入录像放映日志备查，根据省广播电视管理部门规定，县广播电视局每月对录放映点收取营业额3%的管理费。

1989年，“惠水县社会文化管理委员会”（简称“文管会”）成立，由分管副县长任主任，宣传部长和文化局长任副主任，下设办公室在文化局。从相关部门抽调5名干部到文管会办公，通过开展大检查，收缴、销毁非法出版物、黄色书籍600多册，录像带44盘。

1990年，县文化局成立惠水县文化稽查队，专职对文化市场进行监督管理。

1994年，文化局和广电局合并后成立文化稽查队，不仅对经营文化产品行业进行监管，还对广播电影电视内容及经营的监管。是年，对全县文化经营户（点）104家加强日常管理，全年查处放映黄色录像带的录像放映点3个收缴非法录像带46盒，非法出版色情书刊18册，封建迷信小册子120多册，色情年画110多张，非法录像音带8盒，整顿有赌博活动的文化娱乐点48家。

1996年，对县内有奖电子游戏机实行取缔，对音像制品进行全面清理整顿，全年检查取缔有奖电子游戏1家10台机子，无证放映录像3家，查处没收非法相带36盒，音带24盒，书刊56册，赌具扑克字牌6付。

1997年，查处没收非法音像制品65盒，非法书刊12本，画30张，新办补办文化经营许可证12个，建立音响制品集中供带点，400盘正版带上架经营。

1999年，为县内第一家网吧，“网事悠悠”网吧开业。

2000年，取缔文化音像游戏违规违纪经营户32户，收缴非法盗版图书290册，非法音像制品600余盘，在学校周边营业的电子游戏机5台。

2001年，查处搏彩电子游戏机10台；收缴非法盗版光碟900张，非法图书200余册，迷信书刊126册；取缔算命摊点25个，收缴算命用具9件，取缔无证网吧3个，歌舞厅1个，娱乐室2个，台球2台；压减音像点6家；办理地面卫星接收许可证250余户，办理年检手续250个。

2002年，加大对农村“小天线”接收点清理工作，清理办证65个点，取缔15个点，没收处罚5个点，全县实现广播电视设施统一供货、统一销售、统一办证、统一收视的管理模式。

2004年，取消广播电视接收设施销售安装点2家，查处非法目录产品21套，有限电视私拉乱接户4户；收缴非法音像制品1424盒，非法书刊25册，停业整顿6家；取缔无资格经营音像户1户。

2005年，开展农村广播电视地面卫星接收设施清理登记工作，宣传和动员农村广播电视用户补办收视许可证186个；收缴非法音像制品150盒（盘），非法书刊50本（册），处罚违规网吧4家。

2006年，没收非法音像制品5280盒，盗版书刊1140册。

2007年，县文体广电局内加挂“惠水县新闻出版（版权）局”牌子，实行“两块牌子，一套人马”。贵州省新闻出版局为县配置执法专车、电脑和打字复印机等办公设备，每年下拨一定的业务补助经费。

2008年，配合工商、公安部门加强对全县25个乡镇市场检查，取缔黑网吧5家，收缴电脑39台。取缔音像制品流动地摊14起，书刊流动地摊3起，收缴赌博游戏机24台。销毁盗版光碟4287张。

2009年，指导县网吧经营业主成立协会，每家网吧缴纳1000元守法经营保证金，实行自我教育、自我监督、自我管理；对两家接纳未成年人进入网吧的业主实行吊销营业执照的处理；县文化执法大队查处网吧的案卷连续2年获全省文化市场行政执法优秀案卷评比一等奖，获全国文化市场行政执法优秀案卷评比三等奖；是年，在全县党政机关推行办公使用正版软件。

2010年，组建“惠水县文化市场综合执法大队”，加大对出版物市场清查力度，制定《惠水县打击侵犯知识产权和制售假冒伪劣商品专项行动及做好使用正版软件工作实施方案》，组织对图书、音像制品市场进行专项检查和整治，查缴宣扬不健康和封建迷信等内容的图书、期刊和音像制品；规范进货渠道，以查清进货清单为重点，查处违法、违规进货商家，重罚盗版出版物的流通、销售行为。加大对盗版出版物制造窝点和源头的严管重罚力度。落实“扫黄打非”工作部署，在查缴非法出版物的同时，对全县中、小学周边出版物市场进行“拉网式”巡查，净化文化市场环境。

2011年，办理第一家娱乐经营许可证“惠水县圣陶沙会所”，是年，聘请包括人大代表、政协委员、社区干部、学校教师、离退休老干部代表为“五老”（老干部、老战士、老专家、老教师、老模范）义务网吧监督员参与检查活动，对违法经营问题加强有效监督。

2014年，在全县范围内开展治理取缔无证照电子游艺厅行动，取缔无证照电子游艺厅4家。对违规经营的4家网吧进行处罚，其中，停业整顿2家，罚款2家，收缴罚款2.5万元；检查出版物市场、摊点33家次，检查印刷企业14家次，收缴非法出版物13件，盗版音像制品27件，盗版图书8册，盗版教材教辅5册。取缔游商地摊3个。

2015年，惠水县KTV已增至15家，电子游戏（艺）11家，网吧已增至33家。为保护未成年人健康成长，县按照“属地管理”原则，依据《娱乐场所管理条例》，加大日常监管力度，打击娱乐场所违法经营行为，对辖区文化娱乐场所进行全面摸排，惠水县“偶遇网吧”作为试点成功转型。是年，成立惠水县文化娱乐协会，协会会长由聚友网吧法人担任，协会设会长1名、副会长2名，县文化市场综合执法大队邀请协会人员参加执法检查4次，与公安、消防、工商、关工委、教育部门开展联合执法22次，立案处罚2家违规经营户，罚款2万元；取缔无证游艺娱乐场所2家，收缴盗版音像制品374张、非法出版物43册；关停违规经营的12家音像制品经营店，取缔文化音像流动摊点25个。

第二章　文化遗产与民间艺术

第一节　文物保护

惠水县自五代设南宁州，宋置八番地，明建程番府、定番州，到现在已有一千多年历史。在漫长的历史发展过程中，各族先辈创造并留下了许多珍贵的文化遗产。现存历史文物多处，记录了不同时期惠水人类活动、生产生活、文化教育情况。2007年—2011年，县文物管理所通过开展第三次全县文物普查，在县已登记测点的198处不可移动文物的基础上，经国家文物局审定，全县列为国家级文物保护单位1处、省级文物保护单位2处、州级文物保护单位3处、县级文物保护单位40处。

新中国成立后，全县的文物管理保护处于起步阶段，虽取得一定成果，但未形成系统规范的工作机构和机制，整体工作推进缓慢。后期因“大跃进”“文化大革命”“破四旧、立四新”等政治运动的影响，全县文物资源遭到一定破坏、流失、损毁。

1978年后，县群众文化工作开始复苏，文物管理保护相应步入正轨。县文化馆内设文物工作小组，并有专人负责此项工作。负责此项工作实际人数1人。由文化馆人员兼职，无专业人员、无内设机构、无专门办公场所、无专门经费。

1980年，由县文化馆组织开始进行小范围文物普查工作。

1981年，第二次全国文物普查贵州普查工作启动并全面展开，县受资金、技术条件等制约，普查成果有限。其间，撰写的文物志稿被黔南州文化局和省民族出版社采用，收入省文化厅文物处编印的《贵州省文物地图集》。

1982年，根据普查结果，由县人民政府公布了惠水县第一批文物和自然风景保护单位：牛场桥、卧龙桥、天主教堂、革命烈士纪念碑、九龙山、天生桥、燕子洞并建立文物保护标志和档案。

1984年3月10日，明代软尸在城关镇（后改为和平镇）坡头上出土，12日，省博物馆考古专业人员赴现场调查。经勘查，该墓葬占地面积6.33平方米，深1.8米，宽3米，为土坑竖穴，无墓道，夫妻合冢。该墓出土软尸1具，历书6本（大明一统历），衣物22件，在墓葬中出土明代历书，在贵州属首次发现。后软尸和其他物品均被省博物馆收藏。

1985年，县文化馆牵头开展一次小规模文物普查工作，取得一定成果。

1997年，惠水县文物管理所成立，无内设机构。有专门办公场所，有专门的文物管理保护经费。初期有在编工作人员3人，后调入2人。之后，县文物管护工作有序推进。县政府根据县历次文物普查结果，先后公布了五批县级文物保护单位：惠水县革命烈士纪念碑、红军召开群众大会遗址——惠水天主堂、九龙山古建遗址、红军烈士纪念碑、惠水孔子庙、牛场桥、卧龙桥、摆金古银杏树、批弓斗牛碑、摆金镇石头寨棺材洞、摆金清水苑大洞、高寨禁采硝告示碑、敬宗奉示碑、冗章老场奉示碑、满岗山今示碑、州正堂童示碑。

1991年2月，县人民政府公布第二批文物保护单位，包括：批弓斗牛碑、摆金石头寨棺材洞。

1992年7月，县人民政府公布第三批文物保护单位，包括：摆金高寨百世恩碑、敬宗奉示碑。

1997年，惠水县文物管理所成立，无内设机构。有专门办公场所，有专门的文物管理保护经费。初期有在编工作人员3人，后调入2人。之后，县文物管护工作有序推进。

1999年12月，摆金镇石头寨棺材洞被列为贵州省第三批省级文物保护单位。

2000年9月，县人民政府公布第四批文物保护单位，包括：惠水孔子庙、摆金清水苑大洞、摆金古银杏树。

1999年12月，摆金镇石头寨棺材洞被列为贵州省第三批省级文物保护单位。

2000年以后，县财政每年拨款5万元作为县文物管理保护工作经费。

2000年，将在县级文物保护单位——惠水孔庙内办公的县档案局等单位搬迁，实现对文物保护单位的有效管理；2002年，对惠水孔庙进行第一次修缮。

2004年12月，县人民政府公布第五批文物保护单位，包括：简约关州正堂示碑、打引州正堂童示碑、满岗山今示碑。2006年6月，县人民政府将斗底六寨古建筑群列为县级文物保护单位。

2007至2011年，开展第二次全国文物管理，文物管理所对全县25个乡镇的201个行政村，全覆盖进行调查，全面掌握县内不可移动文物点的数量、保存现状和环境状况等基本情况，共完成195处文物点的测点、登记和录入工作。其中，古遗址28处、古墓葬32处、古建筑32处、石窟寺及石刻71处，近、现代重要史迹及代表性建筑30处，其他2处。

2008年，龙小平被国家文物局评为“郑振铎—王冶秋文物保护奖”先进个人；同年4月，李惠林参加贵州省第三次文物普查示范点（花溪区）文物普查，获首届“第三次全国文物普查摄影图片展”优秀奖，并选登是年《中国文物报》。

2010年12月，通过省三普办组织专家进行筛选评比，惠水县独坡脚岩画，被推选代表贵州省15处重要新发现申报项目之一，上报国家三普办和第三次全国文物普查百大新发现。

2011年，根据“三普”结果，县人民政府公布新一批县级文物保护单位共计31处；“三普”成果《惠水县文物大观》成书，为全县第一部系统、翔实、规范记录全县不可移动文物的专著。

2012年2月，文管所“三普”工作队被评为全省“三普”工作先进集体；李惠林被评为全省“三普”工作先进个人。

2012年10月，根据机构设置调整方案，原县文物管理所划分为文物管理所和非物质文化遗产保护中心。

2013年5月，原省级文物保护单位摆金镇石头寨棺材洞，被国务院公布列为第七批国家级重点文物保护单位，更名为“惠水县仙人桥洞葬”，实现了惠水县国家级文物保护单位零的突破。

2013至2015年，根据国务院统一部署，完成了惠水县第一次国有单位可移动文物普查工作。共对县内538家国有单位发放调查表、回收调查表538份，回收率100%。其中，反馈有文物收藏单位8家，经核定有文物收藏单位4家，认定可移动文物38件（套），在国家统一平台，登录上传可移动文物数据38件（套），数据登录有效率100%。同时，开展多次普查成果图片展等活动。支持配合中科院、省考古所、省文保中心等部门专家，对惠水县大龙乡小龙坑遗址和摆金镇清水苑大洞遗址进行考察试掘工作，取得一系列考古成果。

2015年5月，“惠水孔庙”“大龙独坡脚岩画”被省人民政府公布列为第五批省级文物保护单位。

附：惠水县县级以上文物保护单位名录

国家级重点文物保护单位（1处）

仙人桥洞葬：位于摆金镇长新村

省级文物保护单位（2处）

惠水孔庙（涟江街道办凤山社区）

独坡脚岩画（涟江街道大龙社区）

州级文物保护单位（3处）

中华布依第一堂屋（好花红镇辉岩村）

龙塘陈氏宗祠（濛江街道山后村）

天主堂红军召开群众大会旧址（涟江街道办长征路）

惠水县文物保护单位总名录

涟江街道（24处）

夏文炳合葬墓（西山社区）

回龙寺遗址（惠民村）

定慧寺遗址（新城村）

龙篆墓（大新村）

山口碑程氏家族墓（三合村）

上寨龙氏家族墓（大新村）

惠水孔庙（凤山社区）

牛场桥（星光村）

鸡窝哨晓谕告示碑（三合村）

惠水县烈士陵园（星光村）

龙母陈太宜人墓（大新村）

濛江渡槽（星光村）

天主堂红军召开群众大会旧址（星光村）

雅羊寨剿匪战斗纪念地（杨番村）

猪帘洞古生物化石遗址（星光村）

小龙坑遗址（长征村）

九龙山佛教遗址（九龙村）

石瑞岐墓（长征村）

卧龙坟龙氏家族墓（长征村）

瓦苗买卖庄田碑（龙瓦村）

大龙坑神虎石像（长征村）

独坡脚岩画（长征村）

小龙坑语录碑（长征村）

大龙坑语录碑（长征村）

濛江街道（36处）

尹志伊墓（山后村）

罗家寨李氏祠堂（赤土村）

程朝纲墓（司濛村）

吴治南合葬墓（首创村）

龙塘陈氏宗祠（山后村）

马鞍山承发桥碑（半坡村）

陈德洋宅院（山后村）

陈全义宅院（山后村）

濛涟乡禁碑（司濛村）

濛根继善桥碑（司濛村）

胡锦堂宅院（长新村）

琴山逸响摩崖（山后村）

贺寿诗摩崖石刻（长新村）

濛涟致庆三多碑（司濛村）

新平山大桥（山后村）

双井屯上营盘遗址（双庆村）

平寨营盘遗址（合兴村）

翁吟河善其桥（合兴村）

土桥（桥洞村）

双井新场晓谕碑（双井村）

吟河寨给照粮碑（合兴村）

吟河宣统给照粮碑（合兴村）

德垂后裔碑（合兴村）

定番界碑（桥洞村）

新桥洞营盘遗址（大堡村）

石朝宗墓（三合村）

批弓新桥（大堡村）

批弓摩崖（大堡村）

上马堡青龙寺碑（三合村）

王氏宗祠谱序碑（上龙村）

甲腊冲执照碑（上龙村）

大坝山边桥（兴隆村）

松排孝祖桥（新哨村）

冗哨永定章呈碑（新哨村）

水牛寨告示碑（红星村）

卢免给照碑（红星村）

好花红镇（43处）

波云洞营盘遗址（小龙村）
王承禧墓（三都村）
龙凤宾墓（小龙村）
石天星墓（上衙村）
龙功洪墓（栗木村）
庞贵元墓（三都村）
龙德寿墓（九门村）
雷鸣刚墓（金田村）
华表雷石家族墓（栗木村）
雷石开茂墓（金田村）
旧司龙氏宗祠（百鸟河村）
龙定发宅院（九门村）
后苑八角井（三都村）
卧龙桥（小龙村）
陈家桥（三都村）
旧司双寿桥（百鸟河村）
上苑口买契碑（小龙村）
金石永远存照碑（金石村）
金石契约碑（金石村）
三都场买契碑（三都村）
小龙立约碑（小龙村）
小龙双虹桥碑（小龙村）
雷石邦壁墓碑（栗木村）
旧衙门寨卖契碑（九门村）
枫香冲暗渠（三都村）
陈正法墓（六马村）
陈发兴墓（六马村）
王纪墓（好花红村）
雷氏家族墓（满意村）
拱手桥（新门村）
蚕草龙氏宗祠碑（新门村）
免征永古执照碑（弄苑村）
弄苑通知碑（弄苑村）
六马修路碑（六马村）
骑龙治水碑（新门村）
中华布依第一堂屋（辉岩村）
中寨谱籍叙略碑（崇学村）
忠义洞营盘遗址（青藤村）
摆茶福禄桥（清河村）
消龙桥（清河村）
忠义洞摩崖（青藤村）
河口古桥（清河村）
蛮拱洞遗址（水源村）

摆金镇（30处）

摆金石头寨洞棺葬（长新村）
清水苑大洞遗址（清水村）
吴氏墓群（摆金村）
王惠炳宅院（摆金村）
高寨悠远桥（清水苑村）
摆架桥（马道村）
卧马桥（摆金村）
石头寨乐善桥（长新村）
冗章四旺桥碑（摆金村）
高寨乡规民约碑（平寨村）
冗章永戒把持碑（摆金村）
冗章老场奉示碑（摆金村）
敬宗奉示碑（清水苑村）
禁采硝告示碑（清水苑村）
冗章古银杏树（摆金村）
鸭寨乡规民约碑（谷把村）
仙人洞营盘遗址（冗拱村）
金盆漏底营盘遗址（高寨村）
伞落檐营盘遗址（盘井村）
旧连万古千修碑（盘井村）
高寨出示晓谕碑（高寨村）
永远遵照管业碑（高寨村）
冗拱晓谕事照碑（冗拱村）
学款市利碑（甲坝村）
六寨营盘遗址（党古村）
小苑营盘遗址（党古村）
李国玺宅院（党古村）
韦朝举宅院（党古村）

磨洋平桥（党古村）
万寿桥碑（党古村）
岗度镇（13处）
营盘山营盘遗址（本底村）
栗木营盘遗址（栗木村）
本底寿星桥碑（本底村）
老场建庙碑（岗度村）
甲找征地章程碑（岗度村）
甲找完纳章程碑（岗度村）
扁街示谕碑（岗度村）
栗木坪赵氏宅院（柏栗村）
王耀南宅院：（本底村）
赵世英墓（柏栗村）
栎木雷氏族谱碑（栗木村）
甲壤积善桥（宁旺村）
迎恩洞营盘遗址（宁旺村）
芦山镇（10处）
芦山屯上衙门遗址（芦山村）
岩脚营盘遗址（芦山村）
平安所营盘遗址（芦山村）
卢承恩墓（小石村）
卢母王太墓（芦山村）
响水催收事照碑（响水村）
硐口朱氏宗祠（硐口村）
芦山戏楼（芦山村）
芦山革命烈士纪念碑（芦山村）
卢氏家族墓（芦山村）
雅水镇（22处）
“良民顺境”摩崖（大龙村）
买卖契税碑（大龙村）
严禁私收杂项碑（街上村）
满岗山今示碑（雅水村）
岩底文化大桥（大龙村）
西阳坪卢氏宗祠（摆俄村）
山王庙遗址（洞房村）
公朋营盘遗址（公朋村）
超度碑（摆亚村）
遵照碑（地关村）
公朋通知碑（公朋村）
卢治赋墓（摆俄村）
西阳坪营盘遗址（摆俄村）
打干窖藏遗址（洛平村）
下苑罐葬墓群（洛平村）
永固桥碑（西牛村）
禁收兵谷碑（摆王村）
甲奇执照碑（西牛村）
甲奇寨规碑（西牛村）
犀牛甘结碑（西牛村）
龙场事照碑（摆俄村）
者务乡禁碑（摆王村）
羡塘镇（7处）
洛浩古村落遗址（羡塘村）
王志凤墓（西混村）
永定成规碑（三合村）
董照向阳桥（和平村）
对门寨万古碑（和平村）
旁来遵示碑（和平村）
对门寨杜弊碑（和平村）
断杉镇：（6处）
满贡执照碑（满贡村）
断杉烈士纪念碑（八大村）
打锣湾庙碑（翁平村）
庙坡遗址（翁平村）
播龙晓谕碑（定里村）
小寨新定章程碑（定里村）
王佑镇（6处）
新苑条银正额碑（冷水村）
州正堂童示碑（场坝村）
热洒屯营盘遗址（西南村）
屯烈雄营盘遗址（长腊村）
石成金墓（西南村）
简约关州正堂示碑（新然村）

第二节　非物质文化遗产传承和保护

普查工作　2006年4月，成立“惠水县非物质文化遗产保护工作领导小组”，由分管副县长任组长、县文广局、财政局、发改局、教育局、民族宗教事务局、旅游局等部门为成员单位，办公室设在文广局。2009年6月12日，挂牌成立文物管理所、非物质文化遗产保护中心为两块牌子、一套人马。2012年10月，非遗中心正式与文管所分离独立办公，共有工作人员2人。

第五个文化遗产日民族民间文艺展演（2010年摄）

2007年，由文管所、文化馆、文化股及雅水、王佑、高镇等文化站干部共11人，组成惠水县非物质文化遗产保护工作办公室普查工作队，在县内全面开展非物质文化遗产普查工作。

2009年，普查工作基本完成，建立以布依族民歌《好花红》调为代表的第一批县级名录51项，共撰写田野调查报告51篇，2万余字，撰写非物质文化遗产项目材料51份，5万余字，撰写传承人材料8份，制作视频100余盘，拍摄照片3027张，完成普查工作总结2万余字，梳理重点抢救保护项目19项，立卷归档150卷。初步建立惠水县非物质文化遗产档案和数据库。普查工作荣获2010年全省非物质文化遗产普查工作先进集体称号。

申报工作　2006年11月，布依民歌《好花红》调、枫香染手工制作技艺、长安布依族土布扎染手工技艺、芦山手工土纸制作技艺等4项非物质文化遗产项目的调查整理和申报文本编写工作全面完成，经评审入选第一批州级保护名录和第二批省级保护名录；2008年6月，布依族民歌“好花红”调、枫香印染技艺入选国家级保护名录。2009年9月，布依族民歌“好花红调”、枫香印染制作技艺等51项，列入县级第一批保护名录（惠府函〔2006〕95号）。2011年，布依族“三月三”、布依族吹打乐、大坝批弓苗族斗牛节、桐木寨唢呐制作技艺、羡塘布依族粑棒舞等5项非遗项目入选州级名录，布依族“三月三”、布依族吹打乐经评审入选第三批省级名录。2015年，苗族谷蔺布制作技艺入选第五批省级名录。

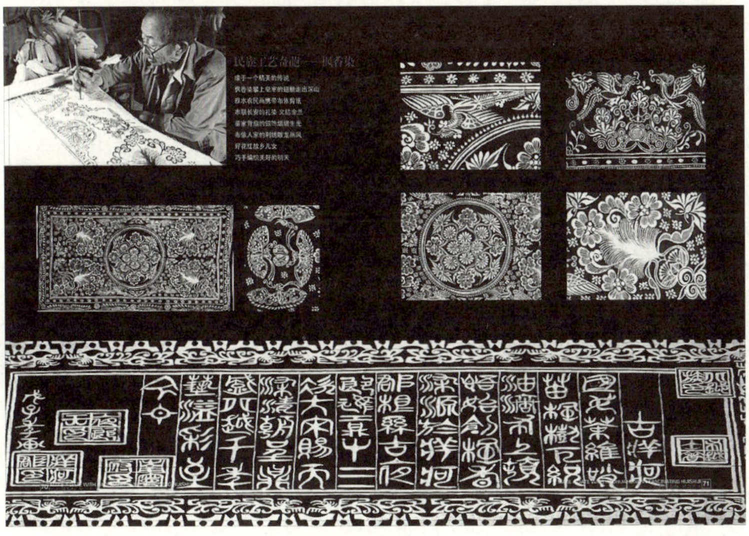
布依枫香染

各级传承人　惠水县现有国家级传承人1人（枫香印染技艺传承人杨光成），省级传承人3人（枫香印染技艺传承人杨鸿昌，布依族民歌好花红调传承人杨光英、王科国），州级传承人杨光汉、陈登连、杨光芬、花菊英、罗惠萍等10人，县级传承人30余人。

传承基地 2009年，惠水县分别在项目发源地建立枫香印染技艺、布依族民歌“好花红”调、长安布依族土布扎染制作技艺等传承培训基地，用于开展各非遗项目传习。2012年，枫香印染技艺传承基地获省级非物质文化遗产生产性保护示范基地称号。

出版 2012年，结集出版《惠水布依族枫香染》《好花红调》图文集。2009年，数字电影《好花红》由贵州巨日影视中心在惠水开拍，2010年底拍摄完成，经国家广电总局电影数字节目管理中心批准，于2011年12月27日正式进入全国农村电影院线公映。

传承培训 2009年以来，惠水县共开展各级非物质文化遗产项目传承培训30次，培训人群1500人次；开展民族文化进校园培训20次，参加培训学生800人次。

交流展示 2009年以来，利用每年文化遗产日期间，开展丰富多彩的非物质文化遗产项目展示展演活动；2011年5月，枫香染传承人杨昌飞受邀赴台湾参加工艺美术展示展演活动；2012年9月，枫香染传承人杨光成、杨昌飞赴澳门卢家大屋参加民间手工艺人展演活动；2015年6月，布依族民歌“好花红”调传承人罗惠萍等6人受邀赴苏州参加“中国民间文化艺术之乡”民歌、山歌展演。2015年“六月六”，首届贵州省传统音乐、传统舞蹈展演在惠水举办。

表16-1

惠水县2015年非遗代表性项目名录汇总表

项目名称	类别	民族	级别	申报地
神话《月亮和太阳》	民间文学	布依族	县级	惠水县
神话《洪水朝天》	民间文学	布依族	县级	惠水县
布依族民歌“好花红”调	传统音乐	布依族	国家级	惠水县
布依语歌《赞歌》《情歌》《酒歌》	传统音乐	布依族	县级	惠水县
摆榜苗族大号演奏	传统音乐	苗族	县级	惠水县
鸭寨唢呐演奏	传统音乐	苗族	县级	惠水县
左定若定溜（粑棒舞）	传统舞蹈	布依族	州级	惠水县
勒凶（马刀舞）	传统舞蹈	苗族	县级	惠水县
上马堡花灯（愿灯）	传统舞蹈	汉族	县级	惠水县
羡塘布依族铜鼓舞	传统舞蹈	布依族	县级	惠水县
九龙苗族木鼓舞	传统舞蹈	苗族	县级	惠水县
更埃乃（做饭舞）	传统舞蹈	布依族	县级	惠水县
当唢（织布舞）	传统舞蹈	布依族	县级	惠水县
迷腊舞	传统舞蹈	汉族	县级	惠水县
转状令（香花舞）	传统舞蹈	布依族	县级	惠水县
苗族粑槽舞	传统舞蹈	苗族	县级	惠水县
长田苗族芦笙斗鸡舞	传统舞蹈	苗族	县级	惠水县
断杉马场坡傩戏	传统舞蹈	汉族	县级	惠水县
枫香印染技艺	传统技艺	布依族	国家级	惠水县

续表16-1

项目名称	类别	民族	级别	申报地
长安土布扎染制作技艺	传统技艺	布依族	省级	惠水县
芦山土法造纸制作技艺	传统技艺	汉族	省级	惠水县
苗族谷蔺布制作技艺	传统技艺	苗族	省级	惠水县
桐木寨唢呐制作技艺	传统技艺	布依族	州级	惠水县
羡塘竹编制作工艺	传统技艺	布依族	县级	惠水县
摆榜苗族刺绣工艺	传统技艺	苗族	县级	惠水县
布依族挑花工艺	传统技艺	布依族	县级	惠水县
鸭寨龙烛制作工艺	传统技艺	苗族	县级	惠水县
鸭寨苗族银饰锻制技艺	传统技艺	苗族	县级	惠水县
雅水布依族剪纸技艺	传统技艺	布依族	县级	惠水县
摆榜苗族芦笙制作技艺	传统技艺	苗族	县级	惠水县
布依族三月三	民俗	布依族	省级	惠水县
批弓苗族斗牛节	民俗	苗族	州级	惠水县
摆榜苗族婚俗	民俗	苗族	县级	惠水县
摆榜苗族敲牛习俗	民俗	苗族	县级	惠水县
布依族丧葬砍牛习俗	民俗	布依族	县级	惠水县
惠水苗族开路经	民俗	苗族	县级	惠水县
惠水布依族砍牛歌	民俗	布依族	县级	惠水县
布依族灵堂画	民俗	布依族	县级	惠水县
摆榜苗族赛马节	民俗	苗族	县级	惠水县
鸭绒苗族“跳花场”	民俗	苗族	县级	惠水县
大坝板长苗族“射花节”	民俗	苗族	县级	惠水县
九龙苗族摔跤节	民俗	苗族	县级	惠水县
羡塘布依族“七月半”	民俗	布依族	县级	惠水县
雅水布依族“四月八”糯米坡歌会	民俗	布依族	县级	惠水县
鸭寨苗族“赶秋坡”	民俗	苗族	县级	惠水县
三槽布依族粽子节	民俗	布依族	县级	惠水县
布依族添粮补寿习俗	民俗	布依族	县级	惠水县
惠水苗族接骨药炮制	传统医药	苗族	县级	惠水县
三槽布依风情演奏	传统音乐	布依族	县级	惠水县
鸣钟白棉纸手工制作工艺	传统技艺	汉族	县级	惠水县
布依族古歌古词神话《伏羲兄妹歌》《要庄》《天王神》	民间文学	布依族	县级	惠水县

第三节 民间艺术

惠水县布依族、苗族、汉族等各族人民在生产劳动和社会生活中创造了多种多样、风格独特的民间艺术，深刻地反映本民族在特定历史条件下的社会生活和思想感情。如布依族舞蹈当喷（织布舞）、转状令（香花舞）、左定若定溜（粑棒舞）迷腊舞、竹竿舞、做饭舞、刷把舞7种；苗族舞蹈芦笙舞、甩花舞、勒凶（马刀舞）、粑糟舞、踩堂舞5种；汉族舞蹈傩戏、饶钹舞等六种，类型有祭祀舞、劳动舞、战阵舞、风俗舞四大类。惠水民族民间舞蹈，尤以苗族勒凶（马刀舞）最为典型，舞蹈风格节奏强烈、动作勇猛、服饰古朴，具有较高的历史、文化研究价值。该舞蹈产生年代较早，始于清康熙六年（1669年）。另外，苗族芦笙斗鸡舞在宋太宗至道元年（995年）就已进宫表演，受到太宗皇帝赏识。

惠水县民族民间美术、手工技艺以国家级非遗名录代表性项目枫香印染技艺最具特色。枫香染文化内涵丰富，装饰纹样独具风格，自成体系。传承历史悠久，手工技艺独特。

县内各族妇女挑花刺绣的历史亦十分悠久。早在宋代“八番”人便以挑花、刺绣的布帛向朝廷进贡。明万历年间《黔记》也有布依族妇女腹下系五彩挑绣方幅如绶的记载。苗族、布依族、毛南族的挑花和刺绣分布在县内的各个乡镇，绣工精巧，用途各异，各具特色。根据调查发现尤以摆榜苗族挑花、刺绣最为典型。通过精美的挑花、刺绣纹样，较为完整地凸显出苗族历史文化的“活标本”“活典籍”价值。鸭绒、鸭寨、合爱的苗族还长于剪贴绣，将五颜六色的布条，拼绣成如意吉祥“八宝裙”。

惠水布依族剪纸、民乐器制作、石雕、木雕、造纸技艺也都十分精湛。因民族、地域的不同而有差异。

民族节日是县少数民族自发形成的文化娱乐空间，每个节日都有不同的文化内涵和表现形式及社会功能。惠水县雅水“四月八”糯米坡歌会，是当地布依族，苗族群众共同的盛大节日。三槽布依族粽子节，断杉董朗歌场均为惠水县布依族的隆重节日。这些节日的共同点是，布依族、苗族男女青年身着节日盛装，有吹芦笙和跳芦笙舞的，有对歌交流感情、谈情说爱的。入夜，回到寨子，又纵情对歌、嬉闹，大都通宵达旦。羡塘的布依族“七月半”歌节，是个祭祀鬼神的节日，距今已有二百多年历史。节日这天，除举行祭祀活动而外，青年人则集聚河边唱歌、放河灯等，热闹非凡。

苗族节日以批弓斗牛节产生年代最久，影响最大。批弓斗牛，始于明万历年间。当地群众还有“先有程番府，后有贵阳府；先有牛场，后有考场”之说。批弓斗牛场在一个四面青山的草坪里，前来参加斗牛的有来自本县大坝、半坡、长田、大华、甲浪、关山、龙里县摆省、羊场、贵定平伐、贵阳市的花溪高坡等地的苗族群众。批弓斗牛节深受方圆百里的苗族群众欢迎，数百年来从未间断。

九龙山苗族摔跤节。每年的农历“三月三”和“六月六”，四乡八寨的苗族群众都自发地到九龙山脚集会，跳花、摔跤、唱歌、斗鸡斗鸟比赛，活动内容丰富。也吸引了大量的布依族，汉族群众前来联欢。

惠水县苗族节日还有“跳花场”颇具特色，在翁吟河、鸭绒、摆金、甲浪、本底、关山、斗蓬、九龙、长田、大坝都有分布。节日活动中除了吹奏芦笙、跳芦笙舞、对歌、吹木叶而外，还有其他民间游戏、体育活动，如“抢羊”“赛马”等。此外，摆榜“赛马节”，摆金、雅水、大坝一带的“采花节”，大坝板长“射花节”“吃新节”；都具有承载苗族历史、文化的深层内涵，是苗族先民们遗存至今的非物质文化遗产。

国家级非遗名录代表性项目布依族民歌《好花红》调情感质朴、委婉动听、形象鲜明。不仅流行于县内，更已成为贵州最具代表性的羽调式布依族山歌。

断杉马场坡、抵麻乡、王佑镇一带傩戏，是汉族人民古老的一种表现艺术，一般在迎神还愿时表演，用以驱鬼消灾，为人求佛医病，娱乐乡村。舞蹈形式集化妆、道具、唱腔、鼓点、伴奏于一体。内容丰富，文化价值极高。舞蹈动作原始古朴、技巧性高，深受当地群众欢迎，是研究民族民间戏剧的“活化石”。

傩戏的上演，通常在年中的两个时间：一是在古历正月初一至元宵十五，表示喜庆，并以此取乐；二是在腊月农闲季节，意在驱逐役鬼，求神消灾降福。至于作为祭祀性戏种，则可随时在丧家灵堂前举行，一般至少得连续上演三天。断杉马场坡傩戏剧目繁多，在惠水农村演出的主要有《砍路》《仙蜂》《买猪》《报福》等四十多则，有故事性的，也有祭祀性的。表演一般在服饰上不太讲究，它之所以能吸引观众和耐人寻味，除其唱词的精炼和唱腔的高亢外，主要是靠其面具和脸谱艺术形象所表现的魅力。傩戏面具的雕刻工艺精湛，其脸谱设色的对比也很强烈而鲜丽，具有一种造型粗犷、强悍、气势浑朴，古拙的特色。傩戏中角色人物的性格特征很强，除女性和书生书童外，一般都以放大型的可怖形象出现，面目凶神恶煞，恐怖狰狞，显然是出于一种驱赶役鬼的用意。傩舞有的舞姿狂放，动作勇猛，大开大合；有的动作细腻，感情炽热，滑稽可笑。傩舞表现的内容多是歌颂劳动的。如劈山开路的“砍路”，勤劳智慧的“铁匠”，为人送信的“报福”，为人类耕耘的“牯牛”，建房造屋的鲁班，教人养蚕的“梅香小姐”等。傩舞的面具夸张凶猛，显示了一种狰狞美。

傩戏面具之采香童子

傩戏面具之黄梁土地

傩戏面具之梅香小姐

傩戏面具之甘先生

傩戏面具之十州和尚

傩戏面具之九州道士

从起傩到收傩，历时三天，表演傩戏七、八个，有化妆、有道具、有唱腔、有鼓点，有伴奏、内容丰富，兼容并包。第一天，“开坛”为酬神，表演《礼请》《申文》《架桥》《抛傩上篡》四则说唱，称为做法事。第二、三天，表演《河神》《传花红》《救星》三则说唱，然后放牲（杀猪），坛主身穿龙凤拜法衣，头戴三请五岳朝皇帽，腰挂金牌玉印马鞭，表演舞蹈《请神》把木刻着衣的傩公傩婆请上傩堂，接着开洞出戏，戴木雕面具，表演《引兵土地》《砍路将军》等二十四则戏，半数剧目中渗杂舞蹈片段。不戴面具，抹面化妆，戴“头扎”演出的有《四值功曹》《投文土地》《催燕宣官》《敲家老祖》《范杞郎与唐二》《孟姜女上香》《李二郎逃山救母》《柳青化药》八则戏。

傩戏48则内容极为丰富，多取材于神话、传说、故事，也有根据傩堂驱鬼祈福需要而编纂的内容。

第三章　好花红民族文化建设

第一节　历史源流

惠水素有歌舞之乡之称，千百年来，各族劳动人民在长期的生产生活实践中，创造了丰富的歌舞艺术并世代相传，形成独具民族风格的传统文化。“布依的山歌、苗家的舞蹈”。惠水山歌种类很多，按内容分有情歌、酒歌、薅秧歌和摆古歌等；按功能分有日常生产生活中自娱自乐的歌舞，婚丧嫁娶时用于礼仪的歌舞，三月三、四月八、端午节、六月六、九月九等民族节日及春节表达欢庆的歌舞，“马郎坡”“马郎洞”“花场”“秋坡”等集会中年轻男女交友谈情的歌舞等。新中国成立后，各族人民利用山歌形式歌唱共产党、歌颂毛主席、赞美新生活，宣传党的方针政策。其中，布依族人民擅长唱山歌，歌唱活动遍及本民族地区生产劳动、起房坐屋、赶场路上、走亲访友、节日宴席、迎亲嫁女等各项活动中。青年男女以歌相识，用歌传情；老少妇孺以歌欢娱，借歌助兴；节日用歌问候，酒宴以歌祝福。往往是“有歌必饮酒，有酒必唱歌”。“乌鸦不是墨染黑，天鹅不是粉搽白，山歌不是我爱唱，少数民族离不得”，就是布依族人民喜爱山歌的写照。

惠水县布依族聚居地清水苑大洞古文化遗址的发现，证明在旧石器时代晚期就有布依族的先民居住于该地区（惠水县布依学会：《惠水布依族》，贵州民族出版社2001年版，第12页）。历史上布依族是一个无通用文字的民族，人们往往以用歌记史、用歌记事，歌词均为布依族语言。惠水布依族大多居住在依山傍水的河谷地，自然生态环境良好，气候相宜、山水相连、土地肥沃，村寨前大都有小溪、河流，寨后则种有竹子、柏树或果树，素有“布依水乡”之称。独特的生产生活环境和长期孕育世代传承的习俗，造就了布依族人民淳朴自然、勤劳向上、热情好客的民风。

布依族山歌曲调不尽相同，同一地区的民歌，也因歌词内容、演唱场合和歌唱方式的不同而有不同的曲调。惠水山歌调，俗称“好花红”调，起源于惠水县涟江中下游地区沿岸的布依族聚居地。流行于黔中南惠水、长顺、贵阳、龙里、贵定等县（市）布依族地区，基本上概括了这一带布依族民歌的格调风貌，是贵州中部地区羽调式山歌的重要代表。这里的布依族人民自古有“无酒不成礼，有歌方算喜”的传统风尚。凡是待客、嫁娶、立房及节庆、农闲，都喜欢唱歌，男女老少都会唱。《好花红》就是由这些世代依山傍水而居的布依族人所创造的，它演唱于田间地头、小河溪流边等风景迷人的地方。依山傍水而居的布依族人民在逐渐与汉族融合的过程中，巧妙地把汉族语言同本民族的文化完美地结合在一起，创造出了《好花红》民歌。长久以来，《好花红》在贵州布依族地区流传甚广，被称为“好花红调”拥有多种版本。

《好花红》是布依族民歌的典范。布依族山歌以抒情为特色，曲调柔和优美，歌词极富生活情趣和诗意，充分反映了活泼开朗、好客友善的民族性格。山歌基本曲调有七种，演变调更多，但差异不是很大，曲调风格基本相似，歌词一般由两个乐句或四个乐句组成，多是七言四句组成一个小节，常用布依语歌唱，也使用汉语歌唱。流行在惠水地区的山歌演唱方式有独唱、单人对唱、集体对唱和齐唱等。平时多用独唱，谈情说爱时则男女对唱情歌；在联欢或宴会上，男女集体对唱酒歌；在劳动生产时则唱薅秧歌，唱歌时男用假嗓子，女用小嗓子。每逢民族节日或盛大集会，青年男女相邀到草地或山坡开阔地带，男女分开排成两行，面对面集体对唱，歌词多是比喻作对式的，还有不少内容是即兴而作。婚宴期间专唱的喜酒歌，男女集体对唱，常常通宵达旦，表达丰富情感和美好祝福，展示布依族人民那种特有的细腻、婉转但又不失朴素、大方和开朗的性格气质。每年春天刺藜花开时，在毛家苑乡一带，布依族的姑娘、小伙均聚集到涟江河畔，通过《好花红》对唱来寻找自己的心上人。在毛家苑流传着一个美丽动人的故事：相传很久以前，毛家苑辉油寨有个英俊、高大的后生阿水，因为家里贫穷，快三十了还没有娶亲成家。阿水有一副好嗓子，唱歌悠扬动听，每当他干完活，都回到辉油寨橘林河边去唱山歌解闷。有一个名叫阿红的布依族姑娘，传说她是天上月神的幺公主下凡，长得非常美丽。阿红常躲在河对岸的刺藜蓬后听阿水唱歌，天长日久，她暗暗地爱上了阿水。为了接近阿水，阿红分别变为偷橘子的小孩、丢失银手镯的大嫂和扛柴的老奶奶来试探阿水的人品，忠厚诚实的阿水没有让阿红失望。从此以后，只要阿水在河边唱歌，阿红就会在河对岸和他对歌。第一次对歌时，阿水唱了《好花红》：“好花红来好花红，好花生在刺藜蓬，好花生在刺藜上，哪朵朝阳哪朵红。”阿红接着对道：“好花鲜来好花鲜，好花生在刺藜尖，好花生在刺藜上，哪朵朝阳哪朵鲜。”两人隔水相望，情投意合，他们用美妙的歌声传递着深情。阿水、阿红相爱了，并约好了第二年三月三这天相见……很快到了他们约定的这一天，阿水一早就来到河边等阿红，他唱了一首又一首情歌，太阳快落山时，漂亮无比的阿红从刺藜蓬后站了起来。阿水激动地看着阿红，他唱道：“隔河望妹像天仙，隔山隔水来不得，哪个神仙搭条路，绕山绕水也要连。”阿红高兴地回唱：“好对金鸡隔大山，好对鲤鱼在深潭，妹将纱帕搭座桥，接哥过河永相连。”唱完，阿红把头帕抛上河上空，变成一座美丽的花桥，他俩高兴地上桥相会。后来他们结为夫妻，过上了美满幸福的生活。后来每年的三月，生活在涟江边的青年男女都会来到河边唱起《好花红》，希望在涟江河畔找到意中人。这个传说体现了布依族向往美好爱情、热爱生活的情怀，由此而创造出《好花红》这样旋律优美、曲调婉转、内容健康的歌曲，是布依族在民族融合过程中催生的优秀文化。

民歌《好花红》的演变经历“从无序的复杂到有序的简单，又从有序的简单到有序的复杂”的过程。在《好花红》传唱初期，由于布依族文化与汉族文化的最初结合，《好花红》在语言表达、音乐形态等方面均不够成熟，民间传唱《好花红》比较冗长随意，格律韵辙等方面没有固定。随着明清时期“改土归流”后汉族文化的影响，特别是新中国成立后布依族人民文化水平的提高，《好花红》经长期改编传唱，已形成一个或词曲相似或词异曲似或词似曲异的布依族民歌体系。

第二节　挖掘传承

在人类社会发展的过程中，民族间相互交流、相互融合是历史发展的必然趋势。新中国成立前，由于封建礼教的限制，《好花红》民歌没有真正广泛传唱。新中国成立后，党的民族政策在惠水县得到贯彻落实，为少数民族儿女发扬艺术传统创造了有利条件。为了更好继承和弘扬少数民族民间艺术传统，惠水县文化部门派出工作组，深入农村调查和发掘民间艺术，帮助各族人民整理传统歌舞，创造新歌舞。全县各族人民创作了许多新歌舞，歌颂民族大团结，歌唱幸福新生活，宣传党的好政策，“百花齐放，推陈出新”。《好花红》是布依族人民在与汉民族融合的过程中，以本民族音乐形态为基础，结合汉族音乐文化并用汉语演唱的布依族民歌。

1953年，为贯彻“百花齐放，推陈出新”的文艺方针，县开始组建乡村俱乐部。毛家苑乡在王泽甫（后调至贵州省黔南州歌舞团工作）带领下，组建了辉岩、新民、新华等俱乐部。其中，新民俱乐部的文艺骨干较多，利用烤烟专业生产队的青年组成歌队。由于歌队的成员大部分来自农家苑，毛家苑乡的布依族寨农家苑成为当时歌队的活动中心。歌队成员在农家苑老歌手石化莲（王泽甫继母）的带领下，每晚都集中学唱布依族民歌，其中最引人关注的是流传久远的“好花红调”山歌。《好花红》自此从老歌手口中传唱出来。石化莲传唱的《好花红》有两种版本，第一种是四段十六句：“好花红来好花红，三十六朵做一蓬；三十六朵共一树，哪朵向阳哪朵红。好花鲜来好花鲜，三十六朵共一边；三十六朵共一树，哪朵向阳哪朵鲜。好花红来好花红，好花生在刺藜蓬；好花全靠栽培好，人不栽花花不红。好花鲜来好花鲜，好花生在刺藜巅；好花全靠栽培好，人不栽花花不鲜。”第二种则是两段八句：“好花红来好花红，好花生在刺藜蓬，好花生在刺藜树，哪朵向阳哪朵红；好花鲜来好花鲜，好花生在刺藜巅，好花生在刺藜树，哪朵向阳哪朵鲜。”相对来说，《好花红》的第二种版本简洁鲜明、易记易唱，很快在毛家苑乡传唱开来。

是年，著名作曲家罗宗贤和贵州省歌舞团的黄江帆、曹玉枫等文艺工作者深入到惠水县毛家苑乡和辉岩乡一带布依族村寨采风。乡政府组织辉油寨、毛家苑的附近村寨的山歌爱好者集中到毛家苑政府驻地演唱山歌，布依青年歌手王昌吉、王昌松、伍世权、谢世平4人一起演唱“好花红调”山歌，歌词为：“好花红来好花红，好花生在刺梨蓬，好花生在刺梨上，哪朵朝阳哪朵红；好花鲜来好花鲜，好花生在刺梨尖，好花生在刺梨上，哪朵朝阳哪朵鲜。”同时，4人现场即兴创作演唱了另一首山歌：“桂花生在贵石岩，桂花要等贵人来，桂花要等贵人到，贵人来到花才开；桂花生在贵石林，桂花要等贵人行，桂花要等贵人到，贵人来到花才生。”在此基础上，崔永昌和罗宗贤以《好花红》旋律作为基调，编词

桂花开放贵客来

编曲创作了《桂花开放幸福来》（《中国少数民族艺术词典》编纂委员会：《中国少数民族艺术词典》，民族出版社1991年版）。这是专业作曲家第一次用布依族民歌《好花红》曲调作素材创作的歌曲，并很快在全国传播开来，成为民歌中的经典之作。

1955年，贵州省歌舞团的曹玉枫到“贵州省第一届工农业余文艺会演大会”筹备组工作，她与黄江帆一起到惠水县搜集民间歌曲。在毛家苑乡收集到好花红调布依族新山歌《翻身不受穷》和《参加会演》。这两首歌均由毛家苑乡布依族歌手利用布依族民歌《好花红调》新编歌词而成，表达了布依族人民翻身做主人参加会演的喜悦心情。由于当时没有录音设备，曹玉枫先学演唱这两首歌，一字一音地记录，然后照谱面唱给歌手们听，直到他们认可为止。这是音乐专业人士第一次对布依族民歌《好花红》所作的书面词曲记录，后载于1957年《贵州第一届工农业余艺术会演民间艺术部分节目资料汇刊》（见附录之谱例）。

翻身不受穷

惠水县毛家苑乡

记　录：曹玉枫于1955年
演　唱：佚名

1956年11月，惠水县举行第一届工农业余艺术会演，由毛家苑乡新民俱乐部选送的“好花红调”山歌《翻身不受穷》节目深受群众喜爱，该节目由王琴惠、王琴英、王琴秀、秦跃珍4名布依族女青年演唱，歌词如下：“好花红（哎）好花红，中国领袖毛泽东。全国人民他领导，不受剥削不受穷。好花鲜（哎）好花鲜，中国领袖是朱德。全国人民他领导，我们翻身万万年。太阳出来红又红，参加汇演好光荣。一来感谢共产党，二来感谢毛泽东。今天会演好闹热，各族人民来参观。要问看的是哪样，交流民歌过一夜。”四位布依族姑娘还演唱了《烤烟十二唱》：“正月里（啾）正月间，整好烟地撒烤烟；

毛家苑乡新民俱乐部成员（前排左起：秦跃珍　王琴英　王琴惠　王琴秀　后排左一：罗秀珍　后排左三：杨光芬）与县文化馆干部李怀昌（后排中）合影

1956年11月，惠水县第一届工农业余艺术会演获一等奖歌手（左起：王琴惠　王琴英　王琴秀　秦跃珍）

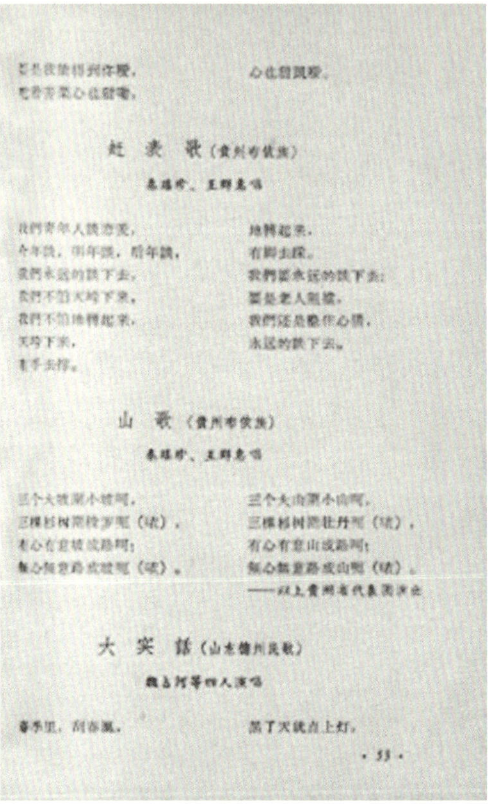

赶表歌（贵州布依族）

秦瑶珍、王琴惠唱

我們青年人談恋爱，
今年談，明年談，后年談，
我們永远的談下去，
我們不怕天垮下来，
我們不怕地轉起来，
天垮下来，
拿手去撑。
地轉起来，
有脚去踩。
我們要永远的談下去；
要是老人阻擋，
我們还是照样心甘，
永远的談下去。

山歌（贵州布依族）

秦瑶珍、王琴惠唱

三个大坡围小坡呵，
三棵杉树围桫罗呢（哝），
有心有意坡成路呵；
无心无意路成坡呢（哝）。
三个大山围小山呵，
三棵杉树围牡丹呢（哝），
有心有意山成路呵；
无心无意路成山呢（哝）。
——以上贵州省代表团演出

大实話（山东德州民歌）

魏占河等四人演唱

春季里，刮春風，
黑了天就点上灯，

·33·

把那烤烟撒下地，走亲访友玩两天。二月里（唻）二月间，烤烟生得绿茵茵；烤烟生得实在青，老老幼幼都开心。三月里（唻）桃花开，烤烟正是要移栽；移栽工作要搞好，三边四下把沟排。四月里（唻）四月间，又栽秧子又栽烟；两样任务都重要，老老幼幼好喜欢。五月里（唻）是端阳，烤烟正在上高厢；把那高厢上整好，要等脚烟进烤房。六月里（唻）六月间，家家户户辫烤烟；别人问我忙哪样？忙辫烤烟赶季节。七月月里（唻）七月间，烤烟扎把二十匹；分级扎把要搞好，一等分出四六级。八月里（唻）是中秋，烤烟完成把谷收；把那稻谷收整好，老老幼幼笑溜溜。九月里（唻）是重阳，烤烟烤得黄又黄；今年烤烟大丰收，老老幼幼喜洋洋。十月里（唻）十月间，烤烟完成种小麦；把那小麦种下去，打好明年好季节。冬月里（唻）冬月间，种季烤烟卖得钱；把那烤烟卖完了，明年还要种烤烟。腊月里（唻）腊月间，家家户户要过年；各家吃了团圆饭，幸福生活在眼前。”这两个节目都获得了此次会演一等奖，被贵州省广播电台录音播放，布依族民歌·好花红调开始在涟江大地传唱。

1957年1月，毛家苑乡歌手王琴惠和秦跃珍代表惠水县参加“贵州省第一届工农业余文艺会演大会”，用“好花红调”演唱《歌唱会演》和《烤烟十二唱》，获演唱奖一等奖。《歌唱会演》由陈正兴、王祥、罗家琴创作编词，获演唱奖一等奖，并刊载在由“贵州省第一届工农业余艺术会演大会”编辑出版的《贵州省第一届工农业余艺术会演民间艺术部分节目资料汇刊》封二。歌词如下：“太阳出来照山岩哟，参加会演好开怀呃；各族人民都知道哟，社会主义幸福来呃。听到会演好消息哟，各族人民笑嘻嘻呃；百花齐放多芬芳哟，感谢党和毛主席呃。太阳出来红又红哟，参加会演好光荣呃；各族人民都知道哟，感谢党和毛泽东呃。”这是布依族民歌·好花红调首次登上省级舞台，第一次公开发表于省级内部刊物。

是年，毛家苑乡布依族女歌手秦瑶珍和王琴惠被选入贵州文艺代表队进京参加“第二届全国民间音乐舞蹈会演”演出，她们演唱了布依族民歌·好花红调《歌唱会演》《三个大坡围小坡》和《赶表歌》3个节目，中央人民广播电台作了实况转播，人民文学出版的《民间文学》杂志（1957年4月期刊）作了介绍。

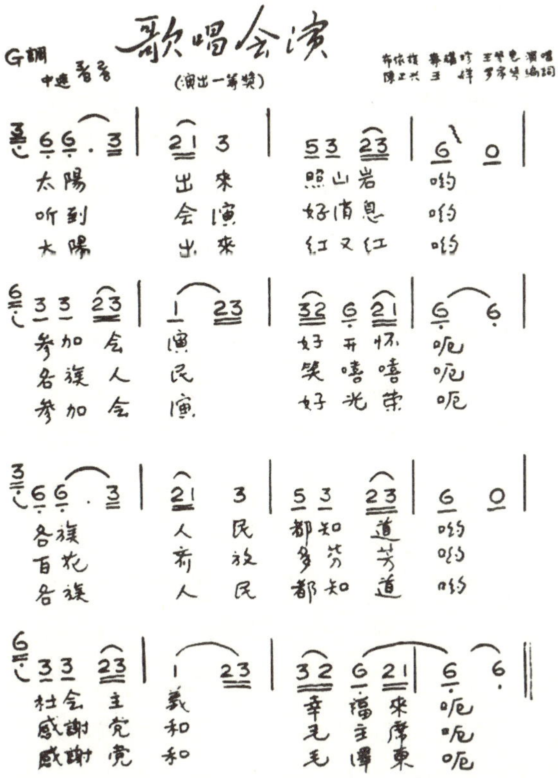

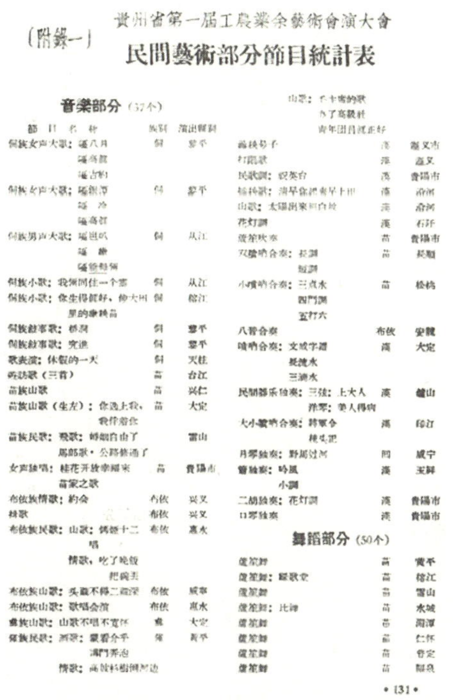

（附錄一）貴州省第一屆工農業余藝術會演大會

民間藝術部分節目統計表

音樂部分（37个）

節目名稱	族別	演出縣別
侗族女声大歌：嘎八月	侗	黎平
嘎[illegible]		
嘎[illegible]		
侗族女声大歌：嘎[illegible]	侗	黎平
嘎冷		
嘎[illegible]		
侗族男声大歌：嘎[illegible]	侗	从江
嘎[illegible]		
嘎[illegible]		
侗族小歌：我俩同住一个寨	侗	从江
侗族小歌：你生得很好，像大田里的[illegible]	侗	榕江
侗族敘事歌：[illegible]	侗	黎平
侗族敘事歌：[illegible]	侗	黎平
歌表演：休假的一天	侗	天柱
[illegible]歌（三首）	苗	台江
苗族山歌	苗	兴仁
苗族山歌（[illegible]）：你选上我，我伴着你	苗	大定
苗族民歌：飛歌：姊妹自由了		雷山
馬郎歌·公路修通了		
女声独唱：桂花开放幸福来	苗	貴陽市
苗家之歌		
布依族情歌：約会	布依	兴义
[illegible]歌	布依	兴义
布依族民歌：山歌：[illegible]十二唱	布依	惠水
情歌：吃了晚飯把碗丢		
布依族山歌：头盆不得二盆深	布依	[illegible]
布依族山歌：歌唱会演	布依	惠水
彝族山歌：山歌不唱不宽怀	彝	大定
僮族民歌：酒歌：[illegible]	僮	[illegible]
[illegible]		
情歌：[illegible]		
山歌：[illegible]的歌		
办了高級社		
青年团員就是好		
[illegible]号子	汉	遵义市
打[illegible]歌	汉	遵义
民歌調：祝英台	汉	貴陽市
插秧歌：清早你把秧早上田	汉	沿河
山歌：太陽出来[illegible]	汉	沿河
花灯調	汉	石阡
蘆笙吹奏	苗	貴陽市
双管哨呐合奏：長調	苗	長順
短調		
小哨呐合奏：三点水	苗	松桃
四門調		
五打六		
八音合奏	布依	安龍
哨呐合奏：文成字調	汉	大定
長流水		
三滴水		
民間器乐独奏：三弦：上大人	汉	[illegible]
洋琴：美人得病		
大小哨呐合奏：將軍令	汉	[illegible]
[illegible]記		
月琴独奏：野鸡过河	回	威宁
箫独奏：吟風	汉	玉屏
小調		
二胡独奏：花灯調	汉	貴陽市
口琴独奏	汉	貴陽市

舞蹈部分（50个）

節目名稱	族別	演出縣別
蘆笙舞	苗	黄平
蘆笙舞：踩歌堂	苗	榕江
蘆笙舞	苗	雷山
蘆笙舞：比賽	苗	水城
蘆笙舞	苗	湄潭
蘆笙舞	苗	仁怀
蘆笙舞	苗	普定
蘆笙舞	苗	[illegible]

• 131 •

三个大坡围小坡

惠水县

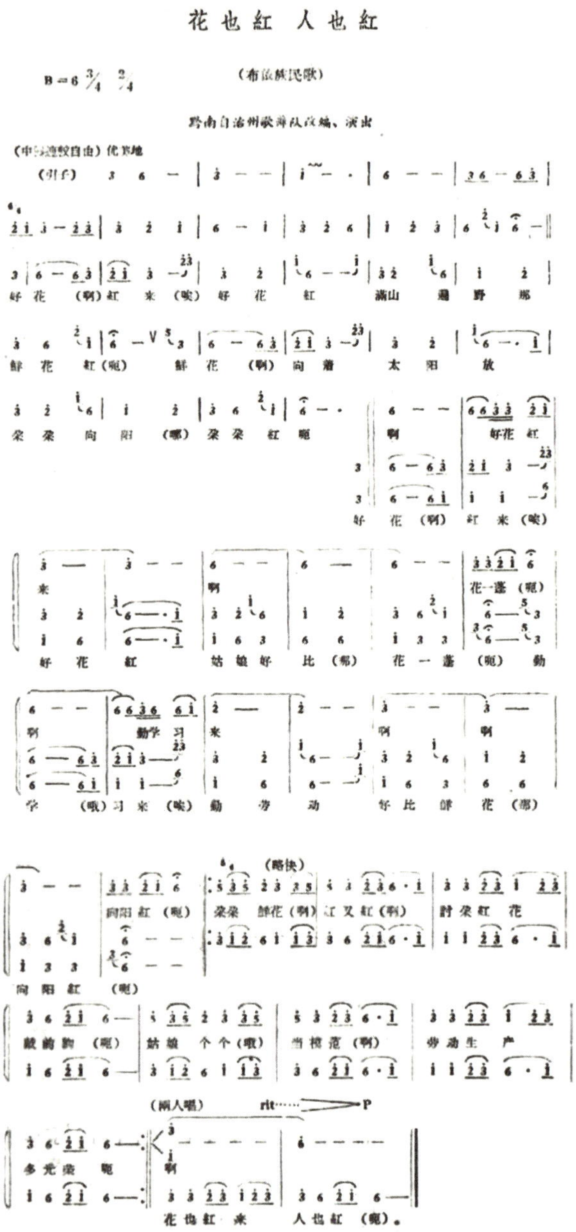

是年，“全国第二届民间音乐舞蹈艺术会演”在北京举行。毛家苑乡歌手秦瑶珍和王琴惠因多次的出色表演，被选人贵州文艺代表队进京参加演出。这次活动引起了惠水县政府和毛家苑乡政府的高度重视，决定参加会演的民歌以歌领党、歌颂领袖和歌颂社会主义为主题。毛家苑乡老歌手石化莲提出了以《好花红》为新民歌头的唱法，并创作出了以歌颂社会主义和新中国为主要内容的曲似词异的好花红调《翻身不受穷》，歌词内容为：“好花红来好花红，中国领袖毛泽东，全国人民他领导，不受剥削不受穷；好花鲜来好花鲜，中国领袖是朱德，全国人民他领导，我们翻身万万年。”与好花红调《翻身不受穷》同时参演的还有惠水布依族民歌《三个大坡围小坡》和用布依族语言演唱的《赶表歌》（李怀昌：《再追根溯源惠水布依族民歌〈好花红〉是怎样传唱和搬上文艺舞台的经过》，内部参考资料，2002年2月）。《三个大坡围小坡（汉语）》歌词：“三个大坡围小坡呵，三棵杉树围梭罗呃；有心跟哥坡成路呵，无心无意路成坡呃。三个大山围小山啊，三棵杉树围牡丹呃；有心有意山成路啊，无心无意路成山呃。”《赶表歌（布依语）》，歌词大意：“我们年轻人谈恋爱，今年谈、明年谈、后年谈，我们永远的谈下去，我们不怕天垮下来，我们不怕地转起来。天垮下来，有手去撑。地转起来，有脚去踩。我们要永远的谈下去，要是老人阻挡，我们还是稳住心肠，永远的谈下去。”至此，布依族在田间地头演唱的民歌《好花红》由毛家苑两位歌手秦瑶珍和王琴惠带出贵州，搬上了全国性艺术舞台。中央人民广播电台对《好花红》的演出进行了实况转播，全国性刊物《民间文学》也专门向读者介绍了《好花红》。是年，贵州省黔南州歌舞团成立，曹玉枫、黄江帆夫妇调到该团任职。1958年，毛家苑乡歌手杨光芬因工作需要，调入黔南州歌舞团工作。曹玉枫通过杨光芬演唱，再次记录整理布依族民歌《好花红》，经多次修改，将现在流行传唱的《好花红》定稿。

1958年，毛家苑乡歌手杨光芬调入黔南州歌舞团工作。曹玉枫根据杨光芬的现场演唱，再次记录整理“好花红调”布依山歌，经过多次修改，定稿为布依山歌《好花红》。是年，由惠水县委宣传部和县文化馆编辑出版的《惠水山歌选》将山歌《好花红》收录。这是布依族山歌《好花红》第一次以《好花红》歌名被县级内部刊物收录。

1959年3月4日至4月15日，“贵州省第三次艺术会演大会”在贵阳召开。黔南自治州歌舞队改编演唱了布依族民歌《好花红》，歌曲名为《花也红　人也红》，刊载在《贵州省第三次艺术会演资料汇刊》

P78，歌词如下：“好花（啊）红来（唉）好花红，满山遍野（那）鲜花红（呃）；鲜花（啊）向着太阳放，朵朵向阳（哪）朵朵红（呃）。好花（啊）红来（唉）好花红，姑娘好比（那）花一蓬（呃）。勤学（啊）习来（唉）勤劳动，好比鲜花（哪）向阳红（呃）。姑娘个个（哦）当模范（啊），生产劳动多光荣（呃）。讨朵鲜花胸前戴（呃），花也红来人也红（呃）”这是布依族民歌好花红调第一次以布依族民歌的形式刊载于省级内部刊物。

1963年，中央音乐学院中国音乐研究所民族音乐研究班编辑出版了《民间歌曲》，书中收集了由兰水（“兰水”为曹玉枫、黄江帆夫妇合用的笔名）根据布依族民歌《好花红》曲调编词的新民歌《好花红》，歌词内容改为：“好花红来好花红，满山遍野鲜花红，鲜花向着太阳放，朵朵向阳朵朵红；好花红来好花红，姑娘好比花一蓬，勤学习来勤劳动，好比鲜花向阳红；朵朵鲜花红又红，讨朵鲜花戴前胸，姑娘个个当模范，劳动生产多光荣（花也红来人也红）。”表现了各族人民在中国共产党的领导下生产生活欣欣向荣的喜悦之情。这是流传于惠水县的布依族山歌《好花红》第一次刊载于正式出版刊物。

第三节 弘扬提升

20世纪50年代至60年代初，“百花齐放，推陈出新”的文艺方针让布依族民歌《好花红》走上了舞台，也让文艺工作者对它的挖掘、整理工作达到高峰。在1966至1976年的十年“文化大革命”内乱期间，中止了对《好花红》的研究工作，使《好花红》研究一度陷入停滞状态。“文化大革命”结束后，1978年12月，中国共产党召开了十一届三中全会，各行业工作开始进入一个新的阶段，广大文艺工作者为抢救民间口头文化遗产，深入各地采风搜集民间音乐。布依族民歌《好花红》并没有因为十年“文化大革命”而停止流转，其优美的旋律、精美的歌词在民间广泛传唱，并通过音乐工作者对它的重新整理成为布依族第二土语区的民间音乐代表作品之一。

1978年8月，国家民委组织的中央慰问团（中央民族歌舞团乌兰牧骑演出队）到惠水演出，惠水籍苗族歌唱家罗秀英演唱了《好花红》《桂花开放幸福来》。

1979年9月，黔南州民族宗教研究室编辑出版了第1期《采风》杂志，由兰水（“兰水”为曹玉枫、黄江帆夫妇合用的笔名）记录、编词的布依族民歌《好花红》正式刊载于该期刊的封底。是年10月，由中国音乐家协会贵州省分会和贵州人民出版社合编的《贵州民间歌曲选》将由兰水记录的《好花红》收集出版。

1980年10月，黔南州文化局、民族事务委员会编写《民间歌曲集》，在篇首介绍了《好花红》的基本情况，并附上两篇分别由王昌吉（惠水）演唱，黄达武、李继昌记录的谱例和罗达琴（龙里）演唱，陈筑生、李

好 花 红

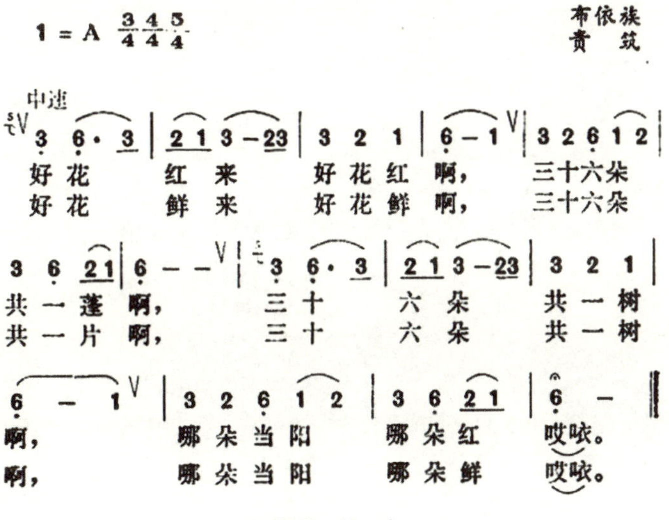

记录：兰 水

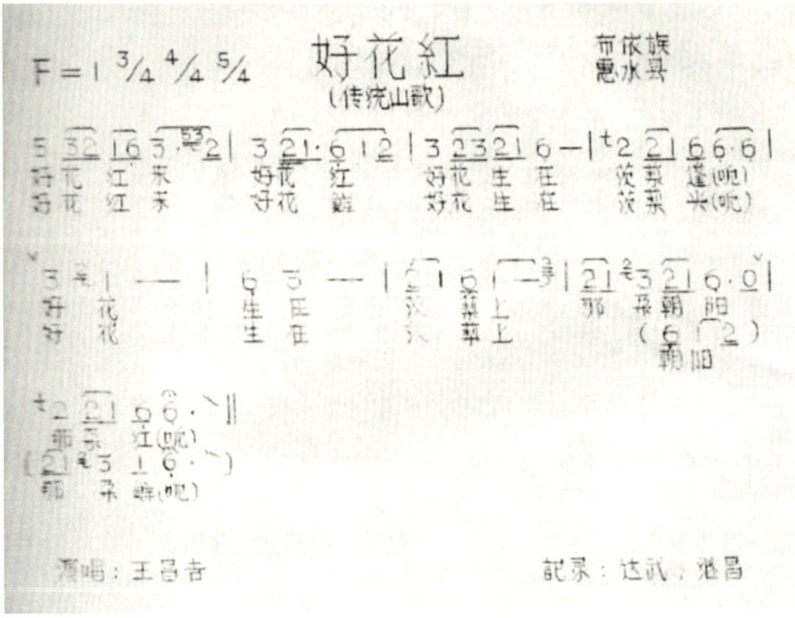

继昌记录的谱例。黔南州文艺研究室编著的《黔南布依族苗族自治州民间歌曲集》在《布依族民间歌曲》“山歌”部分分别收录了杨光英演唱、曹玉枫、黄达武记录的谱例和王昌吉演唱的《好花红》谱例。

1981年5月11日（农历四月初八），县在雅水区党古乡糯米坡举办全县民歌演唱会，选拔惠水县参加贵州省“六月六”布依族歌节选手和参赛节目，56名演员登台表演55个文艺节目。7月5日（农历六月初四），由贵州省文化厅和贵州省民委联合举办的全省“六月六”布依族歌节在惠水县城体育广场举行，惠水县代表队杨光英、杨昌琴等8位布依族姑娘共同演唱《好花红》调山歌，用“好花红”山歌调演唱《歌唱共产党》“六中全会北京开，特大喜讯传下来；全国人民齐欢笑，美好前程早到来。”和《歌唱民歌节》“民歌歌节好闹热，人山人海庆佳节；欢迎各位好歌舞，歌唱民族大团结。”全省9个地（州、市）220名民族歌手和乐手参加比赛，共演唱、演奏民歌、民乐节目214个，演出至当天深夜12点才结束，观众两万余人。文化部、国家民委、北京民族文化宫、广西艺术学院、云南大学等单位派代表参加活动。“六月六”当天，参加“六月六”布依族歌节全体人员乘车前往断杉区拉林公社董朗大桥，与来自惠水、长顺、紫云、罗甸、贵阳、安顺等周边县（区）的四万多名各族群众联欢，共度传统节日。部分代表登台演唱山歌、跳芦笙舞，用歌舞歌唱新生活，歌唱党的民族政策，歌唱民族大团结。

惠水布依族歌手在“六月六”歌节上演唱（1981年摄）

1982年1月，贵州省群众艺术馆出版的《贵州布依族民歌选》收录了由王昌吉演唱，黄达武、李继昌记录和由杨光英演唱，曹玉枫、黄达武记录的《好花红》谱例。是年，黄江帆、曹玉枫夫妇在《中国音乐》第2期上发表文章《盛开在黔南的山花—贵州布依族民歌》，介绍了布依族民歌《好花红》，并对其进行了简单的音乐形态分析。是年，贵州省群众艺术馆编写了《贵州布依族民歌选》，收录了三首《好花红》曲例，分别是王昌吉（惠水）演唱、黄达武、李继昌记录的曲例，罗达琴演唱、陈筑生、李继昌记录的曲例，以及杨光英（惠水）演唱、曹玉枫、黄达武记录的曲例。

盛开在黔南的山花

——贵州布依族民歌

江帆 玉枫

·40·

1983年，贵州省黔南州《概况》编写组编写的《黔南民族民间音乐概述（总第12集）》中记述了《好花红》，并附上由杨光英演唱、曹玉枫、黄达武记录的谱例。

1985年，《中国少数民族简史丛书》编写组编写的《布依族简史》书中，“文化艺术与教育医药”章节“民间艺术”部分，分析了《好花红》的艺术形态。贵州人民出版社出版的《布依族风俗志》，第九章《传统文艺》第二节《舞蹈音乐戏曲》之“音乐”部分，对惠水山歌调，即“好花红调”作了介绍。贵州民族出版社出版的《黔南布依族苗族自治州概况》，在《民族语言和文学艺术》部分，把流传很广的惠水布依族民歌《好花红》介绍为布依族民间的主要诗歌形式。

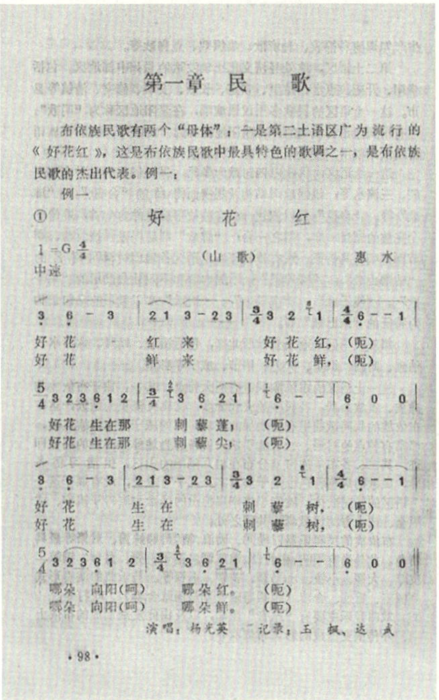
第一章 民 歌

布依族民歌有两个“母体”：一是第二土语区广为流行的《好花红》，这是布依族民歌中最具特色的歌调之一，是布依族民歌的杰出代表。例一：

例一

① 好 花 红

1=G $\frac{4}{4}$ （山 歌） 惠 水

中速

好花 红来 好花 红，（呃）
好花 鲜来 好花 鲜，（呃）
好花 生在那 刺藜 蓬，（呃）
好花 生在那 刺藜 尖，（呃）
好花 生在 刺藜 树，（呃）
好花 生在 刺藜 树，（呃）
哪朵 向阳（呵） 哪朵 红，（呃）
哪朵 向阳（呵） 哪朵 鲜，（呃）

演唱：杨光英 记录：玉 枫、达 武

·98·

1989年，惠水县政府响应“抢救民族优秀的口头文学遗产”的号召，成立惠水民间文学集成办公室，同年编辑出版的《中国民间歌谣谚语集成贵州省黔南布依族苗族自治州·惠水县卷》，收录了由杨光英演唱、黄达武记录的流传于毛家苑乡的布依族山歌《好花红》由谢文兰演唱、黄达武记录的流传于毛家苑乡的布依族山歌《桂花生在桂石崖》。是年，贵州民族出版社出版的《贵州少数民族音乐》，在第三篇《布依族音乐》对布依族民歌《好花红》作详细记载，并附上由杨光英演唱，曹玉枫、黄达武记录的《好花红》谱例。是年，《好花红》被命名为贵州省布依学会会歌，布依族“六月六”歌节节歌。

1989年6月，由贵州省民族事务委员会文教处编著、贵州民族出版社出版发行的《贵州少数民族音乐》，在“布依族音乐”第一章《民歌》对布依族民歌《好花红》作详细记载：“布依族民歌有两个‘母体’：一是第二土语区广为流传的《好花红》，这是布依族民歌中最具特色的歌调之一，是布依族民歌的杰出代表。以此为‘母体’的各种‘母体’在本土语区广为流布。”

1991年，由惠水县文化局编著的《惠水县文化艺术志》，在第三章《民族民间文化艺术》第一节《民间文学》部分对布依族民歌《好花红》作详细记载。

1993年，贵州民族出版社出版的《黔南布依族苗族自治州志（第4卷）民族志》，在第一章《布依族》第十四节《文学艺术》之“音乐”部分对民间音乐《好花红》作记载，并收录由黄达武记录的《好花红》曲谱（该旋律与上文所述的由曹玉枫、黄达武共同记录的《好花红》谱例相同）。

1995年，《中国民间歌曲集成·贵州卷》由中国ISBN中心出版，在《布依族民歌》部分这样介绍布依族民歌：“1949年中华人民共和国成立，布依族人民彻底解放，他们放声歌唱，衷心表达他们对新中国、对人民解放军、对社会主义、对党和领袖的热爱与崇敬。同时，他们还把中华人民共和国成立后的新生活比作山野的刺梨花，它寓意着在党的阳光照耀下，人民的生活正日益欣欣向荣：好花红，好花红，好花生在刺梨蓬，好花生在刺梨树，哪朵向阳哪朵红”（惠水：《好花红》）。在《布依族民歌》之《山歌》部分介绍羽调平腔《好花红》为贵州中部民歌区域性色彩的主要代表，分别收录了流传于惠水县的由杨光英和王昌吉分别演唱的二个版本的《好花红》谱例。该书还收录了分别流传于平塘县、贵阳市等地的不同形态的《好花红》。

1997年，贵州省民族事务委员会文教处修订印刷了《贵州少数民族音乐》，第三篇“布依族音乐”概述了作为布依族民歌“母体”之一的《好花红》，并附上由杨光英演唱，曹玉枫、黄达武记录的《好花红》谱例。

第四节　品牌打造

20世纪末期，虽然音乐工作者竭尽全力地去挖掘、整理和宣传《好花红》，但是由于各方面的原因，《好花红》主要范围是音乐界和部分布依族区域产生影响，没有真正实现在全社会广泛传唱。21世纪初，国家实施“西部大开发”，为发展西部少数民族文化、抢救少数民族的文化遗产带来新的契机。布依族民歌《好花红》逐渐受到社会各界的关注，有关它的宣传达到新的高潮。

2000年，由全国戏剧家协会会员、原惠水台惠中学校长周世雄创作、由黔南州文化局主办的大型现代花灯剧《好花红》在贵阳市北京路影剧院上演。该剧是一部典型的反映当代农村变革的地方民族花灯，以不同的形式介绍了布依族《好花红》，展示了《好花红》的不同风采，展示了贵州高原人民奋发向上的精神风貌，给观众留下贵州“山美水美人更美，高原处处‘好花红’”的深刻印象，展现了布依族人民在社会主义新时期的新风貌，被列为贵州省“五个一工程”重点剧目。9月，由中共贵州省委、省人民政府和国家民委、文化部、中国文联联合主办的“2000北京·贵州文化活动周”在北京民族文化宫举行。由贵州省歌舞团担任演出主体的大型民族歌舞《红花红》进行3场专场演出，受到中外观众好评。

中央电视台以及多家新闻杂志等媒体均对“2000北京·贵州文化活动周”及贵州大型民族歌舞《好花红》做了详尽的报道。由中国音乐家协会主办的《歌曲》2000年第10期封底对《歌曲》对大型歌舞《好花红》做了详细报道。

2001年，惠水县政府在辉岩大桥之东立了“好花红故乡”石碑，在大桥之西建起了一栋“好花红歌亭”让各族人民群众节日对歌、赛歌，同时，将县城一条街道命名为好花红商贸街。9月，《好花红》参加第二届全国少数民族文艺会演，连续两天在国安剧场上演，再一次向世界展示了贵州的风采，获得舞美金奖、创作金奖、演出金奖。布依族舞蹈《好花红》荣获了“第二届全国少数民族文艺会演”的节目一等奖。一位德国专家在观看《好花红》之后感叹：中国西部风景优美、文化厚重，才会有这样美不胜收的民族歌舞，贵州确实是一个令人向往的地方。《贵州日报》《贵州都市报》《中国文化报》《第二届全国少数民族文艺会演汇刊》等多家媒体分别作了报道，被首都媒体誉为民族歌舞“珠穆朗玛”的三个代表之一。《贵州日报》2001年9月7日第4版刊登曹海玲文章《山之魂水之韵人之情》，文章指出大型民族歌舞《好花红》“充分展示了贵州苗、布、彝、水、侗、仡佬等主体民族的风情风貌，用其优美的音乐、质朴的舞蹈，展现贵州这片神奇而多情的土地，展现贵州人民的智慧和独特的文化及风情，倾听来自历史深处的高原文化的足音，感受民族艺术在新时代中动人心魄的脚步”；该报2001年11月5日第11版刊登杜兴旭文章《从生活流出来的舞蹈》，文章指出《好花红》的舞蹈“就像从生活中流出来的：飞出来的、蹦出来的，是用感情性格的经纬线染出民族的特有色彩。”

第七节　民歌谚语

好红花

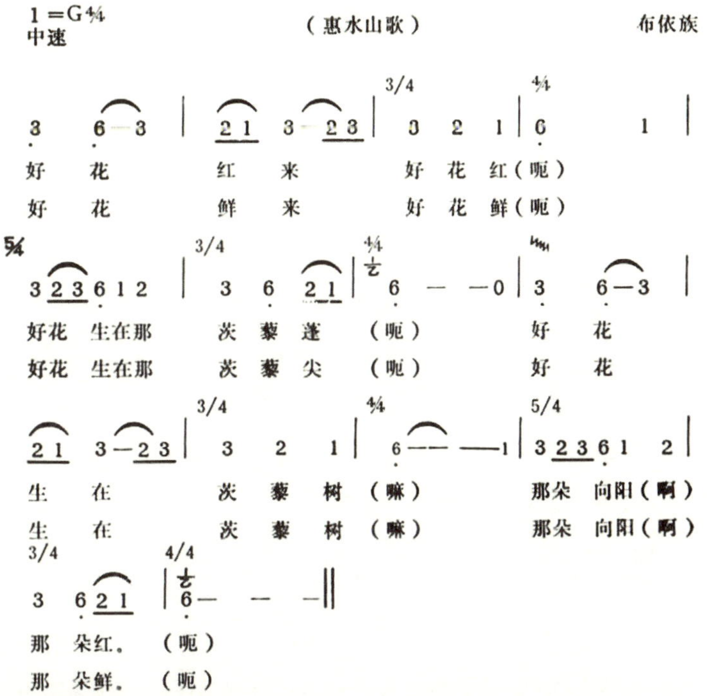

是年，按照“文化搭台、经济唱戏”思路，惠水县举办首届贵州·惠水好花红艺术节，著名歌唱家蒋大为、李丹阳、龚琳娜到场演出，来自省内外的观众达3万余人，省内外33个新闻单位和100多名记者对艺术节盛况进行了报道，提高了惠水知名度，促进了县的招商引资工作，推动县域经济发展，丰富群众精神文化生活。

2002年，惠水县委、县政府提出“打造好花红民族文化品牌，提高惠水知名度”的文化战略理念，启动布依族民歌《好花红》的知识产权登记、注册工作，以1991年5月出版的《惠水县文化艺术志》“好花红”调作为注册版本，以惠水县人民政府作为布依族民歌《好花红》的著作权人进行版权登记，同时，举办第二届“好花红艺术节”。

是年，由省歌舞团演出并创作的大型民族歌舞《好花红》获第十届“文华奖”新剧目奖及编导、作曲、舞美3个单项奖（“文华奖”为文化部设立的国家舞台艺术奖，每两年评选一次）。

是年12月，贵州省人民政府批准惠水县毛家苑乡更名为好花红乡。

2003年，央视西部频道制作《好花红》专题节目，采访了时年已67岁的布依歌手秦跃珍，秦跃珍向央视记者回忆了她18岁开始演唱《好花红》的经历。

2004年，贵州省版权局受理了惠水县人民政府以刊载于《惠水县文化艺术志》（1991年5月出版）版本的“好花红”调布依族民歌《好花红》文化知识产权的注册登记手续，确定惠水县人民政府为《好花红》的权力代理人，并颁发了证书。

2005年，惠水县以参加“多彩贵州”和“两赛一会”系列活动为契机，开展了“六个一”活动，即：一次以“涟江——羡塘燕子洞”为主题的惠水旅游山水风光摄影展，一本能够集中反映惠水秀丽的山水风光、浓郁风土人情的宣传画册，一部集中反映惠水人民勤劳、土地富饶、经济社会全面发展的专题片，一个能代表惠水社会经济发展的形象企业；一首能唱红惠水、唱出贵州的新歌，一场展现惠水《好花红》丰富文化底蕴为主题的颁奖晚会。将弘扬优秀传统文化与发展旅游相结合发展，丰富全县的文化活动，挖掘和保护一批文化资源，推出一批文化专业人才。

是年，由贵州省委宣传部、贵州省对外文化交流协会、贵州省音乐家协会、贵州人民广播电台联合制作的贵州民歌选《好花红》CD专辑出品。

2006年，惠水举办第三届好花红艺术节、“龙游涟江——歌飞四海”端午节、大型迎春灯会、高镇垂钓节等系列活动；好花乡辉岩村自发组织举办金钱橘节，摆榜乡举办摆榜“要嘎仗”民族民间文化节等活动；县组建了惠水好花红艺术团，成立了惠水好花红民族民间文化艺术中心，开展“五创五比”活动、“惠水精神”大讨论活动、广场文化活动、“百名记者观惠水”等活动；开通好花红网站，制作惠水山水风光摄影作品挂历、台历等，加大惠水“好花红”民族文化品牌宣传力度。11月，贵州省布依学会在惠水召开“好花红”民族文化品牌战略研讨会。

2007年3月，惠水《好花红》民歌被贵州省人民政府列为省级非物质文化遗产代表。5月3日，朗诵名家杨柳在中央电视台国际频道，以“记住一个美丽动人的地方—贵州惠水”为主题向全世界推介惠水，当天央视国际频道以英文字幕中文解说，三次滚动播出惠水制作的外宣专题片《好花红故乡—惠水》。6月27日，上海民族乐团创排的《锦绣中华》少数民族歌舞音乐会在上海大剧院上演。音乐会引

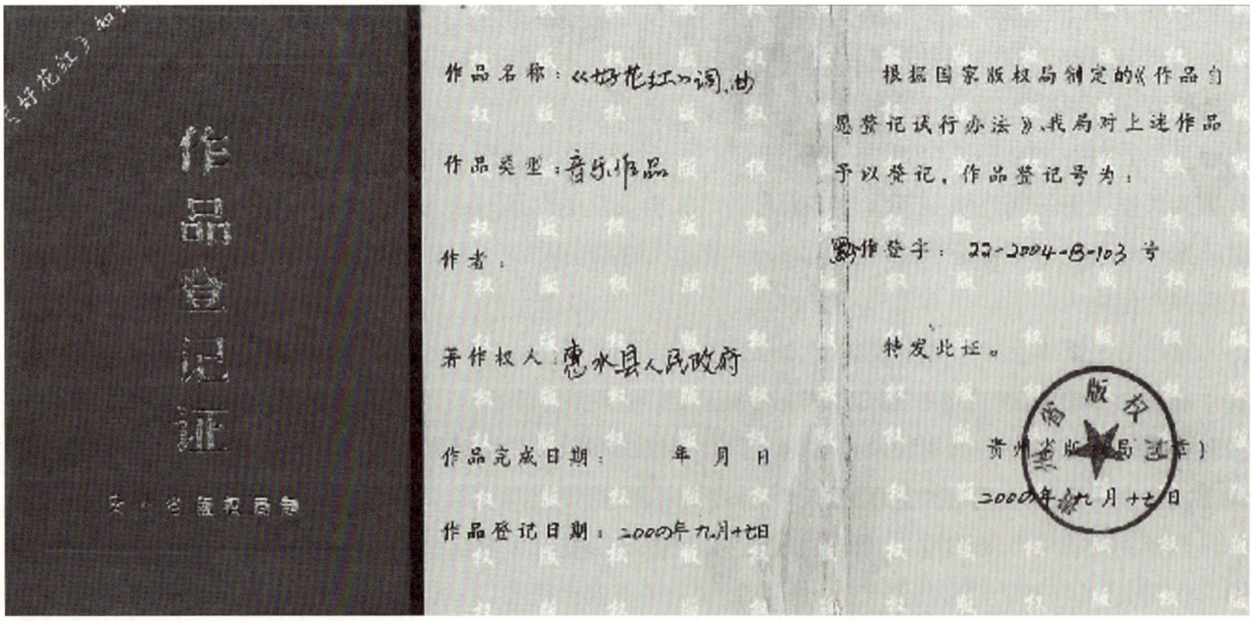
作品登记证

贵州省版权局

作品名称：《好花红》调.曲

作品类型：音乐作品

作者：

著作权人：惠水县人民政府

作品完成日期：　年　月　日

作品登记日期：2004年九月十七日

根据国家版权局制定的《作品自愿登记试行办法》，我局对上述作品予以登记，作品登记号为：

黔作登字：22-2004-B-103 号

特发此证。

贵州省版权局（盖章）

2004年九月十七日

入了蒙古族、苗族、藏族、布依族、彝族等十余个民族器乐演奏演唱样式。布依族的木叶吹奏《好花红》为其中节目之一。11月10日和14日，由著名歌唱家王宏伟演唱的《好花红的歌美滋滋的唱》MTV，惠水形象大使、荣誉市民、全国总工会文工团青年演员王艺霖演唱的《好花红》MTV先后在中央电视台播出。是年，由国家总政部青年歌唱家王庆爽2006年演唱的《想涟江》和解放军艺术学院高蒲2006年演唱的《故乡年年好花红》两个MTV公开发行。《好花红》歌舞和歌曲先后在北京、江苏、浙江、广西等地和美国、加拿大、德国、日本、韩国等国家文艺舞台演出。

首届贵州惠水好花红艺术节吉祥物–白腰雨燕（设计：柏新天）

2008年5月26日，在香港举办的“中国少数民族音乐遗产保护专题会议”上，《好花红》与其他9首中国经典民歌同获“WHI世界民间音乐遗产保护范例”美誉。

是年，为推进布依民歌《好花红》保护和传承工作，惠水县启动《好花红》申遗工作。6月7日，《好花红调》获国务院批准，列为第二批国家级非物质文化遗产保护名录。县政府加强好花红民族文化品牌建设工作，在县财政设立好花红民族文化保护项目经费，纳入政府的年度财政预算，并随着经济的发展逐年增加；设立民间的好花红民族文化保护基金，争取社会各界支持，吸引国有企业、个人和海外友好人士捐赠；扶持好花红民族文化企业，在统一规划的基础上对好花红民族文化遗产进行合理开发，更好地保护好花红民族文化遗产。

黔南州委、州政府高度重视《好花红》品牌打造，至2008年，已经举办五届黔南州“好花红”艺术节。

2009年7月10日至11日，黔南州政府向三湘地区重点推介黔南“生态观光旅游”和“少数民族文化体验游”等旅游线路，发挥“好花红”品牌效应。10月18日，由黔南州委、州政府，贵州省布依学会、贵州巨日影视公司联合摄制，黔南州委宣传部，惠水县委、县人民政府协助拍摄的首部布依族数字电影《好花红》，在经典布依族民歌《好花红》发源地—惠水县好花红乡辉岩村开拍。10月，惠水县制作播放大型歌舞剧《好花红》。10月19日，由省老龄办、黔南州人民政府主办，黔南州老龄工作委员会、中共黔南州委宣传部、黔南州民政局、黔南州文化局共同承办，贵州省“福彩杯”老年人好花红民歌大赛在都匀市会展中心隆重举行，来自黔南州12县（市）、州直机关13个代表队参加比赛，各代表队以黔南传统民歌《好花红》为主选歌曲。11月，香港阳光卫视到惠水采风并拍摄了《好花红》专题片。12月，惠水县好花红乡辉岩寨村更名为好花红村。

是年，《好花红》民歌被中共贵州省委宣传部选为“迎国庆”爱国歌曲大家唱必选歌曲。

2010年4月，著名歌唱家、国家一级演员雷佳做客央视《民歌·中国》栏目，演绎布依民歌《好花红》。

是年，黔南州委宣传部、州文联、州文化局在都匀举办全州“好花红”群众广场健身舞蹈推广培训班，

首届贵州惠水好花红艺术节会徽（设计：李惠林 会徽说明：周边银色代表苗族，红色刺梨花代表布依族，刺梨花下图案为白腰雨燕，也喻为涟江风景名胜区开发留下伏笔，同时也是惠水的“水”字变形）

进一步传承、打造黔南“好花红”民族文化品牌，丰富群众文化生活，让“好花红”歌声传遍全州各地。

2014年3月，习近平总书记参加十二届全国人大二次会议贵州代表团的审议讨论时，贵州代表王箐唱起了《好花红》，习近平总书记高兴地祝福大家：祝乡亲们的生活“好花红”。7月，“好花红”大型山水实景演出在涟江河畔原古十二景之“三水萦亭”上演。12月，贵州省惠水县被文化部命名为布依民歌之乡。

2015年7月，时任省委书记陈敏尔到惠水调研指出：要繁荣发展“好花红”文化，要做好一片花，一首歌，一条河，一条街，一个生态的“五个一”要求。9月，电视剧《二十四道拐》在央视开播，经惠水县政府授权，南彝组合改编并演唱的《好花红》作为片尾曲。10月，黔南州创作的大型歌舞剧《刺梨花开》代表贵州省在北京参加国家第四届少数民族戏剧会演。

2016年4月，“醉美三月三·好花红艳艳”2016中国农民歌会贵州赛区选拔赛及大型文艺演出在惠水县好花红镇举行。5月，贵州省委常委会议专题研究黔南工作，指出：“好花红”是黔南发源地，要一如既往地唱响“好花好”主旋律，让民族“团结进步，繁荣发展”之花鲜艳盛开。6月，由黔南州委、州政府主办的“好花红”时代精神专题研讨会在惠水召开。是月，黔南州委举办庆祝建党95周年“牢记党的宗旨讴歌幸福黔南”合唱大赛，《好花红》列入必唱歌歌曲，惠水县、福泉市获得一等奖。8月，好花红镇综合文化服务中心获“全国优秀文化站”称号（全国共有8个基层文化站受到表彰）。12月，黔南州委召开常委（扩大）会议，专题研究“北翼”四县工作，指出：惠水要打响好花红文化品牌，汇聚大数据智慧力量，奋力打造全省创新发展新高地。

是年，中国惠水好花红民歌会在好花红镇举行，著名歌唱家王宏伟、李君及五洲唱响乐团等会聚演唱好花红，黔南12个县（市）400名歌手参加。

2017年3月，“好花红”黔南创新发展座谈研讨在北京举行座谈会。活动旨在弘扬“一心向党、朵朵花红”的“好花红”民族文化内涵，推动黔南经济社会跨越发展，树立起黔南各族人民的文化自信、发展自信。6月，惠水县“构建育人新高地·唱响好花红绚歌”系列艺术展演活动在惠水县好花红广场举行，展演内容为器乐、朗诵、舞蹈三大类各20个艺术展演出作品。

是年，纪念《好花红》进京60周年暨惠水县第三届好花红艺术节开幕式在惠水县城举行。

2018年7月，惠水县举行题为“秀多彩贵州风·展好花红魅力”的首届民族服饰创意设计大赛，组织60件作品参加州级决赛，获2个一等奖、2个二等奖、5个三等奖，多件作品获得优秀奖和入围奖。

是年，东盟民族音乐文化教育研讨会50余名专家学者到好花红村调研布依文化及“好花红”音乐。

20世纪50年代至2018年，罗秀英、龚琳娜、侯丹梅、韦维、阿幼朵、黄卓、雷佳、二手玫瑰、周杰伦、曾小燕、宁静、吴碧霞、王艺霖、王宏伟、阎维文等歌唱演员分别以不同风格演唱《好花红》；杨开良、丁伟等专家为王顺义、杨熙、陶媛等舞蹈演员创造了《好花红》歌舞；王泽洲等基于《好花红》

民歌风格创作了一系列展示好花红文化新曲；周国茂、郭俊、弋良俊等文化人士对《好花红》文化现象进行挖掘研究，推动惠水好花红民族文化品牌建设。

第五节 歌词大意

《好花红》曲调和内容都给人奋发向上的精神力量，数百年来一直扎根于布依族群众中，世代流传，常唱不衰，是布依族传统文化的精粹。布依族青年男女用“好花”比喻中意的情人，借“好花”表达心中纯洁的爱情，《好花红》是一首布依族年轻人经常演唱的表现爱情的情歌。新中国成立后，布依族人民过上了幸福的生活，用《好花红》调编唱了歌颂共产党、歌颂毛主席、歌颂新社会的民歌，抒发幸福喜悦之情。20世纪80年代初，全国进行民族识别后，一些民族音乐工作者借用《好花红》的曲调和歌词风格，创作许多歌颂民族团结的歌曲。随着生活水平和文化水平的不断提高，勤劳、聪慧的布依族人民在生活、劳动之余，利用《好花红》的旋律依声填词创作了许多有浓厚民族气息的、与《好花红》形成一个家族系列的民歌（这些民歌的内容属于《好花红》的外延部分，但是他们的旋律走向与《好花红》是同属一个系列），使《好花红》调民歌内容不断得到丰富拓展。《好花红》民歌所表达的思想感情和基本内容分为以下几种：

歌唱美好爱情。如：①《好花红》：好花红来好花红，好花生在那刺藜蓬，好花生在刺藜树，哪朵向阳哪朵红。好花鲜来好花鲜，好花生在刺藜边（巅、尖），好花生在刺藜树，哪朵向阳哪朵鲜。好花鲜来好花鲜，好朵鲜花在路边，心想采花忙赶路，约个日子待赶场。好朵鲜花在路边，心想摘花路不间，心想采花忙赶路，约个日子待赶场。（曹玉枫于1957年记录整理，杨光芬演唱，流传于惠水县布依族地区）②《三个大坡围小坡》：三个大坡围小坡，三棵杉树围桫椤，有心有意坡成路，无心无意路成坡。三座大山围小山，三棵杉树围牡丹，有心有意山成路，无心无意路成山。（杨光英、谢文兰演唱，刘玲玲于2002年7月19日收集，流传于惠水县好花红镇）③《有心无心唱支歌》：叫你唱歌你唱歌，（妹呀）叫你打鱼你下河，有鱼无鱼撒一网，（妹呀）有心无心唱首歌。叫你开声你开声，（哥呀）叫你打鱼你下坑，有鱼无鱼撒一网，（哥呀）有心无心开歌声。（黄达武收集记录，班光珍演唱，发表于1981年10月贵州省黔南布依族苗族自治州文化局、民族事务委员会编《民间歌曲集》，流传于惠水县）④《望妹一眼管一冬》：六月桃子半边红，望妹一眼管一冬，好比四月望海水，好比六月望凉风。（杨志芬演唱，黄自苏采集于1964年，发表于1981年10月贵州省黔南布依族苗族自治州文化局、民族事务委员会编《民间歌曲集》，流传于惠水县）⑤《隔山远路不好连》：好块大田又落弯，好个情姐又隔山，好个情姐又隔路，隔山远路不好连。（佚名演唱，胡家凌采集，李继昌记录，1981年10月发表于贵州省黔南布依族苗族自治州文化局、民族事务委员会编《民间歌曲集》，流传于惠水县）⑥《好久不到花坡来》：好久不到花坡来，朵朵鲜花遍坡开，河水去了不再来，阿哥去了情还在。好久不到花坡来，朵朵鲜花遍坡开，河水去了不转身，阿哥去了留下情。（杨光芬演唱，曹玉枫记录，1981年10月发表于贵州省黔南布依族苗族自治州文化局、民族事务委员会编《民间歌曲集》，流传于惠水县）

歌唱社会主义好。如：①好花红来好花红，中国领袖毛泽东，全国人民他领导，不受剥削不受穷。好花鲜来好花鲜，中国领袖是朱德，全国人民他领导，我们翻身万万年。（曹玉枫于1955年收集于贵州省惠水县毛家苑乡，秦瑶珍演唱）②太阳出来照山岩哟，参加会演好开怀呃，各族人民都知道哟，社会主义幸福来呃。听到会演好消息哟，各族人民笑嘻嘻呃，百花齐放多芬芳哟，感谢党和毛主席呃。太阳出来红又红哟，参加会演好光荣呃，各族人民都知道哟，感谢党和毛泽东呃。（发表于1957年5月《贵州省第一届工农业余艺术会演民间艺术部分节目资料汇刊》，由曹玉枫记录整理，程正兴、罗家琴编词，秦瑶珍、王琴惠演唱，流行于贵州省惠水县）

歌唱民族团结繁荣。如：①好花红来好花红，五十六朵共一蓬，五十六朵共一树，朵朵向阳朵朵红。好花红来好花红，五十六朵共一蓬，五十六朵鲜又艳，花也红来人也红。（黄江帆于20世纪80年代民族识别后改编）②好花红来好花红，五十六朵共一蓬，五十六朵共一树，朵朵当阳朵朵红。好花鲜来好花鲜，五十六朵共一片，五十六朵共一树，朵朵当阳朵朵鲜。（黄江帆于20世纪80年代初民族识别后改编）

表达热情和敬意。如：《桂花生在贵石崖》："桂花生在贵石岩，桂花要等贵人来，桂花要等贵人到，贵人来到花才开；桂花生在贵石林，桂花要等贵人行，桂花要等贵人到，贵人来到花才生。"（王昌吉、王昌松、伍世权、谢世平演唱，罗宗贤采集，流传于惠水县）

表达对生活的热爱。如：①《牡丹开花好逗人（猜调）》：哪样开花一饼饼，哪样开花好逗人，哪样开花勾对勾，哪样开花心和心？哪样开花成双对，哪样开花打单身，哪样开花红了脸，哪样开花黑了心？韭菜开花一饼饼，牡丹开花好逗人，谷子开花勾对勾，小米开花心和心。豇豆开花成双对，茄子开花打单身，黄豆开花红了脸，胡豆开花黑了心。（杨发琴、杨发敏演唱，黄达武、李怀昌采集记录，发表于1981年10月贵州省黔南布依族苗族自治州文化局、民族事务委员会编《民间歌曲集》，流行于贵州省惠水县）②《久不唱歌忘记歌》：久不唱歌忘记歌，久不打鱼忘记河，久不提笔忘记字，久不唱歌面皮薄。久不开灯忘记灯，久不打鱼忘记坑，久不提笔忘记字，久不唱歌害羞人。（秦跃珍演唱，刘玲玲于2002年7月21日记录于惠水县高镇镇姚新村满告寨，流行于惠水县布依族地区）

附：

著名的布依族民歌《好花红》是怎样发掘和搬上舞台的

李怀昌

布依族民歌《好花红》世代流传于惠水县毛家苑乡（现为好花红村）的布依族村寨。它是一首采用比兴手法的抒情性民歌。新中国成立后由于流行革命歌曲，除一些老年人外，青年人很少唱《好花红》等民歌了，面临失传的危险。

在党的"百花齐放，推陈出新"文艺方针的指导下，1956年我县农村兴办了俱乐部，广大群众开展了多姿多彩的文化娱乐活动。县文化馆的干部深入农村，具体指导。当时文化馆的王泽浦回到家乡毛家苑新民俱乐部进行辅导，广泛开展文化娱乐活动。新民高级社在龙洞组织了一个烤烟生产队，又抽出男女歌手十余名组成一个歌队。王泽浦开始辅导歌队编唱《烤烟十二唱》等新民歌。有的也唱一些情歌。歌队的建立，使高级社里的男女老少时时充满欢乐的气氛。不仅歌队唱，普通社员也唱，简直成了歌的海洋。王泽浦的母亲和农家苑寨里的几位老年妇女不甘示弱，放开歌喉，高唱《好花红》等民歌。接着男女青年们也唱开《好花红》了。特别是俱乐部的歌队更喜欢唱这首民歌。大家不仅在劳动中唱《好花红》，而且在收工的路上也荡漾着《好花红》的歌声。

1956年11月，惠水县举行第一届工农业余文艺会演，毛家苑新民俱乐部的歌队在大会上不仅演唱《烤烟十二唱》，还演唱了布依族民歌《好花红》，很受群众的欢迎。省歌舞团的音乐工作者听后，认为是一首布依族的好民歌，并派人亲临采访学习。

县的文艺会演之后，县文化馆积极筹备，迎接贵州省第一届工农业余文艺会演大会的召开。1956年年底县文化科的贾吟华和文化馆的肖仁远两人深入毛家苑乡，在农家苑村选了布依族姑娘王琴惠和秦跃珍两名歌手，带着《歌唱会演》《好花红》《赶表歌（布依语演唱）》等民歌，代表惠水县出席全省首届工农业余文艺会演大会。当她们在大会上演唱《好花红》时，引来观众的热烈掌声。刚演唱完毕，省广播电台就接她们去录音向全省广播。当时，我曾作为《好花红》民歌的二胡伴奏，也感到不胜荣幸。

1957年初，王琴惠和秦跃珍又被选入贵州省文艺代表队，到北京参加全国音乐舞蹈会演。她们演唱的布依族民歌《好花红》和《三个大坡围小坡》，深受群众欢迎，中央人民广播电台作了实况转播，《民间文学》杂法作了介绍。著名的布依族民歌《好花红》就这样发掘和搬上了舞台。

（载于《惠水文史资料》第十辑）

《贵州都市报》有关《好花红》的争论文章
《好花红》曲调有误?

本报讯　惠水县好花红艺术节举办在即，而连日来不少读者却反映登在报上的布依族民歌《好花红》的曲调不符合布依族民歌风味。

据原黔南自治州歌舞团的王恩国讲，他家就住在民歌《好花红》的发源地惠水县毛家苑乡辉油寨。“好花红”一曲是1955年秋，省歌舞团的黄江帆、曹玉枫夫妇在毛家苑乡住了两个月，由辉油寨的王昌吉、贫协主席伍正权及秦元惠等人作词，毛家苑的杨光芬首次唱出这首歌的。

王恩国告诉记者，当时辉油寨满山遍野长着青翠的刺藜，鲜红的刺藜花映红了村寨，王昌吉、伍正权等几位老人说要唱新式歌，不唱情歌了，于是就把花作为象征，大家你一句我一句，汇编成了“好花红”的歌词，后来黄江帆对歌词进行了修改，曹玉枫对歌曲进行了记录整理，一直流传至今。然而10月8日刊登在报纸上的《好花红》歌曲，其曲调完全脱离了布依族民歌风味，该歌词的采集和记录也变成了其他人。

几经周折，记者终于找到了黄江帆、曹玉枫夫妇，证实了王恩国的说法。二人看了报纸上刊载《好花红》的歌曲后，连连摇头称该曲调完全走了样，70岁的曹玉枫连唱了几遍，总感到其曲调的节奏、速度等方面都不符合布依族民歌风格，没有代表性，与他们是年记录、整理的歌曲相差甚远。二人希望有关部门深入“好花红”歌曲发源地进行考证，还“好花红”本来面目。

（特约记者寇启伟）

（载于《贵州都市报》2001年11月14日第17版）

《好花红》曲调有误?
专家认为：版本不同　不分正误

本报讯　11月14日本报17版刊登《〈好花红〉曲调有误？》一文后，读者纷纷来电表示关注。

昨日，记者在省音协查阅了由文化部、国家民族事务委员会、中国音乐家协会主编，1996年出版的我国第一部全面、较系统的民间歌曲文献—《中国民间歌曲集成》。该书在《贵州卷》中收录了有惠水县、平塘县西关以及贵阳市的共6首布依族民歌《好花红》，其中有2首来自惠水县。它们分别是王昌吉唱，达武、继昌记与杨光英唱，玉枫、达武记。前者与10月8日在报纸上刊登的《好花红》有相似之处。

省音协常务副主席马伯龙认为，《好花红》流传至今，现存有很多种版本。《集成》一书收录的是惠水县较有代表性的2首，然而杨光英唱，玉枫、达武记录的，这首《好花红》是现今流传较为广泛的。其次，民歌由于来自民间，每个民间艺人唱《好花红》的曲调都不会是相同的，这也是民歌生命力的源泉所在。

随后，与《中国民间歌曲集成·贵州卷》常务副主编李继昌取得了联系。他告诉记者，《好花红》这首民歌较早的采集、记录者是工作于黔南州歌舞团的曹玉枫，最早的演唱者是杨光芬。但作为民歌来说有“五里不同音、十里不同调”之说，不同地域、不同年龄、不同性别都会给民歌带来不同变异。在《中国民间歌曲集成·贵州卷》中，就有2首同样来自惠水县却旋律不同的《好花红》，其中作为男性老年歌手的王昌吉老人虽与杨光英（杨光芬之妹）同生活在惠水毛家苑，但他的唱腔古朴、苍劲，有一种历史的沉积感。被称之为古体《好花红》，不管杨光英版的《好花红》还是王昌吉版的《好花红》，它们是两首不同曲调的民歌，应该没有正误之分。

（本报记者章虹）

（载于《贵州都市报》2001年11月17日第9版）

还《好花红》本来面目

——答1月14日《贵州都市报》

李继昌

布依族民歌《好花红》以她优美的旋律、清新的气息而受到广大群众的热爱，从50年代起便得到广泛的传唱，成为布依族民歌优秀代表。

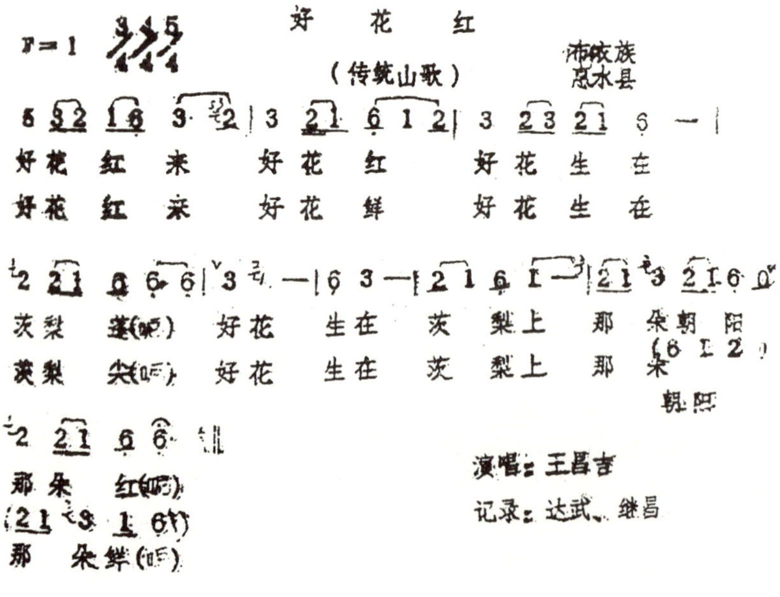

王昌吉演唱的古体《好花红》

这首民歌最早的采集、记录者是当时工作于黔南州歌舞团的曹玉枫，最早的演唱者是杨光芬（女）。1980年，作为国家重点科研项目的《中国民间歌曲集成》工程启动，我省各族音乐工作者及各级音乐干部对全省各民族民歌进行了一次有历史以来的大规模的挖掘、采集、抢救，采集了各族民歌近万首，基本摸清了我省民歌资源的分布状况。在此基础上，在品种全、范围广、质量高的总要求下，我们对万首民歌进行筛选。其中一个原则是：为了提高民歌的资料性、学术性及其原生形态的可信程度，我们要求绝大部分资料有歌手的原始录音。当时，作为惠水县文化馆长的黄达武按照总部的要求，重新对《好花红》进行了采集、录音、记谱，提供了杨光英（杨光芬之妹）以及老歌手王昌吉所唱另一曲调的录音。在《民歌集成·贵州卷》的编选中经协商，既尊重历史也尊重现实的情况下将曹、黄二人相同的记谱、杨光英的演唱收入《民歌集成·贵州卷》布依族分卷山歌集第一首，曹、黄二人共同署名。（贵州卷636页）

但作为民歌来说“五里不同音、十里不同调”，不同地域、不同年龄、不同性别都会给民歌带来不同变异。就《好花红》而言，就在贵阳市郊、贵定、龙里、平塘都有同一内容（歌调）的不同唱腔，贵州卷便精选了其中六首不同旋律的《好花红》。其中：作为男性老年歌手的王昌吉老人虽同生活在惠水毛家苑，但他的唱腔古朴、苍劲、别有一种历史的沉积感，相对于杨光英所唱的《好花红》显得更原始一些，我们可称之为古体《好花红》。作为资料，我们收入了贵州卷，（布依族民歌山歌集第二首636页），它有助于我们考查和研究布依族民歌的发展历史。但是，这首民歌在刊物及媒体上介绍极少而鲜为人知，而惠水县所刊发的又恰好是这一首，意在让更多的人了解《好花红》民歌的历史及其原生态，也展现布依族民歌的丰富多彩。所以，杨光英版的《好花红》及王昌吉版的《好花红》根本就是两首不同曲调的民歌，何来的谁正谁误？决不因为杨光英版广为传唱便是正确的而其他的版本便是错误的，文化上哪能容此歪理？再说，王昌吉版是否完全脱离了布依族风味，这不是某人就能下的结论，遗憾的是，他们没能听到王昌吉老人的录音，不然他们也会为这位老歌手苍动的演唱所折服。就不会妄下此论。

在这里我希望我们某些记者，应多与专门家联系，多考察一下历史，才不至于出现误导于读者的现象。

（作者系《中国民间歌曲集成·贵州卷》常务副主编）

正本清源　宏扬光大

——永葆布依族《好花红》的纯真性

罗汛河　郭俊

不管是游览花溪公园，还是到惠水参加董朗六月桥“六月六”歌会；不管是到红枫湖度假，还是到黄果树观瀑，到处都能听到优美动人的布依族民歌《好花红》。

布依族民歌《好花红》世代流传于布依族地区，是布依族群众在清朝年间就谱就传唱的，迄今已有二百余年的历史。关于《好花红》歌曲的产生、发展和光大，贵州省惠水县的李怀昌先生曾于1993年12月以《著名的布依族民歌（好花红）是怎样发掘和搬上舞台的》为题，刊载《惠水县文史资料·第十辑》上，以及黄达武先生以《追根溯源（好花红）》为题，于2001年10月8日在《贵州日报》上都作了详细的介绍。

《好花红》曲调悠扬，旋律优美，委婉动听，耐人寻味。歌词采用比兴手法：好花指的是布依山寨的大路旁、山坡脚、小溪边随处可见的刺梨花。刺梨花鲜艳粉红，纯朴清新，为布依人所崇拜。新中国成立前惠水县毛家苑辉油寨的布依族老艺人王昌吉等演唱的《好花红》版本见（黔南州音乐家协会主席李继昌先生编辑的《黔南州民间歌曲集》词曲，与现在流行的《好花红》大同小异，只是后两句歌词原为“好花生在刺梨上，哪朵向阳哪朵红”。

关于《好花红》歌曲的来历，还有一个优美动人的故事在民间流传至今；相传很久以前，惠水毛家苑乡辉油寨有个名叫阿水的布依后生，他长得高大，十分英俊，天生一副好歌嗓，唱起歌来，悠扬动听。每天做完活路后，阿水就到河边橘林里唱歌，消除疲劳。河对面有个名叫阿红的布依姑娘，长得眉清目秀，美貌非凡，传说她是天上月神的幺公主下凡的。阿红经常躲在河边刺梨蓬后面听阿水唱歌。时间久了，阿红暗暗爱上了阿水。有一次，阿水在河边唱了一首《好花红》：

“好花红来好花红，好花生在刺梨蓬，好花生在刺梨上，哪朵朝阳哪朵红。”阿红听了，隔河回唱道：“好花鲜来好花鲜，好花生在刺梨尖，好花生在刺梨上，哪朵朝阳哪朵鲜。”阿水的歌声悠扬，阿红的嗓音甜美，两人隔河对歌，情投意合，冬去春来，时间为媒，两人终于结成了伴侣，过着美满的生活。《好花红》歌曲从此传开了。

1956年11月，惠水县举行第一届工农业余文艺会演，毛家苑乡新民俱乐部歌队的布依族姑娘秦跃珍、王琴惠演唱了《好花红》等布依族民歌，深受群众喜爱，并引起了前来观摩会演的省歌舞团专家的重视，认为是一首布依族的好民歌，并派专人亲临采访学习。是年年底，这两位布依族女歌手出席了贵州省第一届工农业余文艺会演大会，她俩演唱的《好花红》深受好评，被省广播电台录音向全国播出。1957年初，秦跃珍和王琴惠又被选人贵州省文艺代表队，赴京参加了全国第二届民间音乐舞蹈艺术会演。她俩演唱的布依族《好花红》引起了轰动，中央人民广播电台作了实况转播，《民间文学》还特地作了介绍。著名的布依族民歌《好花红》就这样发掘和搬上了舞台。

《好花红》在北京还有一段佳话。1959年5月，我省组成全省各民族参观团与全国其他十几个省的参观团赴北京观礼。参观团在北京受到党和国家领导人毛泽东、朱德、周恩来等老一辈无产阶级革命家的亲切接见。在党中央、国务院举行的招待会上，时任惠水县羊场区区委书记的杨通锦和时任惠水县摆金区人民政府区长的龙智堂代表贵州参观团唱了一首《好花红》，悠扬动人的歌声博得了与会者的热烈掌声，朱老总听后非常高兴，将敬酒一饮而尽。

1981年农历六月初六，省、州文化局和省、州民委在惠水县董朗大桥组织“六月六”歌节，来自全省的200多名歌手于此赛歌。参加的群众4万多人，国家民委派员到现场祝贺。惠水县代表队的八位布依姑娘首先登上歌台，引吭高歌一曲《好花红》，引得掌声雷动。

20世纪80年代，为了抢救各民族的优秀文化遗产，中央布置全国开展民间文学普查，《好花红》分别被中国民间文艺出版社、贵州人民出版社以及黔南州、惠水县收入《布依族歌谣集成》，载入史册。同时，黔南州歌舞团的江帆和玉枫在《中国音乐》杂志上发表了《盛开在黔南的山花—贵州布依族民歌》一文，着重介绍了这首精品《好花红》。

2001年11月惠水“好花红”艺术节，县政府在辉岩大桥之东立了“好花红故乡”石碑，在大桥之西建了一栋“好花红歌亭”，供各族人民在节日中对歌、赛歌。迄今为止，中共惠水县委、县人民政府以“好花红”为题名，举办了两次艺术节，迎来了四海宾客。

此外，电影《山寨火种》和电视连续剧《布依女》的主题音乐均采用《好花红》的旋律。广大观众听了“如痴如醉”，激动不已。

《好花红》是布依族人民艺术的精粹，她的曲调、内容都很优美健康，给人一种民族的精神力量，激励着人们奋发向上。数百年来一直扎根于布依族社会中，深受广大布依族人民喜闻乐见，世代流传，常唱不衰。《好花红》的曲子，是布依族群众在清朝年间就谱就传唱的。贵州解放时，布依族群众创作了《好花红》歌词，配上这个曲子，歌颂共产党。新中国成立五十多年来，布依族群众一直在传唱，它已成为布依族艺术上的经典，是布依族在艺术上的形象表现。

《好花红》的内涵与特质

布依族是祖国大家庭中一个勤劳勇敢、历史悠久的民族。人口近万，主要分布在贵州省黔南布依族苗族自治州、黔西南布依族苗族自治州，以及安顺地区、贵阳市、六盘水市。此外，毕节、遵义、铜仁地区和黔东南苗族侗族自治州以及四川省凉山彝族自治州、云南省曲靖、文山、红河等地区也有部分布依族居住（据了解台湾和越南等地也有布依族）。布依族与其他民族一起，共同缔造了祖国光荣的历史和光辉灿烂的文化，共同开拓了祖国的西南，为中华民族的繁荣昌盛贡献了自己的力量。1998年12月贵州省布依学会成立以后，鉴于学会的宗旨和任务，在广泛征求布依族同胞意见的基础上，在多次“六月六”歌节大会的会歌。同时将“刺梨花”图案作为会徽，以示一个民族的灵魂与象征，各地代表都表示赞同，认为这充分表达了布依族人民的心愿。

1998年7月21日，在贵州省布依学会主办、贵阳市政府承办的贵州省布依族“六月六”大型歌节新闻发布会上，布依学会会长、原省政协第七届副主席王思明已向与会者公布了这一决定。

《好花红》是以刺梨为内涵，作为布依学会会歌，意义深远。而刺梨花作为布依学会会徽，也有着特殊的意义。第一，会徽刺梨花的中心有三瓣花蕊，象征着布依族三个土语区的布依族人民的大团结，而布依族第一、二、三土语区内，遍地都生长着刺梨；第二，刺梨的生命力很强，只要有一点土，它不畏风霜雪雨，顽强地生根、发芽、开花结果，处处均可繁衍；第三，鲜艳的刺梨花瓣象征着美，整个花朵象征着全国56个民族的大团结和美好的生活；第四，金黄的刺梨花蕊象征着金贵、财富和幸福；第五，刺梨花柄和刺梨果的刺，象征着刚毅、坚强；第六，刺梨果营养丰富，为人类生活有很大的贡献。所有这些特征，就是布依人的秉性。

加强团结、共同发展

2001年第二届全国少数民族文艺会演，贵州组织的大型歌舞《好花红》按时参加演出，是省委、省政府领导的关心，是落实党的民族政策的体现。

贵州《好花红》大型歌舞在京出演后，影响很好，贵州日报社记者张幼琪女士是随团记者，她以《攀登民族歌舞的（珠穆朗玛）—曲“好花红”的成功看贵州形象工程的打造》为题，在《贵州日报》2001年10月26日头版头条发表了热情洋溢的实事求是的评价文章。文章说“贵州参赛的大型民族歌舞《好花红》以其深厚的文化底蕴、浓郁的民族风情、鲜明的地域特色、昂扬的时代精神、精湛的艺术手法、激情四溢的表演，囊括了本次会演的全部金奖，即创作金奖、演出金奖、舞美金奖。”“整台晚会是贵州精华版，承载了密集的信息量：即美丽的山川物华；在飞珠溅玉、举世闻名的黄果树大瀑布前，一群布依姑娘与烂漫的刺梨花共舞在明媚的春光里，布依族舞蹈《好花红》以婀娜的舞姿、如诗的音乐说出了美丽的语言—山美水美人更美。”晚会的命名既要有鲜明的地域色彩，又要展示出当代贵州欣欣向荣的风貌，贵州人民团结奋进的时代精神，响亮又喻意深远，韵味无穷。在多次思想碰撞、再三斟酌后，作为20世纪50年代就带着贵州山情水韵传遍省内外的布依族民歌《好花红》，被确定为这台晚会的命名。布依族艺术之光《好花红》永唱不衰！

虽然各民族的文学艺术在长期的共同发展过程中，有相互影响、相互渗透、相互借鉴、相互推动的现象，但是，布依族的地域因素、历史因素和现实因素以及他的人民具有的浸骨入髓的民族感情相互契合的四度空间作用，使得布依族的文学艺术都具有其丰富多彩的内容和形式以及深厚、悠远的文化蕴涵、独有的悠长和特色。

现在，我们国家已经进入世纪新的历史时期，在民族团结的大好形势下，在党的民族政策的光辉照耀之下，我们一定能创造、挖掘出更加瑰丽的文艺珍宝，让五彩缤纷的少数民族文化、艺术，成为推动西部大开发的精神力量。（2002年6月2日）

（载于2002年《布依学研究（之八）——贵州省布依学会布依文化与旅游专题研讨会论文集》）

《布依古歌与〈好花红〉》

谢家宁

2016中国·惠水“六月六”民歌会于2016年7月9日在惠水县好花红音乐小镇隆重开幕，引起了社会各界对惠水的广泛关注，对宣传惠水，推介惠水起到了很好的推动作用。民歌会中，我有幸执排了布依族古歌这个节目，通过对布依古歌的研究和学习，使我对布依族古歌与布依族民歌《好花红》的关系有了更清晰的认识。

一、惠水布依古歌的起源

据有关记载，惠水地区的布依族是贵州高原上的土著民族之一，惠水布依族长期生息、繁衍在涟江两岸，是原住民族，对布依族的族源，有一种说法是源于明洪武“调北征南”来的，所以布依古歌至少已有数百年的历史。目前，惠水的布依族主要分布在好花红、雅水、王佑、高镇、岗度等乡镇，布依古歌都用布依语演唱，由于分支时间久远，各镇的布依古歌虽主音不变但是在调子上又自成风格。

二、布依古歌的艺术特色

结构简单，委婉含蓄。

最原始古老的惠水布依古歌属于典型的民族五声调式，并省略徵音5，由6、1、2、3、四个音构成，以羽调式为主，其他调式为辅，拍子变化频繁。曲式上有四句式，也有三句式。到了近代和现代，随着文化交流的发展，布依古歌也学习借鉴了汉族和其他少数民族的唱法，加入五度音（徵音）5，使古歌的调子更加细腻和动听。

题材广泛，内容丰富。

根据不同的氛围和场景，布依古歌的唱法也不尽相同，曲调也会因人而异。亲人去世，唱的是吊唁歌（也即孝歌）；迎亲嫁女或探亲走戚的酒席上，唱的是酒歌（也叫亲家歌）；遇上合心的同性客人，唱的是妹妹歌（指女性）或兄弟歌（指男性）；遇上异性客人，唱的是情歌。此外，还有一些清丽浪漫的童谣等等。

吊唁歌也即孝歌，布依语叫“Weanl daail”。是亲人去世后在葬期或以后做斋超度时唱的歌。其内容是追叙死者前生的殉劳深思、生病后求医问卜和孝子未能尽孝道等全部过程。歌词悲戚凄惋，唱时催人泪下。

酒歌，布依语叫“Weaml ndoong”。是迎亲嫁女或探亲走戚时中老年人的酬唱之歌。有两种唱法：一种是单人的即席吟诵，歌词较短，也无需固定的曲谱，只是将语音稍拖长，并掌握语音的轻重，使之谐和优美，抑扬顿挫即可；另一种是成双成对地对唱，歌词较长，而且要按一定的旋律反复吟唱。当然，即使是成双成对唱的酒歌，也要看对唱的双方善唱与否和喜好与否来决定时间的长短，有唱一两个钟头的，也有唱通宵达旦甚至更长时间的。酒歌对唱的双方，可以是同性的客人，也可以是异性的客人。其内容主要是称颂对方富贵双全、万事如意和表达自己穷困潦倒、命运坎坷，不配与对方攀亲联姻等等。唱酒歌时，即使碰上昔日的恋人，一般也不许唱出爱恋之词，否则会被认为轻佻出格。

姊妹歌（或兄弟歌），布依语叫“weanl saouh”。是同性的年轻客人唱的。这种歌的内容与酒歌相仿，都是称颂对方的优越环境和表达自己的苦难身世，并倾注自己对对方的仰慕之情。善歌者，能唱得在座的人伤心落泪，甚至失声痛哭。通过对唱，可以结成更亲密的朋友。因为姊妹歌（兄弟歌）是平辈之间的酬唱，所以唱时在句首或句尾都冠以哥、弟、姐、妹的称呼，同时，为了表示尊敬，句前都冠以金、银、玉之类珍贵字眼。

情歌的内容特别丰富，分两部分：第一部分叫“Wean nax”；第二部分“Wean iux”。主要内容是称赞主人家如何富有和对方如何聪明漂亮等（如在自家唱，则谦虚自己如何贫穷等）；之后才循序渐进，到互诉衷肠的第二部分“Wean iux”，才是真正的情歌。按唱歌的特定场所，情歌也分为家头歌、田坝歌和场坝歌。故名知义，在家头唱的叫家头歌，在田坝路边唱的是田坝歌，在赶场的场口唱的是场坝歌。在家里唱的，一般都是男方先唱，姊妹歌和酒歌一般都由主人先唱。在场口或路上，男方或女方都可以先唱。在外面唱的，一般比较自由，只要打个招呼，询问从哪里来或要到哪里去之后，即可进入互诉衷肠的盘歌。

在家里唱情歌，一般都是吃成晚饭后开始的。至于时间长短，要看唱歌双方的水平高低和感情深浅而定，善唱而且感情深的，可以唱通宵达旦甚至几天几夜，反之则短，甚至一边唱了一边干脆不还。从第一首到第五首是相互抬爱的“Wean nax”，第六首是从抬爱歌过渡到情歌的特殊的一首，第七首以上才是纯粹的情歌。从第一首到第六首，都有特定的章节。善歌者可在特定的章节里自由发挥。

第一首，客人除了夸赞主人家好客富有之外，还要插入一段歌，说明聚会唱歌的原由。如是正月就唱《正月歌》、二月就唱《二月歌》或《分花歌》，还要说明是何种亲戚等等。如果是立房的有《立房歌》，迎亲嫁女的有酒歌等等。从第一首到第三首，没有特定的歌名，只依次叫第一、第二和第三。其内容除了称颂主人家如何富贵双全、热心接待之外（在自家唱则尽量自谦），就是称赞对方如何好，怕自己配不起等。为了考验对方的唱歌水平，从第二首起可以插入《赞颂歌》《猜木叶歌》《古代歌》等较复杂的歌谣。这些歌，从多方面反映了布依族的历史社会生活。第四首叫“Wean hcncn”，即向上走或向上飞升之歌。其中写到飞到天上以后的所见所闻，具有积极的浪漫色彩。是布依歌中最优秀的篇章之一。第五首叫“Weanl lac xiangz”，即田坝歌或花园歌。主要叙述古代男女青年怎样请人介绍认识、怎样互换信物谈恋爱的一些过程。对考察过去布依族的风情有一定的参考价值。一般唱到第五首或第六首时，主人家已做好宵夜。吃了宵夜，一般要唱《宵夜歌》。内容是称赞主要人家怎样犁田打耙、怎样栽秧和怎样烤酒，怎样热情招待等。第六首叫“Weanl jamh xez”，即时候歌或鸡叫歌，因为一般唱到这首歌时，鸡已经叫了。这首歌的前半部，以问答的形式叙述了唱歌怕影响老人睡眠、怕老人发火，之后又说老一辈也一样的玩耍，即使人发火也不要怕等等。然后，又说鸡叫了，天要亮了，天亮了就不好唱歌了，要用丝线去把鸡的嘴捆住，使鸡叫不成天不亮了等等。同时又说，既然唱歌唱到这个时候了，双方应该主动一些，要改变一下称呼，不要绕圈子等。后半部是情歌中的“Weanl bungz”，即相会歌，其内容是表达怎样想慕，以后要怎样相连等等。事实上，抬爱歌与情歌没有什么绝对的分水岭，只是在这首歌里安排了一节（实际是一句）改变对对方称呼的歌：在此之前，互称对方为“nax”为“ies”，即是客人或亲戚的意思；在此之后，互称对方为“iax”为“yaauh”，即是亲密朋友或恋人之意。当然恋人也有“iux mos”和“iux gaus”之分；新交或者感情一般的称“iuxmos”，老恋人或感情浑厚的称“iux gaus”。

情歌中又分相会歌、苦歌、恋爱玩耍和许愿保证几大类。过去讲说每类十二首，但实际每类不止十二首，但不少已经失传了。相会歌主要叙述怎样相慕，以后怎样克服困难来相会等；苦歌主要叙述自己的苦难身世，如《孤儿歌》《长工歌》等；恋爱玩耍歌主要讲怎样恋爱、恋爱到什么程度等；许愿保证歌是叙述当家以后怎样相待等，象《送饭歌》即是许愿保证之类的一首。如果唱到《送饭歌》，一般都能结为夫妻；如果不能结成夫妻，以后相逢，彼此也不再对唱了——因为他们已唱到情歌的极限了。

那些感情深厚的恋人，也会因门户不对、已订婚或已办酒而不能结合的（本地风俗，虽办酒而未来当家的也很多），可唱《闹婚歌》；闹婚不成的，可唱《打官司歌》；官司打不赢只好出走，可唱《走地方歌》等等。如果真的不能结合，双方年岁渐大，在无可奈何之下，只好唱《分离歌》了。

此外，还有《送信歌》《送礼歌》《讨穿歌》《缝衣歌》《相约歌》等歌，都是包括在情歌里。《送信歌》是叙述相恋的两个人不能相见，而叫小鸟、蜜蜂、苍蝇等小动物送信的经过，男方女方都可以唱；《送礼歌》则是男方唱的，叙述以后要怎样给女方送礼的情况；《讨穿歌》是男方唱的，内容是自己无人做衣裳，就去向女方讨衣穿、得了衣裳以后要怎样爱护等；《缝衣歌》则是女方唱对男方的《讨衣歌》，内容是怎样纺纱织布做衣裳给自己的心上人等；《相约歌》是相互邀约之歌，有约在田坝的，也有约在场口或路上的等等。

喜欢唱歌的主人，知道客人要来，首先在大门外摆好桌椅和酒菜，把大门关上，目的要客人唱《开门歌》。与此同时，主人也准备了唱歌的人，客人一唱他们就还，或者先唱逼得客人不得不唱。临吃饭时，主人又把筷子捆起来，要客人唱《筷子歌》。如果在筷子上同时别上一枝花（纸花也可以），则不仅要唱《筷子歌》，而且还要唱《分花歌》。客人走了，主人送到田坝，还要唱《相约歌》，约客人经常来。

首尾接龙，多用比兴。

每唱完一句需唱下一句时，须用一定的曲调重复上一句的最后四字，稍停后再唱下一句。如最后四字的音调与曲调相拗不好唱时，也要用“木议刘拿”（抬爱歌部分用，意即“你听呀亲友”）或“木议拉由”（情歌部分用，意即“你听呀情人或恋人”）等特定的词句连接后再往下唱。在实际演唱中，也会因演唱者的音域、音质、腔调和演唱技巧的不同，难以用固定的旋律和调性统一下来。以前，布依古歌的传承全靠口传言教，感情深挚而又含蓄委婉，是一部深邃浩瀚的无字诗章，多用比兴手法，使人听了回味无穷，有一种深沉的情愫笼罩心头，使你欲忘还记。

三、《好花红》的诞生

新中国成立以后，带来了各民族的大团结和共同繁荣。在各民族大团结的社会进步中，原来封闭自守的布依族开始了与周边汉族和其他兄弟民族的交流。好花红镇一带的老一辈布依族歌手在把布依族古歌传承的同时，又进行了创新与发展，在保留其抒情婉转风格的基础上，对古歌的旋律和调式调性作了多次改进，改用汉语演唱，让大家都能听懂其中意思，逐步形成了今天的《好花红》调子，并通过参加汇演，使它飞出大山，走向世界。

本次民歌会上演出的好花红布依古歌歌名叫《纺织歌》，采用好花红镇最有特色的古歌调子“加古刚”（音译）调演唱，用纺车作为道具，使演唱内容与表演融为一个体。歌词大意是：勤劳智慧的布依人，自己种棉纺棉，自己织布做衣，做成了衣服送给谁？送给父母和兄弟姐妹，送给自己的心上人。表达了布依族人民对亲人的深厚感情和对美好生活的追求。

毋庸置疑，布依族古歌就是孕育《好花红》的土壤，是《好花红》之源。如今的《好花红》已经不是单纯意义上的一首民歌，它代表着布依族的民族精神，现在已经升华为新时期的惠水精神，乃至黔南精神，是我们一张靓丽的名片。

（载于《惠水文史》第三十辑）

《目睹罗宗贤在惠水毛家苑采风的经过》

彭永刚采访整理

罗宗贤，河北保定人，我国著名作曲家。代表作有《数九寒天下大雪》《英雄们战胜了大渡河》（与时乐濛合作）、《岩口滴水》，以及歌剧《草原之歌》（任萍编剧），音乐艺术影片《阿诗玛》（与葛炎合作）等脍炙人口的作品。罗宗贤始终坚持深入生活，坚持学习民间音乐，特别重视亲自采集第一手的民间音乐资料，吸取其精华运用于自己的创作之中。1953年罗宗贤曾深入到我县布依族经典民歌《好花红》发源地毛家苑乡（现好花红镇）采风，并以《好花红》旋律作为基调，改编创作出歌曲《桂花开放幸福来》，成为风靡全国的经典作品而广为传唱。贞丰县气象局退休干部、惠水县好花红镇好花红村王恩荣老人曾亲眼目睹罗宗贤在毛家苑乡（现好花红镇社区）采风的情景，虽然现在已经过去64年，但老人对当时的情景仍然记忆犹新，他对笔者详细的讲述当时经过：

我叫王恩荣，今年83岁，1953年我当时在惠水民族中学读初三毕业班，9月下旬的一个星期六，我从惠水走路到老家毛家苑辉油寨（现好花红镇好花红村）跟母亲要5千元（注：第一套人民币币值，等于现在人民币0.5元）的生活费。第二天一大早我听到我们寨上的贫协主席伍晓安在我家外面大声地喊："爱唱山歌的快点到毛家苑去唱山歌给音乐家们听啰"，我就问我母亲是怎么回事，母亲说，昨天乡政府来通知福全家（学名叫王昌吉）、海平家（学名叫王昌松）今天到毛家苑乡政府去唱山歌给音乐家们听，我问我母亲，音乐家是哪些人？她说，这几天寨子来了两个解放军，一直在辉油寨、岩上帮我们割谷子，打谷子，还叫我们唱山歌给他们听。我听后很好奇，吃了早饭，就急忙赶到毛家苑乡政府来了。这时候接到通知来毛家苑乡唱山歌的人都来了，比较多，男男女女都有，男的穿九颗布纽扣的对襟衣，个别包头巾。女的有穿裙装的，有穿传统便装的，头裹包帕，主要是辉油寨和周边各个布依村寨的，站的站着，坐的坐在乡政府大院里面的一颗大桂花树和一颗紫荆花树旁边的石阶上，大家都围拢着两个解放军。两个解放军中等身材，大约有

王恩荣老人讲述罗宗贤在毛家苑采风的经过

1米7左右，都没有背枪，只是斜跨一个黄包，穿着军装，衣服左胸前有中国人民解放军字样，一个站着，一个拿着小半高板凳坐着（当时不知道坐着的解放军他姓什么，叫什么，后来才知道叫罗宗贤，站着的那个解放军直到现在都不知道叫什么），讲的口音我们大家都听得懂，有点像普通话。一个乡政府工作人员就喊大家快来唱山歌给解放军听，说解放军音乐家们要听我们少数民族唱山歌。刚开始的时候，大家都很害羞，你看我，我看你，没有哪一个敢唱，有些冷场。看到这个情况，罗宗贤笑眯眯地说，大家不要害羞，大胆地唱。听了这话后，我们寨子里的歌手王昌吉站起来说，我先来唱，还有哪一个和我一起唱，结果另外有三个胆子大的青年王昌松、伍世权、谢世平就和王昌吉一起开始唱起了《好花红》。歌词大意是：好花红来好花红，好花生在刺梨蓬，好花生在刺梨上，哪朵向阳哪朵红；好花红来好花鲜，好花生在刺梨尖，好花生在刺梨上，那朵朝阳那朵鲜。我在旁边就看见罗宗贤拿着一个笔记本边仔细听边飞快记着，唱完《好花红》后，罗宗贤要求四个青年放慢节奏再唱一遍《好花红》，他们又再唱了一遍，罗宗贤认认真真在笔记本上记录着。唱完后，伍世权就接着问王昌吉："昌吉大哥，我们唱的是老歌，能不能唱一点其他的山歌给解放军们听？"，罗宗贤听到后连连说道，好啊好啊，欢迎欢迎。王昌吉他们四个人在那里商量酝酿起来。片刻，王昌吉就说，他们解放军就在桂花树下，我们干脆唱跟桂花树有关的吧，唱我们布依族的迎客歌曲，其他三人一致同意了，四人开始就唱：桂花生在桂石崖，桂花要等贵人来，桂花要等贵人到，贵人来到花才开；桂花生在桂石林，桂花要等贵人行，桂花要等贵人到，贵人来到花才生这首在我们这里进家进寨有悠久历史流传很广的布依族迎客歌曲。听四人唱完后，罗宗贤再提出，你们几个能不能把《好花红》和刚才唱的迎客歌再唱一遍给我听，他们四个从头到尾又唱了一遍，罗宗贤一边认真地听，一边又飞快地在本子上记着，四人唱完后，罗宗贤对他们说，我自己来唱一遍，你们听听看怎么样，他就按照刚才在笔记本上记的内容从好花红唱到迎客歌，唱完后，笑着对四人问："我唱的对不对啊？"，这四个青年就说："对的对的，唱得合的合的"，罗宗贤接着又问："刚才听到你们大家唱的歌词里面提到有贵人，我问一下，这个贵人是指哪一个人啊？"，四个青年一起回答"贵人就是指解放军。"看到解放军音乐家们这么平易近人，没有架子，大家都没有刚才的拘束了，气氛活跃起来，我们寨上的王世飞、何政才、小创明、麻子烟和其他寨子的男男女女爱唱山歌的歌手争先恐后都要唱山歌给罗宗贤听，乡政府的工作人员叫大家不要急，一个一个按顺序来，大家都现编歌词以好花红旋律为曲调，现场对唱，罗宗贤仍然专注的边听边在笔记本上记着，时不时地插话，现场气氛非常热烈。我在旁边又看了一会，因为第二天是星期一还要上课，天色也不早了，当时还没有客车通毛家苑，我必须要走路回学校去上晚自习，所以没等到最后结束，我就离开了。过了几天，到9月30日的时候，罗宗贤和那个解放军还一起到我们学校参加1953年国庆联欢晚会，与我们校长冯志超、教导主任坐在第一排。

这就是我知道的罗宗贤来惠水毛家苑采风的过程，虽然过去了这么多年，但我仍然清楚地记得。罗宗贤坐在毛家苑乡政府大院内那颗桂花树下边听王昌吉他们唱好花红、唱我们布依族迎客歌，边在笔记本上记录东西的场景深深印在我的脑海里。

（载于《惠水文史》第三十一辑）

国家级非物质文化遗产

——布依族民歌（好花红调）

《好花红》是布依族人民智慧凝聚的文化遗产，其简约明快、悠扬委婉的曲调和清新简练、寓意深远的歌词，表现了布依族人民清新优美的审美情趣，反映出布依族人民醇厚多情的心理素质及激越向上的精神风貌，因而已成为布依族特定的民族文化符号。作为贵州布依族地区的优秀民间音乐文化，它既是古老布依族音乐的遗存，也是布依族传统文化变迁的实证，因而具有重要的学术价值、艺术价值和经济价值。

《好花红》的生态环境

贵州省布依族民歌《好花红》，发源于贵州惠水县毛家苑乡辉油寨。作为“好花红”的发源地，这里有着秀丽的山水风光、浓郁的民族风情，奇特的生态环境和厚重的人文景观。从居住的地理环境看，它位于惠水涟江大坝南端西岸的辉岩大坝上，北抵西绕出水洞，东南-线与镇台坡、蚕草、龙祥、毛家苑、龙家苑、董告等村寨面临一江之隔；西边与本村的窑上、岩上、衙里头、下窑、下黑岩毗邻。寨子周边分为水碾坝、上坝、底下坝3个村寨。其特点是坝与坝相连形成了寨连坝、坝连寨的格局。寨前面临涟江，它像一条巨龙由北向南奔流不息环抱着寨中有一条叫西绕的清溪，如玉带一样从上往下潺潺地流经寨子中间，真是“四面青山锁，沃野自天开，水网绕村寨，四时春常在”。这里确是一个依山傍水的好地方，寨子西面群山环抱，东面涟江两岸，绿水悠悠，苍翠对峙，寨子周围全是成片成带的橘林，河边、沟坎、路旁还生长着一蓬蓬刺梨，真是“绿树掩青屋，稻麦掀金浪，四时花不尽，百鸟齐争鸣”。

在这块神奇的土地上居住的250多户布依族，从古到今，他们一代又一代在这里耕耘劳作，繁衍生息，以自己的聪明才智和辛勤劳动创造本民族优秀的历史文化。自古以来这里的布依族人民重情义、爱交际、热情好客，形成了“无酒不成礼、有歌方算喜”的传统风尚。凡是待客、娶亲、嫁女、建房，以及节庆日或农闲季节都喜欢唱歌，男女老少都会唱。他们在劳动及生活领域的各个方面，都离不开歌。他们以歌代言、以歌明礼、以歌抒情、以歌歌颂劳动生活、以歌表达爱情婚姻等，发自内心，纯朴自然，赞美家乡、赞美生活、赞美爱情的歌，题材广泛，内容丰富，歌词一般以大自然中四季景色为主，并区别迎送对象，触景生情，随口现编，无书无本，上可唱到“三皇五帝”，名人趣事；下可唱到风土人情，百姓家事。从形式上可分为山歌、盘歌、散歌、酒歌等，从内容上可分为情歌、时政歌、古歌、仪式歌等；从仪式上又分为迎客歌、进寨歌、开门歌、敬茶歌、敬烟歌、筷子歌、敬酒歌、送客歌、孝歌等。唱起来乡土气息和民族风情十分浓郁，《好花红》这首歌就是这些歌海中的一曲。由于《好花红》歌声悦耳动听，清新甜美，耐人寻味，被誉为布依族民歌艺术的经典。

关于好花红的产生，在毛家苑乡辉油寨有一个传奇的故事：相传寨里一个英俊的布依族后生阿水自幼喜欢唱歌，常常站在涟江边上引吭高歌，抒发情感，天长日久，优美动听的歌声终于感动了月神。月神就叫仙女阿红下凡人间，于农历正月三月初三来到涟江边上与阿水对唱。当时正值刺藜花漫山遍野盛开之时，他们触景生情，以“菜梨花”为由头进行对唱。阿水先唱：“好花红来好花红，好花生在刺梨蓬；好花生在刺梨上，哪朵朝阳哪朵红。”阿红接着对唱：“好花鲜来好花鲜，好花生在刺梨尖；好花生在刺梨上，哪朵朝阳哪朵鲜。”阿水再唱：“隔河望见花一蓬，双手托腮盼花红；等桥建成花谢了，流水落花泪蒙蒙。”阿红接唱：“心想成双也不难，等到明年三月三；明年好花共盆种，情妹等哥在河边。”从那以后，他们就以好花红为歌头，一次又一次，一首又一首地深情唱着。两人通过山歌对唱，传递爱心，情投意合，最终唱到成家立业，过上幸福生活。

总之，《好花红》与布依族历史文化、生活习惯、生态环境、民族性格等方面有千丝万缕的联系。只有布依族民间，在这样良好的生态环境里，才能孕育出具有完美艺术品格的音乐作品。这首《好花红》民歌自产生后，就在布依山寨、世代传唱。由于悠扬的曲调、昂扬的节奏、优美的旋律、清新的气息，《好花红》唱响了惠水，唱红了贵州，唱上北京大舞台，唱遍了祖国大江南北。

《好花红》的美学价值

《好花红》内容情感质朴、积极向上，曲调优美动听，是一首凝聚着布依民歌之精华、反映布依人民厚重人文和灿烂历史的著名民歌，是不可多得的民族瑰宝。它的唱词十分考究，包含了很深的寓意。这首歌就是通过赞美刺梨花，来表达布依族男女之间的爱情，刺梨花象征着纯洁与热烈的爱情，也象征着美丽善良智慧的布依族女子。

歌中所唱的“好花”，自然指的是布依人房前屋后随处可见的刺梨花。刺梨是贵州特有的野花，它的花儿粉团团.娇艳艳的，雨雪风霜，不曾留下丝痕迹。布依人咏唱刺梨花的浓郁的抒情风格在民间音乐中独树一帜，它与中外历代作曲家笔下或欢快，或激昂，或忧郁，或安宁的抒情风格相比，显得更加质朴、大气，更有一种来自民间亲切、自然的韵味。刺梨的生命力极强，只要有一点土，它就不畏风霜雨雪，顽强地生根、发芽、开花、结果，处处繁衍生息。刺梨花虽没有牡丹的华贵，也没有玫瑰的娇艳芬芳，但是待到春暖花开时，躲在“刺蓬”中的刺梨花就静静地开放了，它那一抹醒目的红，带着清新的山野之气，展现在翠绿的刺梨蓬中，水灵灵地向着太阳，更显它的朴实可爱。而歌中所唱的“好花生在刺梨蓬”中包含了深奥的美学问题，布依人把“花”和“刺”这两个相“反”的美学范畴巧妙地统一起来，这正是布依人大胆的艺术构思和艺术实践。《好花红》多数时候是青年男女寻找意中人时所唱的情歌，所以，“带刺的刺梨花”也用来比喻美丽的姑娘和美好的爱情。

总之，布依族人民通过《好花红》这首令情人们心跳的“情歌”、通过每当春暖花开时，就在河边、地坎及山野路边，蓬蓬盛开的刺梨花，表达了布依人在含蓄、纯朴的外表下，竟蕴藏着如此热情奔放、火热浪漫的情怀。同时，也把《好花红》引申为更广义的“生活”之歌，表明了布依族人民很早就明白了自然界的生存法则，只有不畏艰险、勇往直前，才会迎着阳光成为最“红”的“好花”。布依人喜欢这首歌，也正说明布依人从来不是保守、怯懦的，这个民族就像她的歌一样坚强、无畏、乐观、向上。

《好花红》的艺术价值

《好花红》的曲调为四声羽调式，活动音域八度；迂回曲折，悠缓自如。歌词一般为七言八句，用比喻手法见物生情，内在含蓄、寓意深刻，生动活泼，委婉动听，颇受人们喜爱而广为流传。近年来，音乐家们已将其曲调作为素材，改编或创作成合唱、舞蹈音乐、杂技音乐、影视音乐等，颇受群众欢迎。

《好花红》结构为两个乐句构成的单乐段，每句四小节，由布依民族特有的四声羽调式构成。两个乐句各由两个两小节的乐汇组成，四个乐汇之间构成了最适应东方人审美心理的起、承、转合结构。“起”的部分（前两小节）第一小节以角音上四度到主音、主音又到上方五度角音的连续跳进开始。角音在主音的下四度、上五度的两次出现，使得在歌曲的一开始主音及羽调式得以明确和巩固。第二小节旋律转人级进，继而在“起”的两小节中，呈示了歌曲波浪式旋律进行的主体特点以及抒情流畅的曲体风格："承"的两小节在"起"的基础上继续发展了平稳流畅的旋律，第一乐句通过宫音主音在强拍的长时值上结束，但由于宫音最后一拍经过性的上扬，赋予旋律发展的流动性；"转"部分保持旋律以级进为主的平稳进行的同时，第五小节主音在弱拍出现，成为第六小节在强拍长时值出现的宫音的支撑，使旋律在第六小节出现宫调式的明亮色彩，这和"哪朵向阳"的歌词形成了紧密的结合，这正是布依族乐观向上的民族精神的巧妙体现；"合"部分可谓是全曲的精练总结，角音向主音、主音向商音的连续下五、上四度的跳进，羽调式再次得到巩固，形成对"起"的呼应，而接下来的级进旋律又回应了全曲的流畅风格，全曲完满地在羽调式上终止。

《好花红》的旋律采用了以级进为主、跳进为辅的进行方式，曲调呈波浪式起伏，流畅抒情。《好花红》短小的八小节旋律中，赋予音乐节拍节奏的丰富变化。首先，4/4拍与3/4拍交替运用，强拍不规律出现；其次，四个乐汇中，没有任何两个小节的节奏型是完全相同的，它在稳定的羽调式基础上，最大限度地起到了节奏律动的变化，赋予了音乐中节奏语言的变化美，这正是《好花红》让世人百唱不厌的重要因素。布依人用他们优美、形象的音乐语言，向我们描绘了他们世代声息的生活环境，以及他们在流水般的平利和、内秀中蕴藏着大山的豪迈而刚毅的民族性格。

《好花红》以分节歌的形式出现，民间歌手往往是即兴填词来演唱。当地有"一种开头，千种结尾"的说法，每个人唱的《好花红》也各有不同，但唱到乐段结束处时，几乎都会出现一拍甚至更长时间的停领，然后进入分节歌的第二段歌词。这应该是当地布依族人生活方式的一种体现。当地布依族以性情温和、勤劳内秀著称，优越地理环境中相对富庶的生活，形成了这个地区布依族随性、谦和和普遍性格特点。《好花红》正是以节奏语言的变化来反馈这个地区的布依人田园式的悠闲生活方式。

总之，《好花红》的曲调悠扬，旋律优美、气息清新、抑扬顿挫、委婉动听、耐人寻味，在广大人民中广泛传唱。它展现出布依族人民崇尚自然、追求自由的精神境界，被誉为布依民歌艺术的经典，是贵州少数民族民歌中的优秀代表，在贵州省甚至全国有着较大影响。

（摘自《贵州省非物质文化遗产田野调查丛书·黔南布依族苗族自治州卷》卷一《传统音乐》之"国家级非物质文化遗产布依族民歌好花红调"。2018年9月知识产权出版社出版发行）

第四章　档案方志

第一节　机　构

1959年11月，建立惠水县档案馆，隶属县委办公室领导，人员5人。1984年10月，成立惠水县档案局，与县档案馆合署办公，实行一套人员、两块牌子，隶属县委领导。1985年8月，县档案局（馆），归口县政府系列。1997年4月，县机编［1997］9号文件明确了县档案局实行一个机构、两块牌子、两项职能的体制，内设办公室、业务股、档案管理股、编研利用股4个股室。定编行政编制5人、事业编制11人。2001年12月，设置县档案局（与县档案馆实行局馆合一体制），主管全县档案工作并受县政府委托行使部分管理职能的事业单位。2011年5月县政府机构改革，撤销县档案局、县史志办，组建县档案史志局，承担档案事业管理、档案保管和提供利用、地方志编纂等职能，内设办公室、业务法规股、档案管理中心（现行文件阅览中心）、编研部、地方志股共5个职能股室，编制17人。2015年5月，县档案史志局内设办公室、业务法规科、地方志编纂科、年鉴编辑科（惠水年鉴编辑部）、档案管理中心（现行文件阅览中心、电子档案管理中心）5个职能科（室、中心），编制17人。主要职责是：承担档案事业管理和监督指导、档案保管和提供利用、地方志和综合年鉴编纂等职能。

第二节　馆藏建设

一、接收

1977年恢复档案工作，全县抽调1649人参加档案清积工作。1979年县委办公室对2053卷档案进行鉴定。1981年县档案馆接收11个全宗1918卷档案进馆。1983年接收民国档案404包（未经过鉴定、分类、整理），接收地名普查档案17卷和县委组织部等4个全宗511卷档案。1984年接收档案1216卷、征集资料1311册。1985至2015年，县档案馆坚持开展档案接收工作。“十五”（2001—2005年）期间，共接收16个全宗2935卷档案。“十一五”（2006—2010年）期间，共接收22个全宗7523卷档案。2012年，县档案馆依法接收了11个单位3576卷、31573件档案和29677件、87张照片、45张光盘林权制度改革档案进馆。2013年，接收了全县新中国成立以来农村复员退伍军人档案7958卷、接收县编办移交的2011年机构改革撤销单位作废印章25枚、接收5个全宗680卷5442件文书档案进馆。2015年接收县委党建办公室移交的《跟着群众节奏走》——“五夜工作法”纪实光盘、县委常委会开展党的群众路线教育实践活动专题民主生活会录像视频移动磁盘等载体档案进馆。“十二五”（2011—2015年）期间，共接收各种门类档案14478卷、56519件，实物档案237件，声像档案28盒。

2013年12月，县档案史志局联合县纪委、县委组织部、县编委办印发了《关于加强乡镇行政区划调整档案管理工作的意见》，县委办、县政府办印发了《关于认真做好全县乡镇行政区划调整档案工作的通知》，对乡镇行政区划调整中档案的收集、整理、移交等作出了具体要求。为做好全县乡镇行政区划调整中档案管理工作，妥善处置撤并乡镇档案的合理归属和具体流向，确保全县乡镇行政区划调整中的完整与安全。2014年7月，县档案史志局举办了“惠水县乡镇行政区划调整档案管理业务培训班”，全县8个镇、2个街道20名档案管理人员参加了培训。2014年底，全县原24个乡镇（缺芦山镇）行政区划调整前的档案全部整理移交县档案馆。

截至2015年底，惠水县档案馆馆藏152个全宗，92315卷57656件档案，录音、录像4盘，光盘56张，作废印章82枚，照片档案9728张，馆藏资料16908册。

表16-2

1980—2015年惠水县档案馆接收档案征集资料一览表

年度	全宗数	接收档案	征集资料（册）	征集照片（张）	接收资料（册）
1980	3	文书档案665卷			
1982	10	文书档案714卷			

续表16-2

年度	全宗数	接收档案	征集资料（册）	征集照片（张）	接收资料（册）
1983	6	文书档案932卷、人头卡片10272张、地名卡片959张。			
1984	11	文书档案1216卷	1136册		175册
1985	31	文书档案4790卷			179册
1986	39	文书档案6440卷	11	78	513册
1987	2	文书档案167卷			
1988	2	文书档案293卷			
1999	1	第二轮土地延包档案1042卷			
2000	2	文书档案329卷			
2001	7	文书档案927卷			
2002	5	文书档案1351卷			
2003	1	税费改革档案177卷、光盘5张			
2005	3	文书档案480卷			
2006	11	文书档案1911卷			
2008	2	文书档案1240卷			
2009	1	文书档案137卷	5册	4	光盘2张
2010	8	文书档案3218卷720件			
2011	10	文书档案2301卷1680件			
2012	12	文书档案3576卷30960件；林改档案29677件、照片87张、光盘45张。			
2013	7	复退伍军人档案7958卷、文书档案680卷5442件、2011年机构改革撤销单位25枚作废印章。			
2014	16	文书档案3393卷4073件			
2015	7	文书档案791卷488件，工程档案45卷，声像档案4张，图片53张，作废印章57枚。			

二、征集

1986年，县档案馆向民间征集了《黔中向氏族谱》、布依语《超生经》等珍贵资料11册。2009年9月，省教育厅退休老干部陈璨向县档案馆捐赠老照片4张，资料3册，书2本，原唱《好花红》山歌光碟3个。2010年，向时任全国人大代表、惠水县人民政府副县长杨凤玲征集其出席全国人民代表大会期间与国家领导人的合影照片2张。2012年，向中华人民共和国成立后惠水县第一任县委书记王俊德的子女王耀西征集了王俊德在惠水工作留下的老照片9张。2015年，向县档案局退休干部余光华征集“知识青年证”和参加全县知识青年代表大会的“代表证”进馆。通过不断开展征集工作，部分民间珍贵档案、历史老照片被征集进馆，既丰富了馆藏，又保护了民间族谱，对传承民族传统文化、研究惠水历史起到了不可替代的作用。

三、鉴定

1980年，县档案馆采取鉴定接收的方式，鉴定接收了原县人委办公室、县文教局、县教卫办等3个全宗665卷档案进馆。1982年鉴定接收了商业局等10个全宗714卷档案进馆。1999年成立“惠水县档案馆鉴定工作小组”开展馆藏档案鉴定工作，是年一共对12个全宗1950至1991年间1222卷档案进行鉴定，经鉴定销毁无保存价值档案1074卷。2000至2008年，县档案馆一直对馆藏档案开展鉴定工作。

表16-3

1980—2008年惠水县档案馆鉴定档案一览表

年度	全宗（个）	鉴定档案（卷）	鉴定接收（卷）	鉴定销毁（卷）
1980	3	665	665	
1982	10	714	714	
1999	12	1950		1074
2000	27	4435		
2001	32	5037		
2002	1	360		
2003	1	204		115
2008	13	1372		

表16-4

1978—2015年惠水县档案馆馆藏档案资料一览表

年度	全宗	案卷	排架长度	以件为保管单位档案	录音录像档案	照片档案	档案门类		资料
	个	卷	米	件	盘	张	文书档案	专门档案	册
1978	17	2724	34				2724		1353
1980	20	3389	42.3				3389		1353
1985	69	13107	163.8		4		13072	35	7890
1990	110	20178	252.2		4	290	20143	35	9603
1995	116	23703	269.2		4	4116	23668	35	9603
2000	131	29984	374.8		4	6591	28244	1740	15947
2005	132	32265	390.7		4	6591	30264	2001	15987
2010	139	40200	421	720	4	7641	36713	3487	16034
2012	142	44554	476	43075	4	9728	41067	3487	16095
2015	152	92315	1150	57656	24	9728	80834	11481	16908

四、重点档案抢救

2008至2015年，中央和省级财政一共拨付重点档案抢救补助经费50万元，县级财政匹配21万元。主要用于选派档案干部到省档案局和四川档案学校学习抢救保护技术，购置装裱机、复印机、电脑、打印机等设备设施，购置档案馆密集架、库房用空调、库房除湿器、消防器材、档案铁皮柜、购档案盒、民国档案裱糊专用材料，维修库房，馆藏林改档案，档案全文数据化扫描购买服务等。

馆藏重点档案抢救。2006年，县档案馆对馆藏6065卷乡镇档案进行装盒保护。2008年8月，派人参加贵州省“第一期全省历史档案整理培训班”，并对馆藏18个全宗、21523页破损档案、42791页字迹褪变档案进行统计上报。

馆藏民国档案抢救。县档案馆馆藏民国档案1983年6月接收进馆后，一直未进行专业分类和组卷，历年填报档案事业统计年报时，馆藏民国档案数量一直是按406卷统计上报。民国档案主要是反映1913至1949年间惠水县国民党党务、政务、司法、监察、军事、内政、卫生、财税、金融、盐务、水电、工矿、交通、邮电、社会团体等社会历史记录，对研究惠水县历史、经济社会有着极其重要的价值。由于民国档案历代久远、保管保护条件极差，所处地理环境及滋生的有害生物严重影响和侵蚀着档案的完整与安全，使几乎所有的重点档案都不同程度地受损，已出现破损、出虫、霉变等现象，需要进行修复、去污、复印、托裱等方式进行抢救保护。2008年县档案馆争取到国家重点档案抢救补助经费3万元、县财政匹配3万元对馆藏民国档案进行抢救。从2009年起，县档案馆对馆藏民国档案采取托裱、修复、加固的方式进行抢救和保护。在抢救整理时，在维持原貌的基础上，对已经破损、出虫、霉变等的档案进行修复、去污、复印、托表、检查编制页号、组卷、装盒。2009至2015年，共清理民国档案184卷（原案卷号），检查、清理、登记、编制页号206074张，裱糊破损档案14205多张，清理登记砖化、粉化档案5145张，零散脱页号477张。字迹褪变档案登记606张.清理登记珍贵档案登记税票223枚、信封10个、邮票3枚、汇票1枚、有利兑券2张、老照片3张。整理、分类、组卷920卷。

五、档案信息化建设

“十二五”期间，建立了内部局域网，但未对网络架构进行IP规划。开通并使用协同政务办公内网，开通外网（互联网）。建立了中心机房，机房面积为12.4平方米。机房具备了消防措施、机房空调、UPS不间断电源，未采取防雷防静电措施。县档案馆共有交换机1台，服务器1台，计算机18台，有扫描仪2台，刻录机5台。县档案馆硬件基础设施在交换机、服务器、计算机、扫描仪、刻录机等设备均不能达到开展工作要求。2005年，省档案局向县档案馆赠送了一套泰坦超越2000档案管理软件，县档案馆能熟练使用，一直使用至2015年底。

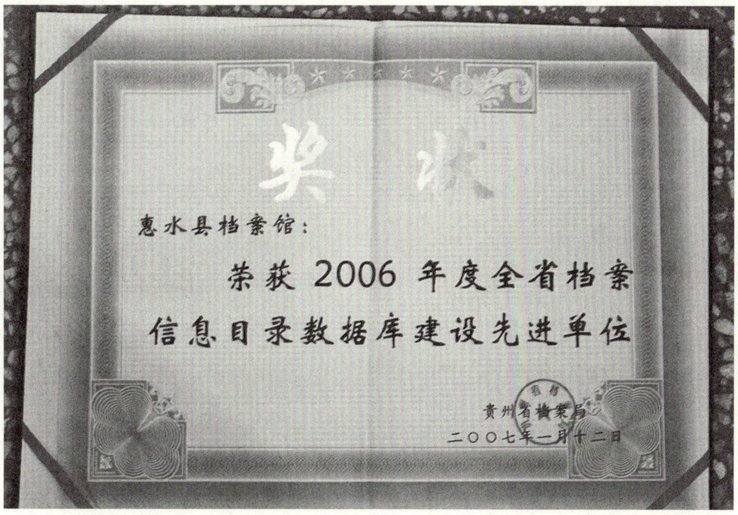

2006年，购置两台电脑，选派一人到省档案局参加培训学习，学习培训回来后对单位全体干部职工进行再培训，全局干部都能熟练掌握文件级目录和案卷级目录录入的质量要求，均能上机独立完成机读目录数据。2008至2015年，每年每个干部职工都完成了人均1万条

文件级机读目录录入任务。“十一五”期间，县档案馆累计完成文件级机读目录数据录入493895条。“十二五”期间，县档案馆累计完成文件级机读目录数据录入486351条。至2015年，县档案馆累计完成馆藏文书档案机读目录数据录入980246条。2013起，县档案史志局在全县机关单位推荐使用泰坦档案管理软件，要求机关单位在完成年度文书档案归档整理工作时，必须使用泰坦档案管理软件录入机读目录数据，并报送县档案史志局。2014年，举办了三期档案管理软件应用操作培训班，经开区、县委组织部、宣传部、司法局、地税局等54个单位61名档案员参加培训。2015年3月，县档案史志局在举办全县档案管理业务培训时，把使用泰坦档案管理软件作为一项重要培训内容进行培训。至2015年，全县共有62个机关单位使用泰坦档案管理软件管理档案。2013年，县档案馆开展创建国标县级二级档案馆，通过政府采购建设紫光档案管理数据库，数据库理论容量为4T（其中：数据运行2T、数据备份2T）。截至2015年末，县档案馆只建立了文件级目录数据库，未建立全文数据库。

为加强惠水档案信息建设，满足社会各界对档案信息资源和档案政务公开信息的需求，使全社会能够及时通过网络了解全县档案工作动态，县档案史志局派员参加省档案局组织的“贵州省档案方志信息网站管理员培训”，在贵州省档案信息网站上建立惠水县档案信息三级网站——“惠水县档案方志信息网”，定期和不定期对网站内容进行更新，及时发布惠水档案工作动态和档案工作文件，在“惠水县人民政府门户网站”“部门动态”栏目发布档案史志工作信息。“十二五”期间，县档案史志局共撰写档案史志工作信息简报256篇，被国家级和省级业务刊物采用17篇。其中：《中国档案报》采用3篇，《贵州档案》采用13篇，《黔南日报》采用1篇，州政府门户网站采用1篇，《黔南州档案局工作信息》采用2篇，在县人民政府门户网站发布档案工作信息138篇，在“惠水县档案方志信息网”发布档案地方志工作信息254篇。

第三节　档案利用

县档案馆“十五”期间，共接待查阅档案737人次，提供利用档案5141卷次，复制档案6842页，出具档案证明309份。“十一五”期间，共接待查阅档案991人次，提供利用档案3912卷次，复制档案2110页，出具档案证明227份。“十二五”期间共接待查档者6013人次，查阅利用档案13466卷（件）次，摘抄复印13820页，拍照8000余张，出具证明985份。1980年到2015年末，县档案馆共接待查档人员11950人次，提供利用档案、资料61643卷（册）次，为利用者复制27442页。2004至2014年，为利用者出具档案证明802份。通过向社会和解提供档案利用服务，为全县编史修志、工作查考、编制规划、学术研究、落实政策、公务员登记、核对工龄、工资待遇、企业改制、企业职工购买养老保险、办理退休手续、在乡复退军人定补、户口迁移、婚姻登记、勘界、解决山林土地权属和边界纠纷、房屋所有权争议、土地征拨房屋拆迁补偿安置、办案、司法审判等提供了翔实的史料和依据。在解决拆迁安置、低保救助、工龄认定、社会保险、房产交易、民事纠纷、山林权属、享受养老政策、公证等民生问题方面提供了依据，对维护公民的合法权益，保障社会稳定，发挥积极作用。2008年6月，贵州省电网公司建设的一条高压输电线路通过和平镇沙子哨，输电线路下方修建有惠水县物资公司民爆物品仓库，存在着重大安全隐患，必须撤除。县物资公司在县档案馆找到仓库建设档案，为妥善解决仓库搬迁提供依据，获得贵州省电网公司仓库搬迁补偿费140余万元。2014年1月，中国人民解放军原14军41师1982年惠水籍部分参战老兵送给县档案馆“民生档案应用　热情无私服务”锦旗1幅。

1999至2012年，县档案局利用馆藏档案资料举办了四次大型展览，共有60000余人次观展。1999年3月，举办了惠水县“3.18”科技日照片档案展览。共展出照片32版，照片1200多张，2500余人（次）参观展览。1999年9月，承办惠水解放50周年“建设成就展”。共接待119个单位及社会各界群众26000余人观展。2001年6月，举办了惠水县“九五”期间党的基层组织建设和农业产业结构调整建设成就展，共40块展板80个版面，2000余人次参观展览。2009年9月，承办“庆祝中华人民共和国成立60周年暨惠水解放60周年建设成就展——走进‘见证惠水——档案记忆’”，共展出60块展板120个版面，约5000幅新老图片，展示了60年来惠水县在农业、工业、经济、招商引资、文化、教育、卫生、旅游等各个方面取得的巨大成就，共有1万余人次参观展览。2011年6月，承办了建党90周年党史知识档案文献图片展，展出64块展板128块版面，2万余人参观了展览。

1980年县档案馆建立档案查阅利用登记制度以来，利用档案人数最多的是2013年2450人次，最少的是1980年19人次。提供档案最多的是1989年11466卷次（编写惠水县组织史资料提供利用11408卷次），最少的是1980年21卷次。

表16-5

1980—2015年惠水县档案馆查阅利用档案情况一览表

年度	查阅人数	提供利用案卷	复制档案	摘抄档案	出具证明
1980	19人次	21卷次			
1982	29人次	30卷次			
1983	90人次	249卷次			
1984	438人次	2377卷次	1276页		
1985	629人次	4798卷次			
1986	185人次	1776卷次	566页		
1987	188人次	3331卷次			
1988	231人次	1112卷次			
1989	565人次	11466卷次	1033页	编修组织史利用11408卷次	
1990	598人次	1543卷次	544页		
1991	225人次	765卷次	23页		
1992	120人次	610卷次	224页		
1993	27人次	104卷次			
1994	132人次	1037卷次			
1995	534人次	7193卷次			
1996	1201人次	7535卷次			
1997	38人次	72卷次			
1998	43人次	198卷次			
1999	58人次	198卷次			
2000	87人次	310卷次			

续表16-5

年度	查阅人数	提供利用案卷	复制档案	摘抄档案	出具证明
2001	67人次	226卷次			
2002	109人次	990卷次	2580页		113份
2003	123人次	425卷次	180页		23份
2004	154人次	1131卷次	2400页		65份
2005	252人次	869卷次	1459页		37份
2006	219人次	1015卷次	381页		34份
2007	157人次	564卷次	405页		42份
2008	190人次	467卷次	370页		95份
2009	157人次	1104卷次	612页		30份
2010	168人次	755卷次	231页		23份
2011	612人次	3019卷（件）次	5008页	5页	42份
2012	298人次	676卷（件）次	1078页		14份
2013	2450人次	1980卷（件）次	2604页	248页	82份
2014	430人次	1078卷（件）次	1025页	650页	202份
2015	1117人次	2619卷（件）次	5441页	248页	

第四节　机关档案工作目标管理

1989年6月，县转发《县档案局〈关于在全县开展机关档案室上等级活动的意见〉的通知》，在全县范围内开展档案综合目标管理活动（1997年前称为档案达标升级活动），按照黔南州档案局印发的《机关档案室等级标准考评细则》的要求，建立由县档案局、县委办、县政府办等人员组成的机关档案室上等级县考评小组，从行政管理、基础设施、业务建设3个方面对申报单位进行考评。1989年，共有县政府办公室、县政协办公室、县统计委、县林业局、断杉区公所5个单位档案室达三级标准。1989至2012年，全县共有84个机关、企事业单位的档案实现目标管理，其中：39个单位的档案管理达到省一级标准，19个单位的档案管理达到省二级标准，24个单位的档案管理达到省三级标准，县供电局的档案管理达到国家二级管理标准。1999年10月，县档案馆达省标二级馆标准。2013年12月，惠水县档案馆顺利通过国家档案局测评验收组测评验收，达国家二级综合档案馆标准。

1987年，举办4期档案业务培训班，共101人参加。“八五”期间，县档案局举办4期档案业务培训班，共培训188人次，办一期档案专业电大班，11人参加学习，成绩全部合格。组织24人次到省州培训，考察，共培训档案工作人员223人次。“九五”期间，共组织培训班3期，培训127人次；组织42人次到省州参加培训，1人到外地考察学习。“十五”期间，组织机关、乡镇档案管理人员19人到州档案局进行档案业务培训，1名局长参加全省档案局（馆）长培训班，利用开展档案业务指导对县直机关、企业事业单位、乡镇档案人员累计培训288人次。“十一五”期间，组织和选派档案干部及县直机关、企业事

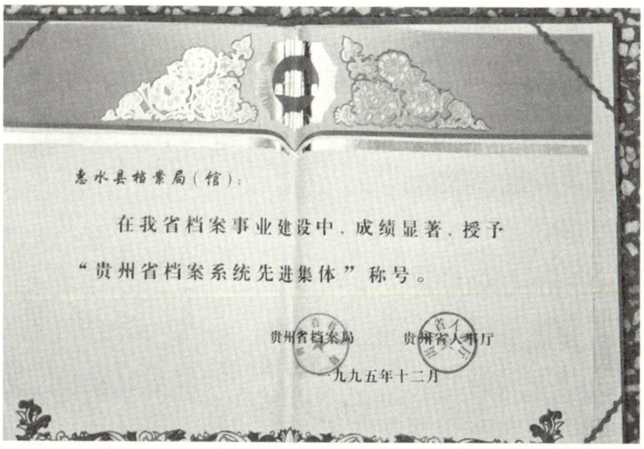

业单位专兼职档案员23名参加省、州档案业务部门组织的业务培训，采取多种形式培训机关档案员207人次。“十二五”时期选派和组织档案干部39人次到省、州业务部门举办的业务培训，县档案部门举办业务培训班13期346人次，利用业务指导对机关、企业事业单位档案员累计培训359人次。自2010年起，县档案局每年举办档案业务知识培训，对全县乡镇、机关、企事业单位档案业务人员和分管领导进行业务培训，提高全县档案管理水平。如2012年举办了3期泰坦档案管理软件应用培训班，对全县80名档案人员进行档案管理软件应用培训；2015年3月，对全县机关单位100余名档案人员进行“惠水县《惠水县〈归档文件整理规则〉实施细则（试行）》”业务知识培训；2015年4月举办了“全县镇（街道）档案整理业务培训班”，全县10个镇（街道）的党政办负责人和档案管理人员26人参加培训，培训采取现场观摩和讲座的方式进行。2015年末，全县各机关单位、镇（街道）均配备专（兼）职档案工作人员，文化程度均为大专以上，95%的档案工作人员都通过了岗位培训，获得上岗证书。2014年5月，贵州省档案局在惠水县召开现场会，省档案局分管领导率省局相关业务处室及省直机关单位档案工作协作组组长、档案工作分管领导和档案员一行35人到惠水参会，现场观摩2014年度县直机关单位文书档案整理质量赛卷活动。

20世纪90年代初期，启动机关文书档案赛卷活动，参加单位主要为党群工作部门和政府工作部门。2000年后，参加单位增加部分企业、事业单位（不包括学校）。2008年后，参加单位增加了县职校、民族中学、第二中学、县医院、中医院、疾控中心、卫生监督所等事业单位。2012年以后，增加了乡镇、县城投公司、惠水经济开发区管委会、百鸟河数字小镇管委会、县土地房屋征收管理办公室等企业和临时机构。如惠水经济开发区2012年8月成立，11月组建贵州惠水经济开发区管委会，县文旅局及时指导经开区管委会办公室建立档案工作，成立综合档案室，明确档案工作人员，将档案业务监督指导工作的触角延伸到园区管委会下属的各工作部门和企业。2015年4月成立百鸟河数字小镇管委会，8月文旅局监督指导管委会办公室建立综合档案室，明确档案工作人员，及时开展档案工作。2015年9月，印发《惠水县征地拆迁档案管理暂行规定》，有效规范了全县土地房屋征收档案的收集、整理、保管和利用。

至2015年，参加全县机关文书档案归档整理质量评比活动的单位涵盖了全县县直机关、镇（街道）、企事业单位、经济开发区和临时性工作机构。1990至2012年，连续26年在县直机关开展惠水县“年度机关文书档案归档整理质量评比”活动，全县共有84个机关、企事业单位的档案实现目标管理，其中39个单位的档案管理达到“贵州省机关档案管理工作”一级标准，19个单位的档案管理达到“贵州省机关档案管理工作”二级标准，24个单位的档案管理达到“贵州省机关档案管理工作”三级标准，县供电局的档案管理达到国家二级管理标准。

自2014年起，将“运用档案管理软件管理档案”和“完整报送上年度归档文件机读目录数据”两个内容列入赛卷评比范围，逐步在全县机关、镇（街道）、企事业单位推广应用泰坦档案管理软件（DARMS2009），全县机关单位基本实现了软件管理、快速检索和高效利用。

第五节　档案法制建设

1987年，《中华人民共和国档案法》颁布后，采取集中与分散相结合、以会代训的方式，采用广播宣传、复印、铅印张贴，在全县学习、宣传、贯彻《中华人民共和国档案法》227次8516人。1989年4月22日，由国家档案局二司司长郝存厚为组长、国务院法制局赵威处长为副组长，由全国人大法工委、国务院法制局、国家档案局联合组成的全国《中华人民共和国档案法》联合检查组一行四人在省档案局局长胡克鼎的陪同下，于4月22日对惠水县学习、宣传、贯彻执行《中华人民共和国档案法》情况进行检查并给予了肯定。1991年起，由县委办、人大办、政府办、政协办、县委组织部、保密局、县政府法制办、监察局、人事劳动和社会保障局、司法局、档案局等成员单位组成多个检查组，分别对全县县直机关、企事业单位和25个乡镇贯彻执行《中华人民共和国档案法》等档案法律法规的情况进行检查。检查主要采取听取汇报、实地查看、百分制评分、交换意见和下达《档案行政执法检查限期整改意见书》等形式进行。将检查结果通报全县。1995年，县政府成立“惠水县贯彻实施《档案法》工作领导小组”。

1989至2000年，全县共印发、张贴《中华人民共和国档案法》600份、发放《档案法实施办法》200册、发放《档案法》宣传图解10套、发放《黔南州档案管理奖励与处罚办法》130份，利用广播宣传63次，举办培训班4期。

2001年起，采取多种形式开展档案法律法规宣传活动，利用法制宣传日和“6·9”国际档案日，制作宣传标语和宣传版，印发宣传资料，利用广播、宣传栏、在文化广场（街头、乡镇集市）设立宣传咨询点发放宣传资料和进行咨询等方式宣传《档案法》《档案法实施办法》《贵州省档案条例》《黔南州档案管理奖励与处罚办法》等档案法律法规，开展档案咨询，取得了较好的社会效益，社会全民档案意识明显增强。“十五”期间开展宣传活动12次，发放宣传资料3128份，接受市民咨询1329人次，办专栏3期。“十一五”期间开展宣传活动16次，发放宣传资料4860份，接受市民咨询1719人次。“十二五”期间开展宣传活动19次，发放宣传资料10400份，接受市民咨询1584人次。从2013年起，连续在县城人民广场举办一年一度“6·9”国际档案日宣传活动。

举办“6.9”国际档案日宣传活动（2014年摄）

1995年12月，县档案局被贵州省档案局、省人事厅授予“贵州省档案系统先进集体”称号。2003年12月，惠水县人事劳动和社会保障局档案室被贵州省档案局、省人事厅授予“贵州省档案工作优秀集体”称号。2011年9月，惠水县通过黔南州档案事业综合评估验收，县档案史志局被评为“黔南州档案事业发展综合评估先进单位”。2013年12月，惠水县档案馆顺利通过国家档案局测评验收组测评验收，达国家二级综合档案馆标准。2012年获“黔南州档案事业发展综合评估先进单位”“党史工作先进单位”；2013年，全县档案工作获黔南州档案工作责任制目标综合考核一等奖，被黔南州史志编纂委员会办公室表彰为“黔南州2013年度年鉴工作先进集体”；2014年度档案工作经县委、县人民政府考核评定为目标考核一等奖。2015年1月22日，惠水县档案馆被《中国档案报》（总第2714期）以《好花红处春意浓——贵州省惠水县档案馆采访见闻》报道为全国“最美档案馆”。

第六节　史料编研与学术论文

一、专题资料

1991年10月，县档案局（馆）与中共惠水县委组织部、县史志办（县委党史研究室）共同编纂出版了《中国共产党贵州省惠水县组织史资料》[《贵州省惠水县政军统群系统组织史资料》（1949—1987）]，全书72万字。1994年10月，县档案局（馆）与中共惠水县委组织部、县史志办（县委党史研究室）共同编纂出版了《中国共产党贵州省惠水县组织史资料》[《贵州省惠水县政军统群系统组织史资料》（续编一）（1988—1992）]，全书25万字。2006年12月，县档案局（馆）与中共惠水县委组织部、县史志办（县委党史研究室）共同编辑出版了《中国共产党贵州省惠水县历史》（第一卷）（1949—1978），全书30万字。2009年10月，县档案局（馆）与中共惠水县委组织部、县史志办（县委党史研究室）编辑出版了《中国共产党贵州省惠水县历史大事记》（1049—2008），全书45万字。2010年10月，县档案局（馆）与中共惠水县委组织部、县史志办（县委党史研究室）共同编纂出版了《中国共产党贵州省惠水县组织史资料》（《贵州省惠水县政军统群系统组织史资料》）（续编二）（1993—2003），全书33.5万字。2011年11月，县档案局（馆）与中共惠水县委组织部、县史志办（县委党史研究室）共同编纂出版了《中国共产党贵州省惠水县组织史资料》（《贵州省惠水县政军统群系统组织史资料》）（续编三）（2004—2010），全书15万字。

二、档案史料汇编

1984年，县档案馆汇编了惠水县第一届至第六届人民代表大会会议文件、县政协会议文件、全县贫下中农代表会议文件共42册，汇编惠水县革命委员会、惠水县人民政府文件89册。2012年，县档案史志局（馆）利用馆藏档案资料分别编纂了《胡锦涛同志视察惠水时的讲话》和《党的民族工作在惠水的伟大实践》两期档案编研资料。2013年，完成《史话好花红》档案史料编研题材档案编研，约1万余字，内部发行300本。编辑《惠水档案史志》宣传画，内部发行200本。同时，积极开展档案业务研究，撰写理论业务调研文章，发表在《贵州档案》和《中国档案报》上。此外，组织工作人员撰写业务多篇论文入选贵州省档案局、贵州省档案学会组织的档案学术论文征活动论文集，如申建民撰写的《民生档案唱主角化解百姓大难题—贵州省惠水县档案史志局便捷服务赢民心》《中国档案报》刊用（2012年2月），陈应明撰写的《浅析档案信息资源开发利用的现状与思考—惠水县档案信息资源开发利用调研报告》获贵州省档案学2014年优秀论文三等奖。

第七节　地方志编修

一、整理编印地情史料

1984年起，逐年整理编印《红军长征在定番》《龙惠生烈士的生平和被害情况》《惠水人民抗暴斗争情况》《解放前夕，国民党在惠水的“应变”情况》《惠水县的解放、接管及建设情况》《关于开展五大任务的情况》《惠水运动场改革情况》《农业互助合作情况》的历史事件资料。

1993年完成了资料《英烈传》；1996年4月整理了惠水县剿匪斗争中牺牲的《烈士英名录》，共计194人。

1996年之后逐步完成了《惠水县剿匪斗争》《惠水县抗美援朝运动》《解放初期惠水的禁赌、禁毒、禁淫工作》《惠水县的对资改造》《惠水县的五大任务》《惠水县的镇压反革命运动》《解放初期惠水恢复国民经济工作》《惠水对农业的社会主义改造》《惠水的“大跃进”和人民公社运动》《惠水的“四清”运动》《惠水的民族工作》《“文化大革命”后惠水的“拨乱反正”》《惠水的经济发展与扶贫攻坚战略》《惠水的科技发展》《南下、西进支队入黔建议》等15项专题。

二、编纂出版《惠水县志》

1989年4月，新编《惠水县志》由贵州人民出版社出版发行，全书72万字，印数2000册。《惠水县志》是新中国成立后贵州省第三部、黔南州第一部新县志。该书系统地记述了唐太宗贞观四年（630）至1985年惠水地区自然与社会的历史和现状，反映了1300多年来惠水的兴衰演变大略，注重自然环境、风土人情、民族文化和经济建设等方面的内容，重点记述了中华人民共和国成立后惠水各方面发生的巨大变化。1984年11月，贵州省地方志办公室在惠水召开了有34个县（市、区、特区）史志办负责人参加的全省县志主编工作会议。会后，县史志办采取“采编合一”“一步成志”的方法进行工作，先后外出到省、州（地、市）档案馆、图书馆和省、州（地、市）、县所属一百余个单位调查、搜集资料，并采访百余名知情人士，共摘抄、收集各种资料1000余万字。之后，按照志、记、传、图、表、录的体例，先分类按专题整理，以“资料选编”形式印发59期，送各有关单位审核修改，再按行业系统分篇试写，并汇请知情人士纠误补漏，最后按照总纂篇目协调修改总纂。1987年10月，初稿写成。1987年12月2日至5日，黔南州史志委员会在惠水召开审稿会。1988年12月，经再次修改调整成书。1989年4月出版。

三、编纂出版《惠水县地名志》

1991年4月，县人民政府决定由县史志办承担编纂《惠水县地名志》，1994年5月印刷出版，全书70.9万字，印数1000册。在编纂过程中严格遵照国务院关于《地名管理条例》精神，尊重少数民族风俗，坚持实事求是原则，对全县地名重新进行调查、核实，搜集地名来源资料，按照“建、并、撤”后的行政区域撰写文字资料和绘制地图。全书以乡镇、村、寨和主要山峰、河流、公路、桥梁、水利、风景名胜、企事业单位为收录范围，收集的3300余个地名中，用布依语、苗语和布依汉语合称，苗汉语合称的地名约占40%。该书是一部较系统、较完整的地名汇编，为读者了解惠水、熟悉惠水、掌握惠水的自然条件、区域分布、经济、文化、社会发展、民族风情等概况，提供了较完备的宝贵资料。

四、指导编纂出版部门志、乡镇志

县史志办指导编纂的部门志和乡镇志陆续出版，截至2012年已经出版的志书共4部。2008年9月编纂出版《惠水县军事志》，全书36万字，印数1000册，上限为五代后梁（920—923），下限为2006年。

2008年10月编纂出版《惠水县教育志》，全书72万字，印数2000册，上限为明代，下限为2007年。2011年2月编纂出版《王佑镇志》，全书19万字，印数500册，上限时间因事追溯，下限为2010年10月。2012年10月编纂出版《长安乡志》，全书20万字，印数500册，上限时间因事追溯，下限为2010年。

五、编纂二轮《惠水县志》（1978–2015）

2012年，启动续修《惠水县志》编纂工作。印发《惠水县二轮〈惠水县志（1978—2015）〉编纂工作实施方案》和《第二轮〈惠水县志〉人物入志收录原则范围及标准》等续修县志编纂工作配套文件，将二轮《惠水县志》的资料收集、初稿撰写的任务分解到各部门。7月3日召开县政府常务会议，听取县档案史志局局长汇报第二轮县志工作开展情况，研究部署县志修编工作。成立了以县四家班子主要领导为顾问、县委副书记为主任、县四家班子分管领导为副主任、部门主要负责人为成员的二轮县志编纂工作委员会，并下设办公室在县档案史志局，具体负责日常工作。

2013至2015年，修订和完善二轮《惠水县志（1978—2015）》篇目设置。邀请省方志办业务四处伍启林处长、张志平助理调研员、州史志办主任韦武昌、科长王素琴和党史科科长杨红萍参加了惠水县二轮《惠水县志》（1978—2015）总纂篇目审定会，并就篇目设置进行了讨论和提出修改建议并通过省州审定。利用档案行政执法年检对全县各单位开展志鉴工作进度情况进行实地检查。努力将地方志工作列入全县机关、乡镇2013年度综合目标考核内容。

2013年1月，县召开《二轮〈惠水县志〉〈惠水年鉴〉编纂工作启动动员暨业务培训会》，县直机关各部门、乡镇的分管领导、办公室主任及资料员、撰稿人共260余人参加了培训会，会上邀请省州地方志专家到惠水县进行县志编纂工作业务培训。组织地方志股全体工作人员到大方县、黔西县学习志鉴编纂工作先进经验和到州史志办参加地方志编纂工作业务培训学习，提高编撰人员的业务技能。2013年10月下旬至12月中旬，分期分批安排25个乡镇资料撰稿人到县档案史志局二轮《惠水县志》编辑部学习县志基础性资料收集。2014年初步完成了全县25各乡镇“乡镇概况”的资料收集和初稿撰写。

2014至2015年，地方志股将资料收集任务分解落实到各有关部门，为各部门提供编写提纲、写作要求和写作范例，进行指导，对金融系统、林业局等重点部门和有困难的单位，上门开展业务培训，帮助指导编撰。至2015年末，先后对全县80余个机关、企事业单位的修志工作进行督查，25个乡镇、教育局、文广局、住建局、农工局、工信局等32个单位完成初稿报送。

六、编纂出版《惠水年鉴》

2013年完成《惠水年鉴（2013卷）》的编辑出版工作。全书约70万字，正文463面、彩页90页、照片243张，收录条目1966个。出版发行650册。《惠水年鉴（2013卷）》被黔南州史志办推荐参加贵州省地方志编纂委员会主办的贵州省年鉴质量评比活动，获贵州省年鉴质量评比三等奖。

2014年完成《惠水年鉴（2014卷）》组稿编辑，共设24个部类，约75万字，彩页90页、照片243张，收录条目1966个。2015年10月出版发行350册。

2015年完成《惠水年鉴（2015卷）》组稿编辑。共设22个部类，约80万字，彩页39页、照片181张，收录条目1224个。

七、完成志鉴稿件撰写报送

2013至2015年第二轮《黔南州志》“惠水概况”的资料收集编写工作，约10万字，分概况、特色产业、大事记3个部分。完成县政府办安排的《黔南州志·政权志》稿件，5000余字。完成《贵州省志·档案方志志》资料收集，约1万字。完成黑糯米地理标志申报资料约1800字收集和撰写。

完成《黔南年鉴》2013卷至2015卷“惠水概况”基础性资料的收集、撰写和报送。收集、撰写并报送《贵州年鉴》2013卷至2015卷“惠水概况”基础性资料。

2015年，开展县内参战老兵的口述历史档案工作，走访惠水县内健在的赵文清、韩少芝、王孟厚、董振发、杨存锦、王泽礼六位老兵并进行全程摄影录像，刻录光盘，文字记录，做好史料保存。

附：

好花红处春意浓

——贵州省惠水县档案馆采访见闻

秦海庆　陈应明

在贵州省中南部美丽的涟江河畔，坐落着一个有着千余年历史的老县城——惠水，是著名布依族民歌“好花红”的故乡。1959年祖国10周年华诞时，惠水布依族代表在人民大会堂用“好花红”作为答谢朱德委员长的祝酒歌，受到党和国家领导人的赞誉。从此，“好花红”就成了惠水县的靓丽名片。好花红调也在2008年6月被列入国家级非物质文化遗产名录。惠水县档案馆就耸立在这片山水相依、民歌悠扬的土地上。

由省、州、县3级财政共同投资建设的惠水县档案馆于1993年1月开工建设，1995年建成投入使用。该馆共4层，占地1200平方米，建筑面积947平方米，其中2个库房面积共290平方米。

走进档案馆一楼大厅，首先映入眼帘的是县情历史展板，再向里走，楼道里井然有序地悬挂着国家领导人到惠水视察调研的图片，每一处空间都得到了有效的利用；办公楼后面的天井里摆满了各种盆景和花卉，整个档案馆充满着浓郁的文化气息和春天般的蓬勃朝气。

案卷比赛有特色　全面建设巧升级

在到惠水县档案馆采访之前，记者就听说该馆的案卷整理比赛工作很有特色，在整个贵州省档案系统中也是绝无仅有的。

惠水县档案局馆为了提高全县机关文书档案案卷质量，从1990年开始，连续25年在县直机关开展案卷整理比赛活动，从未间断。通过这项活动的开展，大大增强了各级档案人员的档案意识，提高了案卷质量，保证了档案及时归档和安全保管，使档案工作更加规范化、标准化、制度化，不仅直接推动了县直机关档案工作的业务建设，而且还带动了全县各级档案部门的整体建设。

县档案局馆长申建民介绍说，从1990年至2012年，全县共有84个机关、企事业单位的档案工作实现目标管理，其中达到“贵州省机关档案管理工作”一级标准的有39个单位、二级标准的有19个单位、三级标准的有25个单位，县供电局的档案管理达到国家二级管理标准，这都与长期不间断地开展案卷整理比赛活动分不开。

目前，惠水县档案馆内的软硬件设施都得到了有效改善，密集架、除湿机、防磁柜、火灾报警装置等一应俱全，笔记本电脑、单反数码相机、打印机、扫描仪应有尽有，档案信息化系统、电子视屏监控系统、网络版档案管理软件全面应用。申建民对记者说：“以前我们县档案局馆的软硬件都不太好，开展工作时确实受到了不少影响，但我们抓住创建国家二级档案馆的有利时机，使馆库和办公条件得到了全面升级。这都得益于各级领导的高度重视和局馆全体成员拧成一股绳的干劲。”

近年来，惠水县档案馆在加强基础建设和实施“安全第一”战略的同时，还重点在实施馆藏档案数字化的工作上加大了力度。2005年以来，该县档案馆先后录入馆藏档案文件机读目录90万条，建立了机读目录数据库，为数字档案馆建设奠定了坚实基础。2013年，该馆建成了档案管理数据库，实现了局域网检索查询。2013年12月，县档案馆经测评达国家二级馆标准。

编研宣传“双驱动”　内外兼修美名扬

据申建民介绍，为了让社会了解和熟悉档案局馆的工作性质和职能，该馆将档案法制宣传列入“四五”“六五”等普法计划。通过印发《档案法》单行本和《黔南州档案管理奖励与处罚办法》等方式，要求各机关、企业、事业单位认真组织学习和贯彻实施。同时，定期到县城文化广场、县委门口、商贸街、中心乡镇等地进行档案法律法规宣传。多年来，惠水县档案局馆始终坚持档案工作开展到哪里，档案宣传工作就延伸到哪里。申建民说：“近几年，我们为了让老百姓进一步了解档案工作的意义和作用，充分利用编研和宣传‘双驱动’的方法开展工作，收到了良好效果。”

记者了解到，挖掘馆藏档案资源，积极开展档案编研工作是该馆“驱动”之一。1991年10月至2011年11月，惠水县档案馆与县委组织部、县史志办共同编撰出版了《中国共产党贵州省惠水县组织史资料》；2012年以来，县档案馆利用馆藏档案史料分别编撰了《党的民族工作在惠水的伟大实践》《史话好花红》等，极大地方便了利用者。

利用馆藏档案举办大型展览是该馆的第二大“驱动”。多年来，该县档案局馆始终把档案宣传工作与县委、县政府的中心工作以及重大活动结合起来，大大增强了档案宣传工作的针对性和实效性，取得了显著成效。1999年至2012年，县档案局馆利用馆藏档案资料先后举办了“惠水解放50周年建设成就展”“庆祝新中国成立60周年暨惠水解放60周年建设成就展”“建党90周年党史知识档案文献图片展”，展览参观人数达到6万余人（次）。特别是2009年举办的“庆祝新中国成立60周年暨惠水解放60周年建设成就展”，展览通过5000多张新老照片的对比，全面展现了惠水解放60年来的光辉成就和巨大变迁。展览开展当天接待参观者5000余人。展览期间，县四大班子领导一行20多人专门前来参观，并给予了高度评价。贵州电视台等新闻媒体及时报道了此次展览，取得了良好的社会效果。

心里装着老百姓　无须扬鞭自奋蹄

“这么多年了，我的退伍证都丢了，没想到还能在你们这里找到依据，让我们享受到了国家的补贴，太感谢你们了！”这是2014年1月14日中国人民解放军老兵何良金等10余人在惠水县档案馆利用大厅对县档案局馆工作人员说的一番话。为感谢县档案馆提供的高效优质服务，他们还专门送来了锦旗。而这只是惠水县档案馆为民服务的一个缩影。

记者了解到，为提升档案为民服务的能力，近年来，惠水县档案馆努力改善馆藏结构，不断提高民生档案的接收比重，现已将二轮土地承包合同、公证档案、婚姻档案、企业改制档案、复退军人档案、林权改革档案等民生档案接收进馆；对已经接收进馆的8021卷1950年至2013年间全县在乡复退军人档案、435卷1953年至1983年间的劳动工资档案、39卷1968年至1981年间的知青档案、26卷湘黔铁路民兵团会战档案等全部进行了标准化、规范化整理，极大地方便了查阅。近3年来，该馆共接待查档者1621人次，查阅档案7852卷次，为利用者解决工龄、养老保险、房产权属、土地山林权属纠纷等提供了有效依据，积极发挥了民生档案在保障和改善民生、维护人民群众切身利益方面的重要作用。

“近年来，全县的老百姓每当遇到难题，首先就会想到来县档案馆查找档案解决困难，维护自身合法权益，这就是我们最好的‘成果’。”申建民说：“只要心里装着老百姓，无须扬鞭自奋蹄。老百姓的需求就是我们努力的方向和动力，只要能为大家多做点实事，我们的工作就很有意义。”

载于《中国档案报》2015年1月22日　第一版

第五章　体　育

第一节　群众体育

1986年，惠水体育协会有3个，分别是象棋协会、老年人体育协会、信鸽协会。1990年，县体育协会有6个，分别为象棋协会、老年人体育协会、信鸽协会、篮球协会、门球协会、斗鸟协会。每年在“元旦”“春节”“清明”“三八”“五一”“五四”“六一”“国庆”等节日期间，组织长跑、旱冰、风筝、拔河、田径、篮球、钓鱼、门球、独生子女运动会等体育活动。

八十年代旱冰场

1985年2月20日，惠水县举办第一届“迎春杯”有奖长跑赛。竞赛地点西门米厂至三都方向，竞赛分青年组男子（45岁以下）10千米，女子（40岁以下）5千米；中年组男子（45至60岁）10千米，女子（40至55岁）5千米；老年组男子（60岁以上）5千米，女子（55岁以上）3千米。

1986年1月1日，举办第二届“迎新杯”有奖长跑比赛，竞赛分儿童组男、女（12岁以下）3千米；少年组（13至17岁）男子10千米，女子5千米；青年组（18至35岁）男子10千米，女子5千米；中年组男子（36至49岁）10千米，女子（36至45岁）5千米；老年组男子（50岁以上）5千米，女子（46岁以上）3千米。此项赛事每年坚持开展，到2015年已有31年历史，从最初的300多人参加，到2015年有上万人参加，年龄最小有8、9岁，最大的80多岁，已成为全县群众广泛参与的群众性体育项目。

2008年，县文体广电局职工韦恩胜作为黔南州奥运火炬手参加北京奥运火炬贵州境内传递活动。

2012年，惠水县被国家体育总局评为全国毽球运动示范县；2013年8月，惠水县被国家体育总局表彰为2009至2012年度全国群众体育先进单位；2014年，被省民宗委、省体育局授予“贵州省少数民族传统体育训练基地”称号，被中国少数民族体育协会授予“中国龙舟之乡”称号；2015年，被省民宗委、省体育局授予“贵州省少数民族传统体育训练基地”称号，被中国少数民族体育协会授予“中国龙舟之乡”称号。

一、农民体育和民族体育

十一届三中全会后，全县农村群众除农闲和春节开展一些传统的篮球赛事活动外，还开展一些贴近农事内容的比赛项目，如运粮食、滚轮胎、拔河、挑稻草等比赛活动。民族体育项目主要有九龙民族摔跤、摆榜鸭绒民族跑马、斗鸟、斗牛以及藤毽球活动。随着生活水平的提高，人们更关心身体的健康，广场健身舞（操）在城乡兴起，早晚到涟江广场和文化广场都能看到众多的体育健身人群。

全县少数民族运动会（2010年摄）

1986年2月15日，惠水县举行第一届少数民族传统体育运动会，有摔跤、射弩等项目。

2005年开始，为大龙乡农体工程拨专款25万元，建设村级农民体育健身工程点33个（每个点一付篮球架、一张乒乓球桌和2至3万元场地建设补助），农体健身路径7条（每条约5万元健身器材设备）。2008年代表黔南州参加全省首届农民运动会。同年组队参加黔南州第二届新农村运动会，惠水县组织好花红乡辉岩村的农民体育代表参加全州在贵定县音寨举办的首届新农村运动会取得较优异的成绩。2009年，第三届新农村运动会在县好花红乡举办，使全县农民体育活动进入新的高潮。是年，贵州省新农村农民运动会篮球赛黔南代表队的组建和训练在惠水县进行。2011年底，县内大多数村建有健身场地（篮球场），很多外出打工农民春节返乡时都很热心筹资捐资开展体育活动，不断丰富节日文化体育生活。从2012年开始，我县每年端午节都要在美丽的涟江河畔举办大型的龙舟邀请赛，有国际级、全国、省级、州级的比赛，参赛人数几百人，观众达几万人。

2014年，县承办贵州省首届苗族摔跤节比赛；端午节“多彩贵州·中海城投杯”涟江龙舟争霸赛和中华龙舟邀请赛。

2015年6月14日至16日，全国健身秧歌、健身腰鼓及手拍鼓大赛在甘肃省张掖市高台县举行，惠水代表队荣获手拍鼓B组第二名、健身秧歌第四名；是年，“多彩贵州·好花正红”“永利杯”2015中国（惠水）国际龙舟赛在惠水举办；贵州第七届山地百千米毅行活动在惠水举办。

二、职工体育

1978年以来，年逢节日均举办“5.1”“5.4”职工篮球赛暨职工运动会，多的年份参赛队（含男女队）有40多个。

1986年6月1日，在县旱冰场举办惠水县城区首届独生子女家庭运动会。8月26—30日在县电影院篮球场举办首届教工“园丁杯”排球赛，有师范、民中、二中、八普子校、永安子校、险峰子校6支队伍参赛。

澳大利亚选手参加惠水龙舟比赛（2015年摄）

1987年4月5日，县第一届“腾飞杯”风筝比赛在二中举行，竞赛分大、中、小三种型号，同型号进行一次性放飞，以放飞所用时间和线长度，加之美观程度和稳定性决定名次，共有甲组10个单位，乙组3个单位参加。1988年，1989年，1991年，1992年举行了第二、第三、第四、第五届赛事。

1988年11月19日起，举行第一届“卧龙

惠水县城区第十届独生子女家庭运动会（1995年摄）

杯”篮球比赛，由全县八大系统的8支男队和5支女队参赛，历时23天，经委系统获男子比赛第一名，财委系统获女子比赛第一名。

1989年9月23日起，举办县城区国庆篮球赛，有党政系统、政法系统、文委系统、驻军部队、永安厂、险峰厂、惠水造纸厂、和平镇、经委系统、财委系统、农委系统、计委系统13个单位参加。惠水造纸厂获男子第一名，文委系统获女子第一名。5月31日，在县旱冰场举办惠水县城区第四届独生子女家庭运动会。1990年6月1日，1992年6月1日，1993年5月31日，在县旱冰场举办惠水县城区第五、七、八届独生子女家庭运动会。

1990年4月11日至15日，举办第五届教工“园丁杯”排球赛，有师范、民中、二中、八普子校、永安子校、险峰子校6支队伍参加，险峰子校获第一名。举办“涟江杯”青年足球赛，“九零迎亚运”足球赛和信鸽竞翔大赛。是年11月25日至12月1日，在县灯光篮球场举行首届民族“丰收杯”篮球赛，参赛单位有：姚哨区、和平镇、摆金区、雅水区、三都区、断杉区、王佑区。王佑区代表队获男子第一名，和平镇代表队获女子第一名。1991年12月25日至28日，在摆金镇举办第二届；1992年11月10日至13日，在雅水镇举办第三届。1993年9月22日至25日，在三都镇举办第四届。从1990至1997年，连续举办八届全县民族“丰收杯”篮球赛，由原区辖片区组织篮球代表队，比赛采取轮流到各区进行，最后一届在县城和平镇（原城关镇）举办。

全县职工运动会单项的如篮球运动会，全县各乡镇和县城系统组队参加，若是综合性运动会有篮球、乒乓球、拔河等多项的，一般优先由机关系统或大型单位组队参加。还有自行举办职工运动会的建设局、供电局、水电局等。县建设局和供电局分别获得2009年和2011年“全国职工体育”先进集体。此外，年逢春节，棋协、乒协、网协、冬泳协会均举办迎春职工象棋围棋、乒乓球、网球、冬泳等比赛。

2006年起，县体育部门结合广场健身舞（操）的推广，每年举办1至2次职工广场健身舞（操）比赛，推动全民健身运动。

2011年，举办惠水县青年劳动者趣味运动会，共有21支优秀企业，约400名运动员参加板鞋竞速、龙凤戏珠、火车赛跑、过河接力等趣味比赛。

2012年9月7日至10月27日，举办“周末杯”职工篮球赛，全县共15支男队，6支女队参赛。

2013年，举办长田工业园区趣味体育运动会，共有20支参赛队伍，300名运动员参赛。

2014年，举办全县“周末杯”职工篮球比赛；组织供电局职工“创先杯”3人制篮球比赛。

三、老年体育

1978年以来，县建有老年人体育协会，2007年成立冬泳协会，2011年成立柔力球协会，2012年成立秧歌舞协会。各乡镇建立了老年人体育协会，均挂牌，部分村级建有老年体协组织，有好花红乡三七村、辉岩村。三都镇金田村等等。城区有老年门球协会、夕阳红乒乓球协会、太极剑协会等。

1985年8月1日至7日，在县体育场灯光球场举办县第一届老年人“健康杯”篮球赛，男女各11支队伍参加。

1986年8月25日-26日，在雅水水库举办县老年人首届钓鱼比赛。

1988年3月4日-6日，在政府大院举办惠水县老年人首届“健康杯”中国象棋赛。

1989年8月25日至26日，在摆金区岗度水库举办县老年人第四届钓鱼比赛。

1990年2月16日至18日，在县委大院举办惠水县老年人第三届“健康杯”中国象棋赛。

21世纪来，老年门球活动更加频繁，年年参加全州老年门球比赛，经常开展门球赛事交流，邀请长顺、罗甸、龙里、贵定等县门球队到县比赛或被邀到邻县比赛。老年乒协联谊赛事较为活跃。

2008年，举办“全民健身与奥运同行”暨“老年人健步走向北京奥运”大型活动，参加活动数千人，行程8公里。

2010年承办全省中老年人冬季游泳比赛。2010年积极组队参加黔南州第四届老年人运动会乒乓球、太极拳、剑的比赛。

2011年，成功举办全省老年人中国象棋、桥牌赛。

2012年7月11日，全省老年人健身秧歌比赛在惠水开幕，来自贵阳、兴义、安顺等全省9个地、州、市的19支代表队参加，比赛分为老年甲组和老年乙组，参赛选手年龄最大75岁，最小为49岁，比赛为12人制健身秧歌套路，每支参赛队伍必须报一个规定套路和一个自选套路。

2013年6月2日至3日，举办贵州省惠水县“涟江杯”老年门球邀请赛，共有省内的15支代表队200余名门球运动员参赛。

2014年，组队参加黔南州第五届老年人运动会，并角逐乒乓球、钓鱼、门球、网球、健身球操的比赛，取得了较好成绩。组队参加全省柔力球操交流活动，并获得优秀奖。2014年在县举办贵州省老年健身球操比赛。

第二节 学校体育

1976年惠水县成立少体校，将基地设在惠水二中，开设有田径和举重等体育项目。

1980年，据黔南州安排五所重点学校的重点项目培训布局方案，惠水中学篮球列为其中，下达了体育经费600元。是年“五一节”，惠水县体委与教育部门联合举办了首届中学生田径运动会。12月22日至25日，举办全州中长跑比赛。

1981年5月1日至6日，在县篮球场举办全县首届中学生篮球锦标赛，共有男女13个队参加。

1982年12月30日至1983年1月2日，黔南州长跑比赛在惠水举行，参赛运动员156人，比赛项目为男子20千米，女子10千米，黔南州各县市派男女各6名运动员参加，其中，1963年后出生的运动员不得少于3人。

1984年起，险峰子校的少年男、女排球，永安子校的少年男子足球，城关一小小学生田径项目承担黔南州的比赛任务。

1985年6月1日-3日，在县篮球场举行县城小学生首届“希望杯”篮球赛，城关一、二、三小男女6支队伍参赛。

1986年7月17日至19日，在惠水二中举行惠水县第七届中学生运动会。

1987年6月1日至3日，在县篮球场举行县城小学生第三届“希望杯”篮球赛，城关一、二、三小男女6支队伍参赛。1988年，1989年，1991年，1992年，1993年举办了第四、五、六、七、八届。

1987年7月16日至20日，在县篮球场举行第六届中学生篮球锦标赛，共有男女各11支队伍参加。1990年7月16日至20日，在县城举行惠水县第七届中学生篮球锦标赛。共有11个单位参赛。

1988年7月14日至15日，在险峰子校举办惠水县中学生第八届田径运动会。是年6月3日，惠水二中被评为黔南州州级田径传统项目学校。1989年10月15日，在惠水二中举行惠水县城区第五届“雏鹰杯”田径比赛。

1990年10月14日，在惠水民族中学举行第六届“雏鹰杯”田径比赛；是年，黔南州中学生田径运动会上，惠水运动员黎启洪获初中组200米第一名，成绩为25秒。黄勇，获高中组跳远第一名，成绩6.03米。是年，认可州级田径传统学校两所（民中、二中），县级田径传统学校两所（一小、三小）。1992年，在惠水民族中学举行第八届“雏鹰杯”田径比赛；1993年，在惠水民族中学举行第九届“雏鹰杯”田径比赛。

1991年，城关二小举办首届田径运动会。

1994年体委与文化局合并为文体广电局，少体校自然解散。2009年首届州运会后，惠水县学校体育引起高度重视，在天津工业大学体育竞技中心的支持下，惠水县以藤、毽球等民族特色体育在全县各中小学逐步推广和普及，效果很好。天津工业大学作为国家藤、毽球训练基地，惠水县作为天工大藤、毽球人才输送基地，2010年挂牌于惠水县四中。通过几年训练，惠水县藤、毽球队员已能代表全州乃至全省参加全国性藤、毽球锦标赛。2011年，在惠水县举办的第十届小学生运动会的比赛项目，首次将藤、毽球列入比赛项目。是年，国家体育总局授予惠水县藤、毽球先进示范县称号。

20世纪末到2011年，共举办全县性中、小学生运动会10届，两所老牌中学，民中到2012年已举办学校运动会45届，二中举办了30届。从2009年和2011年全州体育运动会取得的成绩看，惠水县中、小学生所获奖牌与惠水县青少年人数和其他县份相比，极不成比例。通过调查了解，县从21世纪以来受应试教育风气影响，学校体育有所放松，家长也不够支持，导致青少年体能下降。

第三节　体育经费　设施

1978年以来，县财政每年将体育工作经费列入预算。1985年，建有县体委直隶的灯光篮球场1个，室外旱冰场1个。全县有足球场1个，小运动场19个，篮球场3个，排球场1个，简易射击场1个。1985年，体育事业经费13200元，1986年17870元。1988年，建成标准门球场1个。1985至1989年，县体育经费人均不足0.05元，低于全省人均0.15元的标准；1990年体育经费人均0.10元，低于全省人均0.50元。1990年8月30日，为亚运会捐赠37794.15元。

2008年，全省青少年游泳锦标赛在惠水举行，县政府在经费上给予大力支持。2009年，全国大学生·青少年藤球锦标赛在惠水举行，县政府出资50万元；2011年，全国青少年（中学生）毽球锦标赛在惠水举办，县政府出资60万元；2009至2011年，惠水县分别组队参加全州民族运动会，每次县政府拨付组队参赛经费60至70万元。投资400多万元建成标准400米跑道田径场（四中校内）；投入600多万元建成白果新区体育休闲广场；投资200多万元建成近2000平方米的藤、毽球训练馆。城区社区和各乡镇为方便群众体育健身，也相应规划建设体育活动小广场。水电部门建了双场地网球馆和50米标准游泳池，建设局、供电局等部门为职工锻炼安排健身房等。

2014年，落实文化体育与传媒事业发展专项资金项目一个，镇级农体工程4个、村级农体工程30个、健身路径3条，启动城北新区体育场馆建设项目，涉及资金1700万元。

2015年，县申报农民体育健身工程29个（其中，乡镇级5个、村级24个），项目涉及资金250万元，项目12月底全面竣工。

第四节 体育人才培养

1976年，县少体校建立包括篮球、田径、乒乓球3个班的儿童业余体校。首次招生130人，其中，田径班男30人，女30人；篮球班男25人，女25人；乒乓球班男10人，女10人。1980年，按照黔南州一般业余体校规划布局，游泳项目训练有20人。1984年，业余体校有学生75人，训练开设有篮球、田径、游泳、射击4个班，射击训练基地在惠水民族中学，田径基地在惠水二中。1985年，有学生70人。1988年，业余体校办有田径、举重各一个班，参训30人。1989年，业余体校举办举重、田径、篮球各一个班，参训36人。3人代表黔南州参加贵州省少年举重比赛。1990年，业余体校举办举重、篮球各一个班，参训54人。1991至1994年，业余体校田径班和举重班共计36人，每天利用课余时间在惠水二中长期开展体育训练，多次在省级、州级比赛中取得优异的成绩。

2000年后加强培训选送13名学生到天津体校参加常年藤、毽球训练，并派6名业余体校教师参加天工大竞技中心的毽球培训；不定期地开展体育初级教师等级培训或送基层体育业余教练参加省、州教练员资格培训，先后通过教练资格培训的已有12人获执教资格证书。

2010年，选送体育股白嵋参加2010年第十六届广州亚运会藤球项目裁判培训，是年11月，参加2010年第十六届广州亚运会藤球项目的执裁工作。2011年，参加在云南西双版纳举行的2011年全国藤球锦标赛的执裁工作。配合国家体育共计小球运动管理中心、天工大竞技中心和省、州体育局在惠水县开展的体育专业培训和人才选拔工作。是年，国家毽球协会在惠水开展毽球裁判员培训，全县有6名人员获优秀裁判员称号，27名人员被授予国家三级毽球裁判员。赵顺琼被推荐为第九届全国少数民族传统体育运动会毽球裁判员。

2012年9月20日至22日，举办以第九套广播体操、藤毽球基本技术、三级社体指导员理论知识为主的三级社会体育指导员培训班，25个乡镇以及社区共35名学员参加培训。

2013年，由国家体育总局社体中心、中国毽球协会主办的中国毽球协会西部志愿活动在惠水县第四中学举行。来自全县各中、小学校和社区的毽球爱好者参加这次培训。此次中国毽球协会西部志愿活动，派出了中国毽球协会技术委员会副主任、教授陆学仁，天津体育学院研究生吴庆、深圳大学生志愿者罗新棋，到惠水对毽球运动员进行技术培训指导。同年3月，全国毽球工作会议于在惠水县召开，来自18个省市60多名毽球专家参会。

2013至2015年，连续三年举办全国定向锦标赛暨“寻找美丽中华”全国城市定向活动。

第五节 体育竞技

1978年后，全县竞技体育有较大发展。1982年，惠水县九龙公社王文明在全省少数民族传统体育运动会上，获全省等量级摔跤第一名。

1985年，在贵州省旱冰速滑比赛中，县运动员陈惠琼分别获女子1500米第一名（4分14秒1）、女子3000米第二名；张志强分获男子速滑500米、男子1500米第二名；卜双凤分获女子速滑500米、女子1500

米第二名。陈惠琼和张志强还代表贵州省参加全国旱冰赛，这是新中国成立以来惠水县运动员第一次参加全国赛事。

1988年，在全省“七运会”上，县运动员刘大彬获举重金牌1枚，省体校惠水籍运动员岳勇获摔跤金牌1枚。

1990年8月14日，在遵义举行的贵州省少年田径比赛中，惠水县运动员梁云秀获少年女子四项全能金牌、800米铜牌；丁松获少年男子100米铜牌。8月18日至20日，在毕节举行的贵州省少年举重比赛中，惠水县运动员石广隆获少年男子乙组67.5千克以上级金牌；陈大全获少年男子乙组48千克级银牌；刘大斌获少年男子甲组56千克级银牌。1992年，在贵州省八运会上，惠水县运动员石广隆获举重67千克级第三名。

2000年以来，惠水县承办几次大型体育活动，本县队员在比赛中取得较优异的成绩。2008年，全省青少年游泳锦标赛在惠水县举行，惠水县代表队获总分第三名。2009年，成功举办全国大学生·青少年藤球锦标赛，惠水县代表队获单组赛男子第一名、女子单组赛第二名。2010年，惠水县毽球代表队代表黔南州参加贵州省第七届少数民族运动会的毽球比赛，分别获男子、女子团体第一名。2011年，成功举办全国青少年（中学生）毽球锦标赛，惠水县代表队获得女子团体第二名，女子双、混双第二名的好成绩。是年，全州第二届民族运动会惠水县代表队分别获青少年组男子3000米第一名、青少年男子篮球第一名，成人男子篮球第一名和青少年板鞋混双接力第三名，男子板鞋100竞速第三名，青少年男子田径1500米、5000米第三名的好成绩。

2004年，年仅11岁的惠水县残疾人女子运动员朱元静被选送参加省残疾人游泳队训练，先后获得2006年全省残疾人运动会女子S9级100米自由泳第一名和S9级100米仰泳第一名。2008年，又获全省残疾人游泳锦标赛女子S9级200米混合泳第一名、女子S9级100米蝶泳第一名、女子S9级100米仰泳第一名、女子S9级400米自由泳第三名、女子S9级100米自由泳第三名、女子34分级4×100米自由泳接力第一名，并获体育道德风尚奖。2010年，她分别参加全国和全省残疾人游泳锦标赛又获全国女子34级4×100米混合泳接力第二名和S9级400米自由泳第三名，获全省女子SM9级200米混合泳第一名，S9级100米自由泳第一名和S9级100仰泳第一名。2011年10月，参加全国残疾人运动会获女子S9级400米自由泳第四名，34级4×100米自由泳接力第三名。

2008年成功举办贵州省青少年游泳锦标赛，共有9个地州市的代表队参赛，运动员达205人，历时3天。2008年代表黔南州参加全省首届农民运动会女子篮球项目的比赛。

贵州省第十二届冬季游泳比赛在惠水举行（2013年摄）

2011年惠水县首次举办全国青少年（中学生）毽球锦标赛，比赛为期四天来自香港、重庆、江苏、浙江、广东、贵州等地31支代表队的300多名毽球运动员参加了这次比赛。惠水县人民政府为承办好此次全国赛事，为将毽球这一民族传统体育项目在我县家喻户晓，为成为输送顶尖毽球运动员的摇篮，投入了大量的财力，整个赛事投入比赛经费50万元，并在100天的工期里，投入260

万元在民族中学新建一个室内体育训练馆，作为本次毽球赛事的比赛场地。

2012年6月，惠水县组队代表黔南州参加贵州省第二届农运会男、女篮球队比赛，女队获三等奖；8月18日，惠水县组织参加2012年贵阳避暑季之湖城清凉欢乐行–中华龙舟争霸赛，获200米直道竞速第三名。

2013年8月19日，全国青少年暨大学生藤球锦标赛在郑州大学西亚斯国际学院举行，惠水县青少年藤球队在此次比赛中分获少年男子单组赛、少年女子单组赛第三名。是年8月1日至7日，惠水承办全国定向锦标赛暨“寻找美丽中华”活动，这是贵州省首次举办全国性户外定向类锦标赛。

2014年，全国藤球锦标赛暨亚运会选拔赛在惠水举办。是年，惠水女子藤球运动员崔永辉荣获亚运会女子藤球赛单组赛铜牌。

2015年6月17日至21日，全国大学生及青少年藤球锦标赛在内蒙古自治区呼伦贝尔市举行，惠水县女子藤球代表队参加本次锦标赛，获单组赛和双人赛第三名；7月26日至28日，贵州省第九届运动会水上运动项目龙舟比赛在贵州省体育局水上运动管理中心（清镇市红枫湖）举行，惠水武装部民兵应急分队组成的龙舟队代表省军区参加职工组组别比赛，取得男子500米直道竞速第二名，职工组男子250米直道竞速第一名；8月5日至6日，贵州省第九届运动会青少年摔跤比赛在省体育运动学校举行，惠水选手罗杨康获男子46千克级别第二名，扬锴荣获男子乙组60千克级别第三名、罗宏涛获男子55千克级别第三名；12月9日至13日，全国藤球锦标赛在山东省烟台市举办，惠水作为西南地区唯一的一支参赛队，荣获女子单组赛第三名，双人赛第五名，男子单组赛第七名，惠水藤球队员陈艳和杨朝忠分别获“体育道德风尚奖”，惠水县代表队荣获“体育道德风尚奖”，中央电视台体育频道五台现场采访国家藤球队队员、惠水县藤球代表队教练崔永辉。

第六节　体育彩票

县体育彩票发售均由上级体彩中心统一安排和管理。1990年，惠水县为亚运会发售奖券176400张，集资6.8万元，列全省县级第一。2000年，惠水县正式向省体育彩票管理中心申请两台电脑体育彩票机销售中国电脑体育彩票。2002年，销售额60万元，是年春节，经县人民政府批准，销售“即开型”中国体育彩票320万元。2011年发展电脑销售点共22个，体育彩票销售额逐年递增，2011年销售627万元，2012年销售739万元，2013年销售1428万元，2014年销售1381万元，2015年销售1549万元。通过体彩的销售，国家每年会适当利用体彩公益金购置全民健身路径、农体工程项目、补助体育赛事等方式给当地部门资助。

第六章　广播电视

第一节　广播电视事业

1957年惠水广播站成立。全站职工自已动手造竹筋水泥电杆，架设通往摆金、三都、断杉、王佑等各区的广播传输专线，同时，建起30个公社的广播站，到1976年，全县95%的生产队通广播，60%的农户家里有入户喇叭。

1977年，成立县广播事业管理局，开始在北门（原水利局）自来水塔房建起40米高的三角形铁塔，并安装功率50瓦的小型差转台，在县城坡头上（原广播站）建起几十米高的木杆八木接收天线，收视贵州电视台的电视信号，在县城实现同时传播广播和电视。

1986年，在县城西郊罗汉山坡顶建成惠水县第一座广播电视地面卫星接收差转站。此后，陆续在基层原区公社所在地和部分公社建立小型地面卫星接收差转站。1991年，在县城开办模拟有线闭路电视网，发展用户1200户，传输10套节目。1993年，县城有线电视用户3300余户，涟江坝区收视微波电视1000户。1996年，开播加密电视，设置25套节目。1997年，惠水率先在全省采用“MMDS”无线系统向农村传输电视节目，惠及群众10余万人。

1999年，国家为解决西部地区农村看电视难的问题，开始实施农村广播“村村通”工程。惠水县从1999年开始到2000年，在全县并村前的428个行政村，架线、安装、调试、最终实现村村通广播电视的任务。2001年以后又开始实施“20户以上自然村”全通广播电视。

2003年，首先在摆榜乡建成地波广播，覆盖摆榜乡的74个自然村。随后建成岗度、鸭绒、甲戎、芦山、三都、羡塘等6个乡镇的调频广播站和建华村、好花红村、弄苑村3个村级调频广播站，覆盖率85%以上。

2004年，县城有线电视用户6000户，坝区微波接收电视用户4000户。2005年8月，有线电视网络划转至贵州省广播电视网络股份有限责任公司，随后广播电视网络由模拟向数字化成功进行了转换。在有线电视没有到达的地方，国家实施村村通广播电视惠民工程，以直播卫星广播电视“村村通”“户户通”模式进行传输广播电视信号。“十一五”期间，开始实施直播卫星广播电视村村通，覆盖全县221个自然村，35069户农户受益。“十二五”期间，实施直播卫星广播电视村村通，覆盖全县221个自然村，17074户农户受益。同时，实施直播卫星广播电视户户通工程，21836户农户受益。2006年，县文体广播电视局广电股股长王保健获村村通新时期广播电视全国先进工作者荣誉称号。

2007年，全省实施广电网络整合，将全省各地，县电视网络进行资产评估，组建贵州省广电网络股份有限公司。2008年3月，惠水县分公司挂牌成立。2008年，惠水县差转台更名为惠水县广播电视发射台，承担涟江坝区广播电视无线覆盖传输任务，共发射中央一套（36CH）、中央七套（42CH）、贵州卫视（48CH）和黔南新闻频道（7CH）等四套模拟电视节目，以及采用FM98MHz发射黔南新闻广播节目，受益群众10余万人。2009年8月，惠水县有线电视实现数字化平移，随之县广电事业进入数字时代，传输节目已从模拟信号时代增加到基本数字节目70多套（不含付费节目）。广电网络惠水分公司健全后，逐步将有线网络延伸至农村。2011年底，全县25个乡镇政府所在地能看到有线电视节目（惠水县电视台自办节目），有线电视用户达15000户，涟江坝区无线数字微波电视也随之开通，模拟微波无线电视退出舞台。2011年起，实现“户户通”广播电视。

广播综合覆盖率由2008年的92.52%提高到2015年的98.21%，全县县城收看有线电视节目103套、25个村能收看有线电视节目103套，电视覆盖率由2008年的78.69%提高到2015年的88.76%。

第二节　广播电视宣传

一、广播宣传

1957年6月9日晚8点，惠水县广播站自办新闻节目正式开播，一直坚持办好自办节目，在不同历史时期，始终肩负着传递党和政府的声音、反映百姓呼声，在面临网络、电视、报刊等强势媒体的冲击和全省县级广播网普遍萎缩的情况下，惠水“好花红”之声从未间断，被誉为贵州省县级广播战线一面不倒的旗帜。

1958年，惠水县响应国家号召，大办农村广播网，是年1月17日至4月10日，在全县9个区架设广播专线229.5千米，伸展到51个公社、145个生产队，挂喇叭414支。年底，省广播电台拨给惠水601型盘式录音机一台，自购播音控制台一套和远程牌收音机1部，完善县广播站的设备。当时，全县所辖9个区共66个公社，562个生产大队和生产队通广播，共架设广播线路282千米，木质广播专用电杆4193根，另利用邮电电杆架设广播传输线路951千米，安装喇叭1772支，初步形成了全县的农村广播网，实现乡乡有广播、村村有喇叭，是年被评为全省广播系统先进单位。

1970年，由于惠水县农村广播网办得好，贵州省革命委员会政治部在惠水县召开全县农村广播网现场会。惠水95%的生产队通了广播，60%的农户家里有入户喇叭。

1983—1988年，县广播站开办“本县新闻和报纸摘要”“专题节目”“科学知识”“生活之友”“农民之友”“文艺节目”“全州新闻联播”栏目。

1990年9月，州广电局与惠水局在县城罗汉山脚下合办一个广播电视传输线路水泥电杆生产基地，生产水泥电杆1000多根，以满足农村广播电视网的需求。是年，州广播电视局在惠水召开全州农村广播电视网络传输现场会。

1992年，惠水县广播站开通频率为102MHz的调频广播，名称是“惠水县广播站”（2000年更名为“惠水县广播电视台好花红之声”），覆盖涟江坝区的乡镇村寨10多万人。

1998年6月，全州农村广播电视《村村通》现场会在惠水召开。

2010年，《村支书的山歌情》获2010年度黔南州广播电视新闻奖广播类三等奖。

2012年，《汽车运动会》在第四届贵州省公益广告大赛荣获广播类入围奖；《好花红的歌　美滋滋的唱》《新农村的那些事儿》《大新村的领头雁》《音乐日记——童年不同样》分别荣获2012年度黔南州广播电视新闻奖广播类一等奖和3个三等奖；《连续报道：新农村的那些事儿》、音乐栏目《童年不同样》分别获得2012年度贵州省广播影视作品奖广播类三等奖。

2013年，《记实本里的民生情怀》获黔南州新闻广播类评比一等奖；《半车水　满满爱》获广播类二等奖；《布依山歌唱响中国梦》《杨光成和他的枫香染》获广播类三等奖。

2014年，《文明出行》获黔南州2014年“德润黔南　讲文明树新风”公益广告创作比赛音频类一等奖；

2014年，《〈守住民族之魂〉——记布依族民歌〈好花红调〉》获黔南州广播电视新闻奖评比广播类一等奖；《盘井村的新年“大红包”》获广播类二等奖；《拿低保　群众议》获广播类三等奖。

2015年，《守住民族之魂》荣获贵州省新闻出版广电局广播电视节目技术质量奖评比广播节目录制技术质量三等奖；《重拾镰刀　回到碾房》获黔南州广播电视新闻奖评比新闻广播类一等奖；《我的抗战记忆》《惠水县纪委首次公开审理违纪案件》获广播类三等奖。在是年贵州广播电视奖评比中，采制创作的新闻《重拾镰刀　回到碾房》获广播专题类三等奖。5月26日，在龙里县召开的全州城乡广播建设工作座谈会上，惠水广播电视台就调频广播建设、广播节目的开办等作了经验交流发言。

二、电视宣传

1991年，建立县城有线电视网络，开展电视宣传，1992年初，惠水广电局购置第一台摄像机，对县的重大活动作宣传报道。由于人员和设备少，新闻播出不定期、不定时，有一条播一条，没有则空缺。1994年，开设《惠水新闻》栏目，实现每周一、三、五定时播出。1997年，举办《迎接香港回归卡拉OK电视大奖赛》，实现惠水电视史上首次大型活动系列播出和现场录制。2000年惠水广播站与惠水有线电视台合并组建惠水广播电视台。《惠水新闻》栏目实现每周一至周五定时播出，星期六、星期日播出《一周要闻》。

2003年后，县广播电视台相继开设多个新闻专栏。在以新闻立台的基础上，办好《惠水新闻》。每年在元旦、春节、元宵、端午等传统节日，通过策划安排，采取多种形式开展外宣工作，讲好惠水故事，为群众过节营造喜庆氛围。采制的电视专题《2009涟江骄傲人物系列报道》《半车水满满爱》等新闻作品，先后荣获省、州广播电视新闻一、二、三等奖。

至2015年，县广播电视台平均每年有200余条电视新闻在黔南电视台《黔南新闻》中播出，外宣工作处在全州前列。

第七章　旅　游

第一节　旅游资源

惠水县属于喀斯特地貌，青山绿水自然天成，地处黔中腹地，平均海拔1100米，涟江纵贯全境，10万亩涟江大坝为贵州高原第一坝，人称“高山平原，贵州江南”。惠水旅游资源丰富，有2个国家AAA级旅游景区——涟江公园和好花红乡村旅游区，国家级水利风景区——涟江水利风景区。县境内以涟江为主线自上而下（由北到南），以惠水县城为辐射（从东到西），简介惠水旅游资源。

濛涟文笔塔

皇上河谷　是涟江上游的一处风景河段，距青岩古镇约10千米，位于县城北19千米，上起原长田乡上黄村，下至民国时期修筑的涟江灌溉坝（原县水泥厂），全长约6千米。这里河水清澈，河中时见嵯峨的怪石和火棘丛生的沙洲，河道时而平缓时而陡急，两岸满是绿树翠竹和芳草野花，河道有十多架造型各异的水车。孙家寨一段河流景色尤其秀美，右岸凤尾竹风姿绰约，浓阴蔽日，组成一道绿色屏障，左岸柳枝婀娜，古树参天，树后掩映着幢幢布依木楼，远处山峦起伏，青松成林。皇上河谷漂流是惠水现代旅游的发轫地。

濛涟寨与“文笔塔”　沿原惠水水泥厂顺流而下约10千米即到达濛涟寨。寨子位于县城东北面，距县城约7千米，分濛涟和濛根两个苑落，全寨211户，1150人，濛涟寨已有700多年历史。为惠水县布依族大寨之一。涟江水由寨北拐西再往南绕田坝而过，寨后高山绿树，不远处有一条小河由东而下灌溉寨前良田。清朝雍正年间（1723至1735），为防止匪患，寨民在小河流径的油井坡巅修筑一个屯。名曰：油井坡屯，屯内有个溶洞，进入洞后，近的约40米，远的约600米，可分别由东、东南和北面3处出洞口。洞中的山、水、石花、石钟、石柱等千姿百态，是个天然的地下公园，具有旅游开发价值。

2002年，县广播电视台对县广播电视大楼建成投入使用并举行落成典礼进行现场直播，这是惠水电视史上首次实现现场直播。

文笔塔最早建于1624年，是濛涟寨民集资修建。道光十四年（1834年）涟江涨大水冲毁了文笔塔。民国四年（1915年），寨民又集资在原塔址处复建“文笔塔”。1967年“文化大革命”中这一古建筑被作为“四旧”而摧毁。2009年7月，濛涟寨民又再次集资在旧址上重建文笔塔。塔座每方2.4米，高21.9米，六面七层，密檐式。

山后龙塘寨 从濛涟寨沿涟江顺流而下约6千米的江东岸为平寨。从平寨往东约4千米就是龙塘寨，是惠水县的饮用水源保护区之一。这是一个汉族陈姓小山村，有二、三十户人家。村子青山环抱，山形优美，森林茂密，溪水潺潺，生态极好，只有一条小路与外界相通，宛如世外桃源。村前的小河从村左侧山中的地下溶洞流出，清澈无比。村里有两幢200年以上的老屋，保存有老家具，其中，雕花床雍容华贵；还有保存较为完好的陈氏祠堂，已有100多年历史。寨门口小河边，修建有一陈氏长廊，长廊内壁上画有朱子治家图案及文字说明，还有陈氏族人撰写的诗词和楹联。村子新房虽多，但山村风貌犹存。

琴山逸响 在平寨与米丹寨之间的涟江东岸，有一处峡谷瀑布景观，明代以来就是惠水十二景之一。这里的山形远看恰如一张美丽的竖琴，古人便称之为“琴山”。“琴山”之间夹着河谷，河谷中段有一个“人”字形瀑布，瀑布下有一个高能容人，长宽各约3米的溶洞，洞内钟乳石千姿百态，洞顶水滴如珠，叩击洞底石头，发出幽幽的声响，这声响经溶洞的共振、扩大，便有一种清远悠悠的感觉，仿佛仙人于空谷中拨动琴弦，“琴山逸响”即由此得名。

三水濛亭 从米丹寨下行约500米，位于濛江汇入涟江的三岔河处，为古惠水12景之一。今亭已不存，但沙洲上开辟的农田，沿岸的垂柳和清澈的河水仍然构成引人入胜的田园风光。

牛场桥 沿涟江的主要支流——濛江逆流而上约1.5千米即到牛场桥。牛场桥原名“迎恩桥”位于县城北0.5千米处，横跨濛江，为七孔石拱桥，全长66米，高7米，桥面宽6米，砌条石栏杆。牛场桥始建于明嘉靖25年（公元1546年）秋天。当地苗族喜爱斗牛活动，将斗牛场所取名牛场；明万历年间，苗族群众曾牵百余头牛进城斗牛3天，进城路过的迎恩桥因此被称为牛场桥，牵牛经过的街被称为牛场街。从此，牛场桥的名称沿袭至今。

野梅岭 从牛场桥沿濛江上游约6千米处，具有一定知名度的惠水城郊休闲地——野梅岭，位于滥坝林场内。因林区拥有全省罕见的数百亩腊梅林而得名。现有野生腊梅林300亩，寒冬腊月，迎风傲雪，十里香飘，沁人心脾。另有6000亩森林和5千米的翁吟河水景、山石、峡谷等资源。林中山上有一处80多米深的天坑。景区春有刺梨花漫山遍野，映山红蓬勃盛开；秋有经霜红叶，绿丛丹缀；冬有映雪梅花，暗香浮动，四季生机盎然。景区内翁吟河支流——龙滩水流淌于山峦密林中，有小三峡、公鸡岩、老鹰洞、打鼓坡等诸多景点散布其间。景区内一块高约20多米的天然岩壁，是天然的攀岩活动训练场地。

十二楼台 三水濛亭下游约800米处的涟江东岸，是惠水著名的风景胜地十二楼台山，矗立在“望城关”山右侧，是一座雄丽多姿的青山。登上十二楼台山顶远眺，整个惠水县城尽收眼底，入夜可观赏县城万家灯火。1970年，县政府将“革命烈士纪念碑”从园台边移到十二楼台坡上，并把为解放惠水而牺牲的革命烈士遗骸忠骨安葬在纪念碑下侧，为各位先烈树碑立传。从此，每年前往十二楼台上凭吊、游玩的群众络绎不绝。

涟江公园 三水潆亭下游约500米的右岸即是涟江公园，该园修建于2008年，占地4.8公顷，长750米，宽250米，是县城居民休闲娱乐的重要场所。公园集中了惠水县众多的珍稀名木，还设立了茶园、舞池等休闲娱乐场所。

惠民桥 惠民桥也称“南门大桥”，位于涟江广场南入口处，建成于民国35年（1946年），立于大桥西岸的纪念碑塔，上有蒋介石题写的桥名和时任贵州省主席杨森所作的碑记，新中国成立后碑记已不知所踪。惠民桥全长100米、高11米、宽6.5米，为五孔石拱桥，桥面两边有条石拦护，是320国道由惠水通往都匀、独山、平塘等地的咽喉，又是县城通往县境东部各乡村的主要通道。

“南门大桥”在惠水家喻户晓。每年端午节人们都要到此桥上“游百病”（据说只要端午节到桥上一游，就不会得各种疾病，这个习俗在惠水已延续了半个多世纪）。南门大桥已于2009年拓宽为11.8米，拓展后恢复原名“惠民桥”。

东山生态园 从惠民桥往东约2.5千米为东山生态园，该景区占地2200亩，是森林植被保护较为完好的自然山林胜地。园内天然森林、果园、绿地占80%以上，植被种类繁多，主要以马尾松林为主，其余有红叶李、凤尾柏、塔柏、广玉兰等。果树品种以桔树为主，其余有杨梅、梨子、桃、板栗、石榴等。园区内还有多处溶洞，如长达350米的蝙蝠洞。已建部分食宿、娱乐、度假设施。

孔庙 位于县城中心，惠水县委、县政府大院左侧。孔庙始建于清康熙年间，1937年续修，占地约600平方米，是惠水现存规模最大的古建筑。孔庙建在条石砌成的高台上，为砖木结构，整个建筑气势古朴而雄伟，庙宇空跨三间。大殿上的10多根柱子为精心挑选过的百年杉木，至今仍完好无损。庙顶飞檐翘角，雕梁画栋。

1938年5月，抗日战争时期，“华北乡政学院”南迁到定番（今惠水），把孔庙及毗连的凤山书院作为校址，许多专家教授曾来此讲学授课，宣传抗日救亡的主张，培育了许多来自全国各地的爱国青年，对惠水的文化教育产生了积极影响。

天主堂 位于县城长征路。始建于1931年。为西式建筑，总面积约1200平方米。1935年4月10日，中央红军长征经过定番（今惠水），驻于天主教堂。1982年，县人民政府列为县级文物保护单位。

金蟾礼斗 在惠水县城南郊涟江河畔有一座状似“蟾蜍”的山峰，“金蟾”的嘴部正对着北斗星的方向，呈“礼拜”之态。登至峰顶，涟江大坝尽收眼底。远处的群山、平整的田坝、绿树掩映中的村寨、静静流淌的涟江河、河岸依依的垂柳，组成一幅美丽的乡村图画。现山顶已建成金蟾阁等景观建筑。

波云湖 位于惠水县城南13千米处，是惠水的饮用水源保护区。波云洞脚流出的地下阴河水形成巨大人工湖，湖水水质清澈，左岸绿竹丛生，右岸山峰连绵，青松成林。水流到小龙村形成小龙河，古称玉带河。小龙河湾，清澈见底，河面平宽，水流平缓，似一条玉带环绕着小龙村。

波云湖周边有众多奇趣的洞穴，如波云洞、仙人洞和和尚洞。波云洞分为两个小洞，左洞宽敞，犹如大厅，右洞曲折，窄仅容人。仙人洞位于波云洞旁约70米的峭壁间。清代对洞门曾作维护，至今尚存拱门和石墙，洞分四厅。从波云洞向北约1.3千米处的和尚洞，是一蜂窝状的小洞穴，洞与洞之间相连。

好花红村 好花红村（原辉岩村）是一个布依族村寨，民歌《好花红》唱响的发源地。该村居民至今仍保留了以歌言志、以歌迎宾、以歌传情的习俗。寨内“中华第一布依堂屋”为布依族住房的代表性建筑。寨子自然环境秀美，涟江河从寨前缓缓流过，河水清澈，两岸绿柳成行，河上风雨桥古朴典雅。远处青山相依，有众多小巧的溶洞。寨子处于涟江大坝，平整的稻田和连片的金钱橘，构成了涟江大坝标志性田园风光，体现了典型的农耕文化。好花红村河对岸是“千户布依寨”。

百鸟河　百鸟河是涟江的一条支流，位于三都镇鸣钟村界碑旁，河长4千米。河水如一匹柔软的蓝色缎子，蜿蜒在崇山峻岭之中，两岸杨柳依依，翠竹婆娑，野花烂漫，曲径通幽。附近村寨民居保存较好。万亩森林是一片飞播林，连绵起伏，松涛阵阵，鸟语花香。植物园由生态园寨门处的苗圃改造而成，分珍稀植物园和盆景园。现有红豆杉苗18000株，景区公路两侧种植了大量的杨梅及红果刺。百鸟河生态园由百鸟河、植物园、万亩森林3个部分组成，拥有“中华绿色版图工程”示范基地、青少年国际文化交流中心、青少年暑期环保夏令营地、西部绿色行动活动中心指定的生态旅游营地等多个称号。

九龙寺　位于涟江街道九龙村马门寨，为惠水古十二景之一。从百鸟河再向西北方向行约10千米即到九龙寺。九龙山是惠水名山，原名“九炉山”，以殿宇辉煌、风光秀美而著称，后寺庙毁于两次大火之中。这里层峦叠嶂，山峰雄奇，其间有九座山峰成弧形连接，在九峰环抱间耸立一座小峰，高50余米，呈“九龙抢宝”之势，九龙山故此得名。佛家称此小山峰为太子佛，意为九龙护宝出太子，故此地称全国唯一的太子佛道场。群峰间谷地开阔平坦，直抵谷口。峡谷对面约300米处，两侧各有高耸的峰峦，如蹲伏在地的一对巨狮，雄踞山门，确有汇山川灵气于一山，龙盘虎踞于一地的灵山胜境之势。1682年，楚人寺僧古源禅师即在此募修了“九龙山寺”，成为史上与黔中贵阳黔灵山、长顺白云山齐名的佛教三大圣地之一。大雄宝殿前尚存一摩崖，横向阴刻楷书“水不在深”，相传为开山建寺的古源禅师所题。右侧山峰上有一“古源洞”，留有浮雕石像，高2米，宽1米，形态栩栩如生。寺前有两株古杉和一株银杏，古杉已枯死，谷口有一古井。1935年，九龙山寺除玉星阁外，遭火焚毁。2005年复建九龙寺。1982年6月，县人民政府列为县级文物保护单位。

九龙村新寨　九龙村在九龙寺旁，苗族村寨，社会主义新农村建设试点。植被保护完好，山势较高，民居依山而建，错落有致，大部分民宅为苗族建筑风格，寨内房前屋后有大片竹林。

龙瓦大瓦　大瓦组大寨为布依村寨，民居多为青瓦白灰墙风格，多数院落有石头垒起1米来高的围墙，多数人家在院内种有蔬菜。大龙组小寨，青瓦石墙，布依民宅建筑保存较好，寨前是一片田地，周围山上植被好，寨后有一独石成峰的景观。

龙瓦龙洞　龙洞组为苗族村寨，隐于竹林之后，处于青山环抱之中，周围山上植被茂密，环境清幽。寨前有多株较高的树木，寨外山坡上有几处坟地，多处于石堆的自然围拢之中，坟前植有松、柏等长青树，风水好。寨口道路转弯处有一石洞，洞内水质清澈。在龙洞组与小瓦组之间有一片因石漠化而形成的石芽，石芽间种农作物。路边有渠，水质良好。

天坑　天坑位于离县城约20千米的翁金村，坑口周长约1500多米，深约300多米，体积巨大，总容积贵州排名第一，世界排名第二。坑壁如刀削般直插坑底，形成近90度的直角，奇险无比。坑底有一条阴河，坑右侧有一座奇特古朴的天生桥。天坑四周草木丛生，虫鸣鸟叫，空气清新凉爽宜人，生态环境优雅。天坑集雄、奇、险、秀、幽于一体，景观较好，区位较好，可乘车到达坑边，近距离观看。

甲戎青河风光　位于好花红镇甲戎社区西南方的青河村旁，距101省道1.5千米。生态良好，风光秀丽。河段上有造型独特的悬索桥、将军脆水、犀牛戏水等景观。河流的大拐弯处，时常出现鲤鱼蹦滩的奇异场面，成为青河最吸引人的景观。青河周围还有保存完好的原始造纸作坊、古朴的布依族村寨——青河村、秀美的父母山等。

枇杷石林　位于原甲戎乡政府驻地西南方的枇杷村，距101省道4千米。这里在亿万年前曾是一片汪洋，经过桑海沧田，在方圆约2平方千米的范围内出现了奇形怪状、大小不一的石林景观。在这片石林里有布依族人民安家落户，形成寨子，使大片石林与村寨成为一体。

断杉海里峡谷　位于断杉镇以西8千米。涟江纵贯涟江大坝进入山区，从青山河电站以下约11千米河段，穿行于崇山峻岭的峡谷之中，这段河谷即为海里峡谷。因当地流传很多有关诸葛亮南征时的传说，故海里峡谷亦称诸葛峡谷。峡谷河床狭窄，河水咆哮，白浪翻卷，水面距两岸壁顶平均高度100米左右，沿岸绝壁如削，气势如虹，崖壁上长满藤竹，可谓铺天盖地，如同绿瀑飞泻，蔚为壮观。

天生桥群　位于断杉镇与王佑镇交界的涟江峡谷地段，即海里峡谷中段。河水在高山峡谷中奔流而下，劈山切岭，沿河两岸峭壁如削，奇石嶙峋。涟江在此三次进洞成伏流，形成上、中、下三座天生桥，从地质地貌上，它是地下河三处未崩塌地段。上天生桥，桥距40米，高逾百米，桥宽250米，桥面上两个耸如驼峰的溶蚀残丘，高约20至30米，两丘间有一直径20米的竖向天窗，直通桥底。中天生桥，桥跨30米，呈较规范的圆拱形，桥高100多米，桥面宽120米。上、中天生桥之间的“盲谷”，当地人称“球岛”，四周皆绝壁，地势险恶，无路可下到河底，河水深不可测，鱼类甚多。下天生桥位于中天生桥以下800米，桥高100米，桥面最宽处约百米，最窄处仅5米，此地人迹罕见，常有猴群出设，当地称猴子岭。

龙泉坝田园风光　龙泉坝位于断杉东部，距镇中心2千米。驱车经断航公路到达黄岭坳最高处向下俯瞰，布依民居依山而建，错落有致，山寨炊烟，阡陌纵横。如遇金秋，满眼希望，田园风光尽收眼底。

令当石抱树　令当村坐落大山脚下，这里山清水秀，环境优美，生态良好。石抱树奇观位于令当小学右侧的农田里，整体高度6.4米，远远望去，造型犹如一朵蘑菇。这是一株千年古榕，高约10米，从一块锥形巨石缝中长出，树干由下分上长合形成“人”字形，看上去，这“人”被巨石紧紧拥抱，历经千年的结合，不仅石树一体，而且树石一色，要不是树干优美的曲线和巨石刚直的线条，很难分清哪是树是石。

奇山异石　原抵季乡境内多奇山异石，峰林谷地。这里是发育在高原面上形成的峰林溶原地貌景观。溶原面上茂密的林木如同一片片巨大的地毯，映衬着一个个高低错落、如锥状似的孤峰残岩。其中，最奇妙的是位于抵季乡与羡塘乡交界处一山上的两块巨石，高高耸立在山顶，状如人形，俯瞰四周，被称为“石人”。当地有“石人放炮，鸡啼的鸡叫，磨怀的磨响，马嘴的马叫”说法。

长安喀斯特省级自然保护区　此保护区属两镇（羡塘镇和断杉镇）交界，总面积443.1平方千米。以原抵季乡长安村为中心的五个行政村自然森林保存较完整，约20平方千米，其他地方仅存疏林、灌木，多数地区已出现石漠化现象。保护区以森林和珍稀动植物为主，有国家一、二类保护动物狗熊、红腹角雉、红腹锦鸡、穿山甲、獐子等，有国家一、二类保护树种桫椤、苹柏等。其内有黑色、金黄色、白色的猕猴十来群，上千只。

羡塘燕子洞　位于羡塘镇桃源村。燕子洞洞高216米，宽40米，是迄今为止发现的国内溶洞口最高的岩溶洞穴。至燕子洞口，抬头仰视，溶洞高与天接。燕子洞分水、旱两个部分，左侧为阴河，河水从幽深的洞中流来；右侧为旱洞，进口处是一个开阔空旷的大洞厅，高近200米，宽30～40米。沿着洞厅往里走，地上全是大小不等、层层叠叠的垮塌巨石，洞壁钟乳、石幔千姿百态。到洞厅尽头，则四处皆为石壁，阴河已变成洞中伏流。每年春暖花开，数以百万计的白腰雨燕凌空飞舞，遮天蔽日，鸣声震谷，蔚为壮观。1982年6月，县人民政府公布为县级自然风景保护单位。

摆郎河峡谷　摆朗河从平塘县进入地下成伏流，从燕子洞前伏出，穿过深山峡谷，至毛栗寨峡口，此段为峡谷型河段。从羡塘镇政府出发穿田坝至竹林掩映中的毛栗寨，即摆朗河峡谷谷口处，此地河水清澈纯净，水流平缓。前行至阿玛桥，需沿右侧山路步行。此段峡谷，水流快而水质清，可见河底乱石，两岸山峰对峙，植被茂密。燕子洞前有一高峰耸立，气势磅礴，直插云霄，像一个头戴钢盔威武雄壮的将军骑在青龙背上，此山名“骑龙山”；山下巨大的骑龙洞内水流穿过，浪花击石，涛声如雷，洞前礁石垒垒，左侧入口处有一方白色巨石，石顶上有洁白如玉的卧石佛，其形惟妙惟肖。在骑龙洞右侧半山腰有一溶洞，洞外遍布各类钟乳石，据说过去常有黑熊在洞中出没。

小木井世外桃源 犀牛洞位于燕子洞左侧半山腰，高约50米、宽30米、深40米，洞内宽敞明亮，洞底平坦，洞中一尊巨石，状若犀牛；乱石中有贝壳类的生物化石。洞口高大，洞中有一状如“犀牛望月”奇石。出洞口可见一盆地，盆地四周山岚萦绕，古木参天，绿树成荫，小木井布依寨即掩映其间；盆地内溪流弯弯、流水潺潺，良田沃土遍布两岸。以前犀牛洞是小木井村与外界相连的唯一通道，现虽已开山修路，但仍具有“世外桃源”的意境。

羡塘大坝 经原抵季乡至羡塘镇的幕怀山垭口处，是发育在从高原地到深切峡谷过渡地带形成的峰林、峰林盆地地貌景观。盆地如一个巨大的金盆镶嵌在万山丛中，四周奇峰拔地而起，状如簪，山上林木葱茏，白云缭绕；山脚下村寨毗邻，幢幢木楼鳞次栉比，一条清澈小河如同布依族姑娘巧手编织的彩带，曲曲弯弯流过坝子，沿河两岸良田沃土，阡陌纵横。杉木寨有一高约30米的古杉，平寨路口有一小巧的石拱桥。峰林、河流、田园、村寨、石拱桥组成了秀美的羡塘大坝景观。

腊元寨 为布依族自然村寨，在羡塘镇东南部约1千米处。寨子历史悠久，环境优美，背靠青山，面对农田，寨边竹林婆娑，寨中古树苍翠。寨子多为干栏式民居，依山就势，错落有致，或垂直或平行排列在向阳坡上。腊元寨有较深厚的历史文化底蕴，创造了多姿多彩的民间文艺作品，其中“粑棒舞”影响最大。

大坝水打桥水库 从原大坝乡政府到水库约15分钟的车程，为一断头水库，较深，水源有两处地下泉水，因而水库分为两汊。水库两旁青山相夹，植被好，一头筑有大坝，另一头为水库的地下水源。难得的是水库水清澈无比，从上往下看如碧绿的天鹅绒。水库大坝不远处，是绿化村的水打桥寨，隐藏在高大的树林下，依山瞰水。

披弓上寨、中寨、下寨、小寨 距离原大坝乡政府约40分钟车程，是基本相连的4个布依族寨子，寨子间水泥路相通，若即若离。几个寨子群山环抱，寨后山林茂密，寨前较开阔，有水渠田坝。寨子建筑传统、古朴，或为木制结构，或灰砖砌成，不少院落各成体系，有完整的朝门，门簪、堂屋的神龛古朴完好。还有几户百年老屋，后代仍在居住，其中，陈家木屋已有240年历史，门楣上有双龙等避邪物。披弓保留了较多布依族风俗，如迎宾仪式、布依山歌等。从原大坝乡政府到披弓沿途有山有水有田坝有村庄，乡村气息浓郁，由于有山阻隔和纯朴的民风民俗，披弓给人世外桃源之感。

甲烈大、小龙潭 这是两个伏流天窗。在小龙井村旁、面积较小的称小龙潭。小龙潭周围树木、藤蔓、杂草环绕，水色幽蓝，深不可测。在其上游约1千米处面积较大的称大龙潭。大龙潭幽深、隐秘，两侧石崖壁立，距离水面七、八十米，崖壁石缝有灌木长出，一侧崖壁的顶上布满怪石，观赏性强。

甲烈河风光 在这一段约4千米长的河段中，两岸山势多有变化，或高峻或平缓，一年四季山花烂漫，不时有奇峰异树，山脚则是一派田园风光，河水清澈，有古朴的小桥连接两岸。沿线景观丰富，被称为小九寨沟。

摆金清水苑村 位于县城东南面约19千米处，距离县道约500米，交通便利。这里依山傍水，为典型的布依族村寨，背后是低矮的混交林土坡，绿树成荫；前面一片平畴，摆郎河从村前流过，河上有石磴桥（但河水存在季节性断流）。村子左前侧有一个水塘，约1000平方米，旁边的出水洞即是水源，水质很好，塘水流到村前的一条水沟里，供村民洗菜，饮牲口，水沟两侧已用水泥修得很平整，水沟与小河平行，但水与河水逆向而流。河岸、水塘边、水沟边均有较高大的树木，但稀疏。村子规模中等，50来户，房屋错落有致，基本色调为灰、黑、黄，外墙主要有砖、木板和黄土墙，斜面屋顶，盖黑瓦，多数人家用石头垒起或砌起超出地面约1米的墙基和院墙，并多有门楼。可惜在村子最显眼处已有三栋现代建筑，平顶、瓷砖外墙。村子各家之间由石板铺就的小路或石头砌成的石阶相连，小路和石阶两旁通常是高高的石头墙基、石头院墙和土墙院墙，给人曲径通幽之感。村子环境优美，尤其难得的是卫生状况好，无污水、无粪便、无臭味。

清水苑大洞　位于清水苑村左侧山腰，是一处距今约一万年前的古人类遗址。洞口高约10米，洞厅面积三四十平方米。1998年9月，省文物考古队在洞口及洞内采集到大量打制石器、骨制品和动物化石，还发现用火遗迹。2000年4月，被列为县级重点文物保护单位。

石头寨　位于摆金镇东约4千米处，50多户人家，全为赵姓苗族，自唐代起建寨聚族而居，已有上千年历史。寨中房前屋后多种石榴，南北各有一株银杏树，挺拔葱茏。但建筑、村民服饰已看不出明显的苗族特色。寨子不远处是连绵起伏的低矮山峰，山上基本布满灌木和乔木，周围是田坝，寨前清澈的石头河呈弧形蜿蜒环绕，东岸绿柳翠竹，鹅鸭戏水，西岸是一半岛，苍松翠柏，枝繁叶茂。石头河下游离寨子约50余米，有一座三拱石桥，长17米，高约7米，宽4米，两端各有4米石阶，中拱处上雕龙头，下刻龙尾，建成于清光绪十八年（1892年），名“乐善”桥。寨子背山临水，自然景观优于寨子本身，融绿树、小桥、流水、村寨、田园于一体。

石头寨洞葬　距离石头寨约500米的雾虎冲天生仙人桥下，有一个东西向的穿洞，高约50米，宽约20米，深约120米。洞内南壁上部自然形成两级台阶，第一级台阶离河面约30米，宽约3米，高约15米，长约20米；第二级台阶距第一级台阶约3米，宽约5米，高约12米，长约80米。在两级台阶之上数百具棺木分层摆放在“井”字形全木框上，少则二层，多则八、九层。这里是石头寨赵姓苗家的祖坟，墓葬始于唐代，终止于晚清，原有棺木千余具，因失火，大部分被焚，现存200余具。每年春节，寨子要举行送鬼仪式，缅怀洞中的1000多名祖先，历时两个多钟头。这里是石头寨的圣地，无人敢攀爬，以免打扰先人。由于年代久远，部分井架和棺木已朽蚀垮塌，但其神奇壮观的景象仍可看到。洞底下有一条小河，叫石头河，河水从洞中流出，常年不断。洞葬周围有山有水有洞有桥有天坑，植被茂密秀丽，自然景色丰富，丧葬有文化内涵，自然景观和人文景观结合很好。1991年6月列为县级重点文物保护单位。

马鞍井森林　位于摆金镇孔引村马鞍井寨，离镇政府约1千米，是一片约1平方千米的低矮山坡，生长着香樟、丝栎、枫香、糙叶树、鼻涕果和金叶含笑（俗称凌花树）等百十种树木，以香樟树为主，林木茂密，地面有草本野花点缀，色彩较丰富。山脚的路边时可看到两人合抱粗壮的老枫树和裸露在外的树根，这些树根有的长达一两米，有的在上面寄生了别的树种，较奇特。森林北侧边缘有一井名马鞍井（现井口已被封），井旁边有一棵红豆杉，长在路边一个自然形成酷似上大下小梯形状的石柱上，石柱由纹理清晰的一层一层岩石组成，形同人砌。这棵红豆杉没有主树干，几乎是平行长出3棵树木，直径有10厘米上下，枝丫多，树冠大，其中，一棵在凌空的树根上长出，凌空的树根在长树的剩余部分分成两根并同时向下弯曲，好像龙口，造型奇异。作为一级保护野生植物，这棵红豆杉的观赏价值、科学价值和宣传价值很高，堪称“红豆杉王”。

冗章古树　在马鞍井森林附近的苗族村寨冗章寨，生长一棵大银杏树，被称为“银杏王”。这棵银杏高40余米，胸径4.07米，胸围12.8米，冠幅直径25米，枝干屈曲盘旋，千姿百态，仿佛人工雕琢，树干上长出若干“气根”，犹如一个个倒悬的钟乳石。经专家鉴定，古银杏树龄已4000多年，现树主干部分已空，可容一人上下，但仍充满生机，枝繁叶茂，长势旺盛，年结果1500千克左右。这棵银杏由于大、古、奇，被当地苗族群众当作神树奉祀。可惜近年被雷电连根劈掉一叉，从根部往上2米左右有被烧成黑乎乎的痕迹。树冠下有新旧坟60多座，最早的有清道光年间。在距大银杏树10余米处，有一棵300多年树龄的银杏相伴而生。这棵银杏树只开花不结果，花为浅蓝色，与大银杏树只结果不开花形成鲜明的对比。

摆金老街　老街原为一旱码头和商品集散地，现仍可看到是年老街的风貌：街道狭小（两米左右），当街的木板房有小窗口、柜台。经过岁月的冲洗，这些低矮的老房已破旧不堪。现临街有一小学校，靠近学校的店铺卖杂货。老街现存最辉煌的建筑是黄家大楼，为摆金四大家族之一黄姓的老宅，基本已毁坏，剩余部分雕梁画栋，可看出是年的豪华。黄家后人现居海外。

滴水崖峡谷　位于摆金大桥上游2千米处，全长约5千米，两岸耸峙着500米（相对高度）以上的高山，中间是20来米宽的摆朗河。山腰自然形成双鼻洞、朝阳洞、新洞、上洞等溶洞景观。这些溶洞曾用作避难场所，因此，洞口周围有石墙、石楼等防卫设施。其中，朝阳洞最深、最宽。峡谷两岸最秀美的景观位于东岸的滴水崖，似一块如刀削斧砍的悬崖峭壁，宽约180米，高约60米，因一年四季滴水不断而得名。从滴水崖沿盘山小路上行1千米，可见雄踞于海拔1170米杨梅坡顶的“文笔峰”。文笔峰高约60米，直径约30米的突兀山峰，像笔架插上一支毛笔，又像一个高入云天的武将，常年守卫着杨梅坡苗寨的东大门。文笔峰上有清朝咸丰同治年间修建的石墙屯堡，四周有山峰、流水、悬崖和溶洞，景观较丰富。

斗底六寨　原斗底乡六寨是以李姓家族为主的古老布依族寨子，位于原斗底乡政府驻地西北部，惠水通往平塘的公路旁边，距县城32千米。这里依山傍水，寨脚是摆郎河，寨后是茂密的山林，民居倚山建在半山腰。寨子在清道光至咸丰年间较兴旺，全寨原有的三合院、四合院民居，有为防御官府和土匪的古屯、河上的古桥以及古石梯等均建于这一时期。现寨中有两栋保存较完整的三合院民居和10余户残存的屋基、石梯和砖墙；屯门和围墙基本完好，古屯风貌犹存；古桥于1982年县民委拨款重修桥面，但仍保留青石桥墩。现为县级文物保护单位。

摆榜高山大草原　高山大草原离原摆榜乡政府约5千米，面积达40平方千米。大草原开阔、高耸、壮观，有些地方有平缓的坡度，在茶山平台可俯瞰平塘，听到平塘的牛叫马嘶。春夏秋三季野花盛开时，整个大草原成为花的海洋，五彩缤纷，争奇斗艳。目前，德祥制药厂已买断5000亩地用于种植药材。

上摆苗寨　上摆苗寨以水井寨、新寨为代表。水井寨坐落于一片茂密翠绿的树木和竹林中，寨前有小河，自然环境很好。跨过小桥一进寨子，道路右侧是一片古坟地，坟包上布满青苔和野草，坟茔之间古木参天，称得上是“生态景观坟”。经坟地拾级而上，约有20来棵古树，以红豆杉居多，有些胸径达70厘米，其余是枫香树。穿过这片古树林就是民居，给人曲径通幽之感。几乎每户后院都有一片竹林或茂密竹丛围成的园子，环境幽雅。寨子中用于堆放柴草的茅草房圆仓，极富特色。寨子中有一块立于清朝的免税碑，字迹隐约可见，给寨子增添了历史痕迹。

金盆漏底瀑布　位于高摆榜平洋大坝东北尽头的金盆漏底，一条沟壑将台地割裂而形成三级瀑布。第一级高18米，宽12米；第二级高60米，宽20米；第三级高40米，宽24米。时逢枯水季节，瀑布如一条素练飘在空中，而当雨季来临，瀑布却如万马奔腾，蔚为壮观。瀑布两岸悬崖陡壁，杂草树木丛生，充满生机。

鸭绒苗乡　原鸭绒乡苗族人口超过总人口的93%，是惠水苗族人口比例最高的乡，至今仍保留浓郁的民族风情。保留的节日有三月三、四月八、赶秋坡，节日活动主要有对歌、跳芦笙舞、摔跤、赛马等，其中，以赶秋坡在惠水影响最大。鸭绒苗族喜爱唱歌跳舞，被誉为民族歌舞之乡，其中，以办丧事时跳的粑槽舞最有名。苗族妇女传统服饰繁复，穿百褶裙，戴银饰，盛装与黔东南的苗族服饰一样雍容华贵。

岗度王猛瀑布 位于岗度镇政府东南3千米的岗度河上。瀑布分五级：第一级高4米，顶宽3.4米；第二级高3米，顶宽2.5米；第三级高1.1米，顶宽3.4米；第四级高1.8米，顶宽2.7米；第五级高11.3米，顶宽4.1米。五级瀑布总高约21米。最后一级瀑布坠落处形成深幽的王猛峡谷险滩。瀑布周围的山上生长多种树木，蕨类丛生。

火龙瀑布 王猛瀑布顺流而下1千米处就是火龙瀑布，又称七一瀑布，是惠水境内岗度河和龙里县境内甲幌河汇合处的一个三级瀑布。第一级高17米，顶宽29米；第二级高4米，顶宽25米；第三级高24米，顶宽25米；瀑布总落差约45米，水清亮。瀑布落下处是一小潭，两岸地势较平缓，一侧是长满灌木的小山，一侧是农田、浅草和裸露的山坡，周边植被、所在区域景色一般，但离瀑布不远有一小山树木较茂盛，山形奇特，远看似一猫头，名称为“猫山”，“猫山”山腰有形态较美的乔木。

本底外丈瀑布 本底河流经石烧村向左转，由于地质原因，河床断裂形成外丈两级瀑布。第一级高9.8米，顶宽52.7米；第二级高8.1米，顶宽52.7米。瀑布断面整齐，河水均匀下泻，形成一个极宽的水帘。瀑布两岸是梯田，山顶绿树成荫。当地布依族村民利用瀑布的落差，早年修建的水车、水碾至今仍在使用。

打条瀑布 从外丈瀑布顺流而下400米，就是极为奇险壮观的打条瀑布。瀑布分为四级，第一级高4.3米，顶宽27.5米；第二级高8.2米，顶宽30米；第三级高15.6米，顶宽40米；第四级高12米，顶宽45米，瀑布总高40.2米。瀑布两岸山上多为马尾松。瀑布左侧的播骂山顶，清咸丰年间当地村民曾修筑的营盘古屯、石砌拱门，至今保存完好。古屯三面绝壁，唯有一条崎岖小路通顶，可谓一夫当关，万夫莫入。

锅底瀑布 岗度河与本底河在石烧村附近汇合落差形成锅底瀑布。瀑布高10米，顶宽7米，左侧为悬崖，右侧为平缓的山坡，灌木林覆盖。

岗度石烧瀑布群

岗度瀑布群季节性较明显，枯水季节瀑布水量小，河床浅，河面窄，有的几乎干涸。

岗度蛇场水库　离岗度镇政府驻地2千米处，计划蓄水50万方。水库周围较开阔，水边一布依族寨子——蛇场寨掩隐在树林中。水库近处是田园，远处是低矮的山坡，山形、植被较好。目前，有零星来自贵阳、都匀的垂钓者。

距水库1千米处叫滴水崖瀑布，是水库溪流的一个一级瀑布，高46米，顶宽45米，水量较大，流速较快。瀑布下右侧有一溶洞，人在洞内行走，可看到顶上飞泻的瀑流。该瀑布离公路只有200米，交通方便。

宁旺龙塘山台地　距离原宁旺乡政府以西6千米龙塘山下一片面积约10万亩的荒山天然灌木林，植被稀疏，有的山坡甚至荒凉。这里地势高，坡度缓，盛产野生毛栗。其中，有一处山坡，较陡峻，可称为12道拐，修有简易公路。在台地边沿还有一个1000多亩的黑糯米生产基地。

雅水槟榔湖　位于惠水县东南面，距县城43千米（离雅水镇2千米），地处雅水镇播哨村和播脚村之间，因湖西南面的槟榔寨而得名。槟榔湖原是三条小溪合流经过的沼泽地，是一片自然形成的滩涂，1958年开始建水库，至1972年竣工，主要功能是防旱灌溉。水库总容量973.7万立方米，最大水面0.93平方千米。槟榔湖湖汊多，半岛多，全湖看上去如斜着起飞的机身，大坝为机头，朝东北方向；左翼伸向北面布依族聚居的旁洋寨，并往北延伸；右翼侧向东南面布依族聚居的播莫寨，并向南延伸。湖畔群山叠翠，丛林茂密，青山碧水，水天一色。

太阳八角庙　位于原太阳乡硐口村冷水组摆郎河边的菠萝山顶上。菠萝山高度约500米，山形奇特，酷似陀螺，头大颈小，四周悬崖峭壁，无路可登。于清康熙年间，却有人不畏艰险在山顶上修建一座威武壮观的八角庙。300多年来，八角庙仍安然无恙，外墙壁依旧鲜红。20世纪80年代初，有县文化站的青年攀登该庙考察，发现庙内墙上绘有许多精美的图画，却没有供奉菩萨，颇为奇特。

抵麻莲花洞　坐落于距原抵麻乡政府驻地约6千米的硐房村附近一座岩石山中，这座岩石山顶植被稀疏，岩石崔巍，仅几棵松树挺立山尖，山腰树木杂草浓密，莲花洞洞口掩藏在茂密的树木杂草中。洞口宽约110米，高约35米，形似莲花。洞内崎岖、幽深，洞内有洞，周围不间断有水渗出，形成许多神奇怪异的钟乳石。洞有多深，无人探测过。

芦山商贸古镇　芦山镇为明朝芦山长官司所在地，位于一个奇峰环绕的谷地之中。现仍保留正宗的戏楼及屯脚、屯上民居等古建筑。当地常见的硬山顶民居，在山墙上开有拱券门窗，具有特色。芦山以豆腐皮为代表的豆制品加工和手工纸在贵阳市场很有影响。竹器加工远近闻名。芦山有经商传统，不仅是惠水西部影响跨越惠水、长顺两县的商贸重镇，且有很多商户在外经商。

古法造纸作坊　芦山的造纸历史悠久，始于明末清初，兴旺于清乾隆年间，所造土纸多作冥钞或入殓时铺垫亡人。造纸的原料是竹子，春竹、浸泡、蒸煮、漂洗、碾压、抄晒等工序都是人工，这种古老的造纸工艺一代一代延续下来。芦山河岸到硐口、羊马一带，至今保存众多的造纸作坊，牛拉碾房、水车碾房、浸泡用的土坑石灰坑和蒸煮用的大窑仍在发挥它们的功用，造纸人每年农历5月29日、11月29日供奉造纸先师蔡伦、纸钱先师邓通，大年三十到大窑边敬神等传统均保留下来。由此芦山被人称为露天造纸博物馆。

王佑老豹山　位于王佑镇与长顺县睦化乡交界处，海拔1300米左右。老豹山群山连绵，植被绝佳，水源丰富，当地有“九十九座山，九十九口井，九十九道弯”的说法。山顶上有一块二十余亩既方又平整的草坪坝，名叫皇帝坪，传说明代建文皇帝“靖难之变”中出逃后，曾到此处睡过一晚，因而得名，所睡之处不再长草。因此，留下众多与建文帝有关的遗迹，如“皇帝坟”、皇帝拐杖等。此外，还有回头崖、仙人搭桥等景观。

打引打梦河峡谷 打梦河又称打孟河，位于原打引乡东约3千米的崇山峻岭之中。长约2千米的打梦洞，在崇山峻岭中忽隐忽现，形成四座天生桥。打梦河峡谷中，最为奇特的当数“一线天”峡谷段。“一线天”峡谷长约1.3千米，下部谷宽10～15米，高达100～150米，呈v形，谷内藤竹葱郁、野花烂漫，保留着原始生态。

长安温泉 位于公路边，距离原长安乡政府约5分钟车程。温泉为石油勘探时打出，出水量不大，水温约28度，属低温温泉，可治疗皮肤病。周边环境极差，现为一池脏水。

长安布依之乡 长安是布依族的聚居地，布依族风情浓郁。长安有特色明显的布依村寨，如把两、拉若、冉告等，其中以把两为代表。把两坐落于山脚，山上树林茂密，寨子前为开阔的田坝，环境优美。房屋是布依族传统的三层建筑，第一层关牲畜，第二层居住，第三层作仓库，色调灰、黑、白为主，但已有新建宅子用马赛克贴墙。长安（及原打引乡）民风淳朴，热情好客，妇女穿民族服饰，上为右衽短衣，下为宽腿九分裤，包头巾，多为藏青色，有花饰点缀，从颜色到款式都很漂亮。长安民族节日繁多，四月八吃花糯米饭较有特色，最热闹的是六月六，有祭祀活动、跳舞、唱山歌、吹唢呐。乡里成立有唢呐队和舞蹈队。长安（及原打引乡）保留传统的扎染技术，村民家中仍有染缸和织布机。

表16-6

旅游资源分布及分级表

所在地区	旅游资源名称	等级	类型
长田	皇上河谷	3	水域风光
高镇	山后龙塘村	3	建筑与设施
	琴山逸响	3	地文景观
和平	东山生态园	3	地文景观
	野梅岭	3	地文景观
	三水潆亭	3	地文景观
	端午节	3	人文活动
大龙	九龙寺	4	建筑与设施
	九龙山	3	地文景观
	九龙村	3	建筑与设施
	龙瓦大瓦	3	建筑与设施
三都	百鸟河	3	水域风光
好花红	辉岩村	4	建筑与设施
	好花红艺术节	3	人文活动
	青山沟	3	地文景观
甲戎	青河	3	水域风光
	天坑	3	地文景观

续表16-6

所在地区	旅游资源名称	等级	类型
大坝	水打桥水库	3	水域风光
	披弓布依寨	3	建筑与设施
	披弓苗族斗牛节	3	人文活动
甲烈	新哨河边风光	3	水域风光
	龙潭	4	水域风光
	龙井	4	水域风光
	新河	4	水域风光
	甲烈河风光	3	水域风光
摆金	马鞍井森林	4	生物景观
	冗章古树	3	生物景观
	石头寨洞棺	4	遗址遗迹
	清水苑布依寨	4	建筑与设施
摆榜	高山大草原	4	生物景观
	上摆苗寨	3	建筑与设施
摆榜	石板虎狼苗寨	3	建筑与设施
	苗族婚礼俗	3	人文活动
	苗族跑马坡	3	人文活动
斗底	六寨	3	建筑与设施
雅水	枫香染	4	旅游商品
太阳、雅水	槟榔湖	3	水域风光
断杉	海里天生桥群	4	地文景观
	龙泉坝田园风光	2	地文景观
	断杉令当石抱树	1	生物景观
断杉、打引	海里峡谷	4	地文景观
长安	把两等布依村寨	3	建筑与设施
抵季	峰丛谷地	3	地文景观
羡塘	燕子洞	5	地文景观
	摆郎河峡谷	4	地文景观
	小木井世外桃源	3	建筑与设施
	布依族“六月六”歌节	3	人文活动
	苗族“赶秋坡”	2	人文活动

第二节 旅游开发

1995年前，惠水县旅游资源处于未开发状态，旅游活动主要围绕惠水“古十二景”（三水濛亭、琴山逸响、官沼芙蓉、清溪吐珠、西流环珮、九曲春涛、九岚拥寺、麒麟东引、三宝连云、龙岗叠翠、松风汲瀑、凤山春色）等自然、人文景观开展。

1996年，波云湖（鱼梁水库）大坝工程建成，县委、县政府决定把旅游业作为惠水一个支柱产业进行培育，成立波云湖旅游开发协调领导小组。1997年，县政府印发《关于旅游资源保护和开发管理的决定》。

1997年5月27日，野梅岭森林公园被省林业厅评定为省级森林公园，而后启动公园大门、客房和多功能接待厅建设，1999年，野梅岭森林公园正式接待游客。

1998年2月23日，惠水县旅游办公室、长田乡人民政府同贵阳市花溪区旅游事业管理局签订《关于投资开发惠水县长田河旅游项目的协议》，由花溪区旅游事业管理局前期投资200万元，对长田河流进行漂流为主的旅游项目（上黄村至惠水水泥厂段）的开发、投资、经营。6月21日，县计划统计局印发《关于对贵阳花溪涟江漂流有限公司申请建设惠水涟江漂流旅游项目建议书的批复》。该项目名为“皇上漂流”，修建了漂流器材库房、漂流码头和部分服务设施。11月28日，县旅游局评定第一批旅游餐饮定点单位，分别为龙凤悦大酒店、红果餐厅、立青饭店、兰亭酒家。

1999年，东山生态园启动建设，2000年5月建成开放，旅游观光休闲点主要是野梅岭森林公园，接着是皇上漂流、东山生态园。同年，惠水涟江——燕子洞风景名胜区被省人民政府批准为省级风景名胜区，长安喀斯特县级自然保护区成立。

2002年，九龙寺以佛教文化为重点的九龙景区动工开发；是年，引进贵阳客商投资200万元在三都镇金田村新建“涟江太极园”；投资70万元修建的“蒙江春色园”正式营业；协助贵州电视台《新旅游》栏目到野梅岭森林公园举办两天的大型户外活动，参加人员近300人。“十五期间”（2001～2005年），全县旅游基础设施建设投资9070万元，其中酒店餐馆投资1760万元，景点投资7870万元，旅游交通投资2080万元，旅游商贸投资2360万元。2006年，将好花红乡辉岩村布依族村寨、大龙乡九龙村苗族村寨作为“乡村旅游示范点”建设。2007年10月19日，九龙寺举行大雄宝殿开光庆典，完成第一期项目建设。县城至景区油路开通。8月8日，惠水县召开首届旅游产业发展大会，县委、县政府出台《关于加快旅游业发展的决定》。是年起，依托三月三、四月八、端午节、六月六等地方民族传统节日，探索小假日经济的发展模式和道路。

2009年，开始实施打造好花红辉岩布依风情文化寨。

2010年10月，涟江水利风景区被评为省级水利风景区。2011年完成布依文化广场、布依长廊桥、村寨道路硬化、民居改造等。2012年9月，开通甲戎至青河风光景区油路；10月，启动建设坐落于好花红乡的千户布依文化村；12月，惠水涟江水利风景区获批为国家水利风景区。

2013年，涟江度假旅游综合体，列入全省重点建设的“100个旅游景区”。黔南州第六届旅游产业发展大会于2014年11月8日—9日，在惠水县成功举办。从2014年8月确定由惠水县承办到11月上旬会议召开，只有3个多月的筹备时间，是黔南州历届旅游产业发展大会中景区建设难度最大、文化旅游融合最好、会议筹备时间最短的一次大会，又一次创造了“惠水速度”。一是加强领导，保障有力。成立了以县委书记为组长，各部门、镇办主要负责人的筹备工作领导小组，设立以分管旅游副县长为主任的筹备工作领导小组办公室，从县委办、政府办、文体广电旅游局、文联抽调主要领导或联系旅游工作的领导及工作员充实到办公室。二是统筹安排，强力推进。成立十个工作组，县委常委和县人民政府副县长分别担任各工作组组长，牵头推进各块工作。三是全县动员，形成合力。8月召开了黔南州第六届旅游产业发展大会筹备工作动员会，全县县直部门、群团组织、10个镇办副科级以上干部及旅游企业、投资商代表参加了会议，县委书记万庆华作了动员讲话，县人大，县政协主要领导作了表态发言，王文旭县长在动员会上作了筹备工作部署。使全县干部群众充分认识召开旅游产业发展大会的重要意义，全县上下形成共识，形成合力，全县县直部门、群团组织、10个镇办、旅游企业均参与旅发大会筹备工作或会务服务工作，采取督查指导包保的方式，确保旅发大会各项目建设有序推进。据不完全统计，县直各工作部门整合各类项目资金近1亿元，投入好花红乡村旅游区基础设施建设，充分推进“旅游+”融合发展，景区建设提速5年以上。

2015年12月31日，鱼梁河湿地公园列入国家湿地公园试点。

附：好花红旅游景区

位于惠水县好花红镇好花红村，距县城18千米，清澈灵秀的涟江之水由北向南，款款而来，贯穿整个景区，景区核心区主要由辉岩老寨、桔乡花海山体公园、千户布依寨三部分组成，面积约5平方千米，布依族人口占景区总人口的96%。是一个以布依族民俗文化和休闲农业为主题的乡村旅游区。

2001年11月，惠水县举办首届贵州惠水好花红艺术节，开始打造好花红文化旅游品牌。2002年10月，好花红作为主会场承办第二届贵州惠水好花红艺术节。2006年，被农业部授予“中国金钱橘之乡”称号；11月，好花红作为主会场承办第三届贵州惠水好花红艺术节暨首届金钱橘节。11月19日，贵州省布依学会第三届十八次常务副会长会议讨论，决定命名惠水县好花红乡辉岩村（现好花红镇好花红村）

好花红桔乡花海景区

王姓四合院为“中华布依第一堂屋”。2007年，惠水县旅游事业管理局通过指导改厨、改厕、改圈和物资帮扶，扶持19户农户开办农家乐。2008年，《好花红》调被收录入国家级非物质文化遗产名录。2013年，引进贵州方添泰房地产开发有限公司，投资2亿元建设千户布依寨项目。2014年好花红村入选首批中国少数民族特色村寨。11月，好花红作为主会场，承办第六届黔南州旅游产业发展大会，旅游基础设施建设大步推进。2015年，荣获“黔南州最美乡村旅游区”，“中国最美休闲乡村”“民族团结示范村”“全国文明村寨”“全国民主法治示范村”等荣誉称号。是年，引进合生园林有限公司，投资1.5亿元打造桔乡花海山体公园项目。4月20日至23日，“中华一家亲·两岸好花红”2015年海峡两岸各民族，欢度三月三民族文化活动，在好花红乡村旅游区举行，两岸来宾共植民族团结树、互结民族共建姊妹寨，开展民族歌舞大联欢等活动。

随着好花红乡村旅游区体量日益增大、功能渐趋完善、接待能力显著增强、知名度、吸引力大幅提升，到此休闲度假，观光旅游、康体养生的游客络绎不绝，好花红乡村旅游区已成为省内乃至全国著名的乡村休闲旅游目的地，是对外展示浓郁民族风情，多彩文化的一张精致、绚丽的贵州名片。布依民歌《好花红》，已成为好花红村一张响亮的文化旅游名片，当地村民也享受到乡村旅游带来的实惠，生活越来越滋润。

第三节　旅游管理

一、旅游行政管理机构

1996年，县政府设立旅游办公室。

1998年，县旅游局成立，与招商局、接待办合署办公。

2000年，县文化旅游局成立。

2001年，县旅游事业管理局成立。

2011年，撤销县旅游事业管理局、县文体广播电视局，组建县文体广电旅游局。

2014年，县文体广电旅游局改称县文化和旅游局。至2015年，全县旅游行政管理由县文化和旅游局下属旅游科负责。

二、旅行社

2002年9月，贵州神州旅行社有限公司在惠水设置营业部，2010年9月改设分公司。

2005年7月，贵州省中国旅行社在惠水设立营业部，2011年3月改设分公司。

2006年6月，贵州省中国国际旅行社在惠水设立营业部，2010年设立分公司

2010年8月，贵阳原野旅游有限公司在惠水设立分公司。9月，贵州百事通旅行社有限公司在惠水设立分公司。11月，黔南新海旅行社在惠水设立分社。

2011年5月，贵阳通大旅行社有限公司在惠水设立分公司。至2015年，全县有5个旅行社，分别为贵阳通大旅行社有限公司惠水分公司、贵州百事通旅行社有限公司惠水分公司、贵州省中国国际旅行社有限责任公司惠水分公司、贵阳海峡阳光旅行社有限公司惠水分公司、贵州神州旅行社有限公司惠水分公司；旅游客运企业2家，分别是贵州煦阳东昇旅游客运有限公司、贵州好风光旅游巴士有限责任公司惠水分公司，旅游车辆55辆、共有员工75人。

三、旅游景区

2014年7月，涟江公园被评为国家AAA级旅游景区。2014年，县内建第一个游客服务中心——涟江公园游客服务中心，占地50平方米，总投资6万元。

至2015年，全县有5个旅游景区。

2015年惠水县旅游景区名录

表16-7

序号	景区名称	批准时间	等级	位置
1	野梅岭森林公园	1997.05	省级	濛江街道烂坝林场
2	涟江燕子洞风景名胜区	2000.02	省级	涟江街道、摆金镇、岗度镇、好花红镇、断杉镇、王佑镇、羡塘镇
3	涟江水利风景区	2012.12	国家级	涟江河流域
4	涟江公园	2014.07	AAA	县城
5	鱼梁河湿地公园	2015.12	国家级	好花红镇

四、旅游饭店

2009年12月，百联商务酒店被评为二星级旅游饭店，这是县内第一家星级饭店。

2010年12月，夜郎大酒店被评为三星级旅游饭店。

2011年12月，惠馨时尚酒店被评为二星级旅游饭店。

2013年，涟江国际酒店建成营业。

至2015年，全县有规模住宿设施2家（分别为涟江国际酒店、夜郎大酒店，其中夜郎大酒店为三星级旅游饭店），拥有客房309间，床位483张。

五、旅游规划

2004年，县《涟江——燕子洞风景名胜区总体规划》通过省政府批准。

2005年，对县主要景区燕子洞、天生桥、涟江大坝进行旅游资源调查，采集景点图片735张。

2007年，为使县旅游资源充分利用和旅游业的规范、持续发展，聘请贵州大学旅游与文化产业发展研究院专家组为惠水县编制《惠水县旅游产业发展规划》，本规划期限为2007至2015年，展望到2020年，属中、远期规划。其指导思想为可持续发展战略，实现经济效益、社会效益和环境效益相统一。规划内涵为“乡村、田园、布依族文化、喀斯特景观”。从惠水县在全省的地理条件和文化底蕴情况确定形象口号为“喀斯特平原，好花红故乡”。

2008年，完成《涟江画廊旅游区总体规划》、涟江画廊旅游区总体规划评审，编制完成《九龙寺生态文化景区综合发展策划方案》。

2012年，启动《涟江旅游控制性详细规划》，省旅游局为“规划”拨付30万元补助。规划范围：北起平山桥（平寨至山后桥），南至高旺桥，西抵涟江，东达涟江东侧山脊，规划面积550平方千米。主要包括琴山逸响、三岔河、金蟾礼斗三个景观点。规划期限为2010至2020年，定位为贵阳、惠水客源一小时度假经济区。通过规划建设，计划使全县景区环境容量为每年273万人。景区除了以上三个景观点外，新建一个生态和民族风情体验区。2011年底，着手启动羡塘景区规划。

2013年，编制《贵州省涟江度假旅游综合体建设发展规划》，规划范围主要包括惠水县长田工业园、高镇镇、和平镇、三都镇、好花红乡、大龙乡、甲戎乡、芦山镇共8个乡镇。规划总面积200平方千米（约合30万亩），建设用地15000亩。性质为总体规划、控制性详细规划和修建性详细规划“三位一体”的复合型建设规划，其中，欢乐岛、绿色森林世界、好花红千户布依寨以修建性详细规划为主，其他项目做概念性规划，并结合惠水县的实际情况进行编制，具有战略性、全局性和多重功能性，是推动惠水涟江流域旅游产业发展的纲领性文件。

六、服务管理

1、服务。2002年前县内旅游服务接待工作由县旅游行政管理部门承担；2002年9月至2006年5月，惠水县陆续有旅行社分支机构入驻，旅游服务接待工作逐步由旅游行政管理部门转移给旅行社承担，旅游行政管理部门还承担入境旅游服务接待工作及上级旅游行政管理部门指定的旅游服务接待工作；2006年6月起，旅行社完全承担旅游服务接待工作。据不完全统计，1997年至2015年累计接待游客1123万人次，旅游收入45亿元。

2、旅游安全与旅游环境卫生管理：旅游行政管理部门成立以后，每年在春节、五一、端午、十一等节假日前，联合县文明办、县工商局、县质检局、县食品药品监督管理局、县交通局、县公安局、县安监局、县消防大队等部门，对县内主要旅游景区、宾馆酒店、旅游客运车队、餐饮服务单位、旅游购物店等进行安全生产、环境卫生检查，督促涉旅经营单位做好节假日旅游接待服务工作。县旅游行政管理部门每月至少开展一次旅游行业安全生产检查、一次旅游服务场所环境卫生检查，督促旅游经营单位业主提升安全意识、服务意识。1997年至2015年累计检查1146家（次）、整改362家（次）。

第十七篇　民政　宗教　民俗

第一章　民政事务

第一节　基层自治

一、基层机构建设

1998年，推行村民委员会民主选举，村委会主任、副主任候选人，以党政提名，也可由选民十人以上联名提名。此后，不断创新选举方式，其初步候选人由选民直接提名，任何组织和个人不能指定候选人，提名推荐的初步候选人名单公布后，由村民选举委员会根据较多数选民的意见，确定正式候选人。

2006年，村民委员会换届选举全面推行“海选”，具备法律规定的村委会成员任职条件，并有志于村务管理、为村民服务的选民，可报名参加村委会成员的竞选，选民可以选举“自荐”人，也可以另选其他选民的选举方式。“海选”与普通选举主要区别于，普通选举方式需要确定正式候选人实行差额选举；自荐海选不产生正式候选人，由选民从竞选人或其他选民中直接投票选出村委会成员。

2009年，县民政局统一规范村务公开版面，把公开的内容、形式和程序公之于众。2010年，大龙乡排楼村首次采用海选和公推自选的方式进行村民委员会换届选举。2013年，根据小康创建要求，村（居）务公开民主管理被纳入小康指标。2014年，惠水县获省级“居务公开民主管理达标县”命名。2015年，惠水县获省级“村务公开民主管理达标县”命名。

二、城乡社区建设

根据国家民政部关于做好农村社区建设试点工作，推进社会主义新农村建设和省民政厅有关农村社区建设的要求，2009年，县印发《惠水县农村社区建设试点实施方案》，先期启动长田乡长田村、三都镇三都村、好花红乡好花红村、羡塘乡龙虎村为建设试点工作。

2011年，省民政厅印发《关于开展农村社区建设实验全覆盖示范单位创建活动的通知》后，全县农村社区建设工作全面铺开。

2012年后，按照“一厅、一场、八室、两栏”［一厅即社区服务大厅，设党建服务、农业服务（农村社区）、社会事务服务、科教文卫和民族宗教服务、民政和社会保障服务、人民武装和社会治安综合治理服务等窗口；一场即室外活动场所；八室即多功能室、卫生计生室、调解室、警务室、文体活动室、防灾减灾室、图书阅览室、办公室；两栏即学习宣传栏及党务、村务公开栏］的标准开展社区服务中心（站）建设。

2013年，根据小康创建要求，城乡社区建设被纳入小康指标。是年，惠水县获省级“农村社区建设实验全覆盖示范县”命名。

2014年，涟江街道凤山社区探索网格化管理，采取“1+1+N”（即1个网格配备1名专职网格员和若干名兼职网格员，兼职网格员由退休老干部、老党员、老教师、志愿者、治安积极分子担任）社区网格管理模式，逐步形成“网中有格、格中有人、人在格中管、事在格中办”，基本实现“责任网格化、平台信息化、管理精细化”。是年，惠水县获省级“和谐社区建设达标县”称号。

2015年，摆金镇、好花红镇开设“群务E线通”，将党委、政府电子政务（协同办公网）延伸至村，为群众建立方便快捷的“一站式”服务，形成镇、社区、村“三级电子政务”，解决了行政区划调整后更好地服务群众的问题，提升农村社区服务站服务质量和水平。

第二节　优抚安置

一、优抚、优待

1980年，对全县各类优抚对象调查摸底，根据困难实际落实“定补”（定期定量补助）。全县烈属、失踪、病故军人家属被落实“定补”60户68人，占总户数的79%，全年补助费7200元；复员军人“定补”240人，全年补助费24044元，退伍军人“定补”18人，全年补助费1680元。全县369个生产大队，优待军属693户，补助劳动日8005个，补助粮食18477.5千克，现金帮助215元；为烈属、军属、残疾军人送柴140000千克，送煤15000千克。

1984年，在1983年的基础上调整提高残疾军人抚恤金，安排1979年回乡的荣立对越自卫还击作战二等功臣和因公残废军人。对全县烈属、病故、失踪军人家属、复员退伍军人5816人，给予定期定量补助322户、334人，金额40092元，帮助优抚对象维修住房和因天灾人祸临时救济22647.40元。全县113名残疾军人全部领到了增加的残疾金。

1985年，对符合规定的优抚对象进行定补和调整，原享受国家抚恤的烈属、病故、失踪军人家属63户、70人，定期抚恤10926元，按现行规定提高有65户76人，计抚恤金17720元；原享受国家定期补助的复员退伍军人268人，金额31357元，按现行规定调高261人、金额39139元。全县优待军属、烈属708户，落实优待兑现粮食折现36370元。优抚对象569人，享受救济、领取救济款3003元。

1987年，制定《惠水县烈军属群众优待办法》，是年兑现518户，优待金从1986年每户平均优待125元提高到168元。对经县人民政府批准为红军失散人员的姚哨区赤土乡赤土村王金林，雅水区鸭寨乡谷把村陈和清发放定补，标准分别为每月25元和15元。

1989年，按照国家抚恤，定补政策，全年发放烈属、病故军人家属、因公牺牲家属、失踪军人家属共120户132人，抚恤金26076元；给革命残废军人抚恤133人，年抚恤金27054元；给在乡复员军人定期补助10户495元；在乡复员军人定期补助613人，年定补146415元；在乡退伍军人定期补助26人，年定补4194元。县成立“烈军属群众优待金筹集领导小组”办公室。计划筹集优待金86751元，优待465户，兑现79100元。兑现48个乡镇396户70800元。

1990年，发放城镇孤老定期补助15户16人，年定额1968元；农村五保户补助290户334人，年定额20040元；孤儿定期补助29户45人，年金额2700元；给23人死亡的五保户丧葬补助1220元；发给宽释人员12人补助，年金额1512元。

1991年，全县在册复员军人1400名。在乡老复员军人定补面达72.79%，已享受定补的1019名，占72.79%；全年定补187400元，人均定补183.93元；定补面由1990年的55.1%增加17.69%；享受定补人数比1990年的775人增加定补244人；下拨的定补经费比1990年的143380元增加了44040元。至年底，筹集83496元，春节前走访慰问兑现军属435户，兑现81700元，农村军属每户兑现200元，城镇每户兑现100元；对在服现役荣立三等功的14名干部、战士家属兑现奖金1400元。有偿借助10000元扶持和平镇军属刘忠礼筹办酱油厂和浴室；有偿借助700元扶持长田乡退伍军人杨通林等4人承包370亩荒山开垦绿色工程。

1992年，根据《惠水县军人抚恤优待实施细则》文件精神，向134名伤残军人发放26196元；向50户60名军烈属因牺牲，病故军人家属发放24828元；向2名红军失散人员发放定期补助费720元；向全县429户军属兑现优待金80500元；向农村籍战士家属兑现优待金200元；城镇居民战士家属兑现优待金100元；对荣立三等功的10名战士家属兑现奖励1000元。共选聘冬春退伍军人中两用人才21名，分别被聘用为乡民警、企业职工、省内大专院校保卫人员，开发使用率达70%。全县有1222名老复员军人享受到定补，定补面由1991年底的72.79%扩大到90.56%。全年下拨定补金额共255264.99元，人均定补209.19元。

1993年，发放2名红军失散人员定补720元；发放1246名复员军人定补218205元，实现100%定补；向享受40%定救109人发放定救金26244.07元，向29名退伍军人发放定补5220元，向136名伤残军人发放定救金28637元，向55户62名烈属、因公牺牲、病故军人家属发放定抚金33984元，向61名病故复员、伤残军人家属发放一次性补助金2083.13元。

1994年，县成立“双拥”领导小组，各级建立常年性优抚组织29个，临时性274个。全县享受抚恤补助总1499人，发放各类抚恤对象和定期抚恤补助金309010元。对荣立三等功以上的18名义务兵家属给予奖励1800元。筹集群众优待金70291元，兑现现役军人家属优待金62200元。

1995年，全年享受抚恤补助总1406人，发放各类抚恤对象和定期抚恤补助金369962元。共兑现群众优待375户377人，总金额71200元。对荣立三等功以上的20名义务兵家属发放奖金2000元。

1996年，发放各类抚恤对象和补助金437732元，2600人。坚持一级统筹两级管理的办法，共计筹集兑现群众优待金365人68800元（其中，农村户口军属323人次64600元，人均20元，城镇军属42人次4200元，人均100元），兑现率100%。

1997年，全年发放烈属、病故军人家属、因公牺牲家属、伤残军人抚恤金、保健金、定补金44156元。3月，根据《关于认真做好军属优待金统筹工作的通知》，将群众优待金标准每户由年户均200元提高到750元，原在乡复员军人定补标准由年均240元提高到432元。

1998年，发放40户47名烈属抚恤费39036元；因公牺牲军人家属2户2人，发放抚恤费1632元，发放病故军人家属7户9人抚恤费1632元，发放135名伤残军人抚恤保健金21410元，发放1187名复员军人、失散红军定补金532530元。兑现1997年度军属优待金（其中，农村户口303户303人227250元，人均750元；非农业户口35户35人，14000元，人均400元）兑现率达100%。同时，兑现现役军人立功奖励7人700元。按提高老复员军人年定补标准450元和拉高退伍军人定补标准432元全部兑现。

1999年，县启动“爱心献功臣行动”，解决老功臣“三难”（生活难、医疗难、住房难）问题，号召全县25个乡镇及县直工作部门，对住房严重困难的66户老复员军人定点帮扶。全县投入资金45万元，新建住房160间，解决40户老复员军人的住房问题。按时足额兑现农村义务兵家属优待金及在乡复员军人定补，户均750元和人均643.76元。

2000年，县属建立常年优抚组织428个，临时性612个。

2002年，出台《惠水县鼓励退伍军人自谋职业实施方案》，对符合政策安置的12名退伍军人实行双向选择择优安置；发放复员军人定补1057人18805.5元，烈属抚恤金53人22470元，伤残军人抚恤、护理费127人4205元，军属优待金234户178800元，立功奖励金13人1300元。抓好军地两用人才开发，推荐15名退伍军人从事保安工作。开展“爱心献功臣”活动，投资4万元帮助复退军人修建房屋。

2003年，向享受抚恤定补1372人，发放抚恤保健、定补金1318395.2元；对现役军人对象218户兑现优待金303468元。投入1.2万元购买粮食2800千克发放给优抚对象。

2004年，足额发放全年度各类抚恤定补经费1253884元；兑现197户农村军属优待金324065元；按比例增发全县重点优抚对象抚恤定补自然增长费45417元。

2005年，发放优恤、补助费1859474元。在乡复员军人定补标准每人每年1701元，农村军属优待金达到上年度农民人均纯收入（1790元）的100%。调整在乡老复员军人定补自然增长，年人均增长35元，超过上级规定标准49元。将复员军人优先列入农村特困救助对象，将所有重点优抚对象列入农村大病医疗救助范围。适当放宽条件给予救助，投入58500元解决21户老复员军人住房难63间1500平方米，落实好军休干部的“两个待遇”。

2006年，发放各类抚恤、定补、优待金2359742元。其中，在乡老复员军人定补实施自然增长机制每人1976元。农村军属优待金按照上年度农民人均纯收入（1946元）的标准发放。补助47500元为罗怀山等21户重点优抚建房63间。

2008年，全年发放各类抚恤、定补、优待金4509035元。其中，在乡老复员军人定补年人均2690元，农村义务兵家属优待金每户2432元，下发9.5万元，解决陈惠平等14名复员、退伍、伤残军人的住房困难，新建维修房屋41间；免费将1043名重点优抚对象纳入农村合作医疗，交纳参合费20860元。

2010年，按照政策补发提高2009年度1762名优抚对象补助金359759元；核实新增三属人员4人、参战人员27人，注销复员退伍4人、三属人员4人、参战人员27人，注销复员退伍4人、三属2人；实行在乡复员军人生活补助自然增长机制，按时发放2010年度1759名在乡老复员军人、三属人员、残废军人、企业复员军人、带病和参战退伍军人抚恤补助563万元。优抚对象的抚恤补助不计入家庭收入，生活困难的优抚对象全部纳入城乡低保；投入40多万元，帮助85户优抚对象重建和维修住房，为城乡重点优抚对象、参战人员共1563人交纳参合费3.1万元，发放门诊补助费7.8万元，对患重病的优抚对象实行医疗补助。按上年度农民人均纯收入标准发放199户义务兵家属优待金56.6万元。

2011年，发放优抚对象抚恤补助718.69万元；审批核实新增12名参战退役人员、1名伤残军人，注销自然减员复员退伍20人；按照县上年度农民人均纯收入自然增长18%的比例，将在乡老复员军人的生活补助费提高到4956元；发放优抚对象一次性医疗门诊补助61.08万元；建立优抚对象医疗保障“一站式”报销即结算方式；根据上级文件精神，及时采集全县60岁以上农村籍退役士兵相关信息。

2012年，发放全年“三属”（革命烈士、因公牺牲军人、病故军人家属）2421人定期抚恤费740.23万元。发放181人军属优待金84.4万元，发放1603人重点优抚对象春节生活补助费57.708万元（每户360元），在乡老复员军人定补实行自然增长，人均增长1114元，年定补达6174元。为全县优抚对象发放优抚证和医疗证。启动优抚对象医疗保障“一站式”结算服务工作，对全县33家医疗单位报销对象即时结算。交纳优抚对象合医费12万元；补助48户困难优抚对象房屋维修和重建经费23.3万元；组织31名伤残军人到省肢体康复中心进行康复疗养，900余人参战退役人员进行身体健康检查。

2013年，需发放义务兵家属优待金188户，计1031744元（按上年度农民人均纯收入5488元测算）；执行黔党发〔2012〕34号文件，发放大学生入伍一次性奖励金24000元（专科生3人奖励标准2000元、本科生6人奖励标准3000元），共计1055744元。实行在乡老复员军人补助自然增长机制。是年，省级要求在乡老复员军人补助基数为5774元，根据县上年度农民人均纯收入增长17%的比例测算，增长基数为982元，是年，对在乡老复员军人补助标准6756元/人/年，高于部分县市。

2015年按时发放全年2713名各类优抚对象抚恤补助经费1117.5838万元；发放195户义务兵家属优待金142.935万元对658名优抚对象进行医疗救助，发放医疗救助经费28.6756万元。开展医疗巡诊活动，组织惠水百姓医院医务人员到雅水镇为23名老复员军人看病发药，组织30名优抚对象进行短期疗养，下拨经费30万元，补助60户优抚对象建房或进行房屋维修。

二、退伍安置

1980年，全县共接收退伍军人251人，其中，残疾军人25人。根据国发（1980）161号、283号和140号文件精神，按照“从哪里来，到哪里去”的原则，妥善安置。给予101人退伍军人拨252元救济款，解决有证无钱购买粮食的困难。

1984年，接收退伍军人183人，符合安置的32人，安置回农村的151人。同时，安排1983至1984年，回农村因公残疾军人3人，安排1979年回乡的荣立对越自卫还击作战二等功臣15人，已安排12人。

1985年，共接收退伍军人195人，符合安排工作条件的43人，回乡152人，面对接收人员多，安置重点放在农村，厂矿企业单位，是年退伍战士全部妥善安置完毕。

1986年，接收退伍军人195人，符合政策安置工作的43人，安置回农村的152人。43名被安置的退伍军人分别安排在险峰机床厂、永安电机厂、银行等单位。其中军地两用人才16人，均按技术专业对口予以安置。

1987年，共接收退伍军人161人，其中：符合安排工作条件的30人，安置回农村的131人。接收军队离休干部6人。是年，县成立“军地两用人才开发使用领导小组”和“军地两用人才介绍所”，各区、镇相应建立“军地两用人才介绍站”，乡镇配备了军地两用人才联络员，形成县、区、乡镇三级推荐网络，对符合安排工作条件的退伍军人，通过在部队掌握的专业技术，实行学用结合，区别对待，对口安置。

1989年，全县共接收退伍军人85名，其中，回农村的66人，并给生活困难补助费每人100元，符合政策安置工作的19人。给立功军人4人每人增补50元；安排房屋维修费3000元，共计9800元。是年，退伍的24名两用人才，已有22名被单位聘用。

1990年，针对县退伍军人（春季和冬季退伍兵）安置人员多的特点，作好《退伍义务兵安置条例》的宣传，安置城镇退伍军人46名，多数安置在企业、厂矿；退伍回乡的共87人，给每人发放生活补助费100元，其中，有2人特殊困难，给予临时补助金210元；发给8人房屋维修金各250元，推荐使用军地两用人才35人。

1991年，对1990年接收的96名冬季退伍义务兵全部安置。其中：安排工作的38名，回乡的58名，开发使用率达66.8%。

1994年，共接收退伍军人110人，符合政策安排工作的13人，安置回农村的97人。13名安置人员分别安排在厂矿、学校、企事业单位。军地两用人才开发使用51人，开发使用率达94%。

1995年，共接收安置退伍军人80人，符合政策安排工作的16人，回农村的64人。对军地两用人才50人，开发使用43人，开发使用率达86%。

1996年，全县共接收退伍义务兵108人，转业志愿兵2人，符合政策安排条件的16人，回农村的92人，军地两用人才开发使用28人，开发使用率达86%。

1997年，妥善做好退伍义务兵、转业志愿兵的接收安置工作。全年共接收退伍义务兵95人，转业志愿兵2人，符合政策安排工作的14人，回农村的83人，军地两用人才开发使用38人。

1998年，共接收退伍军人110名（含1997年冬季退伍兵），其中：义务兵103人，志愿兵7人；符合政策安排工作的23人，其中：义务兵16人，志愿兵7人；安置回农村的87人，军地两用人才46人，推荐安排41人，开发使用率89.1%。

1999年，全年接收退役士兵89人，其中：符合安置政策的城镇义务兵10人，志愿兵3人，共安置13人，回农村退伍士兵76名，军地两用人才58名，开发使用率100%。另外，选拔使用往年回乡退伍兵16名。是年，向贵阳市北供电局、县供电局推荐使用25名，房地产公司推荐使用14名，介绍到国有、集体、民营企业的有35名。

2000年，根据黔府发〔2000〕1号文件精神，多渠道、多形式安置城镇退役士兵。全年共接收退伍军人71人，其中：按政策规定安置的18人，农村退伍兵53人。7月中旬，城镇退伍军人，均被安置在学有所用的岗位上；县民政局对回乡的32名军地两用人才，据其特长全部推荐使用，占用回乡军地两用人才数的100%。

2001年，全县共接收退伍军人130人，其中，118人安排回农村，按符合政策安置的12人，军地两用人才，开发使用率90%。

2003年，县政府印发《惠水县城镇退役士兵有偿安置和自谋职业办法（试行）》，8名符合政策安置的城镇退伍士兵由财政拨出134016元，分别发给每人16752元，100%实行自谋职业。

2004年，共接收符合政策安置的城镇士兵9人，1名分配安置，其余8名自谋职业，自谋职业率达89%，共兑现一次性自谋职业补偿金193392元。

2005年，共接收退伍军人96人，在符合政策安置的9人中，有2人安排工作，7人全部自谋职业，共发放自谋职业补偿金146250元。对回乡的67人退役军人，适当发放退伍安置补助，向县内外一些效益好的企业推荐46人就业。

2006年，共接收退役士兵94人，其中，符合政策安置的城镇义务兵9人；农村退役士兵85人，有6人自谋职业，共发自谋职业补助和待安置期生活费238222元。

2008年，共接收退伍军人97人，其中，符合政策安置的城镇退役士兵8人。6人自谋职业，1人由县公路管理段安排工作，1名转业士官安排到县民政局。发放自谋职业补助费198990.00元。待安置期间生活补助7860.00元。

2009年，共接收退役士兵103人，其中，城镇退役士兵14人、回农村安置89人。组织12名城镇退役士兵到都匀乔城电脑学校进行技能培训；按208元最高标准发放14名城镇退役士兵待安置期间生活补助费；按照政策安置3名转业士官，发放11名退伍军人自谋职业补偿金44.5万元，8月，完成退伍军人安置任务。

2010年，共接收退役士兵115人，其中：享受政策安置的城镇退役士兵和转业士官21人、回农村安置94人。根据《黔南州人民政府、都匀军分区关于做好2010年度退役士兵接收安置工作的通知》，县采取以下措施安置：妥善安置好回农村退役士兵的生产生活及住房问题。按城镇低保每月最高253元标准，按月发放14名城镇退役士兵待安置期间的生活补助21252元。在8月底前，将21名城镇退役士兵全部安置完毕，其中：7名转业士官安置在县城管大队工作，1名由直管电信系统安置，其余13名全部实行自谋职业有偿安置。推荐王佑镇红星村退伍军人党支部书记孙廷光、鸭绒乡大坪村退伍军人秦元帮报州局，参加全省优秀退伍军人评选活动，孙廷光被评为全省优秀退伍军人

2011年11月1日，实施《退伍士兵安置条例》，对服役满12年的转业士官，平时二等功，战时三等功，五至八级因战致残，烈士子女，由县安排工作。2012年起，县共补助7户复员退伍军人创办经济实体，给每户补助经费2万元。

2014年，发放93名退役士兵一次性补助经费120万元，开展退伍军人就业技能培训，与黔岭驾校合作，对36名2013年退役人员进行驾驶技能培训，每人补助2000元，驾校优惠300元。27名退役义务兵被惠水、都匀、贵定等县录作为事业编制警察。共帮扶3名退伍军人发展养殖业和餐饮业，发放帮扶资金6万元。

2015年春节和“八一”建军节期间，县双拥工作领导小组分别慰问驻惠部队共计经费12.6万元。补助县消防大队经费16万元、武警中队3万元，补助涟江、濛江、凤山、西山四个社区双拥工作经费各1万元。下拨经费145.73万元慰问全县2681名优抚对象。

三、烈士褒扬

1981年，县开展《烈士英名录》整理编修工作。收录烈士223名，其中，县外籍牺牲烈士119名，惠水籍104名。按牺牲时期划分：解放初期剿匪牺牲的139名，抗美援朝牺牲的32名，对越自卫还击战中牺牲的34名，其他牺牲的18名。

1982年6月，县人民政府发文公布，县烈士陵园纪念碑列为县级文物保护单位。

1990年12月，惠水三都区驻乡民警张勇，在三都区街上执行堵截“12.26”特大持枪杀人案罪犯任务时，光荣牺牲。贵州省人民政府追认张勇为“革命烈士”。

1991年10月，县将芦山镇烈士墓李广盈等十八名烈士遗骨搬迁至县革命烈士陵园安葬。

1994年和2002年，县拨专款先后两次组织打捞解放初期被土匪杀害丢弃在老鹰洞里的7名解放军烈士，以及在惠水牺牲的14名烈士遗骨并安葬于烈士陵园。年逢清明期间，组织开展近万名机关干部、武警消防兵、中小学师生“祭扫烈士陵园”扫墓活动。

2002年8月，县人民政府决定将原烈士纪念碑拆除重建。

2003年4月，启动扩建十二楼台烈士陵园。县财政投入资金维修、改造、扩建、绿化革命烈士陵园。重建维修改造的革命烈士纪念碑高8米，占地面积扩大400平方米。

2004年，县革命烈士陵园维修改造工程于清明节竣工投入使用。完成对九龙山红军墓搬迁重建选址规划。

2005年2月，惠水县三都镇三都村紫马冲发生一起山林火灾。防火队员唐正坤参加扑救山火时牺牲。被贵州省政府批准为“革命烈士”，被中共黔南州委追认为“优秀共产党员”。

2011年，对分布在县革命烈士陵园及摆金、断杉、三都、太阳、雅水、抵麻、甲戎等地烈士纪念建筑设施进行普查，逐个登记造册。

2012年，对县零散烈士墓搬迁和抢救保护工作。11月开始，先后对分布在三都县、甲戎乡、羡塘、摆金、高镇、抵麻、斗底、雅水8个乡镇15个零散烈士墓进行集中搬迁，2013年7月5号，搬迁工作全部结束。清明节期间，组织全县25户29名烈士家属赴广西祭扫革命烈士。投入4.3万元，改造县革命烈士陵园照明路线；

县烈士公祭活动（2014年摄）

拨专款整修三都、王佑、断杉3个乡镇烈士陵园。

2013年，投入经费22万元，在县革命烈士陵园内修建英烈墙，将外省籍在惠水境内牺牲的286名烈士英名镌刻在英烈墙上，是年7月5日，投入经费30万元，先后对分布在黔南州三都县，以及县甲戎、羡塘、摆金、高镇、抵麻、斗底、雅水8个乡镇，17所零散烈士墓进行集中搬迁，安葬烈士23名，8月，投入经费120多万元，在县革命烈士陵园内修建红军烈士墓。

2015年，县革命烈士陵园安葬烈士127名。

第三节　“双拥”创建

一、拥军优属

1978至1984年，每年“八一”建军节、春节等重大节日，惠水县均广泛开展拥军优属活动。

1985年，成立县拥军优属慰问团，对驻惠水地区的人民解放军、武装人民警察部队、县消防中队进行慰问。慰问团分6个组到六区一镇的25个乡、32个村走访军烈属、复员退伍军人和残废军人，拨款1775元为部队、军烈属、复退残废军人解决实际困难，同时，抓好各区、乡的走访，召开优抚对象座谈会。

1986年，县四家班子领导和有关部门春节期间重点走访6个区，13个乡，慰问军烈属，复退残军人57人，对生活比较困难的19户军属补助现金600元。深入杨家山驻军、摆金驻军、县人民武装部、县消防队、县武警中队进行慰问赠送慰问品。各区、乡对军烈属普遍走访，送去年画、对联和慰问品。

1987年11月，召开全县拥军优属，退伍军人两用人才开发使用和征兵工作经验交流会，险峰厂、永安厂、八普、惠水造纸厂、区域地质调查大队、惠水驻军以及各区、乡镇有关部门的负责人和先进单位、先进个人代表共137人参会。

1988年“八一”建军节、春节期间，成立县拥军优属慰问团，各区乡镇组成65个慰问小组，分别走访慰问营区、驻地部队、军队离休干部，走访6个区、18个乡镇、19个村、21个组。走访慰问烈军属、在乡残疾军人，复员退伍军人55户，分别给予困难户临时救济，共用资金15000元。

1996年元旦、春节、“八一”建军节期间，成立县拥军优属慰问团，各乡镇成立慰问小组，分别对驻惠人民解放军、武警部队、军队离休干部4户、军属13户、烈属6户、二等乙级以上在乡伤残军人8人、复员军人16人、退伍军人14人走访慰问，向现役军人家属赠送光荣匾543块，春联543付，慰问金8000元。

1998年元旦、春节、“八一”建军节期间，成立县拥军优属慰问团2个32人，各乡镇成立慰问小组50个150人，对驻县人民解放军、武警部队5个单位，军队离退休干部4人，军属25户，烈属40户，二等乙级以上在乡伤残军人7人，对部分复员退伍军人进行慰问和走访，赠送慰问金28000元，慰问品二批。给现役军人家属赠送光荣匾110块，对联497副。

2000年，走访慰问抗美援朝复退军人，在纪念中国人民志愿军抗美援朝出国作战50周年前夕，县召开抗美援朝出国作战50周年报告会，四家班子领导走访慰问在乡复员军人67人，并送去慰问金7370元。

2001年“八一”建军节期间，县拥军优属慰问团慰问驻惠部队、军队离休干部、功臣模范、二等乙级以上伤残军人、下岗特困企业职工、在乡特困复员军人，赠送慰问品和慰问金，举办“军民鱼水情”歌舞晚会。

2003年春节、“八一”建军节，两次对6个驻县军（警）单位和226名重点优抚对象进行慰问，送去慰问款物4万余元。

2004年春节、“八一”建军节期间，县四家班子慰问团慰问驻惠各部队和重点优抚对象，参与慰问单位123个（次），参加人员290余人（次），发放慰问款物14万余元。

2006年，投入8万元开展春节、“八一”建军节拥军优属走访慰问活动；举办“八一军歌嘹亮，军民鱼水情深”文艺晚会、为部队官兵送去电脑和慰问金。

2007年，围绕争创全国双拥模范县目标，创新双拥工作方式，邀请100名老复员军人、军嫂、军妈妈到县城参加“八一”慰问表彰大会，给每人慰问金200元；是年，成立慰问组，县委书记带队，赴西藏慰问惠水籍战士。

2008年春节，县双拥慰问领导小组采取集中和分散两种形式，慰问驻惠部队和重点优抚对象，共发放慰问金45600元，水果50件、大米7020千克、食用油117桶。购买价值5万多元的慰问品，到摆金镇慰问支援抗冻救灾的120名成都军区部队官兵，组织军民联欢文艺演出。

2009年，慰问5个驻惠部队和110名城镇、农村重点优抚对象；发放慰问金7.6060万元，按照政策发放177名优抚对象春节前一次性生活补助费318960元和206户城镇、农村军属优待金471262元；增补1772名优抚对象抚恤金182792元。

2010年，纪念中国人民解放军建军83周年和抗美援朝出国作战60周年之际，对全县老复员军人、伤残军人、烈属共535人进行走访慰问，发放慰问金10.7万元，慰问4家驻惠部队，向每家发放慰问金5000元；举办“军民携手、再创辉煌”大型文艺晚会，会上表彰31个双拥先进单位和87名双拥先进个人。春节期间，县出资8万元，走访慰问四家驻惠部队；发放慰问金5000元、慰问品（水果）40件、冰柜一台、年猪一头。慰问120名城镇和农村重点优抚对象，每人发放慰问金300元、食用油4千克、被子一床、大米15千克。走访慰问14户烈士遗属，每户发放慰问金300元。

凤山社区开展双拥工作活动（2010年摄）

2011年，县投入8万元，走访慰问四家驻惠部队，困难群众，120名城乡重点优抚对象。

2012年，投入近30万元，分别慰问驻惠部队和优抚对象。为支持部队建设官兵学习活动室、购置办公设备、完善多功能网络教室。

2014年，分别向每家驻惠部队发放慰问金20000元，共计8万元，并发放价值2万多元水果。投入24.8万元帮助武警中队、消防中队、人武部修建学习教室、球场等基础设施建设。走访慰问25个乡镇困难优抚对象147人，每人发放慰问金300元，食用菜油一桶，大米15千克，棉衣一件。对2013年8名立功现役军人家属，其中二等功1名发放奖励金1000元，三等功7名，每名发放奖励金500元，共计发放经费4500元。

2015年，发放79名退役士兵一次性经费补助98.1793万元，发放34名大学生入伍奖励金8.1万元，全面完成9名转业士官安置工作。积极开展退伍军人就业技能培训，与宏远驾校、就业局、市场监管局合作，对52名退伍军人进行集中政策培训。9名退役士兵参加州民政局举办的挖掘机技能培训，38名在县内参与机动车驾驶技能培训，退伍军人培训率达77.2%。投入经费50多万元，完成红军墓二期工程修建工作。

二、双拥制度

1990年10月，县印发《惠水县拥军优属若干规定》。

2003年7月，县印发《惠水县拥政爱民若干规定》；9月，印发《惠水县城镇退役士兵安置任务有偿转移和自谋职业实施办法》；12月，印发《惠水县抚恤补助标准自然增长机制》。

2005年9月，县双拥办印发“双拥工作八项制度”，即《惠水县党政军领导联系点双拥工作制度》《惠水县双拥工作年汇报制度》《惠水县双拥工作报告制度》《惠水县双拥工作军地合署办公制度》《惠水县党委议军会会议制度》《惠水县双拥工作列席会议制度》《惠水县双拥工作检查评比制度》《惠水县党管武装制度》。

三、双拥表彰

2004年7月，县委、县政府开展规模较大的表彰活动，县民政局、财政局等21个单位获“拥军优属先进单位”表彰；78149部队、武警中队、消防队获“拥政爱民先进单位”表彰；全县有32人被表彰为“拥军优属先进个人”；有2人获“拥政爱民先进个人”表彰。

2007年3月13日，县驻军78149部队被省委、省政府、省军区表彰为“拥政爱民先进单位”，范江蔺被表彰为“拥政爱民先进个人”；陈占恒被表彰为“拥军优属先进个人”，长安乡新华村村民花羊兰被表彰为烈军属先进个人。是年，县委县政府对双拥工作的先进单位和个人进行表彰。团县委、老年大学等28个单位为“拥军优属先进单位”；表彰武警中队、78149部队为“拥政爱民先进单位”；表彰县委组织部金梅（女）、县委宣传部施国俊等24人为拥军优属先进个人；表彰县人武部政委卢宗学、政工科长钟毅等6人为“拥政爱民先进个人”；表彰雅水粮管所职工张德华、供销社职工秦跃刚等10人为“模范退伍军人”；表彰城关一小退休教师宋新瑞、和平镇大新村村民李泽兴等12人为模范军属；表彰审计局责任所张丽（女）、县妇联揭燕萍（女）等4人为模范军嫂。县开展双拥工作先后有57个单位和93人分别受到省、州、县的各种表彰。

2010年，和平镇、岗度乡人民政府等20个单位被县委县政府表彰为拥军优属先进单位；惠水县人民武装部、武警惠水县中队、惠水县公安消防大队、78149部队10分队被表彰拥政爱民先进单位；和平镇人民政府殷海、高镇镇人民政府吴忠宇等32人被表彰为拥军优属先进个人；县人民武装部卢凯、谭志良等6人被表彰为拥政爱民先进个人；和平镇惠明村王登祥、高镇镇司蒙村等赵德明等22人被表彰为优秀退伍军人；和平镇星光村杨和平、和平镇凤山社区张惠珍等24人被表彰为模范军属。

2014年，县委宣传部施国俊、和平镇社会事务办汤碧红被州委、州政府、都匀军分区表彰为拥军优属先进个人；和平镇惠民村吴启顺，好花红乡杨正贤被表彰为复退军人自主创业先进典型。

四、创建活动

历年来，县发扬拥军优属拥政爱民光荣传统，坚持每年春节、“八一”建军节期间，对驻惠部队、优抚对象、一等功臣、军休遗孀进行慰问，驻惠部队视惠水为故乡、把人民当父母，及时完成急、难、险、重任务，为地方建设保驾护航做出积极贡献。2002年，县委、县人民政府召开全县各级党委、政府和各级各部门及各驻惠部队开展创建全省双拥模范县工作推进会。2003年1月，县首次被贵州省委、贵州省人民政府、贵州省军区命名为“全省双拥模范县”。2007年3月、2010年3月和2015年7月，县分别被命名为“全省双拥模范县”。

附：

军民共建　苗寨明珠放异彩

陈勋忠

被誉为苗寨明珠的高寨村，是惠水县摆金镇的一个自然山寨。全村坐落在距惠水县城40千米的九湾河畔、椅子山脚。住有107户、596名苗族人民。1986年3月以来，高寨村与驻守在附近的成都军区某部四连携手共建两个文明。全村发生了深刻的变化。

组建业余歌舞队，活跃山乡文化生活。党的十一届三中全会以后，高寨村实行了联产承包责任制，粮食连年增产，经济收入有所增加，群众不愁温饱。一些不甘寂寞的回乡知识青年，不安心于“日出而作，日没而息”的古老单调、枯燥乏味的生活方式，希望能有一个学习和娱乐的场所。1985年在苗族人民“三月三”传统节日前的一段时间，在复员军人、民办教师杨光祥的组织、辅导下，文艺演出队应运而生。在“三月三”演出队表演的苗族舞蹈《饭箩舞》，赢得了观众一阵又一阵的掌声。该节目后被县文化局、县民委评为调演一等奖。珍贵的一等奖使高寨村沸腾了，大家纷纷自己掏钱购置服装、乐器、道具。从此，这个苗寨充满了欢乐的歌声。这支业余苗族歌舞队自编自演，突出地方特色，汇集乡土民情，并结合当地党委和政府在各个时期的中心工作，极力宣传党的方针政策。所以无论在本村或是在外演出，都得到了各级组织的重视和大力支持，深受各族人民的好评。1986年3月，驻守在高寨村附近的成都军区某部四连为扶持好这支业余歌舞队，经常派出小乐队到寨上来精心指导和帮助编排文艺节目，并同台演出。在部队的热情帮助下，歌舞队员由15名发展到45名，歌舞队自编自排节目很快增加到28个，经常到大华、甲浪、摆金等乡镇巡回演出。

党的十三届四中全会后，部队与村党支部组织全体歌舞队员学习了中央领导同志的讲话，对全村群众进行坚持四项基本原则，反对资产阶级自由化的教育。摆金区委根据歌舞队提议，支持歌舞队与驻军部队组建一支40人的宣传队，到甲坝、摆金、岗度、甲烈等乡开展文艺演出的同时，大力宣传《人民日报》重要社论和邓小平同志的重要讲话。4年来，这支苗族歌舞队始终采取“农闲集中化”，“节日民族化”，“农忙特殊化”的办法，军民同台共演出118场，观众达16万人次，足迹踏遍几十个乡村，还迎来了龙里、贵定、平塘等邻县部分观众。

办夜校，扫文盲。高泰村45岁以上的人85%是文盲，3.60%以上的女青年尚未进过学校。高寨村要兴旺发达，首先必须扫除文盲，提高群众的文化程度。于是，村里腾出一间仓库，开始办起了扫盲夜校。军、地两方选出了教员进行扫盲教学。办夜校顺乎民心，到校学习的人由15人增加到55人。经过半年的努力，有十几个聪明灵秀的姑娘可以读报纸了。又经过两个月，她们拿起笔开始学写信了。学习3个学期以后，经县教育和文化部门考核，有38名女青年脱盲。夜校共扫除文盲55人，其中，女青年占44人。扫盲还促进了全村适龄儿童入学率的提高，现在全村儿童入学率达90%以上，巩固率达100%，全体村民的文化程度有了显著的提高。

办好“青年、妇女、民兵之家”，为村民学习和娱乐提供场所。1986年部队帮助高寨村成立了“青年、妇女、民兵之家”。“家”设在村里一间面积为20多平方米的仓库里，有图书室、娱乐室，并配有一个简易篮球场。部队送来525册新书，青年筹集233册图书，现在图书室有各类图书1200多册，并订有《中国青年报》《贵州日报》《贵州农民报》，娱乐室有部队赠送的一台黑白电视机、一台广播收转机、两只高音喇叭、电子琴和民族乐器。“家”成立以来，坚持农闲时白天、晚上开放，农忙时晚上开放，成了全村群众茶余饭后读书学习、传递信息、寻找致富门路、开展文体活动的阵地。五年来，这个村的篮球队共参加全区性五次篮球赛，四次获冠军。1988年春节“家”还与驻军部队联合举办《两个文明杯》运动会。

1988年，“家”参加了由团中央和中国青年报社联合举办的全国青年之家“新星杯”竞赛活动，荣获二等奖。

重视思想政治工作和法制教育。过去，高寨村有很多陈规陋习，早婚早育、买卖婚姻、赌博等时有发生。针对这一情况，村党支部、村民委员会与驻军部队经常组织群众学习党的方针政策，并对青年广泛进行“有理想、有道德、有文化、有纪律”的教育，先后组织青年学习《宪法》《刑法》《治安处罚条例》《婚姻法》《计划生育暂行条例》《土地法》等法律、法规。近年来，该村无犯罪、无火灾、无打架斗殴、赌博现象；村里七、八个姑娘都是20岁以上才结婚，3对包办婚姻的人已解除了婚约；全村90%以上育龄夫妇自觉地作了节育手术。青年杨朝平是独生子。过去自由散漫，好吃懒做、调皮捣蛋，经过学习教育后，变成一个爱国家、爱集体、助人为乐的好青年，被大家选为业余歌舞队长。一次他发现有人盗窃国防线路的铝线，当即报告部队，并协同部队战士将坏人捉拿归案，受到军民的一致称赞。

（载于《党的生活》1991年第二期）

第四节　婚姻登记

1954年，县开展婚姻登记管理工作。2005年前，由乡镇婚姻登记机关和县民政部门办理婚姻登记。2006年，婚姻登记集中统一在县民政局办理，为方便群众在摆金、雅水、断杉、王佑设立婚姻登记点。

2012年2月，县婚姻登记处进驻县政务服务中心，6月使用《贵州省婚姻登记管理信息系统》，实现全省联网在线办理婚姻登记业务；2014年，启动婚姻登记信息补录工作，将2012年6月以前办理的婚姻登记信息录入《贵州省婚姻登记管理信息系统》，涉及全县各婚姻登记处的婚姻信息近4万件。

2015年，黔南州委、州政府要求在乡镇设置婚姻登记处，在8个镇均设置婚姻登记处，解决服务群众“最后一千米”问题。县婚姻登记处面向全县开展结婚、离婚的宣传、登记、颁证等工作。

表17-1

惠水县2006—2015年婚姻登记表

序号	年度	结婚登记	补领结婚登记	离婚登记	补领离婚登记
1	2006	1758	0	135	0
2	2007	2588	0	194	0
3	2008	2967	0	231	0
4	2009	3276	0	204	0
5	2010	3882	0	176	0
6	2011	3969	0	404	0
7	2012	5411	0	420	5
8	2013	5692	36	520	15
9	2014	5111	489	629	27
10	2015	5142	613	613	35

第五节　地名勘界

一、勘界

1996年12月，成立惠水县勘界工作领导小组，下设办公室，办公地点设在县民政局。1997年6月，正式启动勘界工作。2000年，全面完成与惠水接壤的388.19千米的边界与邻县、市、区（贵阳、花溪区、龙里、长顺、平塘、罗甸）的6个交会点踏界、勘定及资料汇编、归档及边界签订协议工作。解决1起对三交点边界纠纷问题，纠正一处三交点移位。

二、县际边界线

惠水县与长顺县1999年12月签订《联合勘定的行政区域界线协议》，双方接壤共17个乡镇、76个行政村，即惠水县的长田乡、高镇镇、大龙乡、毛家苑乡、甲戎乡、芦山镇、王佑镇、长安乡、打引乡共9个乡镇、45个行政村，长顺县的改尧乡、摆塘乡、威远镇、长寨镇、中坝乡、睦化乡、代化镇、敦操乡8个乡镇、31个行政村。边界线总长176.79千米。共埋设单立三面桩1棵，单立双方桩3棵。011127292731号界桩为惠水县、长顺县、花溪区马铃乡三县边界线的交点，为单立三面型钢混界桩，位于惠水县长田乡合兴村、长顺县改尧乡新井村、花溪区马铃乡革约村。27292731001号界桩点为单立双面型钢混界桩，位于惠水县大龙乡干昌村大坡组、长顺县威远镇光明村蛤蟆井组东北侧过境公路右侧。27292731002号界桩点为单立双面型钢混界桩，位于惠水县芦山镇洛号村、长顺县威远镇高车村过境公路桥西侧河滩上。27292731003号界桩点为单立双面型钢混界桩，位于惠水县王佑镇平贡村干坝组、长顺县睦化乡纳傍村东北过境公路边。惠水县负责维护1号界桩，长顺县负责维护2、3号界桩。

惠水县与龙里县1999年11月签订《联合勘定的行政区域界线协议》，双方接壤的共3个乡镇、12个行政村，即惠水县岗度乡和龙里县羊场镇、摆省乡。边界线总长24.21千米。共埋设单立三面桩2棵。011127302731号界桩为惠水县、龙里县、花溪区高坡苗族乡三县边界线的交会点，为单立三面型钢筋混凝土界桩，位于惠水县岗度乡翁弄村汪家寨村民组、龙里县摆省乡新合村糯米寨村民组、花溪区高坡乡龙云村。272327302731号界桩为惠水县、龙里县、贵定县三县边界线交会点，为单立三面型石质，位于惠水县岗度乡摆若村摆档村民组、龙里县湾滩镇（原羊场镇）云雾山村（原甲晃村）小甲晃村民组、贵定县平伐镇云雾村。惠水县负责维护272327302731号界桩，花溪区负责维护011127302731号界桩。

惠水县与贵定县1999年12月签订《联合勘定的行政区域界线协议》，双方接壤共3个乡镇，7个行政村，即惠水县岗度乡，贵定县铁厂乡、平伐镇。边界线总长20.07千米。共埋设单立三面桩1棵。272327302731号界桩为惠水县、龙里县、贵定县三县边界线交会点，为单立三面型石质，位于惠水县岗度乡摆若村摆档村民组、龙里县湾滩镇（原羊场镇）云雾山村（原甲晃村）小甲晃村民组、贵定县平伐镇云雾村。272327272731号界桩点，为惠水县、贵定县、平塘县三县边界线交会点，未埋桩，位于惠水县岗度乡小河村河边村民组、贵定县铁厂乡联丰村峰坡村民组、平塘县掌布乡香冲村拉力村民组。惠水县负责维护272327302731号界桩。

惠水县与罗甸县1999年12月签订《联合勘定的行政区域界线协议》，双方接壤共5个乡镇，13个行政村，即惠水县打引乡、断杉镇、抵季乡，罗甸县董王乡、罗沙乡。边界线总长59.33千米。共埋设单立三面桩1棵、单立双面桩1棵。272827292731号界桩为惠水县、罗甸县、长顺县三县边界线交会点，未埋设界桩，位于惠水县打引乡董上村麦迁组、罗甸县董王乡油尖村小白岩组、长顺县敦操乡打召村上下冲组。27282731001号界桩为单立双面型辉绿岩界桩，位于惠水县断杉镇木兴村过境公路左侧、罗甸县罗沙乡罗路村（该界桩位于罗甸县境内）。272727282731号界桩为单立三面型钢混界桩，位于惠水县抵季乡上坝村扁洞村民组、罗甸县罗沙乡翁选村石板井、平塘县塘边镇翁洞村波冉村民组。

惠水县与平塘县1999年12月签订《联合勘定的行政区域界线协议》，双方接壤共12个乡镇，56个行政村，即惠水县岗度乡、宁旺乡、摆榜乡、太阳乡、羡塘乡、抵季乡；平塘县塘边镇、克度镇、通州镇、新塘乡、大塘镇、掌布乡。边界线总长168.52千米。共埋设单立三面桩1棵、单立双面桩3棵。272327272731号界桩点，为惠水县、贵定县、平塘县三县边界线交会点，未埋桩，位于惠水县岗度乡小河村河边村民组、平塘县掌布乡香冲村拉力村民组、贵定县铁厂乡联丰村峰坡村民组。27272731001号界桩，属单立双面型钢筋水泥预制，位于惠水县摆榜乡石板村虎狼寨村民组。27272731002号界桩，属单立双面型钢筋水泥预制，位于惠水县羡塘乡三兴村磨冉村民组。27272731003号界桩，属单立双面型钢筋水泥预制，位于惠水县羡塘乡西混村磨街上村民组。272727282731号界桩是惠水县、平塘县、罗甸县三县边界线交会点，为单立三面型钢混界桩，位于惠水县抵季乡上坝村扁洞村民组、罗甸县罗沙乡翁选村石板井、平塘县塘边镇翁洞村波冉村民组。

三、州际边界线

惠水县与花溪区2000年7月签订《联合勘定的行政区域界线协议》，双方接壤共7个乡镇，20个行政村，即惠水县大坝乡、长田乡，花溪区青岩镇、黔陶乡、高坡乡、燕楼乡、马铃乡。边界线总长62.151千米。共埋设单立三面桩2棵、单立双面桩2棵。011127292731号界桩为惠水县、长顺县、花溪区马铃乡三县边界线的交点，为单立三面型钢混界桩，位于惠水县长田乡吟河村民组、长顺县改尧乡鼠场村民组、花溪区马铃乡壕沟村民组。01112731001号界桩，属单立双面型石质界桩，位于惠水县长田乡化稿村、花溪区青岩镇新哨村小山村民组。01112731002号界桩，属单立双面型石质界桩，位于惠水县大坝乡甲腊冲村、花溪区高坡乡杉坪村。011127302731号界桩为惠水县、龙里县、花溪区高坡苗族乡三县边界线的交会点，为单立三面型钢筋混凝土界桩，位于惠水县岗度乡翁弄村汪家寨村民组、龙里县摆省乡新合村糯米寨村民组、花溪区高坡乡龙云村。惠水县负责维护2号界桩，花溪区负责维护1号界桩。

四、地名管理

1981年，成立惠水县地名普查领导小组及地名普查办公室，开展地名普查工作。1983年，完成地名普查，全县共整理各类地名3031条，新增地名378条，改名145条，变字664条，消失、废除90条。以地理实体命名779条，以建筑物命名67条，以姓氏命名148条，以竹木命名172条，以集会命名14条，以土特产命名13条，以村寨命名470条，以十二生肖命名155条，以民族称呼命名6条，以吉祥命名173条。

1990年12月，成立惠水县人民政府地名管理办公室，设于民政局基政股，简称县地名办。2001年，命名10条街道。2004年，对县城内35条所有曾命名和未命名的以及历史以来约定俗成的街道进行命名。2015年6月，启动全国第二次地名普查工作，对区域范围内的地名及相关属性信息进行全面的调查，摸清全县30年地名变化情况，建立完善县级地名数据库。共采集十一大类地名信息4217条（含历史地名），其中，行政区域31条，群众自治组织467条，非行政区域49条，陆地水系63条，陆地地形191条，居民点2545个，交通运输设施193条，水利、电力设施238条，纪念地、旅游景点74条，建筑物35条，单位名称331条。标绘1：5万纸质地图13幅，测量地名经纬度3800余条，制作地名标志登记表56份，修改整饰国家地名数据库矢量地图，生成地名成果表4217份、1∶5万成果图13幅。

第六节　老龄工作

一、机构

1985年1月17日，成立县老龄问题委员会，由14人组成，主任1名，副主任4人。各区（镇）、乡建立老龄问题委员会或领导小组，开展“老有所养、老有所为、老有所属、老有所学、老有所乐”等工作。1990年2月，更名为县老龄委员会，暂定编制3人。2001年，撤销惠水县老龄委员会，设立惠水县老龄工作委员会办公室（正科级），与民政局合署办公。2002年7月，恢复惠水县老龄工作委员会。2005年，全县201个村均成立老年协会。2014年，实施的2013年度幸福院建设中，根据“会院站合一”建设模式，制定“惠水县老年协会制度”。至2015年，能正常开展工作的村级协会182个，占农村协会总数的90.5%。县城7个社区有11个老年协会（社团组织）均能正常开展工作。

二、职能履行

1990年，对全县老年人开展全面调查，以后每三年进行一次老年人基本情况调查工作。2000年，建立老年人保障体制，全县离退休人员全部纳入县统筹，城镇“三无老人”纳入城市低保。2002年8月，启动医疗救助，城乡贫困老人纳入医疗救助对象范围。2010年7月起，在和平镇凤山社区、濛江社区、西山社区、涟江社区，好花红乡好花红村、崇学村，长田乡双庆村、长田村、桥洞村试行开展居家养老服务工作，居家养老服务对象47人。2012年起，每年开展老年人基本情况调查。2013年，居家养老服务工作扩面到102个村、4个城市社区，居家养老服务对象348人。2014年，有324人享受政府购买服务，全年支付居家养老服务经费77.44万元。全县4000多户农村老年人家庭纳入农村最低生活保障，组织为老服务队下乡为老年人办理老年优待证12106本。是年，全县离退休干部年满70岁每月享受20元高龄津贴，80岁每月享受70元高龄津贴。在全县实施非财政供养80岁以上高龄补贴，标准为80～89岁每人每月50元，90～99岁每人每月100元，100岁以上每人每月200元，全年共发放4518位非财政供养80岁以上高龄补贴310.44万元。2015年，共发放5470位非财政供养80岁以上高龄补贴353.91万元。全年对105个村、4个城市社区共345人享受政府购买服务，全年支付居家养老服务经费81.48万元。

三、活动开展

1988年“重阳节”，在县文化广场组织召开第一届老年节庆祝大会，街道老年人共1000余人参会。以后，年逢老年节、春节、“四月八”等节日，均定期开展由老干局、老年大学、乡镇政府、村老年协会组织举办庆祝及文艺会演和走访慰问老年人活动。

1990年，惠水县画眉协会组织首次斗鸟比赛，42名老年养鸟爱好者参加。

2002年，送文化下到有关乡镇开展健康有益的文艺演出。同时，宣传《老年人权益保障法》等法律法规。同年，在县城文化广场开展老龄法制宣传，共接受法律咨询300余人次。先后到长安、贵阳等地慰问惠水籍4位健在百岁老人，送去高龄补助金、慰问金。

2003年，开展“金晖行动”，号召和发动中、小学生为老年人办好事、办实事210人次，把《老年法》列入中、小学德育教育工作内容。

2006年，在全县广泛开展“春晖行动——温暖百名老年贫困母亲”活动；参与省民政厅、省老龄办组织的“爱心夕阳红红色之旅”活动；举办迎春文艺演出；庆祝《中华人民共和国老年人权益保障法》颁布十周年暨“贵州省第十九个老年节”，举办“银发逢盛世、夕阳更多娇”文艺演出，组织开展慰问离退休干部、高龄特困和百岁老人。

2007年，开展“青春夕阳送温暖、关爱老人在行动”活动，春节期间，与农村信用联社等单位共同走访慰问甲戎、抵季、断杉等9个乡镇150名60周岁以上的贫困母亲，每人送去100元慰问金，两次共组织120名老年人参加。老年节期间，下拨经费2.5万元，慰问50名高龄特困老人，6名百岁老人，开展敬老爱老助老主题教育活动。

2008年，开展老年法律法规宣传咨询6次，发放宣传资料10000余次，走访慰问百岁和留守老人130人。

2009年，组织老年人文艺演出队参加“贵州福彩杯好花红民歌大赛”。老年节期间，组成12个慰问组，慰问157名老年人。

2010年，在县城和重要集市开展老年法律法规宣传咨询，发放宣传资料1000余人次。

县老年大学舞蹈老师时桂萍带领的舞蹈班学员代表惠水参加2012年全省“习水杯”和全省老年人秧歌比赛，获自编节目二等奖。

2014年，组织爱好书法老年人在文化广场、惠明村等地义务为群众代写春联。在惠明村举办庆祝“贵州省第二十七个老年节”文艺会演，在三都村举办“喜迎国庆　欢度重阳”主题文化，芦山镇举办“夕阳无限好，晚霞分外娇”文艺会演活动。惠水中青年健身协会承办了“惠水县2014年老年节文艺演出”，县老干局、老年大学、乒乓球协会等单位组织老年人开展各种棋类、球类比赛。7月，县老年大学舞蹈老师时桂萍参加全省老年人健身球比赛获二等奖，个人获最佳编排创作奖。时桂萍与龙燕祥被评为2014年（首届）贵州省“魅力老人”。

2015年，全县共有老年文艺队伍83支，参加老年活动的达3万余人次，占老年人口的50.8%。全县先后在县、乡、村建有老年大学及老年学校28所，有专职人员和教师100多人，教学场地2300多平方米，在校学员1170人。设置课程有音乐、舞蹈、健康讲座、书画、法律园地、科技兴农等。县老年大学每周三节课，乡镇老年学校每周两节课。

四、老年优待

老年人优待是政府和社会在做好公民社会保障和基本公共服务的基础上，在医、食、住、用、行、娱等方面，积极为老年人提供的各种形式经济补贴、优先优惠和便利服务。

2002年，办理老年优待证136个。

2003年，建立老年人档案。对全县60岁以上老年人进行摸底调查，将80岁以上城镇非离退休干部纳入低保对象。

2006年起，开展对所有涉老窗口单位、场所，如金融、医疗等服务系统均设老年人优惠标志。张贴老年优先、尊老爱老等标语，积极主动、热情周到为老年人提供优质服务。凭老年优待证可免费使用收费公厕等。95～99岁老年人每人每月可领取30元生活补助金。

2008年，办理老年优待证540个。2009年，60岁以上老年人44315人，其中，90岁以上321人，100岁6人。2010年，60岁以上6167人，占总人口12.5%，较上年同期增长2.2%，其中，90岁以上352人。2011年，共办理老年优待证600余个，发放高龄养老补助金47.52万元。

2012年，全县60周岁以上58500人，占总人口的13%，其中：非财政供养享受高龄补贴的90～99周岁395人，每人每月补贴100元，累计发放47.16万元，100周岁以上11人，每人每月200元生活补贴，累计发放2.52万元，全县居家养老服务对象98人，共发放居家养老服务费10.56万元。

2015年，办理老年优待证417个，县60周岁以上老年人5.91万人，占总人口的13%。80～89岁老人5860人，90～99岁老年人466人，100岁以上老人17人，人口老龄化成为县的社会突出问题。

第七节　社会福利和社会事务

一、儿童收养

1958年，在赤土罗家寨新建首个孤儿院，集中供养全县孤儿。1975年，在县东郊十二楼台新建楼房，将孤儿院搬迁至此。1978年，孤儿院安置最后一批孤儿后，未再收养孤儿。2001年，重新启用惠水县孤儿院（现惠水县综合福利院），收养社会弃婴及残疾孤儿。2006年，在省民政厅和社会爱心人士的支持下，福利院在原址重新修建，2009年底，建成占地面积0.44公顷，建筑面积2435平方米，床位108张，配套设施完善的新型综合性福利院。新建后的福利院重点收养社会弃婴、孤儿、打拐解救儿童，同时为“五保”老人、“三无”老人开展养老服务。

2001至2015年，共收养老人14名，儿童235名，国内送养15名，涉外送养146名。2015年，惠水县综合福利院在院儿童74名。

二、福利彩票

1987年，开展第一次有奖募捐活动。之后，全县有奖募捐销量逐年递增。2014年全县全年福利彩票销售额达1280万。发行规模从集中销售发展到5个彩票站点代销售。2015年，福利彩票销售额1284.4万元，其中电脑型福利彩票1188万元，即开型福利彩票96.4万元。全县有25个彩票销售站。彩票形式从即开型奖票销售向乐透型、数字型、快开型及刮刮乐组成的多元化销售模式变迁。

三、流浪乞讨人员救助管理

县救助站于2006年12月底成立，主要负责对流浪街头自愿求助的无着落人员和流浪未成年人，实行救助和帮助回家、回校园的救助工作，解决其吃、住、行等困难。

救助站位于县新城村望城坡，建筑面积500多平方米，床位20个，配有厨房、卫生间、洗澡间、食堂等设施。从2012年起，救助站明确2名工作人员常驻站内开展日常工作。

2006至2015年，惠水县救助站共救助城市流浪乞讨生活无着和未成年人6000余人次，救助资金累计370多万元。

四、殡葬改革

全县居民主要为布依族、苗族聚居，人死后习惯于民间俗成的遗体装棺土葬形式，每冢墓地占地面积均在10～20平方米。解放初期，建于烈士陵园旁的城区公墓基本饱和。2012年，县加大殡葬管理的改革力度，通过踏勘、选址和论证筹建，在沙子哨原民中校办工厂一带新建殡仪馆和公墓工程，总投资3.5亿元，总占地面积1044.8亩。建有大、中、小吊唁厅共3200平方米，火化车间500平方米，综合服务楼、招待所和餐厅共3600平方米，停车场2万平方米，环境绿化5万平方米。公墓分4期建设，总墓穴138205座，分1～6类档次供丧家选择。2013年，通过调整充实后的县殡葬改革工作领导小组，由县长任组长，县四家班子分管领导任副组长，各镇（街道）、县直各部门主要负责人为成员，统一领导、协调、管理和开展全县殡葬改革工作。2015年8月28日，正式启动集中治丧、遗体火化和骨灰安葬“三位一体”的殡葬服务工作。

第八节　救灾救济

1980年，全县洪涝、冰雹、火灾危害严重。全年拨发救济粮17786.5千克，救济款34135.01元，共救济4993户，24283人，救济棉被650床，棉衣1800件，救济2450人。

1984年，长田、甲戎等11个乡，23个村，82个组受风雹灾，受灾面积7.534亩，成灾3.0314亩，其中，夏季农作物2916.5亩，成灾2.2400亩，打倒房屋116间，打坏2794间，致8人（包括雷击）死亡，重伤8人，轻伤3人，致牲畜1死2伤，拨款115200元购救济粮60万千克，救济2839户11356人，用于维修房屋伤亡补助27.8元。全年共发生火灾36起，84户，发放救济粮44441千克，补助生活农具，修房等12300元，棉被115床，棉衣124件，单衣71套。

1985年，插花性灾害严重，涉及六区一镇28个乡镇75个村，455个组，全县粮食减产115万千克，全县受灾面积149763亩，成灾面积78019亩，房屋倒塌57间，损坏民房901间，死亡大牲畜6头。共发生火灾40起，受灾59户，326人，拨火灾救济款8376.20元，粮食5268千克，发放棉被81床，棉衣55件，单衣89套；为让农户受灾后能得到较多的补偿，配合县保险公司开展农村房屋保险工作，全县农户参加房屋保险达129000户，占总农户的22%。

1986年，贯彻落实中央［1986］1号文件，以生产救灾为中心，以双扶为重点。上级拨款43万元。购买粮食85.32万千克，安排维修补助5户15间170元，建房补助12户36间2150元，临时救济665元。全县发生火灾50起，129户586人，烧毁房屋332间，损失折款51.6万元，发放救济粮2.8419万千克，救济款950元，棉被113床，单衣183套，棉衣108件，蚊帐18笼。

1987年，遇旱灾、虫灾、先后三次风雹灾的袭击。致全县枯断大、小河流80余条，干枯水井2400多口，干枯山塘143个，18个水库急剧下降，蓄水量仅占正常蓄水量的20%，气温比正常年景同期偏高2.7℃，水分蒸发量增长33%。全县有34个乡，290个村，29644户133523人，34625头大牲畜饮水困难，缺水致全县12695.47公顷水稻面积不能适时栽插；虫灾危害严重，造成粮食减收，成灾人口9500人，缺粮人口87336人，缺粮314.4万千克。10月上旬，大面积成熟水稻被冰雹打坏，洪水淹没。毛家苑、太阳、甲烈等24个乡，82个村，385个组9030户，48221人遭受不同程度损失，农作物受灾面积2471亩，成灾面积14821亩，倒塌房屋228间，损坏1740间，死亡大牲畜2头，损失粮食401万千克，损失蔬菜等农作物21万千克，吹倒大小树木3万余棵，各种累计损失达300多万元。全县共发生火灾40起，受灾178户，862人，烧毁房屋212幢，636间，烧毁粮食111856千克，现金34334元，棉被622床，单衣238套，各种家具2064件，各种农具1304件，棺材37合，烧死牲畜129头，死1人，伤4人，损失折款近100万元。

1989年，全县农作物播种面积51.8321万亩，受风雹灾面积198666.67公顷，成灾面积11106.67公顷，农作物因灾绝收1480公顷，因灾丢荒526.67公顷，减产粮食2326万千克、油菜2.4025万千克，造成1人死亡，1人受伤；损坏房屋138间，倒塌29间；死亡大牲畜一头。造成直接损失1360.2万元，缺粮1.75万户9.5万人，缺粮912千克，需救济的0.91万户3.8万人。全年共用救灾款68.9万元，购买粮食120.31万千克，实用88.4675万千克，救济1.4417万户5.7949万人次。全县共发生火灾31起，受灾98户431人，烧毁房屋79栋238间，各项损失折款49万元。

1990年，全县农作物播种面积35926.67公顷，受旱灾8186.67公顷，风雹灾1700公顷，虫灾3333.33公顷。成灾面积7346.67公顷，成灾人口8.1万人，因灾死亡6人，倒塌民房33间损坏民房4407间，因灾减产粮食1991.1万千克，减产油料10.8万千克。购买救济粮45万千克，加上结转上年的322631千克，共有救济粮772631千克。全年下拨救济粮607131千克，实际用粮498216.5千克。安排救济8358户，33454人。

1991年，洪涝灾害严重，来势凶猛，持续时间长，导致山洪暴发，河水猛涨。全县“建并撤”前51个乡镇灾情较重的有27个乡镇，涉及143个村，632个组，18778户，97467人。因灾死亡18人。全县农作物受灾面积5207.87公顷，占总播面积的81.73%，绝收700.33公顷，占受灾面积的13.44%，因灾减产粮食22.319吨，烤烟6吨；民房倒塌、损坏545间，烤（烟）房61间；县境内公路、桥梁、水利、通信线路、设施及学校校舍均遭受不同程度的破坏，造成直接经济损失达2500万余元。灾后，向全县人民下发了《关于开展向灾区捐赠活动的通知》。接收省、州直接匹配及捐赠款共373057.35元，其中，本县捐赠款26280.35元。接收省、州分配的捐赠物资有白糖2吨，小麦20吨，食盐10吨，大米4吨，面粉4吨，粮票15699斤，旧衣物217包；拨款捐赠235836.95元，用于帮助灾民恢复生产、安排生活、房屋维修重建、用于甲烈乡摆章建校。所有接收捐赠物资发放重灾区13个乡镇中的15个村46个村民组2605户灾民，直接收到捐赠救济的28538人（次）。大灾之年无逃荒、要饭、冻死、饿死人及病疫现象发生。

1992年6月，长田、大坝、摆金、甲烈、斗底、岗度、宁旺、三都、毛家苑等22个乡镇先后遭受风、雹、洪涝等自然灾害的严重袭击。全县农作物受灾22500公顷，成灾13598.67公顷。因灾减产粮食3219千克，因灾死亡3人，重伤2人，农房倒塌172间，4处山塘水库、6座桥梁，26处公路（15千米）和11栋碾坊被洪水冲毁、97根通讯、电杆被大风刮断，造成12个乡镇电话中断，本底、祥摆两地水毁公路致无法通车。因灾造成直接经济损失4085万元。拨救灾款24.075万元，购买粮食32.1万千克，救济4689户18005人。安排1.98万元帮助33户灾民修复房屋；安排11823.60元帮助灾民购杂稻种1626千克，包谷种158千克。

1993年，摆榜、抵季、羡塘等乡发生水灾和稻瘟病。下拨救济款10000元，救济粮167144千克，救济农户3216户（次）12641人，占农业人口的3.71%，救济社会特困户和重灾民2820户（次）11607人。筹集资金111250.58元，作好粮食储备，从广西、罗甸等地购进玉米113521千克，送往各乡镇确保春节前将救济粮送到灾民手中。全县发生火灾有19个乡镇20余起，涉及农户105户496人，烧毁瓦房2215间，草房143间，粮食149193千克，现金36987元，生猪11头，耕牛11头，伤9人，死亡7人，烧毁衣物和木料一大批，造成直接经济损失达53万多元，下拨发放棉衣33件，单衣29套，旧衣服225套，棉毯72床，补助现金4450元。

1997年，全县各地不同程度地遭受冰雹、暴雨、洪涝、大风、火灾和农作物病虫害。全县406个村，2125个组，33500户，129000余人次受到各种自然灾害袭击，成灾人口115200人，造成3人死亡，房屋倒塌1018间，损坏1470间，造成直接经济损失6167元。下拨救济粮10万千克，救济受灾和贫困群众2343户8392人，救济棉被124床，棉（毛）毯63床，单衣1453件、绒衣44件，救济金4500元；拨款2000余元为17户特困灾民购买种子、农药、化肥。4月，雅水镇打白村发生特大火灾，造成40户受灾，经济损失120万元。

1998年，全县部分乡镇不同程度地遭受春旱、冰雹、洪涝等自然灾害的袭击。灾情涉及25个乡镇410个村2200个组75400户278700人，成灾人口20400人，民房倒塌714间，损坏775间，农作物受灾面积226854亩，成灾面积11586.67公顷，绝收面积686.67公顷，造成直接经济损失1778万元。全年发生火灾108起，烧毁房屋936间，损失粮食177915万元，现金62500元，衣物2500件，直接经济损失123.5万元，下拨救济粮10万千克，救灾款6万元，化肥12吨，共救济灾民和贫困群众3450户21000人；救济火灾户棉被474床，棉毯106床，棉衣99件，单衣945套，现金12630元，临时救济衣服50100件，现金4100元。发放农村“五保户”定救定补金131人14010元，孤儿60人7920元，精减退职职工定期定量救济147人283481.32元，宽释人员定救9人2100元。在全县开展捐赠接收工作，共接收捐款8427.7元，衣物15231件，并送往雅水岩脚村、摆榜冗拱村、岗度摆若村等重大火灾区。

1999年，多灾夹击，春旱灾、冰雹灾、洪涝灾、水稻稻瘟病和牲畜五号病多种灾害频繁发生，灾后先后拨出抗旱、抗洪经费25万元，组织机关干部、职工捐款捐物，全县共筹措各种抗灾、救灾经费13万余元，下拨救济粮177.3吨，救济3.5万人，安排4.4万元用于灾民住房建设，恢复倒塌房屋67间。

2000年，先后遭受暴雪、风暴、旱、洪涝等自然灾害袭击，尤以6月份的洪涝灾损失最为严重。全年共有25个乡镇，420个村，2480个组，64420户，287060人受灾，成灾173900人，死亡2人，伤病75人，农作物受灾面积16100公顷，成灾8520公顷，绝收933公顷，毁损耕地面积190公顷，造成直接经济损失4146.4万元。6月23至25日，羡塘乡、抵季乡、断杉镇、斗底乡、摆金镇等，连续47小时普降大到暴雨，致使部分村寨受水围困，稻田被淹月余，灾后县财政拨救灾款30万元，购买12.5万千克粮食安排救济22000人。全年，共投入救灾款135.9万元，救济54367人灾民的生活。

2001年，遭受干旱、风暴、洪涝灾害，全县25个乡镇428个村2250个组7100户，298200人受灾，成灾130782人，风暴灾房屋倒塌压伤1人，旱灾造成12万人，6.8万头大牲畜饮水困难，农作物受灾面积15120公顷，成灾69575公顷，绝收1120公顷，水打沙壅毁损耕地125公顷，房屋倒塌313间，山洪冲毁桥梁2座，损坏2座，蓄水坝一座40米，冲毁池塘2口，损失鱼苗35000尾，冲走化肥40包，水碾坊2座，冲垮沟渠3处1000余米，乡村公路2千米，粮食减产1.4万吨，油菜减产1018吨，农业经济损失2432万元。全县共拨款72.3万元安排口粮，下拨救济粮340吨，救济26000人次，安排用于住房恢复重建52.8万元，212户，1276人灾民恢复重建住房476间，发放救济棉被420床，衣物22000余件；投入抗旱经费90万元购买抽水机1350台（套）、机动车辆530余辆次，提灌站130多处，解决2.45万人，1.38万头牲畜饮水问题。

2002年，先后遭受旱、风雹、洪涝、秋风等自然灾害的袭击，尤以秋风灾害损失最为严重。灾情涉及25个乡镇，2553个组、86607户、363750人，成灾277950人，死亡2人，全县农作物受灾面积15350公顷，成灾9400公顷，绝收2800公顷；倒塌居住用房654间，损坏民房620间，造成直接经济损失6612元。

灾后，县财政匹配救灾款37万元，乡镇投入物资折款12.5万元解决灾民生产生活；发放救灾棉被550床，衣物26000余件（套）解决3600人次困难群众。全年全县共支出180.8万元救灾经费，解决42000余人次灾民和贫困户的生活难题。开展经常性社会捐助活动两次，共接收捐助现金款1280元，衣物5200余件（套）。

2003年，遭受旱、风雹、洪涝、滑坡等自然灾害，涉及25个乡镇，189个村2136个组，受灾213500人，成灾116800人，因灾死亡2人，伤病12人，饮水困难108000人，大牲畜52000头，农作物受灾面积1286公顷，成灾面积5661公顷，绝收820公顷，因灾造成粮食减产2.2万吨；倒塌房屋156间，损坏627间，造成直接经济损失1918.6万元，其中，农业经济损失1810.6万元。安排救灾款201.2万元，购买粮食616.7吨，救济41100人次，帮助212户灾民和贫困户重建住房212栋868间。

2004年，先后受风雹、旱、滑坡等自然灾害，共涉及25个乡镇，152个村、1402个村民组，共造成38120户160100人受灾，因灾死亡3人，轻伤9人，死亡大牲畜15头。农作物受灾面积达5800公顷，绝收2100公顷，毁坏耕地面积4.5公顷。因灾房屋严重毁损29栋202间，损坏5892间，因灾直接经济损失约2600万元，其中，农业直接经济损失2465万元。灾情发生后，下拨县级匹配救灾款20万元购买救济粮65000千克和棉被350床，解决重灾户和双缺户的口粮和衣被难题，支出救灾经费187.7万元，下拨救济粮486.4吨，资助113户恢复重建民政安居工程住房113栋575间，共解决24500人次生活难题；出台了《惠水县农村医疗求助实施方案》和《惠水县农村医疗求助基金管理试行办法》，支出6000元救助1名身患重大疾病的农村困难群众。下拨救灾款155600元、救济粮30000千克、棉被85床、衣物676件，对摆榜乡4652人次困难群众进行帮扶。

2005年，先后发生旱灾、洪灾、风雹灾和虫灾（稻瘟病），灾情涉及25个乡镇201个村、1852个组，受灾人口192886人，死亡6人，倒塌房屋360间，损毁214间，农作物受灾面积6621公顷，绝收面积达977公顷，造成直接损失3225.558万元。安置受灾群众700人，给失踪人员和死亡家属安排大米250千克、补助款2800元，并帮助解决死者善后事宜。全年投入救灾经费32.4万元购买5万千克粮食、购置500床棉被1000件棉衣救济灾民，下拨棉被87床，棉衣23件，捐赠衣物1537件，农村特困救助金3600元，帐篷7顶、帮助灾民解决实际困难。共接收捐赠款1.9万元，接收来自湖北、深圳捐赠衣物11万件；发放摆榜乡捐赠鞋1440双。

2006年，全县受灾7个乡镇92个村254个村民组17457人，房屋倒塌11户、66间，损坏房屋241间；农作物受灾594.6公顷，绝收317.9公顷，直接经济损失206.79万元。开展计生帮扶工作，拨帮扶款6.81万元，帮扶55户计生户；开展“送温暖、献爱心”活动，全县收到捐赠款8700元；收到捐赠衣物8万件。投入救灾经费65万元，购买救济粮260吨，救济11800人次；下拨灾民重建房经费68.3万元，建房186户，1116间，其中：30万元用于补助芦山镇小石民政安居新村，38.3万元补助全县156户灾民和特困群众建房。

2007年，县芦山镇、羡塘乡、好花红乡、王佑镇、抵麻乡等25个乡镇不同程度地发生水灾雹灾。造成114个村274个村民组62897人受灾，损坏房屋597间，房屋倒塌23户138间，农作物受灾面积3600公顷，绝收面积835.7公顷，造成农业直接经济损失2009.75万元，缺粮人口1.3万人。全年购买救济粮25万千克，救济灾民1.3万人次；投入建房经费144.1万元，帮助257户特困户、复退军人、灾民建房。继续开展“送温暖，献爱心”工作，接收捐赠款48155元，衣物2000多件，省外捐赠衣物10万多件。

2008年，全县遭受低温凝冻、冰雹、洪涝、地质灾害，受灾人口29.6万余人，农作物受灾面积10.864

千公顷，绝收面积144公顷，倒塌房屋775户3052间，损坏房屋5889间，死亡大牲畜744头（只），转移安置人口4240人。造成直接经济损失20528.15万元，其中：农业直接经济损失10214.65元。灾后，启动《惠水县自然灾害救助应急预案》，制定《惠水县民政局低温凝冻灾害救助应急预案》；拟定《惠水县2008灾后房屋恢复重建工作实施方案》全年上级共下拨救灾建房资金399.2万元，总投入建房资金397.9万元，补助753户灾民建房和117户次生地质灾害灾民，避让搬迁及房屋倒塌恢复重建。下发《惠水县农村危房调查摸底工作实施方案》，召开全县农村危房摸底调查培训会议。组织大规模社会捐赠活动两次，凝冻灾害和四川省汶川县特大地震发生后，在凝冻期间，通过发布短信，倡议社会各界人士为遭受凝冻灾害的灾区人民捐款捐物献爱心，收到捐赠款5.215万元，捐赠衣物3000余件，收到捐赠款7.2万元。四川地震共收到全县社会各界捐款2422863.79元和价值80万元的食品和药品。

2009年，修改完善《惠水县城乡救助应急预案》，对困难群众实行有效救助。用62万元共购买发放20万千克救济粮，39万元解决71户灾后恢复重建，投入救灾经费30多万元，购买救灾棉被1500床，棉衣1500件，投入9万元购买救灾帐篷50顶作为救灾物资储备。

2010年，全年连续遭受冰雹、旱灾、洪涝等自然灾害夹击，其中，遭受旱灾持续时间长，发生范围广，影响程度深，造成损失大、为历史罕见。全县受灾人口39万余人，旱灾高峰时段临时饮水困难28.8万人、饮水困难大牲畜达13.8万头，全年农作物受灾面积29.53千公顷，成灾面积21.98千公顷，绝收面积11.59千公顷，倒塌房屋332户1232间、损坏房屋373间，紧急转移受灾群众2976人，造成直接经济损失20224.77万元、工矿企业损失945万元、基础设施损失558.5万元、公益设施损失580万元、家庭财产损失1619.57万元。全年投入救灾资金和捐赠款382.05万元，共安排大米30万千克、棉被3000多床、菜油1.2万千克、现金80余万元共计198万元，用于全县春节走访慰问。解决受灾群众的生活；安排100余万元，用于旱灾期间灾民口粮和饮水生活困难；安排111.1万元用于灾后毁房重建地质灾害户的搬迁；安排126万元，用于救灾物资储备、全年共救济救助2万多人次。2009至2010年，安排抗旱救灾资金100余万元，对农村低保户每人加发50元饮水补助，共175.65万元，发放救济粮10万千克；组织义务送水队送水30余车次，200多吨解决灾区群众临时饮水困难；全面开展抗旱救灾捐赠活动，共筹集抗旱救灾捐款20余万元。

2011年，连续遭受冰雹、旱灾、洪涝等自然灾害，致35万余人受灾，全县农作物受灾面积32.85千公顷、成灾面积19.47千公顷、绝收面积5.93千公顷，转移受灾群众2312人，造成直接经济损失23929万元。

2012年，全县先后遭受大风雹和洪涝灾害，造成17个乡镇10万余人受灾，全年共发放救济粮105.86万千克，发放衣被7000多件，救济5.4万人，下拨207万元解决受灾群众的生活困难和128户灾民房屋重建。修改完善《惠水县城乡困难群众临时生活救助实施办法》，全年发放临时救助金23.03万元，临时救助105户城乡困难家庭；建立健全灾害监测预警网络，制定出台农房灾害保险实施方案，开展全国综合减灾示范社区创建工作。

2013年9月，印发《惠水县自然灾害生活救助资金管理暂行办法》，明确自然灾害等级划分、灾情核查评估及自然灾害的救助标准：紧急抢救、转移和安置期间的救助生活费，按照能够维持灾民基本生活标准予以补助，每人每天补助10元；住房倒塌（含部分倒塌）无家可归需重建或维修的农村低保户、“五保户”重建的每户补助2万元；困难户和优抚对象重建的每户补助10000元；其他群众重建的每户补助8000元；地质灾害搬迁户重建的每户补助5000元；对无自救能力需政府救济的，其房屋损坏维修由县民政局根据其家庭贫困、房屋受损情况给予100～1500元的房屋维修补助；对符合救助条件的农村独生子女户、二女绝育户、中重度残疾户，在原救助标准上增加200～500元；每人每天0.5千克口粮和必需的生活饮用水；保证灾民御寒衣被的基本需求，单衣2套、鞋2双、棉衣1件（夏季除外）、棉被1床；有伤病的，根据伤病和家庭困难程度适当补助。2013年冬春，生活救助42300人次，发放救助粮634500千克，2014年冬春，生活救助30380人次，发放救助粮455700千克，是年，2月以来，县内先后遭受一次低温冷冻二次风雹和五次洪涝灾害，造成10个镇（街道）20万余人不同程度受灾，农作物受灾面积3834.7公顷、成灾面积2179.3公顷、绝收面积88.5公顷，倒塌房屋28户84间、严重损坏房屋260户801间、一般损坏房屋1040户1459间，紧急转移安置群众2997人，造成直接经济损失4665.24万元；其中，农业损失3251.24万元，基础设施损失592万元，家庭财产损失515万元，工矿企业损失40万元，公益设施损失267万元。2015年冬春，生活救助34046人次，发放救助粮510690千克。是年4月以来，县内共发生一次干旱灾害、二次风雹灾害和六次洪涝灾害，受灾人口109096人次，紧急转移人口1650人次，过渡性救助人口20人，无人畜伤亡；农作物受灾面积8002.4公顷，成灾面积3596.4公顷，绝收面积216.5公顷；倒塌房屋26户67间，严重损坏房屋62户147间，一般损坏房屋355户992间；九次自然灾害共造成直接经济损失7561.5万元，其中，农业损失5065.5万元，工矿企业损失1295万元，基础设施损失623万元，公益设施损失18万元，家庭财产损失560万元。

县下拨的救灾经费逐年大幅增加。1978年11.4万元，1984年25.8万元，2008年增加到79.2万元，2015年增加到280万元，救济对象从1983年的1353人增加到2015年109096人。

附：救灾扶贫互助储金储粮会

1989年11月，长田乡上黄村第一个创办救灾扶贫互助储金会。1991年，全县储金会发展到20个，涉及11个乡20个村112个村民组2893户计15934人，入会农户2096户，占农户数的69.4%，入会11457人，筹集资金95505元。储金会共扶持578户贫困农户发展生产。1992年，增加储金会4个。至1997年，新建双储会17个，全县共建立双储会（救灾扶贫互助储金储粮会）108个，会员达123339户，股金210万元，储粮35万千克。国家投入铺垫资金21万元。是年，双储会通过有偿借助，帮助5个村安装地面卫星微波接收站和闭路电视，1个村建起办公楼，3个村安装自来水，4个村修通公路，184户发展商品经济，1848户解决生产投资，无偿为78户困难户解决医疗、生活、子女入学、婚丧嫁娶等方面困难。1998年，新建双储会，新增会员510户2500人，股金15万元，全县累计双储会124个，储金474万元，储粮25万元，入股会员达12928户62106人。1999年起，清理整顿双储会，撤销41个违规运行的双储会，对管理不善的双储会进行整改并政策性关闭，共投入铺垫资金30余万元。

第九节　最低生活保障

1999年，最低生活保障（城市低保）制度开始建立和实施。全县低保障人数为297人，确定的城镇居民最低生活保障标准为110.8元。2000年，根据黔南州民政局《关于开展城市居民最低生活保障情况调查摸底的通知》27号文件要求，对全县城市居民最低生活保障情况进行全面的调查摸底。新增低保对象29人，年增保障金22272元。对符合保障条件的61户144人城镇最困难家庭，实施最低生活保障，并兑现保障金。全年共兑现保障金18.7万元。

2001年9月，城镇低保保障扩面工作正式启动，成立3个检查组到厂矿、街道、乡镇进行调查核实，共走访调查1600户4400人，排查400户800余人超标不符合保障对象的家庭，经调查摸底，申报公示1421户4053人，全县共审核确定符合低保对象1023户，3689人。是年，共为213户526人城镇困难家庭兑现保障金23.4万元。

2002年，新增低保对象64户190人，低保对象达3979人，实现应保尽保。至11月底，共发放保障金174.2万元，共发放42669人低保金。

2003年，实行城市低保动态管理，县人民政府颁布《惠水县城市居民最低生活保障办法》，于10月1号正式实施，全县已发低保金245.8万元。

2004年，出台《惠水县农村医疗救助实施方案》和《惠水县农村医疗救助基金管理试行办法》，建立农村医疗救助基金专户，支出6000元救助1名身患重疾的农村困难群众。

2005年，成立“惠水县社会救助工作领导小组”，出台“惠水县城市低保家庭优惠政策”。全年累计新增城市低保对象1528户4630人，累计取消48户178人，发放115户298人困难的拆迁户和被征地户最低生活保障，支助84名城乡贫困大学生给予低保生活救助和临时救助，对患重疾特困家庭人员、70岁以上的老人、重度残疾人和三无对象（无生活来源、无劳动能力、无法定赡养和抚养人）5类低保家庭实施分类施保，在原享受保障金的基础上增加10%到30%的低保金，全年共发放低保金390万元，救助55560人（次）。开展对农村特困群众救助、五保供养和农村医疗救助，共下拨资金230万元，救助11500人。是年，全县对农村五保对象重新进行排查、审核，对审核符合供养条件的483人重新签订《五保供养协议》；支出医疗救助金3万余元，医疗救助21名乡镇特困群众。

2006年，将城市低保标准由原来的140元提高到160元。人均补差由年初的月人均71.3元增加到85.7元；取消不符合条件的低保对象60户97人，新增低保对象264户527人。全县共有城市低保对象2008户5244人，全年共发放低保金470万元。全县符合农村特困群众定期救助对象4259户11900人。纳入救助范围的有2959户11500人，年人均救助标准为220元，全年共发放定期救助金253万元。

2007年，全县共有城市低保对象2108户5429人，全年发放城市低保金580万元。累计新增城市低保对象320户621人，累计取消65户121人；对215户424人实行分类施保。

农村低保7月正式启动，实行五类五档保障，一类一档每人每年补助600元；二类二档每人每年补助500元；三类三档每人每年补助400元；四类四档每人每年补助300元；五类五档每人每年补助200元。全县农村低保对象7265户21165人。上半年，全县发放农村特困救助对象救助金130.9万元，救助4250户11900人。下半年，发放农村低保金304万元，全年支出城乡医疗救助金24万元，救助城乡医疗大病患者61人次。

2008年，凡农村家庭年人均收入低于800元的，全部纳入农村低保。全县城市低保对象2059户5298人，其中：分类施保对象334户918人；被征地户382户965人；贫困大学生418人，其他低保对象915户2997人。累计取消不符合保障条件的低保对象122户316人；累计新增305户610人。是年，将农村五保户、特困户、重点优抚对象加入新型农村合作医疗，简称“新农合”，共有13273人参加，共交纳农村合作医疗基金13.273万元。

2009年，县被民政部评为“全国基层低保规范化建设典型单位”，全县城市低保对象2085户5334人，其中：分类施保对象378户1135人，保障金按月发放，全年共发放低保金783万元。农村低保实行动态管理，先后两次开展农村低保对象核查，累计新增农村低保对象580户1640人，累计取消497户1640人。全年共发放农村低保对象9080户27000人的低保金1775万元。全年支出城乡医疗救助金38万元，救助城乡医疗大病患者148人次。

2010年，推进农村低保规范化建设，实施农村低保政策制度，做到“应保尽保，按标施保”，确定农村低保新的保障标准为1200元。在全县范围内开展农村低保家庭进行收入核查工作，确定全县农村低保对象11135户35130人，全年累计发放1816万元。是年6月，设立惠水县低保局，乡镇成立低保办，公开招考50余名专职工作人员。

2011年起，城市低保保障标准提高到每人每月300元，农村最低保障线提高到每人每年1350元，全年累计发放城乡低保金3774万元。发放城乡低保对象、五保对象、优抚对象春节一次性生活补贴共计446.04万元。

2012年，开展城乡低保提标核查工作，全面提高城乡低保保障标准，提标后的城市低保保障标准为每人每月330元，比2011年的标准提高了30元，农村低保保障标准为每人每年1350元，比2012年的标准提高了150元。全县共有城市低保对象2754户5410人，发放低保金1353.27万元。有农村低保对象15644户47751人，发放低保金4117.74万元。全年城乡居民医疗救助困难群众503人次，发放救助金280.62万元。全年对农村低保对象、五保对象及优抚对象43171人代缴农村合作医疗保险215.8万元。开展对城乡困难群众家庭临时救助105户，发放救助金23.03万元。

2014年5月11日起，农村“五保”供养与城市“三无”人员整合为特困人员供养。同年12月，县将东山、岗度、摆金3所（共320张床位）敬老院委托给重庆夕阳红老年公寓管理有限责任公司经营管理。

2015年，城市低保标准为每人440元/月，农村低保标准为2580元/年，全县共有城乡低保对象16125户38205人（其中：农村低保对象14056户34611人，城市低保对象2069户3594人），累计发放低保金6156.42万元（其中：农村低保4993.72万元，城市低保1162.7万元）。发放分散供养和集中供养特困人员供养标准分别为2200元/年、3500元/年，全县共有农村五保对象721户808人，累计发放五保金269万元。

第十节　社会团体登记管理

1998年9月，国务院第8次常务会议通过《社会团体登记管理条例》，10月，《民办非企业单位登记管理暂行条例》颁布实施。2001至2015年，全县依法审批登记社团50个，其中，有惠水县个体劳动者协会、惠水县商会、惠水县湖南商会、惠水县经济发展促进会、惠水县青年企业家协会、贵州省小微企业商会惠水分会、行业协会商会等10个行业协会商会，其他社会组织40个，登记成立至今，注销1个社会组织（惠水县质量监督协会）。

2008至2015年，全县依法登记民办非企业21个，其中，医疗机构5个（惠水县涟江医院、惠水县和平镇濛江社区卫生医疗服务站、惠水县和平镇西山社区卫生服务站、惠水县和平镇涟江社区卫生医疗服务站）、养老机构3个（惠水县濛江社区爱老公寓、惠水县三都爱老公寓、惠水县老年公寓），幼儿园及培训机构13个（惠水县田野农机化技术培训学校、惠水县天宝双语幼儿园、惠水县蓝精灵幼儿园、惠水县长田知心幼儿园、惠水县高镇险峰厂幼儿园、惠水县凌云外国语学校等）；依法注销1个（惠水县涟江医院）。全县成立的社会组织直接通过县民政局网站向外公布。

第二章　宗教管理

第一节　佛　教

佛教传入境内较早，影响面广，信奉人多。县境内有九龙寺、定慧寺两个正式佛教活动场所，平山寺一个固定场所。出家住持僧人4人，居士90人。登记在册信徒251人。其中，中老年人占50%以上，妇女占63%，小学以下文化的占80%。

主要佛教节日、佛教活动有：农历腊月初八的“成道节”，寺院内要诵经礼佛，取香谷及果等造粥供佛，俗称腊八粥；农历2月15日的涅槃节，是纪念释迦牟尼逝世日；农历4月初8的释迦牟尼生日，亦称佛诞节，农历7月15日的盂兰盆节，又称“佛自恣日、佛欢喜日”，是信徒举行供佛敬僧仪式及超度亡灵的节日；农历2月19日观音圣诞日，6月19日观音成道日，9月19日观音的出家日是佛教的重要节日，每逢这三个节日，境内信徒们相邀到寺院烧香拜佛，祈求平安。

一、九龙寺

康熙二十年（1681年），四川僧人古源云游到定番马门，见山势地形独特神奇，九座山峰的左三右三后三顺序环绕，后高于左右，自然形成一把天然靠椅状。九山中间立有一小山，傲居主位，犹如一尊佛像。周围九座山峰形似九个龙头，环绕在佛像周围，和佛经中的“九龙浴佛”十分相似，佛教称之为太子佛。山形暗合佛教九龙护出太子之意，为建庙宇佳地。

古源向定番州方姓方番长官司申请在此建殿宇，得到应允，着手募修九龙寺的筹备工作。康熙二十一年动工修建大雄宝殿。经几代僧人200余年接续建设，完成整个庙宇工程。

九龙寺依山而建，殿宇重叠、规模宏大。整个建筑分玉皇阁、焚香台、击鼓台、大雄宝殿、观音送子殿、四大天王殿、藏经阁、僧人住宅等。寺庙设计分布合理，做工精致，既有翘角飞檐，又布满雕龙画凤，为黔南各寺之冠。有“黔南钟灵无双地，昆仑发出第一山”之称。

1935年农历三月初三，九龙寺遭遇火灾，除去玉皇阁和拱门上一亭子外，全部被毁。仅剩烧过的四大金刚、观音送子佛像和几根烧毁的柱子。1950年，玉皇阁再遭火烧。解放后政府在寺庙地办学校，60年代初吴开品任校长期间扩建学校，号召学生勤工俭学，撤除围墙烧石灰，用菩萨的泥来砌墙。“文化大革命”期间，拆除最后的亭子，九龙寺不复存在。

寺庙虽然被毁，但由于九龙山风光旖旎，聚奇、秀、险为一身，九龙寺建设历史悠久，有较深的佛教文化底蕴，多年盛名流传，来自贵阳、安顺等地的善男信女每年前来朝山拜佛，探幽赏景。

2003年，惠水县政协挂点帮扶时属省级一类贫困村的大龙乡九龙村，根据九龙山佛教文化历史渊源情况，按照发展佛教文化旅游，增加当地群众收入的思路，向惠水县委、县政府，提交了《关于惠水县九龙山旅游开发项目建议书》的报告，提出以复建九龙寺为核心，把九龙景区开发建设打造成为宣传惠水的窗口，旅游业的精品和龙头。县同意并明确县政协牵头实施以九龙寺恢复建设为主要内容的九龙景区开发。

2004年5月，县政协通过省政协邀请贵阳弘福寺首座释崇慈到九龙山实地考察，经过考察，释崇慈决定募集资金复建九龙寺。

是年，根据国家寺庙复建审批有关规定，县以搬迁西山寺至九龙寺旧址并扩建九龙寺为项目内容，向上级有关部门报批，得到批复同意。成立以时任县政协主席为组长、相关单位负责人为成员的西山寺搬迁工作协调领导小组，具体对项目建设工作进行全程协调服务，具体组织落实项目有关手续办理，山林、土地划拨，水、电、路建设，九龙小学、涉及的3户农户、乡镇站所、红军墓的搬迁等工作。是年，投入项目资金20万元，修建通村的镶边公路竣工；投资50万元完成征地、搬迁修建九龙寺广场等工作。

是年县政府明确：九龙寺建成开放后，不允许在寺院围墙外再修建围墙予以封闭收费；佛教场所用地规划设计必须在保护好生态资源的前提下遵循科学规划、设计合理原则，符合服从整个九龙景区的总体规划；土地使用证确认的范围只能用于寺庙房屋、配套设施及其他绿化用地，不得作为他用，也不得出让、转让给他人进行项目之外的开发；林权证明范围内，投资方对树木享有管理权，但不得擅自进行砍伐，如确需砍伐，必须经当地乡村、组协商一致并由县林业管理部门批准。

2005年3月17日（农历二月初八），“复建贵州惠水九龙山九龙寺总体工程启动暨大雄宝殿奠基典礼”在九龙寺原址上举行。省内外佛门诸山长老、护法居士、社会贤达光临典礼并为重建奠基铲土，来自台湾、香港和大陆七八个省区的客人和信教群众7000多人参加典礼。九龙寺区域面积500多亩，主体工程为大雄宝殿、天王殿、藏经楼、太子佛殿、禅堂、法堂、纪念堂、念佛堂、佛学院、莲池海会塔，附属工程有2座牌坊、广场、放生池、禅房、长廊等，总投资6500万元，建设期限5年，前期投资3500万元。

是年9月，县成立了由县委书记为组长，县长为第一副组长的九龙景区综合开发工作领导小组，加强对九龙景区综合开发工作的领导。

2006年12月，由政协办牵头，抽调有关人员成立了专门工作机构，挖掘整理九龙的民俗风情、民族文化和历史文化，编撰出版了《九龙览胜》。

2007年，九龙寺一期工程大雄宝殿（大雷音殿）、天王殿、流水居、行云居、祈福堂楼、广场、放生池、钟鼓楼、朝佛大道竣工。10月19日（农历九月初九），举行开光庆典，省内外参加庆典达人数约5万人。

2009年，建成福慧楼、客堂楼；2010年，建成讲经堂楼；2015年，建成五观堂楼。

二、定慧寺

惠水定慧寺位于涟江街道新城村，始建于乾隆四十七年（公元1783年），由乡民尹起微、尹起贤、尹金道、李于金率7个村寨信教人等发起迎请住持系临济正宗三十五代弟子古源禅师的传人（法名无法考证），后于嘉庆三年增设东西禅房，嘉庆十六年发起就近城乡三十四村寨之力修建配殿二幢，从此香火兴盛，但道光、咸丰、同治年间战乱，殿堂房廊坍塌，光绪三十二年，定慧寺住持本舟与七村寨善信重修观音殿及山门。后受战乱影响，定慧寺一度香火断绝。

中共十一届三中全会后，县落实宗教政策，信教群众集资修复观音殿。1991年，县政府同意定慧寺开放。1993年，经县民宗局同意，贵阳弘福寺派释果旭为寺院住持。后释果旭因年高不再担任住持，现任住持释演慧。

第二节　天主教

天主教传入惠水，至今已有160多年历史。初时惠水地区无天主堂，仅由贵阳教会每年定期派传教士来巡回传教一两次，1866年贵阳教会正式宣布惠水为本堂区，并派传教士来此长期居住。首届惠水本堂神父为法籍教士叶临爱，任职44年。1938年，贵阳主教将秦斐伯从黔西调惠水接管教堂。为惠水堂区的第一任中国籍本堂神父，1953年贵阳教区将神父邓振铎从遵义鸭溪调来任副本堂神父，协助秦斐伯。1958年，贵阳主教将神父黄如望从贵定平伐调惠水，接任本堂神父职位。"文化大革命"宗教生活停止。教堂房屋一部分由房产公司接管，出租给联合诊所，一部分被县革委拨给印刷厂。1983年落实宗教政策，县天主教宗教活动重新开展。惠水县本堂神父兼管龙里、贵定、长顺、罗甸、平塘等县天主教的教务工作。

惠水县有两处天主教开放活动场所，即惠水天主教堂、摆金天主教堂，有神父1人，信教群众主要分布在断杉、摆金、甲烈、涟江街道、抵季、大坝等地区。全县天主教信教人员80%为50岁以上老人，90%为小学以下文化程度，两个天主教活动场所均成立民主管理小组。

重大节日活动期间，教友聚在两个堂口，参与各项宗教仪式，讲经传道。县宗教管理部门利用宗教节日教友集中的机会，开展党的宗教政策的宣传，引导信众不得参加非法的宗教活动。

2000年，县成立天主教爱国会，神父肖盐任首任爱国会主任，龙荣萍任爱国会秘书长。爱国会的成立，对抵御国际宗教渗透势力起到积极的作用。

天主堂现任神父李利民。

第三节　基督教

传入县的基督教有四个派系：①内地会传教点。1934年由平塘内地会通州主持教会的瑞士籍传教士郭赉贞差派信徒龙金声到定番（今惠水）试行传教，不久有当地潘玉清、潘木兰等人入教，后该点自行撤销。②中华基督教会。由福建籍徐强灵于1938年引进，与在抗战时期同逃难至惠水的50余名基督教徒自愿捐款租用一栋民房作礼拜堂，公推徐强灵主持过宗教生活。③基督复临安息日会。由四川籍戴启明于1941年传入，后因经费困难，1948年撤销。④西南布道会。由美国牧师麦纪禧、加拿大籍传教士毕爱娥和华籍传道士李晨光等传入，解放前夕，传入人先后离开，该会自行撤销。

在传入惠水的4个基督宗派继续存在的只有中华基督教会，由徐强灵等人开展宗教活动后，1940年中华基督教会总会总干士崔宪详、干士蔡志澄等人获悉惠水已有信徒，至惠探望，鉴于信徒多而无教堂，拨款购买惠水南门街罗玉贵的一个大院落，成立贵州省第一所中华基督教会。教会成立后，中华基督教总会由重庆派来陈雅山担任首任牧师，1944年由教士黄华（女）负责，1945年，由教士肖时民负责。1946年由李南卿继任。1948年总会将教士华方壹由东北辽宁调来主持教务，不久因病无法管理教务，总会由桐梓调白天诚到惠水主持教务。

1950年中国基督教吴耀宗等人士联名发表《三自爱国宣言》后，惠水中华基督教会积极响应，即宣布实行自治、自养、自传，不接受外国势力支配，不接受外地教会津贴。1958年，惠水中华基督教会改名为惠水基督教会。

"文化大革命"期间，基督信徒的宗教生活完全停止。

中共十一届三中全会后，党的宗教政策逐步得到了贯彻落实，解决了惠水基督教的房产问题，1981年白天城回教堂管理教务。

1988年白天诚病故，教会无人管理。1990年应惠水基督教信徒的要求，省宗教局、省"三自会"

从赫章调罗兴华传道到惠水主持宗教活动，由龙德恩管理教务。1991年龙德恩为按立长老并任教管组组长。1997年，惠水基督教教管组通过教务管理小组扩大会决定辞退罗兴华在惠水的一切工作。

2002年教管组改选后，由潘文祥传道任教管组组长管理教务至今。

惠水基督教堂现有副牧师1人（苏琴，女），传道4人。全县共有基督教徒327人，其中领洗162人，慕道友165人。主要分布于涟江街道、高镇、三都、断杉。县现有基督教堂一所，县基督教教职人员都接受过正规的神学院教育或培训。宗教管理部门每年不定期地对教职人员进行宗教政策、法律法规培训。

附：道教道场

明朝初期，道教的正一派龙门宗传入惠水，该派无固定活动场所。正一派龙门宗道士民间俗称“阴阳先生”，散居县内各地，可娶妻生子，建立家庭，平素务农、经商。群众盖新房、立大门、选坟地都请阴阳先生看风水、选吉辰，婚配请阴阳先生合生辰八字，人死后请阴阳先生设坛开醮，为丧家念经，超度亡人，俗称度亡道场。

惠水道教的度亡道场形式大体如下：

第一步，道士受亡者家属邀请，前往丧家后，根据亡者及亡者子女的生辰八字测定道场期程，又叫测日子或看日子。也有先在道士家中按照丧者和丧者子女生辰八字看好道场期程并决定时间后，道士再前往丧者家中办理道场事宜。

第二步：看时辰将死者入棺后开路。开路亦叫开方科。程序为：①书写开方谍。既向诸神禀明亡者姓名、生卒年月日时。②路票，即告之亡者走向西方极乐世界的路线、方向。

第三步：谢食，俗称谢饭。道家亦叫“谢食科”。意为请亡者享用子孙为其备办的酒肉之食，目的是安顿好亡者，祈求亡者保佑家人及众亲友、寨邻众生平安。

第四步：救苦，道教名为救苦科。救苦是亡灵子孙及众亲友追思亡人一生的辛酸苦辣，为亡人向诸神大仙求情，让亡人在阴间走向西方极乐世界的路上顺利，一路走好。救苦的次数由丧家和道士确定。为单数不能为双数。一般一晚一堂，也可一晚两堂。救一堂苦的时间约2个小时。无论救苦一堂或者多堂，所用经书和程序都是一样的。救苦科所用的书为《救苦科》，经书为《救苦经》。

第五步：出柩。即将亡者的灵柩从家中堂屋移至门口，这是丧事道场的最后一个环节。救苦完成后，根据道士测定的时辰。由道士数人为死亡者装粮，掩煞、发丧（出柩）至门口院坝停放，第二天抬往下葬地安葬。

第六步：下葬，即安葬亡者。由道士或另请的阴阳先生按照亡者及其子女的生辰八字选择相生相和的吉祥之地作为亡者安息之墓地。众亲友按照道士或阴阳先生勘定并钉好桩的地方挖好墓穴（俗称打井），丧家用引子杆、草纸，钱纸，焚烧烘干墓穴（俗称热井），再用烧酒喷洒墓穴后，道士或阴阳先生用朱砂、雄磺在墓穴中央画出太极八卦图案，然后用雄鸡一只放入墓穴中（俗称跳井），待雄鸡在墓穴中拉屎（俗称放财、送宝）后，众亲友将灵柩移入墓穴（俗称下井）。下井后道士或阴阳先生再用罗经（俗称罗盘）校对方位。校对准确后，道士或阴阳先生为亡者子孙撒土并由子孙背入穴中撒在棺材四周，俗称背土葬父（母）。最后道士或阴阳先生用一碗米出魂。道士（阴阳先生）站在墓穴后面从碗中把米撒向东、西、南、北、中五个方位并呼叫亡者家属及诸亲友的生魂出来，亡者的死魂进入井中。仪式完成后，紧接着立碑、垒砌坟墓。最后，道士（阴阳先生）按教仪为亡者新坟谢土买地，禀告诸神请求接纳亡者在此安息，福佑亡者子孙平安富贵。

由于传道宗师和坛法差异，民间超度道场中开路科有些是在整场道场的最后一晚出柩前开路。道场中最重要的一个科仪是做斋事。惠水道场斋事分一夜（俗称两天一夜）、二夜（俗称三天两夜）、三夜（俗称五天三夜）、五夜（俗称七天五夜）。做斋事的目的是为亡者超度，祈求诸神接纳亡者乐享西天极乐并保佑亡者子孙后代平安吉祥。所用经书主要有《皇经》《金刚经》（男）、《血盆经》（女）、《解冤经》《灶王君》《十王经》《大乘经》《救苦经》等。做斋事的主要过程：第一天的第一步安师，意为迎请各位祖师，禀告弟子即将为某家亡者立幡做法事度亡灵，又叫宣天混念，昭帅；第二步，宰杀雄鸡一只，念大榜。向诸神大仙禀告本场斋事的操办者是谁，为谁做斋事；第三步，填榜文于操办斋者家的屋檐下。第四步，回坛。第二天早上早朝，开坛礼请。用经书为《开坛科》《礼请科》。中午午朝。用书《颁诏科》，主要是参拜星辰。晚上在屋外空地上由道士用白色石灰或涂料粉画好的八卦阵内为亡者及其已先故去的亲人尤其是未在家里亡故的亲人开方破地狱。用经书《破地狱科》。破地狱后，为招请科，意为招亡者男三魂七魄、女三魂一十四魄归家，闻经听法、领果生方。亡者魂魄招回家后既谢食（俗称谢饭）。谢食毕后道士开始取经，取毕经诸道士即在斋堂中通宵诵念经书。诵念完经书后天亮时即早朝。中午午朝后，继续行香请水。晚上通宵赈济。用书为《赈济科》。第二天早上早朝，供天。烧化龙凤虎马、八卦绣旗、钱龙引吊。最后拜忏圆满。整场斋事圆满结束。

县内经师傅传授道场知识、科仪、斋法并品度职位能独立做道场的民间道士约有200人。

第四节　宗教事务管理

惠水县有佛教、基督教、天主教三大宗教，有惠水九龙山寺、定慧寺、惠水天主教堂、摆金天主教堂，和平基督教堂5个宗教活动场所，金石平山寺一个固定宗教活动处所，高镇和王佑冷水村2个基督教临时活动地点。

县内由县民宗局依法履行宗教事务管理职责。

1978—1979年惠水县没有专门的宗教工作管理机构。1980年后，县全面贯彻落实党的宗教工作方针政策，宗教场所逐步开放、宗教活动恢复正常。

1982年，县人民政府成立宗教事务科，对全县的宗教事务实施管理，引导宗教教职人员和广大宗教信众爱国爱教，拥护社会主义，拥护中国共产党的领导、遵守国家法律法规，依法依规开展宗教活动。

1994年，县民宗局成立后，全面贯彻落实党的宗教工作方针政策，严格执行国务院颁发的《宗教活动场所管理条例》《中华人民共和国境内外国人宗教活动管理规定》《中华人民共和国宗教管理条例》《中华人民共和国宗教事务管理条例》《贵州省宗教事务管理条例》《贵州省宗教事务条例》等法律法规，宗教事务管理工作由政策性管理转入法制性管理。

1994年4月起，根据国务院宗教事务局《宗教活动场所登记办法》《宗教临时活动地点审批管理办法》，县民宗局对全县的宗教活动场所依法进行登记，先后依法登记的宗教活动场所有5个活动场所、1个固定处所。其中佛教3个，天主教2个、基督教一个，以上场所均依法颁发宗教活动场所登记证。

2002年起，成立由县委副书记任组长，县人大、县政协分管领导、县委统战部部长为副组长，县直有关部门、各乡镇党委（党组）书记为成员的惠水县宗教工作协调领导小组，加强对全县的宗教事务管理工作的领导，逐步建立县委领导，统战部协调各方、民宗局主管，民宗、公安联合执法，县直相关部门参与，各乡镇、村（居）党支部属地管理宗教工作的县、乡镇、村（居）宗教事务管理三级网络，县直部门、乡镇有分管宗教工作的领导，乡镇统战委员、村（居）党支部书记为基层宗教工作信息员，负责抓好本辖区的宗教事务管理，实现横到边、纵到底的宗教事务管理网络机制。

2007年起，县民宗局对全县的宗教教职人员进行认定备案，有9名宗教教职人员。其中佛教住持3人，天主教神父1人，基督教牧师1人，传道4人。实现宗教教职人员队伍制度化、系统化、网络化管理。

2009年7月至2010年12月在全县开展“和谐寺观教堂”创建工作。惠水天主教堂获国家宗教局颁发的第二届全国“和谐寺观教堂”先进单位称号，九龙寺、惠水基督教堂、定慧寺、摆金天主教堂获省民宗委颁发的“和谐寺观教堂”先进单位称号。

2011年，县宗教事务执法大队成立，为县民宗局所属股级事业单位。

2013年，县宗教事务执法大队升格为副乡（科）级机构，主要职责是依法进行行政执法，负责对宗教活动场所、宗教活动的安全检查管理，参与处理宗教领域的违法案件。

县民宗局从成立后至2015年，全面贯彻落实党的宗教信仰自由政策，依法管理宗教事务，坚持独立自主自办原则，积极引导宗教与社会主义社会相适应宗教工作基本方针，坚持“保护合法、制止非法、遏制极端、抵御渗透、打击犯罪”基本原则，加强宗教事务规范管理，制定并组织实施《惠水县宗教活动场所管理制度》《维护宗教领域稳定工作方案》《防范和抵御境内外非法宗教和宗教活动渗透方案》《关于做好防范和抵御宗教向校园渗透的工作方案》《惠水县治理违规建设大型露天造像工作方案》《关于配合做好依法取缔和打击“精神传销”有害培训专项工作方案》《惠水县宗教工作联席会议制度》《涉疆涉藏人员服务管理工作制度》等宗教工作规章制度，加强与县防范办、公安机关联合执法，坚持“露头就打，打早打小”原则，对传入县内的“法轮功”“门徒会”“全能神”等邪教组织及人员开展打击。共查处邪教案件12起，打击处理涉案人员26人，收缴各种邪教反宣传资料（纸币、光碟、传单、小册子、书籍等）1000余份，有效遏制了邪教活动，达到了“保护合法、制止非法、遏制极端、抵御渗透、打击犯罪”的宗教事务管理工作目标。

惠水县2015年宗教组织情况表

表17-2

名称	地址	登记时间	负责人	教别
九龙山寺	涟江街道九龙村马门组	2004年10月	释崇慈	佛教
定慧寺	涟江街道新城村满坝组	2007年10月	释演慧	佛教
天主教堂	涟江街道长征路119号	1983年8月	李利民	天主教
摆金天主教堂	摆金镇摆金村老场坝	2007年10月	龙荣成	天主教
和平基督教堂	涟江街道道背后6号	2007年10月	李灿军	基督教
金石平山寺	好花红镇金田村17组	2013年10月	释佛海	佛教
天主教爱国会	城北办公区四组团	2000年1月	龙荣萍	宗教团体

第三章　民风民俗

第一节　生产习俗

一、种植习俗

惠水属农业大县，种植的农作物主要有水稻、旱稻、苞谷（玉米）、小麦、老麦（大麦）、香麦（燕麦）、高粱、小米、红稻、鲜米、红米、黑糯米、黄豆（大豆）、豌豆、豇豆、棒豆、四季豆、胡豆（蚕豆）、泥巴豆、八月豆、饭豆、懒豆、白菜、青菜、莲花白、牛皮菜、菠菜、大头菜、白萝卜、红萝卜、胡萝卜、佛手瓜、蓝瓜、葫芦瓜、冬瓜、黄瓜、辣椒、海茄（西红柿）、茄子、红苕、洋芋、地萝卜、芹菜、姜葱、蒜等。水果类植物有桃树、李树、杏树、梨树、柿子树、核桃树、樱桃树、橘子树、杨梅树、板栗树、毛栗树等。佐料类植物有花椒树。群众一般喜欢在责任地、责任山及房前屋后种植椿树、楸树、梓木树、泡桐树、杉树、竹子等植物。

1978年后，除高坪黑糯米红米等部分极少植物依旧保持原始老品种外，都被杂交科技良种取代。原始的老品种如水稻中的麻粘、麻壳红、白壳红、小白粘、大白粘、岩粘等已不复存在。种植方式普遍出现了地膜、大棚。解决了因气候等自然因素影响的农作物种植问题，有很多作物提前了上市时间。复合肥、化肥在部分地区解决了肥料缺乏的问题。机械化、除草剂、农药解决了因劳动力不足的耕作管理收割等问题。

二、养殖习俗

境内传统的养殖家畜有猪、牛、马、羊、狗、猫、家兔等；养殖的家禽有鸡、鸭、鹅、鸽子等。1978年前，仅为家族式小规模饲养，品种多为地方传统性品种。1980年后通过引进或通过人工授精等改良传统的猪、牛品种，现传统品种几乎被新优良品种取代。同时羊、鸡、鸭、鹅也逐渐引进新的外来品种，开始出现规模化饲养。在此期间，出现了大规模的水产养殖基地，出现了第一个鹌鹑养殖场。生猪饲养由传统的熟饲料饲养，慢慢过渡到生饲料饲养。城区越来越多的人，喜欢养画眉、八歌、黄豆嵬等观赏性鸟类动物。

三、生产工具

20世纪80年代以前，农村大部分一直沿用传统的生产工具有犁、耙（水耙、干耙）、锄头、镰刀、柴刀、柴刀夹、斧头、锯子、推刨、凿子、墨斗、磨子、碓、钉耙、挞斗、箩兜、扁担、筛子、虾耙、猫笼（装茶叶用）、巴兜、蓑衣（棱质、草质）、捞兜、须笼、木桶、箩筛、簸箕、撮箕、米耙、秧刮、水车、龙骨车（翻车）、戽水兜（戽斗）、马秧篮、粪罐、木桶、风簸（风车）、纺车、织布机、镐、洋铲、各斗、升子、铡刀、提篮等。

20世纪80年代后，随着农村经济的发展，农业现代化水平的提高传统的农用工具正在渐渐被取代，传统农具慢慢退出历史舞台。2004年国家对农村服务和农民购买农机具实行补贴政策以后，推动了农业机械化和农村电器化的发展速度。在大部分地区，拖拉机、微耕机取代了耕牛生产，收割机、割草机、稻麦脱粒机、玉米脱粒机、铡草机、插秧机、抽水机、打浆机、磨面机、粉碎机等代取了人们的体力劳动。摩托车、农用车、小车代替人们的体力运输，改变传统生产模式。

第二节　生活习俗

一、服饰

服饰的演变

20世纪50年代，境内服饰主要仍保留民国时期的式样，男子穿中式的对襟短衣，大裤脚裤子，有一部分穿右侧开襟的长衫子、穿马褂，有些人拴腰带，冷天包头帕；女子穿右侧开襟的大扁父母装，戴围腰，穿大裤脚裤子，部分结婚后女性绾发髻，戴发网、插簪、包毛线帕，包布帕或洋土帕，有部分人戴手镯、耳环、戒指。热天穿自制的千层底布鞋，冬天穿棉鞋，劳动时多穿水草鞋。苗族女性下身穿裙子。布料主要是自纺、自织、自染的土布或麻布，颜色以青、蓝为主。小孩头戴有尾巴、有刺绣并钉有银饰吕或玉饰品的"猫猫帽""老虎帽""兔子帽"等。部分男子穿西装和中山装，部分经济条件较好的女生穿旗袍。之后，西装和旗袍视为是资产阶级情调，在生活中逐渐消失，干部服、列宁装成为新的时尚。干部服融合了中山装和军装的特点，有4个衣袋，小翻领，单排扣，多为蓝色。列宁装在苏联为男装，双排扣，大翻领，流入中国后主要改变成女装，成为城区女性追求的服饰。

20世纪60年代，服饰的主要标准是经脏、耐磨，颜色又恢复到青、蓝、灰色，服饰均为千篇一律的单色。开始出现胶草鞋、球鞋。"文化大革命"后，大部分年轻人流行穿一身没有领章、帽徽的草绿军装，腰间拴一根棕色的武装带，胸前别上一块毛主席像章，胳膊上戴上红卫兵袖章，身上斜挎一个草绿色的帆布包，脚上穿一双草绿色解放鞋。工人、干部、教师以及知识分子也喜欢穿军服便装。有很多小学生（当时叫红小兵）也穿上了这种颜色的服饰。球鞋、解放鞋逐渐代替了自制布鞋；遮阳帽逐渐代替了传统的"老虎帽""猫猫帽"等童帽，蜡染花边逐步减少。

20世纪70年代，黄色条状棉袄开始流行，开始出现涤卡中山装、西裤、的确良衬衣，中山装为最流行的款式。少数民族男生仍以对襟衣为主，裤脚也改为小裤脚，女生仍以大扁衣父母装为主，苗族下装仍穿裙子，男人的包头帕仅有部老年人冷天还用，布依女性的包头帕仍然以自织为主，城区附近的少数民族服饰逐渐汉化。

20世纪80年代，外国服饰流入，服装的花色、款式出现了多样化，由原来的单色调向多色调转变。翻领春秋服、翻领衬衣，喇叭裤、一步裙、直筒裤等开始盛行，女生裤子开始从右侧开口扣扣子改从前面开口上拉链。少数民族女裤除部分老年人外，漫漫普及为了小裤脚裤子，且大多数用缝纫机制作，大裤脚裤子的裤脚从原来的一尺改为8～9寸。人们的首饰以手表为主，皮鞋也慢慢开始普及。

90年代，越来越多的年轻人外出务工，为了工作方便、少数民族服饰均改成汉装。农村40岁以上的部分中老人仍穿自己的民族服饰，多为购买机制布料，衣服改得比原来较短，尺寸用购买的花边用机子缝上，结束了全手工制作的历史。这个时期健美裤、超短裙、迷你裙等新服饰陆续进入了人们的日常生活，成为女性的最爱。

1999年后，县城内第一家品牌服装店——劲霸服装店开业。与狼共舞、七匹狼等品牌服装先后进入城内。羊驼毛大衣、羽绒衣等开始流行。人们在购买服装时不仅要看中价格，重要的是看中质量、款式、品牌，把美感放在第一位，更加追求多元化、个性化。随后，服饰演变得个性、多彩、舒适、有前卫、有复古、有怪诞、有流行。首饰装饰以黄金、白金、玉制品为主，穿鞋以各种品牌皮鞋，运动鞋、休闲鞋、凉鞋、旅游鞋、平底鞋、靴子、机制布鞋等为主，帽子多数变成了衣戴帽。

布依族服饰

新中国成立至20世纪末期，县内布依女性盛装、便装和儿童服饰，盛装多为右衽开襟，打上五排布纽扣，领口、肩胛为双扣其余为单扣。领高2厘米，分别黑缎绲边。肩围致右衽下腋，用青布倨盘、镶的彩色栏杆，镶一条2.6厘米的花边。这种衣服比较长，以盖住臀部为准。袖管较小，袖口用6厘米的青布盘边，同样盘栏杆和花边。裤子一般用青布缝制，裤脚24厘米。用6厘米宽的青布盘脚，也套上栏杆及花条。裤腰用18厘米宽的白布接脚，扎以布带，有些还扎有自绣花的裤带。这种盛装主要是王佑、断杉、雅水、摆金等多数布依族聚居的女性。

女性便装各地区略有区别。王佑地区喜穿浅蓝色的单边布料，衣脚呈弧形，衣摆宽大往上翘，五排布纽扣，领口双排扣，大裤脚，头包青、蓝、白帕，头帕不折叠，绕在头上将辫子盘在头帕外沿。羡塘地区多穿青、蓝两色，衣服盖到臂部、衣脚平形、衣摆直下。下身穿改装后的小裤脚，头包自织的花格帕。雅水、摆金地区，其他地区款式基本相似，青、中年喜穿浅蓝色布料，老年妇女喜欢青色或深蓝色。头上戴包头帕，外罩一张自制的土布毛巾，蓝白两色较多。三都、姚哨女性便装同汉族相似，衣服制作比较短，在臀部以上布料多为市场购买的细布。头上包一块市场上购买的机织毛巾。长田、大坝地区的女性服饰同花溪相同，穿偏右襟长衣，衣长至膝盖部位，小裤脚，盘肩、盘袖、盘脚。镶有栏杆，不拴围腰，但拴腰带。头戴用青、蓝色布缝制的圆帽。

王佑、羡塘、雅水、断杉地区的妇女喜欢拴围腰，这也是布依族的一种特色装束。围腰也分盛装和简装两种。盛装围腰，布依语叫“拜儿枚”，意为梅花围腰。这种梅花围腰，一般是用自制的土布或购买的细布做成。围腰的胸部周围到腋下，用9厘米宽的青布盘边，镶边栏杆，在周围钉上30颗梅花图案的银泡，围腰上部缝上专门刺绣的梯形花块（俗称“围腰口”），挂上活动的围腰链，围腰带6.6厘米宽，用紫色的东绿布做成，也有用青布镶边，绣上花，嵌上栏杆花条，尾部钉上6厘米长的撒须，撒须上串上五大颗珠子，长度根据需要而定。

简装围腰是简易的围腰，劳动时用拴。围腰口采用白纸绘制的花样贴在浅蓝色的布上按图剪裁好，钉在围腰上部而成。围腰带一般用白色、浅蓝色及紫色的布料做成，也有绣上“和平”“青春快乐”“爱情”等字样，有的绣上花的图案。

儿童服饰特征主要体现在帽子上的装饰，两三岁前的儿童，不论男女，通常戴一顶有两只耳朵、背面有尾的绣花帽。面料多用青布，帽耳较大，保护着耳朵，帽身上有对称的花鸟绣花图案、帽子前沿钉有数颗圆形或三角形的银饰，有银老者、银佛像、银泡，还吊有银铃。有的帽形似猫头，叫“猫猫帽”；有像兔头的叫“兔儿帽”。热天改戴无顶凉帽。八九岁以上的小姑娘改戴绣花的有尾无顶帽，十多岁后才戴包头帕。

布依女从孩童开始，都有戴手镯和耳环的习俗，多数要戴到百年归天，才能脱下来传给下一代作为纪念，一般是传给姑娘。

苗族服饰

新中国成立至20世纪末期，境内9个支系的男性服饰比较统一，没有明显的差别，除了少数老年人仍穿长衫外套，平常各支系苗族都改成对襟短衣，颜色以青蓝为主。下身穿青蓝布裤子，腰缠青布布腰带，劳动时穿胶草鞋或球鞋后来到解放鞋。

县内9个支系的苗族女性服饰差异很大，其长度、颜色、花饰、银饰都不相同。就长度而言，摆金、大坝、岗度、斗底五支苗族的长度大体相同，一般恰过膝；鸭寨、长田、董上3支苗族裙子长度在80～90

厘米之间、长及小腿肚。就颜色而言，除斗底为麻织白色，摆榜、岗度，长田裙子用白布镶边外，其余各支系的裙子均以青色为主。就花饰而言，除鸭寨、董上的裙子镶花纹外，其他各支系一律不带花，而是在上衣袖筒、围腰或背牌上面绣花。

摆金女服饰　摆金女服饰有便装、盛装之分。便装均为素色。盛装须挑花刺绣，佩上很华丽的银饰。打扮时，头绾发髻于顶，用两米长，16厘米宽的蓝布缠青帕数圈，而后戴上绣花帽，帽檐四周吊着银珠和玉珠，髻上插两根各由4条银片组成的银冠，银冠下两侧插有各式的小银花和银簪；髻后插有银梳。两耳各戴约60克重，由约30厘米长的银质柱状物卷盘成的耳环。上装内穿各种棉毛衫和衬衣，再穿上青布及紫色高级绸缎无领无扣短衣5～7件，内衣裤管小而长，外衣袖管大而短，同时镶绣花纹，钉有银泡；颈部戴小项圈4个，大项圈5个，项圈两圈两侧系上两朵红花。下装内穿布裤、外穿青色细百褶裙，垂至膝下15厘米左右。腰上先系青色绸缎小块围腰，再系缀有银泡的花带7根；面前腰带左右挂上银铃、银花荷包。两手各戴上银手镯4支。过去腿缠黑布绑腿，脚穿草鞋或布鞋。随着改革开放后，部分女青年腿穿长筒肉色丝袜，脚穿布鞋、球鞋、解放鞋或高跟鞋。一套盛装镶各种银饰重量达0.5～1千克。

鸭寨女服饰　上穿从右侧开口上衣下穿裤子（20世纪50年代前仍穿百褶裙），衣服裤子均不镶花。这些时期服饰，胸前都要系上围腰，穿后两种服装时，头发编成辫子绾于头帕之外，头帕以白色为主，有的还在头帕外搭上一块毛巾。此时，耳环、项圈已无人戴，唯手镯、戒指偶有人戴。现鸭寨苗族支系妇女虽然平时不穿裙子了，但是每人都准备有一套漂亮的衣裙作为寿衣。如今该苗族支系成年男子去世办丧事，由妇女牵“驮魂马”时，必须穿裙子。

大坝苗族女性盛装　以10米多长的青布帕褶线2厘米左右宽的布带有规律地包头成椭圆形，再用红、绿、青、紫绸缎扎花系于头中央，往背后垂吊；胸前吊银锁两把，颈上戴8个银项圈，项圈两端缠着红布。上装第一层穿有领花衬衣，第二层至第五层穿白、绿、红等短无扣开襟布衣，交叉于胸前的两根衣襟各缀有银泡九颗；袖子长短不一，里长外短。下装内穿布裤，长齐小腿肚；外穿百褶裙，长齐膝下15厘米左右；腰拴黑、蓝色围腰（下段末端镶各色花纹），腿缠养老青布绑腿，脚穿草鞋、布鞋或球鞋，后有的穿皮鞋。

摆榜苗族女性盛装　头束发绾髻于脑后（上摆正中，下摆稍偏后），髻根先插一把木梳，再以红丝线扎两朵呈艳山红花形的花插于髻上，不包头帕，颈戴银项圈5个，颚下项圈吊一块长4厘米、宽2厘米的银牌。上身内穿红领衣，外穿绸缎短衣，两襟边沿缀有长13厘米，宽2厘米的红白花带，相交于胸前。从颈后向胸前的两根白花带悬吊一块长方形的花背牌。袖管内衣小而长，外衣大而短，并缀有花条。下着黑色褶短裤，短裙腰镶着8厘米宽的白边，裙下端边沿镶着2厘米宽的白边。缠着布绑腿，脚穿草鞋、凉鞋或球鞋。

斗底苗族女性盛装　绾发髻于头顶，用黑布无规则包头。上装内穿无领白布衣，外穿麻布花短衣，短衣下段绣条形花纹，形似山状，裤管与摆榜相同。小袖镶红、绿、红、白花条；下装穿全白麻布细褶裙，长及棱形格状，上段拴白布腰带，两侧和下段镶绣花边。脚穿草鞋、凉鞋和球鞋。

岗度苗族女性盛装　头发编辫盘于头上，然后用白、青两条布帕，折叠成11厘米左右，按里白、外青顺序包头，呈大圆盘形状。颈戴大小项圈各5个，红绸缎扎花系项圈两端。上身穿蓝色大襟，右衽和尚领短衣，再戴下长85厘米，宽16厘米的刺绣印牌，印牌由于中间开口从头上套下，胸前部分长31厘米缀大银泡66颗、小银泡64颗；背后部分缀大银泡25颗，小银泡34颗，下端由65颗海蚆组成3个“一”字，形似撒须。袖管小而长，无花。下身穿黑色长裤，再穿百褶裙，裙脚接16厘米的白布。再拴上青布马围腰，垂齐小腿（中间开16厘米的小口）。围腰拴腰部分为11厘米左右的白布条，下半部分有4条横白条。身后再拴一块麻织的硬布小围腰，盖上臀部。脚穿草鞋、凉鞋、布鞋或球鞋。

董上苗族女性盛装 以红色毛线同头发编辫盘于头上，上身内穿白衬衣，外穿绸缎有领大襟短衣，裤管大而短。下身内里穿布裤，外穿大褶彩色花裙，花镶在裙子前面。脚穿草鞋、布鞋或球鞋。

毛南族服饰 境内毛南族1953年认定为布依族，1990年认定为毛南族，主要居住在城区附近，原服饰跟布依族相同。

境内少数民族女性服饰有盛装和便装之分，盛装复杂，便装简单，盛装为民族节日红喜穿，白喜禁穿，便装劳动时穿。

二、饮食

新中国成立至20世纪末期，境内民族由于居住环境不同，饮食习俗有所不同。居住在田坝、丘陵地区的以大米为主食，居住在半山区的大米，苞谷并重，居住在岩山地区的以苞谷、小麦为主食。食肉类有猪、牛、马、羊、鸡、鸭、鹅等。蔬菜类有洋芋、黄豆、豌豆、胡豆、豇豆、四季豆、八月豆、萝卜、胡萝卜、白菜、青菜、瓜类等。豆类制品有豆腐、豆芽、豆粉等。酸辣两味是每家生活不可缺少之物。腊肉、香肠、血豆腐、盐豆腐等腌制品是每家过年必备之物，过年大部分人家要自做甜酒。霉豆腐、豆豉打粑粑，大多数男人都喜欢饮酒，少数民族地区大多数人家会酿酒，特别是苗族男人对酒情有独钟。苗族人特喜欢吃牛、马、猪杂碎。20世纪90年代后，农村经济条件得到了改善，境内各民族，主食都变成了以大米为主，肉类、菜类基本不变。21世纪后，人们的饮食习俗又发生了一个质的变化。将以前的吃饱变成吃好、吃精，而且开始讲究食品的搭配，大米、面食、粉条成为了人们的主食，包子、馒头、饺子、馄饨及面粉加工蛋糕、饼类成为人们喜欢的食品，牛奶、羊奶及奶制品进入了千家万户，各种食品品类繁多。

三、居住

县内汉族多居住城镇，坝子和水资源较丰富的地区，杂姓，多民族居住为多，相对集中，少则几十户，多则几百甚至数千户数万户；布依族居住地的选择多重于水源，多选择在依山傍水，风光秀丽的平坝、丘陵及有河流、小溪的地带建房立家，多为一脉传承的同姓，大则二百余户，小则几十户，单家独户极少；苗族村寨多依山而居。多为一脉传的同姓村，少则几十户，多则百余户。新中国成立以来，县内各民族居住的房屋大同小异，均为木架结构，盖有瓦面和草面，一栋以三间居多，四五间以上居少。有5个头，7个头，9个头、11个头、13个头的结构（为每排木柱头棵数），多为一楼一底，少有二楼一底，三楼一底。四周用木板、青砖、土砖、石块、土墙竹巴折、柴草等围装。中间多为木板装修，设有香火称为堂屋，多数设有天楼，天楼上不能住人，香火背后的房子多为老人居住，堂屋前多为往内退一根柱子为墩口。坝子地区多修有厢房或牲畜用房。山区的少数民族房屋较坝子地区相比，山区房屋高、宽，楼层较多，一楼多作厨房，牲畜用房和堆放农具杂物用，二楼以上为堂屋，卧室、客厅及堆放粮食用，多为人畜共居。

1982年后，县内开始出现一层砖混结构的私人住房。20世纪90年代初，城乡开始出现砖混结构两层及两层以上的私建楼房，内设水冲式厕所。1994年5月，县对汽车站至米厂路段土地进行开发，对除路以外两边10～20米范围的建房土地进行拍卖给私人或单位进行建房。1995年，按照城市规划，县城内居民在自有宅基地上，按照一楼商铺、二楼以上为住房或商业用房方式，陆续修建私人房屋，形成了县城内第一条商住合一的商业街，名为凤山西路（最早称中英街），其特点是：房屋为砖混结构（楼板为现浇板），外墙贴釉面砖，室内铺瓷砖。凤山西路为惠水县城改造的发端。

1994年，县五金公司职工集资修建城区第一栋职工住房，砖混结构，五层建筑，楼板为盖板式，内设卧室、客厅、厨房水冲式厕所。每套住宅面积为90余平方米。

2001年，县实施老城区改造，对老十字街南门至县府路一段居民住房和单位用房实行补偿性拆迁，修建县内第一批商品性商铺和住房。在城区、交通发达的乡镇邻街地段开始新建两层以上砖混结构的楼房。

2006年以后，县内农村房屋建设逐渐转移至地势较平、交通便利的地方，修建的房屋为砖混结构的平房或楼房，部分农民直接到城区、城郊购买土地修建或购买商品房。2010年9月，县城内新建第一栋集商铺住房为一体的电梯商住楼——恒基大厦。随后城区商品房趋建设均向电梯高楼发展，私人住房趋向舒适型、别墅型、邻街商住一体型发展，城镇居民居住环境明显改善，人均居住面积明显增加。

四、出行

改革开放以前，人们的出行主要是步行、骑马、坐马车，极少数有条件的人家骑自行车。1978至1988年相继开通了6个区乡的农公车，工厂、部队购买了客车。1980年后，自行车逐渐普及，随后，各种品牌摩托车如嘉陵、建设50、建设60、建设70、亚马哈、南方125等相继进入，成为人们的交通工具。1984年开始出现了私人营运中巴车。1990年后，摩托车逐步普及城乡，城区开始出现了人力载客三轮车。1996年，机动三轮车正式在城区从事载客经营。2011年，结束人力三轮、机动三轮载客的历史。同年，通村水泥路工程启动，到2015年，农村基本实现了村村通公路，农用三轮车、小货车、面包车、轿车、越野车成为人们出行运输的主要方式，全县实现乡乡通油路、开通客运中巴车。

第三节　礼仪习俗

一、婚仪

择配　改革开放以后，传统的请媒人说亲习俗逐渐消失，婚姻择配多为3种情况：一种是通过熟人、亲戚、朋友和单位同事介绍认识，双方通过一段时间的接触、了解、确立恋爱关系；另一种是通过对歌、同学、同事、赶花厂、赶秋坡、打工等方式认识、了解、确立恋爱关系；第三种是通过网络认识恋爱。

定亲　境内主要居住汉、布依、苗、毛南四种民族。不同民族的定亲方式不同，或同一民族所居住的地区不同，订亲方式也有所不同，如居住在城区附近的布依族、苗族、毛南族因长期汉化，习俗大多跟汉族基本相似。

汉族定亲　年轻人通过一段时间的恋爱来往后，双方觉得合适，家长同意，男方选择吉日请家亲内戚、介绍人、好友携带猪肘子等礼物到女方相亲。女方同样也请家亲内戚、朋友来陪同，设宴招待。期间男方要将男生的生辰“八字”庚帖交给女方，请其在右边填上女生的生辰“八字”，大多在“香火”（家中供奉祖先牌位的地方）前填写，最后交由男生家请先生测定结婚吉日。双方家长协商财礼钱、酒水钱等事宜，多少则根据双方家庭情况确定。改革开放以后，随着经济的发展，财礼钱也在逐年增多，由最初的数百元增加到数千元、数万元，甚至有的人家提高到数十万元。

布依族定亲　有很多布依族定亲礼节上跟汉族基本相同。不同的是要封“六礼”（恩仪、梳仪、盒仪、厨仪、香烛仪、炮竹仪），（有的地区要等到结婚时才拿），去参加定亲人员，有的地区专门选要男性，有的地区专门为女性，除媒人（或介绍人）外，必须请族中的老人陪同。定亲客人到女方大门口时，妇女们要把大门关上，向客人唱山歌问其来意，去定亲一方要唱拦路歌，喝拦路酒、开门酒后，才能打开大门，欢迎进家。午饭后，男方家用盘子端着请柬，鸾书、“六礼”请女方家开庚。女方家则请族中有知识的中老年人把女孩的生辰“八字”填在庚帖上，交给男方家。晚宴中，双方家长和德高望重的老人在堂屋中商定财礼等诸多事宜。80年代后，定亲时男生要带女生来给去定亲一方介绍认识并敬酒，而客人一方要给礼仪钱打发女生。有的地方则一些女性来给客人敬酒，同样也要给礼仪钱。事后，男方家要亲自或请介绍人等将测定结婚的吉日告诉女方家，以提前做好婚事的准备。

苗族定亲 男方征得女方同意后，选择吉日请媒人或（介绍人）或亲戚、朋友和男性押礼先生，携带红公鸡、钱、烟、酒、猪肉等前往女方家商定财礼。多少则根据男方家庭条件和双方协商达成统一意见而订。男方交付财礼时，商定结婚日期。摆榜苗族，凡结婚者，婚期选择在腊月最后一天举行。

过礼 境内民族不同，地区不同，习俗有所不同。汉族和三都片区（现好花红镇）、高镇片区（现濛江街道）部分布依族女方办酒宴时，必须请押礼先生和一些年轻男性，带上鸡、鸭、酒、肘、盐、茶、果、面、女生结婚时穿戴服饰、男方家4个大糍粑、数个碗口粑、香、纸、烛、爆竹、“六礼”、首饰等到女方家过礼。到布依族家庭过礼，要唱开门歌，不会唱者，可用红包代替。女方亲戚会以礼物缺少等为由与押礼先生争论，俗称“吵亲”。布依族要请押礼先生骑长凳马，索要马料礼仪钱。大部分布依族不行过礼，只收“六礼”。

接亲 男方要请两个父母双全，家中人丁兴旺的未婚少女或一名童男童女随同接亲。但长安地区则要请少男少女各2人随同接亲。送亲时，有的要请两个生有儿女，家庭条件好的女性或自己的女友送亲。20世纪90年代前，布依族、苗族，大部分则要请几十个年轻男女穿着民族盛装参与送亲，羡塘地区则全部用女性送亲，并向男方家索要草鞋钱。90年代后，由于大多数年轻人外出务工，行此习俗逐渐淡化。汉族接亲在“文化大革命”以前是坐轿子，“文化大革命”初期破旧立新被取消，大多为步行，后发展到用马车、单车、拖拉机、摩托车、货车，有条件的人家用小车。布依族、苗族多为步行，嫁妆多以随新娘一起到家，多是同一天办酒。县内大部分少数民族结婚当晚不同房，唱一晚山歌后，次日随送亲人一道回娘家，农忙期间去接来帮忙做事，待怀有孩子快生时才来婆家。而羡塘地区在60年代后期习俗就开始改了，这种习俗与汉族相同。

20世纪90年代后，县内外出打工、读书、工作的人越来越多，受新事物、新风尚、新理念的影响，越来越多的年轻人跨越本民族通婚的界线，婚姻习俗逐渐发生新的变化。随着农村经济的发展，城乡居民收入的提高，交通条件的改善，小汽车在农村逐步普及，多数少数民族婚姻习俗与汉族基本相同，结婚时都用上了小轿车，改变了过去结婚时需要准备一辈子盖的被子、一辈子穿的鞋，步行、不坐家等习俗。年轻人的婚礼有的选择酒店包席，有的请专门的婚庆公司主持婚礼，新房家具或购买成品家具、名牌家具，或订制家具，少数有条件的人家还以房子、轿车等做嫁妆。

针对城乡居民接亲嫁女讲究排场、相互攀比等不良现象，1987年县印发《关于严禁在婚丧嫁娶中大操大办的规定》，提倡节俭操办酒席。2013年，县纪委印发《关于“四个严禁、六个一律”治理全县干部职工违规操办酒席的通知》，对县内婚丧嫁娶酒席桌数等方面作出具体规定，全县干部职工婚丧嫁娶操办酒席桌数，规模控制在规定范围内。

回门 夫妻双方携礼物第一次回女方娘家探望其家人及亲属，主要是汉族的习俗。改革开放前为结婚三天后回门，现在多数人家均选择当天回门，同时接外家人一起来参加婚礼，吃会亲酒，男方安排有专门的会亲席。这一习俗早期在少数民族地区没有，80年代后期，一部分与汉族通婚的年轻人通过协商，根据汉族风俗习惯，开始有回门的礼仪，随后城区附近的少数民族，部分也跟汉族一样实行回门的礼仪。

二、生育

改革开放后，县内多数人家一直延续报喜、三朝、满月酒的传统习俗。

报喜　主要针对生育第一胎时，主人家必须将消息尽快地报给娘家人，俗称“报喜”。报喜时，多数人家女婿要送一只鸡去（生男孩拿公鸡，生女孩拿母鸡），娘家人要返回一只鸡给女婿配对回来（拿去的公鸡，就配母鸡，反之配公鸡）。20世纪90年代后，方式发生变化，用座机报喜。2000年后，用手机、彩信、QQ视频、微信报喜。

三朝　即生孩子的第三天，主人家内亲及亲友来庆贺办“三朝”酒，俗称“三朝”，这一天，大多数人家要给孩子取名字。如因特殊情况来不及，也会出现“五朝”“七朝”等，天数只能是单数。讲究的人家请先生来家跟孩子开“八字”单，并根据孩子的生辰“五行”跟孩子取名。2000年后，城区有部分人家则花高价请专门取名的先生或通过网络给孩子取名。

满月酒　为孩子满月后双方家人选择吉日给孩子办的满月酒席。20世纪90年代前，娘家人主要是邀请亲朋好友一起送背扇，同时要带上红蛋、打粑粑来打发给客人。90年代增加小童车、学步车、儿童玩具等。2000年后，又增加了婴儿床、婴儿推车、儿童遥控电动车等，传统的老式背扇逐渐被多功能背扇取代。城区有很多人家选择在餐馆、酒楼包席办满月酒席，办酒的场面越来越大。参加的人员越来越多。2013年县纪委出台了全县禁止操办满月酒的规定后，这一传统习俗最先在全县工作人员中被取消。

三、丧葬

改革开放后，随着社会文化经济的发展，苗族的丧葬习俗也发生了改变，“洞葬”“石棺葬”，逐渐改为棺木土葬。如今，县内均实行棺木土葬，仍然延续传统的送终、报丧、入殓、开路、动土、安葬等习俗。“文化大革命”期间破四旧（旧思想、旧文化、旧风俗、旧习惯），立四新（新思想、新文化、新风俗、新习俗），提倡“急葬三天”，一切从简，把“先生”进行祭奠仪式的一切用具视作封建迷信，全部收缴，禁止“先生”参与祭奠活动。但仍有一部分人家冒险进行传统的祭奠习俗，悄悄地请“先生”并用锑锅盖、单车铃铛、碗、盆等代替响器。“文化大革命”结束后又逐渐恢复，除少数人家特殊情况“急葬三天”外，多数人家则选择6天左右。进入90年代后，经济条件好转，多数人家则想让“老人”多在家几天，因此，七八天为多数，极少数人家超过半月，大操大办旧习俗仍然继续沿袭。2015年8月28日，县殡仪馆，公墓开始启用，城区居民和国家全职人员过世开始集中治丧，尸体火化，停放时间多为5天左右，多数人家取消了哭丧棍棒。选择公墓的、墓冢面积仅为两平方米左右，多数人家采用返礼的形式代替了大办酒席的习俗。

雅水、摆金、断杉、三都（现好花镇）、高镇（现濛江街道办事处）地区布依族与汉族一样，老人过世后除了做斋（念经）期间家中孝子吃素外，都吃荤。罗姓老人过世时要杀猪、杀鸡祭奠亡人。长安、打引除罗姓、唐姓外，老人过世所有内亲都要忌荤。王佑政府附近人家十年以来也改变了此习俗。

苗族分两种类别，一种是有（砍）牛习俗的，祭奠期间孝子要忌荤；另一种与汉族一样，做斋期间家中孝子也要忌荤。

毛南族丧葬习俗与所在地区布依族大同小异。

第四节　民间节日

汉族　春节、上九、十五、三月三、清明节、端午、七月半、中秋节、重阳节。

布依族　春节、十五（元宵节）、三月三、过了年、六月六、七月半、吃新节、中秋节、重阳节、羡塘、三都（现好花红镇）、姚哨（现濛江街道办事处）、雅水地区过端午节、七月半。

苗族　春节、三月三、清明节、四月八、端午节、六月六、七月半、中秋节、重阳节、跳花厂、撵虫蚁、射花节、摔跤节、斗牛节、赶秋坡。城区附近几十年也过“十五”。

毛南族　三月三、清明节、四月八、端午、七月半、重阳、冬年（即小年）、春节（即过大年）。

春节　俗称过年，有杀年猪，请吃杀猪饭的习俗。年前家家都要彻底打扫室内外的卫生，准备香肠、腊肉、血豆腐等年货。除夕天贴红春联（守孝人家贴绿、黄挽联，俗称素联）、门神，杀鸡供奉祖先（杀年猪的人家要加上猪头），要供天地、灶神，合家吃年夜饭，守岁，给小孩发压岁钱，晚上十二点前放爆竹接年。

布依族除夕夜　要打火把，拿着香纸，纸青等到土地庙或三岔路口接祖宗来家过年。王佑一带布依族除夕这一天，要去跟祖先包坟、再“上亮”。

20世纪80年代，每年大年初一县文化馆在文化广场恢复了大型的灯谜活动。2008年后，很多人开始到九龙寺里拜佛求“柴”（财的意思），城里增加了舞龙舞狮活动。2014年后，开始在文化广场增加了文艺节目演出活动。同年，高速公路开始实行免收小型客车通行费用，城区有人家接完年后，利用春节长假自驾旅游，改变了千百年来初一不出门的传统习俗。

上亮　每年农历正月十五，境内祭祀节日。每家都要杀鸡供祖先，要准备竹签、白纸、香、纸钱、红蜡烛、鞭炮等，晚上到亲人坟上插上4根竹签，用白纸做成正方形罩子，沿着竹签套下点亮蜡烛。按长幼大小肃立墓前，点三炷香，烧纸钱，作揖、跪拜、磕头，祈求九泉之下亲人安好，保佑来年全家平安，最后放鞭炮。2002年后，开始用电池灯代替蜡烛，或只用果饼、鲜花祭祀，逐渐减少香、纸、烛等易燃物上山，许多人家改成白天“上亮”，并且从正月初二后开始。2014年后，多数人改用电子灯，鲜花等取代传统的祭祀方式。

三月三苗族节日（1981年摄）

清明节　公历4月5日前后三天，境内汉族、苗族和大部分布依族及一部分其他民族人家，要带上香、纸、鞭炮、纸青等到坟上去挂青祭祀逝者（俗称“挂青”）。这几天包坟，立碑可不看日子。2008年3月31日，中共惠水县委办公室、惠水县人民政府办公室下发了《关于认真做好2008年清明期间文明祭祀安全防范工作的通知》倡导文明祭，用植树、献花等文明方式开展祭祀活动，严禁在林区抽烟、烧香烛、烧纸钱、燃放鞭炮。于是在城区一部分人先开始只“挂青”的祭祀方式，随后，这种文明祭祀的人越来越多，并增加了鲜花、水果、清明粑等祭祀内容。县委、县政府各机关、学校要组织职工和师生带上小白花，花圈到十二楼台去跟革命烈士“扫墓”，听取革命烈士的动人故事，开展革命传统教育。

“三月三” 时在农历三月初三，是中国的传统节日。在县内各种民族的过法不一样。汉族这一天主要是烙笋叶菜粑（时逢清明期间，也叫清明粑）祭奠祖先。布依族大部分要吃白、黄、黑三色糯米饭，祭小儿神母娘娘。摆金一带的布依族青年要聚集到马道三岔路地方唱歌、跳舞。三月三。摆金、雅水一带苗族叫“采菜节”，那天下午苗家青年男女相互邀约，穿着盛装，男的手持竹芦笙，女的手提小饭箩，汇集到鸭绒卜所附近的花厂，围成圈逆时针随着芦笙节奏跳芦笙舞。

“四月八”和“六月六” 即每年的农历的四月初八和六月初六，是境内布依族、苗族的民族节日。“四月八”，家家户户都要做花饭祭祖。摆金、雅水一带的布依族、苗族青年都要穿着民族盛装聚集到糯米坡对歌，跳芦笙舞。六月六，布依族家家户户包粽子，杀鸡或杀狗招待远方的客人，青年人要聚在一起对歌“玩表”；苗族青年聚在一起对歌，进行社交活动。六月六，也是县苗族的传统摔跤节。这些节日活动，早期都是人们自行开展的娱乐活动，流传了千百年。1981年，经国家民委批准，省、州文化局和省、州民委在董朗大桥组织“六月六”歌节。之后，又在很多乡镇每年都陆续有组织地开展一些民族节日文化活动。2010年后，县内各地民族节日活动中，将粑棒舞、竹竿舞、服饰展、山歌对唱、枫香染、蜡染等搬上了舞台，又增加了现代歌舞等新元素，逐步演变成了多民族联动的民间节日活动。

端午节 农历五月初五，是惠水的传统节日之一，境内多数人家过此节，汉族最为隆重。这一天，家家户户都要在门口挂菖蒲、艾枝、要包粽粑，做黄粑，供祖先，大多数人家要跟小孩包枕头粽、折菱角、编蛋笼、煮红蛋、买新衣服等。城区很多人要到圆台边一带药市去购买常用的新鲜的中草药（每年端午这一天农村很多人都要上山挖中草药来卖，而且量是一年中最多的一天），城区很多人家带孩子去坐渔船。晚饭后，人们都要到南门桥（现惠明大桥）一带去“游百病”、放河灯等。2012年端午节期间，惠水第四届好花红艺术节“龙游涟江”旅游文化商贸系列活动在县城举行。活动开展了包粽子、划龙舟、划渔船、对山歌等比赛、惠水及周边县、市数万人相聚南门涟江两岸参加活动。此后，县的端午节活动中，将赛龙舟、对山歌等延续下来。

七月半 农历的七月初十至十四，是中国传统的祭祖节日，县内多数居民都过此节，都是阴历七月初十接老祖公回家过月半，每天都要供饭、供水果等。然后分十三、十四烧香、烧纸或烧包等为他们送行，还要为无家可归的孤魂野鬼另烧一堆纸钱。改革开放后，传统的手工竹麻土纸钱，被机制纸钱逐渐代替。2000年以后，祭祀中增加了印刷冥币（有人民币、美元等）。

重阳节 农历九月初九是传统的重阳节，过去在农村家家户户都要打粑粑，做豆沙粑庆贺。而这个时间又逢秋收结束之际，所以也成了人们庆贺丰收的节日。20世纪90年代以后，打粑粑这一习俗逐渐淡化。1988年，国家将重阳节定为中国老年节。1989年，又被定为敬老节。2012年颁布的《老年人权益保障法》进一步明确规

定每年农历九月九日作为老人节。重阳节成为尊老、敬老、爱老、助老的隆重节日，各乡镇举行相关庆祝活动，走访老人送温暖，县都安排开展慰问百岁老人活动。

第五节　民间音乐

惠水的民族音乐丰富多彩，独具特色，分声乐和器乐两大类。

声乐　声乐即唱歌，从形式上可分为劳动歌、盘歌、散花歌、酒歌等；从内容上可分为情歌、时政歌、古歌、仪式歌等；而仪式歌又分为迎客、进寨、开门、敬茶、敬酒、道谢、送客歌和筷子歌、碗歌、开壶歌、桌子歌、上梁歌等。主要表现特征是社会化的群体歌唱活动，又分为田野歌唱和室内聚会歌唱两种传统形式。

民歌还以大、小的概念来进行民歌归类，有一首布依民歌唱道："古老古代传下来，不知哪年哪朝代，自古大歌唱吃酒，从来小歌唱情爱。"大歌的内容较"大"，有叙事歌、古歌、苦情歌、祭祀歌等，大歌不仅篇幅大，而且一般还采用大嗓演唱。小歌类民歌在形式结构上相对短小精炼，能独立成章，有时用假声唱，有时真假声混合演唱，内容有各类浪哨歌，山歌等。惠水布依族山歌"好花红"调2008年被国务院列为国家级非物质文化遗产名录。同时，惠水苗族能歌善舞，原摆金镇1993年被省政府命名为"民族歌舞之乡"。

惠水苗族民歌按社会功能及体裁可分为：山歌、酒歌、婚俗歌、叙事歌等。山歌是苗族社会生活演唱最为自由的一种体裁，它既可以用汉语唱，又可用苗语唱，有时"见子打子"的即兴歌唱有其随意性，但却充分体现歌唱者的智慧水平。

惠水苗族情歌、酒歌、跟古歌各具特色，分别展现了全县8个苗族支系的传统习惯和精神风貌。由于民族文化的融合发展，惠水苗族亦受到布依族文化和汉族文化的影响，在民族聚居区，文化交流活动频繁，苗族民歌与布依族民歌的曲调和调式亦有相似之处，鸭绒、鸭寨、清水苑、九龙等苗族地区的山歌亦与"好花红调"大同小异。

器乐　惠水民间器乐有：笛子、胡琴、月琴、唢呐、木叶、勒尤等。以独奏、伴歌、民俗仪仗、管弦合奏为表现形式，或伴歌，或在歌唱之余消遣自娱。但凡在节庆活动中，都是诸多乐器群体合奏，大展身手的舞台。县内的好花红镇及羡塘、断杉镇一带还有吹、拉、弹、打的布依族八音坐唱表演形式，乐队中加入鼓、镲，还有古老的铜鼓演奏。"八音坐唱"是布依族社会生活中最聚人气，最为活跃的音乐团体，他们在各类民俗节庆活动中成为规格较高、实施民族礼仪内容中不可或缺的文化载体。

惠水苗族的民间器乐主要有芦笙、唢呐、木叶、木鼓、铜鼓、大号、二胡、竹笛、箫筒等。

芦笙是苗家最喜爱的古老乐器之一，是民间节日中必备的乐器。惠水的芦笙曲谱多为五声调式的羽调式，曲调流畅，节奏感强，耐人寻味。

摆金、甲浪、大华、九龙等苗族地区在芦笙吹奏表演时，把词、曲、舞三者融为一体，当地称为芦笙歌，保持了苗族历史文化艺术的原生态和古朴特色。

惠水吹奏唢呐尤以鸭绒、鸭寨、斗蓬、大华、摆榜和长安、打引地区的出名。其音色清晰、曲调欢快优美，能奏多种调子。

惠水苗族吹奏的大号，音调对比强烈，气势恢宏。犹以摆榜苗族大号最为出名，在县举办重大节庆活动中，通常是百支大号齐鸣。

第六节　民间体育

民间体育是人们在长期的劳动过程中逐步积累起来，对人们的健康具有强身健体的一些活动，在惠水地区有以下几种：

一、打格螺

（一）器具

用硬杂木砍成头球型、平型、脚似圆柱锥形的，总高度约五寸，重约一斤二两至五两的木器。

绳索：用青麻搓成三股相绞，根大尾细，类似牛尾形状的绳索。

操作：左手握住格螺大的头，拇指按住绳子的顶尖，右手用劲拉紧绳子紧绕挽绳，小拇指紧握绳根，整个格螺和绳绕好的器具全部转移给右手紧握。

开打：甲乙双方以各种形式决定谁先放谁先打。

放者：迈开弓步，右脚在前，左脚在后，右手握着格螺，甩开臂膀向左扬起，迅速狠劲往前向右甩去，大拇指、食指、中指和无名指紧握住的格螺放开，小拇指紧握绳根往右扯，格螺即在地上高速旋转。

打者：迈开弓步，左脚在前，右脚在后，右手紧握器具，狠劲将手中的格螺握紧，挥臂瞄准在地上的目标，狠劲砸过去。

有几种情况，第一种是打不准；第二种是一次性将目标打准、打死、砸飞；第三种是砸准、打不死，目标移动还继续旋转，这就看甲乙双方的格螺谁的先停止转动为输者，后者为赢家。

（二）活动及竞赛

单人竞赛，一对一。

分组赛，二对二、三对三……六对六，十二对十二。

二、围猎

（一）追山狗：一般选体健身材好、腿长、一根长胡须的狗作猎狗（因这种狗比其他狗嗅觉灵敏，善跑）。

（二）猎网：常用棕丝或青麻撮成绳结网。

（三）将猎网隐蔽安放在猎物可能经过的地方后，等待人跟猎狗追寻猎物落网。

（四）虎叉、火药枪、长矛。

三、射箭、射弓弩

弓弩用竹、木制作，箭杆用粽子竹、芭茅杆、高粱秆制作，箭头用铁锻造。弦用牛筋制作。竞赛时以发射的命中率环数多少决定胜负。

四、抱架腰

一般是一对一，也有分组：二对二、六对六、十二对十二。甲乙双方紧箍对方腰部，由裁判喊预备、开始，就一左一右狠劲对扑扭翻，在上者为胜，下者为负。分组比赛以胜、负多少定输赢。

五、扭花担

用直径约三至四寸，长六尺的木棍，中间捆一扎有一朵红花作为标记。比赛时一般是一对一或者说对抗赛，比赛时甲乙双方握紧各头使劲左右扭翻，三回定胜负。

六、踢毽子

用土布制成布壳，剪成约直径约二至三寸圆形的硬底，贴上绣花面料，用鹅毛管钉上作为毽管，将大雄公鸡的羽毛插上即成为毽子。比赛时分一对一或者分组，按所踢的个数的多少分胜负。

七、扔石子

一般选手能握住的石子作器具，比赛时有一对一或者分组对抗赛，按照命中的个数多少决定胜负。

八、跳拱背

有时是一对一，首先是第一个先拱背在前面，然后，第二个从背后拱背的侧面跳过去，由低到高逐步增加拱背高度，到跳者能跳过的最高极限。然后轮换对手跳，以能跳最高度决定胜负。若是众人跳，大家排起队先以各种方式决定第一个拱背。接着一个一个地跳，跳不翻者换成拱背给众人跳。

九、撵母猪笼

以一只手能拿得起的大石头为母猪，两窝猪崽，用核桃大小石子每窝放5颗石子代表猪崽。甲乙各方各3个圈，母猪1个圈，猪崽2个圈。然后，以抓阄或用石头剪刀布或者其他方式决定谁先走。最后，以谁先走完决定胜负。

十、捡五子

以一只手能握完五颗小石子，演示时五颗石子先撒在地上，成不规则形状，然后手持一颗往上抛，手往下抓石子，第一次抓一颗，第二次抓两颗或三颗，最多不能超过抛三次、抓三次，把地上的五颗石子抓完。其中每一次若是抓到地上的接不到上抛的，则为输家，让对方演示，最后以抓得最多和接得最多次数决定胜负。

第七节　地方特色小吃

米豆腐　米豆腐一年四季均可食用，冬吃热，夏吃凉。做法：将大米浸泡1小时，与水一起打成浆（如用石磨研磨出的浆做出来味道更佳），放在锅里加热，同时要不停地搅拌至三成熟时加上熟石灰水一起搅拌，当锅里的浆呈淡黄色就可以起锅盛在盆里放置冷却成形即可。吃法：将米豆腐切成条状或片状，也可以用铁制有小洞的切刮器刮出条状盛在碗里，放入酱油、醋、蒜泥水、姜水、花椒油、味精、油辣椒，撒上葱花拌均匀便可食用，部分群众吃时还喜欢放做豆腐的酸汤，口味比较酸爽。

碗儿糕　因糕的形状像碗，有碗大小，故名碗儿糕。做法：将米在水里浸泡2～3小时，水、米1：1的比例打成浆，放入甜酒酿发酵8小时左右，体积为原来的一倍。用水将红糖按1：2的比例熬制成糖水，将糖水与米浆以0.5：1的比例充分搅拌。将蒸篦铺上布，一个蒸篦约30个碗，用勺子将搅拌好的米浆舀在圆形似碗的蒸篦里，蒸20分钟出锅。蒸出的糕下面浑圆，上面开3～4瓣口，形似一朵花。味道甜、软，特别适合老人与小孩食用。

丝娃娃　因包裹的方法像包裹孩子，故名丝娃娃。做法：面皮制作。将面粉加水调至稠状，一直搅拌到半干半稠，面团刁起来成团状掉下，可以在手上甩动才行。手握面团让其掉下，在锅内很快的压一下，随即移开面团，可以看到锅内有一层薄薄的面皮，揭开即可。做面皮是比较讲究手法的熟练和面粉调和的程度。佐料制作。用新鲜的胡萝卜、莴笋、萝卜、海带、咸萝卜、土豆切成丝，绿豆芽、芹菜粒、玉米粒、土豆丝在热水里煮熟捞来，鱼香菜、香菜切细，细粉丝、凉面、折耳根、烧青椒，油炸黄豆、油炸花生米，各种菜盛在碗里。酸汤制作。烧开水，放入鸡精、味精、盐、醋、蒜泥搅拌放置凉却就行。吃的时候把蒜泥滤出，放些辣椒面、葱花。吃法。用面皮包裹佐料，浇上酸汤即可。味道鲜、酸、辣。

冰浆　用冰块敲碎，根据个人口味放入新鲜的西瓜、草莓、芒果、香蕉等任意水果或绿豆、黑糯米，加上冰块和白糖在搅拌机里搅碎即可。口味，香、甜、冰爽，是夏季的解暑必品。

冰粉　将50克的冰粉籽用布袋装上，放在2千克的凉水里搓揉，一直揉到没有滑的感觉即可，加上10克石灰搅拌沉甸的水，再搅拌2分钟，放置3小时左右便凝固。舀上两勺凝固的冰粉，加上冬瓜糖、三丝果脯、花生、少许芝麻、西瓜、香蕉片、白糖或红糖水搅拌便可食用。口味，香、甜、冰爽，是夏季的解暑必品。

油炸粑　把糯米盛在盆里放上水浸泡一小时左右沥干，放在蒸锅里蒸熟，把熟糯米舂成有一半颗粒的粑粑待用。用豆浸泡10小时煮熟至软，沥干放在石钵里舂稠能捻成团，放入盐、苦蒜末拌均匀，做成豆沙，把豆沙捻成乒乓球大小的团待用。用熟菜油盛在碗里，沾一点油在手里搓均匀（避免糯米粑粘手），把一小团糯米粑，刚好一只手握住的大小量，用手压平，放入豆沙团包好，再压平。把压平的糯米粑放入90度的油锅里炸至金黄色捞起放置冷却即可食用。

油糖果　用糯米浸泡半小时沥干，打成细粉末。把粉末放入盆里，加入适量的糖水拌均匀能够捻成团的样子待用。取一小团的糯米团搓成椭圆形状，放入90度的油锅里炸至外皮焦黄捞出，撒上一些芝麻，放置冷即可食用。

豆腐果　把豆腐搅乱切成沫，放入盐和少量碱、苦蒜沫拌均匀。把豆腐沫捻成乒乓球大小的团放入90度的油锅里炸至皮脆捞出置凉即可食用。

布依族全猪宴　是本县布依族春节待客的最高礼仪。每年布依族人杀年猪，都会将猪的一身从外到内全部分类腌制炕好。春节期间客人到家后，每个品种切一点，按每桌的人数每人一片，逐一放火锅中边炒边吃。而且是一家的客人，便是这房人所有人家的客人，一天内都要到这些人家去吃饭，少则三五家，多则七八家，招待方式一样。如果客人不能依次到每家去，大家都会把菜集中到一家让客人品尝，以显布依族人的好客之道。

布依族活血　杀猪时才做，先将适量盐放入盆内，去接杀猪的鲜血，均匀搅拌保证血不凝固，做成“血母”；用新鲜的大筒骨熬汤，放冷到30℃左右；用猪黄喉、脾脏等切细爆炒做成哨子；按需要用盆、钵等装汤，将“血母”适量倒入汤内，用筷子顺一个方向搅拌均匀（不能搅得太多，也不能随意改变搅拌方向）；将哨子、葱花、蒜苗等作料放在面上，20分钟左右即可食用。

布依族狗灌肠　是布依族待客的一种菜肴。做法是：接狗血并加入适量的食盐。用狗内脏（黄喉、肺、脾脏等）砍碎爆炒做成哨子，有的加入少量糯米饭、白豆腐、鱼香菜（切碎）。将哨子、糯米饭、白豆离、鱼香菜等倒入血中均匀搅拌。将混合搅拌物灌入洗干净的狗肠内做成灌肠，放在炭火上烤，直到外黄内熟后，即可切片食用。

摆金马肉　将新鲜马肉切成丝，用热油爆一下捞起，再放入热油中爆炒，放入姜、葱、蒜、花椒及自制配料即可食用，在火锅边炒边吃。县内车记马肉火锅、车伯妈马肉火锅较为知名。

摆金马杂　将马肚内脏洗净，切成片状放入热油中爆炒，然后加入姜、葱、蒜、花椒以及自家秘制的配料，放在小火上边炒边吃，其味独特。

摆金马白血　将新鲜的马血提取血清，再将血清灌入洗干净的马小肠内，放入冷水锅中加热煮熟后捞出，冷却后切成片即可食用，颜色为白色。

格子肉 将格子肉洗净、分剔、切片。爆炒时先加入辣椒、姜蒜和少许卤料，再加入野生折耳根、蒜苗去生，翻炒几遍即可食用。食用时用温火慢热，边吃边搅，至味浸透。县内林幺格子肉火锅较为知识。

肠旺面 始于改革开放初期，最早0.25元一碗。材料有水面、猪血、猪大肠、槽头肉、猪筒骨、生姜、香葱、豆芽、干辣椒、猪油、菜油及自制配料等。做法：提前将槽头肉切成小方块炼成油渣，然后加配料制成脆哨。将猪大肠清洗干净剔掉肠上的肠油，然后放入开水中撣几次，去掉臭味，切成片再放入水中煮扒为止。将干辣椒加水打成糍粑辣，放入热油中制成红油。头天晚上用猪筒骨、生姜、葱头、豆芽及自制的配料熬成汤。将猪血通过滤帕滤除杂质，再加适量的水后搅拌均匀让其凝固，最后划成小方片。将水面煮熟捞出放入碗中，浇上汤，放上红油、肠片、脆哨、现撣的血片、盐、味精、葱等即可食用。县内知名肠旺面为罗记肠旺面。

惠水狗肉 做法：将新鲜土狗肉放入冷水铁锅中加入土花椒颗粒、小黄姜、自制配料等后用柴火煮熟；待狗肉煮到皮子能用筷子插入后捞出剔骨，将骨头放入锅中小火熬汤；销售时将狗肉切成片放入汤锅中加入食盐、味精、鱼香菜等小火加热；用霉豆腐、花椒面、鱼香菜、辣椒面、食盐、味精等做成辣椒蘸水，将狗肉蘸上蘸水食用。县内好花红镇三都地区狗肉火锅较有特色。个体火锅以甘记“叫化”狗肉、李记狗肉、吴记狗肉、老广药膳狗肉较为知名。

惠水牛肉粉 做法：头天傍晚将鲜黄牛肉、牛筒骨、自制配料等放入冷水锅中加热煮熟后切成小方块或片状；将干粉条放入盆中用开水浸泡4至5小时（湿细粉条除外）；将牛肉放在汤中清炖；食用时将粉条放入锅中煮3分钟左右捞出放入碗中，放上猪、牛混合油、清炖肉丁或肉片、汤、芫茜、葱花、红萝卜、酸菜等即可食用。县内知名牛肉粉有甘啊春正味牛肉粉、陈记牛肉粉、浩香牛肉粉等。

毛肚火锅 做法：将猪筒骨、土鸡肉、野生鱼、小黄姜、本地西红柿及自制配料等放入冷水中熬汤；将洗净的牛毛肚、牛黄喉切成条状，加工好牛脊髓、牛脑；在调制好的小汤锅中加入猪油、食盐、味精、小香葱、芫茜、花椒面等作料，把毛肚、黄喉、牛脊髓、牛脑放入汤中煮熟蘸上辣椒水食用。县内知名毛肚火锅有丁毛肚（2006年注册商标，获贵州省名火锅称号）、国书毛肚等。

第八节 名优特产

一、农业特色产品

金钱橘 金钱橘（也称金钱桔）在中国柑橘分布图上，仅在惠水县有天然品种资源分布，适生条件为：海拔800～1050米，年均温15℃～17℃，土壤为紫色土、壤土、沙壤土，土壤湿润、土层浓厚肥沃，土壤微酸性。该树种树形高大，树势强劲，耐寒、耐旱，较耐粗放管理，橘树丰产，盛果期长达50年以上，果实皮薄、色鲜、肉嫩、味浓香，甜中带酸，可溶性固态物达12%以上，种粒较少，每个果实8～12粒。

牛肉红 “牛肉红”是用惠水变异金钱橘通过嫁接而成，果皮牛肉色，果肉呈暗红色的植株，当地称“牛肉红”金钱橘，该品种果实除保持果实皮薄、色鲜、肉嫩、味浓香，芳香浓甜的特性之外，可溶性固态物达14%以上，种粒少，每个果实4～6粒；该品种经贵州省柑橘研究所进行研究、选育，证明该品种品质优良，遗传性状稳定，可进行大面积推广。

薄壳核桃 薄壳核桃是惠水县一个历史悠久的优良干果品种，该树种树形高大，树势强健，根系发达，抗寒、抗旱、耐粗放管理，结果年限长，产量高，坚果壳薄，在手掌中挤压即可取食种仁，核桃树丰产、长寿。核桃营养价值较高，种仁富含脂肪和蛋白质，脂肪含量平均为67%，最高可达76%，蛋白质含量平均为14%，最高可达29%。蛋白质中含有18种氨基酸，其中赖氨酸含量超过蛋黄。另外，还含有磷、钙、铁等微量元素和胡萝卜素、硫胺素、核黄素等人体必需维生素。麻山薄壳核桃在县内自然分布极广，主要分布在县内甲戎、王佑、长安、打引、摆金，雅水、太阳等地。主要为农户房前屋后零星栽培。适生区为：海拔800～1450米，年均温14～17℃的地区，在微酸性至微碱性的土壤上均能正常生长，适应能力极强。

惠水黑糯米 惠水黑糯米历史悠久。米粒呈深紫色，明代李时珍在《本草纲目》中所载之“乌稻”“血米”即为此稻。营养丰富，且有极高的药用价值，长期食用能补血益气、补脑健肾、收宫健身。中医入药。有内服滋补、外用接骨生肌之效，中医研究所验证，对于多汗症、贫血、神经衰弱有一定疗效。惠水黑糯米产于县苗族、布依族聚居的摆金、摆榜、雅水等地，适生区域为海拔1400余米的高寒地区。适生土壤类型为水稻土，黄壤，砂质土等。1986年，惠水黑糯米被国家科委列入中国首批星火开发计划。

惠水红米 惠水红米俗称“惠水老红米”，常年由山泉灌溉，是不需化肥种植的纯天然有机大米。其颗粒晶莹红亮，炊为米饭，香味浓郁，口感滋润软滑，冷不回生，富含铁、锌、铜、硒等微量元素，为孕妇、儿童、居家日常食之佳品。是贵州高原上的红珍珠，属惠水县“雅晶牌”大米系列产品之一。2006年获得全国“十大金奖大米”殊荣。2010年惠水县在雅水镇雅水村试种攻关培育的“惠水老红米”新品种并取得成功。

“好花红”香米 惠水“好花红”香米，产于自然条件得天独厚是的稻米盛产之地惠水县“涟江大坝”。

“好花红”香米历史悠久，为贵州名产，享誉极高。如今的“好花红”香米，精选新鲜优质稻谷运用现代先进工艺电脑色选精细加工而成，保持了各类天然营养物质，颗粒晶莹饱满，炊为米饭，油光晶亮、洁如珍珠、香味浓郁，口感滋润爽滑。为家庭日常主食之佳品。

惠水有云贵高原鱼米之乡的美誉，所产大米，古为传统贡米，今为无公害有机食品。惠水是贵阳的重要粮食供应地，古有“定番米三日不到，省城即成饥荒”之说。经注册后上市的惠水“雅晶”牌大米，传承了惠水大米的优良品质，1997年注册生产，2003年10月获省“优质农产品”名牌称号，2005年9月被中国粮食协会评为“放心米”，2006年1月荣获农业部颁发的“无公害产品”称号，2006年11月在湖南长沙举行的中国第五届优质米博览交易会上荣获中国优质稻米最高奖“金奖”称号。

惠水小黄姜 在省内外市场有较高的声誉，主要产地为涟江街道大龙地区。硒元素含量适中，气味浓烈，富含姜黄素、姜辣素、有机硒及人体多种微量元素，其姜油和姜辣素含量是国内其他地区的3～5倍，水分含量较低，颜色鲜黄、口感舒爽，筋骨细腻。

羡塘豆粉 亦称羡塘粉丝，始于清朝，为羡塘镇龙虎村龙虎组和绸绢的特产，原料主要是地方饭豆和豌豆以及发源于三岔河外和白杨寨富含多种矿物质及微量元素的混合清泉。产品采用该地布依族的传统工艺结合当地的优质清泉，再通过选豆、磨浆、滤浆、提芡、晾面、解面、拌面、打熟芡、打生芡、装瓢、高温定型、低温冷却、理粉、取粉、晾粉、收粉、选粉、切粉18道手工程序精制而成。粉丝呈半透明状，蛋白质含

助农增收的“小黄姜”

量高，脂肪含量极低，口感好，营养丰富，且经煮不烂。可用于煮、火锅、素炒、酸汤料等。为餐桌宴席和馈赠亲友之佳品。

芦山豆腐 将本地小黄豆放入清水中浸泡8个小时左右，淘洗干净，将水滤干，将豆加少量水一起用小石磨磨成豆浆，然后放入锅中加热烧开，用滤帕、滤篮将热豆浆滤出来，再放入锅中，将烧汤的酸汤慢慢加入豆浆中，待豆花渐渐浮在水面凝成团，用筲箕压在上面把豆腐水舀起来，最后将豆花放入包箱中榨干，最后切成块。

芦山荞灰豆腐 切好的豆腐冷却后，放在竹箦上涕去一部分水分，再用荞灰、桐壳灰加上柴灰腌制4~5小时，灰中的碱物质慢慢浸入豆腐中，然后用清水将灰洗干净，放在铁炕上用明火慢慢烤，待六面结皮变黄为止，就可下炕食用。

大头萝卜 也叫大头菜，县境内鸭绒和摆金等地布依族、苗族聚居村寨有利用冬闲田土种大头菜的习惯，迄今已有200多年历史。所产的大头菜质地细嫩，每年产量有约3-5千吨，大头菜加工制成的腌菜（酸菜），味美、畅销贵阳、安顺、都匀等地。

柿子 也称柿花，县内鸭绒、鸭寨、摆金、甲浪、大华、关山为主要产地。它是一种秋天收成的水果，果子成熟时呈深黄色，果质较硬，味道苦涩，不能直接食用，经过用木瓜或药物与其一起放置大约7天后，果质自然变软，果子呈深红色，味道甜美，特别可口。柿子被视为良好的代粮果品，含有大量的蛋白质、脂肪，还含有多种维生素和对人体有益的矿质元素铁、锌、钙等，清凉解渴，是招待客人的桌上佳品。县内出产的柿果个头大，一般有5-8两、皮薄、无核、味甜、水份充足，深受群众欢迎远销重庆、广州等地。

鸭绒柿花的栽种具有悠久的历史，大坪村的柿花树每株直径都达40厘米以上，多具有百年树龄。1999年前，鸭绒柿子种植分散，农户基本是自家食用或到市场出售。2000年后，鸭绒把柿子种植作为特色经济来抓，在大坪村、花厂村逐年扩大种植规模。

水晶盖梨 县内产地主要为鸭绒、摆金。品种以鸭绒鸭寨的水晶盖梨最为出名，其皮薄、肉质细嫩、汁多、核小、味甜等特点在省内享有一定的名气。

附："牛肉红"金钱橘的来历

惠水金钱橘，又称金橘，原名朱红橘，有悠久的种植历史，曾是贡品，历来都是实生繁殖，主要种植在赤土至毛家苑一带坝区。

20世纪50年代，有果树工作者曾对毛家苑橘树进行考察，在11万余橘树中，发现辉油大队小苑生产队橘园中一棵树龄百余年，树高3米多，主干30余厘米金钱橘树，所结果子其皮如牛肉色，果肉呈暗红色，当地群众称"牛肉红"金钱橘，该品种以前从未发现。

1971年，毛家苑供销社主任石奎在收购农副产品时，发现小苑生产队上交的橘子中有少量的"牛肉红"金钱橘，质量优于其他橘子品种，将其返回辉油大队作为种子繁殖，扩大种植规模。大队果树专业队队长王昌美负责育苗工作。1972年春播种，1976年育成第一批2代实生苗，1976年又播种，1980年育成第二批2代实生苗。

1986年，为发展惠水农业经济，扩大"牛肉红"金钱橘的种植规模，在惠水农业局经作站站长刘泽芳推荐下，由贵州省柑橘科学研究所谭功亮农艺师主持开展此项立项选育工作。1987年谭功亮到惠水对这一品种进行实地考察研究，并向贵州省科委、省农业厅申请科研立项。1991年从15年生实生2代"牛肉红”金钱橘中优选出果实色泽最红、单果较大、无核或少核(母树有核)单株，为“牛肉红金钱橘实选2代”，定名为“牛肉红”金钱橘。

1991至1995年对“牛肉红”金钱橘进行区域试验，为保证遗传的稳定性，谭功亮选用实生2代品质最优的枝条，用高接方法在原产地开展枳砧、枳砧温州蜜柑中间砧、红橘砧、金橘砧比较试验培育新苗，将新苗在不同气候、不同土质的惠水、沿河、罗甸试种，均获成功，其色泽、优质性、无核或少核三大指标均超过原品质金钱橘，其中枳砧、枳砧温州蜜柑中间砧果实成熟期早于其他砧木，枳砧橘树的耐寒、耐旱、耐瘠能力强，成本最低，后期全选用枳砧育苗，选择高接枝条枳砧也获成功。新品种被推广到省内惠水、沿河、罗甸、都匀、德江，省外重庆江津、万县、湖南浏阳、怀化、湖北嘉鱼、广西南宁、孟连等试点，均获良好效果。

2011年，贵州省果树研究组彭志军、陈守一、蔡永强、李金强及华中农业大学农作物遗传国家重点实验室郭文武五位专家利用AFLP标记技术对朱红橘及其实变体“牛肉红”金钱橘进行遗传鉴定，得出结论：“牛肉红金钱橘与朱红橘在DNA水平上确实存在差异，属遗传上稳定的变异体，为新的橘类品种”。谭功亮选育“牛肉红”金钱橘，经贵州省第五届农作物品种审定委员会第八次主任委员会议审定通过。

第一代变异母树已于1991年枯死，2代人工繁殖的实生树仅存70余株，目前市场上出售的“牛肉红”金钱橘多为惠水选育出的新品种产物。

二、工业特产品

“牛头”牌牛肉干　“牛头”牌牛肉干系列产品，采用贵州高原鲜活牛肉配以十余种天然辅料精制而成，并经严格的检疫、检验、达到国家食品卫生各项指标。从开创品牌至今，唯其精良的选料，严谨的制作，鲜明的特色，独到的口味。在发扬原有特色的基础上，博采众长，产品醇香可口，干燥纯净，色鲜泽润，风味独特，营养丰富。历年来以牌子老，信誉好，品位高而深受广大消费者喜爱，素来享有“牛肉干三连冠”的美誉。产品畅销全国，远销俄罗斯等国家与地区。“牛头”牌系列产品多次在国内食品权威部门举办的展销活动中，荣获金、银奖，中国人民保险公司给予质量保险，长期被中国国际航空公司选定为国际航班的上机食品。公司通过了HACCP食品安全管理体系等认证，“牛头牌”系列产品连续多年获贵州省名牌产品称号，2010年，“牛头牌”获中国驰名商标。

“黔红”牌辣椒酱　“黔红”牌辣椒酱选用贵州高原特有的优质辣椒、精选牛肉、猪肉、鸡肉等为原料，采用贵州的传统民间工艺结合现代食品加工技术精心制作而成，具有香辣可口、鲜味十足、回味悠长等特点，充分体现了民族食品的特色，是调味佐餐增加食欲的佳品。“黔红牌”商标荣获“贵州省著名商标”称号。

“博方”姜茶　贵州博方民族药业开发有限公司生产的姜茶系列产品，基础原料“速溶浓缩纯姜粉”系用惠水生姜（高原山地老黄姜）经低温工艺制成，品质纯正，原汁原味，鲜香溢口，充分保持生姜的药用保健功能，加入牛奶、可乐、果汁等饮料中，品味更佳。

山品姜茶　取材于海拔1100米高山荒地原生态环境种植，姜的有效成分是其他地区的3倍左右。采用国内先进的分离技术加工，保证了产品品质纯正、稳定、有效成分高、原汁原味，不需要添加其他保鲜成分（如防腐剂等），保持产品原生态天然高品质。口感“鲜、香”，采用无添加物设计，保证产品可以作为功能伴饮直接添加到其他饮品中搅拌饮用。

“涟江”牌黑糯米酒　惠水“涟江”牌系列黑糯米酒，选用产于“中国黑糯米之乡”贵州省惠水县海拔1500米高寒地区种植的稻中极品黑糯米为原料，取“清溪吐珠”名泉之水，纳传统配方及现代先进技术为一体精酿而成。全酿制过程不加任何添加剂，产品中富含花色苷、蛋白质、氨基酸、维生素及锌、锰、铁、钙、镁等多种对人体有益的微量元素，具有抗氧化、抗炎、抗疲劳、降血脂，抑制肿瘤生成的功效，有较高的营养价值和药用保健功能。本产品具有酒色红亮、酸甜爽口，酒体协调、米香纯正、醇厚甘美之独特风味。

黑糯米酒自1978年问世以来，先后获殊荣20多项，曾被评为贵州名酒，畅销大江南北，并出口东南亚国家。1987年参加全国首届黄酒评比荣获二等奖；1988年在全国首届食品博览会评比中，荣获金奖；1990年在首届全国中医药博览会上荣获“神农杯”奖；1992年元月在洛杉矶举行的美国酒类评展评交流会上获“神女杯金奖”。黑糯米酒还参加在北京举办的亚太地区博览会。

惠水县医院中医曾利用黑糯米酒及自己研制的中药配方试制“黑糯米酒补肾壮筋药酒”，具有益肝肾、调气血、驱风湿、止疼痛之功效，对骨质增生、风湿类疾病，跌打损伤，肌肉神经疼痛、贫血、神经衰弱、多汗等病症均有很好的疗效。

雅水枫香染 惠水枫香染流传于贵州省惠水县城东南部，雅水、太阳及周边少数民族地区。是依存在制作枫香染生活纺织品上的传统手工副业。雅水镇播谭小岩脚组是惠水枫香染的主要产地。从清道光年间杨正鑫留存至今的枫香染作品算起，有百余年历史。该作品图案清新明快，不追求肌理效果，画面精细，装饰纹样、图案风格自成体系，与枫香染手工技艺的第二代传人杨通清（1913—2000）的作品风格与其一脉相承，蕴含着丰富的文化内涵，实用价值与学术价值具高，是探索民族文化传承与发展“不须出土的文物”。惠水枫香染承载的民族文化内涵，审美理想被布依族群众和苗族同胞认同，由此构成小岩脚枫香染对手工技艺的特殊要求，百余年来传承不息，具有一定的民族工艺美术研究价值。是民族民间文化的奇葩。2008年，入选国家级非物质文化遗产项目名录。

长安土布扎染：长安布依族土布扎染流传在惠水县王佑镇长安社区及周边布依族聚居区，是惠水布依族传统印染工艺中独具风格的一种手工技艺。已有百余年历史，在布依族嫁妆的床单、被面、枕套、头巾等应用得最多，是布依族婚俗中不可或缺的重要组成部分。其线条简洁明快，图案清新雅致，多为即兴而作，信手勾画，无拘无束，凸显出了扎染图案绘制上的随意性。惠水土布扎染为布依族所独有，在“扎”上做尽文章，充分体现布依族群众的聪明才智。长安布依族土布扎染承载着当地布依族传统艺术与现代文明的交融，传递着当地布依族同胞的民族审美情趣和精神追求。土布扎染古朴而又独到的民族手工技艺和别具一格的绘画图案使其在惠水布依族印染工艺中占有重要地位，因而具有较高的学术价值、艺术价值和实用价值。

2007年入选省级非物质文化遗产项目名录。

谷蔺布 苗族谷蔺布制作技艺是贵州中部称为“谷蔺苗”的苗族支系传统手工纺织技艺，分布在摆金镇鸭戎地区鸭寨一带。苗族谷蔺布制作源远流长，历史悠久，是贵州中部地区苗族传统手工纺织技艺的典型代表。清朝嘉庆年间李宗昉在《黔记》四卷中载：“谷蔺在定番州属，男耕女织，所织布最精细，谚云‘欲作汗衫裤，须得谷蔺布’。”其纺织工艺水平之高，闻名于省内外。谷蔺布的纺织制作工序复杂。完成一匹谷蔺布的成品需经过30多道工序，主要包括：弹花、滚压、纺纱、梳线、浆线、捻线、纺织、浸染、晒干、过碾等，谷蔺布制作才算完成，染的青布靛透红，光泽鲜艳，独具特色。苗族谷蔺布花样品种繁多，在生产技艺传承关系上，一般只在苗族女性之间传承，具有明显的性别选择性特征。苗族谷蔺布多应用于苗族嫁妆的床单、被面及家庭生活用品等生活物件，在用途上具有鲜明的普适性特征。因其品种丰富，工艺精湛，耐磨耐用，不抽纱不掉线，为当地苗族群众所喜爱，具有十分重要的实用价值。2014年入选省级非物质文化遗产项目名录。

人 物

一、人物传

魏向远（1916-2003），男，汉族，1916年生，河南省南乐县杨村乡烟庄村人，中师学历，1938年参加革命，同年加入中国共产党。1938至1949年11月，历任河南省南乐县民军一中队政治指导员、烟庄村党支部书记、第一区委会组织委员、书记、抗日区公所区长，尚和县抗日政府行政科科长、第五区抗日区公所区长、濮阳县第七区委书记、延津县民主政府秘书和中共冀鲁豫区第四地委办公室主任、原阳县委组织部副部长、卫南县民主政府民政科科长、中共江西省湖口县委宣传部部长。1949年11月24日惠水解放，11月25日，惠水县人民政府成立，魏向远任代理县长后，主持召开惠水县工商、文化、教育等各界人士座谈会和群众大会，宣传党的方针政策，安定人心。1950年初，魏向远率队在场天开展宣传使用人民币活动，促进人民币进入市场流通领域。1950年2月，县第一届各界人民代表会议第一次会议召开，魏向远当选县长。1950年3月17日，率领十七军随校学员200余人到王佑、长安等地开展剿匪、土改和宣传工作。3月21日至4月9日，亲临一线指挥惠水军民三次击退土匪的疯狂攻城。3月29日至4月25日，组织三次“虎口夺粮”军事行动，从匪占区夺回公粮10多万斤，解决城内军民的吃饭问题；组织6个武装运煤组，解决城区燃料问题；向被俘土匪宣传党的民族政策，发放盐巴，通过开展阶级教育，被俘的100多名土匪思想得到转化；组织1700余人开荒种粮，开展生产自救；组织群众性的剿匪生产相结合运动，确保农业生产迅速恢复；组织有关单位到贵阳等地购进盐巴、布匹、火柴、粮食等物资，稳定市场价格；组织私商联营社，活跃市场贸易，恢复发展地方经济。1952年2月，魏向远任惠水县委书记，10月调离惠水。1952年10月至1972年2月，历任中共西南局统战部二科科长、建筑工程部第三机械化公司第一副经理、湖北省建筑工程局动力处处长、建材处处长、湖北省建筑工程厅建设局局长、湖北省交通厅副厅长、湖北省建筑工程厅副厅长、湖北省建筑材料工业局副局长等职。1983年离职休养，2003年去世。魏向远在惠水工作期间率部队、民兵剿匪清霸，搞土改，分田地，深入宣传和贯彻落实党的各项方针政策，关心群众疾苦，团结干部群众，为惠水的政治建设，社会稳定和经济发展作出突出贡献。

杨靖洲（1913-1994）原名杨震，男，布依族，1913年生，惠水县雅水镇播哨村播哨寨人，大学文化。1935年考入上海复旦大学中文系，1936年转至上海持志学院政治经济系，在校期间积极学习和接受进步思想教育，参加抗日救国活动，多次被法租界巡捕拘捕入狱。1938年到延安陕北公学学习。1939年赴重庆八路军办事处报到，积极参加党组织领导的抗日救国活动。1940年初，回到贵州继续开展抗日救亡活动。1941年，任雅水小学校长，个人出资新盖校舍，免费接收贫困儿童和青少年入学学习，通过各种形式多次向师生宣传抗日救国等进步思想；主持正义，反对国民党乡政府向群众索取“草鞋钱”和“讲理费”。1945年，国民党当局以“到过延安”“共产党嫌疑”罪名在贵阳将其逮捕入狱，受尽折磨，坚贞不屈。1948年因病被保释出狱治疗。1950年在惠水参加革命工作，历任惠水各族代表委员会常委会秘书、农村工作组长、雅水乡副乡长、教育科长、县人民政府副县长、县政协副主席、县计划生育办公室副主任、县人大常委会副主任等职，为惠水经济社会发展积极工作。1978年起连续被选为第五、六、七届全国人大代表和第五届全国人大民族事务委员会委员积极建言献策。其中，1979年在第五届人大二次会议上提交建议修建惠水县天星桥水电站的341号提案得到有关部门的重视。1989年加入中国共产党，1992年退休，是惠水县任全国人大代表时间最长，退休时间最晚的公职人员。1994年去世。

冯永敬（1924—2015），男，汉族，山东莘县人，1941年参加革命，同年加入中国共产党。先后任莘县冯海村民兵队长、武委会主任、指导员、中原野战军十一纵四旅十一团特务连文化干事、副指导员。1949年随军解放大西南到惠水，1952年转业到地方工作，先后任惠水县青年团委书记、断杉、城关等区委书记、县农工部副部长、农林科政治部主任、县革委会常委、政治部主任、宣传部部长、县革委会主任、县人大副主任、党组副书记等职。1987年离休。冯永敬在抗日战争期间立过二等功、淮海战役荣立三等功，参加过惠水的剿匪战斗。离休后，冯永敬致力于老年教育，参与创办惠水老年大学，任首任校长，帮助高镇、和平、雅水等乡镇创办农村老年学校，创办“夕阳红”文艺宣传队，坚持每年带队到乡镇开展“三下乡”活动。冯永敬热心公益事业，1998至2009年到二十余山岭和村寨核实查证，组织编写回忆惠水解放、建设、剿匪19万字的《情系涟江》和193位在惠征粮剿匪战斗中牺牲的《英烈录》、革命回忆录《峥嵘岁月》《前进中的惠水》等资料。先后到20多所中小学、县党校、交警大队和供电局等单位进行革命传统教育，连续多年清明节在县烈士陵园祭奠活动中向青少年讲述英烈英雄事迹，宣传爱国主义教育。先后组织老年大学学员和二野军大惠水校友向“两山”（麻山。瑶山）群众献爱心，捐资近万元，衣物2000余件（套）。2008年组织二野军大校史研究会会员向四川汶川地震灾区捐款5000余元，本人捐1000余元。冯永敬曾获全国老干部先进个人、贵州省老干部先进个人、贵州省老年教育突出贡献奖、贵州省关心下一代先进个人、黔南州老有所为杰出老人、惠水县“十大杰出老人”等称号、6次被评为惠水县优秀共产党员、2009年被评为惠水县“涟江骄傲人物”。2015年去世。

赵文清（1926—2016），男，苗族，惠水县岗度镇石烧村董榜寨人，中共党员。1944年，赵文清被抓壮丁到安顺，后转至云南曲靖，经受训后编入中国远征军第54军198师参加腾冲战役，赵文清作为狙击手，击毙日寇数十人。辽沈战役中赵文清随部队投诚，加入中国人民解放军，参加解放大西北战斗，屡立战功，受到西北野战军司令员彭德怀接见。1950年，抗美援朝战争爆发，赵文清作为中国人民志愿军一员赴朝参战，加入志愿军突击连，攻占汉城；1951年随部队进军西藏，1956年退伍，被安置到惠水县人民武装部工作，后主动要求回乡参加农业生产。1957年起担任本村党支部书记至1995年，工作得到上级党组织的信任，群众的认可。赵文清经历抗日战争、解放战争、抗美援朝战争，参加无数次大小战斗，荣立一等功1次、二等功1次、三等功3次，战功卓著。2016年去世。

二、人物简介

曹德勤（1891—1980），男，汉族，江西南康县三益乡九江村人。1931年参加红军。1934年随中央红军长征，途中因战负伤掉队，后流落至惠水县城关镇星光大队务农，1980年去世。

陈和清（1912—1999），男，苗族，惠水县摆金镇谷把村谷把寨人。1935年在遵义参加红军。1936年因战负伤掉队，后回乡务农。经本人反映和有关部门调查核实，1987年被惠水县人民政府认定为红军失散人员，享受红军失散人员生活困难补助。1999年去世。

王金林（1914—1994），原名段连喜，男，汉族，江西永新人。1927年参加红军。1934年随中央红军长征。1935年在战斗中负伤掉队，后流落到惠水县姚哨区赤土乡赤土村赤土寨定居。经本人申述和有关部门调查核实，1987年被惠水县人民政府认定为红军失散人员，享受红军失散人员补助。1994年去世。

刘泽群（1908-1994），男，1908年生，湖南浏阳人，1927年在湘赣边界参加秋收起义。起义军在攻打长沙途中陷入敌军包围被打散，刘泽群与部队失去联系，回乡务农。后在国民革命军第4军12师师长吴奇伟师部任警卫。1937年，七七事变爆发后，在上海参加淞沪会战，抗击日军。淞沪会战失利随部队撤离，后受伤流落至惠水县城，从事裁缝工作。1960年，响应县委、县政府支援农村建设号召，举家迁至三合公社羡田大队（今好花红镇羡田村）。1994年去世。

申绍英（1920—1967），男，汉族，山西省洪洞县（原赵县）人。1938年参加革命。1949年7月任十七军随营学校校长，1949年底十七军随营学校进驻惠水办学，1950年3月土匪暴乱，申绍英领导全县军民平息暴乱，保卫县城，打退土匪多次攻城。1950年7月兼任中共惠水县委书记，1950年12月调离惠水，1954年7月任解放军22军66师第一副师长兼参谋长。1955年获得二级独立自由勋章、二级解放勋章。1967年去世。

黄锦鸾（1915—1987），女，汉族，惠水县摆金镇摆金街上人，是县内第一个参加抗战的女兵。1937年在贵阳报名参加“西南抗日战地服务工作团”，到武汉学习战地救护知识，1938年参加台儿庄战役，1941年因伤回乡治疗。1987年去世。

吴开先（1917—1999），男，苗族，惠水县摆金镇水冲村人。1936年参军，1941年参加长沙会战，1943年参加远征军入缅作战，1944年参加腾冲战役，因战负伤，伤愈后回乡务农。1999年去世。

李鲁辉（1921—2008），原名庄延伦，男，汉族，山东省济南市长清县人。1938年参加革命，1940年加入中国共产党。1949年11月参加接管惠水，任组织部副部长，1952年调贵州省直机关工作，1983年离休。李鲁辉在革命战争年代荣获华北解放纪念章、西南解放纪念章，获“开国将士”荣誉牌匾。2008年去世。

邓汉业（1920—2015），男，汉族，四川营山县人。1940年参军，参加过长沙会战和岳麓山游击战。1952年到惠水参加教育工作。2015年去世。

韩少芝（1925—2016），男，汉族，1925年生，惠水县好花红镇新门村人。1940年参军。在湖南参加长沙保卫战抗击日军，战斗中负伤，伤愈后回乡务农。2016年去世。

王孟厚（1926—2017），男，汉族，河南省台前县清水河乡大王集人。1945年在山东省寿张县参加八路军。1950年加入中国共产党。参加过抗日战争、羊山战役、淮海战役、渡江战役。获得过淮海战役、渡江战役、解放奖章等勋章。1958年转业到惠水工作，1986年离休。2017年去世。

董振发（1926—2018），男，汉族，河南省内黄县人，县人事劳动局离休干部。1945年参加八路军，1947年加入中国共产党，参加过大小战役战斗20次，1985年离休。2018年去世。

董兰宾（1928—2015），男，汉族，山东曹县人。1947年参加革命工作，1948年加入中国共产党。1949年11月参加接管惠水，任惠水县共和区公安干事，参加惠水剿匪战斗。1981年任惠水县政协主席，1987年7月离休。2015年去世。

王思明（1932—2016），男，布依族，贵阳市花溪区人。1950年参加工作，1954年加入中国共产党，大专文化。1950年3月分配到惠水县人民政府工作，在惠水工作22年，经历了清匪反霸、土地改革、农业合作化等运动，1958年，任惠水县委书记，1960年任第一届惠水县政协主席，1964年，任惠水县委第二书记，1985任贵州省委统战部部长，1990年任贵州省政协副主席、秘书长，1999年6月退休，2016年10月去世。曾任中共第十三大代表；第九届全国人大代表；七届全国政协委员，八届全国政协常委。2016年去世。

邱耀国（1934—2000），男，汉族，贵州省福泉县人，1951年10月参加工作，1954年加入中国共产党，大专文化。1975年任惠水县委第二书记、第一书记、革委会主任。1978年任黔南州委副书记兼惠水县委书记，1983年任黔南州委书记。1992年任省政协副主席。中共十三大代表。2000年去世。

杨锡芝（1917—1987），男，苗族，惠水县原大龙乡山口村大偏岩寨人，1948年结婚后定居原城关区城关乡六村三组（现涟江街道星光村太平寺组）。1952年6月任惠水县第一个农业生产互助组太平寺组长，1953年任太平寺农业生产合作社社长，1953年6月加入中国共产党。1952年评为西南地区水稻丰产模范，1953年、1954年评为贵州省水稻丰产模范，1955年12月被评为贵州省劳动模范，1956年被评为全国农业生产劳动模范，参加北京全国农业生产劳模表彰大会，被授予斯大林头像和镀金五角星劳模奖章各1枚，奖励耕牛1头。1987年去世。

杨通清（1913—2000），男，布依族，惠水县雅水镇播潭村小岩脚寨人，国家级非物质文化遗产布依族枫香印染技艺第三代传承人。14岁从父学习枫香染手艺，15岁始入私塾。20岁承父业续办私塾学堂，爱好古诗词，擅长书法。长期从事枫香染染技艺创作，其创作的枫香染作品独具风格，构图严谨、明快大方，线条曲直相兼，变换得体，主次分明，突出特征，具有浓郁的民族气息。2000年去世。

陈广夫（1916-1998），男，汉族，湖南双峰人，惠水县冷冻厂退休职工。对楷书毛笔书法颇有研究和造诣，自成一体。1982年，本人书写的《楷书间架结构帖》被惠水县教育局、惠水县文化馆作为全县中小学生学习临摹楷书毛笔书法范本。长期义务教授县内中小学生书法爱好者书法。1998年去世。

莫明专（1944—1992），男，布依族，惠水县濛江街道交椅村水溪寨人。1953年参加中国人民志愿军入朝作战，1958年被选派到解放军某部参加核武器试验，1970年转业到贵阳钢厂工作，1977年调贵州永安电机厂。1992年去世。

杨昌飞（1962—2016），男，布依族，惠水县雅水镇播潭村小岩脚寨人，大专学历。少年时跟随祖父杨通清学习枫香染制作工艺。长期致力布依族枫香染制作技艺的挖掘与保护，对枫香染技艺的传播和推广做出卓有成效贡献。1995年，担任雅水镇文化站站长后，打破枫香染技艺“传男不传女、传内不传外”的祖训，开办多期枫香染民族工艺培训班，让更多人掌握枫香染技艺。2009年，杨昌飞在雅水镇开设枫香染藏品陈列馆，免费供游人参观；2012年在惠水县城筹资自建布依族枫香染文化陈列馆，设置制作展示区，现场专门向游客展示枫香染民间技艺；整理、绘制以介绍枫香染制作工艺、流程等民间文化为主题的《好花红印象》图书资料；被贵州盛华职业技术学院聘为民族工艺专职教师专门向学生传授枫香染技艺，培养新一代传人。2016年去世。

王琴惠（1938-1978），女，布依族；**秦跃珍**（1938—2009），女，布依族。二人均为惠水县好花红镇新门村龙家苑人，喜爱唱布依山歌，歌声清脆优美，唱嗓高扬甜润。1956年，王琴惠、王琴英、王琴秀、秦跃珍在惠水县第一届工农业余艺术会演大会演唱“好花红调”新民歌《翻身不受穷》获一等奖；1957年，王琴惠和秦跃珍代表惠水县参加“贵州省第一届工农业余文艺会演大会”，用“好花红调”演唱《歌唱会演》；同年，王琴惠、秦跃珍入选贵州文艺代表队进京参加“第二届全国民间音乐舞蹈会演”演出，用“好花红调”演唱布依族山歌《歌唱汇演》，《三个大坡围小坡》和《赶表歌》3个节目，受到好评，中央人民广播电台作实况转播，1957年4月号《民间文学》杂志作介绍，王琴惠、秦跃珍是首次将布依族民歌《好花红》唱出省外的歌手，被誉为“布依百灵”和《好花红》传播使者。王琴惠1978年去世，秦跃珍2009年去世。

李国庆，男，布依族，1929年生，惠水县斗底乡党古村六寨人，惠水县第一个全国人大代表。1980年加入中国共产党，高中文化。1956年任惠水县县人民政府文化科科长，1958年任惠水初级师范学校校长，1980年任惠水民族师范学校校长，1989年退休。贵州省第四届、第五届政协委员，第三届全国人大代表。

李玉才，男，汉族，1931年生，中共党员，黑龙江省林甸县人，1947年参加东北联军。参加过大沙河、辽沈战役、平津战役、解放南阳、南阳剿匪、解放大西南等大小战斗数十次。1956年转业到惠水公安局工作。先后获辽沈战役勋章、平津战役勋章、解放大西南勋章、全国解放勋章、贵阳市公安先进工作者称号。曾任公安19师55团1营2连副班长、惠水县城关派出所所长、城关镇党委副书记等职，1983年离休。

方继禄，男，汉族，1941年生，贵州省惠水县涟江街道惠明村人，中共党员。1983年开始研究早熟蔬菜种植，1984年试用小拱蓬种植，1985年在贵阳市蔬菜办和县经作站指导下，开始地膜覆盖加小拱蓬种植蔬菜，后发展到大篷种植，从两亩发展到10余亩，均取得较好的经济效益。后创办大棚蔬菜种植基地，无偿培训蔬菜种植数千人，带动回龙、六坡、高旺等村农户种菜致富，被群众称为惠水大篷蔬菜种植第一人、蔬菜状元、科技致富带头人。1985年，贵州省委书记胡锦涛到方继禄蔬菜种植基地考察。1989至1990年方继禄分别被贵州科协、黔南州科协评为科技致富能手；1995年被贵州省委、省人民政府授予“劳动模范”称号；1998年被贵州省委组织部评为农村党员、基层干部实用技术培训工作先进个人。

刘忠英，女，汉族，1946年生，贵州省惠水县人，中共党员；**汤克林**，男，汉族，1950年生，贵州省惠水县人；**汤克相**，男，汉族，1934年生，贵州省惠水县人。刘忠英、汤克林、汤克相三人为州内知名民营企业家。1984年三人共同创办惠水县永红食品加工厂（后改制为贵州永红食品有限公司），为黔南州第一家专业牛肉干制品加工企业；开发享誉省内外牛肉干系列产品，公司不断发展壮大，成为国家级农业产业化龙头企业。三人和公司多年来为公益事业捐资捐物累计500余万元。刘忠英先后获全国“三八”红旗手、省食品工业企业家、省劳动模范、省乡镇企业先进厂长（经理）、省优秀共产党员等称号；汤克林先后获全国扶贫开发先进个人、省突出贡献先进个人等称号，享受贵州省政府特殊津贴；汤克相先后获贵州省抗凝、抗震救灾先进个人、贵州省非公有企业先进个人等称号。

朱以隆，男，汉族，1933年生，惠水县芦山镇硐口村人。1950年参军，参加抗美援朝战争。1956年任广州军区第9师第25团飞行员。1965年12月24日，在云南边境击落驻越美军无人驾驶高空侦察机，荣立一等功，被授予战斗英雄称号，受到周恩来、邓小平等党和国家领导人接见。1966年3月23日，第二次击落美国无人驾驶高空侦察机，第二次荣立一等功。

吴邦琮，男，苗族，1934年生，惠水县摆金镇提同村人，1961年10月参加工作，1961年9月加入中国共产党，大学文化。1990年5月当选惠水县人大常委会副主任。长期从事农业技术工作，积极探索双季稻试种、小麦、玉米大面积丰产的科技途径。重点抓育种工作，已育出高产水稻、黑糯米、香黑糯、黑米、香红米、香米、优质米、小麦等30多个良种，并用于大田生产，收到较好的经济效益。1985年亲自培育的黑糯141品种通过省级审定，获省级成果奖。1987年获全国“五一”劳动奖章，1988年被评为贵州省劳动模范。贵州省第五次党代会代表，贵州省第七届人大代表。

曾宪文，男，汉族，贵州惠水人，1934年生，县供销社退休干部，省内集邮界知名人士。爱好集邮，制作的邮集作品多次在国内国际邮展上获奖。1993年，其邮集作品《新中国普通邮票》获贵州省集邮展览获一等奖和中华全国集邮展览银奖；1997年，邮集作品《新中国旧币面值普票》获中华全国集邮展览银奖；2001年，邮集作品《中国普通邮票1955-1974》获中华全国集邮展览银奖；2005年，4月，贵州省电视台将其获奖邮集录制，在贵州卫视频道播出。多次被省、州、县集邮协会评为先进个人。2007年7月作为贵州省两名代表之一到北京人民大会堂出席第5次全国集邮代表大会。2015年，邮集作品《中国普12革命圣地图邮票通邮票》获第三十一届亚洲国际邮票展览银奖。两次被中华集邮联合会评为全国先进个人。

吴永福，男，苗族，1938年生，贵州省惠水县摆金镇谷把村哨上寨人，中共党员，大学文化，县政协退休干部。1964年参加工作，历任中共惠水县委党校副校长、县委副书记、县政协副主席，第七届贵州省政协委员、贵州省苗学会常务理事，惠水县苗学会会长，1997年被省政协评为全省政协工作先进个人。吴永福致力于县内苗族历史、文化、习俗研究和保护利用工作，多次组织参与并指导县内苗族重要节日活动，主编的《惠水苗族》和《惠水苗族文化精粹》由贵州民族出版社、云南德宏民族出版社分别于1996年和2018年出版，是各界认识了解惠水苗族的重要参考书籍。吴永福从事县文史工作多年，责任感强，态度严谨，曾担任《惠水县文史资料选辑》主编，先后发表过《惠水县明清两代入学中举人名辑录》《金石番长官司印发现始末》等数十篇文史资料。1999年主编的贵州旅游文史系列丛书之一《涟江神韵》由贵州人民出版社出版，对惠水文化、旅游资源知名度提升起到积极的宣传作用。

王道生，男，布依族，1938年生，长顺县广顺洞口寨人，中共党员，惠水二中退休教师。自幼酷爱书法，主临《兰亭序》《圣教亭》《祭侄稿》等名帖。1986年，行书“惠风和畅”在京展出并获奖。1992年，被海洋出版社《中国专家人名辞典》收录。1999年，行书对联“书友同庆　万古长青”参加庆祝中日友好和平25周年中日合办大型书法展，被日本主办方收藏。2004年，行书对联“神龙戏墨海　群贤登书山”被《中国当代书法家辞典》收录。行书对联“独上莲花揽明月　远上檞叶补秋云”，行草清咸丰平越举人张仙（张三丰）《自写真容》（诗）分别入选“中国元极碑林”“福泉山碑林”石刻。2008年，在纪念毛泽东诞辰115周年书画作品展中，行草毛泽东诗词《清平乐·六盘山》被中国书法家、美术家协会专家评为“红色艺术金奖”，授予“红色艺术先进创作者”称号，选入《全国书画照片集》。现为贵州省书法家协会会员，贵州省书法家协会理事。

罗秀英，女，苗族，1941年12月生，惠水县摆金镇卜所村人，中共党员，大学文化，著名女高音歌唱家。自幼喜欢唱歌跳舞，1959年，罗秀英代表贵州省到北京参加新中国成立十周年文艺汇演。后留在北京。1962年到中南海为中央领导作汇报演出，周恩来总理称其为“苗家的金凤凰”。1975年任海军政治部歌舞团独唱演员；1982年任中央民族大学民族声乐教师，先后培养苗族著名歌唱家宋祖英、侗族歌唱家肖玫等优秀学员。1987年任中央民族大学艺术团团长兼党支部书记，1988年被评为国家一级演员和国家尖子演员。罗秀英虽然离开惠水较早，但一直关心家乡的发展，1978年，写信给党中央如实反映惠水县部分地区发生危害群众利益的事实，该信在1978年7月18、19日被《人民日报》《解放军报》等头版刊出，引起巨大反响，反映的问题得到妥善解决。2001年，在首届贵州·惠水《好花红》艺术节中义务演唱《好花红》等歌曲，2019年，在惠水县摆金镇举办“不忘初心、一心向党、回报乡亲”从艺60周年演唱会，为家乡人民献唱。

吴瑞珠，女，汉族，1942年10月生，籍贯上海，1961年10月参加工作，1974年7月加入中国共产党。长期担任中学语文教学和班主任工作，先后被评为省、州、县“为四化服务”先进代表，辅导学生参加全国作文大赛，获“全国作文优秀辅导员”“全国优秀园丁”奖，事迹被《贵州日报》等省内多家媒体报道。1998年评为州“优秀科技人才”，并将奖金捐献给“希望工程”。1994年引荐香港表弟妹为惠水县麻山布依族女童捐资助学3万1千元。

路禧锟，笔名路剑，男，汉族，1943年生，贵州毕节人，中共党员，惠水县文体广播电视局退休干部，惠水老年大学书法指导教师，贵州省书法家协会会员。历任惠水科协副主席、畜牧局副局长、文化局副局长等职。1991年，获公安部授予“先进工作者”称号。1999年，获黔南州委、州人民政府“黔南优秀科技人才”奖。个人简介先后被《中国现代书法界人名辞典》《当代书法家辞林》《国际现代书画篆刻家大辞典》《中国国际艺术大观》《中国当代艺术界名人录》《世界华人书画篆刻家大辞典》等书收入。其书法作品多次在国内获奖，多次入选国内主要书法展览。1990年，草书苏轼诗获“安徽颍州西湖碑林赛”优秀奖；硬笔楷书获“北部湾杯全国硬笔大赛”优秀奖。1991年，行书获“贵州省第二届群众书法大赛”优秀奖；硬笔书法获首届贵州省文化艺术创作三等奖；草书获首届云南石林碑优秀奖。1993年，草书在北京获“纪念毛泽东诞辰一百周年中华当代文化精粹博览会大奖赛”佳作奖。1994年，草书获贵州省庆祝建国45周年爱祖国爱家乡书法绘画摄影大赛优秀奖。1981年，行书李大钊诗入选贵州省“纪念鲁迅诞辰100周年”书法展。1984年，行书和篆刻入选贵州省中青年书法展、国庆35周年贵州省书法篆刻展。1986年，行书对联入选贵州省风光书法展。1987年，行书题奢香夫人墓入选贵州风光展、北京展。1989年，行书入选贵州省建国40周年书法展。1995年，行草入选“纪念红军长征胜利到达陕北60周年全国书画家作品邀请赛”展，并在陕西美术馆展出。草书《灵岩雨花》诗被镌刻于都匀东山公园奎星阁侧。

王品崇，男，1934年生，贵州省贵定人，惠水政协退休干部，中共党员，现为中华集邮联合会会员。王品崇曾任省多家报社和广播电台通讯员，先后在《贵州日报》《贵阳日报》《贵州民族报》和贵州人民广播电台等发表新闻和文史稿千余篇。其中，1957年给《贵州日报》提供了“一位干部的来信”素材，编者以《应该怎样对待困难》一文，号召全省农村干部展开讲座引发讨论文章数十篇，有力地教育了干部，推动了当时的农村工作。《贵州日报》1969年3月3日以“惠水县赤土公社涟江大队革命委员会”名义发表的《敢于走前人没有走过的道路——我们大队夺取稻麦两熟连年高产的体会》，1975年9月13日以“中共惠水县委调查组”名义发表的《不断端正思想政治路线，努力改革耕作制度——惠水县东风大队实行稻麦两熟亩产六年跨千斤的经验》的两篇文章，促进了当时全省的农村工作。王品崇喜欢集邮和摄影。集邮作品多次参加全国、省、州邮展，获黔南、黔东南、黔西南集邮联展三等奖、贵州省纪念毛泽东诞辰100周年邮展鼓励奖、省集邮先进个人，多次获参展证书和荣誉证书；摄影作品《石熊》《奇山》《太阳乡赶场》等被《贵州日报》《贵州政协报》《文史天地》等刊物登载，个人简介被《中国当代集藏家辞典》《中华人物大辞典》《中国专家人名辞典》等辞书收入。2008年自愿一次性交纳“特殊党员”1500元，支援汶川地震救灾工作。2020年向湖北捐款5000元，支援新冠肺炎抗疫工作。

李兴福，男，汉族，1942年生，惠水县好花红镇三都人，中共党员，贵州省美术家协会会员，惠水县第一届美术家协会主席，笔名“多一”。自幼习画，1965年开始家具玻璃画创作，通过不断探索，独创用墨和磁漆在玻璃反面作画，正面看画的国画技艺。1978年开办“李多一玻璃画室”，是惠水县第一个文化个体户，人称“奇怪”的农民。李多一作品多次被《贵州日报》《贵州农民报》等刊登。1990年，创作的《山高水长》《源远流长》《峡江帆影》《苗岭晨苗》4幅玻璃国画代表贵州省农民画到北京参加亚运会艺术节工艺绘画美术展，受到好评，作品被收藏。

唐世林，男，汉族，1944年10月生，贵州惠水人，1963年8月参加工作，1974年10月加入中国共产党，1989年2月任惠水县文学艺术界联合会秘书长，1991年1月任都匀市人大常委会办公室副主任，2004

年7月退休。2006年加入中国音乐文学学会和中国少数民族音乐学会，2007年加入中国音乐家协会，被授予“布依族金牌词曲作家”称号。先后在报刊、电台发表歌曲400余首、歌词200余首，40余首歌曲获奖。1988年至1990年，参加国家重点科研项目文艺集成志书的编辑和整理，走遍惠水县300余个村寨收集整理文学、音乐、舞蹈资料，受到国家文化部和国家民委的联合表彰。2016年4月在北京中央民族歌舞团民族剧院举办“中国梦民族情”唐世林作品音乐会取得成功。

张显华，男，汉族，1945年生，贵州省福泉市人，大专文化，中共党员，世界华文诗人协会会员，贵州省、黔南州、惠水县作家协会会员。历任惠水县文化馆馆长，县委宣传部副部长，县文体广电局党组书记，县文联主席。20世纪90年代组织创办中共惠水县委机关报《惠水报》并担任执行主编。长期从事文学创作，成绩颇丰。先后在《夜郎文学》《山花》《花溪》《贵州日报》《贵阳晚报》《滇池》《诗刊》《词刊》《星星》等全国及省内外报刊发表诗歌、散文、戏剧近千首（篇），出版诗文集四本，作品在全国性及省州文艺评奖中获奖十余次，并有诗作译为外文。个人简历及作品收入《中国中青年诗人传略》《中国当代文艺家辞典》《贵州当代文学概观》《贵州新文学大系》等书，先后被省总工会评为全省“自学成才读书积极份子”，被州人民政府授予“黔南州优秀科技人才”称号，被黔南州文联授予“黔南州文联荣誉委员”称号。

罗景福，男，布依族，1945年生，惠水县羡塘镇五星村人，中共党员。1991年起，自筹资金6万余元，带领群众奋战15年，在悬崖峭壁上修出长6000余米、宽3米的乡村公路，方便五星村拉哨组100余户500余名群众出行。《人民日报》、中央电视台等多家媒体先后进行报道，称其为“当代愚公”。2006年6月，中共惠水县委做出《关于在全县开展向罗景福同志学习活动的决定》。

黄达武，男，汉族，1947年11月生，籍贯湖北罗田，出生地贵州惠水，1972年参加工作，1979年7月加入中国共产党，高中文化。1984年9月任惠水县文化局局长，2007年12月退休。长期从事文化宣传工作，中国民间文艺家协会、贵州省摄影家协会、贵州省音乐作家协会会员。在全国性和省级刊物上发表多篇民间文学作品、音乐作品和摄影作品，其中《扭树》被上海出版社编为大学教材。1991年，在国家艺术科学重点研究项目—中国民间文学集成的编纂工作中评为全国先进工作者。

班世忠，男，苗族，1947年2月生，惠水县好花红镇清水村人，1995年3月参加工作，1984年8月加入中国共产党，初中文化，农民畜牧兽医师，2001年12月退休。1974年担任毛家苑乡畜牧兽医站民办兽医员以来，认真钻研牛品种改良技术，所进行的人工受精冻精配种受胎率率为55%以上，达到省内先进水平。1980年8月和1983年12月，分别被贵州省人民政府授予“贵州省农民劳动模范”和“贵州省劳动模范”称号；1988年3月被评为全省农村科普活动先进个人；1985年6月获贵州省军区记二等功一次；1988年被授予“全省民族团结先进个人”称号，1995年4月当选打引乡科技副乡长。

徐先捍，男，汉族，1948年生，贵州贵定人，中共党员，大专文化，高级农艺师、州管专家。2001年到摆榜乡主持开展《用杂交良种“金优404”对黔南高海拔冷凉山区作扶贫开发的研究》科研项目，进行高寒水稻实验示范和推广，实现平均亩产456.5千克，被评为2002年黔南州科技进步二等奖、2004年黔南州科技进步一等奖。2003年2月作为“科技特派员”驻摆榜乡指导种植“金优404”，2004年摆榜乡粮食生产获得丰收，彻底解决了摆榜乡千百年来的吃粮困难，提前一年整体越过温饱线。2009年，在摆榜乡试种“滇杂31”7000亩获得成功，亩产606.3公斤。2019年，获全国离退休干部先进个人称号。

龙燕祥，男，汉族，贵州惠水人，1949年生，大专学历，中共党员。惠水县人大退休干部。历任惠水县手工联合社副主任，乡镇企业局局长、芦山镇党委书记、县委常委、副县长、人大副主任兼长田工业园区副主任（主持工作）惠水县关工委主任等职。1993年，获黔南州人民政府“科学技术进步奖”。2007年，获惠水县涟江首届“涟江骄傲人物”。2009年，获贵州省总工会“五一劳动奖”。2020年，获惠水县委、县人民政府“投资促进突出贡献奖”、贵州省委组织部离退休“先进个人”称号。2001年，龙燕祥参加长田工业园区谋划和建设，2003年任长田工业园区管委会副主任、长田工业开发公司总经理。先后又引进了中航永红、绝味鸭脖、好媳妇食品等20多家企业入驻。经管委会多年努力，至2015年惠水经济开发区（长田工业园区）入驻300余户家，年产值近100亿元，解决地方就业人数4000余人。协调安置扶贫搬迁移民1000多人就业，协调解决外来务工人员子女30多人入学。2010年退休后，协调芳香园食品公司在濛江街道、岗度等镇办组织村民种植辣椒6000余亩、香椿500余亩、圣女果200余亩。2016年任惠水县关工委副主任后，协调企业筹集100多万资金和物资，帮助长田、大坝等多所学校建立留守儿童之家，解决患症大学生就医、困难大学生入学、深度贫困村和易地扶贫搬迁移民小学生校服、为大坝幼儿园铺设塑胶草皮等问题。

曾雁平，1952生，男，汉族，贵州惠水人，1988年加入贵州省作家协会，同年加入黔南州作家协会，惠水县作家协会名誉主席。二十世纪八十年代中期组织创办惠水油印诗报《帆》，九十年代参与《惠水报》创办并任责任编辑，2013年任惠水《好花红》文艺季刊顾问。矢志于文艺创作，自号五地山诗魂，在《中国作家》《星星诗刊》《山花》《花溪》《民族文学周刊》《青年时代》《夜郎文学》《北方诗刊》《散文诗》《贵州作家》《贵州都市报》《青年时代》《黔人》（台湾杂志）《青年报》（青海）等海内外数十种刊物发表诗歌、小说、散文及评论300多首（篇）。作品入选《贵州的诗歌21世纪贵州21人诗选》《抒情短诗百首》《沙龙诗选》等多种集子。诗歌代表作还有组诗《远山的歌》、组诗《雄奇的高原走过雨林》；散文代表作《永远的牧歌》《芦山造纸博物馆》等。其作品大都以惠水地名创作，反映惠水地域文化，视角独特。是20世纪80、90年代贵州诗坛著名“三平”（唐亚平、王建平、曾雁平）之一。

王文明，男，苗族，初中文化，1953年出生，惠水县涟江街道龙瓦村陡坡冲寨人，农民摔跤能手。1982年参加贵州省少数民族传统体育运动会，荣获摔跤（62公斤级）第一名。1985年2月，参加黔南州第二届少数民族传统摔跤选拔赛，获62公斤级第二名。

王泽洲，男，布依族，1954年生，贵州省惠水县人，中共党员。著名作曲家、词作家、诗人。中国音乐家协会会员、中国音乐著作权协会会员、中国诗书画研究会副会长，音乐创作研究院院长。北京大学艺术系研究生。1973年参加工作，历任惠水县断杉区中心学校教师、惠水县城关一小副教导主任，共青团惠水县委干部、中共惠水县委办公室秘书（正科级）、中共黔南州委组织员、中共黔南州委组织部组织科科长、黔南州广播电视局副局长、党组成员，共青团贵州省委常委、宣传部长。1992年起，历任共青团贵州省委副书记、贵州省青年联合会副主席、贵州省少工委主任，贵州省文化厅副厅长、党组成员，共青团中央统战部副部长、全国青年联合会副秘书长，中国艺术研究院副院长、副书记，文化部民族民间文艺发展中心副主任、副书记，文化部直属机关党委委员等；是中国共产党第16大中央国家机关党代表大会代表。受国家文化部委派，多次担任团长，率领文化和艺术团体出访法国、德国、奥地利、卢森堡、比利时，澳大利亚、韩国、日本，以及我国香港、澳门、台湾地区等进行音乐、艺术及文化交流。应邀担任中央电视台民歌中国栏目点评嘉宾。创作诗歌作品四百余首，主要代表作有：诗集《远山》，诗作《日出》《我是春天》《南中国畅想曲》，诗论《面向人类》等。创作歌曲作品四百余首，主要代表作有：《想涟江》《中国新时代》《再敬一次军礼》《格玛》《芬芳祖国》《梅花深处是我家》《看见胡杨就想起了你》《今生跟着你》《祖国的颜色》《你是英雄》等。

陈文良，男，苗族，1954年生，贵州省惠水县摆金镇杨茂村人，县农业局退休干部，高级农艺师。曾任黔南州第九、十届政协委员、惠水县第十一届人民代表、惠水县农业技术推广站站长。陈文良长期从事农业种植研究，1997至1998年，在长田、蛮纳、甲浪等35个村教授水稻旱育秧技术，解决农民育秧难题。2002至2006年，先后到冗拱、蛮河、冗哨、绿化等贫困村推广种植脱毒洋芋7000余亩、杂交玉米500余亩，让农民增收；参与贵州省农业厅组织的“贵州省优质稻示范项目”，完成“惠水县1万亩优质稻生产基地”建设和产地环境认证、“惠水县无公害大米产品认证”“惠水县无公害大米产品市场准入认证”工作。2006至2012年，承担农业部超级稻“双增一百”科技示范项目、万亩连片水稻高产创建活动项目、粮食高产创建整乡推进项目、万亩连片小麦高产创建活动项目、贵州省粮食增产项目，平均亩产水稻增产206公斤、小麦增产153.75公斤、玉米增产171.2公斤，实现惠水县粮食连续7年保持增长。获得过国务院授予“全国粮食生产突出贡献农业科技人员”、农业部授予“农业技术推广先进工作者”、贵州省人民政府授予“贵州省先进工作者”称号。获得过贵州省丰收计划3个一等奖、2个二等奖、1个三等奖。

张惠东，男，汉族，1960年生，籍贯河南嵩县，出生地贵州惠水，中央音乐学院在职大学学历，男高音歌唱家、国家一级演员、成都军区战旗文工团副军职文职干部。1977年考入黔南州歌舞团，1987年特招进入成都军区战旗文工团1998年获“1998全国广播新歌”金奖，2001年参加“全国建党80周年歌唱比赛”获二等奖。多次参加重大演出活动和出国访问演出。

唐旭东，男，苗族，1961年生，大学文化，惠水县濛江街道新坝村人。1986年毕业于中央民族大学法律系，1990年加盟联想，2005年获得长江商学院EMBA学位，高级工程师。现任联想控股有限公司高级副总裁、北京联想之星投资管理有限公司董事长、中关村国家自主创新示范区企业家顾问委员会副主任委员，兼任中国集团公司促进会副会长。热心家乡教育、慈善公益事业，设立“联想进取教育基金”，多次捐款捐物资助惠水寒门学生。2017年，个人捐资100万元支持惠水县教育事业。

董文渊，1962年生，贵州惠水县人，中共党员。国家二级教授，南京林业大学森林培育学博士、中国林业科学院林学博士后，云南省中青年学术和技术带头人。曾任云南省大关县人民政府科技副县长、西南林业大学生态旅游系副主任、继续教育学院院长、职业技术学院院长、云南生物多样性研究院常务副院长，现任西南林业大学亚太林学院院长、筇竹研究院院长，博士生导师。长期从事竹类植物教学和科研工作，主持完成中欧生物多样性保护项目专题“筇竹生物多样性保护与可持续经营技术研究”、国家林业公益性行业科研专项“珍稀濒危筇竹保护与退化竹林恢复技术研究”等科研项目30余项，获省部级科技进步奖一、二等奖各1项，三等奖4项。发表学术论文100余篇。

吴　霓，男，布依族，1965年生，贵州惠水县人，1990年参加工作，1995年获教育学博士学位教育学博士，研究员。1990至2001年，任《教育史研究》杂志副主编；2001至2003年在中央科所教育战略规划与政策研究室工作，任《新教育》杂志常务副主编；2003年任教育教育发展研究部负责人。完成“素质教育的理论与实践研究”“中华人民共和国重要教育文献”等12个科研课题项目；出版《学校教育管理实施ISO9000族标准的研究与实践》《学校教育质量管理体系文件范本》等12部专著、13部合著，发表《从古代私学的发展看中国文化重心南移现象》《贫困及欠发达地区民办教育发展调查研究》等37篇学术论文。

王秀文，男，苗族，1965年生，惠水县断杉镇翁平村天景组人，中共党员，县内参加国庆阅兵盛典第一人。1983年入伍，在广州军区第四十二集团军服役，2010年转业到广东省惠州市公安局工作。服役期间被评为“优秀共产党员”“优秀基层干部”，多次受到嘉奖，荣立二等功两次，三等功两次。1984年、1999年、2009年三次入选中国人民解放军联合军乐团，参加建国35、50、60周年国庆大阅兵活动，被评为联合军乐团“优秀分指挥”。

陈玉春，男，布依族，1967年生，惠水县好花红镇人，1992年参加工作，2009年获航空宇航科学与技术博士学位，2010年晋升教授，2011年任博士生导师，2013年任航空推进系主任。长期从事航空发动机总体性能方面的科研与教学工作，先后主持与涡轮发动机总体性能、控制规律、飞/发一体化以及新概念组合发动机总体设计等方面的科研项目40多项，先后参与国家多种型号的涡扇、涡轴、TBCC发动机总体方案设计，涉及多种型号的涡轮发动机设计，高超声速动力方案及多种飞行器/发动机一体化设计，在国内率先开展桨扇、分布式推进系统等未来民用动力的机理与总体设计研究。获省部级科技一、二、三等奖6项，发表学术论文60余篇，其中被EI收录20余篇。

王　炜，男，布依族，1968年生，贵州惠水县人，中共党员，博士学位，研究员。1996年任航天部061基地3247厂技术部部长；2002年调航天科技集团公司第八研究院上海航天设备制造总厂工作，2011年任航天科技集团公司第八研究院上海航天设备制造总厂副总工程师，2014年任航天八院硕士研究生导师，2016年任飞行器领域总师、航天八院装配专业工艺总师。主要从事空间科学领域产品的研制、产品工艺保证及先进制造技术研究与推广工作，先后参与载人航天工程、探月工程等国家重大专项任务的科研生产，获上海市科技进步一等奖一次，军队科技进步二等奖、三等奖各一次，集团公司科技进步三等奖一次，第七届上海市专利发明奖一次，发表科技论文十余篇，获批专利4项。

李泽英，女，汉族，1977年生，惠水县高镇镇（现濛江街道）山后村人，16岁时到贵阳一卓姓人家当保姆，负责照顾卓姓护士从贵阳医学院附属医院收养的患病弃婴卓欣和卓欢双胞胎姐妹。1998年卓姓主人不辞而别，留下5岁双胞胎姐妹。李泽英坚守“姐姐永远不会丢下你们”的诺言，抚养双胞胎姐妹直至成人，2014年卓欣和卓欢分别考取大学。2009年李泽英获第二届“全国诚实守信道德模范”称号。

周贤怡，女，布依族，1979年生，贵州省罗甸县人，中共党员，大专文化，惠水县长田幼儿园园长、第四幼教育集团负责人，长期从事幼儿教育工作。2001、2002年连续两年被评为“县先进教育工作者”，2007年，摸索并提高在惠水县第一幼儿园首次开设的《启蒙数学》新课程教学效果，受到好评；2009年被评为“县优秀教师”，2011年，领衔《实施“适应性发展课程”的感悟》调研课题获全省幼儿课程建设项目试验园成果评比一等奖；2012年被诊断为“甲状腺癌”，一直带病坚持工作，被评为县“优秀共产党员”和“优秀教师”；2013年，主动报名到新建民营幼儿园“天宝双语幼儿园”支教，指导该园的保教、教研工作走入正轨；2014年被评为“涟江骄傲人物.最美教师”，2014年9月9日被教育部授予“全国模范教师”称号，与其他受表彰的先进教师一起受到中共中央总书记、国家主席、中央军委主席习近平的接见；2015年被贵州省委、省人民政府授予全省“先进工作者”称号；2019年在由教育部、中央广播电视总台主办的“2019寻找最美教师”大型公益活动颁奖典礼中，获“最美教师”称号；2019年11月，贵州省周贤怡名园长工作室成立，致力于开发教育教学资源，促进幼儿园骨干教师队伍专业发展。

郭　俊，男，布依族，1946年生，惠水县断杉镇八大村人。中国少数民族作家学会会员、中国民间文艺家协会贵州分会会员。省内知名布依族文化学者，长期从事布依族文化研究。从1975年起，先后在省内外刊物发表诗歌、散文、小说、随笔计数百余篇（首），民族文化学、宗教学论文数十篇。

何俊萍，女，汉族，上海市人，广州九峰贸易有限公司高级管理人员。1970年生于贵州省惠水县，1977至1983年就读惠水县学校，1983至1988年就读贵州省六枝特区学校，1992年武汉化工学院毕业后到广东工作。何俊萍从2009年起，每年均赴惠水县捐资助学，支持惠水教育和公益扶贫事业，至2020年，个人累计捐款捐物105万元。其中：为撒米小学、地关小学、花鱼小学，石门小学、青藤小学、打冉小学、板长小学、西混小学、令当小学捐赠各类教学物品用具和体育器材折合资金45万元，为长安民族学校、鸭绒民族中学、羡塘中学各捐赠20万元。

帅应凤，女，布依族，1987年生，惠水县中医院妇产科护士，中共党员；**欧阳张陈**，女，汉族，1994年生，惠水县人民医院骨神经外科护士，中共党员；**禹亚林**，男，汉族，1980年生，惠水县人民医院120急救中心专职驾驶员，中共党员；**罗尚琼**，女，布依族，1983年生，惠水县人民医院重症监护室（ICU）护士长；**何飘飘**，女，汉族，1993年生，惠水县人民医院呼吸内科护士。五人均为贵州省惠水县人。2020年1月，武汉发生新冠肺炎疫情，2月，5人主动请缨奔赴抗疫前线，经批准后分四批参加贵州援鄂医疗队，赴湖北省新冠疫情第一线参与抗击新冠肺炎疫情。2月4日，帅应凤作为贵州省第二批援鄂医疗队员赴武汉，2月5日进入江汉方舱医院至3月9日休舱，每天除参与一个隔间20至21名患者的救治、护理、心理疏导及日常生活照顾外，还带领病区患者学习中医“八段锦”，增强患者的体质及抗病信心，事迹被中央广电总台中国之声微信公众号报道；2月6日，欧阳张陈先被派往贵州省将军山医院参与抗疫救护工作，2月15日作为贵州省第五批援鄂医疗队员赴武汉，2月20日进入武昌方舱医院至3月10日休舱，参与静脉输液、雾化等高风险工作，治疗患者累计300余人次；2月10日，禹亚林作为贵州省第四批援鄂医疗队员赴鄂州中医院，参与该医院的医疗物资转运、新冠病毒标本运送、新冠患者的接送等工作，42天运送70余架次；2月21日，罗尚琼、何飘飘作为贵州省第八批援鄂医疗队员赴武汉大学人民医院，罗尚琼2月25日进入东院七重症病区至3月24日，何飘飘3月3日进入十七重症病区至3月24日，二人均参与30余名重症患者的救治、护理、心理疏导及日常生活照顾等工作。

三、人物名录

（一）烈士名录

姓　名	出生年月	性别	籍贯	民族	工作单位及职务	年龄	事迹	被授予称号	授予单位	批准时间
罗先忠	1966.2.30	男	贵州省惠水县	布依族	惠水县公安局断杉镇派出所副所长	30	1996年8月3日在抵季乡解救被歹徒挟持群众过程中牺牲。	全国公安战线二级英雄模范	公安部	1996.12.19
								革命烈士	贵州省人民政府	1997.11.4
张　勇	1968.7.23	男	贵州省惠水县	汉族	惠水县公安局金石乡派出所驻乡民警	22	1990年12月26日在三都区街上缉捕持枪犯罪分子战斗中牺牲。	革命烈士	贵州省人民政府	1991.10.5
唐正坤	1969.11	男	贵州省惠水县	汉族	贵州陆军预备役步兵师侦察营一连三班班长、三都镇三都村义务治安联防队队员、义务扑火队队员	36	2005年2月24日在三都镇三都村紫马冲参加扑救国有林场火灾中牺牲。	烈士	贵州省人民政府	2006.3.1

（二）省级及以上“劳动模范”“五一劳动奖章”获得者名录

姓　名	性别	籍贯	民族	工作单位	授予称号	授予单位	授予时间
吴开秀	女	贵州惠水	汉族	惠水县酒厂	贵州省商业系统劳动模范	贵州省人民政府	1983年
腾九华	男	贵州惠水	汉族	惠水县陶瓷厂	贵州省劳动模范	贵州省人民政府	1983年
班世忠	男	贵州惠水	苗族	惠水县三都区清水苑乡兽医站	贵州省农业劳动模范	贵州省人民政府	1980年
班世忠	男	贵州惠水	苗族	惠水县三都区清水苑乡兽医站	贵州省劳动模范	贵州省人民政府	1983年
吴邦琮	男	贵州惠水	苗族	惠水县科协	全国五一劳动奖章	中华全国总工会	1987年
吴邦琮	男	贵州惠水	苗族	惠水县科协	贵州省劳动模范	贵州省人民政府	1988年
李国芳	女	贵州惠水	汉族	中国农业银行惠水县支行	贵州省劳动模范	贵州省人民政府	1988年
冯　云	男	贵州惠水	汉族	惠水县蜜饯厂	全国商业劳动模范	商业部 中国民贸工会全国委员会	1989年
方继禄	男	贵州惠水	汉族	惠水县和平镇回龙村	贵州省劳动模范	中共贵州省委员会贵州省人民政府	1995年
郝洪中	男	贵州惠水	汉族	惠水供电局	贵州省劳动模范	贵州省人民政府	2000年
伍元昌	男	贵州惠水	汉族	惠水县和平镇六坡村	贵州省劳动模范	贵州省人民政府	2000年
刘加元	男	贵州惠水	布依族	惠水县大龙乡干昌村	贵州省劳动模范	贵州省人民政府	2005年
刘忠英	女	贵州惠水	汉族	贵州省永红食品有限责任公司	贵州省劳动模范	贵州省人民政府	2005年
罗克金	男	贵州惠水	布依族	惠水县高镇镇山后村	贵州省劳动模范	贵州省人民政府	2010年
方启涛	男	贵州惠水	汉族	贵州省惠水川东化工有限公司	全国五一劳动奖章	中华全国总工会	2012年

（三）获省、部级及以上表彰人员

姓　名	性别	籍贯	民族	工作单位	授予称号	授予单位	授予时间
邹良凤	女	贵州惠水	汉族	惠水县城关二小	全省教育先进工作者	贵州省人民政府	1980年
许修明	男	贵州惠水	汉族	惠水民族师范学校	先进工作者	贵州省人民政府	1980年
丰佩学	男	贵州惠水	汉族	惠水县甲戎乡平久村	贵州省先进生产（工作）者	贵州省人民政府	1983年
陈登贤	男	贵州惠水	布依族	惠水县拉林乡	计划生育先进个人	贵州省人民政府	1983年

续表

姓　名	性别	籍贯	民族	工作单位	授予称号	授予单位	授予时间
陈登贤	男	贵州惠水	布依族	惠水县拉林乡	计划生育先进个人	国家计生委	1986年
黄昌琪	男	贵州惠水	汉族	惠水县林业局	全国飞机播种造林先进个人	林业部、民用航空总局、空军司令部	1986年
吴邦琮	男	贵州惠水	苗族	惠水县科协主席	全国优秀科技工作者	中华全国总工会	1987年
陈全刚	男	贵州惠水	布依族	惠水县城关二小	全国中、小学德育先进工作者	国家教育委员会	1988年
黄达武	男	湖北罗田	汉族	惠水县文化局	文艺集成志书编纂工作贡献奖	文化部、国家民族事务委员会	1988年
周朝洪	男	贵州惠水	汉族	惠水县统计局	全国统计系统先进工作者	国家统计局	1988年
刘忠英	女	贵州惠水	汉族	贵州省永红食品有限责任公司	优秀农民企业家	贵州省人民政府	1988年
罗应珍	女	贵州惠水	布依族	王佑区教育组视导员	全省民族团结进步先进个人	贵州省委、省政府	1989年
罗应珍	女	贵州惠水	布依族	王佑区教育组视导员	全国三八红旗手	全国妇联	1989年
班世忠	男	贵州惠水	苗族	惠水县三都区清水苑乡兽医站	全省民族团结进步先进个人	贵州省人民政府	1989年
曾永龙	男	贵州惠水	汉族	惠水县城关一小	全国优秀教师	国家教育委员会、人事部、中国教育工会全国委员会	1989年
谢达桢	男	贵州惠水	布依族	惠水县长安乡民族学校	全国优秀教师	国家教育委员会、人事部、中国教育工会全国委员会	1989年
陈全刚	男	贵州惠水	汉族	惠水县城关二小	全国优秀教师	国家教育委员会、人事部、中国教育工会全国委员会	1989年
杜永文	男	贵州惠水	汉族	惠水县公安局	“严打”先进个人	中共贵州省委	1990年
谢德华	男	贵州惠水	苗族	惠水县农业局	先进调查员	农业部	1991年
罗政宗	男	贵州惠水	汉族	惠水县人民法院审监庭副庭长	先进工作者	贵州省委、贵州省人民政府	1991年
					优秀审判员	贵州省委、贵州省人民政府	1992年
李崇政	男	四川达县	汉族	惠水民族师范学校	全国优秀教师	国家教育委员会人事部	1991年
杨光林	男	贵州惠水	汉族	惠水县畜牧局	“提高水牛繁殖率研究”四等奖	贵州省人民政府	1991年
胡玉昌	男	贵州惠水	汉族	惠水县公安局	二级金盾荣誉章	公安部	1991年
侯春英	男	贵州惠水	汉族	惠水县公安局	二级金盾荣誉章	公安部	1991年
曹长云	男	贵州惠水	汉族	惠水县公安局	二级金盾荣誉章	公安部	1991年

续表

姓　名	性别	籍贯	民族	工作单位	授予称号	授予单位	授予时间
胡宜桂	男	陕西乾县	汉族	惠水县政协	全省政协工作先进个人	政协贵州省委员会	1992年
韦　勇	男	贵州惠水	布依族	惠水县林业局	科技兴农奖	贵州省人民政府	1992年
周兴祥	男	贵州长顺	布依族	惠水县畜牧局	全国农牧渔业丰收奖二等奖	农业部	1993年
雷　霆	男	湖南耒阳	汉族	惠水县人民政府宗教事务科	全国基层宗教工作先进个人	国务院宗教事务局	1993年
谢廷才	男	贵州惠水	布依族	惠水县统计局	全国农业渔业丰收二等奖	农业部	1993年
汤德慧	男	贵州惠水	汉族	惠水县中等职业学校	全国优秀教师	人事部	1993年
陈远华	男	贵州惠水	汉族	惠水县林业局	全国绿化奖章	国家林业局	1993年
张　伟	男	贵州惠水	汉族	惠水县人民法院	全省法院系统优秀书记员	贵州省高级人民法院	1994年
雷良虎	男	贵州惠水	汉族	惠水县水利局局长	1995—1996年度冬春农田水利建设先进个人	贵州省人民政府	1996年
余歌今	男	四川	汉族	惠水民族中学	贵州省第四批中小学特级教师称号	贵州省人民政府	1996年
刘忠英	女	贵州惠水	汉族	贵州省永红食品有限责任公司	乡镇企业先进厂长	贵州省委、省人民政府	1997年
简启贵	男	贵州惠水	汉族	惠水县断杉镇	先进个人	贵州省人民政府	1997年
刘坤兰	女	贵州惠水	布依族	惠水县农业局农业经济管理站	先进调查员	农业部	1997年
吴永福	男	贵州惠水	苗族	惠水县政协	全省政协工作先进个人	政协贵州省委员会	1997年
李正忠	男	贵州都匀	苗族	雅水镇党委	优秀乡镇党委书记	中共贵州省委	1998年
陈学兴	男	贵州惠水	布依族	惠水县第二中学	全国优秀教师	教育部	1998年
张照勇	男	贵州惠水	汉族	惠水县公安局	全国优秀民警	公安部	1998年
邓邦奎	男	贵州惠水	汉族	惠水县人民政府副县长	1997—1998年度农田水利基本建设先进个人	贵州省人民政府	1998年
胡昌华	男	贵州惠水	汉族	惠水县人民法院副院长	社会主义司法建设贡献奖	最高人民法院	1999年
刘坤兰	女	贵州惠水	布依族	惠水县农业局农业经济管理站	先进调查员	农业部	2000年
陈文良	男	贵州惠水	汉族	惠水县农业局农业技术推广站	全国农业技术推广先进工作者	农业部	1999年

续表

姓　名	性别	籍贯	民族	工作单位	授予称号	授予单位	授予时间
陈文良	男	贵州惠水	汉族	惠水县农业局农业技术推广站	全国粮食生产突出贡献农业科技人员	国务院	2011年
郝洪中	男	贵州惠水	汉族	惠水供电局	农村电网建设与改造先进个人	国家发改委、国家电网公司	2000年
罗廷先	男	贵州惠水	布依族	惠水县城关一小	小学特级教师	贵州省人民政府	2001年
陈学兴	男	贵州惠水	布依族	惠水二中	全国优秀教师	教育部	2001年
吴　勇	男	贵州都匀	汉族	惠水县人民检察院	人民满意的检察干警	贵州省人民检察院	2001年
唐汉林	男	贵州惠水	苗族	惠水县摆榜乡摆榜小学	全国模范教师	教育部人事部	2001年
陈芳菊	女	贵州惠水	汉族	中共惠水县委政法委	全国“三八”红旗手	全国妇联	2001年
罗润廷	男	贵州惠水	苗族	惠水县畜牧局	贵州省第五届“科技兴农人才奖”	贵州省人民政府	2001年
陈光平	男	贵州惠水	布依族	惠水县水利局	全省农田水利基本建设先进工作者	贵州省人民政府	2001年
雷端荣	男	贵州惠水	汉族	惠水县林业局	全国林业先进工作者	国家林业局	2001年
许绍祥	男	贵州惠水	汉族	惠水县公安局	全国优秀民警	公安部	2003年
邓邦秀	女	贵州惠水	汉族	惠水县城关三小	小学特级教师	贵州省人民政府	2003年
雷秋莎	女	贵州惠水	布依族	惠水县水利局	全省农田水利基本建设先进个人	贵州省人民政府	2003年
罗秋萍	女	贵州惠水	汉族	惠水县城乡建设局	全国创建园林城市绿化先进工作者	建设部	2003年
刘学辉	男	贵州惠水	汉族	惠水县水力电力局	贵州省第六届科技兴农人才奖	贵州省人民政府	2003年
邵幸明	女	上海	汉族	惠水县民族中学	全国优秀中小学德育课教师	教育部	2004年
邵幸明	女	上海	汉族	惠水县民族中学	全国优秀教师	教育部	2004年
罗天祥	男	贵州惠水	汉族	惠水县城关二小	全国模范教师	教育部人事部	2004年
罗天祥	男	贵州惠水	汉族	惠水县城关二小	全国优秀中小学德育课教师	教育部	2004年
洪瑞禄	男	贵州惠水	汉族	惠水县农机局	全国跨区机收先进个人	农业部	2005年

续表

姓　名	性别	籍贯	民族	工作单位	授予称号	授予单位	授予时间
刘忠英	女	贵州惠水	汉族	贵州永红食品有限责任公司	全国三八红旗手	全国妇联	2005年
谭志良	男	贵州惠水	苗族	惠水县人武部	全国优秀士官	中央军委四总部	2006年
陈泉福	男	贵州惠水	布依族	惠水县长田乡人民政府	全省绿化先进工作者	贵州省人民政府	2006年
谭志良	男	贵州惠水	汉族	惠水县人武部	手枪射击神枪手	成都军区	2007年
龙经文	男	贵州惠水	布依族	惠水县公安局	全国公安系统二级英雄模范	公安部	2007年
陈振炎	男	福建	汉族	个体户	先进个人	中国科协财政部	2007年
巫传英	女	贵州黔西	汉族	濛江社区居民	全国孝亲敬老之星	全国老龄办、中宣部、教育部、国家广电总局、共青团中央、全国妇联	2007年
王保健	男	河南	汉族	惠水县广播电视局	广播电视村村通工作先进个人	国家广播电影总局 国家发展和改革委员会 财政部	2007年
龙小平	女	贵州惠水	汉族	惠水县文体广电旅游局	郑振铎—王冶秋文物保护奖	国家文物局	2008年
陈统云	女	贵州惠水	汉族	惠水县统计局	2007年全国投入产出调查先进个人	国家统计局	2008年
杨福昌	男	贵州惠水	布依族	惠水县农业局	第二次全国农业普查先进个人	国家统计局	2008年
贾沛祥	男	贵州惠水	汉族	惠水县工商行政管理局	全国优秀行政管理人员	人力资源和社会保障部、国家工商行政管理总局	2008年
胡卫群	女	贵州惠水	汉族	惠水县总工会主席	全国优秀工会工作者	中华全国总工会	2008年
李泽英	女	贵州惠水	汉族	高镇镇山后村村民	全国道德模范	中央文明委	2009年
姚振林	男	贵州惠水	汉族	和平镇司法所	全省优秀人民调解员	贵州省人民政府	2009年
汪　安	男	安徽砀山	汉族	县安全生产监督管理局	全国安全生产监管监察先进个人	国家安全生产监管管理总局	2010年
谢学丽	女	贵州惠水	汉族	惠水县环保局	先进个人	农业部 国务院第一次全国污染源普查领导小组办公室 环保部 国家统计局	2010年
王洪花	女	贵州惠水	布依族	惠水县老龄委办公室	全国老龄工作先进个人	全国老龄工作委员会办公室	2010年
岳云山	男	山西宁乡	汉族	惠水县人民法院民二庭庭长	全省办案能手	贵州省高级人民法院	2011年

续表

姓　名	性别	籍贯	民族	工作单位	授予称号	授予单位	授予时间
陈明惠	男	贵州惠水	汉族	惠水县林业局	全省绿化工作记一等功	贵州省人民政府	2011年
黄　刚	男	贵州惠水	汉族	惠水县摆金法庭人民审判员	全省法院调解能手	贵州省高级人民法院	2011年
卢光林	男	贵州贵阳	汉族	惠水县人民检察院	贵州省检察院二等功	贵州省人民检察院	
陈　丽	女	贵州惠水	布依族	惠水县教育局	全国青少年普法教育先进个人	司法部 中央社会治安综合委员会 中国关心下一代工作委员会	2011年
杨　林	男	贵州惠水	苗族	惠水县教育局	全国青少年普法教育先进个人	司法部 中央社会治安综合委员会 中国关心下一代工作委员会	2011年
余敏国	男	贵州惠水	汉族	惠水县城关一小	青少年普法教育优秀辅导员	司法部、 中央社会治安综合委员会、 中国关心下一代工作委员会	2011年
杨志庭	男	贵州惠水	布依族	惠水县城关一小	青少年普法教育优秀辅导员	司法部、 中央社会治安综合委员会、 中国关心下一代工作委员会	2011年
陆光霞	女	贵州惠水	汉族	惠水县财政局	全省勤政廉政先进个人	中共贵州省委 贵州省人民政府	2011年
王国文	男	贵州惠水	汉族	惠水县公安局	第九届全国少数民族运动会安保工作先进个人	中共贵州省委 贵州省人民政府	2011年
汤克林	男	贵州惠水	汉族	贵州省永红食品有限责任公司	全国扶贫开发先进个人	国务院扶贫开发领导小组	2011年
谢学丽	女	贵州惠水	汉族	惠水县环保局	先进个人	环境保护部	2012年
彭和全	男	贵州惠水	汉族	个体户	全国个体工商户	国家工商行政管理总局 中国个体劳动者协会	2012年
吕财永	男	贵州惠水	布依族	农户	全国种粮大户	农业部	2012年
武明聪	男	贵州惠水	汉族	惠水县羡塘乡红旗村	全国种粮大户	农业部	2012年
石培庆	男	贵州惠水	汉族	惠水县人民法院刑庭庭长	全省办案能手	贵州省高级人民法院	2013年
陈　非	男	贵州惠水	苗族	惠水县城关二小	全国优秀教师	教育部	2014年
施国俊	男	贵州惠水	布依族	中共惠水县委宣传部	全国模范军队转业干部	中共中央组织部 国务院军队转业干部安置工作小组 人力资源和社会保障部 中国人民解放军总政治部	2014年
周贤怡	女	贵州罗甸	布依族	惠水县第四幼儿园	贵州省先进工作者	中共贵州省委 贵州省人民政府	2015年

（四）副高及以上专业技术职称人员

姓 名	性别	籍贯	民族	工作单位	技术职称	聘任时间	备注
何建宏	男	贵州修文	汉族	惠水民族中学	中学高级教师	1998	副高职称
刘 祥	男	贵州惠水	汉族	惠水县教育局	中学高级教师	2002	副高职称
刘翠兰	女	贵州惠水	汉族	惠水县教育局	中学高级教师	2003	副高职称
罗朝清	男	贵州惠水	布依族	惠水县教育局	中学高级教师	2006	副高职称
罗德嵩	男	贵州惠水	布依族	惠水县招生办	中学高级教师	2014	副高职称
王友波	男	贵州惠水	布依族	县教育督导委员会	中学高级教师	2014	副高职称
吴厌非	女	贵州惠水	苗族	惠水县教育局	中学高级教师	2014	副高职称
杨本陆	男	贵州惠水	布依族	惠水县教育局	中学高级教师	2014	副高职称
陈 宁	男	贵州惠水	布依族	惠水县教育局	中学高级教师	2015	副高职称
谢建明	男	贵州惠水	汉族	惠水县人民政府教育督导办公室	中学高级教师	2015	副高职称
刘 琼	女	贵州惠水	布依族	惠水县教育局	中学高级教师	2015	副高职称
王 英	男	山东	汉族	惠水县教育局	中学高级教师	1988	副高职称
盖新民	男	山东东营	汉族	惠水民族中学	中学高级教师	2000	副高职称
王明刚	男	贵州惠水	苗族	惠水民族中学	中学高级教师	2002	副高职称
庭 权	男	贵州惠水	布依族	惠水民族中学	中学高级教师	2002	副高职称
陈昌萍	女	贵州惠水	汉族	惠水民族中学	中学高级教师	2002	副高职称
唐绍禹	男	贵州惠水	汉族	惠水民族中学	中学高级教师	2002	副高职称
曾亚俊	男	贵州惠水	布依族	惠水民族中学	中学高级教师	2003	副高职称
罗 群	女	贵州贵定	布依族	惠水民族中学	中学高级教师	2003	副高职称
罗先雄	男	贵州惠水	布依族	惠水民族中学	中学高级教师	2004	副高职称
杨 忠	男	贵州惠水	布依族	惠水民族中学	中学高级教师	2004	副高职称
魏自贵	男	贵州惠水	汉族	惠水民族中学	中学高级教师	2006	副高职称
杨胜学	男	贵州惠水	布依族	惠水民族中学	中学高级教师	2006	副高职称
周亚丽	女	贵州惠水	布依族	惠水民族中学	中学高级教师	2006	副高职称
吕茨萍	女	贵州遵义	土家族	惠水民族中学	中学高级教师	2006	副高职称
陈培香	女	贵州龙里	布依族	惠水民族中学	中学高级教师	2006	副高职称
罗廷兴	男	贵州惠水	布依族	惠水民族中学	中学高级教师	2008	副高职称
柏成志	男	贵州长顺	布依族	惠水民族中学	中学高级教师	2008	副高职称
何伦翠	女	贵州惠水	汉族	惠水民族中学	中学高级教师	2008	副高职称
罗开毅	男	贵州惠水	布依族	惠水民族中学	中学高级教师	2008	副高职称
罗仕喜	男	贵州惠水	布依族	惠水民族中学	中学高级教师	2008	副高职称
蒋建军	男	贵州惠水	汉族	惠水民族中学	中学高级教师	2008	副高职称

续表

姓　名	性别	籍贯	民族	工作单位	技术职称	聘任时间	备注
程　敏	女	贵州长顺	汉族	惠水民族中学	中学高级教师	2008	副高职称
陈正华	男	贵州惠水	布依族	惠水民族中学	中学高级教师	2011	副高职称
姚海霞	女	贵州长顺	汉族	惠水民族中学	中学高级教师	2011	副高职称
王新梅	女	贵州惠水	布依族	惠水民族中学	中学高级教师	2011	副高职称
周良友	男	贵州贵阳	汉族	惠水民族中学	中学高级教师	2011	副高职称
安　群	女	贵州惠水	汉族	惠水民族中学	中学高级教师	2011	副高职称
王　庆	女	贵州惠水	汉族	惠水民族中学	中学高级教师	2011	副高职称
魏培红	女	贵州惠水	汉族	惠水民族中学	中学高级教师	2011	副高职称
李水舰	男	贵州瓮安	汉族	惠水民族中学	中学高级教师	2011	副高职称
邓继启	男	湖南道县	汉族	惠水民族中学	中学高级教师	2011	副高职称
李纯璞	女	四川达州	汉族	惠水民族中学	中学高级教师	2011	副高职称
杨　涛	女	贵州惠水	汉族	惠水民族中学	中学高级教师	2011	副高职称
罗占恒	男	贵州惠水	布依族	惠水民族中学	中学高级教师	2012	副高职称
曾　武	男	贵州惠水	汉族	惠水民族中学	中学高级教师	2012	副高职称
熊　伟	男	贵州翁安	汉族	惠水民族中学	中学高级教师	2014	副高职称
王小燕	女	贵州惠水	汉族	惠水民族中学	中学高级教师	2014	副高职称
韦祖虎	男	贵州惠水	布依族	惠水民族中学	中学高级教师	2014	副高职称
佘惠群	女	贵州惠水	汉族	惠水民族中学	中学高级教师	2014	副高职称
唐江穗	女	贵州惠水	汉族	惠水民族中学	中学高级教师	2014	副高职称
李　虹	女	贵州惠水	汉族	惠水民族中学	中学高级教师	2014	副高职称
付　素	男	贵州长顺	汉族	惠水民族中学	中学高级教师	2014	副高职称
胡晓华	女	贵州惠水	汉族	惠水民族中学	中学高级教师	2014	副高职称
陈欲洲	男	贵州惠水	布依族	惠水民族中学	中学高级教师	2014	副高职称
吴大贵	男	贵州惠水	苗族	惠水民族中学	中学高级教师	2014	副高职称
张思定	女	贵州思南	土家族	惠水民族中学	中学高级教师	2014	副高职称
蒋伯勇	男	贵州惠水	汉族	惠水民族中学	中学高级教师	2014	副高职称
陈　斌	男	贵州惠水	布依族	惠水民族中学	中学高级教师	2014	副高职称
庭世新	男	贵州惠水	苗族族	惠水民族中学	中学高级教师	2014	副高职称
卢维洲	男	贵州惠水	布依族	惠水民族中学	中学高级教师	2014	副高职称
毛登荣	男	贵州惠水	布依族	惠水民族中学	中学高级教师	2014	副高职称
罗国兵	男	贵州惠水	苗族	惠水民族中学	中学高级教师	2014	副高职称
杨　斌	男	贵州惠水	布依族	惠水民族中学	中学高级教师	2014	副高职称
陈　楠	女	贵州惠水	汉族	惠水民族中学	中学高级教师	2014	副高职称
陈明荣	男	贵州长顺	布依族	惠水民族中学	中学高级教师	2014	副高职称

续表

姓 名	性别	籍贯	民族	工作单位	技术职称	聘任时间	备注
李开琼	女	贵州惠水	汉族	惠水民族中学	中学高级教师	2014	副高职称
陈永红	男	贵州长顺	汉族	惠水民族中学	中学高级教师	2014	副高职称
徐天萍	女	贵州惠水	汉族	惠水民族中学	中学高级教师	2014	副高职称
杨发秀	女	贵州惠水	布依族	惠水民族中学	中学高级教师	2014	副高职称
费三川	女	贵州惠水	布依族	惠水民族中学	中学高级教师	2015	副高职称
申超胜	男	贵州惠水	汉族	惠水民族中学	中学高级教师	2015	副高职称
吴春梅	女	贵州惠水	苗族	惠水民族中学	中学高级教师	2015	副高职称
欧阳姣林	女	贵州惠水	汉族	惠水民族中学	中学高级教师	2015	副高职称
郑国彬	男	贵州惠水	汉族	惠水民族中学	中学高级教师	2015	副高职称
唐海深	男	贵州惠水	苗族	惠水民族中学	中学高级教师	2015	副高职称
韩红易	男	贵州道真	仡佬族	惠水民族中学	中学高级教师	2015	副高职称
夏曲波	女	贵州惠水	汉族	惠水民族中学	中学高级教师	2015	副高职称
程光凡	男	贵州惠水	布依族	惠水民族中学	中学高级教师	2015	副高职称
罗娅琴	女	贵州德江	土家族	惠水民族中学	中学高级教师	2015	副高职称
罗德灿	男	贵州惠水	布依族	惠水民族中学	中学高级教师	2015	副高职称
毛 炬	男	贵州贵阳	汉族	惠水民族中学	中学高级教师	1993	副高职称
吴培鸿	男	贵州惠水	汉族	惠水民族中学	中学高级教师	1993	副高职称
袁燕音	女	贵州贵阳	汉族	惠水民族中学	中学高级教师	1993	副高职称
陈朝苏	男	贵州惠水	汉族	惠水民族中学	中学高级教师	1993	副高职称
杨秀全	男	湖南	汉族	惠水民族中学	中学高级教师	1993	副高职称
韩寰光	男	贵州花溪	汉族	惠水民族中学	中学高级教师	1993	副高职称
胡泽苍	男	贵州惠水	汉族	惠水民族中学	中学高级教师	1993	副高职称
杜正芳	男	贵州惠水	汉族	惠水民族中学	中学高级教师	1993	副高职称
陶铭剑	男	四川	汉族	惠水民族中学	中学高级教师	1993	副高职称
左辅仁	男	贵州惠水	汉族	惠水民族中学	中学高级教师	1993	副高职称
翁玉录	女	贵州惠水	汉族	惠水民族中学	中学高级教师	1993	副高职称
高连峨	男	贵州惠水	汉族	惠水民族中学	中学高级教师	1993	副高职称
鲍秀珍	女	江苏	汉族	惠水民族中学	中学高级教师	1993	副高职称
杨 志	男	上海	汉族	惠水民族中学	中学高级教师	1993	副高职称
戴玉祥	男	河北	汉族	惠水民族中学	中学高级教师	1995	副高职称
谢家兴	男	贵州惠水	布依族	惠水民族中学	中学高级教师	1995	副高职称
张 璞	男	湖南长沙	汉族	惠水民族中学	中学高级教师（特级）	1996	副高职称
李惠琴	女	贵州惠水	汉族	惠水民族中学	中学高级教师	1998	副高职称
许柏山	男	福建	汉族	惠水民族中学	中学高级教师	1998	副高职称

续表

姓　名	性别	籍贯	民族	工作单位	技术职称	聘任时间	备注
方新华	女	贵州惠水	布依族	惠水民族中学	中学高级教师	1998	副高职称
葛永翠	女	贵州长顺	汉族	惠水民族中学	中学高级教师	1998	副高职称
吴瑞珠	女	上海	汉族	惠水民族中学	中学高级教师	1999	副高职称
张荣华	女	贵州惠水	汉族	惠水民族中学	中学高级教师	1999	副高职称
柳姣姝	女	贵州都匀	汉族	惠水民族中学	中学高级教师	1999	副高职称
桑培跃	女	贵州惠水	汉族	惠水民族中学	中学高级教师	1999	副高职称
陶永琴	女	贵州惠水	汉族	惠水民族中学	中学高级教师	1999	副高职称
钟一莉	女	贵州惠水	汉族	惠水民族中学	中学高级教师	2002	副高职称
方勇平	男	贵州惠水	汉族	惠水民族中学	中学高级教师	2002	副高职称
王宗泉	男	贵州惠水	汉族	惠水民族中学	中学高级教师	2000	副高职称
刘　刚	男	贵州翁安	汉族	惠水民族中学	中学高级教师	2002	副高职称
王惠玲	女	贵州惠水	汉族	惠水民族中学	中学高级教师	2008	副高职称
曾雁飞	女	贵州惠水	汉族	惠水民族中学	中学高级教师	2004	副高职称
李　虹	女	贵州惠水	汉族	惠水民族中学	中学高级教师	2014	副高职称
田　戈	女	四川成都	汉族	惠水民族中学	中学高级教师	2004	副高职称
余歌今	男	四川信阳	汉族	惠水民族中学	中学高级教师	1988	副高职称
费新华	男	河南	汉族	惠水民族中学	中学高级教师	1993	副高职称
石化智	男	贵州惠水	汉族	惠水民族中学	中学高级教师	1993	副高职称
毛全智	男	贵州惠水	汉族	惠水民族中学	中学高级教师	2000	副高职称
简志刚	男	贵州惠水	汉族	惠水县第二中学	中学高级教师	2011	副高职称
李举华	男	贵州惠水	汉族	惠水县第二中学	中学高级教师	2011	副高职称
鲁盛军	男	贵州惠水	苗族	惠水县第二中学	中学高级教师	2011	副高职称
逯志慧	女	贵州惠水	汉族	惠水县第二中学	中学高级教师	2011	副高职称
姚忠益	男	贵州长顺	汉族	惠水县第二中学	中学高级教师	2011	副高职称
傅昆燕	女	贵州惠水	汉族	惠水县第二中学	中学高级教师	2011	副高职称
毛惠菊	女	贵州惠水	汉族	惠水县第二中学	中学高级教师	2012	副高职称
杨　莉	女	贵州惠水	汉族	惠水县第二中学	中学高级教师	2012	副高职称
罗　莹	女	贵州惠水	布依族	惠水县第二中学	中学高级教师	2014	副高职称
王义芳	男	贵州惠水	布依族	惠水县第二中学	中学高级教师	2014	副高职称
戢声艳	女	贵州惠水	布依族	惠水县第二中学	中学高级教师	2014	副高职称
陈开武	男	贵州惠水	布依族	惠水县第二中学	中学高级教师	2014	副高职称
黎显邦	男	贵州独山	汉族	惠水县第二中学	中学高级教师	2014	副高职称
王飞凤	女	贵州惠水	苗族	惠水县第二中学	中学高级教师	2014	副高职称
王欣丽	女	贵州惠水	苗族	惠水县第二中学	中学高级教师	2014	副高职称

续表

姓　名	性别	籍贯	民族	工作单位	技术职称	聘任时间	备注
王燕萍	女	贵州惠水	布依族	惠水县第二中学	中学高级教师	2014	副高职称
杨江红	男	贵州惠水	布依族	惠水县第二中学	中学高级教师	2014	副高职称
杨　松	男	贵州惠水	汉族	惠水县第二中学	中学高级教师	2014	副高职称
柴祥刚	男	贵州惠水	汉族	惠水县第二中学	中学高级教师	2015	副高职称
罗昌银	男	贵州惠水	布依族	惠水县第二中学	中学高级教师	2015	副高职称
杨廷科	男	贵州惠水	苗族	惠水县第二中学	中学高级教师	2015	副高职称
余惠萍	女	贵州惠水	汉族	惠水县第二中学	中学高级教师	2015	副高职称
杨再权	男	贵州惠水	布依族	惠水县第二中学	中学高级教师	1988	副高职称
饶润郭	男	贵州惠水	汉族	惠水县第二中学	中学高级教师	1988	副高职称
刘东兰	女	贵州惠水	布依族	惠水县第二中学	中学高级教师	1993	副高职称
杨再昌	男	贵州惠水	布依族	惠水县第二中学	中学高级教师	1993	副高职称
王兆美	男	贵州惠水	汉族	惠水县第二中学	中学高级教师	1993	副高职称
朱碧华	女	贵州惠水	汉族	惠水县第二中学	中学高级教师	1993	副高职称
罗来良	男	贵州长顺	布依族	惠水县第二中学	中学高级教师	1993	副高职称
杨志刚	男	贵州惠水	布依族	惠水县第二中学	中学高级教师	1993	副高职称
周祚治	男	贵州惠水	布依族	惠水县第二中学	中学高级教师	1993	副高职称
李家圭	女	四川	汉族	惠水县第二中学	中学高级教师	1993	副高职称
王道生	男	贵州长顺	布依族	惠水县第二中学	中学高级教师	1993	副高职称
邓明培	女	贵州惠水	汉族	惠水县第二中学	中学高级教师	1994	副高职称
颜　川	男	贵州惠水	汉族	惠水县第二中学	中学高级教师（特级）	1995	副高职称
赵顺国	男	贵州福泉	汉族	惠水县第二中学	中学高级教师	1998	副高职称
陈明旭	男	贵州惠水	汉族	惠水县第二中学	中学高级教师	2000	副高职称
安华祥	男	贵州惠水	汉族	惠水县第二中学	中学高级教师	2002	副高职称
陈全海	男	贵州惠水	苗族	惠水县第二中学	中学高级教师	2002	副高职称
邓启智	男	贵州惠水	布依族	惠水县第二中学	中学高级教师	2003	副高职称
吴邦建	男	贵州惠水	苗族	惠水县第二中学	中学高级教师	2004	副高职称
汪　宁	男	贵州惠水	汉族	惠水县第二中学	中学高级教师	2004	副高职称
吕国琴	女	贵州惠水	汉族	惠水县第二中学	中学高级教师	2005	副高职称
陈学兴	男	贵州长顺	布依族	惠水县第二中学	中学高级教师	1993	副高职称
龙康勇	男	贵州惠水	汉族	惠水县第二中学	中学高级教师	1995	副高职称
石发先	女	贵州惠水	布依族	惠水县第二中学	中学高级教师	1988	副高职称
李成芳	男	贵州惠水	汉族	惠水县第二中学	中学高级教师	1999	副高职称
李崇政	男	四川达县	汉族	惠水县第二中学	中学高级教师	1993	副高职称
李泽林	男	贵州惠水	苗族	惠县县第三中学	中学高级教师	2008	副高职称

续表

姓　名	性别	籍贯	民族	工作单位	技术职称	聘任时间	备注
李学芳	男	贵州惠水	布依族	惠县县第三中学	中学高级教师	2011	副高职称
罗国恒	男	贵州惠水	布依族	惠县县第三中学	中学高级教师	2011	副高职称
黎美顺	男	贵州惠水	汉族	惠县县第三中学	中学高级教师	2011	副高职称
熊　明	男	贵州惠水	汉族	惠县县第三中学	中学高级教师	2012	副高职称
罗正兰	女	贵州惠水	布依族	惠县县第三中学	中学高级教师	2014	副高职称
杨培欢	女	贵州惠水	布依族	惠县县第三中学	中学高级教师	2008	副高职称
龙晓华	男	贵州惠水	汉族	惠县县第三中学	中学高级教师	2012	副高职称
韩　敏	女	贵州惠水	汉族	惠水县第四中学	中学高级教师	2014	副高职称
谢　燕	女	贵州惠水	布依族	惠水县第四中学	中学高级教师	2014	副高职称
王惠珍	女	贵州惠水	汉族	惠水县第四中学	中学高级教师	2014	副高职称
罗德崇	男	贵州惠水	布依族	惠水县第四中学	中学高级教师	2014	副高职称
杨　军	男	贵州惠水	布依族	惠水县第四中学	中学高级教师	2014	副高职称
谢万光	男	贵州惠水	布依族	惠水县第四中学	中学高级教师	2014	副高职称
雷世芳	女	贵州惠水	布依族	惠水县第四中学	中学高级教师	2014	副高职称
詹　卉	女	贵州惠水	汉族	惠水县第四中学	中学高级教师	2015	副高职称
李志敏	女	贵州惠水	汉族	惠水县第四中学	中学高级教师	2015	副高职称
罗家孟	男	贵州惠水	布依族	惠水县第四中学	中学高级教师	2015	副高职称
陈斗凤	女	贵州福泉	汉族	惠水县第四中学	中学高级教师	2015	副高职称
陈志兰	女	贵州惠水	苗族	惠水县第四中学	中学高级教师	2003	副高职称
刘发瑛	女	贵州惠水	布依族	惠水县第四中学	中学高级教师	2008	副高职称
梁万荣	男	贵州惠水	布依	惠水县第四中学	中学高级教师	2014	副高职称
赵建华	男	贵州惠水	侗族	惠水县中等职业学校	中学高级教师	2006	副高职称
赵朝文	男	贵州惠水	苗族	惠水县中等职业学校	中学高级教师	2008	副高职称
付家林	男	贵州惠水	布依族	惠水县中等职业学校	中学高级教师	2008	副高职称
吴晶晶	女	贵州惠水	苗族	惠水县中等职业学校	中学高级教师	2012	副高职称
杨开华	男	贵州惠水	布依族	惠水县中等职业学校	中学高级教师	2012	副高职称
罗香琴	女	贵州惠水	布依族	惠水县中等职业学校	中学高级教师	2012	副高职称
唐　冰	男	贵州惠水	汉族	惠水县中等职业学校	中学高级教师	2014	副高职称
花仁莲	女	贵州惠水	布依族	惠水县中等职业学校	中学高级教师	2014	副高职称
毛荣翠	女	贵州惠水	布依族	惠水县中等职业学校	中学高级教师	2014	副高职称
陈　萍	女	贵州龙里	布依族	惠水县中等职业学校	中学高级教师	2014	副高职称
谢家宁	男	贵州惠水	布依族	惠水县中等职业学校	中学高级教师	2015	副高职称
彭文榜	男	贵州惠水	汉族	惠水县高镇中学	中学高级教师	2004	副高职称
殷学芳	男	贵州惠水	汉族	惠水县高镇中学	中学高级教师	2008	副高职称
刘发祥	男	贵州惠水	布依族	惠水县高镇中学	中学高级教师	2008	副高职称

续表

姓 名	性别	籍贯	民族	工作单位	技术职称	聘任时间	备注
罗度祥	男	贵州惠水	布依族	惠水县高镇中学	中学高级教师	2008	副高职称
杨　明	男	贵州惠水	布依族	惠水县高镇中学	中学高级教师	2011	副高职称
雷世鹏	男	贵州惠水	汉族	惠水县高镇中学	中学高级教师	2011	副高职称
陈开德	男	贵州惠水	布依族	惠水县高镇中学	中学高级教师	2011	副高职称
班辉娟	女	贵州惠水	汉族	惠水县高镇中学	中学高级教师	2013	副高职称
刘大成	男	贵州惠水	汉族	惠水县高镇中学	中学高级教师	2014	副高职称
罗　瑛	女	贵州惠水	汉族	惠水县高镇中学	中学高级教师	2015	副高职称
刘世忠	男	贵州惠水	汉族	惠水县高镇中学	中学高级教师	2015	副高职称
王文清	男	贵州惠水	布依族	惠水县好花红中学	中学高级教师	2006	副高职称
杨兴健	男	贵州惠水	布依族	惠水县好花红中学	中学高级教师	2008	副高职称
杨体澍	男	贵州惠水	布依族	惠水县好花红中学	中学高级教师	2014	副高职称
王恩隆	男	贵州惠水	布依族	惠水县好花红中学	中学高级教师	1988	副高职称
袁忠贵	男	贵州惠水	汉族	惠水县三都中学	中学高级教师	2006	副高职称
丰元高	男	贵州惠水	汉族	惠水县三都中学	中学高级教师	2008	副高职称
陈文奎	男	贵州惠水	布依族	惠水县三都中学	中学高级教师	2008	副高职称
宋相武	男	贵州惠水	苗族	惠水县三都中学	中学高级教师	2008	副高职称
曾庆国	男	贵州惠水	布依族	惠水县三都中学	中学高级教师	2014	副高职称
刘发文	男	贵州惠水	汉族	惠水县三都中学	中学高级教师	2014	副高职称
潘明德	男	贵州惠水	苗族	惠水县三都中学	中学高级教师	2014	副高职称
杨光玉	男	贵州惠水	布依族	惠水县三都中学	中学高级教师	2014	副高职称
周兴洪	女	贵州惠水	汉族	惠水县三都中学	中学高级教师	2014	副高职称
杨昌杰	男	贵州惠水	布依族	惠水县抵季中学	中学高级教师	2007	副高职称
陈景育	男	贵州惠水	布依族	惠水县抵季中学	中学高级教师	2015	副高职称
罗国锦	男	贵州惠水	布依族	惠水县羡塘中学	中学高级教师	2015	副高职称
胡家有	男	贵州惠水	汉族	惠水县断杉中学	中学高级教师	2015	副高职称
吴邦荣	男	贵州惠水	苗族	惠水县雅水中学	中学高级教师	1998	副高职称
岑国勇	男	贵州惠水	布依族	惠水县雅水中学	中学高级教师	2011	副高职称
杨　林	男	贵州惠水	布依族	惠水县雅水中学	中学高级教师	2011	副高职称
罗正金	男	贵州惠水	布依族	惠水县雅水中学	中学高级教师	2012	副高职称
庭世辉	男	贵州惠水	苗族	惠水县摆金中学	中学高级教师	2006	副高职称
吴成亮	男	贵州惠水	苗族	惠水县摆金中学	中学高级教师	2014	副高职称
石广平	男	贵州惠水	布族族	惠水县摆金中学	中学高级教师	2015	副高职称
白文学	男	贵州惠水	布依族	惠水县王佑中学	中学高级教师	2008	副高职称
陈　彬	男	贵州惠水	布依族	惠水县王佑中学	中学高级教师	2011	副高职称
程朝清	男	贵州惠水	布依族	惠水县王佑中学	中学高级教师	2012	副高职称

续表

姓　名	性别	籍贯	民族	工作单位	技术职称	聘任时间	备注
王　赋	男	贵州惠水	布依族	惠水县王佑中学	中学高级教师	2014	副高职称
殷定刚	男	贵州惠水	汉族	惠水县芦山中学	中学高级教师	2008	副高职称
王明金	男	贵州惠水	汉族	惠水县芦山中学	中学高级教师	2011	副高职称
王启安	男	贵州惠水	布依族	惠水县芦山中学	中学高级教师	2014	副高职称
罗家学	男	贵州惠水	布依族	惠水县芦山中学	中学高级教师	2014	副高职称
王文江	男	贵州惠水	苗族	惠水县思源实验学校	中学高级教师	2008	副高职称
龙恩卫	男	贵州惠水	布依族	惠水县思源实验学校	中学高级教师	2012	副高职称
陈有金	男	贵州惠水	汉族	惠水县大坝中心学校	中学高级教师	2015	副高职称
史　毅	男	贵州惠水	汉族	惠水县甲戎中心学校	中学高级教师	2015	副高职称
熊　志	男	贵州惠水	汉族	惠水县甲戎中心学校	中学高级教师	2015	副高职称
程明良	男	贵州惠水	布依族	惠水县大龙中心学校	中学高级教师	2008	副高职称
罗国章	男	贵州惠水	布依族	惠水县好花红乡中心小学	中学高级教师	2008	副高职称
李家森	男	贵州惠水	汉族	惠水县城关一小	中学高级教师	1988	副高职称
葛师琼	女	贵州贵阳	汉族	惠水县城关第一小学	中学高级教师	1988	副高职称
丰元庆	男	贵州惠水	汉族	惠水县城关第一小学	中学高级教师	2011	副高职称
陈全刚	男	贵州惠水	汉族	惠水县城关第二小学	中学高级教师	1988	副高职称
胡家浓	男	贵州惠水	汉族	惠水县城关第二小学	中学高级教师	1988	副高职称
陈明华	男	贵州惠水	汉族	惠水县特殊教育学校	中学高级教师	2010	副高职称
杨　予	男	贵州惠水	汉族	惠水县人民医院	主任医师	2012	正高职称
杨廷富	男	贵州惠水	布依族	惠水县人民医院	副主任医师	2006	副高职称
郝春梅	女	贵州惠水	汉族	惠水县人民医院	副主任护师	2008	副高职称
方勇祥	男	贵州惠水	布依族	惠水县人民医院	副主任医师	2001	副高职称
莫　瑞	男	贵州惠水	布依族	惠水县人民医院	副主任医师	2003	副高职称
肖幼昆	男	江苏泰兴	汉族	惠水县人民医院	副主任医师	2006	副高职称
杨　炫	女	贵州惠水	布依族	惠水县人民医院	副主任医师	2011	副高职称
万春泉	男	贵州惠水	汉族	惠水县人民医院	副主任医师	2012	副高职称
武美云	女	河南密县	汉族	惠水县人民医院	副主任医师	2011	副高职称
武利文	女	贵州惠水	汉族	惠水县人民医院	副主任医师	2013	副高职称
潘昌松	女	贵州惠水	汉族	惠水县人民医院	副主任医师	2013	副高职称
王要武	男	贵州惠水	汉族	惠水县人民医院	副主任医师	2013	副高职称
祝　涛	女	贵州惠水	汉族	惠水县人民医院	副主任护师	2013	副高职称
卢玉龙	男	贵州惠水	汉族	惠水县人民医院	副主任医师	2014	副高职称
左琼芳	女	湖南湘阳	布依族	惠水县人民医院	副主任医师	2014	副高职称
冯　玮	女	江苏无锡	汉族	惠水县人民医院	副主任医师	2014	副高职称
石秀荣	女	贵州惠水	汉族	惠水县人民医院	副主任医师	2014	副高职称

续表

姓　名	性别	籍贯	民族	工作单位	技术职称	聘任时间	备注
杨静荣	女	贵州惠水	布依族	惠水县人民医院	副主任医师	2014	副高职称
杨昌俊	男	贵州惠水	布依族	惠水县人民医院	副主任医师	2014	副高职称
胡水荣	男	贵州惠水	汉族	惠水县人民医院	副主任医师	2014	副高职称
杜舍平	男	贵州惠水	汉族	惠水县人民医院	副主任医师	2014	副高职称
马　艺	女	贵州金沙	汉族	惠水县人民医院	副主任医师	2014	副高职称
雷莉萍	女	贵州惠水	汉族	惠水县人民医院	副主任医师	2015	副高职称
张正梅	女	贵州惠水	布依族	惠水县人民医院	副主任医师	2015	副高职称
廖武孝	男	贵州惠水	汉族	惠水县中医院	中医副主任医师	2003	副高职称
罗德智	男	贵州惠水	布依族	惠水县中医院	中医副主任医师	2001	副高职称
孙　刚	男	贵州黔西	汉族	惠水县中医院	外科副主任医师	2011	副高职称
叶　俊	男	浙江兰溪	汉族	惠水县中医院	中医副主任医师	2013	副高职称
杨昌莲	女	贵州惠水	苗族	惠水县中医院	副主任医师	2013	副高职称
张良品	男	贵州惠水	汉族	惠水县中医院	副主任医师	1998	副高职称
朱定勇	男	贵州惠水	汉族	惠水县中医院	中医内科副主任医师	2013	副高职称
刘益民	女	贵州惠水	汉族	惠水县中医院	副主任医师	2014	副高职称
罗德俊	男	贵州惠水	布依族	惠水县疾控中心	副主任医师	2007	副高职称
王廷辉	男	贵州惠水	汉族	惠水县王佑镇中心卫生院	副主任医师	2015	副高职称
谢琴珍	女	贵州惠水	布依族	惠水县王佑镇中心卫生院	副主任医师	2015	副高职称
杨胜林	男	贵州惠水	布依族	惠水县断杉镇中心卫生院	副主任医师	2015	副高职称
班金芳	男	贵州惠水	布依族	惠水县断杉镇中心卫生院	副主任医师	2015	副高职称
张　荣	男	贵州贵阳	汉族	贵州险峰机床厂	高级工程师	2011	副高职称
周安刚	男	江苏金湖	汉族	贵州险峰机床厂	高级工程师	1997	副高职称
邓佑祖	男		汉族	贵州险峰机床厂	高级工程师	1997	副高职称
高韶光	男	河北	汉族	贵州险峰机床厂	高级工程师	2011	副高职称
夏永良	男		汉族	贵州险峰机床厂	高级工程师	2011	副高职称
章群渝	男	贵州惠水	汉族	贵州险峰机床厂	高级工程师	2005	副高职称
周钢武	男	浙江宁海	汉族	贵州险峰机床厂	高级工程师	2005	副高职称
汪永东	男	贵州清镇	汉族	贵州险峰机床厂	高级工程师	2006	副高职称
付恒勋	男	重庆秀山	土家族	贵州险峰机床厂	高级工程师	2011	副高职称
杨昌详	男	贵州惠水	汉族	贵州险峰机床厂	高级工程师	2011	副高职称
龙跃山	男	贵州锦屏	汉族	贵州险峰机床厂	高级工程师	2013	副高职称
刘开烈	男	贵州天柱	侗族	贵州险峰机床厂	高级工程师	2011	副高职称
简崇国	男	贵州惠水	汉族	贵州险峰机床厂	高级工程师	1997	副高职称
陆志前	男	贵州安顺	汉族	贵州险峰机床厂	高级工程师	2005	副高职称
王冰凌	男	浙江余杭	汉族	贵州险峰机床厂	高级工程师	2011	副高职称

续表

姓 名	性别	籍贯	民族	工作单位	技术职称	聘任时间	备注
王昌江	男	吉林集安	汉族	贵州险峰机床厂	高级工程师	2013	副高职称
刘浩波	男	福建福州	苗族	贵州险峰机床厂	高级工程师	2012	副高职称
魏筑军	男	山西繁峙	汉族	贵州险峰机床厂	高级工程师	2012	副高职称
何　甦	女	浙江余杭	汉族	贵州险峰机床厂	高级工程师	1997	副高职称
周金燕	女	贵州贵阳	汉族	贵州险峰机床厂	高级工程师	2005	副高职称
舒洪兴	男	贵州惠水	汉族	贵州险峰机床厂	高级工程师	2006	副高职称
田锡龙	男	重庆南川	汉族	贵州险峰机床厂	高级工程师	1998	副高职称
周忠新	男	江苏无锡	汉族	贵州险峰机床厂	高级经济师	2011	副高职称
张广志	男	辽宁沈阳	汉族	贵州险峰机床厂	高级经济师	2007	副高职称
杨明安	男	贵州惠水	汉族	贵州险峰机床厂	高级政工师	2009	正高职称
区炎光	男		汉族	贵州险峰机床厂	研究员	2000	正高职称
杨　绣	男		汉族	贵州险峰机床厂	研究员	2000	正高职称
林开胡	男	福建永春	汉族	贵州险峰机床厂	研究员	2000	正高职称
孟政武	男	贵州独山	布依族	惠水供电局	高级工程师	2011	副高职称
郝洪中	男	贵州惠水	汉族	惠水供电局	高级工程师	1990	副高职称
徐泽洲	男	四川涪陵	汉族	惠水县林业局	高级工程师	2015	副高职称
陈世英	女	贵州惠水	汉族	惠水县住建局	高级工程师	2014	副高职称
陈正信	男	贵州惠水	汉族	惠水县住建局	高级工程师	1998	副高职称
郑鸿福	男	贵州惠水	汉族	惠水县住建局	高级工程师	2014	副高职称
李兴华	男	贵州惠水	汉族	王佑镇水管所	高级工程师	2015	副高职称
邱育星	男	广东大埔	汉族	惠水县农工局	高级农艺师	1987	副高职称
李朝林	男	贵州惠水	汉族	惠水县农业局	高级农艺师	1993	副高职称
陈文良	男	贵州惠水	苗族	惠水县农业局	高级农艺师	2005	副高职称
陈惠兰	女	贵州惠水	汉族	惠水县农工局	高级农艺师	2011	副高职称
杨亚平	男	贵州惠水	布依族	惠水县农工局	高级农艺师	2011	副高职称
裴承元	男	贵州惠水	苗族	惠水县农工局	高级农艺师	2014	副高职称
朱　涛	女	贵州惠水	苗族	惠水县农工局	高级农艺师	2012	副高职称
梁　黔	男	贵州惠水	布依族	惠水县农工局	高级农艺师	2015	副高职称
罗万钦	男	贵州惠水	汉族	惠水县农工局	高级兽医师	1998	副高职称
阳德华	男	贵州惠水	汉族	惠水县农工局	高级兽医师	2012	副高职称
赵福琼	女	贵州惠水	汉族	惠水县农工局	高级兽医师	2014	副高职称
腾树明	男	贵州惠水	汉族	惠水县农工局	高级农艺师	2014	副高职称
龙安祥	男	贵州惠水	苗族	惠水县农工局	高级农艺师	2014	副高职称
卢华幺	男	贵州惠水	汉族	惠水县农工局	高级农艺师	2014	副高职称
陈应祥	男	贵州惠水	布依族	惠水县农工局	高级兽医师	2014	副高职称

续表

姓　名	性别	籍贯	民族	工作单位	技术职称	聘任时间	备注
陈　康	男	贵州惠水	布依族	惠水县农工局	高级畜牧师	2014	副高职称
王友坤	男	贵州惠水	布依族	惠水县农工局	高级农艺师	2014	副高职称
罗国茂	男	贵州惠水	布依族	惠水县农工局	高级水产工程师	2014	副高职称
曾　华	男	贵州惠水	汉族	惠水县农工局	高级农艺师	2014	副高职称
刘马林	男	贵州惠水	汉族	惠水县农工局	高级农艺师	2014	副高职称
石广成	男	贵州惠水	苗族	惠水县农工局	高级兽医师	2014	副高职称
谢修林	男	贵州惠水	布依族	惠水县农工局	高级兽医师	2015	副高职称
班国祥	男	贵州惠水	布依族	惠水县农工局	高级兽医师	2014	副高职称
谢显传	男	广东梅州	汉族	惠水造纸厂	高级工程师	1998	副高职称
林素贞	女	广东梅州	汉族	惠水造纸厂	高级工程师	1999	副高职称

（五）县境外正高职称人员

姓　名	性别	籍贯	民族	工作单位	专业技术职称	备注
熊　纲	男	贵州惠水	汉族	英国剑桥大学	研究员	
董文渊	男	贵州惠水	汉族	西南林业大学	教授	博士生导师
陈玉春	男	贵州惠水	布依族	西北工业大学	教授	博士生导师
周蜀琳	男	贵州惠水	汉族	北京大学	教授	博士生导师
郝元涛	男	贵州惠水	汉族	中山大学	教授	博士生导师
吴　霓	男	贵州惠水	布依族	教育部教科所	教授	博士生导师
程　静	女	贵州惠水	汉族	美国阿尔法数据分析公司	研究员	
肖明忠	男	贵州惠水	汉族	北京师范大学	教授	硕士生导师
程　莉	女	贵州惠水	汉族	河海大学	教授	硕士生导师
邱　冰	男	贵州惠水	汉族	贵州省骨科医院	教授	硕士生导师
王元林	男	贵州惠水	汉族	贵州省人民医院	主任医师教授	硕士生导师
安和平	男	贵州惠水	汉族	贵州大学	教授	硕士生导师
王亚林	男	贵州惠水	汉族	贵州省人民医院	主任医师	
龚大明	男	贵州惠水	汉族	贵州省师范大学	教授	硕士生导师
陈　瑶	女	贵州惠水	汉族	贵阳中医学院	教授	博士生导师
陈丹惠	女	贵州惠水	汉族	贵阳中医学院	主任医师	
殷亚峰	男	贵州惠水	汉族	美国佛罗大学	教授	
殷　钢	男	贵州惠水	汉族	美国某家生物制药公司	研究员	
龚　勤	女	贵州惠水	汉族	贵阳中医学院	主任医师、教授	硕士生导师
宋文模	男	贵州惠水	汉族	洛阳第二炼油研究员	研究员、总工程师	解放初期浙大毕业

（六）1978—2015年惠水籍一等功军人名单

姓　名	性别	民族	籍贯	部队番号	立功原因	立功时间	立功等次	备注
王科元	男	苗族	贵州惠水	中国人民解放军5356部队	对越自卫还击战中成绩显著	1979年	一等功	
张德华	男	汉族	贵州惠水	中国人民解放军5425部队	恢复发卡山战斗中完成任务出色	1981年	一等功	
杨体航	男	布依族	贵州惠水	中国人民解放军3550部队	在中越边境云南排雷中高质量完成任务	1994年	一等功	
严文学	男	汉族	贵州惠水	中国人民解放军5350部队	在谅山战斗中出色完成任务	1979年	一等功	2001年去世

（七）百岁寿星

姓　名	性别	籍贯	民族	出生时间	家庭住址	备注
龙蒋氏	女	长顺威远	汉族	1885年	惠水县三都镇旧司村六组	1992年去世
陈冬英	女	贵州惠水	布依族	1912年	惠水县甲戎乡河坝村播拢组	2013年去世
杜左氏	女	贵州惠水	汉族	1906年	惠水县涟江街道惠明村高旺2组	2007年去世
吴杨氏	女	贵州惠水	苗族	1907年	惠水县涟江街道惠明村廻龙1组	2013年去世
李黄氏	女	贵州惠水	汉族	1914年	惠水县涟江街道西山社区7组	2014年去世
顾王氏	女	贵州惠水	汉族	1902年	惠水县涟江街道星光村云盘组	2012年去世
金华新	女	贵州惠水	汉族	1913年	惠水县涟江街道新城村满坝2组	2015年去世
饶润庚	男	贵州惠水	汉族	1914年	惠水县涟江街道濛江社区和平路	2015年去世
杨米乔	女	贵州惠水	汉族	1915年	惠水县濛江街道光明村4组	2019年去世
段绍奎	男	贵州惠水	汉族	1907年	惠水县濛江街道山后村10组	2018年去世
张老芝	女	贵州惠水	布依族	1901年	惠水县好花红镇百鸟河村13组	2004年去世
杨　召	女	贵州惠水	布依族	1911年	惠水县好花红镇河坝村单竹组	2012年去世
杨应桃	女	贵州惠水	布依族	1912年	惠水县好花镇好花红村努力2组	2018年去世
秦乔弟	女	贵州惠水	汉族	1912年	惠水县好花红镇石头村大石头组	2013年去世

续表

姓 名	性别	籍贯	民族	出生时间	家庭住址	备注
陈必良	男	贵州惠水	布依族	1915年	惠水县断杉镇 八大村松场组	2018年去世
刘乔氏	女	贵州惠水	汉族	1913年	惠水县断杉镇 新民村八高组	2016年去世
陈么妹	女	贵州惠水	布依族	1915年	惠水县断杉镇 八大村对门组	2016年去世
罗二妹	女	贵州惠水	布依族	1906年	惠水县断杉镇 翁平村中寨组	2011年去世
杨正荣	男	贵州惠水	苗族	1909年	惠水县断杉镇 翁平村中寨组	2010年去世
周朝英	女	贵州惠水	汉族	1907年	惠水县断杉镇 纳理村场坝组	2011年去世
杨文新	男	贵州惠水	苗族	1907年	惠水县羡塘镇 百硐村上寨组	2010年去世
莫幺妹	女	贵州惠水	布依族	1913年	惠水县羡塘镇 百硐村当坪组	2014年去世
罗东南	女	贵州惠水	布依族	1912年	惠水县羡塘镇 西混村下苑组	2014年去世
罗毓凤	女	贵州惠水	布依族	1912年	惠水县羡塘镇 甲奉村乒比组	2020年去世
罗贤州	男	贵州惠水	布依族	1907年	惠水县雅水镇 地关村大寨组	2011年去世
鲍廷美	女	贵州惠水	布依族	1913年	惠水县羡塘镇 龙虎村纳架4组	2018年去世
周乔芝	女	贵州惠水	汉族	1903年	惠水县羡塘镇 红旗村桥头组	2007年去世
付杨氏	女	贵州惠水	汉族	1901年	惠水县摆金镇 摆金村4组	2004年去世
祝杨氏	女	贵州惠水	汉族	1902年	惠水县摆金镇 摆金村7组	2005年去世
刘国英	女	贵州惠水	汉族	1906年	惠水县摆金镇 杨茂村4组	2018年去世
罗腊芸	女	贵州惠水	布依族	1913年	惠水县摆金镇 清水苑村6组	2013年去世
王李氏	女	贵州惠水	布依族	1915年	惠水县岗度镇 本底村上苑组	2017年去世
李正发	男	贵州惠水	汉族	1909年	惠水县雅水镇 街上村打白2组	2013年去世
陈乔云	女	贵州惠水	布依族	1914年	惠水县雅水镇 播潭村小岩脚组	2014年去世
陈乔来	女	贵州惠水	布依族	1913年	惠水县雅水镇 蓬路村烂坝组	2015年去世

续表

姓　名	性别	籍贯	民族	出生时间	家庭住址	备注
刘周氏	女	贵州惠水	汉族	1903年	惠水县芦山镇羊马村3组	2006年去世
夏元书	女	贵州惠水	汉族	1913年	惠水县芦山镇硐口村2组	2017年去世
李年妹	女	贵州惠水	汉族	1911年	惠水县芦山镇芦山村11组	2015年去世
罗金妹	女	贵州惠水	布依族	1909年	惠水县芦山镇民族村3组	2009年去世
罗永明	男	贵州惠水	布依族	1909年	惠水县芦山镇民族村8组	2012年去世
王英妹	女	贵州惠水	布依族	1911年	惠水县王佑镇和平村拉者组	2019年去世
杨　菊	女	贵州惠水	布依族	1913年	惠水县王佑镇平贡村6组	2017年去世

附 录

一、领导名录（2016－2019）

（一）中共惠水县委

届次	职 务	姓 名	性别	民族	籍贯	任职时间	备注
中国共产党惠水县第十二届委员会	书 记	万庆华	男	布依族	贵州长顺	2016年1～10月	
	副书记	王文旭	男	汉族	贵州福泉	2016年1～10月	
		黄俐伶	女	苗族	贵州罗甸	2016年1～10月	
		陈 宇	男	布依族	贵州惠水	2016年10～10月	
		林 云	男			2016年1～3月	挂职
		鲁显坤	男	汉族	贵州安龙	2016年6～10月	挂职
	常 委	雷白光	男	布依族	贵州都匀	2016年1～10月	
		罗国江	男	布依族	贵州惠水	2016年1～10月	
		陈 宇	男	布依族	贵州惠水	2016年1～10月	
		瞿 建	男	穿青人	贵州织金	2016年1～10月	
		孙建平	男			2016年1～10月	
		孙 造	男	汉族	湖北武汉	2016年1～10月	
		刘惠江	男	汉族	湖北潜江	2016年1～10月	
		蔡定朝	男	汉族	贵州威宁	2016年1～3月	挂职
		王 蔚	男	汉族	浙江临海	2016年1～6月	挂职
		龙木义	男	汉族	贵州独山	2016年4～10月	挂职
		马国辉	男	苗族	贵州遵义	2016年4～10月	挂职
		廖 嵩	男	汉族	江南龙南	2016年10～10月	

续表

届次	职　务	姓　名	性别	民族	籍贯	任职时间	备注
中国共产党惠水县第十二届委员会	常　委	周海泓	男	汉族	贵州瓮安	2016年10～10月	
		王维孔	男	汉族	贵州瓮安	2016年10～10月	
		陈郭勇	男	布依族	贵州长顺	2016年10～10月	
		孙　玲	女	汉族	贵州黔西	2016年10～10月	
中国共产党惠水县第十三届委员会	书　记	万庆华	男	布依族	贵州长顺	2016年10月～2019年12月	
	副书记	王文旭	男	汉族	贵州福泉	2016年10月～2019年12月	
		陈　宇	男	布依族	贵州惠水	2016年10月～2019年8月	
		鲁显坤	男	汉族	贵州安龙	2016年10月～2017年12月	挂职
		苑听雷	男	汉族	山东济南	2016年10月～2017年12月	挂职
		洪　捷	男	汉族	浙江宁波	2017年9月～2019年8月	挂职
		周奠苏	男	汉族	四川德阳	2018年4月～2019年12月	挂职
		徐光信	男	汉族	贵州福泉	2019年10～12月	
	常　委	罗国江	男	布依族	贵州惠水	2016年10月～2019年12月	
		廖　嵩	男	汉族	江南龙南	2016年10月～2017年12月	
		周海泓	男	汉族	贵州瓮安	2016年10～2017年12月	
		刘惠江	男	汉族	湖北潜江	2016年10月～2019年7月	
		马国辉	男	苗族	贵州遵义	2016年10月～2017年3月	挂职
		龙木义	男	汉族	贵州独山	2016年10月～2017年12月	挂职
		王维孔	男	汉族	贵州瓮安	2016年10月～2019年12月	
		陈郭勇	男	布依族	贵州长顺	2016年10月～2017年12月	
		孙玲	女	汉族	贵州黔西	2016年10月～2019年12月	
		李利	男	汉族	贵州瓮安	2017年12月～2019年12月	
		颜冲	男	布依族	湖南冷水江	2017年12月～2019年12月	
		赵晓红	男	汉族	河南固始	2017年3月～2019年12月	挂职
		曾辉方	男	汉族	湖南隆回	2017年6～12月	挂职
		王懿	男	苗族	广西平南	2018年8月～2019年12月	
		王昌茂	男	布依族	贵州惠水	2018年3月～2019年12月	
		周长礼	男	汉族	山东东阿	2018年4月～2019年12月	挂职
		王顺文	男	汉族	贵州惠水	2019年8～12月	

（二）惠水县人大常委会

届次	职 务	姓 名	性别	民族	籍贯	任职时间	备注
惠水县第十七届人民代表大会常务委员会	主 任	罗兴惠	女	汉族	陕西安康	2016年1月～12月	
	副主任	邓庆国	男	汉族	贵州平塘	2016年1月～12月	
		吴金兰	女	苗族	贵州惠水	2016年1月～12月	
		吴平权	男	苗族	贵州惠水	2016年1月～12月	
		刘学辉	男	汉族	贵州惠水	2016年1月～12月	
		韦 松	男	苗族	贵州罗甸	2016年1月～12月	
		孙 玲	女	汉族	贵州黔西	2016年1月～12月	
惠水县第十八届人民代表大会常务委员会	主 任	王正祥	男	布依族	贵州惠水	2017年1月～2019年12月	
	副主任	罗朝光	男	布依族	贵州惠水	2017年1月～2019年12月	
		韦 松	男	苗族	贵州罗甸	2017年1月～12月	
		罗兴明	男	汉族	陕西安康	2017年1月～2019年5月	
		龙瑞林	男	苗族	贵州松桃	2017年1月～2019年12月	
		杨胜英	女	布依族	贵州惠水	2017年1月～2019年12月	
		谢家鸿	男	布依族	贵州惠水	2017年1月～2019年12月	
		庭 奇	男	苗族	贵州惠水	2019年9月～12月	

（三）惠水县人民政府

届次	职 务	姓 名	性别	民族	籍贯	任职时间	备注
惠水县第十七届人民政府	县 长	王文旭	男	汉族	贵州福泉	2016年1~12月	
	常务副县长	罗国江	男	布依族	贵州惠水	2016年1~12月	
	副县长	陈 宇	男	布依族	贵州惠水	2016年1~10月	
		龙木义	男	汉族	贵州独山	2016年5~12月	挂职
		王 蔚	男	汉族	浙江临海	2016年1~6月	
		王晓冬	女	汉族	山东潍坊	2016年1~10月	

续表

届次	职　务	姓　名	性别	民族	籍贯	任职时间	备注
惠水县第十七届人民政府	副县长	赵朝阳	男	汉族	贵州贵阳	2016年1~12月	
		马国辉	男	苗族	贵州遵义	2016年5~12月	挂职
		欧纯智	女	汉族	黑龙江	2016年5~12月	挂职
		蔡定朝	男	汉族	贵州威宁	2016年1~4月	挂职
		王维孔	男	汉族	贵州瓮安	2016年1~10月	
		陈郭勇	男	布依族	贵州长顺	2016年1~10月	
		杨光远	男	汉族	贵州福泉	2016年10~12月	
		杨　宁	男	苗族	贵州独山	2016年10~12月	
		王昌茂	男	布依族	贵州惠水	2016年11~12月	
		王龙菊	女	布依族	贵州惠水	2016年11~12月	
	县人民政府副调研员	陈国惠	男	汉族	河南滑县	2016年1~3月	
惠水县第十八届人民政府	县　长	王文旭	男	汉族	贵州福泉	2017年1月~2019年12月	
	常务副县长	罗国江	男	布依族	贵州惠水	2017年1月~2019年12月	
	副县长	马国辉	男	苗族	贵州遵义	2017年1~5月	挂职
		龙木义	男	汉族	贵州独山	2017年1月~2018年4月	挂职
		赵晓红	男	汉族	河南固始	2017年3月~2019年12月	挂职
		曾辉方	男	汉族	湖南隆回	2017年6月~2018年4月	挂职
		赵朝阳	男	汉族	贵州贵阳	2017年1月~2018年1月	
		杨光远	男	汉族	贵州福泉	2017年1月~2018年9月	
		杨　宁	男	苗族	贵州独山	2017年1月~2018年1月	
		王昌茂	男	布依族	贵州惠水	2017年1月~2018年3月	
		王龙菊	女	布依族	贵州惠水	2017年1月~2019年12月	
		瞿建明	男	布依族	贵州福泉	2018年12月~2019年12月	
		陈应勇	男	布依族	贵州惠水	2018年9月~2019年12月	
		李永跃	男	汉族	贵州普定	2018年9月~2019年8月	
		何建宏	男	汉族	贵州修文	2018年1月~2019年8月	
		周长礼	男	汉族	山东东阿	2019年1~12月	

（四）惠水县政协

届次	职　务	姓　名	性别	民族	籍贯	任职时间	备注
中国人民政治协商会议惠水县第十二届委员会	主　席	王正祥	男	布依族	贵州惠水	2016年1~12月	
	副主席	龙兴和	男	汉族	贵州惠水	2016年1~10月	
		李正忠	男	苗族	贵州都匀	2016年1~12月	
		陈友平	男	汉族	贵州惠水	2016年1~12月	
		罗国光	男	布依族	贵州惠水	2016年1~12月	
		龙瑞林	男	苗族	贵州松桃	2016年1~12月	
		杨胜英	女	布依族	贵州惠水	2016年1~12月	
		陆光霞	女	壮族	广西容县	2016年1~12月	
中国人民政治协商会议惠水县第十三届委员会	主　席	黄俐伶	女	苗族	贵州罗甸	2017年1~12月	
	副主席	邓庆国	男	汉族	贵州平塘	2017年1月~2019年12月	
		李正忠	男	苗族	贵州都匀	2017年1月~2019年12月	
		陈友平	男	汉族	贵州惠水	2017年1月~2019年12月	
		罗国光	男	布依族	贵州惠水	2017年1月~2019年12月	
		陆光霞	女	壮族	广西容县	2017年1月~2019年12月	
		何建宏	男	汉族	贵州修文	2017年1月~2018年1月	
		尹绍红	女	布依族	贵州惠水	2017年1月~2019年12月	
		涂家卫	男	布依族	贵州惠水	2018年1月~2019年12月	

二、文章史料

（一）惠水县2014—2019年脱贫攻坚工作概略

惠水地处黔中经济区城市核心区，北临贵阳、西接国家级贵安新区，是贵州重要的陆路交通枢纽、新型工业化示范园区、农产品保供生产基地、生态宜居山水田园城镇。全县总面积2471.79平方千米，辖8镇2街道，少数民族人口占总人口的61%。

惠水地理位置优越、交通区位良好、物产资源丰富、民族风情浓郁。但由于历史、自然等诸多原因，发展不平衡、不充分的矛盾一度十分突出，属于典型的滇桂黔连片石漠化贫困地区。2014年有贫困人口8.2万人，贫困发生率20.51%。近五年来，惠水县在习近平新时代中国特色社会主义思想的指引下，在省委省政府、州委州政府的坚强领导下，按照“脱贫攻坚示范、黔中产业新区、生态宜居城镇、统筹发展高地、民族文化重镇”的定位，吹响精准扶贫精准脱贫的新号角，脱贫攻坚工作取得决定性成果。按照贵州省委、省人民政府关于2018年贫困县退出的安排部署，2019年3月中旬，贵州省扶贫开发领导小组委托华西师范大学对惠水县开展为期6天的贫困县退出第三方专项评估检查。惠水县严格落实省州决策部署和迎检各项工作要求，评估检查实现“零错漏”，通过省第三方专项评估检查。4月24日，省人民政府正式批准惠水县退出，成功实现摘帽目标；7月5日—10日，顺利通过国家第三方抽检复核。

一、脱贫攻坚的主要成效

1. 贫困人口和贫困率大幅下降。贫困人口大幅减少，从2014年的20641户82995人，减少到2018年的2293户6245人，减贫18348户76750人。贫困发生率显著下降，从2014年的20.51%下降到1.54%。贫困乡镇和贫困村相继出列，全县13个贫困乡镇全部摘帽，108个贫困村到2018年全部出列。群众认可度显著提升。通过漏评、错退专项治理，少数“不精准、不认可”等问题得到有效整治，群众认可度稳定在90%以上。

2.基础设施建设成效巨大。全县新建通村硬化路1223千米，通组硬化路3053千米（含财政“一事一议”项目）；改造农村危房17583户，修建饮水工程300余处，架设自来水管道6750千米，受益群众6.5万余户；安装光纤通讯线路6400千米，架设“广电云”光缆干线5972千米，新增电视村村通2.8万余户。农村地区从追求“走路不脏鞋、吃水不用抬”到“汽车开进来、物流动起来”。群众高兴地说：路通水通电话通，让过去的“穷山恶水”变成了“青山绿水”。农村面貌发生了翻天覆地的变化。

3.产业发展成效显著。一是农村产业革命蓬勃兴起。建成三个省级高效农业园区，推进“221111”[1]产业结构调整，调减低效作物种植面积15万亩，中国“优质米之乡、小黄姜之乡、黑糯米之乡、金钱橘之乡”的优势进一步发挥，花卉苗木、优质果蔬等支柱产业全省规模领先，皂角刺、佛手瓜、百香果等山地特色农业和水产养殖产业发展迅速。二是农业“接二连三”方兴未艾。全县工业企业从68家增加到426家，其中规模工业116家。建成装备制造、食品药品、新型建材、特色轻工四大工业体系，可提供就业岗位2.6万个。把农业作为工业的“第一车间”，涌现了“牛头牌”牛肉干、“绝味鸭脖”“味莼园”

等全国驰名商标和45家农业产业化龙头企业，“王老吉”日产100万罐饮料生产线等东西扶贫协作项目建成投产。建成覆盖全县的农村电商服务站，优质农产品在家门口实现“黔货出山”。县产出的生姜、杨梅汁等出口到日本、韩国、澳洲等地；粉丝、佛手瓜销往全国；牛肉干、皇菊等单品销售额连续三年排全省第一。三是就业培训助推脱贫。加强职业教育，加快大扶贫大数据融合发展，百鸟河数字小镇成为全省首个大数据县级园区。引进百度、阿里、今日头条等众多企业，1300余名大学生就近就业，实现了一人就业全家脱贫，得到汪洋、陈敏尔同志点赞。开展贫困劳动力全员培训，组织到县内企业和广州等对口扶持城市就业，县内外转移就业13万人次，有劳动力的贫困家庭实现户均一人就业。四是城镇化促进“蜕变”。结合易地扶贫搬迁等机遇，大力推进农业人口市民化，促进城乡融合发展，全县全员人口城镇化率50.1%。新型服务业等第三产业发展迅速，促进群众的就业。

4.易地扶贫搬迁成效显著。全县累计搬迁4149户17670人，其中建档立卡贫困人口3286户13833人，提前完成“十三五”易地扶贫搬迁计划。围绕“一步住进新房子、快步过上好日子”目标，聚焦“搬迁谁、搬出来以后怎么办”，抓实易地扶贫搬迁“后半篇”文章。扎实推进基本公共服务、培训和就业服务、文化服务、社区治理、基层党建等“五个体系”建设，深化“盘活三地、落实三就、建好三所、衔接三保、建立三制”的“五个三”[2]配套改革，搬迁群众户均就业2.02人，消除零就业家庭。县内务工比例从24%提高到57%，全县17670名搬迁群众融入城市稳定脱贫。

5.农村社会事业进步巨大。教育事业成就显著。教育保障政策全面落实，建成了完善的教育体系，全面消除因贫辍学、因学返贫等现象，有效阻断了贫困代际传递。引进贵州大学科技学院、贵州财经大学商务学院等3所高校，在校大学生3万余人。新建、改建农村薄弱学校105所，城乡幼儿园新增至63所。2017年提前实现教育均衡发展，教育质量明显提升，成为全省教育十强县之一。2018年全县高考600分以上人数、录取人数名列全州第一。2019年，惠水县高考成绩仍居全州前列。农村卫生事业全面进步。加强公立医院改革，抓好乡镇卫生院标准化建设和村卫生室建设，医疗保障政策全面落实，建成农村远程诊疗系统，基本达到“小病不出乡、大病不出县”。农村文化繁荣发展。村级文化服务阵地等基本全覆盖，被命名为中国民间文化艺术之乡，“枫香染”“苗族银饰刺绣”等成为群众增收的门路。民族团结和睦，共同繁荣发展，被国家民委命名为“民族团结进步创建示范单位”。群众内生动力显著增强。通过新时代农（市）民讲习所，大力开展感恩教育、技能教育、法治教育、文明教育，群众从“苦熬”变“苦干”，从“苦干”变“巧干”，摘掉了贫困帽。全县评选5000余户“光荣脱贫户”。

6.党群干群关系明显改善。全县201支攻坚工作队3000多名干部真蹲实驻开展网格化服务，打“伙计”结“穷亲”，带着群众干、做给群众看。2018年，1名干部倒在工作岗位上，13名因重伤等住院，很多家庭父子父女、兄弟姐妹、夫妻齐上阵。驻村干部有的推迟了婚期、有的放弃了生育二孩。广大群众说，毛主席年代干部的好作风又回来了。许多移民家庭、贫困家庭自发地把习近平总书记的画像张贴在家里。

惠水县脱贫攻坚的生动实践，得到上级的充分肯定。国家发改委将惠水县易地扶贫搬迁的做法向全国转发推广，中央电视台大型政论片《将改革进行到底》宣传和记录了惠水脱贫攻坚的历程。全国易地扶贫搬迁现场会、全国工会系统扶贫工作推进会、全国农村电商助力脱贫攻坚现场会、全国农村学校营养餐改善现场会等在惠水县召开。2016年，惠水县荣获贵州省20个脱贫攻坚先进之一。2017年11月，中国改革开放40年友谊奖章获得者、致力于向世界讲述中国故事的美国库恩基金会主席罗伯特·劳伦斯·库恩博士，带领《中国脱贫攻坚》节目组走进惠水，将在惠水的所见所闻制作专题片，讲述中国脱贫攻坚的故事，传递了贵州和惠水好声音。

二、脱贫攻坚的主要做法

1.把脱贫攻坚作为最大政治和第一民生工程。

一是在深学笃用上下功夫。认真学习习近平总书记关于脱贫攻坚工作的重要指示和《党中央国务院关于打赢脱贫攻坚战三年行动指导意见》，学习贯彻省委十二届三次全会精神和《中共贵州省委关于深入实施打赢脱贫攻坚战三年行动发起总攻夺取全胜的决定》等，结合实际制定贯彻落实意见，集中精力、人力、财力合力攻坚。县委全委会、县委常委会、政府常务会、县扶贫开发领导小组会每月认真学习习近平总书记在湖南、贵阳、银川、甘肃、重庆等会议重要讲话。举办各类脱贫攻坚培训班，掀起学习《习近平扶贫论述摘编》等重要论述的热潮，增强打赢脱贫攻坚战的责任感和紧迫感，做到“贫困不除、愧对历史，群众不富、寝食难安，小康不达、誓不罢休”，提高了打赢打好脱贫攻坚战的信心、决心和能力。

二是在压实责任上下功夫。按照习近平总书记“尽锐出战”和省委孙志刚书记“抓不好扶贫就是不讲政治”的要求，以及州委“约法三章”规定，制定了“四线责任工作法”，落实“五主五帮”[3]责任，层层压紧各级责任，形成上下贯通、横向到边、纵向到底的责任体系，推进责任、政策、工作“三落实”。压实“党政线”责任。建立领导小组，成立由县委、县政府主要领导任组长的县扶贫开发领导小组和县级脱贫攻坚总指挥部，强化脱贫攻坚“双组长制”和“双指挥长制”，充分发挥主战力量，统筹全县脱贫攻坚工作。总指挥部下设产业扶贫、教育扶贫、基础设施扶贫等11个分指挥部，由县委常委和相关副县长任指挥长；10个镇（街道）相应成立前线指挥部，由县委常委任指挥长；各村组建脱贫攻坚工作队，各组明确攻坚网格员，每户落实帮扶责任人，形成了“县设总部抓统筹、镇设战区抓组织、村设战队抓实施、组设网格抓攻坚、户定帮扶责任人抓落实”的五级作战体系。压实“业务线”责任。坚持把业务主线贯穿脱贫攻坚全过程，结合贵州省“四场硬仗”和“1+10”扶贫政策文件，坚持因地制宜、靶向治疗。按照“定人、定事、定标、定时、定责”的原则，系统制定收入达标、“两不愁”、教育医疗住房保障、交通建设、易地扶贫搬迁、饮水安全保障、电力通讯网络设施建设、法治宣传、资金保障、督查问责等攻坚方案200余个，统一推进业务工作，做到全县上下一盘棋、一个调，确保政策不走样。压实“帮扶线”责任。集中人力实行集团化结对帮扶，明确41名县处级领导干部分片区包保到村，104家县直部门挂帮201个村，组建201支驻村攻坚队3100名干部包村扶贫，全县7000余名干部结对帮扶20641户贫困户，全面压实“群众不脱贫、干部不脱钩”的帮扶责任。实行包组包户、任务到人，构建起1个村有1名县级领导、1个帮扶部门、1个驻村工作组、1名第一书记（工作队长）包保，1户贫困户有1名干部结对帮扶的“五个一”帮扶体系。压实“监督线”责任。按照“发现不了的问题就是问题”的要求，成立县脱贫攻坚巡察督查指挥部，明确纪检监察干部一律不抽调驻村，专司脱贫攻坚监督执纪问责职责。结合“四场硬仗”“七大战役”、扶贫领域腐败和不正之风专项治理等重点任务常态化监督检查，及时掌握工作推进情况和突出问题，对存在的腐败问题和不正之风严肃问责查处。

三是在政策落实上下功夫。围绕“扶持谁、谁来扶、怎么扶、如何退”，聚焦“两不愁三保障”，严格落实扶贫政策，既不降低标准，又不吊高胃口，把党对贫困群众的关怀落实到千家万户。对标对表抓落实。严格扶贫项目资金管理，统筹整合涉农资金，完善贫困户利益联结机制，加强绩效考核管理。抓好易地搬迁“六个坚持”，严格执行“人均面积不超过20平方米”等政策，确保群众不因搬迁负债。认真落实金融扶贫、生态扶贫、低保评定、教育医疗住房“三保障”等政策。强化培训抓落实。加强全县驻村干部、帮扶干部培训，印发《脱贫攻坚政策汇编》《驻村干部工作手册》等4万余份，加强应知应会知识培训，采取课堂考试、电话抽查等形式，强化扶贫干部对政策的学习和把握。加强宣传抓落实。采取群众大会、有奖问答、村务公开、发放资料等形式，加强对群众的宣传教育，有效解决“富戴穷帽”、争当贫困户等问题。强化考核抓落实。发挥考核指挥棒作用，定期不定期对脱贫成效进行最严格考核，对先进单位和个人进行表彰，对后进单位挂“黄牌”督办整改，单位主要负责人在全县大会和电视上作公开检查，推动形成了抓落实抓深入抓具体的氛围。

2.坚持基本方略，务求精准。

一是做到识别精准。以“十看法”[4]为抓手，围绕“七查”[5]要求，实行到组、到户、到人网格化管理，切实找准贫困对象。严格落实“一申请两公示一比对一公告”工作流程，重点把握对象申请、群众评议、乡镇审查、县级复核等关键环节，实事求是开展“动态识别回头看”。建立“扶贫云”APP系统和全省第一个县级扶贫大数据监督平台，通过大数据进行比对，提高了识别精准度，有效降低了错评漏评率。二是做到打法精准。围绕“五个一批”要求和州委“七个一”[6]工作机制，采取贫困村“十个全覆盖”[7]、贫困户“八到户五到人”[8]等工作措施，因地制宜、因村因户分类施策。出台基础设施、产业等专项方案，扎实推进脱贫攻坚精准方略落地落实，确保扶贫措施覆盖所有贫困村贫困户，不断增强群众获得感。县委下管一级，做到方案审核到村、资金项目到村、考核调度到村、力量精准配备到村，对39个深度贫困村的脱贫方案逐村过堂。县委常委会和县扶贫开发领导小组会定期不定期听取深度贫困村工作汇报，及时针对存在问题研究对策。三是做到退出规范。严格按照《贵州省扶贫开发办公室〈关于规范贫困县脱贫摘帽退出程序〉的通知》文件要求，规范程序、严格标准、对标对表做好贫困县、贫困乡镇、贫困村、贫困户退出工作。扎实开展贫困县退出工作。2018年11月14日至18日开展县级自查，对历年脱贫的18348户脱贫户“两不愁三保障”情况进行逐户审查，做到户户过堂、户户见面，确保贫困户脱贫真实可靠、社会认可、老百姓认账。12月15日向州扶贫开发领导小组申请退出贫困县，州扶贫开发领导小组于12月20日至31日，组织对县进行贫困县退出审查。经州级审查，符合国家贫困县退出标准，州扶贫开发领导小组于2019年1月3日至9日审查结果进行公示。公示无异议后，州扶贫开发领导小组于1月10日向省扶贫开发领导小组申请专项评估检查。3月15日至20日，由省扶贫开发领导小组委托华西师范大学，县开展贫困县退出第三方专项评估检查。4月16日至22日，省扶贫开发领导小组对我县审查结果进行公示。4月24日，贵州省人民政府批准我县退出，成功实现摘帽目标。

3.推进重大决策部署落细落实。

认真落实省委“四场硬仗”“五个专项治理”“四个聚焦”和“一场振兴农村经济的深刻的产业革命”（简称“4541”）决策部署，按照省委“五步工作法”、产业革命“八要素”和州委精准脱贫“七个一”等要求，聚焦“一达标两不愁三保障”标准，认真落实“五个一批”脱贫措施（其中：通过发展产业脱贫一批15655户70805人；易地扶贫搬迁脱贫一批3066户13068人；生态补偿脱贫一批591户2511人；教育扶持脱贫一批4092户21965人；民政兜底脱贫一批1052户2483人）。

一是打好“组组通”等基础设施建设硬仗。坚持以人为本、民生优先的原则，把改善民生作为基础设施建设的出发点和落脚点，成立了基础设施指挥部并下设交通、饮水、住房、供电等4个工作专班，倒排工期狠抓落实。采取“一天一统计”“一周一调度”的方式对施工进度进行调度，对进度慢的及时约谈，确保按照既定时间节点完成建设任务。在实施过程中，采取政府支持、群众参与、贫困户增收的做法，充分调动群众积极性。在一系列措施的推动下，基本实现了“村村、寨寨、户户通水泥路”的目标，农村路网进一步完善，群众出行更加便捷；安全饮水全面实现管网入户、通水全覆盖，老百姓吃水不及时、用水不均衡和饮水不安全等突出问题得到有效解决；农村电网升级改造2209千米，农村电压低、动力电不足等问题成为历史；4G网络、电信宽带基本实现村村通。农村基本公共服务短板得到补齐，群众彻底告别了“吃水靠天、交通靠走、通讯靠吼”的贫苦日子。

二是打好易地扶贫搬迁硬仗。围绕“搬得出、稳得住、有保障、能致富”目标，严格按照省委“六个坚持”要求照图施工。建立了包发动、包服务、包就业、包脱贫的“四包”责任机制推进易地扶贫搬迁工作，探索形成了后续发展“五个三”机制，让移民群众快步过上好日子。坚持以贫困自然村寨整体搬迁为重点，对“一方水土养不起一方人”的地方重点搬，符合“两个50”要求的整体搬，生态脆弱和地灾隐患严重的统筹搬，群众积极性高的地方优先搬。实行县级统筹建设和管理，建成移民安置房5692套，搬迁4149户17670人（其中建档立卡贫困人口13833人）。认真落实省委“五个体系”建设要求，扎实做好易地扶贫搬迁后半篇文章，基本建成“五个体系”。

盘活“三地”：统筹迁出地和迁入地资源，盘活搬迁户承包地、林地、宅基地，确权到户、带权进城，让迁出地资源成为搬迁户稳定收入来源。落实“三就”：抓好就业、就学、就医最根本的民生，采取“以岗定搬、以学促搬”，解决群众后顾之忧和长远发展生计。对吸纳务工的企业给予扶持和奖励，建好移民“扶贫车间”。衔接“三保”：按照群众自愿选择，就高不就低的原则，解决好群众低保、医保、养老保险，筑牢脱贫保障线。建好“三所”：建好养老、托幼、“四点半学校”等服务场所，建好平价超市、移民后扶公司等经营场所。针对50岁以上和一时难以在非农领域就业的群众，按照每户1—2分土地建立“微田园”，既解决就业补贴生活，又延续了“乡愁”。完善“三制”：以党建为龙头，创新移民社区管理服务，完善社区管理、移民服务、群众动员“三个机制”，促进移民融入新环境、新生活。去年以来，在持续推进“五个三”后续扶持机制的基础上，积极探索党建引领的移民新型社区管理机制，不断完善服务移民的基本公共服务保障体系、培训就业服务体系、文化服务体系、社区治理体系、基层党建体系等“五大体系”建设，扎实做好移民搬迁“后半篇文章”，全县17670名搬迁群众融入城市稳定脱贫。

三是打好产业扶贫硬仗。按照省委“五步工作法”，紧扣“户户有增收产业、人人有致富门路”的目标，以“一村一场一园一社”[9]为抓手，重点发展优质米、中药材、花卉苗木、精品果蔬和生猪、家禽等六大特色主导产业，初步形成了覆盖全县的4条扶贫产业带。邀请“三农行动”专家、产业学科专家、农技人员、农村致富带头人等对群众开展种养殖实用技术培训。组建蔬菜、畜禽、茶叶等产业专班，明确一名县领导主抓一个产业。成立销售专班，通过加强农校对接、农企合作、线上线下结合，不断推动农产品进机关食堂、进学校、进超市、进大型批发市场，确保农产品种得出、有销路、卖得好。全面推行“企业+合作社+农户”模式，助推“农企社”抱团发展，提升农业组织化程度，推动农业规模化发展。引进和扶持龙头企业45家（其中500强企业2家），建设规模养殖场178个、规模种植园359个、设施大棚2134个，农业产业不断发展壮大，建成全省规模领先的优质米、花卉苗木、精品果蔬、中药材等生产基地。扶持贫困群众自主发展“五小经济”[10]。全面推行“村社合一”，由党员和村干部领办合作社，具体承接好“一村一场一园一社”产业扶贫建设项目。将贫困户全部联结到600多家合作社，培养1000多名农村经纪人，健全利益联结机制，带领贫困群众实现“订单收购保底金、土地流转收租金、项目投资分股金、吸纳务工领薪金”四条增收渠道。创建了“好花红镇弄苑村佛手瓜联合产业党支部”等一批产业党支部，带动深石山区8个镇52个村发展佛手瓜、百香果、皂角刺等产业3.7万亩，覆盖和联结贫困户2.2万人，有力推动山区脱贫攻坚和产业发展。

四是打好教育医疗住房“三保障”硬仗。实现学有所教：2014年以来，累计投入12.76亿元，不断推进新建、改扩学校基础设施建设，城乡教育由基本均衡稳步向优质均衡迈进。全面落实教育扶贫资助保障政策，大力实施中等职业教育贫困学生3年免费教育，县域内及省外高中（中职）及以上学段资助实现全覆盖，各学段建档立卡学生实现无障碍入学就读，贫困户子女义务教育有保障。五年来，累计兑现学生资助款2.09亿元61138人次。实现病有所医：全面实行建档立卡贫困户新农合缴费财政全额补助，建档立卡贫困人口参合率达100%。落实“先诊疗、后付费”和“一站式”即时结算服务等政策措施，建档立卡贫困群众住院医疗费用报销比例达90%。组建家庭医生团队25个，实现贫困人口家庭医生签约服务全覆盖。完成176个村卫生室、6个移民安置点医务室和126所农村中小学校医务室建设，农村医疗保障水平得到全面提升。实现住有所居：制定符合惠水实际和民族习惯的危房改造和老旧房整治标准，实现了农村户户有安全住房目标。同步推进“三改”[11]工作12115户，农村人居环境明显改善。实现弱有所扶：全面落实好农村低保制度与扶贫开发政策有效衔接，对老弱病残和无产业就业收入来源的农户，做到应纳尽纳、应助尽助。累计发放农村低保、城市低保、特困人员救助供养、医疗救助等各类民生保障资金4.69亿元，残疾人“两项补贴”累计保障1万余人次，困难群众的基本生活安全网更密更牢。此外，扎实抓好电商扶贫、金融扶贫、社会扶贫、生态扶贫等工作，如从建档立卡贫困户中公开选聘生态护林员720名，户均年增收1万元。

4.坚持开放扶贫，形成合力，汇聚脱贫攻坚力量。

抓住贵州列入全国内陆开放式扶贫试验区的机遇，探索“六个二”（即：用好省内省外“两个资源”、夯实产业就业“两个基础”、发挥政府社会“两个力量”、抓实教育卫生“两个重点”、突出人才智力“两个作用”、拓展省内省外“两个市场”）的开放式扶贫机制，推动形成全社会大扶贫格局。东西部协作成效显著。以对口帮扶惠水的广州南沙区为桥头堡，深化与粤港澳大湾区的“互访交流、人才支援、产业合作、资金支持、劳务合作、携手奔小康”六大任务的扶贫协作。制定《南沙·惠水东西部扶贫协作三年行动方案》，广州市和南沙区累计帮扶资金1.02亿元，覆盖贫困村79个，实施项目21个，直接受益贫困户8950户36936人。产业就业协作成效显著。承接产业梯度转移，扎实抓好“产业大招商突破年”活动，推进广东产业园建设，有王老吉、世贸集团等19家企业签约，形成了食品药品、电子信息等新的增长点。王老吉立足贵州优质刺梨资源开发的“王老吉刺柠吉”系列新产品，已于4月下旬投产。发挥惠水旅游资源和紧邻“中国天眼”优势，大力发展旅游扶贫。组织向广州输出劳务4000余人，南沙区在惠水就地开发公益性岗位728个。人才智力扶贫成效显著。组建了由倪光南院士、李未院士等领衔的40余名专家学者组成的县大扶贫大数据专家委员会，对全县脱贫攻坚、产业发展把脉问诊。依托高校等建立高端人才库600余人，其中南沙区累计选派58人。市场拓展成效显著。围绕农村产业革命组建农产品销售专班，在巩固贵阳、重庆等传统市场的同时，同广州江南市场、深圳海吉星等大型市场建立稳定合作，解决农产品销售难问题。结对帮扶成效显著。深入开展“百企帮百村”行动，县内企业倾情帮扶，省外企业解囊相助，体现了社会主义制度的优越性。帮扶企业在产业帮扶、旧房整治、基础设施、捐资助学等方面帮扶的资金物资折合4200余万元。

5.坚持志智双扶。

坚持把“扶志”和“扶智”作为脱贫攻坚的重要抓手，让贫困群众走向自强路。持续开展四项教育。全面开展以“感恩教育、技能教育、文明教育、法治教育”为内容的群众教育，激发群众内生动力。用好新时代农（市）民讲习所、群众会、院坝会等，宣讲习总书记对贫困群众的深切关爱，宣讲中央政策和省委、州委、县委决策部署。抓好群众宣传，让群众知晓扶贫的政策，知晓干部的帮扶，知晓所得的实惠。组织宣传小分队，开展“文化扶贫助力脱贫攻坚”集中演出200余场次，用文艺演出等群众喜闻乐见的形式深入村组宣传党的政策和扶贫典型。持续推进村民自治。大力推广“参与式扶贫”等做法，抓好“扶贫理事会”等制度的建立健全，完善村规组规民约，引导村民自治，让群众全面参与到脱贫攻坚基层治理的各项工作中来。大力整治农村滥办酒席，进一步推动移风易俗，树立文明乡风。积极组织开展文明村、文明家庭、星级文明户、好媳妇、好公婆等评选表彰活动，引导农民群众向上向善。创建县级以上文明村101个，文明乡镇覆盖率达87.5%。持续开展环境整治。推进农村“治七乱”[12]工作，深入开展“三清一改”[13]，大力整治农村人居环境。组织学生回家开展“小手拉大手”活动，改变边远民族地区不讲卫生等陈规陋习。持续树立脱贫典型。在县内电视、报刊、微信平台等媒体开设“脱贫攻坚·我们在一线”“脱贫攻坚·群英谱”等宣传专栏，对全县脱贫攻坚先进典型开展广泛宣传，充分挖掘典型素材和脱贫成效，凝聚起强大合力。积极组织开展“涟江骄傲人物”“光荣脱贫户”评选表彰活动，充分发挥榜样引领作用，涌现了十三届全国人大代表、新民社区党支部书记罗应和等光荣脱贫的典型。

6.坚持党的领导，强基固本。

一是建强基层组织。细化省委组织部“一任务两要点三清单”，围绕加强基层党组织规范化建设、加强队伍建设、开展“三清理一提升”专项行动、整顿软弱涣散基层党组织、严肃纪律问责等方面制定措施，进一步夯实基层党组织基础。对村党组织书记和农村致富带头人开展集中轮训和学历提升培训，集中优势兵力打好脱贫攻坚战。强力推进“空壳村”清零三年行动，实现全县209个村（社区）集体经济“脱壳”。二是着力选优配强。建立村级后备干部人才库，注重从农村致富带头人、机关企事业单位年轻干部中选派担任，充分发挥“头雁效应”。对新任职村级党组织书记履职情况进行评估，开展常态化研判，对不胜任的现职村级干部进行调整。提高村干部报酬，对农村知识青年每月给予1000元生活补助，将村干部报酬从2000元/月提高至3200元/月，激发村级干部干事创业热情。三是坚持尽锐出战。坚持“领导干部优先、党员干部优先、年轻干部优先、单位骨干优先”，按深度贫困村12人、一般贫困村10人、非贫困村8人以上的原则组建201支驻村攻坚队。大部分部门负责人白天当“村长”，晚上当“局长”。激励干部担当作为，近年来从扶贫一线提拔干部206名。四是狠抓管理考核。健全“一季一检查、一年一述评”督考机制，促使各级党组织书记狠抓研究部署、检查督促，切实履行职责。制定《关于向贫困发起总攻从严管理干部的意见》《惠水县村承包集团干部脱贫攻坚工作积分制管理办法》，通过积分管理、常态督查、按月电话抽查脱贫攻坚知识等办法措施，压紧压实工作责任，绷紧纪律之弦。

7.坚持深化改革，探索形成推进工作的体制机制。

探索形成了易地扶贫搬迁生计保障和后续扶持的“五个三”改革样本。聚焦“搬得出、稳得住、能致富、快发展”，着力解决“搬迁谁、怎么搬、搬出来以后怎么办”关键问题，通过盘活“三地”、落实“三就”、衔接“三保”、建好“三所”、完善“三制”，惠水县易地扶贫搬迁“五个三”后扶机制改革被评为全省十大改革优秀案例第一名，得到汪洋等党和国家领导人的肯定，国家发改委转发惠水县做法在全国推广，中央电视台大型政论片《将改革进行到底》进行了深度报道。继续深化“五个三”改革，积极探索党建引领的移民新型社区管理机制，在全省率先成立移民社区联合党委和管委会，并启动成立1个街道办事处专司移民服务管理。配套建设教育、医疗等公共设施，建立服务移民的基本公共服务保障体系、培训和就业服务体系、文化服务体系、社区治理体系、基层党建体系“五大体系”，从解决好“怎么搬”向“搬后怎么办”转变、从以搬迁为主向后续扶持和社会管理转变、从“搬得出”向“稳得住、能致富”转变，扎实做好移民搬迁“后半篇文章”，被省委领导肯定并在我县召开了全省现场推进会。探索形成了“产教融合、校企联合、城教互动”的教育扶贫惠水经验。建成百鸟河大数据运营中心，依托县内三所高校，以贵州盛华职业学院为重点，大力发展职业教育，一大批贫困学生实现了就业一人、脱贫一户的华丽蜕变。抓好苗族银饰、布依枫香染等民族文化产品开发，培育了一批传统文化继承人。贵州盛华职业学院职教扶贫模式成为全省亮点，产教融合得到国家教育部、省教育厅认可。2018年6月，全国农村学生营养改善计划现场推进会在惠水召开，打造了农村义务教育营养午餐从“吃得饱”到“吃得好”的惠水样本。探索一村一场一园一社，形成了将“塘约经验”具体化的惠水做法。深化“三变”改革，扎实推进农村产业革命。因地制宜打造了好花红镇为代表的喀斯特地貌产业结构调整佛手瓜连片种植区、涟江一线花卉苗木集休闲观光游乐区等一批示范基地。把党支部建在产业链上，创建了好花红镇弄苑村佛手瓜联合产业党支部等一批产业党支部，夯实产业发展的基层引擎，形成了南北一线“花果蔬”、西南一线“果药畜”、东西一线“茶烟畜”、东南一线“茶米畜”4条产业带，助推全县农特产品不断泉涌。我县“一村一场一园一社”产业扶贫模式，被省委改革办作为经验交流。探索形成了农村电商扶贫“一区一心百站千店”的惠水模式。抢抓“互联网+”机遇，依托百鸟河数字小镇发展大数据产业的优势，引进农村淘宝、京东等电商平台，促进“网货下乡”和“黔货出山”。全县贫困村电商网店全覆盖，带来了“拓市场、促消费、带就业、稳增长、真脱贫”的良好效应。建成百鸟河数字小镇“双创园”，先后被列为省级电子商务进农村综合示范县和国家级电子商务先进农村综合示范县。

8.扎实开展脱贫摘帽工作“回头看”。

省人民政府批准惠水县退出后，按照习近平总书记“四个不摘”的行动纲领，继续以脱贫攻坚统揽全县工作全局。深入贯彻落实总书记在重庆主持召开的解决“两不愁三保障”突出问题座谈会精神和省州安排部署，出台《惠水县脱贫退出巩固提升工作方案》等指导性文件，建立健全长效性机制，扎实开展“回头看”“五个专项治理”等工作，进一步确保脱贫工作务实、脱贫过程扎实、脱贫结果真实，持续巩固脱贫成效。一是聚焦政治责任，确保工作力度不减。按照习近平总书记“不怕疲劳、连续作战”的要求，全县各级干部没有撂担子、歇歇脚，各级各部门仍然坚守在一线、奋战在一线，做到了政策不变、力度不减、队伍不散。召开脱贫攻坚巩固提升工作会议，继续压实各级责任，确保靶心不变、频道不换。继续开展常态化帮扶和走访，全面压实帮扶责任。每月至少召开2次常委会或扶贫开发领导小组会研究脱贫攻坚，县级领导每周到村工作不少于3天，驻村工作队长不少于5天，确保“扶上马、送一程”。二是聚焦巩固提升，扎实抓好脱贫成效“回头看”。制定印发《脱贫攻坚成效“回头看”工作方案》，围绕政策兑现落实等重点领域开展全员人口信息、饮水安全保障、住房保障、易地扶贫搬迁、教育保障、医疗保障、兜底保障、产业扶贫、干部作风等9个方面的“回头看”。组建9个工作专班，对全县建档立卡贫困户实行逐一过堂，按照“缺什么补什么”的原则，加快补齐短板，坚决杜绝边脱贫、边返贫，进一步巩固和提升全县脱贫攻坚工作成效。三是聚焦产业革命，扎实抓好“春季攻势”“夏秋决战”。深入落实省“五步工作法”和产业革命“八要素”，坚定不移推进“221111”工程和“一村一场一园一社”建设。以坡耕地低效作物调减和500亩坝区产业结构调整为突破口，迅速掀起“春季攻势”热潮。实行每个产业“一名县级领导、一个工作专班、一个综合服务团队、一套操作方案、一个销售专班”五个一产业推进机制，45个500亩坝区产业结构调整成效明显。形成涟江大坝花卉苗木、王佑坝百香果、黄土坝中药材、王松坝食用菌等一批高标准产业结构调整示范基地，优质米、花卉苗木、佛手瓜、皂角刺、百香果等特色主导产业不断发展壮大，全县20641户贫困户全部加入合作社并通过入股分红、土地流转、劳动务工等多种形式享受产业收益。四是聚焦“两不愁三保障”，扎实抓好剩余贫困人口减贫清零。深入贯彻落实总书记在重庆主持召开解决“两不愁三保障”突出问题座谈会精神，扎实抓好剩余贫困人口减贫工作。制定《惠水县2019年剩余贫困人口减贫工作方案》，紧盯2293户6245名剩余贫困人口，按照“分类施策”的总体思路，在把脉问诊上下功夫，找准“病根子”，开对“药方子”，全面实行“一户一案”“逐户过堂”机制，层层压实责任，扎实解决好“两不愁三保障”突出问题，确保今年年底实现剩余贫困人口全部脱贫。五是聚焦脱贫攻坚存在问题，扎实抓好“五个专项治理”。针对国家考核反馈全省8大类60个问题，印发《惠水县脱贫攻坚存在问题专项治理工作方案》，将整改工作情况及成效纳入2019年脱贫攻坚工作成效考核，实行月督查、月考核，对推进不力的随时提醒、适时约谈、追责问责。国家反馈问题已全部整改完成。针对省第三方评估考核反馈惠水县“产业发展对贫困户稳定脱贫支撑不够”“扶贫小额信贷政策宣传不到位，资金使用不精准”“村两委班子和帮扶责任人工作有待进一步压实”“劳动就业培训覆盖面较窄，培训效果不明显”四个方面存在问题，县成立整改专班，开展3轮次“回头看”督查检查，进一步抓好整改落实。省第三方反馈问题已整改完成并长期坚持。同时，高度重视并认真处理扶贫领域的信访问题，实行乡镇党委书记包保、部门联动，对照政策解惑释疑，推动扶贫政策落地落实，解决好群众关心的热点难点问题。

《惠水县2014～2019年脱贫攻坚工作概略》名词解释

[1] **221111：**发展优质米20万亩、蔬菜20万亩、花卉苗木10万亩、中药材10万亩、生猪100万头、生态家禽1000万羽。

[2] **五个三：**盘活“三地”：盘活承包地、山林地、宅基地“三块土地”；统筹“三就”：统筹就业、就学、就医“三大问题”；衔接“三保”：衔接低保、医保、养老保险“三类保障”；建好“三所”：建设经营性公司、小型农场、公共服务站“三个场所”；用好“三制”：探索集团经营、社区服务管理、群众动员组织“三种机制”。

[3] **五主五帮：**五主：党委主体、政府主抓、干部主帮、基层主推、社会主扶；五帮：1个村有1名县级领导、1个帮扶部门、1个驻村工作组、1名第一书记（工作队长）包保，1户贫困户有1名干部结对帮扶。

[4] **十看法：**一看道路是否硬化；二看住房是否危房；三看用电是否正常；四看饮水是否安全；五看穿衣是否温暖；六看粮食是否够吃；七看劳力是否足够；八看医疗是否保障；九看教育是否普及；十看收入是否宽裕。

[5] **七查：**对照标准查、发动群众查、突出重点查、数据比对查、逐户过堂查、对应程序查、落实责任查。

[6] **七个一：**开展一场全面筛查、绘好一张基数底图、建立一套保障精准的组织体系、组建一批攻坚专班、建立一套落实精准的工作机制、收集整理一整套规范的档案资料、搞好一场干部大培训。

[7] **十个全覆盖：**产业扶贫、基础设施扶贫、易地扶贫搬迁“五个三”机制、农村危房改造、农村电商扶贫、生态扶贫、财政金融扶贫、教育和医疗卫生扶贫、党建和社会扶贫、项目资金巡察督查全

覆盖。

[8]八到户五到人：八到户：种养业到户、硬化路到户、水龙头到户、资金股到户、安全房到户、收入账到户、政策兑现到户、责任人到户；五到人：政策宣传到人、技能培训到人、保障措施到人、联亲交友到人、就业措施到人。

[9]一村一场一园一社：每个村至少建成一个1000头以上规模生猪养殖场或2万羽以上禽类规模养殖场或一个集中连片种植产业园，包括菜园、果园、药园、苗木园等；每个村至少建立一个运营良好并覆盖所有贫困户的农民专业合作社。

[10]五小经济：小养殖、小种植、小门面、小加工、小庭院。

[11]三改：改厨、改厕、改圈。

[12]治七乱：车乱停、道乱占、牌乱挂、渣乱倒、线乱挂、摊乱摆、房乱建。

[13]三清一改：清垃圾、清塘沟、清畜禽粪便等农业生产废弃物，改变群众生产生活不文明习惯。

（二）惠水县易地扶贫搬迁“五个三”改革配套经验

2016年8月4日，贵州省委书记陈敏尔到惠水县调研易地扶贫搬迁工作，提出“五个三”的构想，要求精准聚焦易地扶贫搬迁这块“硬骨头”，统筹好搬出地和迁入地资源致富搬迁群众，解决好就业、就学和就医问题方便搬迁群众，衔接好低保、医保和养老保险造福搬迁群众，切实做到搬得出、稳得住、有保障、能致富。随后，省委、省政府在惠水县开展“五个三”改革配套试点，形成了一套试点成果，研究了一套操作规程，推出了一套成功经验。主要做法是：

一是盘活“三地”（承包地、宅基地、林地）。采取“确权到户、权随人走、带权进城”的办法，对搬迁户承包地、宅基地、林地“三地”进行确权颁证，明确搬迁群众按照政策享受的土地、林地等政策仍然不变，让群众吃上定心丸。结合“三变”（资源变股权、资金变股金、农民变股民）改革，由县移民后续扶持发展公司按田400元/亩，土300元/亩对移民田地进行流转，交由企业或合作社统一管理，重点发展经果林、中药材、花卉苗木，特色养殖等产业，产生收益后按照10%—20%产业发展红利进行分红，让迁出点资源成为搬迁群众稳定的一项收入来源。

二是落实“三就”（就业、就学、就医）。在就业方面，制定鼓励吸纳就业优惠政策，企业每安排一名移民就业，一次性奖励2000元，并给予企业贷款贴息。对引进企业开发了“迁企贷”等金融产品。移民创业的享受小微企业补助。对50岁以上一时难以在非农领域就业的，把农业园区、扶贫车间等建在家门口，让群众有更多的就业门路。在就学方面，严格按照贫困学生奖励扶助标准兑现奖励政策。开通搬迁群众子女就学绿色通道和公交直通车，优先保障搬迁群众子女就近入学。在就医方面，根据安置点人口情况分别设置移民社区卫生服务中心，在其他社区设置卫生服务站，按标准配备医疗设备和医务人员，建立搬迁人口健康档案和医疗精准扶贫救助档案，进行动态管理和监测，同时实现搬迁户签约医生服务全覆盖。

三是衔接“三保”（低保、医保、养老保险）。按照“就高不就低、群众自愿、从优选择”的原则，做好低保、医保和养老保险的转移衔接工作，确保应保尽保。在低保衔接上，全部将农村低保转为城市低保；建档立卡贫困人口和低保户按照每人每月500元标准，一次性发放3个月临时生活救助金，让搬迁群众实现生活平稳过渡。在医保衔接上，在移民安置点建立合医便民服务平台，移民群众在家门口就可享受基金缴纳、查询、医疗费用报销补偿等便捷服务。搬迁群众自主选择参加新型农村合作医疗保险或城镇居民基本医疗保险；进入企业务工且劳动关系稳定的，参加城镇职工基本医疗保险。在养老保险衔接上，搬迁群众自愿选择参加城乡居民养老保险或城镇职工养老保险。

四是建好“三所”（经营性场所、公共服务场所、农耕场所）。同步推进经营性场所、公共服务场所和农耕场所“三个场所”的建设，加快公共服务均等化，增强群众获得感。建好经营性场所。由县移民后扶公司对安置点经营性场所进行统一经营管理，优先安排并让利给有经营意愿又有经营能力的搬迁群众。后扶公司统一经营政府性资产，所得收入一部分用于群众补贴，降低群众生活成本。建好公共服务场所。同步建设社区服务中心、文化活动广场、老年活动中心、青少年社会事务中心等，增加群众获得感。建好农耕场所。为搬迁群众就近开辟农耕“微田园”，由后扶公司流转土地，提供给有需求的移民群众耕种，减轻群众的生活成本，又化解了乡愁。

五是完善“三制”（集体经营机制、社区管理服务机制、群众动员组织机制）。配套完善社区管理服务、群众动员组织、集体经营三个机制，实现社区管理规范化。建立集体经营机制。由县移民后扶公司统一经营移民安置点政府性资产，收益用于补贴移民的公共服务费用。建立社区管理服务机制。成立移民社区党支部、居委会、互助组、团支部、工会等，加强了社区自我管理能力。建立群众动员组织机制。成立移民社区新市民文明实践站，对搬迁群众开展感恩、技能、文明、法制等四项教育培训，让自力更生、光荣脱贫，跟党走、享党福、感党恩的理念扎根搬迁群众意识中。深入开展“两带头三服务”（即带头搬、带头拆，服务移民、服务社区、服务留守老人、儿童等）活动，利用元旦、春节等节日节气，组织社区群众开展丰富多彩的文化活动，展示移民生活新风采。

（三）关于惠水县摆榜乡贫困状况的调查报告

省委政策研究室调研组

（2001年6月28日）

遵照省委书记钱运录同志的指示，由省委副秘书长、省委政研室主任丁济康同志带队，组成了由省委政研室领导班子成员杨光宇、吴祖平同志参加的调研组一行6人，于6月22—26日对惠水县摆榜乡贫困状况进行了调查研究。调查期间，分别听取了惠水县委、县政府及县直有关部门、部分乡村干部群众的意见和情况反映，先后召开了8次座谈会；并分成3个小组，在县乡干部配合下，进村入户，深入到该乡冗拱、呆工、旧连、甲坝、石板、盘井、高寨、新寨、平寨、同改等10个村，直接走访了219户农户，实地查看了解他们的生产生活情况，进行了逐户登记，掌握了较多的第一手材料。现将摆榜乡贫困状况、原因及有关工作建议报告如下。

一、贫困落后的现状

摆榜乡位于惠水县东部与平塘县交界处，距县城45千米，总面积71.4平方千米，有耕地6196亩（习惯面积），辖13个村、52个村民组，有农户2113户，总人口9945人，其中少数民族人口占总人口的89%，苗族人口占总人口的85%，布依族占4%，其余为汉族；农民人均纯收入404元，人均占有粮食193公斤。经过调查，我们认为，该乡是一个相对封闭落后，经济社会发展滞后，贫困面大、贫困程度深，绝大多数群众温饱尚未解决的特困乡。新华社《国内动态清样》2001年6月10日第1167期《惠水县摆榜乡贫困状况引人关注》（记者龙文彬）一文反映的情况基本属实。该乡贫困落后状况的主要表现是：

1、农户缺粮面大。全乡粮食产量极不稳定，1994年以来最高粮食年产量为2000年的190.88万公斤，平均单产308公斤，人均占有粮食193公斤。据县乡干部介绍，全乡接秋缺粮户约占70%左右。在我们进村入户调查的219户中，当前有175户严重缺粮，占79.9%。时下群众主要靠卖原竹或简单手工竹编织品，采集蚂蚁草、猫耳蕨，捕黄鳝换取粮食来解决吃饭问题；此外，对民政救济对象救济粮的发放较为及时。今年民政已安排发放该乡救济粮13500公斤。在走访的农户中，没有发现哪家有肉有油荤，连蔬菜也极少见，大多数仅靠半稀半干掺和野菜度日。缺粮原因是：人均粮食占有量低；家庭所有开支都靠变卖粮食；秋收以后，粮食用于还贷、过年、人情客往、子女入学及上缴农业税、三提五统等，所剩无几。据乡政府统计，接秋欠粮7个月以上42户197人，欠粮6个月213户1006人，欠粮5个月306户1442人，欠粮4个月288户1548人，欠粮3个月234户1072人，欠粮2个月352户1605人，欠粮1个月32户151人。

2、居住条件极差。入户调查的219户中，有176户居住冬不御寒、夏不挡雨、简陋不堪的茅草房，占80.4%；其余43户破旧瓦房跟茅草房没有多大区别，家徒四壁、八面透风。住房低矮、阴暗，而且因人畜混居，潮湿、肮脏，多数农户无床无被睡草窝。绝大多数农户只有破锅烂碗，全部家当总值不过百元左右，有的甚至一文不值。由于茅草房多、间距近，又以柴草作燃料，极易引发火灾。1991—2000年发生火灾11起，烧掉180户，烧死4人，烧伤2人，烧死牲畜若干头；今年春季同改村一场火灾，烧掉了5户。

3、饮水极不卫生。由于长期人畜混居，没有厕所和粪池，四处污水横流，不仅影响环境卫生，而且严重污染饮水源。人畜饮用的地表水、塘沟水、寨脚水污染极为严重。

4、疾病传染病多发。调查走访中看到，有26户农户家中有病人，贫病交加。由于卫生条件差，该乡是伤寒、麻疹、痢疾等传染病高发区。乡卫生院缺医少药。去年夏天有6个苗族村发生伤寒疾病，发病50多例、死亡12人。今年一季度又发生儿童麻疹，发病34例、死亡2人，县里派去医疗队，疫情才得到控制。

5、“普九”适龄儿童入学率低。全乡4所小学校舍简陋、破旧，危房随处可见，办学条件极差。加之经济困难，无力支付学杂费，全乡小学适龄儿童入学率仅56.7%，初中入学率仅14%，全乡在校初中生只有81人，在校高中以上只有11人。上摆片区6个苗族村小学入学率仅37.5%，小学高年级巩固率仅15%左右，失学辍学现象严重，新文盲还在不断产生。

该乡当前亟待帮助解决的突出问题，除缺粮问题最为紧迫外，还有：一是饮水和疾病防治问题。解决饮用水源是事关近万人生活和健康的大事，要帮助引导群众摆脱脏、乱、差的生活习惯，尽可能避免人为污染水源的行为；同时尽快改变当地“缺医少药”的状况，抓好初级卫生保健制度的落实，以利消灭地方病，杜绝传染病。二是基础设施建设问题。当前需要着重办好两件事：一要给予适当投入，发动群众投工投劳，下大力搞好乡村公路、寨内小路的维修和建设；二要针对摆榜乡广播电视普及率不高、农户有电视率极低的状况，高度重视广播电视在宣传党的方针政策、普及文化科学知识、打破封闭格局、转变群众观念等方面的作用，尽快实现广播电视“村村通”，积极创造条件建立村文化活动室，为村民集中收看电视提供服务。三是改土治水问题。要抓好现有两座小（二）型水库的维修、配套、管理，确保发挥灌溉效益；同时大力普及推广农业适用技术，大种绿肥，培肥地力，改造低产田，改良耕作制度，开发冬季农业，逐步提高复种指数，促进农民增产增收。四是教育问题。当前，要一手抓入学，一手抓扫盲。综合运用法律、行政和经济手段，千方百计提高适龄儿童入学率、巩固率；利用农闲，着力抓好青壮年文盲的扫盲工作，并结合开展好农业适用技术的普及培训。

近年来，尤其是“三讲”教育和“三个代表”学教活动开展以来，黔南州和惠水县党委、政府勇于面对现实，积极采取措施加大帮扶力度，做了大量工作。今年5月，州委书记何永康率有关部门深入该乡现场办公，帮助解决实际困难。县委书记黎俊敏和县党政领导经常深入该乡调研、指导工作。据了解，当地各级党委、政府所做的主要工作：一是开展调查研究，搞好扶贫规划。二是加强基层组织建设，配强充实乡、村领导班子。三是注重改善群众生产生活条件。帮扶农民发展种养业、建房、推广简易厕所、沼气等，开始改变当地“人无厕所猪无圈”的现象。四是抓好引资开发示范。今年启动了贵阳阜康堂药业公司建立中药材种植基地，实施项目帮扶。五是制订激励措施，鼓励专业人员到该乡工作，鼓励教师到该乡安心任教。六是动员社会力量，形成帮扶合力等。但该县主要是农业县，人均财力较弱（仅211.13元，在黔南州各县中列倒数第二），单靠该县自身力量很难解决特困问题。

二、贫困的原因

摆榜乡的极度贫困状况，是长期历史、自然、社会等多方面因素形成的。究其原因，我们分析，主要有四个方面：

（一）对外的封闭性。长期封闭落后的人文环境，严重制约了摆榜乡经济社会与外界的交往融合。特别是上摆片区6个村，苗族群众的婚配范围长期局限在10余千米和较近的血缘范围内；我们在新寨村接触到八、九个老汉，他们之中仅有一人去过贵定一次，其余均没有走出过乡的范围；同时对外来经商、开发百被排外，多方阻挠乡建集资市场，用当地的话讲，这叫不让“野猫抢了家猫食”。

（二）发展的滞后性。经济结构单一，耕作方式落后，粮食亩产低，复种指数极低，不种蔬菜，不养种畜、母畜。农业总产值占工农业总产值的94.8%；农业总产值中，农业占67.6%，畜牧业占32.4%。全乡只有4户从事个体经商。农民人均纯收入仅为全县平均水平的29.9%。基本上停留在以水稻种植为主、辅之以采集业的生产生活方式上，经济社会发展严重滞后。同时，由于惠水县不属国家贫困县，摆榜乡也不属于“两山”地区，不能享受国家“八七”扶贫攻坚计划的有关政策和资金扶持。

（三）观念的落后性。群众思想观念落后，阻碍商品经济发展。譬如，有病不求医，不信医生信鬼神；失火不相救，反而抛谷求平安；打雷不下田，忌讳动土罪神明；对外不通婚，先孕后婚现象多；老大不算数，不视老大为已出；法律意识薄，婚姻陋俗有“三多”（买卖婚姻多、童婚多、乱婚多）等。总之，迷信盛行，不懂科学，陈规陋习，条条“绳索”，严重束缚了群众的思想意识，妨碍着当地的发展进步。

（四）环境的制约性。该乡地处高寒地区，春冬两季多雾、阴冷，水源缺乏，土地瘠薄，是干旱、稻瘟病高发地区，土地产出率极低。加之没有发现矿产等地下资源可供利用，生活燃料靠到二、三十里外砍柴割草，六、七十年代的飞播林已基本被毁灭，只剩下光长草不长树的荒坡。较差的农业生产环境和资源条件是制约该乡经济社会发展的重要原因。

以上四个方面的因素，相互作用，交互渗透，长期积淀，形成了该乡长期封闭落后的人文环境。导致甘受贫穷，安于现状，排外思想严重，拒绝文明进步，基本没有改变现状的欲望和内在动力，处于长期在温饱线下“傻熬”的奇特状况。由于内部的停滞和外来影响的受阻，也就无法与时代的大潮互动，难以与现代文明接轨，跟不上社会进步的步伐。从中不难看出，导致长期贫困的原因，有客观的因素，也有主观的因素；有环境的因素，也有人的因素。但归根结底，是人的因素，是人的素质低。该乡文盲率高达80%以上，妇女文盲率更高，人均受教育时间只有一年零两个月，解放以来只有初中以上文化程度279人。贫困与愚昧不可分，正如下派去的乡党委书记所说：“这个乡穷，说来说去，穷根在脑袋瓜上。”

国务院发展研究中心的研究成果表明，依贫困程度的递进可划分为三种类型：（1）温饱型贫困；（2）半饥饿型贫困；（3）生存型贫困。其中生存型贫困程度最深，它是处于勉强维持生存与半饥饿状态下的特殊的贫困，它会引发大批贫困人口的死亡和健康的严重恶化，属于赤贫范畴。通过实地调查，我们认为，惠水县摆榜乡的贫困人口属于第三种类型，是一种特殊的贫困。正如当地干部所说“这里是不是麻山的麻山，不是瑶山的瑶山”。这次调查的结果，我们的心情是沉重的。

三、几点建议

结合摆榜乡的调查，着眼全省扶贫开发工作，现提出以下工作建议：

（一）特困乡村特别是非贫困县特困乡村的温饱问题值得高度重视

随着扶贫开发工作进入新阶段，农村特困乡村，特别是非国家贫困县特困乡村的问题日益突出。为适应这一变化，应当在继续做好集中连片的深山区、石山区、高寒山区、少数民族地区扶贫开发工作的同时，把解决特困乡村，特别是非国家贫困县特困村的温饱问题，列为新阶段扶贫开发的重点对象和范围之一，并在扶贫的政策、资金、项目等方面给予支持和相应安排。这是在新的形势下，努力实践“三个代表”的要求，进一步体现社会主义制度优越性的现实需要，又是当地干部群众的强烈恳望呼声；既是坚持统筹兼顾，重点突出，整体推进，进一步巩固发展扶贫开发成果的合理选择，又是促进地区协调发展，实现共同富裕，维护改革、发展、稳定大局必要的战略举措。

（二）各地要加强调查研究，认真制定特困乡村的脱贫规划

摆榜乡贫困状况在我省具有一定的典型性和特殊性。类似的特困乡村，在一些地方也可能比较突出。以摆榜乡为例，解放已经52年了，该乡距省会贵阳仅几十千米，惠水县又是我省有名的商品粮生产县，尚有缺粮面这样大、贫困程度这样深、绝大多数群众的温饱问题至今没有解决，这是需要认真对待的。认真解决好这类特困乡村特别是靠近中心城镇的贫困人口问题，不仅具有经济意义，而且具有政治意义。各地应在深入调查研究的基础上，综合考虑地方财力、农民收入水平、贫困人口数量、基本生产生活条件等因素，实行扶贫工作的重心下移，实事求是地确定重点帮扶乡村，认真制定脱贫规划，提出帮扶措施，加以组织实施，切实抓好落实。

（三）全力解决好当前群众最紧迫的缺粮问题，并考虑实行必要的“休养生息”政策

“民以食为天”。特困乡村温饱问题突出，吃饭问题最大。凡是已发生农村群众缺粮的地方，务必引起高度重视。当前要在认真组织群众生产自救、亲友邻里互助的同时，切实加大民政救济工作的力度。县乡两级对群众缺粮的情况要做到了如指掌。乡村特别是村一级，一定要在深入到户、落实对象、搞好测算的基础上，实事求是地写出报告；民政部门要据实审核，确保救济粮的发放及时到位。有必要申明纪律，凡对群众疾苦漠然视之，或思想麻痹，因官僚主义或工作失职、渎职，造成严重后果的，必

须严肃追究责任。鉴于摆榜乡各种税费总量尚不足25万元，可考虑实行“休养生息”政策，豁免其农业税及三提五统，并一定十年不变，由省、地、县三级财政按照分别承担三分之一的原则予以解决。对贫困程度类似的特困乡村，在综合平衡的基础上，视财力情况也可酌情予以减免。

（四）坚持以发展教育为根本，实行开发式扶贫与开放式扶贫相结合

治穷必治愚，兴教是根本。摆榜乡贫困的根源表明，提高贫困群众的素质，是当务之急，也是长远大计和脱贫希望所在。应进一步研究采取若干特殊政策措施，减免入学费用，让适龄儿童走进课堂；采取降低录取分数线、实行定向培养、回乡服务等措施，为当地培养人才；动员社会各界支教助学，争取希望工程项目，大力改善办学条件，逐步推行寄宿制，努力为发展教育多办实事。同时，应始终注重增强特困乡村的“造血功能”，把开发式扶贫与开放式扶贫结合起来。应从当地实际出发，广开生产门路，帮助找准尽快脱贫的路子；要采取“引进来”“走出去”的方式，以有力的政策措施，鼓励支持多种所有制经济实体参与当地资源开发和农村结构调整，鼓励和促进农民走出去经商、务工，开展劳务输出，引导农民群众打开寨门求发展，走出山门换脑筋，逐步从根本上改变特困乡村的贫困面貌。

（四）胡锦涛到惠水考察调研

黄达武

1987年，贵州省委书记胡锦涛同志到惠水调研工作，据时任惠水县委书记的郝鑫中同志回忆，当时胡锦涛同志到惠水调研工作的事情很突然，所以县里没有什么准备，只有郝鑫中书记本人和分管农业的张文玖副县长陪同。胡锦涛同志衣着朴素，平易近人，出行简从，乘坐一辆白色的面包车前来，随行人员只有三人，遗憾的是由于当时事情比较突然，居然忘记了和他合个影，留下一张照片。

党的十一届三中全会后，经过拨乱反正，各项工作逐渐走向正轨，发展农村经济被提上了县委县政府的工作议事日程，县委提出了发展“农村四小经济”的工作思路，即以农村的庭院经济为基础，发展家庭小果园、小菜园、小牧场、小加工作坊，但由于过去的影响，发展路子还处于摸索之中。在听取郝鑫中书记和张文玖副县长的汇报后，胡锦涛同志要求到实地了解情况。当天中午，胡锦涛同志就在县委招待所用餐，县里的同志想上好一点的酒，但是胡锦涛同志不允许，后来才同意上惠水酒厂自行生产的黑糯米酒，但是他只饮了一小杯，连声说道：“不错！不错！这酒有多少度？”郝书记回答道：“有16度，是用惠水特产黑糯米酿造而成。”胡书记听后说：“十几度的红酒很少有，又是少数民族地区的特产，县里要给予扶持，销往外面去。”在胡书记的关心和鼓励下，惠水黑糯米酒在1991年获国际金奖，现今已经成为惠水县的一个特色产品。

午饭后稍作休息，郝鑫中书记和张文玖副县长陪同胡锦涛同志一行驱车前往“农村四小经济”生产现场进行实地调研。胡锦涛同志一行首先来到毛家苑乡龙摆尾坡，观看坡上新种的橘树，共有本县良种金钱橘一万多株，另有几百株蜜橘已经挂果。接着他们又下山到坡脚去看一农户家新开发的小橘园，总共有一百五十株，副县长张文玖同志介绍说：“惠水县是贵州省的柑橘主产县之一，本地特产金钱橘

尤以皮薄、色鲜、味甜而闻名，清朝时期曾将惠水金钱橘作为贡品向朝廷进贡。由于惠水县特定的气候环境，非常适合柑橘的生长，惠水柑橘栽培已有三百多年的历史。”接着县委书记郝鑫中同志汇报说：“今年以来，全县广大干部群众认真学习中央1号文件精神，进一步明确了放宽政策、搞活经济的重要性。我县在农村提倡发展‘家庭四小经济’，扶持各种农村专业户，把农村经济搞活，这些做法是否妥当，请胡书记指示。”胡书记面带笑容，说看了这两处橘园，很高兴，说明山区的群众已经开始走向致富之路，既然本地金钱橘曾是朝廷贡品，就要不断培育发展，扩大种植面积，同时县里还要进一步解放思想，扶持农户发展小果园。

看完橘园后，胡书记一行来到金石乡羡田村观看农户的家庭小牧场，正好遇上下村蹲点指导的县畜牧局李宏业局长。李局长带着大家观看了五家农户的养猪场，其中养殖规模最大的一家共养了三十多头生猪。胡书记详细询问农户们办家庭小牧场有什么困难？需要哪些帮助？一位姓陈的群众反映主要是缺少启动资金和缺乏疫情防治的专业技术。胡书记指示说，发展家庭小牧场养猪养牛，是农民的一条致富路子，县里要督促相关的服务部门发挥职能作用，不断改进工作作风，大力扶持农民多办家庭小牧场，发展畜牧业。郝鑫中书记向胡锦涛同志汇报：“县委已经安排畜牧技术人员下村入户，对养殖户进行技术指导，传授疫瘟的防治知识，很受群众们欢迎，目前的工作已经取得初步成效。”胡书记欣慰地点点头，要求畜牧技术人员对养殖户分期分批地进行培训，做好跟踪服务工作。

离开羡田村，胡书记一行来到惠明乡廻龙村参观“小菜园”，时任回龙村村委会主任方继禄同志，是一名敢闯敢干，积极学习科技知识、努力探索致富路子的村干部，他在贵阳市蔬菜办和县农业局的指导下，自筹资金在自家的责任田盖起了十多个大棚种植早熟蔬菜。胡书记一行的到来让方主任激动不已，盛情邀请胡书记一行在他家吃饭，但是由于时间关系，郝鑫中书记让方继禄带着大家到他家的大棚蔬菜基地去参观，大棚内的西葫芦瓜、西红柿和茄子长势良好，西葫芦瓜已成熟，西红柿、茄子都已开花。胡书记问方继禄怎么会想到这条致富的路子？方继禄介绍说：“县里号召农户办‘小菜园，’由于早年贵阳市蔬菜办曾到我村搞了一个蔬菜大棚示范，我学到了一些种植技术。按照县里派来的技术指导，我们就把农田‘稻—麦’二熟变为‘菜—稻—麦’三熟。我用自家的责任田发展大棚蔬菜，每亩的年收入近2000元。我们还学会了用农膜种冬菜和早菜，现在我家一年种菜的收入可达一万多元。”胡书记听后高兴地直点头，并对县领导说，农民打破传统的自给自足的自然经济格局，发展农村商品经济，发展家庭“小菜园”的确也是一条致富路，县里要好好进行总结并广泛推广。

胡锦涛一行离开了回龙村后，来到涟江河畔看“小加工”专业户——惠水永红食品厂。该厂建于1984年，是县城南面满坝村河边寨的汤克林、汤克相、刘忠英三家农户借贷筹措6000元资金，建灶购锅，在自己家中开始了牛肉干的生产，他们一时请不起工人，就把一家大小都拉上。为了提高产品质量，他们反复的请行家品尝产品并提意见，不断调整配方。产品生产出来后，他们眼睛盯上贵阳大市场，顶风冒雨，人背肩扛将产品送到贵阳，请几家商店试销，且是售完再付款，若出现质量问题，承诺退一还三。就这样，牛肉干产品逐步在贵阳站稳了脚跟。胡书记一行来到永红食品厂参观时，该厂手工作坊式的生产已有了一些改善，他们租用了原村里的集体粮食仓库作为厂房。胡书记来到生产车间，观看了牛肉干产品包装情况，听了该厂负责同志的汇报，了解到惠水的牛肉干很受贵阳消费者的欢迎，比较畅销，他非常欣慰。胡书记就产品包装提了一些意见，他说现在的包装是半斤、一斤装的，都是大的不行，还要搞小包装，一两二两的，这样方便购买者食用。另外，在包装上要改进，要精美，现在的问题是牛肉干虽然好吃，但是包装却不美，不吸引消费者。应该把产品质量再搞上去的同时，还要多增加品种，有麻辣的，也要有甜味的，尤其是包装上更要下功夫提高档次。

看完惠水“农村四小经济”的四个点后，胡书记还兴致不减，精神抖擞，临走时对惠水的工作提出了殷切的期望和要求，他希望县里要瞄准省城贵阳这个对农副产品需求量很大的市场，大力扶持全县“农村家庭四小经济”，大力实施“餐桌计划”，使更多的农户走上致富之路，从而振兴农村经济。

胡锦涛轻车简从，深入惠水的乡村、农户、田间、山头视察指导工作，他充分肯定了惠水发展“农村四小经济”的做法，使县里的干部群众信心倍增，精神振奋。从这以后，县委县政府对“农村四小经济”进行了深入、全面的调查研究，坚持实事求是、一切从实际出发，于1986年正式把“农村四小经济”作为“七五”期间农村脱贫致富、实现农村经济翻番的一项重要措施，并将此项工作列为各级党委政府目标管理责任制的一项重要内容，组织农业、畜牧、乡镇企业、粮食、供销、农行等有关部门围绕“农村四小经济”开展产前、产中、产后的配套服务。由于“农村四小经济”投资小、周期短、易操作，所以见效快，经营灵活，应变力强，所以发展势头良好。

胡锦涛同志到惠水视察“农村四小经济”，恰似一股春风，吹开了惠水发展农村经济的花朵。20多年过去了，如今惠水的“农村四小经济”已有了巨大的变化和取得了丰硕的成果。2005年惠水县的小橘园已发展到31500多亩，年产值6亿多元；惠水的农村“小牧场”亦有飞跃的发展，一直保持连续增长。至2006年底，全县养殖业中的规模养猪，家庭养10头以上的达4000多户，100头以上的达300多户，还有两个养殖规模达1000头的农村养猪场；惠水的农村小菜园现已成为全县种植业中的四大支柱产业之一，县委还专门成立了蔬菜工作领导小组，围绕贵阳市场，大力发展城郊型蔬菜基地，用大棚和地膜等种植技术，以早熟蔬菜为主，大力发展外销型蔬菜的生产。原来胡书记视察的回龙村，是年小菜园只有几亩，现在，已发展到1000亩以上，有不少户人均年纯收入达万元以上。

胡锦涛视察的惠水永红食品厂，那时从业人员只有7人，年产值12000元，上缴税金500元。2005年，该厂产值达10013万元，上缴税金867万元，现已更名为“贵州永红食品有限公司”，从业人员达1200多人，生产“牛头牌”牛肉干系列产品数十个品种，一百多种规格，畅销全国29个省、自治区、直辖市。该公司还是农业产业化国家重点龙头企业和国家扶贫龙头企业，首批全国产品加工业示范企业，2005年度全国新农村建设百强示范企业，省级农业产业化先进企业。

在胡锦涛同志的殷切关怀下，如今的惠水县已经发展成为一个繁荣和谐、人民群众安居乐业的地方。20多年来，各项建设事业取得了巨大的成就，并逐步发展成为贵阳市的后花园。

（五）发展家庭“四小”振兴农村经济

——惠水县庭院经济发展情况调查

吴清学

惠水县地处省城贵阳南部，是一个布依族、苗族聚居的地区，工业经济基础薄弱，农业生产结构单一，自然经济在农村占主导地位。1980年以来，随着农村家庭联产承包责任制的推行和逐步完善，广大农民逐步解决了温饱问题。在此基础上，部分农户因地制宜，以户为主，发展以种养业为方向，以商品生产为目的小果园、小菜园、小牧场、小加工（简称“四小”）等庭院经济，积极探索治穷致富的路子。这条路子具有土地产出率较高、劳动生产率较高、产品商品率较高的显著特点。具有很强的生命力。1986年，该县对“四小”进行了深入的比较全面的调查研究，坚持实事求是、一切从实际出发的思想路线，正式把家庭“四小”作为“七五”期间农村脱贫致富、实现农业翻番的一项重要措施，列为各级党委、政府目标管理责任制的一项重要内容，并组织农业、畜牧、乡镇企业、粮食、供销、农行等部门围绕“四小”开展产前、产中、产后配套服务。由于“四小”投资少，周期短，易操作，见效快，经营灵活，应变力强，加之各级党委、政府和各部门的重视、大力扶持，因此发展迅速。势头较好。1985年，全县“四小”农户有1243户，占总农户的2.2%。其中：小果园310户，小菜园230户，小牧场241户，小加工462户，产值达到375万元（按1980年不变价，下同），占农业总产值的4.2%；1998年“四小”农户发展到18336户，占总农户的24.12%，其中小果园3586户，小菜园2634户，小牧场2122个，小加工4646户，其他项目5348户；产值上升到27616万元，占农业总产值的41.9%。“四小”的迅速发展，推动了全县“七五”“八五”计划的超额完成，促进了广大农村精神生活和物质生活的深刻变化。惠水县在“四小”的探索和实践中，深切地感到：

一、“四小”份量不小

（一）它是振兴农村经济的一条重要途径。家庭“四小”的发展，有利于促进农村生产专业化、商品化的进程，有利于农村科学技术的传播和推广，有利于发挥资源优势、提高综合效益，有利于增强农业后劲，有利于农民在实现温饱之后治穷致富。1998年全县农业总产值65754万元，比1980年增长12.25倍。其中“四小”产值起着举足轻重的作用。同时，“四小”还有效地促进了农村产业结构的调整。1998年，全县种植业占农业总产值的比重已由1980年的68.87%下降到41.39%，畜牧业由18.34%上升到34.88%。“四小”的发展为粮食生产的发展提供了资金，促进了粮食生产的稳步上升，1998年粮食总产量达到137033吨，比1980年增长53.96%，创历史最好水平；全县工农业总产值达到126266万元，比1980年翻了4番。

（二）它是发展商品生产的重要基地。随着家庭“四小”的发展，集约经营领域不断拓宽，当地农业资源逐步得到开发利用，一批专业户、专业村（组）随之相继出现。不少“四小”农户逐步由兼业经营向专业经营发展，形成一个个连片种养的片区。分户经营、连片种养，有利于种养业的规范化，有利于业务部门的技术指导，有利于技术管理，有利于建立健全地区性经济组织和社会化服务体系，使全县出现了一批区域性的具有一定规模的早菜、生姜、柑橘、柿子、仔猪和生猪育肥等商品生产基地。仅大华、斗蓬两乡仔猪生产基地，母猪就有700多头，年出售商品仔猪12600多头，不仅供应县内，而且销往邻县。

（三）它是转移消化剩余劳动力的重要领域。“四小”的发展，拓宽了新的生产领域，为就地转移农村剩余劳动力提供了用武之地。“四小”农户不仅做到户户无闲人，人人有事干，而且以其劳动密集的特点吸收消化了相当一部分剩余劳动力，缓解了附带劳动力与劳动力争就业的矛盾。芦山镇1998年有小加工户585户，常年安排的剩余劳动力就达2303人，占全镇劳动力总数的38%，创造产值654万元，户均11179元；上缴税金45.74万元，户均782元；年人均工资2600元。

（四）它是经济效益、社会效益、生态效益的连接点。家庭“四小”的发展，既能使农户获得较多的经济收入，又能促进农业生产的良性循环保护生态环境。同时，还为社会提供了日益增多的农牧产品，增加有效供给，繁荣市场，稳定农副产品市场价格。1998年，据1480户小菜园的不完全统计，共向社会提供蔬菜1565万公斤，约占贵阳市年需求量的十分之一，总收入445万元，户均3006元；每亩水稻比种菜前平均增产10%，且户均养猪3至5头，比种菜前多2至3头。形成了“菜——稻——猪——菜”的良性循环生态系统。毛家苑乡中联村175户农户，利用“五旁四坎”非耕地资源430亩，办起了家庭“小果园”，种植柑橘26250株，户均150株。1998年总产量42万公斤户均2400公斤，纯收入2880元。对保持水土，改善农田小气候起到了积极的促进作用。实践证明，“四小”经济的发展。符合经济效益、社会效益、生态效益相一致的原则。因此，它的发展得到了社会的普遍注视和大力支持，是一项很有希望的产业。

（五）它是促进服务部门发挥职能作用、转变工作作风的“催化剂”。“四小”的发展是一项复杂的、涉及到方方面面的系统工程。它的成长有赖于产前、产中、产后社会化服务体系的建立和完善。惠水县委、县政府将“四小”的发展纳人重要议事日程后，各业务部门为适应“四小”的发展需要，深入农村调查研究，建立服务组织，派技术干部下乡蹲点包片指导，帮助“四小”解决发展中遇到的困难和问题。县农业局主动为小果园小菜园的发展服务。在小菜园发展上，县、乡农业技术干部推行技术承包责任制，深入到户，服务上门。做好技术、资金、物资的配套服务，对种子、农膜、农药、化肥、资金都提前做好准备，保证早菜适时种植。县畜牧局1988年以来为小牧场的发展建立了产前、产中、产后一条龙配套服务体系，深受广大农户的欢迎。县乡镇企业局也结合自身的业务，为小加工的发展，开展了资金、物资、技术、信息和购销等系列化服务。部门服务工作的有效延伸，促进各乡镇和农户纷纷建立“乡农工商联合公司”“乡、村经济联合会”“早菜协会”“果树协会”“畜牧协会”“豆制品协会”和“农经服务站“等组织，进一步提高了自我服务能力。

二、“四小”效益不小

（一）商品率高。“四小”是农村商品经济发展的产物，它一出现便以商品生产为目的，打破了传统的自给自足的自然经济格局。实现了经营性质的根本转变。反过来又促进了农民商品意识的增强，造就了一大批从事商品生产的能人。这些农户对生产什么。生产多少。不是根据自己的需求，而是根据市场需求及商品的价格情况来决定，减少了生产的盲目性和“物贱伤农”的情况发生。因此“四小”农户生产的商品批量较大，商品率较高，是一种小规模的新型农村商品生产经济形态。一般商品率都达到80%以上，其中早菜达到95%，小加工达到100%。

（二）集约经营程度高。“四小”农户绝大多数都未转包别人的责任田，所发生的变化在于突破传统的经营格局，充分利用一家一户的空间和时间，增加劳动、资金、技术、管理诸种生产要素的投入，向集约经营的方向推进。集约经营的结果，大幅度地提高了土地产出率和劳动生产率，如小菜园农户，一般变“稻——麦”二熟为“菜——稻——菜”三熟，仅菜一项每亩收入就达1400多元。“四小”农户相对经营项目多，技术要求高，活劳动和资金的投入也多，因而劳动集约、资金集约、技术集约的程度普遍高于一般农户。他们的文化素质、技能素质、经营素质均高于一般农户。在当前农村劳动力多、土地少、资金缺和劳务市场疲软的情况下，劳动的集约具有特殊的意义。

（三）科技水平高。科学技术是第一生产力，只有当先进的农业科学技术被广大农户接受后，才能转化为巨大的物质财富。家庭“四小”的发展，正是科学技术在农村的推广和普及。和平镇回龙村五、六组60户农户，1990年以来种植早菜、冬菜384亩，由于户户使用农膜、家家掌握种植和管理技术，年人均纯收入1500元以上，仅此一项，就相当于1998年全县人均纯收入的1.16倍。“四小”农户的发展壮大。

实际上是农民科技队伍的发展壮大。他们在早菜种植、果树栽培、种草养畜、植物保护、防疫治病、经营管理和小加工等适用技术的推广上，真正起到了科技示范户、“二传手”的作用。三都镇羡田村的全省“双学双比”女能人龙珍1986年试种早菜成功以来，亩收入均在2000元以上。在她的帮助和带动下。全村67户农户种菜致富，户均收入2500元以上。

（四）经济、社会、生态效益高。“四小”农户通过自己的辛勤劳动都能够获得较多的收入。县农业局1988年成本核算资料表明，早菜生产亩利润达到760.65元，一般农户种1亩早菜，可收入千元以上。和平镇回龙村农民“早菜大户”方继禄，连续种14年早菜，收入30多万元。1985年至1998年，全县“小菜园”就向社会提供蔬菜1.5亿公斤，总收入4500万元。1988年抽样调查，“小牧场”中的201户农民出栏商品猪6500头，户均纯收入达1550元。1998年“小果园”农户向社会提供鲜果510多万公斤。“小加工”专业户刘宗英创办“永红食品厂”14年，创产值上亿元向国家提供税收近千万元。与此同时，“四小”的发展，又是发挥生态农业优势的有效途径。小菜园的“菜——稻——菜”三熟制减少了土壤裸露时间，提高了光能的利用率，改善了农田生态结构。这种耕作制度不仅不影响而且带动了种植业、畜牧业和其他各业的发展，构成新的农业生产系统，形成良性循环。种菜使用农家肥较多，而且蔬菜的滕叶翻犁在田中，增加了绿肥，使土地更加肥沃。种菜的经济收入多，农户对粮食生产投入也相应增加。从而促进了粮食生产。此外。种菜的稻田，经过水泡一季后，病虫害大大减少，对种菜很有利。“菜——稻——菜”“粮——菜——牧”互相促进，良性循环。小牧场的发展给种植业提供了大量热性肥料，活化了土壤，改变了耕作层的理化性状，提高了土壤的有机质含量，对改造中低产田土起了重要作用。

三、“四小”潜力不小

（一）“四小”适合惠水县农村现阶段的生产力水平，符合农民治穷致富的强烈愿望。在目前农村缺资金、缺技术、缺能源，发展乡镇企业的有一定困难的情况下，无论是富裕户、温饱户、还是贫困户，都可以在“四小”经济中找到自己的位置，走出一条以充足的劳动力、适用的技术、加上丰富的自然资源，结合少量的资金发展“四小”经济的路子。

（二）城郊优势。惠水县离贵阳市较近，只有54千米。瞄准省城贵阳这个有300多万人口（含流动人口），对农副产品需求巨大的市场，大力实施“餐桌计划”，无疑将是发展惠水县“四小”的巨大推动力。

（三）资源优势。除土地资源可以继续向深度开发外，全县还有宜林荒山49万亩，草场103万亩，可养殖水面2.3万亩。且雨热同季，无霜期长达280多天，有利于“四小”向时空方向上拓宽，从而影响和带动小林场、小药场、小渔塘、小商店、小饮食、小建筑以及小运输的发展。

（四）劳力优势。全县农村20万个劳力中，剩余劳动力约有5到6万人，而且多是女劳力和老幼附带劳力。发展劳动密集型产业实现剩余劳力就地转移，就地增值，将对“四小”的发展又是一大推动。

总之，家庭“四小”的发展，极大地推动了惠水县农村经济的发展，取得了明显的经济效益、社会效益和生态效益。这是惠水县坚持农村改革开放的产物，是坚持实事求是、一切从实际出发思想路线的结果，是坚持“让少数人先富裕起来”的理论与具体实践相结合的结晶。

（载于《社科新视野》1999年第4期）

（六）惠水县域经济发展滞后及后劲增强的调查和思考

陈勋忠

随着改革开放步伐的加快，经济社会的向前发展，地区之间发展有快有慢是相对和客观存在的，县域之间更是如此。因为，发展这个硬道理，没有固定模式，不完全受基础条件所限，只有抓住发展机遇，随时找准自己的位置，选准突破口，调整谋略，真抓实干，才能求得大发展。

县域经济发展滞后及其增强的后劲在哪里？如何促进其真正发展，这是近年来各级党政领导和有识之士形成共识和引起关注的一个重要课题。以惠水而言，改革开放以来，县域经济的发展和社会的全面进步，也与其他地区一样，在克服困难中前进，在前进中谋求发展；全县社会经济和各项事业有长足的发展，自己与自己比，显然前进一大步，但与先进发达地区和周边县（市）相比，确实落后了。其原因主要表现在：

满足于现状优势。一是自然区位条件优越。惠水位于贵阳市正南面，县城距省城贵阳市54千米，距州府都匀市145千米。境内风景秀丽，交通方便，是一个少数民族人口聚居的产粮县。全县总人口39万，其中农业人口占总人口的91%；总面积为2470平方千米，其中耕地面积29万亩；二是粮食生产稳产丰收，自给有余。党的十一届三中全会以来，由于坚持稳定和完善党在农村的基本政策，实施科技兴农，加强农田基本建设，农业生产条件有了一定改善，粮食生产从1990年以来，连夺增产丰收“八连冠”，1997年粮食总产量达13.28万吨，仅王佑、长安、打引三个“麻山”乡镇农民人均吃粮就达316.3公斤。

满足于计划经济的基础条件。在计划经济的年代，惠水境内的几家省市属企业生产正常，效益好，每年给县提供各种税费稳中有升，加上县属一些成型的中小型企业，如县铸钢厂、酒厂、水泥厂、小龙蜜饯厂等生产景气。辅之有粮食和金钱橘、牛肉干系列名优特产等经济作物生产、加工、销售优势，以及畜牧养殖业的不断发展，使惠水的发展地位在全州范围内曾处于领先位次。良好的基础，在改革开放的大潮中，没有从根本上乘风破浪，而是任凭风浪起，稳坐钓鱼台，犹如龟兔赛跑，等到警醒时，人家已经超前发展了。

等靠思想的支配。惠水在发展的进程中，为不甘落后，不断地探索和寻求自身发展的路子，有一些可行的措施。但在付诸实施过程中，受诸多因素的制约和影响，认识不到暂时的困难，克服不了前进道路上的阻力，有的方案措施虽然切实可行，都因制约因素的梗阻未能坚持下去，有的还以不可收拾的结局告终。对寻求自我的发展道路，似乎有点事倍功半或山穷水尽，企盼和等待援兵，得到省、州的更多扶持或有朝一日划归贵阳市，得到更多的投入等依赖思想。这些因素也许是导致思想不够解放，固步自封，发展缓慢的关键所在。

坐失良机，没有找准发展方向。惠水具有良好的工作基础，较好的区位优势，之所以成为竞争中的弱者，一是谋求发展中，虽然起步早，思路明确，但步子不大，措施不力，决心不够；二是各种名优特产品曾冲出市场，占领市场，享有一定声誉，但发展的决心和力度不够，形不成规模，也没有及时的配套完善措施，因后劲不足而失去市场；三是抓不住几次大发展的有利时机，没有创造条件，奋起直追，迎头赶上，跟不上形势的发展，没有正视发展的契机等等。

鉴于上述的原因和一些不足，导致惠水发展缓慢，恰如一些同志对惠水县情的概括.总结为“农业的大县（粮食生产），工业的小县，财政的穷县”。认真一想，“工业小县、财政穷县”是实性，但“农业大县”从广义上的农业应包括农、林、牧、渔，只能称为产粮大县。从惠水目前存在的主要困难和问题来看：主要有经济总量小，经济结构不尽合理，人均占有水平低，形成的经济增长点不多，培植新的财源，增强发展后劲的任务相当繁重，农业基础仍然脆弱，扶贫攻坚任务十分艰巨；国有企业改革力度不够，再就业工程压力较大；财力紧张成为经济建设和社会事业发展的一大制约因素，财政入不敷出的矛盾没有根本解决；政府抓工作落实不够，办事效率不高，工作作风不够扎实。因此，选准惠水发展的突破口，狠抓落实，不断增强后劲，是惠水的希望所在。

1、加快农业产业结构调整，发展特色经济。坚持抓好以坡改梯和山塘水窖为重点的农田基本建设，推行山、水、林、田、路综合治理，推进山区综合开发，建设生态农业，继续抓好种子工程、商品粮基地建设和各类高产示范工程。同时，抓特色经济的发展，一是抓住今后几年我省每年增加绿色产业专项贷款这个机遇，加快建立具有地方特色的黑糯米、金钱橘、生姜、大头菜、早熟蔬菜、优质烤烟等绿色产业基地建设；二是大力推广“四良四改三提高”的科学饲养畜牧养殖业，建立起食草型、节粮型、高附加值型的畜群结构，建立和完善品种繁育、疫病防治和畜产品加工销售体系，抓住农牧业有限责任公司、家庭生态示范农场、深黔新村开发龙塘山的机遇，探索农、林、牧、副协调发展的新路子，使“两高一优”尽快实现良性循环；三是积极引进资金、技术、人才到县开发绿色产业，走联合开发，集中加工，集团产业化承包经营的路子，逐步实现一乡一特、一村一业、一户一品的经济模式。

2、加大扶贫和国有企业改革攻坚力度。扶贫攻坚采取整体推进与重点突破相结合。一是稳定和完善党在农村基本政策，在农户自愿和不改变土地用途的前提下，允许土地使用权依法转让、流转，采取多种形式有偿开发“三荒”；二是坚决取消明令禁止的不合理负担，逐项落实对农业的各项扶持政策，农业项目的配套资金和专款要足额到位，保证项目顺利实施；三是加强贫困地区的领导力量，充分发挥县几家领导班子和乡、村、组干部，以及各基层群众组织的作用，组织贫困地区群众发扬“改土造田学大关，修塘治水学瑶山”的精神，自力更生，苦干实干尽快改变贫穷面貌。在国有企业改革方面，按照“抓大放小”的原则，调整和完善所有制结构，坚持改革、改组、改造和加强企业管理，实行扶优扶强，增强后劲的原则，实行扭亏增盈目标责任制，切实抓好下岗、分流职工再就业工程，搞好配套跟踪服务，只要保国有资产增值，保职工收入增长，无论何种形式和方法，都可试行。

3、加快非公有制经济的发展步伐。切实把非公有制经济的发展作为县域经济的主体成份，坚持放心、放手、放胆发展的方针。一是在政治上给地位，政策上给优惠，发展上给扶持，服务上给方便，权益上给保障，争取多向高科技、大市场发展，争创高效益；二是要把非公有制经济发展纳入国民经济发展计划，鼓励非公有制经济收购和兼并国有、集体企业，逐步实行税收目标管理；三是积极创造条件，使非公有制经济发展成为新的经济增长点，应做到“四不论”“五不限”，即不论哪种形式，搞好就行，不论归谁所有，交税就行，不论公有私有，促进发展就行，不论级别高低，能搞上去就行。不限发展比例，不限经营范围，不限发展速度，不限经营方式，不限经营规模；四是鼓励、支持党政机关干部、科技人员、国企职工向非公有制单位流动，对阻碍全县非公有制经济发展的部门领导和经办人员，采取不换思想就换人。

4、大力招商引资，发展乡镇企业。财政贫困是惠水经济发展的最大制约因素，而财政困难又是由工业基础薄弱引起的。要解决财政困难，除认真搞好人员精减分流和实行县、乡财政分灶吃饭外，根本出路在于千方百计发展工业和乡镇企业，对发展乡镇企业的资金问题，只有加大招商引资力度，才能增强发展后劲。因此，一是要加强基础设施建设，改善软硬投资环境，制定、完善、兑现优惠政策；二是加强市政建设，治理脏、乱、差，创建文明城市，使各方投资者进得来，留得住；三是建立完善项目库，组建一支强有力的招商引资队伍，全方位出击，利用各种关系牵线搭桥，通过各界人士献计献策；四是以市场为导向，以人才资源为依托，以效益为中心，以乡镇工业小区和小城镇为载体，以股份合作制为突破口，带动第三产业的发展；五是全面贯彻落实发展乡镇企业的一系列政策措施，动员、鼓励、支持更多的党政机关、事业单位人员去领办、兴办乡镇企业。

5、开发旅游资源，带动第三产业。发挥惠水近靠省城贵阳的有利条件，调整产业结构，发展城市型经济，使贵阳带动惠水的发展。一是瞄准贵阳市的“菜篮子”“米袋子”做文章，使各种农牧产品流向贵阳，促进惠水种、养、加工业的发展；二是开发旅游业，发挥惠水现有六大景区、40个景点的旅游资源优势，努力把惠水办成城市人休闲度假盛地，让国内外友人到惠水观光、投资、开发，促进惠水的快速发展。

6、转变观念作风，提高办事效率。思想决定观念，观念是思想的必然反映，思想可决定效率，思路可决定出路，要增强后劲，加快发展，只有思想上来一个大解放，观念来一个大更新。一是抓住党的十五大后的发展机遇，在十五大精神指引下，高举旗帜，振奋精神，真抓实干，“发展才是硬道理”，要用经济发展的速度来检验我们思想解放的程度，树立强烈的政治责任感，团结和带领广大干部群众投入到为惠水的发展和进步中去；二是要充分发挥职能作用，真正做到各司其职，各负其责，搞好服务，建立高效，统一简化的工作办事程序，不说空话，多办实事，讲求实效，注重实绩；三是要扎实工作，勤政为先，甘当公仆。要不断加强各级干部队伍建设，大力倡导和发扬“机关向农村学习，干部向职工学习，领导向群众学习”的精神风貌，创立“政治坚定、思想常新，理想永存”的干部队伍形象，努力提高广大干部的政治思想素质和业务能力。全县各级干部，特别是领导干部要积极率先垂范，深入基层，深入实际，求真务实，自觉接受党和人民群众的监督，做到无私奉献，廉洁自律。

（载于1998年《贵州农村经济》第4期）

（七）惠水县合并行政村一年后工作情况的调查

花应周　王昌茂

2001年12月，惠水县实施减村合并工作。把原有428个行政村合并为201个行政村。工作开展一年来，取得一定成效，但也还存在一些问题。

一、做法和成效

1、村级干部的结构明显改善，战斗力增强。由于按照德才兼备、民主选举的原则，依法选举产生的新一届村“两委”班子成员文化素质和工作能力比过去有明显提高。村“两委”班子成员工作积极性较高，班子成员之间比较团结，在群众中普遍树立了较良好的形象。如摆榜乡石板村，因原来的村“两委”工作方法不恰当，群众对村里安排的各种植项目落实不积极。新的“两委”成立后，通过多次召开村民会议，听取群众意见，把政策和各种项目交给群众，根据群众意见及时纠正一些不够科学合理的安排，使群众真正参与村的各种事务，充分调动了群众的积极性，该村各项工作安排落实得较好。

2、村级组织的工作更加规范。各村“两委”根据本村实际情况，通过召开全体党员和村民代表会议，共同制定了新的村规民约，将山林管理、人口管理、精神文明建设和经济发展等内容列入村规民约管理范围，初步建立起“管理规范、决策民主、政务公开”的管理运行机制。如抵麻乡地关村的村规民约规定，每个村民小组的组长每月20号以前，必须向村委会汇报本组人口出生、死亡、迁人和迁出等情况。有力地推动了计划生育“村为主”工作。

3、农村基础设施建设进一步加快。并村后，有效地集中人力、物力和财力加强基础设施建设，特别是在组织发动群众投入到农村水、电、路等各项基础设施建设上，取得了一定成效。如毛家苑乡崇学村积极组织群众兴修灌溉水沟，累计组织4000个工投入到水沟修建当中，目前已完成了三分之二的工程量；辉油村组织群众完成了500米乡村公路镶边工程，新修完善乡村公路近1千米，完成了200米环寨公路建设及灌溉水沟改道建设。

4、调整农业结构取得新进展。由于生产要素、自然资源的集中和扩大，实现了资源优势互补，逐步形成了强村带弱村、富村促穷村发展的格局，村级经济的路子得到拓宽。如毛家苑乡辉油村通过村干部的积极发动，全村已发展经果林种植5000株，预计今年可落实1万株；摆榜乡石板村“两委”班子认真抓好各种扶贫种植项目的落实，已落实苎麻、花生、马铃薯、生姜等经济作物种植面积共500多亩，今年，全村种植水稻新品种!“金优404”800亩，宽窄行栽秧达100%。

5、促进了农村社会稳定。目前，多数新村“两委”班子积极处理村内的各种民事纠纷，把各种人民内部矛盾解决在基层。同时，通过推行村务公开，抓好农村思想政治工作，有效地维护了农村社会稳定。

6、村干部报酬相对提高。并村后，由于村干部减少到原来的一半，国家财政补助不变，村级组织办公经费、管理费等也相应减少，村干部报酬比原来提高了近1倍，充分调动了村干部工作的积极性和创造性。

二、存在的问题和不足

1、村干部报酬基数低，报酬数额增长不多。由于村干部报酬基数较低，并村前平均每人每天0.5元的县级财政补助，并村后干部减少一半，原县级财政补助不变，每位村干部平均每天也只能拿到1元的县级财政补助，加上乡镇的补助，每位村干部平均每年只能领到600—700元的劳动报酬，仅增加100—200元左右。

2、工作范围扩大，村干部工作量加大。并村后村干部职数少，村面积扩大，尤其是山区乡镇，自然村寨不集中，工作范围比以前扩大，加上农村工作事务繁杂，事无巨细都要由村干部进行处理和调解，出现了村干部半脱产、脱产办公，耽误自家生产不说还得不到家人的理解，村干部感到工作任务重、压力大，不同程度地影响到村干部的工作情绪。

3、村级经济积累少，发展经济后劲乏力。有120多个村无集体经济积累，无力加强基础设施建设。如完善村级办公用房、解决人畜饮水、修建村级公路、缺少办公经费等问题得不到及时解决。

4、有能力的村干部和妇女干部难找。由于有能力的知识青年均外出打工，即使有少数未外出青年能人，或因家庭负担重，或因家庭经济基础差而不愿干，妇女干部更是难找。全县依法选举的村委会班子成员是1027人，其中主任200人，妇女主任仅2人，占主任总数的1%，村委会成员中妇女干部165人，占村委会成员总数的17.8%。

三、对策及建议

1、引导和帮助发展壮大村级集体经济。要积极引导帮助村干部结合村情，利用并村后的人口、资源优势制定切实可行的发展规划，集中人力、物力、财力，把主要精力放在发展村级集体经济上来，想方设法增加村级经济积累，从而增加村干部报酬和集体公益事业的投入，推动集体经济和农民人均收入双增长。

2、加强对村干部的学习教育和培训。对新任的村“两委”成员，要集中一定的时间，有针对性地对他们进行“三个代表”重要思想的学习教育和法律法规、农业科技、工作方法等方面的培训，有条件的乡镇可组织村干部到先进的地区参观学习，帮助和引导村干部提高工作能力，转变工作作风，拓展视野更新观念，谋求发展农村经济的新思路、新方法。

3、要努力推进村级规范化建设，进一步理顺村级组织之间的关系。建立一套适合本村的好制度，从根本上解决村干部“不会干、不愿千、干不好”的问题。对群众普遍关注的村级财务管理要严格规范，真正让村级议事组织发挥监督作用。对村“两委”以及配套的各组织的性质、地位、职责、权利、义务和相互关系、工作运行程序等要作出明确的界定，充分发挥各个组织的职能作用，实现在村党支部领导下的村民自治。

4、要进一步创新管理机制，建立利益导向机制。首先是要建立村干部选拔任用机制，对村支书、村委会主任的选拔要实行年龄上限控制和文化程度下限控制。其次是乡镇要逐步完善村干部监督考核机制，重奖轻罚，激先策后。三是要建立以村干部报酬为主要利益的引导约束机制。对有自办集体企业的村，要给予发放报酬方面的政策支持。

（载于《黔南工作》2003年第5期）

（八）惠水苗族悬棺葬和岩洞葬

吴永福

人类将死者的尸体或尸体的残余按一定的方式放置在特定的场所，称为“葬”；用以放置尸体或其残余的固定设施，称为“墓”。两者合称为“墓葬”。

生、老、死、葬是人类社会中的每一个人都必须经历的阶段。而“葬”是一个人最后的终结。特别受到人们的重视。

在对尸体的处理上。早期的人类，由于生产力低下，人们忙于寻求生活资料，人死后，就地抛尸，置之不顾，甚至把尸体当成食物吃掉。随着生产力的发展，生活资料较前丰富。人们可以勉强维持生活以后，才开始保护尸体，活着的人，把死者尸体埋葬。在埋葬死者尸体过程中，惠水苗族经历了悬棺葬、岩洞葬、石棺葬、土葬等类型。现在着重介绍悬棺葬和岩洞葬两种形式。

一、悬棺葬

经深入调查研究，2010年3月20日我们发现原大坝乡（今属濛江街道）板长村板长苗寨对面一华里处苗语称为“洞送”的面积约1000平万米的悬崖峭壁中部的岩厦石阶上安放有10余盒棺材。人们都称之为“悬棺葬”。因年代久远，一些棺材已朽坏散乱。现在保存较好的还有5盒棺木。棺木均置于离平地百米以上近90度的岩壁上，人兽难及，除自然风化外，无人为破坏。此悬棺葬是每个墓室仅存放一盒棺材，平置其中。棺材由四块平形木板构成，即墙板左右各一块，两端及挡板底板和盖板各一块合而为一。

悬棺葬是一种费时费力费钱的墓葬形式。具有一定经济能力的富有人家才能采用这种殡葬方法，因为它是利用悬岩绝壁上天然岩厦或石阶置放棺柩，在其处或平整石阶，或凿眼打桩，再将棺木捆绑后悬挂于上，面向旷野。下临深谷或河流，没有一定的经济开销是不能完成的。因此，经济能力稍差的苗族人家，只能采用简单易行的岩洞葬形式。

二、岩洞葬

岩洞葬是惠水苗族古代普遍采用的一种殡葬形式，相沿成俗达千百年之久，直到近代才逐渐被土葬所代替。

岩洞葬是生活在喀斯特山区的苗族同胞，充分利用自然条件独创的一种墓葬形式。惠水苗族岩洞葬遗址很多，据初步调查了解，目前发现的有摆金石头寨岩洞葬、摆金高寨岩洞葬、摆榜岩洞葬、太阳岗金岩洞葬、岗度甲找岩洞葬、甲烈冗哨董龙岩洞葬、大坝大堡岩洞葬、大坝板长穿洞岩洞葬、打引董上岩洞葬等九处。现在分别进行介绍：

1.摆金石头寨岩洞葬

摆金石头寨岩洞葬，位于惠水城东南27千米处的摆金镇长新村石头寨雾虎冲一溶洞内，溶洞为喀斯特峰丛穿洞，分为上洞和下洞两处。当地老百姓把上洞称为鸡洞，为岗金河出水洞，高约50米，宽约20米，洞内两岸台阶上现存棺木数具（大部棺木早年已被火焚毁）；距上洞约百米为下洞，洞顶系山体天然桥梁，老百姓称之为“仙人桥”。仙人桥洞为东西向，洞口高约50米，宽约30米，深约120米。

仙人桥洞内分南北两壁。南壁上部，形成两级台阶，第一级台阶下距河面约30米，宽约3米；第二级台阶距第一台阶约3米，宽约5米。两级台阶上，均放置有棺木：第一级台阶中部放置棺木较少，但保存完好。第二级台阶东端放置大量棺木，棺木重叠堆放，多达七八层以上，下部棺木，多已朽坏；两端另放置一堆棺木，数量较少，部分已堆至洞口，日晒雨淋，朽坏较多。南壁堆放的棺木，目前仍然完好的，粗略估计，约650余具。洞内北壁，河面以上约20米处，亦有一台阶，面积比南壁小，其上放置有10余具棺木。

棺木的形制：棺木均为正长方体，用两块长方形木坊板为棺木的两端，在两端凿槽，固定棺木两端的档头。另用长木枋板作棺盖和棺底。木棺侧壁伸出档头之外，系“吊头木棺”。木棺无棺钉，放置在“井”字形木架上面。木架用四根木枋为立柱，腰部用二长、二短四根横木相连，横木上即放置棺木。其上再用同样四根横木，压在棺盖上面，两端加楔，固定和保护木棺以防外力破坏。少量棺木系用剖开的圆木作棺两壁，故棺木壁呈圆形。木馆长约2.25米，高约0.5米，宽约0.7米。

棺材洞中，有一种较为奇特的木棺，即在“吊头木棺”的两端，各增加一块挡板。其制法是木棺的两侧壁，长出棺身，把壁两端作公榫。另一块木板，在腰部两端各凿一个方形小孔，与木棺侧壁的公榫相合，然后用木楔子固定。其主要功能是弥补两挡板未被“井”字形木架箍住的薄弱环节，起到“双保险”的作用。此种增加的挡板，有两种形制，一为长方形，一为椭圆形。女性死后，使用长方形挡板的棺木，男性死后，使用椭圆形挡板的棺木。因此，我们今天可以从棺木的不同形制，辨明死者的性别。

1984年石头寨85岁的苗族老人赵兴良介绍棺材洞的情况说：“棺材洞是赵家的祖坟。从唐朝起，就已经是这种埋葬方法。以前把棺木放在的棺材洞以东的另一个洞中，因为失火，把棺木全部烧毁，后来才放置在现在的棺材洞中。每年春节，送鬼时，念洞中的祖先，有1000多人，要念两个多小时。”《贵州少数民族·苗族》中说：“迁入贵州中南部的苗族，从近几年考古工作者在这一地区发掘的许多苗族岩洞葬的研究中得知，大致始于两晋之时。”又说：“在黔南惠水，长顺直到黔桂边境，近几年发现了许多苗族岩洞葬，经鉴定，除部分是魏晋南北朝的以外，大部分都是唐宋至明代的遗物。”可见其历史的久远。

有的专家学者考察石头寨岩洞葬女性死者穿着的裙子为白色裙脚后提出疑问说，为什么女性死者穿着的裙子为白色裙脚，与现在石头寨女性穿的裙子不一样呢?石头寨的寨老回答说：赵姓原来有四房，死者都放置在棺材洞中，清代嘉庆、同治年间，大房、二房陆续迁徙他处，么房留在当地。迁徙以后，有一些变化，长房迁至摆榜，继续保持白裙脚的服饰（即“梳子苗”），也继续实行岩洞葬；二房迁到贵定八蒙水头，改为“青苗”；三房迁到鸭寨，变为“谷蔺苗”即鸭寨支系；幺房留在摆金，因长期跟摆金苗族（即摆金支系）相处、开亲，逐渐演变为摆金支系苗族，所以现在石头寨苗族女性穿的裙子与洞中的裙子不一样。

石头寨岩洞葬是全县、全省乃至全国规模最大、保存最完好的岩洞葬之一，是研究苗族古葬制的最好的典型。1991年6月被惠水县人民政府列为县级重点文物保护单位，2013年5月，被国务院列为国家级重点文物保护单位。

2.摆金高寨岩洞葬

摆金高寨岩洞葬位于高寨东侧约百米半山腰的岩洞中，原有棺材数百盒，系高寨杨氏的祖茔。因清代咸丰年间，官府派赵洪兴等人进入棺材洞采挖硝泥熬军硝，破坏了苗族岩洞葬，现仅存4所有土遮盖的坟茔。

由于高寨苗族岩洞葬遭到破坏，引起苗胞强烈不满，高寨武生杨景春暨杨姓合族人等多次到定番州府上告。州府派员查勘，确实破坏了苗族岩洞葬，即令赵洪兴等撤回，另寻硝洞开采。为使岩洞葬不再被人破坏，高寨杨氏苗族根据州府批示，于同治元年（1862年）三月和八月，分别立了“百世恩”碑和“敬宗奉示”碑，以警示后人。

3.摆榜岩洞葬

摆榜岩洞葬位于摆榜西北角斗底岩脚与磨洋之间山脊开口的岩框内，海拔约1400米。洞口宽约40米，简20～25米、深30米，里面深约90米。据说清朝乾隆年间，此处有棺木百余盒，但因妨碍了鸭寨苗胞的风水而被焚烧。现仅剩下四五十盒棺木置于洞中，形如马槽，有架有盖。架立4柱，高约4尺，厚约5寸。上下为横担二：下以承棺，上以压棺，使之稳定。棺长6尺，宽约2尺，板壁皆方正，厚约一寸五六，底盖同厚。男女各置一排，头皆朝洞口，而足朝内。棺架多倾斜，棺盖多开，有头颅已移脚下。尸骨有偏于一侧者，极为狼籍。海蚆、布片多移棺下。摆榜岩洞仅知道重庆博物馆、西南博物院研究员邓少琴及其得意门生杨代欣（成都武侯祠博物馆研究馆员）分别于1952年和1994年，不远千里前来为我们提供了丰富而宝贵的资料。

4.岗金岩洞葬

岗金岩洞葬位于太阳乡（今羡塘镇）岗金村岗金苗寨东侧1千米处摆郎河边岩洞中。据说原有500余盒棺材，1949年因火烧坡引燃洞内棺木，烧了三天三夜，现仅余存棺木30余盒。系岗金杨氏苗族的祖茔。棺内女死者穿着白色裙子，与现在岗金苗族妇女穿着鸭寨支系苗族妇女的裙子不一样。这也不足为奇。据说岗金苗族以前是斗底苗族支系，女性穿的是麻纺白裙，后因多代与鸭寨苗族支系交往、开亲，才逐渐演变为鸭寨苗族支系，穿着鸭寨苗族支系的花式百褶裙。

5.岗度甲找岩洞葬

岗度甲找岩洞葬位于今岗度镇镇政府以西4千米的甲找苗寨寨脚的岩洞中。现在洞内尚存数十盒棺木，系甲找潘氏苗族的祖茔。甲找苗族寨老说，他们迁到这里居住已有36辈，将近千年的历史，也就是说北宋时期就到此居住，说明这里的岩洞葬是北宋以来的苗族葬俗。洞内棺材保存较完好，而且有的棺材式样与现代使用的棺材相仿，说明它是晚清的遗物。

6.冗哨董龙岩洞葬

冗哨董龙岩洞葬，位于甲烈乡（今属濛江街道）冗哨村董龙面寨背后山的岩洞中。洞口有浓密树木遮盖。洞内原有棺木较多，系董龙土氏苗族的祖茔。但后来被人为破坏，损失严重。现洞内仅存棺木7盒。

7.大堡岩洞葬

大堡岩洞葬位于大坝乡（今属濛江街道）大堡苗寨北侧200米处山腰的岩洞中，现存棺木8盒，系大堡马氏苗族的祖茔。2014年5月13日我们考察时，尚有新近烧香烧纸的痕迹，木棺上插有白纸标志，说明马氏后代每年还前往祭祀死者。

8.板长穿洞岩洞葬

板长穿洞岩洞葬，位于大坝乡（今属濛江街道）板长苗寨南侧2千米处的穿洞中。原有棺木数百盒，因年久朽烂，现仅存棺木10盒，系板长、冗族杨氏和方氏苗族的祖茔。

9.打引董上岩洞葬

打引董上岩洞葬，位于王佑镇打引董上石板苗寨北侧1华里处半山腰的岩洞中。此洞系短洞，原有棺木数十盒，“文革”中遭到人为破坏，现仅存数盒较完好的棺木，系董上苗族的祖茔。

（载于云南德宏民族出版社2018年版《惠水苗族文化精萃》）

（九）千军万马奋战湘黔铁路

——惠水县干部、民兵参加修建湘黔铁路纪实

罗先书

20世纪70年代，党中央决定修建湘黔枝柳铁路。数十万大军奋战在这条铁路线上。惠水县革命委员会根据上级指示，从各公社调集四千多各族青壮年组成“湘黔铁路会战惠水民兵团”参加修建湘黔铁路建设。为了管理好这支队伍，完成上级交给的任务，又决定从县直机关、部门、企事业单位和厂矿以及

各区、公社抽调干部担任团、营、连干部参与管理这支庞大队伍。笔者当时在县革命委员会政治部组织组工作。一九七0年八月二十二日，组织组根据县革命委员会党的核心领导小组的指示，第一次开会研究抽调干部支援修建湘黔铁路的问题，笔者作了详细笔录，尔后又先后召开多次专门会议，研究抽干事宜，笔者都参加，并作了笔录。后来组织决定笔者到民兵团政治处负责组织工作。

一、奔赴湘黔线

惠水民兵团负责修建铁路7.6千米路基的工段在福泉县（市）新坪公社的甘巴哨、阿里堡、李家坪、新庄、金枣塘一带，团部设在公社所在地。从惠水县城到工地近两百千米的路程，要将几千人送到数百千米的地方并非易事，吃的问题较为好办，运力是最大难题。一是用汽车（全是货车）直送，二是用汽车（货车）送到贵阳，转乘火车到贵定，再用汽车（货车）送到工地。10月上、中旬，各地抽调参加湘黔铁路建设的干部、民兵已开始到惠水县城集结，住上一夜，第二天分乘汽车（货车）开往工地。10月24日这天，有千余人乘汽车到贵阳，然后转乘火车到贵定，再乘汽车去工地。到10月24日止，已有1964人到达工地。10月27日又有2000多人从惠水县城广场（今文化广场）分乘汽车前往工地，和前几次一样，每逢干部、民兵在广场集中乘车时，县城居民、机关、厂矿和企事业单位的干部、职工都要从四面八方赶到广场欢送，这天也不例外，广场上人山人海，祝福声、告别声，此起彼沸，真是万民热烈欢送亲人上前线（修建铁路工地），早日完成任务好回乡。10月30日，又有200多名干部、民兵乘汽车前往工地。至此，惠水县到达工地的干部、民兵已达4146人（不含团机关三个处及直属的宣传队、卫生队、测量队和施工队的200多人）。根据已到达的民兵情况，团党委决定分建四个营二十六个连。后来，由于工程施工需要，又从后方（县里）各公社增加抽调六个连的“兵”力前往工地参战，这样全团共有民兵、干部近5000人。这些民兵来自城关镇和全县49个公社，民兵中绝大多数是青壮年，其中不少是回乡青年，女民兵约占民兵总数的20%～30%。全团划分为32个连，134个排，453个班，每排35～40人，每班15人左右。连级正副连长、正副指导员均由区、社和部门的干部担任。排级干部主要由来自原生产大队的党支部书记或大队干部担任。团直属机关设政治处、司令部、后勤处、宣传队、卫生队、电影队、测量队和施工队。

二、建立和健全各级党政组织

10月30日，笔者乘坐的汽车（货车）于下午六点多钟到达团部所在地。报到后，团党委给笔者的任务是负责全团的组织工作。当前的任务是：①尽快摸清抽调来的干部到位情况，及时向后方（指本县）组织部门反馈，以便使未到位的干部早日到工地投入工作；②了解各营对连、排干部安排的打算；③弄清党、团员的状况，以便把党、团组织建立起来，并开展工作；④了解各级干部、民兵当前的思想反映及要求，以便进一步加强思想政治工作；⑤草拟各营党、政领导班子配备的建议名单，提交团党委研究审批。

惠水民兵团共有干部、民兵近5000人。分为六个营、三十二个连。团机关设政治处、司令部、后勤处、宣传队、卫生队、电影队、测量队和施工队。据笔者工作笔录记载：经县革命委员会党的核心领导小组研究决定：

（一）团党委由13位同志组成。他们是：逯尽孝、吴开荣（后为罗应学）、李秀刚、蒋乃吉、姜德阶、杨再伦、刘华山、石发祥、王启发、罗继茂、王泽源、李定国、赵宝清。

常委5人即：逯尽孝、吴开荣（后为罗应学）、李秀刚、蒋乃吉、姜德阶。

书记：逯尽孝；副书记：吴开荣（后为罗应学）、李秀刚。

（二）团长：逯尽孝；副团长：蒋乃吉、姜德阶。

政委：吴开荣（后为罗应学）；副政委：李秀刚。

参谋长：王新明；副参谋长：王洪连（后任参谋长）、李怀孝。

秘书：王宁（后任团政治处副主任）、龙明森。

（三）团直属机关

政治处主任：黄善兴、副主任：王泽源、王宁

司令部：参谋长：王新明；副参谋长：王洪连（后任参谋长）、李怀孝

后勤处：处长：蒋乃吉（兼）；副处长：王志忠、班凤轩

宣传队负责人：王泽源（兼）、黄达武

卫生队负责人：董伟陵、殷升九

（四）营级设置是：正副营长、正副教导员共有30人。

（五）连级设置是：正副连长、正副指导员共有128人。

三、正线开工正式开始

湘黔铁路会战都匀分指挥部下达给惠水民兵团的任务是：铁路路基长7.6千米，土石方103万立方米，小桥4座，涵洞20座，改修公路1.34千米。会战大军上路后，立即投入施工前的各项准备工作，为正式开工创造条件。铁路线上，到处洋溢着热烈的战斗气氛。经过一段时间的紧张准备，惠水民兵团于十一月十一日召开正线开工誓师大会。会场设在新坪公社所在地的田野上，主席台上的横标是："湘黔铁路会战惠水民兵团正式开工誓师大会。"左右两边的巨幅标语是："以"老三篇"起家（注："老三篇"是指毛泽东同志的《为人民服务》《纪念白求恩》《愚公移山》三篇文章），靠"两论"建路，用两个"决定"定向；大战五十天，以优异成绩迎接70年代的第二个春天（注："70年代"系20世纪70年代）"。会场上，巨幅标语林立。下午1时，4000多名指战员，排着整齐的队伍，雄赳赳、气昂昂地从各自的驻地开进会场，营、连、排的红旗迎风招展，战旗林立。当民兵团李秀刚副政委宣布大会开始后，会场上一片欢腾，口号声响彻云霄。民兵团吴开荣政委做动员报告。会议号召：紧急动员起来，迎接正线全面开工。要大破怕字，大破难字，大立敢字，大立闯字，要硬着头皮上，咬紧牙齿上。大战五十天，以优异的成绩，迎接70年代的第二个春天，迎接中国共产党建党五十周年，为伟大领袖毛主席争光，为伟大的社会主义祖国争光。会上，营、连、排、班的代表做了表态发言，互下挑战书。誓师大会后，各营、连、排、班的指战员，按照各自的施工地段，在技术人员的指导下，开展轰轰烈烈的紧张施工，整个工地上人山人海，锄头、洋镐碰石声、钢钎钻石声和轰隆隆的炮破声震动施工大地。当时在各工地的民兵中，广为流传的口碑有："毛主席指示永记牢，心明眼亮志气高，树雄心，立壮志，万难脚下踩，苦干实干加巧干，死了也心甘；心中有个红太阳，千难万险无阻挡。一颗红心两只手，自力更生样样有，双手打通万重山，早日修成幸福路。""狠抓根本不转向；突出政治永不忘，党的领导要加强，内外结合不可少。东风劲吹，红日高照，毛主席发出指示，湘黔铁路修建了，数十万大军齐上阵，山山岭岭变铁道，功劳归于毛主席，成就归于党领导。""湘黔线上红旗飘，会战大军干劲冲云霄，誓把山凹地修成路，定在河上架铁桥，湘黔铁路不通车，全体干战不下战场。"广大民兵豪迈地说："身在群山峻岭里，红心永向北京城，早日修好战备路，好让毛主席放心。心中有个红太阳，心明眼亮不迷航，为了修通战备路，刀山火海也敢闯。宁可体重减几斤，不让火车晚一分。""树雄心，立壮志，破难关，夺高产，保证完成上级交给的任务。火车不响，不下战场，铁路修不通，决不回家乡"等等。

四、克服重重困难，苦干实干夺高产

20世纪60年代末，70年代初，我国国民经济还很脆弱，但是为了反修，为了战备，为了人民幸福，党中央下大决心修建湘黔枝柳铁路。惠水民兵团接受任务后，重点抓好三项工作：1、吃、住。所谓“兵马未动，粮草先行。”首先遇到三大困难。（一）住房问题。沿途村寨较少，就是村寨较多，也难以“挤”住几千人的队伍，唯一的办法是搭建工棚。所以，民兵上路之初。首先在以团部（公社所在地）为中心的沿铁路沿线的村寨附近或便于到工地的山湾处搭建工棚。团部机关各处、室、队和营、连、排的干战绝大多数均住工棚。这些工棚非常简陋。棚顶上盖油毛毡，四周用竹席、木棒和灌木、纸壳及杂草围遮，“房”内用木棒加竹席和稻草铺成“床”即可，办公桌、凳也很简单，木架上铺上板板就行。（二）吃。粮食、菜油有国家按规定供应，比较好办，蔬菜供应是一大问题，就地采购有限。具体办法是：①从后方（本县）组织货源运往工地供应；②到其他可能有货源的地方采购；③到外地采购干菜解决；（三）医疗卫生。工地沿线人群密集，除了正常治疗外，更大的问题是做好预防工作，特别是要做好预防肝炎、流行性感冒、肠炎、痢疾等疾病的预防。当时团部卫生队有20多人，每营有4–6人，每连也配备有1名卫生员。但由于条件差、医疗设备不足、医务人员业务素质有限，药品也难于满足需求，经费也很紧张。为此，团党委对卫生队提出：一要加强医务人员的业务培训，使之适应工作需要；二要节约每一个铜板，提倡一根针，一把草，上山挖草药。为此，团卫生队明确以张著刚同志（之前该同志是惠水县赤土农场的卫生员，懂得一点草药知识）为主的采药小分队上山采集草药。小分队的同志们背着背篼，带上采药工具跋山涉水采集。最大的一次行动是他带着30多人的采药队伍到40多千米名叫岔河的深山老林采集，一干就是4天，然后用口袋装好，集中在黄丝、再由团部派货车运到团卫生队选用，将适合预防的草药熬大锅汤，供民兵喝，要求饭前每人喝300毫升，有的人不愿喝，他们就配合营、连、排干部做思想工作，张著刚等同志先喝做表率。还有一次，有一个连队的民兵上山拾柴到工棚烧火取暖，其中有漆树枝叶，造成200多人皮肤过敏，一个个浮泡脸肿，西药一时又控制不住，他们就上山采挖野油菜、地古胆、七姑草，又到河沟里捉活螃蟹来捣碎外敷，很快控制和治愈病情。总之，由于团卫生队采取中草药和西药相结合的有效措施，惠水民兵团在传染病发病率方面在黔南分指12个民兵团中最低，被评为分指先进单位，并出席湘黔枝柳铁路总指挥部在玉屏县召开的表彰大会，张著刚同志在会上作了经验介绍。

注重和加强文艺宣传和电影放映工作。文艺宣传和电影放映是一支活跃在团、营、连及工地的非常重要的宣传队伍，注入了几千人队伍的精神食粮。团宣传队的全体干、战不怕吃苦，不断深入班、排、连和工地收集素材，特别是好人好事的材料，自编自演，鼓舞士气，为胜利完成工程任务立下了汗马功劳。

克服困难，创造条件，苦干实干。在那个年代，在施工过程中，没有机械设备，全靠双手、肩挑，用的是锄头、洋镐、撮箕，一锄一镐地挖，一铲一铲地铲，用双手一锤一锤地撑着钢钎打炮眼，人工点引线引爆开山放炮炸石头，手推车很少，全靠肩挑抬泥、石到指定的地点。干、战们冒着酷暑、严寒、顶着细雨与天斗，与地斗，凭着《愚公移山》的精神，本着“为了修通战备路，刀山火海也敢闯，宁可体重减几斤，不让火车晚一分”的气概，与时间赛跑，白天时间不够用，常常借着月光打夜战，终于按上级要求完成任务。

五、建路育人，育人修路

我县参加修建湘黔铁路的干部、民兵从1970年10月开始至1972年6月结束，在湘黔铁路线上奋战二十

多个月。为了早日修通战备路，他们头顶烈日，冒着严寒，风里来，雨里去，克服重重困难，与天斗、与地斗，胜利地完成党和政府交给的光荣任务。在这场“战斗”中，涌现出许许多多的优秀人才，真是“既修了路，又育人了。”在这几千多干部、民兵中，年龄最小的是十六至十九岁的青年，最多的是20至40岁的青壮年，天命之年的也有不少。民兵团组建不久，惠水县革命委员会党的核心领导小组给团党委的任务是：1、克服一切困难，完成上级交给的修路任务；2、注意发现人才，培养人才。吸收那些要求上进，又符合入党、团条件的积极分子到党、团组织中来，增加新鲜血液。团党委非常重视这一工作，采取注意发现、积极培养、有目的地压担子等措施，县革委政治部组织组多次派人前往工地实地考察、指导，终于取得了丰硕成果。据笔者工作笔录记载，民兵团先后共吸收186名优秀分子加入中国共产党，其中：女党员54名，吸收981名优秀青年加入中国共产主义青年团。其中：女团员279名，县的组织部门经过认真考察，招用了31名符合干部条件的青年充实到机关、区、公社工作。这些年轻干部和从各单位抽调来的干部，在各级党、政组织和领导的关心、培养下，回县后成为各级各部门的领导骨干。如团政委罗应学同志（布依族），后来先后任黔南州人民检察院检察长、党组书记、州政法委书记、州中级人民法院院长、党组书记；团政委吴开荣（苗族），后任贵州省高级人民法院常务副院长；二营教导员王启发同志（苗族），后任惠水县人大常委会主任；四营教导员李定国同志，后任县人大常委会副主任；团政治处副主任王宁同志（苗族），后任县人民法院院长；团政治处宣传队队长黄达武同志，后任县文化局局长、县委宣传部副部长；时任一营秘书的徐刚齐同志（布依族），后任县人民政府副县长、副巡视员；时任25连统计员、副连长，年仅20岁的陈德兰同志（女，布依族）被吸收为干部回县后，先后任镇党委副书记、书记、人大主席团主席。时任团卫生队卫生员的张著刚同志（土家族），年仅22岁，回县后，刻苦攻读医学知识，获外科医士、医师、主治医师职称，先后任县人民医院、中医院院长、县卫生局局长。罗先书同志转战回县后，先后任区委副书记、区长、县劳动人事局局长、县计划生育委员会主任和县住房制度改革办公室主任。等等。总之，凡参加过湘黔铁路会战而成才的惠水县各族干部还有很多很多，不胜枚举，这里就不一一叙述了。

（十）惠水县知识青年上山下乡情况回顾

王品崇

自从1955年12月毛泽东主席向知识青年们发出“一切可以到农村中去工作的这样的知识青年，应当高兴地到那里去。农村是一个广阔的天地，在那里是可以大有作为的。”伟大号召，1956年1月中共中央在《1956年到1967年全国农业发展纲要（草案）》提出“城市的中、小学毕业的青年，除了能够在城市升学、就业的以外，应当积极响应国家的号召，下乡上山去参加农业生产，参加社会主义农业建设的伟大事业。”后，从1963年起，一批又一批的城市知识青年到我县农村、农、林、牧场插队落户，参加阶级斗争，生产斗争和科学实验三大革命运动。截至1981年，全县上山下乡知青3437人，其中：上海知青549人，贵阳知青108人，省地质系统130人，险峰厂156人，转点进来知青219人，随家下放转知青138

人。现将大体情况回顾如下：

一、认真组织知识青年上山下乡

1、办场插队结合，组织知识青年上山下乡

按照省、州有关规定，我县组织知识青年上山下乡动员的对象，一般是思想进步，年满16周岁，身体健康，没传染病和残废的高初中毕业生和社会青年。

农村安置点的选择，相对的要具备：群众基础好、觉悟高；领导力量较强的社队；田土多，人口劳力少；资源比较丰富，有发展前途，农、林、牧、渔全面发展；社员生活水平较稳定。安置形式一般是采取：1、插队：三、五个，七、八个青年小组集体插入生产队；2、投靠亲友，农村有亲友，去那里落户安家；3、插入国营农林牧场；4、集体开办农场。

经费及开支范围：插队经费230元，国家只解决一年；办场400元，时间掌握一至二年。开支范围：按每人一年计算：1、学习费3—5元；2、宣传费1元；3、生活费：每月7—9元，一年84—108元；4、修建房屋50元；小农具家具费20—30元；6、医药费6元；7、行李运费2元；8、被盖、棉衣、蚊帐困难补助20—24元；9、生产费（指农场）30—40元，项目与项目之间可以互相调剂。安置费不发给个人，统一由上级安置部门拨到区（镇）公社，统一掌握使用。

1963年9月，贵阳组织贵州建筑工程专科学校、贵阳女子中学、贵阳四中、八中、十一中、十六中、十七中、贵阳云岩师范学校、贵州汽车制造厂子弟中学、贵阳小河电机厂子校、贵阳第一期驾驶学校等90多名知识青年下到国营惠水七里冲果树场，之前10多天贵阳还有10多名知识青年下到惠水县斗底畜牧场。这是来到我县最早的一批知青。1966年3月12日，县林业局从七里冲果树场这批知青中调走40余人，到烂坝林场开始建场。

我县从1964年上半年就开始动员城镇知识青年上山下乡。如城关镇在1964年4月就动员了100余名知识青年和少部分闲散劳动力，由镇里派镇干部魏明德具体负责带队到万鸡山办城关镇青年农场，就地借用林业站部分房屋和水泡冲原商业综合农场的全部房屋安排这批知青。为支持青年农场，城关镇委、镇政府号召城里的居民每户送200斤肥支援该场。建场后，为搞好生产和生活，一方面分配少部分人到场外从事副业搞收入，一方面分配专人放牛、种植蔬菜、打秧青坝圈等基础农活。1966年上半年，为便于场里的领导和管理，推选郑可英为场长，下边分为农业队、果树队、蔬菜队。同时，还协助林业局抓好农场附近一带的森林管理工作。

1966年至1967年间，县劳动安置部门还与城关镇和街道居委会配合，先后不断地组织部分城镇知识青年上山下乡插队或投亲靠友安家落户。1966年，郑可英被县里推荐代表知青参加省里组织的国庆观礼团到首都北京，国庆前夕，受到周恩来总理等党和国家领导人的接见，参加了周总理举行的国庆宴会。

2、组织机构。

1972年前由县政府人事劳动部门设安置办公室兼抓知识青年上山下乡工作；1973年10月18日，成立中共惠水县委知识青年上山下乡领导小组，建立惠水县革命委员会知识青年上山下乡工作办公室，加强对知识青年上山下乡工作的领导。12月27日启用惠水县革命委员会知识青年上山下乡办公室印章。

1979年5月3日，撤销县委知识青年上山下乡领导小组，其日常工作由县革委知青上山下乡办公室负责。

1982年2月，县知青办撤销。

3、分批接待和安置上海、贵阳知青，动员本县知识青年上山下乡。

①上海、贵阳知青上山下乡的安置分布：

1969年1月9日，贵州省革委生产领导小组《关于上海市两万知识青年到我省农村安家落户安置的意见的报告》中提出“安置任务的分配：黔南五千。安置形式：以集体插队为主（三、五人，七、八人一组），有条件的社队可以新建队或办小型集体农、林、牧场”并明确指出“上海到我省农村安家落户的知识青年，除赠送毛主席著作，毛主席语录，毛主席像章，补助衣被等物资和费用以及由上海来我省的运输由上海市革命委员会负责解决外，其余安排由我省有安置任务的地区负责，按我省知识青年上山下乡的有关规定执行。”

黔南州革委黔南发（1969）008号文件《关于分配上海市革命知识青年五千名到各县安家落户的意见》中明确“各县在元月底以前，落实好安置点（安置点，人数，吃、住、家具，小农具等）一切准备工作。……贵阳接待转运站，由长顺、惠水、州上山下乡指挥部各抽一人组成，请省的贵阳接待站协同办理转运。上海市革命知识青年任务分配惠水500人。”按照省、州的安排，我县认真作了部署，1969年4月、8月，上海知识青年500人来到我县上山下乡插队落户。上海的知识青年主要插队落户的具体地区是：姚哨区：姚哨公社红心、首创、姚新、新民、平寨；长田公社土桥；赤土公社平寨、交椅、落兴；大坝公社兴隆、三合、光明、龙潭。三都区：三都公社旧司、上牙、联合、平地；毛家苑公社新华、辉油、新门、三七、龙家苑；三合公社栗木、羡田、金石；大龙公社马井、排楼、热敖、龙坑、长征、大兴；九龙公社大瓦、小瓦。断杉区：甲戎公社董谷、平九、下苑、青藤、吴家湾、扁岭；羡塘公社红旗、新城、杉木、白鸡。王佑区：雅羊公社群中；王佑公社冷水。雅水区：洛平公社高一（老寨）；合爱公社新寨、新庄、大龙、岩脚。

上海市革委会赴黔南学习慰问团黔南分团惠水小组1972年9月29日《惠水县上海下乡知识青年住房情况调查报告》中写道：“惠水县安置上海知识青年521人，分布在6个区，17个公社，52个大队，161个生产队。有60%的知青安置在沿公路的平坝地区，用水方便，而且为知青建造了住房，使之安心。”

贵阳知识青年早于1963年8月下旬和9月上旬先后到我县斗底畜牧场和七里冲果树场插队落户。1968、1969、1970、1971年先后又有108人到我县上山下乡插队落户，具体分布地区：城关镇星光大队人民生产队。姚哨区：长田公社上黄一、四队，长田大队大寨四队，长田大队化稿生产队、化稿一队，摆竹二队；姚哨公社满告五队，红心四小队；惠明公社幸福三队，东风一队、三队，七沙坝四队、梁子上队，红番二队，惠明解放四队、程番二队，奇龙四队，满坝河边寨队，大围三队；半坡公社山后三、四队，濛涟一、三队，半坡马鞍山队；赤土公社交椅二队，赤土大队三队，赤土涟江一、二、三、四、五、六、七队；大坝公社光明大队一、二、三、五队，山河大队二队。王佑区：芦山公社硐口河中队；长安公社新华度广队、新华纳同队。摆金区：甲浪公社场坝队；宁旺公社摆猛一队；摆金公社黎光三队，摆金苏新一队。雅水区：雅水公社葡萄小坝队，葡萄莫然队。三都区：三合公社小龙一队，金石五队，栗木四、五队，羡田一、二、三队、五队，龙岗三、四、五、七队，小苑3队。断杉区：断杉公社拉林大队新寨生产队、拉林摆亚小队、田坝小队、垅文小队，屯头小队，纳窖小队，纳入小队，纳间小队，大寨小队。

②本县上山下乡知青采取插队、插场和办场相结合进行安置

1968年11月6日贵州省革委会黔发（1968）196号转发《省知识青年上山下乡工作会议纪要》的批示中明确指出，对1966—1968年的高、初中毕业生，一律及时地做出适当安排，组织他们上山下乡，并切实做好知识青年上山下乡的安置工作。根据这个精神，惠水县采取大会报告，掀起声势，广泛开展宣

传，分系统、单位、各中学、街道深入摸底，排查应下对象，作好应下学生和家长的思想工作，分别组织上山下乡。1969年7月15日惠水县革委批转《县知识青年上山下乡工作座谈会的情况报告》中写道：“到目前为止，全县三届高、初中毕业生上山下乡（回乡）安家落户的768人（其中上山下乡的245人，占应上山下乡总数的85%）。社会青年、城镇居民90人，接待和安置上海市知识青年520人，贵阳及其他地区的知识青年145人。全县有安置任务的六区一镇24个公社78个大队的181个生产队革委和广大贫下中农，在省、州、县革委直接领导下，遵照毛主席的教导‘各地农村的同志应当欢迎他们去’。”

10月19日，各单位、学校的干部职工、师生约1000余人到人民会场门口欢送100余名上山下乡知青到七里冲机关知青农场插队落户。20日，安置到大坝知青茶场的10余名知青，由知青办陪同，乘专车前往该场。

据统计，县内动员上山下乡的知识青年，1968年至1969年251人，1970年至1973年，由于林彪、“四人帮”反动谬论的干扰，仅有13人下乡，且不少已上山下乡的知青还倒流回城。1974年至1975年1119人，1976年至1978年754人，共计2137人。

具体安置的分布情况是：

插队知青的分布地区：城关镇：星光一队、人民队、西门队、北门队、红星队，向阳一、二、三、五队，云盘上队，河坎边队，幸福队，反修二队，长征一、二队，解放一、二队，东风一队。

姚哨区：惠明公社红旗大队一、二、四、六队，东风一、二、三、五队，洪番一、二、五队，满坝二、三、四队，河边寨队，大围一、二、三队，程番一、二、三、四、五、八队，殷家屯队，幸福三队，七沙坝梁子上队、四队，解放四队，齐龙一、三、四队，大坡二、四队，六坡四、六、七队，五七三、六队，五星三队；半坡公社半坡一、二、三、五、六队，石头、马鞍山，濛涟一、二、三、四、五、六队，山后二、三、四队，学庄、松树坡，长岩二队、牛场队；赤土公社赤土一、二、三、四队，涟江一、三、五、六、七队，交椅一、二、四、五、六队，落兴五队，平寨一、四、五、六、七队；姚哨公社姚新一、二、三、四、五、六、七队，首创四、五、六、七、十、十五、十七、二十队，红心一、二、三、四、五、六、八、九、十队，新民一、二、三、四、五、六队，平寨一、二、三、四队，满告四、五、九队；长田公社上黄一、二、三、四、五队，莫洋四队，长田四队，摆竹二、四队，双牙一、二、四、六队，化搞一、三队，土桥一队，桥硐三队；大坝公社光明一、二、三、四、五、六队，文化一队，兴隆一、二、三、四、五、六队，三合三队，龙潭一、二队，山河二队，绿化六队；斗蓬公社（3名知青均为转点来）。

三都区：毛家苑公社安潭三队，况家湾，董敖，新华一、二、四、五、六队，落瓦二队，三七一、二、三、四队，辉油上寨、小苑、中苑、上苑、毛栗、新门、门前、沟边、马路、场坝、龙场，齐龙五队，龙家苑一、二队，岩上三、五队，传兴一、二队，高桥二队，龙硐二队、沙地，龙联二、三队，董敖一队；大龙公社长征马井、冷水河、新白岩、新桥、岩头、白岩、洞口，山口、河边上寨，马井热敖、老白岩、银厂、干昌，排楼、石板、洞口、水井、岩脚，龙坑新桥、龙坑、河边，大兴三队、沙井、新寨，长征新桥；三都公社街上一、二、四、五、八队，平地一、二队，小寨三、五队，新街一、二、三、四、五、六队，旧司一、二、四、五队，场坝二、三、五队，桐马三队，桐木二、三队，马田一、二队，上牙三、五队，联合二队，新苑一、二、三队，金石三、八队；三合公社小院二、六队，小龙一、三、四、五、六、七、九、十队，龙岗二、三、四、五、六、七队，羡田一、二、三、四、五队，金石一、二、三、四、五、八、九队，栗木一、二、三、四、五、六、七、八队，满管，小苑三、六队，旧场一队；九龙公社大瓦一队，小瓦一、二队，龙洞一队（转点来），远六一、二队，石门，大兴六队，山口寨山口，马门三队；清水公社麻冲麻冲，清水一、四队，上苑、下苑、三联，弄苑摆永关。

摆金区：摆金公社黎光一、二、三、八队，苏新一队，场坝十一队，摆金十一队，场坝，么清三、四、五、六队；甲浪公社甲浪场坝七队（转点来和随家下放转），屯脚三、四队（随家下放转）；宁旺公社丁坝大队，摆猛 队，场坝 队；甲烈公社甲烈六队，摆王一队（转点来）；斗底公社岩脚二队，长满一、四队，场坝二、五队，屯上五队；大华公社金银四队，大华四队；岗度公社场坝三、四、五队，屯上三、四、五队；本底公社龙盘一、二队；下本底一、二队，上苑队。

雅水区：雅水公社场坝、黄花、高寨、栗木、红塘、满杠，响林王莫，葡萄、同满、小坝、莫然、栗木冲，播潭播潭、蛮老、蛮雷，道力双口洞；太阳公社播脚洋黄、播脚、羊全、新寨、马鞍、上播脚，摆娥甲耳；合爱公社新庄抹肘、新寨、火烧寨、播宜、石庄、布宜，大龙扬师、满席，满旁二、三、四队，大龙、洋泗，岩脚一、二、三队；洛平公社高一老寨、马场、高寨、播所、打干、新寨，洞口岩头；牛场公社大寨堂根（随家下放转）；党古公社党古大苑、中苑、小苑，摆六摆六、甲仲、六妹；鸭寨公社（转点来）。

断杉区：羡塘公社拉力二队，红旗中苑、上苑、下苑、腊六、毛力、毛达、桥头，新城一、三队，杉木一、二队，白鸡寨；水源公社水头老寨、水头；甲戎公社董谷董谷、中苑，平九下苑、平九、中苑、岑王、瓦厂，青藤青藤，吴家湾、遍岭一队，场坝，拉岩水头、大坡、河对门、窝荡、大寨、田坝、甲井；翁륵公社上坝；拉林公社拉林新寨、田坝、垅文、屯头、纳窖、纳问、大寨、纳入、蛮问、几鱼，新庄，董朗蛮河；抵季公社蛮纳队上，姚山姚山（随家下放转）；定里公社三合石板；西混公社西混街上、上苑、下苑，比纳、翁烟、前栗；断杉公社花鱼，摆惹摆惹、冗琴，八大五队；新场公社木兴打裸（随家下放转）。

王佑区：王佑公社冷水一、二、三、四、五、六队，场坝场坝，五星塘早、新场；芦山公社芦山四、五、六、七、九、十队，硐口河中队一、四、五队，摆达，小石落号二、三、五、六队，羊马一、二、三队，纳冗二队；长安公社新华、度广、纳同（随家下放转）；雅羊公社群中二、四队，河道，花渔八队，雅羊一、二、五队，河兴一队、渔湾二队。

4、抽调带队干部，协助基层党政组织具体抓好上山下乡知青工作。

中共贵州省委省发（1974）28号文件批转省委知识青年上山下乡领导小组《关于抽调上山下乡知识青年带队干部的意见》：

①抽调带队干部是干部下放劳动、走《五.七》道路的一种形式，应作为一种制度，坚持下去。

②按照动员上山下乡知识青年的总数百分之二的比例配备带队干部；办集体青年场、队的，应多配备一些。其中应有一定数量的领导干部和女干部，也可有适当数量的老工人和革命教师。

③带队干部由组织部门负责抽调。原则上一年调换一次，在轮换前，要进行总结、鉴定。

④带队干部应在当地党委的统一领导下，协助做好下乡知识青年的巩固工作。带队干部要参加县、区、社的领导班子。

⑤带队干部的主要任务：1、认真贯彻执行毛主席、党中央关于知识青年上山下乡的指示。2、组织下乡知识青年攻读马列的书、毛主席的书，带领他们参加生产劳动，虚心接受贫下中农的再教育，长期扎根农村干革命。3、对下乡知识青年做深入细致的思想政治工作，帮助他们解决学习和生产、生活等

方面的实际困难。4、发动下乡知识青年，同广大贫下中农一起，大力开展“农业学大寨”运动，为实现农业现代化，为建设社会主义新农村作出贡献。5、总结交流经验，及时向党委请示报告工作。带队干部应认真执行“三大纪律八项注意”。发扬民主作风，遇事同群众商量，经常听取下乡知识青年的意见和要求，与贫下中农、下乡知识青年实行“四同”，虚心接受贫下中农的再教育，努力改造世界观。

⑥几个具体问题：在工作期间，每人每天补助2角。平均每人补助布票1丈，棉花2斤，由派出地区发放。口粮标准，每人每月40斤商品粮，超过本人定量的部分由派出地区粮食部门补助。

根据上述文件精神，1974年6月1日中共惠水县委以惠发通知（1974）15号文件发出通知：县委决定抽派带队干部协助区、社党委，加强对知识青年上山下乡工作的领导。余歌今、吴家福先后负责姚哨区；芦永华、余来保先后负责三都区；王家荣、芦忠兴先后负责摆金区；罗祯科、蒋乃吉、何子强先后负责雅水区；赖裴章、雷从军先后负责断杉区；查德才、姜应书先后负责王佑区。

1976年，为搞好城乡配合，省地质系统主动与宁旺公社挂钩，是年下乡知青130名，派带队干部7名，工人3名。

5、各级党政部门对上山下乡知青高度重视。

1969年在雅水公社场坝大队场坝生产队插队的知识青年李惠萍（女）和在播潭生产队插队的知青毛凤霞（女），被推荐代表全县知青参加县里组织的赴大寨学习参观团到大寨参观学习。1976年，大坝公社知青茶场上山下乡知青方启英（女）被推荐代表全县知青参加县里组织的参观团赴大寨学习参观。回来后，姚哨区在大寨精神鼓舞下，组织劳力在老羊圈抬运石头砌梯土，在水围搞改河工程，挖新河道通水，把旧河改为几口大鱼塘。

1977年10月，牛场公社党委推荐险峰厂荒山知青场上山下乡知青窦瑛（女）代表全县知青参加县里组织的首批瞻仰毛主席遗容代表团，赴北京毛主席的纪念堂瞻仰毛主席遗容。

20世纪70年代党中央决定修建湘黔枝柳铁路。按上级指示，惠水县接受了马场坪至甘粑哨段7.6千米铁路路基的任务，县革命委员会从全县抽5000多人参加湘黔铁路修路大会战。其中上山下乡知青上百人。全县按军队编制划分为6个营32个连。不少知青分到各营、连部担任文书或参加文艺宣传，成为政治宣传的主力军。如惠水知青黄达武担任惠水县民兵团文艺宣传队队长，一营姚哨、三都两区就是上海知青叶志刚担任营部秘书，主编营部战报，二营雅水区是惠水知青董文海担任政治宣传干事，负责采访收集和编辑《进军号》小报，惠水知青汤德鹏任连队文书等。

在国防建设的征兵工作中，各级党政领导对上山下乡知青也很重视。以往都是把任务或指标分配到场、队，知青们都积极报名应征，争取到中国人民解放军这所大学校里去锻炼，建设国防。甚至有知青参军后在保卫祖国的战斗中牺牲。如1974年8月下清水公社清水大队麻冲生产队的知青王贵云入伍后在对越自卫还击战中牺牲。

二、广大贫下中农和农村基层组织、干部热情欢迎知青到农村去

知识青年上山下乡，广大贫下中农和农村基层组织、干部认真执行毛主席“各地农村的同志应当欢迎他们去”的指示，事例很多，这里略作简介。

惠明公社东风三队的知青在《谈上山下乡的改造过程》的书面材料中写道：“1969年，我们从贵阳市和惠水城关先后来到东风三队安家落户、到队里的第一天，队革命生产委员会召开欢迎大会迎接我们，并送给我们红彤彤的革命宝书《毛主席语录》。贫下中农热情地给我们腾房子、铺床、送锅送碗，担水送菜，并办了一期‘安家也安心’的毛泽东思想学习班。”

雅水区牛场公社党委接待险峰厂第一批90名知青的住房，是事前和各大小队经过商量后决定，由全公社六个大队分别包建一幢约120平方米的房子，并按知青人数配床、三抽桌、条凳等家具。任务落实后，1973年冬，为迎接知识青年而建房的人民战争打响了。每天投入的人数最多时达800人左右。男女老少齐上阵，顶风斗寒战荒山，没有公路，许多建房材料都是肩挑背驮，攀登约200米高的山坡小路从自己生产队拿上去的。如洞房大队抬瓦送去，来回一趟要走26千米崎岖不平的羊肠小道。经过三个月的苦战，六幢38间房屋就胜利完成了。

摆金区认真解决知识青年的住房问题，进度快，质量好。如岗度公社，1974年4月以来，接收知识青年30名，分布在六个点。公社党委和贫下中农充分认识到：要使知识青年安心，首先要解决好他们的安身。公社主要负责同志亲自为知识青年住房选点，统一设计知识青年的住房，并带领知识青年参加建房工作。为知识青年建成两幢12间碎石结构瓦面房（每幢有一间公共厨房，建筑面积为144平方米），买壹幢木质结构房屋，其余几幢陆续抢建。摆金公社邀请大队第二、三生产队，在国家未拨知青建房费之前，就为6名知识青年建好两幢五柱二瓜的木质结构房。

1976年以来，我县许多公社都认真总结了历年来知识青年安置工作的经验和教训。三合公社、九龙公社、芦山公社都分别创办了以知识青年为主的社办养猪场、茶场，采取户口到队、集中劳动的办法安置知识青年。连同我县原有的九个场、队。是年，全县知识青年场、队增加到15个。国营农林场和集体场队安置知识青年总数达207人，占已经下乡人数的66.7%。

三、知识青年经受农村磨砺先进者实例

吴美艳（女，1969年3月从上海下到惠明公社东风三队）：六年中，我已从一个手不能提，肩不能挑的城市学生，成了心红体壮的新型农民、共青团员，思想感情发生了深刻的变化。我坚持参加了农业生产，不论刮风下雨，干什么农活我都坚持，我一年出工都是300天以上。在严冬的积肥热潮中，我坚持和贫下中农一起上坡割草积肥。在“双枪”战斗中，我们知识青年和贫下中农坚持出早工、收晚工。

生产队为了改善妇女的劳动状况，不被家务事拖累，买来了一部缝纫机，我就主动承担，对于裁剪我虽是一个外行，就买了一本服装裁剪书，边学边干，经一年多的实践，我已基本上掌握了裁剪技术，坚持白天出工干农活，晚上利用休息时间为贫下中农服务。有人看到我一天到晚忙忙碌碌，就说：“你一不是裁缝，二又不拿补贴工分，每天干到深夜何苦呢，万一做坏了衣服还要赔。有些人不拿线来，你还要自己买线，不划算。”我说，我是工人阶级后代，能为贫下中农缝补衣服，减少贫下中农的负担，苦点、累点，我也要干。

1974年5月成立了大队农科站，我被分配到农科站，我们从生产出发，从当前群众需要出发，围绕着“农业八字宪法”狠抓良种改制、肥料植保为重点试验研究工作，为了进一步探索水稻、小麦、油菜等丰产规律，我们一是总结当地农民群众的经验，二是推广科学研究成果和综合试验。把试验研究、总结群众经验、示范、推广三方面紧密结合，开展了一些科学实验活动。计有1、水稻的品比实验，以珍珠矮为对照，有验丰23号、农矮、黄皮矮、美国黄壳、培迪科6—17号选种等7个品种进行比较；2、水稻的密度试验；3、水稻的提纯复壮试验；4、水稻的有性杂交试验；5、药剂试验。在小麦油菜生产上的试验有：①小麦的品比实验，我们以阿波为对照，有远复、泰山一号、65856、301、9339、石愧2号、毕麦5号等8个品种进行比较。②小麦条播与撒播对照试验。③小麦的无形杂交试验。④小麦移栽试验。⑤油菜的高产试验。⑥小麦的引种鉴定根据我站目前条件与可能，在科学实验上主要面向生产，

服务大田，着重普及。特别是通过在农村锻炼同贫下中农生活中，我学到了勤俭朴素、艰苦奋斗的优良传统和自力更生的革命精神。1965年10月1日我姐姐结婚，家里来信要我回去，因我已二年没有回上海，但我想到10月1日正是“三秋”大忙季节，我决不能放弃农业生产到上海去探亲，家里事再大也是小事，集体事再小也是大事，越是大忙季节越能锻炼人，艰苦的劳动对于我们这些没有吃过旧社会苦的青年尤为重要。这次秋收的时候，我皮肤过敏得很厉害，皮肤溃烂，碰到水痛得钻心，我想到金训华同志“活着就要拼命干，一生献给毛主席”的豪言壮语，想起贫下中农对我的耐心帮助，使我有了战胜困难的力量，有了坚持到底的决心，我深深体会到“三秋”生产是艰苦的劳动，但它能锻炼人的思想，磨炼人的意志。我这次没有回家，既为“农业学大寨”贡献了一份力量，也是对自己世界观进行了一次改造。通过几年的劳动实践，使我进一步认识到毛主席为我们指出的道路是无比光明，无比正确。

周从炳：我们是在1969年4月上山下乡到大坝公社兴隆大队插队落户的26名上海知识青年，至今已经一年又四个月了。一年多以前，我们刚离开上海，来到贵州时都是“四体不勤、五谷不分”思想幼稚的小青年，现在经过贫下中农的教育，活学活用毛泽东思想，努力锻炼改造自己，在政治、思想、生活等方面起了巨大的变化。劳动中，贫下中农手把手教我们挖土、除草、插秧、犁田等农活，已慢慢学会了。女知青去年学插秧，双脚一下水，就站不住了。今年个个跟贫下中农一样，冒雨挑秧、插秧，有的身体不好，坚持出工，衣服几次淋湿，没有叫苦。男知青个个学会了犁田，挑上百把斤走个把小时山路已很平常。去年我们最怕干撒粪的活路，现在赤脚下猪圈，双手抓粪肥，已成常事。通过劳动锻炼，不仅病号减少了，体质增强了，更重要的是我们与贫下中农的关系密切了，思想感情起了显著的变化。在生活方面，贫下中农艰苦朴素的作风感染着我们，逐步改变了我们脱离实际的要求。生活上低标准、瓜菜代，没有菜吃，贫下中农热情地送给我们，住房漏雨，及时为我们整修。有时菜不够，贫下中农带我们上山采野生的“蕨菜”“粑粑菜”，这不仅为了解决吃菜问题，而且增强了我们的勤俭观念和艰苦精神。苗族贫农马老太母女，耐心地教女知青小乐打草鞋。当小乐穿上自己打的草鞋去劳动时，深有体会地说：“贫下中农教给我的不是打草鞋，而是艰苦朴素的优良作风。”现在我们全体知青都能坚持艰苦奋斗，自力更生精神，勤俭安排好自己的生活。

当我们看到农村缺医少药的情况时，就把自己带来的药送给贫下中农服用，学着为他们看病。看到农村缺少文化时，就个别教贫下中农识字。同时利用空闲为贫下中农理发、打毛衣、打帕子。这些逐步形成的为贫下中农服务的活动，深受贫下中农的欢迎。

为了更好地为贫下中农服务，我们建立了医疗、扫盲、宣传、理发四个组：

医疗组：过去兴隆大队贫下中农是“小病拖着无人看，误成大病上“永安”（永安电机厂）”，既花钱，又误工。现在小毛小病，打针吃药，均找我们知识青年治疗，效果很好。四个月来，已治疗了300多人次。有的小组成员，为了更好地给贫下中农治病，在自己身上扎银针，相互在手臂上练习打肌肉针。贫下中农有时半夜生病，我们也随叫随去。

扫盲组：我们办了普及班和提高班共有学员三十多名，每天晚上提着煤油灯上夜校。为提高教学质量，我们自己动手编写适合农村实际情况的教材。四个月来，不少人已能认识200多字，做简单算术。课前课后还大唱革命歌曲，大讲革命故事，每天晚上搞得热气腾腾。

宣传组：我们把文娱活动当作是宣传毛泽东思想的好形式。1970年4月25日，我国第一颗人造卫星上天。5月20日，毛主席发表伟大声明。当我们一听到广播，宣传组就全体出动，编了歌曲，一个队一个队向广大贫下中农报喜宣传。

理发组：我们自备了三把理发剪子，出工前，收工后，以及赶场天，只要贫下中农找上门，我们都是立即停下手中的事情，热情为他们理发。

我们这些活动，广大贫下中农反映："这些上海学生，白天和我们一起劳动，晚上为我们服务，白天黑夜积极干，真是毛主席的好青年。"1970年6月，大坝公社光明大队失火，我们非常焦急，大家议论如何支援受灾的贫下中农。为了表示心意，我们赠送毛主席语录和捐献了一部分钱、粮票、衣服以及刚分到的小麦，两次派代表送到光明大队。随后我们又有6名知青去帮助他们清理火场，修复住房。

现在我们26名知青全部实现了"同工同酬"，四队的知青已搬进了新的住房，其他队也正在积极建造。

一年多来，兴隆大队革委和广大贫下中农，既把我们当作"再教育"的对象，又把我们看作是"一部分最积极最有生气的力量"，充分发挥我们的积极作用。不少知青还担任了记工员、保管员、学习辅导员。最近在县、区、公社的支持和大队的支持领导下，我们知青与贫下中农结合组成了"科研小组"，正在积极试验"九二0"农药。

我们26名上海知青，来自各个方面，一年多来，共同学习，共同劳动，共同生活，结成了深厚的友谊，发扬了团结互助的精神。我们坚持建立政治集体户，一起劳动，集体记工，一起生活，相互关心，一起学习，共同提高。平时谁有什么困难，大家一起帮助解决。生活和生产上用品，互通有无，从不斤斤计较，特别是我们定期召开民主生活会，互相帮助，增强团结。集体的力量是巨大的，今年五月份，兴隆二队女知识青年何婷婷，在劳动时跌成右腿股骨折，贫下中农非常关心，为她敷药到深夜。我们全体知青也积极抢救。第二天争着抬担架，穿山路，过涟江，转车送到贵阳。需要专人照顾，我们二队的知青立即开会讨论决定：三个女知青按月轮流去医院照顾；生活费集体负担，每人先凑出一部分钱，要何安心治病，县、公社、大队革委也十分关心，贫下中农和其他知青经常写信鼓励她，去医院安慰她。

去年4月份，我们还是年轻的学生，现在我们已经是新农民了。过去我们是上海人，现在我们已经是贵州人了。我们决心在贵州山区和广大贫下中农一起，建设社会主义新农村革命到底。

四、随着国家政策的调整，我县知青工作转入扫尾阶段的情况

1、1977年5月3日，热烈欢送上海市上山下乡知识青年学习慰问团离惠返沪。上海市上山乡知识青年学习慰问团惠水小组，根据中共上海市委的统一安排，5月3日离开我县，奔赴新的战斗岗位。在临离之前，县委于4月27日召开了座谈会，热情欢送。座谈会上，上海市知识青年学习慰问团高洪江代表惠水小组说：惠水是从1969年以来，先后接收了上海知识青年549人。上海知青在县委的一元化领导下和热情的关怀、培养教育下，随着形势的发展和国家的建设需要，大多数已走上了新的岗位。目前，在册的上海知青只有58人，其中在生产队42人，进社来社去学校的22人，在沪等病退的8人，正在办理手续转点的8人，因思想问题长期离队到沪的7人，外流1人。我们慰问团来到贵州，深切地感受到贵州是个好地方。贵州的形势发展很快，形势大好，各方面的工作都抓得很紧。惠水县的情况跟贵州一样，形势大好。县委的工作一天比一天抓得紧，知青办的工作一年比一年抓得好。知识青年上山下乡工作逐步地细致、深入，解决问题。特别是解决上海知识青年的问题也很及时。对上海知识青年的培养教育工作也抓得很紧，上海知识青年的成长很快，1974年以来先后有8名知识青年出席了省、地上山下乡知识青年积极分子代表大会。20多名知识青年出席了县知识青年代表大会。1975年以来有1人光荣地加入了中国共产党，

3人加入了共青团。根据国家需要，132名上海知识青年被推荐进了工厂、学校和其他单位。对口粮和经济有困难的知青，也切实地给予了解决。仅1976年，对上海知青现金补助67人次。补助3411.72元，粮食补助38人，补助粮食6025斤。这些事实充分说明惠水各级党组织对上山下乡知识青年极为重视和关怀。更感人的是，县委第一书记邱跃国同志，经常询问知青和我们小组学习、生活情况、县委副书记张开贵同志，不仅了解一些上海知青的姓名，对存在的困难也很清楚，并提出统筹解决的意见。这些都使我们很感动。我们代表上海知青及家长向县委表示深切的感谢。并决心回沪后，坚决贯彻执行毛主席革命路线，更好地搞好工作。

最后，县委常委、县革委副主任罗祯科作发言，他指出：在中共上海市委的统一安排下，上海市先后三次派遣学习慰问团到我县帮助我们搞好知识青年上山下乡工作。上海市上山下乡知识青年慰问团给我们带来了好思想、好作风是值得我们学习的。学习慰问团的同志：一是工作艰苦。二是工作做得细致深入。三是在人力物力上支持了我们县的建设。两年来学习慰问团通过上海市有关部门，对我县的上海知青点，支援了拖拉机8台，有力地促进了人民公社五小工业和机械化的发展。不仅如此，对我县一些单位也给予了很大帮助，为我县赤土农场购置网具、除草剂，提供种鱼和优良鱼类的鱼苗，请来了鱼类人工繁殖和捕鱼的技术人员，帮助我县进行人工繁殖鱼类，做了大量工作。1975年我县第一批人工授精繁殖草鱼、白鲢、花鲢成功。我代表县委向上海市委、上海市上山下乡知识青年慰问团表示感谢。我们应该充分肯定上海知识青年不远千里，来到贵州插队落户的革命精神。今后，还要加强联系，请上海的同志经常给我们介绍经验。

5月1日、2日县革委、教育局和县革委知识青年上山下乡办公室，又分别召开了小型座谈会，欢送上海市上山下乡知识青年学习慰问团的全体同志。3日上午，学习慰问团乘永安电机厂派的专车离开惠水。

2、1980年8月11日贵州省永安电机厂知青办公室向厂部《关于安排知青工作的请示报告》称：7月21日邹新仪、陈传道、陶根生等同志到县知青办同知青办公室许修义（主任）、王品崇（副主任）、何子强等同志以及太阳公社杨友华（党委副书记），商量对太阳公社知青农场的工作安排事宜，大家一致的意见是：

一、根据中央和省有关文件精神，撤销太阳公社知青农场；二、厂里办一个小集体（永安厂居委会服务站），现有知青全部粮、户关系到家（吃商品粮），都到小集体工作。往后厂里有自然减员补缺或招工按先下先上的原则，在同等条件下择优录取；三、太阳公社知青农场的场长罗开忠、农民张仁喜都于8月1日回到其原在生产队劳动；四、太阳公社知青农场的房屋等均由县知青办去处理；属于知青下去购买的农机具等由知青农场处理，归知青；五、太阳公社知青农场撤销后，知青集体的钱、粮均由带队的同志管好用好。”

3、1981年2月25日县知青办向县人民政府呈报《关于将七里冲知青场的土地交归政府处理的报告》称：“我县机关七里冲知青场于1978年10月建立时，从当时的土团手中接收土地面积150多亩，其中可耕地120多亩。这些土地主要分布在供销社养蚕场至一碗井一带，北与养蚕场的桔园连接、南与龙场沟生产队的土地毗邻，西直抵山脚，东面从知青房后面，顺坡一直延伸到扣间关脚。目前，根据黔发（1980）186号文件精神，为切实解决好下乡知青的实际困难，我办拟将在乡的知青全部收回城镇，随着知青场的撤销，所有土地也应全部交归政府，由政府根据有关单位的需要给予处理。”

4、1981年3月11日县知青办还制定了“关于处理下乡知青收回城镇后的一些具体问题的意见”。

①下乡知青收回城镇，涉及面广，思想问题复杂，必须依靠各单位认真作好知青家长和知青本人的

思想工作，要深入细致地进行思想教育。

同时，为使知青和家长放心，县知青办经请示州知青办和县领导同意，对收回的知青分别发给证明。明确“收回城镇，招工仍按下乡知青看待，优先照顾。”

②下乡知青收回城镇后，原修建的知青房，暂时只能交给所在的生产队集体保管或使用，不能交给任何个人。待后由知青办与所在社队具体协商处理。

③有的社队已分田土或自留地给下乡知青的，知青收回城镇后，应将田土交归集体处理，不得私自转给社员个人。

④下乡知青回城后，原购的农家具中，大件的如桌子、床等，应交给公社统一保管，个人不得任意带走。

⑤下乡知青的粮食，原国家统一补至3月底止。收回城镇后，从4月1日起按居民定量办理购粮证手续，按月供应。

⑥下乡知青收回城镇后，知青办不再发给生活补助费。

⑦为使知青回城后，更好地进行文化补习，知青办和工会、教育局等有关部门曾专门研究确定，支持城关镇在二小组织的初中、高中辅习班（夜校），从去年10月份起，知青办是按参加学习的知青人数，每月每人2元，统一交纳学费。从今年元月份以来，是采取包干，知青办每月统一交80元。知青回城后，愿意学习的，可自愿报名参加学习。

⑧知青回城后，要求各系统或单位要认真执行“在国家统筹规划和指导下，由劳动部门介绍就业、自愿组织起来就业和自谋职业相结合的方针”，从各部门的实际情况出发，因地制宜，因单位制宜、认真地、积极地组织他们待业，凡组织了集体所有或办理了个体经营手续，取得工商部门批准发照的，知青办可按人一次性发给200元补贴，帮助他们就业。

⑨关于自愿组织集体就业的，根据贵州省劳动工资局（1979）黔劳福字第22号文件规定，可以计算工龄。文件的规定是：“一、1979年8月27日省发（1979）47号文件下达后，组织起来参加各行各业的小集体人员，他们的工龄可从参加小集体工作之日起计算。过去参加街道服务站等小集体工作的人员，他们的工龄亦应从上述文件下达后计算，以前的工作时间只能计算一般工龄。二、参加小集体工作的人员，如有中断情况（一段时间在这个单位，一段时间又自动离开到别的单位）应从最后一个工作单位算起。”

5、1981年3月22日惠水县人民政府惠政发（1981）19号批转《县知青办关于将在乡知青户粮关系转回原动员下乡所在地落居民户的报告》中明确：“我县目前还有在乡知青130人。由于农业政策的调整等原因，除有极少数还在乡生产外，大部分都已自行回城，为有利于社会秩序的安定，及时解决下乡知青的实际困难，根据州革委黔南政（1980）202号文件精神，拟将他们的户粮关系转回原动员下乡所在地落居民户。”“按城镇居民定量标准供应粮、油和其他副食品等。”“在招工时仍按下乡知青看待，优先照顾……要继续贯彻执行劳动部门介绍就业、自愿组织起来就业和自谋职业‘三结合’的劳动就业方针”。对参加集体所有制和从事个体劳动的下乡知青，按平均每人不超过200元的标准给予一次性的经费补助。在农村扎根的下乡知青，可在500元以内给予一次性的补助。办理户粮关系转回手续，由县知青办出具证明，公安部门审查后，分别办理户口和粮食关系。

至1981年底，惠水县知识青年上山下乡工作全部结束。

（十一）创意好花红·营造名花文化乡

弋良俊

惠水县距贵阳40来千米，县所属长田乡与贵阳花溪区青岩古镇山水相连，村寨相望，田土毗接，古往今来，惠水被人们称为“贵州省城大粮仓”。

历史上，惠水就与贵阳紧密相连，先隶属贵州宣慰使司，后属贵阳府。这贵阳府，还是明隆二年（公元1568年），移程香府（今惠水县）治所进贵州城（今贵阳市），隆庆三年，明王朝依民间惯称，下旨将程番府改名贵阳府。历明、历清、历民国，至贵州解放后，惠水县属贵阳市管辖。

惠水与贵阳渊源很深，互相依存。

《中国土司制度》载：“今贵州惠水县一带的布依族，据《宋史蛮夷四‘黔涪施高徼外诸蛮传》’明代田汝成《炎徼纪闻》，明弘治《贵州图经新志》及清乾隆《贵州通志》等（史书）所记载：在宋代，初称为‘西南番’，后按其姓氏称为‘五姓番’（龙氏、方氏、张氏、石氏、罗氏），‘七姓番’（龙、方、张、石、罗、程、韦）。至元、明、清王朝时，称为‘八番’，即大龙番、小龙番、程番、洪番、卧龙番、方番、石番、卢番。该地布依族中这些姓氏上层分子（首领、酋长），被元、明、清王朝封长官司长官、准世袭。”

据史载，在惠水县及临近地区，建立了以八个姓氏首领为主的十四个长官司。其中，在今日县城南的原毛家苑乡，今好花红乡，就是宋、元、明清时牛路长官司。

《中国土司制度》载：“牛路长官司长官（后改外委）龙氏。治所，即今贵州惠水县城南毛家苑乡岩上村。承袭：龙应绍、龙奠中……始祖日龙应绍，德寿之族也。从德寿征，成南年宁，亦有职士，甚微。历宋、元、明世守之。清顺治十五年（明永历十二年，公元1658年）内附，授外委土舍。又数传至奠中，道光六年（公元1826年）袭，属定番州。”

民国《贵州通志·土司传》《清史稿·地理制》，对毛家苑的牛路长官司，均有载。

史书这般记载毛家范，可见今日好花红乡，历史是厚重的，定有许多传奇故事，定有许多可深掘发现的历史遗迹。

为此，我把我写的文章，定名为《创意好花红·营造名花文化乡》。

我拟此题的主旨，是为了营造贵州、中国的文化与名花和谐结合的品牌，让全贵州、全中国、全世界追求时尚旅游的游客，来我们惠水，来我们好花红乡旅游、休闲、考察、探秘。体味饮食、购物、玩乐、观赏.领悟布依文化悠久历史。

今年初，省委副书记王富玉在有关会议上，豪情满怀地说：把贵州建成世界人民的休闲度假村。那么，我们好花红乡，就应该是这“休闲度假村”里的独具民族特色的亮丽景点，引领世界游客来欣赏。

《创意好花红·营造文化名花乡》，我们是有历史和现实条件的，只要规划、设计得精妙，只要尽心尽力营造，给予时日，是能打造出举世叫好而闻名于世的布依族独特景区的。

首先，要深刻认识《好花红》歌曲的重要历史性和现实意义。

“好花红”歌曲，是布依族先民创作出来的，历经几百年来一代又一代人传唱，传唱到今天。在某种意义上，“好花红”歌曲是历史铸就的布依族族歌。这歌以刺梨花为主要歌词，唱遍贵州，唱响全国，闻名海外听此歌，就如见布依族人，就如见到历朝土司官们，就如见到古夜郎国的部落群体们。

“好花红”是布依族的族歌。布依族先民们选此花（刺梨花）作曲调名，而词又唱此花，含意很深。刺梨这种植物，不畏艰苦环境，不择好土壤。田边地角，山间坡地，大小路旁，皆能生根、皆能开出粉嘟嘟的红花。刺梨果虽有刺，那是出于自身防卫，免被山野鸟兽啄食咬吃。刺梨是专为人而生的，且营养丰富，含维生素多。著名的贵州农业学院院长罗登义老人，在英国留学时，专门研究此果，说九个鸡蛋含的营养。抵不上一个刺梨果。发表论文，得授博士，取刺梨果为“登义果”。我们为此而骄傲、自豪。至于刺梨酒，刺梨饮料。早在上世纪就名扬天下。

其次，要创意地发展《好花红》这首布依族族歌。

社会在进步，时代在前进，我们布依族也随社会、时代而进步，而发展。布依族歌《好花红》，也得适应社会、时代，有所改变，有所创新。

侗族大歌，凭着它多声部无伴奏合唱，震惊了世界，众多世界著名音乐家，夸侗族大歌来于古代，优雅、美丽、迷人，而唱歌的侗族姑娘，没学过现代多声部合唱，却“无师自通”地和谐合唱，唱得世界着迷。

苗族飞歌，上世纪就举世闻名。这次，借着“多彩贵州风”，唱遍中国各大城市，还借媒体传播到世界各地。

扪心自问，我们《好花红》就略有逊色。其一，曲调虽美，但仅4节，且变化不大，显得单调。其二，歌词因曲调短，未能采用多声部合唱，展现歌词之美，抒发更多、更丰富的歌词内涵。

为此，应对《好花红》进行创新，在保持原歌曲优美、抒情的调子上，加以多声部配合，搞无伴奏合唱，搞有伴奏男女声合唱等。这需要组织专业人员加以改革，以利与时俱进。

改革音乐演奏和歌唱，玉屏县有先例，举办了一次箫笛千人以上合奏合唱，让人耳目一新。

我愿我们布依族的《好花红》经过创意性的改革，让它更充实、更优美、更迷人、扬名海内外、风靡寰宇。

创意传世《好花红》族歌，是为营造辉岩布依古寨和好花红乡，构建出人文历史厚积、自然风光优美，民族风情浓郁、多元文化呈现的独具特色的布依旅游景区。这个景区将是贵州独有，全国独有，享誉全国，走向世界。

（2006年惠水县“好花红民族文化品牌研讨会”论文）

（十二）“惠水精神”征文活动获奖作品选

（1）弘扬精神催奋进　高歌好花别样红

——浅谈新时期“惠水精神”

罗燕明

惠水县位于黔中南部，素有“贵州粮仓”“贵州小江南”“好花红故乡”等美誉。唐贞观四年（公元630年）惠水始设县，历千年沧桑，经岁月风雨，在这块美丽神奇的土地上，惠水人民辛勤劳作，繁衍生息，形成了淳厚、质朴、恬淡的古风，锤炼了吃苦耐劳、热情包容坚韧不拔的品格，勤劳、智慧、乐观、奋进成为涟江儿女的性格特征，这是惠水人民在生存发展中孕育和传承下来的一种精神气质。在历史长河中积淀而成的这种精神，一直是惠水经济社会发展的强大推动力。千帆竞发，万木争春。新的发展阶段，呼唤着新的时代精神；而新的发展阶段，也必然孕育和萌发新的时代精神。改革开放以来，无数涟江儿女的创新实践赋予了新时期惠水精神“务实苦干、乐观进取、抢抓争快”的内涵。这是涟江儿女继承优秀历史文化传统，融汇时代改革创新元素的文化成果。这种凝心聚力的精神，使惠水人民创造了丰厚、灿烂的物质文明和精神文明。

“务实苦干”是惠水　人民的传统美德

务实苦干，就是尊重实际，讲实干、求实效，不尚空谈，不摆花架子，不搞形式主义。

解放前的惠水，是一个交通闭塞，经济文化落后的农业地区，在“山高石头多、出门就爬坡”的自然环境里，各族群众只能以农耕为主要生产方式，长期生活在自给自足的环境中，“男力田，女勤织，士文而雅，民勤而朴”（引自《定番州志》）的民风世代相传，生生不息，形成了惠水人民务实苦干的传统美德。故《定番州志》有“殷周凿田……，至唐代已是稻粟年可两熟，物产丰富，民可安居”的记载。解放后特别是改革开放以来，惠水人民始终继承和发扬着务实苦干的精神，挥写出战天斗地、建设家园的动人画卷。现代愚公罗景福挖山修路十余载不辍，羡塘瑶山群众修池蓄水造千亩良田，扶贫开发结出“三基本”丰硕成果，城镇化水平大幅攀升，交通基础条件日臻完善，招商引资突飞猛进，优势产业发展壮大，新兴产业方兴未艾……。这些都是惠水人民务实苦干的真实写照。

“天下大事必作于细，古今事业须成于实”。惠水今天的发展成就是全县各族群众踏踏实实干出来的，是逐步由小到大、滚动发展起来的。惠水过去的辉煌，是靠务实苦干；惠水未来的辉煌，仍然要靠务实苦干。因此，要大力弘扬务实苦干的精神，使务实苦干成为一种社会风尚，让全县干部群众咬定发展不放松，脚踏实地创事业，不达目标不罢休，靠务实苦干奋力赶超，靠务实苦干成就事业，靠务实苦干振兴惠水。

“乐观进取”是惠水人民的优秀品格

乐观进取，就是遇到困难不畏惧，遇到挫折不言败，始终保持昂扬向上的精神、永不服输的劲头。

惠水各族人民在贫穷与落后面前从不怨天尤人，从不自甘落后，而是乐观面对，励志奋进。过去，惠水各族群众不仅受到奴隶主、土官、流官地主的剥削压榨，而且还受自然灾害、瘟疫疾病、战争的威胁，过着贫困而又痛苦的生活，但为了生存和发展，惠水各族群众不仅开拓了广阔的土地，而且为了自由和幸福，还同历代的封建统治阶级进行了无数次英勇顽强的斗争，永不服输，知难而进，锤炼了乐观进取的优秀品格。清康熙八年（1669年）十月，以阿戎为首组织了定番州145寨苗民反抗清王朝；光绪四年（1879年）鸭寨吴琴高、陈老五率苗民武装反抗清廷……。流转至今的《马刀舞》《大鼓舞》等舞蹈，无不浸透着惠水人民英勇反抗的斗争精神。民间广为传唱的《薅秧歌》《棉花歌》等民歌，表现了劳动人民热爱劳动的品质和知难而进的精神。发源于涟江河畔的布依民歌《好花红》，曲调优美，歌词精练，蕴含着乐观进取的精神力量，数百年来一直扎根在惠水人民的生活中，始终激励着涟江儿女励精图治，开拓创新。2001年至2006年，惠水以“文化搭台、经济唱戏”，成功举办了三届“好花红”艺术节，充分展示了惠水各族群众海纳百川、乐观进取的宽广胸怀。

“乐观是成功的一半，进取是事业的阶梯”。当前惠水已经步入了重要的转型时期，即从农业经济向工业经济转变，从乡村经济向城镇经济转变，从传统社会向现代社会转变，同时“欠发达欠开发”的县情也将长期存在。而对新的形势和现实矛盾，进一步弘扬乐观进取的精神至关重要，这是激发广大干部群众开拓创新的动力源泉。弘扬乐观进取精神，就是要激励各族群众面对困难不悲观埋怨，遭受挫折不畏惧退缩，始终保持昂扬向上的精神、永不服输的劲头，以锲而不舍的钻劲，百折不挠的韧劲，万难不辞的拼劲，誓不罢休的倔劲，不畏艰险的闯劲，攻坚克难，奋勇争先。

“抢抓争快”是惠水人民的不懈追求

抢抓争快，就是敢为人先，乘势而上，善于把挑战化为机遇，把机遇化为现实。

长期以来特别是改革开放以来，惠水各族人民一直保持着“人一之我十之，人十之我百之”的干事创业热情，以敢为人先的开拓勇气，乘势而上的豪迈气魄，在艰难中起步，在奋进中发展，使许多看似不可能的事情变成了可能，使许多前辈人一直追寻的梦想变成了现实。花溪至惠水高等级公路的建成通车，实现了半小时融入贵阳经济圈的多年夙愿；“中国黑糯米之乡”“中国金钱橘之乡”的成功申报，催生了特色农业的勃勃生机；长田工业聚集区在水电路三不通的丘陵地带拔地而起，并被授予“贵州创新企业科技产业示范基地”，使昔日的穷乡僻壤成为了客商青睐的一方宝地；短短五年内50余家企业相继落户惠水，彻底打破了农业大县难以发展工业的思想禁锢……。惠水今天的成就饱含了惠水人民抢抓争快、加快发展的强烈愿望。“打造山水园林城市、申报撤县建市和建设贵阳优秀卫星城市、力争跻身全省经济强县之列”的奋斗目标，再次印证了惠水人民抢抓争快的不懈追求和雄心壮志。今天的惠水是幸运的，即将规划实施的“贵阳—惠水一广西百色”高速公路，将极大缩短惠水与广西北部湾经济圈的时空距离；“贵广”高速铁路、高速公路，将成为惠水承接“泛珠三角经济圈”产业转移的大通道；惠水正好处于“避暑之都”，贵阳的核心区域，是天然大“氧吧”、大“空调”，具有建设贵阳优秀卫星城市得天独厚的优越条件……

“千帆竞发，百舸争流；大浪淘沙，不进则退”。在越来越激烈的竞争中，在稍纵即逝的机遇面前，机遇只属于那些思想解放、锐意进取的人，只属于那些超前决策、适时决策的人，只属于那些勇于实践、敢闯敢干的人。只有弘扬抢抓争快的精神，进一步增强惠水人民敢为人先、乘势而上的胆略，凡事“先人一步”“高人一招”，善于化挑战为机遇，转潜力为实力，变困境为佳境，才能不断破解前进中面临的难题，绘就一幅振奋人心的时代画卷。

弘扬精神催奋进，高歌好花别样红。新形势的巨澜，带来了千年大机遇，年轻而充满活力的惠水，正乘潮而起，闻风而进，踏上新征程。弘扬“务实苦干、乐观进取、抢抓争快”的惠水精神，必将从灵魂深处激励和召唤涟江儿女，激荡每一个人的创造活力，点燃每一个人的创业热情，进而推动惠水浓墨重彩绘新图，谱写发展新篇章。

（2）艰苦奋斗　团结进取　自强创业　实干争先

侯峰平

城市精神是城市的灵魂，是一座城市创新和发展的不竭动力，是城市核心竞争力的重要组成部分。城市要发展，就必须不断提升城市文化力，增强吸纳全球文化、外来文化合理成分的能力，而提炼和塑造富于个性特色的城市精神是城市文化力的关键。

回顾历史，展望未来，才能比较准确地定位与提炼一座城市的精神内涵。通过查阅与学习有关惠水过去与当下的相关资料，借鉴国内其他城市的有益经验，加上自己的总结吉与归纳，我试着对惠水县的城市精神进行了概括。具体如下：“艰苦奋斗团结进取　自强创业　实干争先”

艰苦奋斗。作为我们中华民族的传家法宝，惠水县正是践行艰苦奋斗精神的一个缩影。勤劳智慧的惠水儿女在漫长的历史长河中创造了灿烂历史，积淀了丰富的人文历史资源。穿越历史的古碑古印、满载岁月沧桑的水碾、吱呀转动的纺车、古朴自然的布依民居、记载英雄历史的红军墓碑、见证漫长历史的珍稀古树和历史遗迹“古十二景”等，无不彰显着惠水厚重的历史和灿烂的文明。

惠水是著名民歌《好花红》的发源地。物华天宝，这里物产丰富，惠水米享誉省内外，金钱橘果香四溢，被誉为高原“黑珍珠”的惠水黑糯米是远近闻名的地方农特产品。2006年9月8日，中国民族地区特产之乡推荐及宣传活动组织委员会授予惠水县“中国黑糯米之乡”和“中国金钱橘之乡”；惠水“雅晶牌”大米在2006年11月第五届中国优质稻米博览交易会上获得金奖。这一切荣誉的取得是与惠水儿女的艰苦奋斗分不开的。可以看出，历经历史的萃取和锤炼，艰苦奋斗已经成为惠水这座城市、惠水人的精神特征。

团结进取。作为一个多民族聚居地区，党中央“民族团结和多民族共同发展”的政策在惠水县得到了充分的证明。惠水是一个多民族聚集的地方，在这块美丽的土地上，居住着布依族、苗族、毛南族、汉族等多民族，各民族在生生不息的历史长河中创造了自己多姿多彩的民族文化。“好花红文化就发源于惠水这块神奇的土地上，民歌《好花红》内容情感质朴、积极向上，曲调优美动听，是一首凝聚着布依民歌之精华、反映布依人民厚重人文和灿烂历史的著名民歌，是不可多得的民族瑰宝。在建设社会主义和谐社会的今天，该歌曲被历史赋予了新的文化品牌，不仅是惠水、也是贵州的文化名片，是一种民族精神的象征”。

自强创业。惠水县四季气候宜人，自然环境优美，资源丰富，土地肥沃，是贵州南部和珠江上游的生态屏障；距省会贵阳市区仅38千米，是贵州南部诸县通往贵阳的交通枢纽。省道101线和109线在县城交汇，贯穿全境的省道101线，是我国西南地区南下出海的第二条黄金大通道，是通往即将建成的国家重点工程—龙滩电站和红水河国际码头的必经之路；以省道101线和109线为骨架支撑的交通网络四通八达，辐射周边地区，形成了北接贵阳，南通广西，西承安顺，东达州府都匀的交通网；贵阳至惠水高等级公路已经全县贯通，惠水至罗甸红水河国际码头高等级公路即将全线贯通。可见，惠水具有发展通道经济，聚集人流、物流、信息流的先决条件。

在西部大开发的号角中，惠水跨入了经济社会发展的快车道，农业经济稳步发展、工业经济持续增长，以旅游业为龙头的第三产业发展方兴未艾，城市建设步伐进一步加快，市政设施日臻完善，城市管理井然有序，人居环境进一步优化，交通、电力、通信、供水等基础设施建设进一步完善，社会各项事业蓬勃发展，全县通车里程达680千米以上，电网供电能力在全省县（市）级处于第一位。

良好的区位，完善的基础设施建设，使惠水具备了较强的后发优势和经济发展潜力，具有创办新型工业、发展现代农业、兴办旅游业及物业流通等产业的相对优势，这一切都为自强的惠水人进行创业开创了良好的条件。

实干争先。近年来，惠水县紧紧围绕加快经济发展这一主题，抢抓西部大开发和新阶段扶贫开发两大历史机遇，团结和依靠全县广大人民群众和社会各界，聚精会神搞建设，一心一意谋发展，全县经济总量不断增大，综合实力不断增强，产业结构不断趋于合理，城市功能不断完善，投资环境不断改善，民族团结不断巩固，社会各项事业全面推进，为“十一五”目标的实现奠定了坚实的基础。

为加快发展步伐，跻身全省经济强县之列，惠水县委、县人民政府把招商引资作为实现经济跨越式发展的突破口，通过举办“好花红艺术节”“百名客商观惠水”“百家企业涟江行”等系列活动，使惠水知名度不断提升。惠水（长田）科技产业化示范基地的建设，成为惠水县招商引资的重要载体和县域经济发展的重要增长极，为惠水经济发展注入新的活力。

在这样一个大好背景下，惠水县全县上下通过发扬自我加压、苦干巧干、创优升位、跳跃发展的精神，一定可以营造出包容性强、亲和力强、创造力强、诚信度高的发展环境。

一个人没有精神，形同行尸走肉；一座城市没有精神，就是一堆枯燥的建筑物。我们可以展望，在县委和县政府的正确领导下，随着以“艰苦奋斗、团结进取、自强创业、实干争先”为核心理念的城市精神融入惠水儿女的思想观念，并使之上升为一种道德标准和行为准则，惠水的明天将会越来越美好！

（3）务实创新　以人为本　和谐奋进

林少娜

惠水是一个人杰地灵、英才辈出、景色迤逦的历史名城，是一个开放包容、繁荣发展的美丽城市。本文以五原则为出发点从延续性、地域性、时代性、前瞻性和人本性尝试着对惠水的城市精神做一个精辟的定义。使惠水的城市精神涵盖包括价值观念、工作方式、生活态度、精神风貌思想道德、文明意识等等方面。让惠水的城市精神既是对传统历史文化精华的继承，也是对现实城市理念城市建设、价值目标、人文风貌的概括和升华。

笔者对惠水城市精神的定义是：“务实创新以人为本和谐奋进”

理由阐述如下：

务实创新：惠水人实在，不保守，又不甘落后。作为历史文化古城，人文积淀深厚，有着纯朴的风土人情。惠水人吃苦耐劳，踏实肯干，总是一步一个脚印实现目标，有着“严、细、实”的可贵品格特质。惠水人民身上都体现出了“务实创新”的品格。而如今惠水也正是要靠这种品格成就自己的事业。创新一个城市发展的源泉动力，在新时代的今天，惠水人更需要开拓创新的精神，务实创新以变化求发展。走“惠水特色”自主创新之路，建设创新型城市。

以人为本：“以人为本”一语出自《管子》：“夫霸王之所始也，以人为本。本理则国固。”“以人为本”是几千年来中华文明中深邃的思想精华，时代发展中进步的精神高峰。在惠水，已经被深深地刻在这座城市的人文品格之中。惠水的历史传统是重人的教育和教化，重环境的美化绿化，重市民的生活质量，这些在本质上都是以人为本的体现。一个城市能否为人们提供良好的生活和发展环境是衡量城市魅力最实际而根本的因素。将“以人为本”作为惠水城市精神，就是提倡重视人的物质和精神生活的满足，提倡经济社会和人的全面发展，提倡人与自然的和谐发展，这对惠水未来的可持续发展极为重要。

和谐奋进：“和谐奋进”描述了惠水人追求美好未来的精神状态。它既与世代潮流的脉搏一同跳动，又对惠水在经济转型期间，如何实现更快更好的发展提出了指导目标，绘制了蓝图。“和谐”就是人与自然、人与社会、人与人的和谐，就是以人为本，亲民、爱民的和谐。它含有包容、开放、协作融合之意。“奋进”，就是不断创新追求一流与完美，它凝结了惠水人敢为人先争创一流的进取之心，体现了惠水人在科学发展观的指导下，敢于抢抓机遇和优势，争创世界一流城市的信心和气。“和谐”之后跟进“奋进”一词，具有很强的鼓舞性和激励性。“奋进”表达了惠水人立足高位自加压力面对强手不畏竞争的强烈开拓意识和争先精神。“和谐奋进”既代表了过去，也立足现在，还着眼于未来。我们有过去的辉煌，有今天的成就，更有未来的美好蓝图。在追求和谐的道路上，只有把创业精神务实精神与实现可持续发展的科学发展观结合起来，才更能激发惠水人的凝聚力和责任感，团结一切力量，达到经济社会与环境的和谐发展惠水这个城市才能昂扬奋进开拓进取，实现新的跨越，书写社会主义现代化建设的新篇章。

城市精神生长是一个积累的过程，任重而道远。我们要全力打造惠水城市精神的生长点，并赋予鲜明的时代特征和惠水特点，使惠水的城市精神让世界隔目，让世人称道使惠水的城市精神促进惠水的城市建设。

城市精神匙整城市的灵魂，是历史与现实的融合，是共性与个性的统一，是衡量该市发展水平高低的一把标尺，是该市文化底蕴的具体反映和广大市民精神风貌的生动写照。培育、发展和光大城市精神，有利于营造一种良好的社会风气和社会环境，从而促进经济、政治、文化和社会建设的全面协调发展。

中国香港发展和繁荣，透出的是海纳百川、顺时应变、能屈能伸、吃苦耐劳、顽强开拓的精神。新加坡奇迹的背后，闪烁着的是新加坡精神，“国家至上，社会为先；家庭为根，社会为本；关怀扶持，尊重个人；求同存异，协商共识；种族和谐，宗教宽容。”这五大价值准则成了新加坡人民凝聚人心，团结奋斗的强大精神动力，是新加坡奇迹的秘密武器。日本的东京追求“干练、优雅、合作”；美国的纽约充满着激情和梦想，给人们以这样的期待和憧憬：只要你敢和善于竞争，坚强自持、不懈奋斗，就有实现光荣与梦想的希望；英国的伦敦，在人与自然的过去时、现在时、未来时的和谐统一中透出的是坚强、冷静而潇洒的绅士风度。惠水必须借鉴发达城市树立城市精神的经验，为建设一个“强、大、优、美、活”的惠水注入精神动力，使全体惠水市民在“务实创新 以人为本 和谐奋进”的城市精神统领下朝着既定的日标奋勇前进。

培育一座城市的城市精神这自然是一个漫长久远的过程，更是城市公民的精神素质、思想观念、道德情怀、行为规范的现代化过程。有了历史文化的积淀，在是城市精神的指引下，再加上现代“老惠水人”和“新惠水人”的努力和奋进，相信惠水的明天会更好。

（十三）惠水十二古景话沧桑

饶林昭

惠水山川秀丽，素有“山高水清，秀甲黔中”之说。悠悠涟江水从北至南，纵贯县境，蜿蜒80多千米。河流两岸林木扶疏，稻田平展，村寨星罗棋布，富庶而美丽。早在明代就有数处自然景点，据清康熙年间惠水人夏文炳所著《定番州志》记载，县境有十二景观。可谓北看“九曲春涛”，南望“龙岗叠翠”，东观“松风汲瀑”，西寻“九岚拥寺”探幽，沿“麒麟东引”听“琴山逸响”，仰望三宝连云”，俯看“清溪吐珠”，信步“三水潆亭”，经“西流环珮”，赏“官沼芙蓉”，阅尽“凤山春色”。景名贴切生动而自然，充满诗情画意，韵味无穷。

一、九曲春涛

“九曲春涛”，此景点位于县城北端约6千米处。濛江之水自檬潭倾泻而下，迂回曲折数里，两岸碧柳垂青。在濛潭峡谷中，河底怪石突兀，每当春水潮涨，江水狂涛汹涌澎湃，其声如山崩，如雷鸣；波浪重重叠叠，曲曲弯弯如飞龙走鳌。明正德年间举人林学《七绝九曲春涛》赞曰：“曲曲飞春涨，江边看巨涛；片红随滚滚，怪得走神鳌。”如今，青山依旧，绿水依旧，涛声依旧，唯有濛江两岸的柳树由于屡遭洪水冲刷而日渐稀疏和苍老。然而，可喜的是在濛潭峡谷的上端筑有一坝，使濛潭沿岸另有一番景象：一潭碧水清澈见底，两岸芳草萋萋，满山叠翠，遍野清新，山光水色交相辉映。阵阵清风从水面袭来，掀起圈圈涟漪，沁人心脾。不远处几只野鸭凫水嬉戏，时而一两只水鸟掠过水面，停留在潭边的芦苇上，随风摇曳，或向水中寻觅食物。炎炎夏日，到此纳凉、泛舟、垂钓或沿翁吟河（濛江之一段）缓缓顺流而下，果然是绝妙的避暑胜地。

二、琴山逸响

“琴山逸响”，位于县城东北2.5千米处的米丹寨后山右侧的峡谷中，因山形若琴，溪水击石发出的声音宛若琴音而得名。丹水自龙塘山后流出，沿岸垂柳依依，竹影婆娑，怪石迭出。潺潺溪水顺山流淌，时而山塞岩阻疑无路，忽而峰回水转别有天，真是妙景横生。行里许，出龙塘，进入山后大坝，另是一番景象：碧绿的禾苗如绸似锦，在微风中轻轻飘动，溪水犹如一条镶嵌在碧毯中的银色带子，阳光下泛出粼粼波光。穿过旷野，丹水转入峡谷，水势渐急，峡谷中林木葱茏，景色清幽，怪石嶙峋，丛丛青苔，似落地碧绒。蜿蜒曲折的山涧，沿岩石层层跌下，形成多级瀑流，喷珠溅玉。在峡谷中段，涧水被一巨石切开，分为两段从巨石两旁飞泻而下，形成一“人”字瀑。妙的是“人”字形瀑下有一高能容人、长宽各为3米左右的石洞，洞顶水珠源源滴下，击石有声，叮咚作响，鸣声涓远，娓娓动听。在峡谷出口处，有一约300平方米的天然湖泊，碧波荡漾，鸭群戏水，可供小舟游憩，丹水由此注入涟江。

据《定番州志》记载，明清时，古人常到此探幽览胜，多有题咏记于县志。明代万历年间举人卢燮有诗云：“空谷深深挽鹿车，呼朋伴鸟醉春花；隔溪忽听松飞瀑，疑是高山第几挝。”民国35年（1946年）时任惠水县长张明权曾横书“琴山逸响”4个大字于峡口左侧的岩壁上，至今字迹清晰，尤见功力。在米丹寨后的悬崖上还镌刻有张明权祝贺蒋介石六十大寿的四言诗一首，游人至此，均要品味一番。1984年县人民政府拨款在峡谷口处兴建一座“琴韵桥”，更为佳景增添秀色。近几年来，到此游览的人络绎不绝，特别是春暖花开时节，满山滴翠，山花烂漫，姹紫嫣红，景致十分迷人；赏花、观瀑、听“琴音”，使人油然产生“是谁在此抚瑶琴？高山流水绝调音，应是是年伯牙奏，故留逸韵至如今。”的感怀。然而，人们游此景，多在峡谷中流连，殊不知龙塘山后风光旖旎，别有洞天。

“琴山逸响”一景，从龙塘至峡口，全长约5千米，是惠水古十二景至今保存最为完好的景观。

三、三水濛亭

出“琴山逸响”，过米丹寨，沿涟江河岸南行约1千米，便到“三水濛亭”。此景位于县城东1.5千米的抵濛寨后，俗称“三岔河”，系涟水、濛水和丹水的合流处，中央有一沙洲，长约400米，宽约300米。昔日，沙洲一片碧绿，遍地野花，垂柳沿岸，修竹与桔树相掩映，真是鸟语花香，景色迷人。据《定番州志》记载，清康熙戊戌年（公元1718年），沙洲中央建有一亭，名曰“三洄亭”。每年正当春和景明，桃李芳菲之时，人们常到此踏青，听莺观鱼、扑蝶采花，尽情享受大自然赐与的愉悦与欢乐。偶有文人学士，结伴聚于亭中，谈古论今，吟哦抒怀，更是别有一一番情趣。果然是“登临别有天，堤柳戏鸣蝉；近看鱼腾跃，怕岸起飞鸢”。然而，沧桑巨变，沙洲常被洪水淹没，使“三洄亭”逐渐毁坏，以至于倒塌，到民国初年，就仅存残缺的石基了。

如今，沙洲已被垦为农田和耕地。沿岸的垂柳和行丛依然苍翠碧绿，与蓝天、白云、群山、苍松、飞鸟一起倒映在水中，清晰明亮，缀以点点渔舟，犹如一幅绝妙的山水画。盛夏，人们成群结队地到这儿游泳，濛江之水凉、涟水之水暖的感觉使人十分惬意。黄昏，成群白鹭沿进江上下飞来，栖息于岸边山上的松林中，啾啾鸣声，久久不绝。

四、清溪吐珠

“清溪吐珠”，位于县城东郊约2千米处的程番村旁。此景系一出水池，池宽约千余米，东靠程番山麓，山上丛林茂密，池周柳树成荫，池水清碧。池中央有一巨大岩石，高约2米，宽约1.5米，长约3米，石上长满青苔，远看去就像一头巨牛在池中饮水，泉水就由石底涌出，水泡如珠，至水面而散，犹如一颗颗晶莹剔透的珍珠由池低喷出，终年不断；又宛若老龙吐涎，引得鱼儿相争，此景奇绝，诚属可观，明代举人陈九功曾有诗赞日：“奇绝清溪水，喷珠个个圆；掬来看石髓，疑似老龙涎。”池中长满水藻，鱼儿常聚于石底喷珠之处嬉游，池水清凉，甘冽可口，人们常到此钓鱼、观景。“清溪吐珠”自有记载起已历经300多年，而池水始终盈盈满池，从未干涸。故本世纪50年代末，县里曾在池之南侧兴建惠水酒厂，用其水酿制的“涟江醇”酒，犹如琼浆玉液，香味浓郁、醇厚甘美，在国内外多次获奖。特别是“黑糯米酒”是用素有“药米”之称的惠水特产黑糯米酿制，具有生津怡神，滋补健肾之功效，多次获得各种博览会的金、银、铜奖，饮誉国内外。1992年在惠水酒厂南侧又兴建了一中外合资企业——惠高酒厂，该厂生产的“红与黑”黑糯米酒也用池中泉水酿制，产品远销美国、日本及东南亚国家，被外交部定为驻外使馆宴用礼酒。现在，“清溪吐珠”中的泉水为县城居民的饮用水源之一。

五、麒麟东引

“麒麟东引”，位于县城东约4千米处的龙洞后山。这里层峦叠嶂，山峰秀奇，林木繁茂，山花烂漫。在群山中，耸立着一座山峰，特别引人注目。此山形若异兽，头尾清晰可辨，头部凸起的尖峰犹如角状，在满山的林木之间露出堵堵灰白色的岩石，远看就像片片鳞甲，酷似传说中的麒麟，故而称为麒麟山。又由于此山头朝东方，尾向西方，并有欲东行之势，古人遂称此景为“麒麟东引”。每当晴朗的早晨，太阳从东方冉冉升起，霞光灿烂，彩云朵朵，似乎笼罩在麒麟山头，彩霞瑞云，光怪陆离，煞是好看。明代万历年间举人熊应祥有诗云：“奇峰东峙走云屯，异样岩花香对门；长挹千年苍翠色，且牵日月照乾坤。”关于麒麟山还有一个神话传说：相传这麒麟山，原是一头麒麟，是如来佛的坐骑。一天，如来佛骑着它赴王母娘娘的蟠桃盛会，席间，这头麒麟就偷偷下凡，来到“鬼方”兴妖作祟。天上只一日，世上已千年。席散，如来佛四处寻找麒麟不见其踪影，后发现已下凡至“鬼方”地坝，遂驾起五彩祥云，来到“鬼方”地界上空，麒麟见势，欲往东逃，如来作法，将其变为一座青山。瞧，这头麒麟，似乎还在微微回首西望，好像十分依恋这里的秀色美景。

（注：殷朝时，惠水称为鬼方）

六、三宝连云

“三宝连云”一景，位于县城东南约6千米处。此处山峰雄奇，层峦蜿蜒，在莽莽逶迤的崇山之中，有三峰鼎峙，直插云霄，称为三宝山（俗称三宝坡）。若遇阴雨霏霏，三座高峰被云遮雾锁，峰峦时隐时现；或若雨过天晴，蔼蔼云烟，笼罩三峰，似乎与云天相连，“三宝连云”故而得名。

清代贡生尹清有诗云：“突兀群峰外，孤松带月栽；枝黄秋雨过，云湿半山苔。”

在三宝山南侧的山腰有一平台，据传为昔日天旱年景，时人求雨之祈雨台。相传明代成化年间，有一白须老叟自谓张老雷，居于三宝山麓，有一年轻樵夫经常上山打柴，见老人常踞石而坐。日久，樵夫遂与老叟相识。一天，这位年轻人像往常一样上山打柴，仍见老人坐于石上，老人对樵夫说，不久即将离去，说罢，拿出名叫雷楪的形如斧子上刻符章的木片赠与年轻人，并说：日后，此地如遇大旱，你可持此雷楪到此，呼唤我的名字，即可降雨。

言毕，老人离去。数年以后，全县果遭大旱，人们即请年轻人持雷楪至三宝坡祈雨台，大呼张老雷数声，顿时狂风大作，乌云密布，大雨倾盆而下。从此以后，如遇旱年，人们就到此祈雨。如此，登临祈雨台，可依稀辨认出是年台基的遗迹。放眼西望，顿觉豁然开朗，透过重重叠叠的山峦，县城、田野、村舍尽收眼底，清晰可辨，使人领悟到杜甫的“会当凌绝顶，一览众山小”的诗意。

现在，三宝山麓一片碧绿，松林茂密，郁郁葱葱，山花盛开，涧水长流。山谷荒坡已被垦为苗圃和果园，密密匝匝，十分可爱，昔日荒芜的三宝坡被装点为繁花似锦，鲜果满坡的花果山。

七、龙岗叠翠

由县城沿210国道南行约8千米，就到了卧龙长坡，这里便是惠水古十二景之一的“龙岗叠翠”。明清时，卧龙长坡森林茂密，古树苍藤，飞丹滴翠，层层叠叠，绵亘里许。涟江从坡下缓缓流过，将龙岗怀抱其中。在长坡的西北端，卧龙桥横跨涟江，江水由此绕过龙岗沿河岸而行。春天，万物复苏，这里山清水秀，满目苍翠，异草奇葩，鸟语花香，景致十分迷人，古人遂将此景名之为“龙岗叠翠”。明代崇祯年间举人莫与齐曾有诗为证：“雨后山全吐，云归树半斜；千岩流翠黛，一涧倒明霞。日暖荷知味，风清柳更赊；渔歌来远浦，处处笑山花。”民国25年（1936年），修筑惠（水）罗（甸）公路，路径正由龙岗穿过，于是伐木筑路，砍树建房，不久，此地林木全毁。然而，光阴荏苒，半个世纪过去了，如今白龙岗，宽阔的柏油公路是210国道的通道，在公路两旁新建起的幢幢楼房鳞次栉比，龙岗顶上先后兴建了铁合金厂和龙岗变电站，使昔日人烟稀少的卧龙坡而今变得热闹起来。特别是1980年，国家拨款在明代万历年间修建的古卧北桥（即心心桥）上游300米处，兴建了一座长112.5米，宽9米，高10.9米的两孔预应力钢筋混凝土连续梁顶推大桥，给这里的风光增添了一大景观。闲暇之时，人们三三两两聚于桥上游玩，欣赏卧龙大坝、涟江风光。

八、松风汲瀑

“松风汲瀑”一景位于县城以南小龙村后山，距城约10千米。清凉透碧的仙水（鱼梁河）自后山的出水洞源源流出，蜿蜒数里，至此峡谷中，由近50米高的岩上飞泻而下，瀑声震谷，雾气腾空，水花飞溅如珠玉抛撒。河谷两山，古松苍茂，蔽日遮天，阵阵山风吹来，林涛呼呼作吼，使人难以分清是瀑声还是松鸣，“松风汲瀑”由此得名。明代举人莫与齐有诗云：“山晴疑作雨，松倒吸寒潭；根沃琼浆饱，梢含雪蕊甘。狂风知瀑响，醉舞识涛酣；明月如相照，清心共结三。”在峡谷的中下段，谷底怪石突兀，层层叠叠，将河水分为许多支小瀑流。过去，这里附近的农户常在这些小瀑流下安置“磨香车”，用水车带动水磨，磨制“香巴”，然后制成祭祀用的香。水磨最多时达10多架，流水淙淙，水车转动，咿呀有声，此起彼伏，别有情趣。暑天，到此憩息，幽静而凉爽，听松风、观瀑流或看磨香车，情趣盎然。“文革”时期，由于破旧立新，香被作为迷信品而禁止生产，水磨因此亦被淘汰。近几年来，县水电部门在此兴建水电站。目前，二级电站已建成投运，纳入国家电网并网运行，一级电站的大坝已巍然矗立，高峡出平湖的奇景已呈现在人们眼前，成为新的景观。

九、西流环珮

“西流环珮”一景系县城西门外一条沟渠。过去，城内堰塘及各种水井溢出之水汇集于沟渠内，从现在的监狱后流出，环绕城西，穿越西门田坝，经满坝村后注入涟江。沟渠内，流水哗哗，至平缓处，水面在阳光的照射下，闪出点点波光。沟坎上，朵朵野花点缀在绿草丛中，犹如古人佩在身上的玉带，绚丽多彩，“西流环调”故而得名。明代正德年间举人钟程对此景曾有题咏：“潆洄如带柳烟浮，浪锁城南一段秋；欲洗是年多少恨，只余环珮向西流。”然而，沧桑多变，现在已不能寻找出是年西流的旧迹了。如今的西门，已成为县城的一繁华地段和集贸市场，造型别致的多层高楼拔地而起，供电大楼、邮电大楼光彩夺目，商店饭馆比比皆是。每天清晨，到这里来进行蔬菜交易的人络绎不绝，真是车水马龙，人流如潮。

十、官沼芙蓉

“官沼芙蓉”，此景即今县人民政府宿舍楼后的荷花池。明清时，此荷花池原属官府的后花园，池阔方圆约日米，池中遍种荷花，因荷花又名芙蓉仙子，故而名为“官沼芙蓉”。池的四周，绿柳垂青，桃树、李树与芙蓉相间。春天，柳枝叶芽，桃李芬芳，池边野花串串。夏日，池中荷花盛开，洁净而明亮，真是出污泥而不染，映日荷花别样红。花色有红的、黄的、白的，五颜六色，艳丽多姿，十分惹人喜爱。时人常常到此避暑、纳凉、赏花，使人赏心悦目。然而，随着光阴的流逝，这儿的景致也日渐破败。到中华人民共和国建立前夕，池底淤泥堆积，池水近乎干涸，杂草丛生，残败不堪。如今，旧时的荷花池已变成一片凹地，四周建起了机关办公大楼和宿舍，是年“官沼芙蓉”的景致只能留在人们的记忆之中了。

十一、凤山春色

“凤山春色”一景位于县城中心即今县委办公大楼后山，因其山形似凤，故称凤山。往昔，这里古木参天，茂林蔽口，苍滕老树，滴翠流红，景致幽深而宁静。每当春光明媚之时，满山一派生机，一棵棵高大的梓木树、梧桐树和金丝楸上满是新绿。各种乔木花、桃李花和不知名的野花，竞相开放，争芳斗艳，姹紫嫣红，真可谓鸟语花香，春意融融。置身其间使人心醉神迷。明代嘉靖年间举人段以金有诗赞曰：“黔南秀聚粤分沙，大块锤铲春木斜；绿树人家梅点雪，碧溪鱼背杏梭霞；开帘高卷山山画，踞顶低来步步花；传说广陵桥廿四，曾偕风俗与无差。”据考，清代时，曾建文庙于凤山脚下，民国18年（1929年）窦觉苍任惠水县长又于原文庙右侧（即今档案局和武装部）兴建孔庙；民国24年（1935年）又将孔庙前空地（即今粮食局）辟为凤山公园，园内种植各种花草林木，左右各建一亭，使凤山、孔庙和凤山公园连为一体，供人们游览观赏，成为当时之胜景。

中华人民共和国建立以后，随着各项事业的建设和发展，在凤山周围先后兴建了机关办公楼、商店和宿舍，空地上培育了各种花草树木，一种新的人文景观已取代了旧时的凤山景色。

十二、九岚拥寺

“九岚拥寺”一景位于县城西约9千米处，原名“九炉山”。有九峰耸峙，成弧形连接，峭石壁立，峰峦雄奇。在成九峰环抱间耸起一小峰，高约20米，与九峰构成“九龙抢宝”之势。小峰前地势开阔而平坦，直抵谷口，是天造地设的宝地。峰峦谷坡上林木苍劲，灌蔓蓊郁，青翠欲滴，景色绝佳，环境幽雅。清康熙二十年（公元1681年），寺僧古源来州（今惠水县），“见马门九峰高峙，开创梵宇”，遂将“九炉山”更名为九龙山。康熙二十一年（公元1682年）古源募修九龙山寺。原寺建筑规模宏大，殿宇重叠，蔚为壮观，是与黔中遐迩闻名的白云山寺共享盛名的佛教圣地之一。寺殿顺山势而建，峰顶建玉皇阁，玉皇阁下山腰处建观音殿，殿前置铁鼎，其下为正殿“大雄宝殿”，钟、鼓楼翼其左右；前殿为“天王殿”“灵官殿”。每殿左右均有配殿，设藏经楼、禅房、斋房、僧舍、仓库等等。山门建在谷口最窄处，石墙拱门，门柱上刻对联一副，上联是：“黔南钟灵无双地”，下联是：“昆仑发出第一山”。

山门外左右各有清泉一眼，清澈甘冽，终年不断。山门前的几株古杉、银杏，挺秀雄奇，乃千年古树。在寺中右侧有摩崖“水不在深”4个大字，落款为“丙子年季夏开山古游监题”。九龙山主峰后山腰有一天然石洞，称为“古源洞”，长约20米、宽约5米、高约2米，洞内明亮干燥，相传为古源募修山寺时暂栖之所。在左峰顶之崖壁上有一浮雕石佛，高约2米、宽约1米。佛像鼻梁和像身腰带虽已损坏，但仍显得气宇轩昂。

九龙山寺环抱于九峰之间，故有“九岚拥寺”之称。举人顾民任曾有诗赞日：“淡淡岚光翠色浮，让来烟雨占林丘；晨钟响处知僧殿，一朵红云捧玉楼。”

1935年农历三月初三下午，九龙山寺除玉皇阁外均遭大火焚毁。1950年又遭一次火灾，玉皇阁也毁为废墟。目前，寺之旧址已兴建了一所九龙小学。

九龙山寺虽已不复存在，盛名却流传至今，时有不少善男信女前来拜佛朝山。在每年的“三月三”“四月八”“六月六”等传统民族节日里，当地苗族群众都穿上盛装，云集九龙山前，跳芦笙舞、摔跤、对歌等，欢度节日。

（十四）《人民日报》1951–2019年刊登惠水县新闻、报道、讯息、文章选辑

1、1951年5月16日　第2版　读者来信

贵州省惠水县抗美援朝运动还未普遍展开

编辑同志：

我们贵州省惠水县，至今未订出开展抗美援朝运动的计划。领导思想上以为这只是个“阶段性”的运动，而没有认识到抗美援朝运动是经常性的。如在捐献慰问中朝人民部队的慰问金时，领导上只是把它当成一个突击任务来完成，一时宣传工作搞得火热。等完成了一千四百多万元的捐献金后，大家就松懈下来了。全县除了第一、二区外，其余各区都没把献金交县，有的区甚至根本没有进行这一工作，领导上也没有过问。由于县领导干部对抗美援朝运动忽视，区、乡干部就更不重视了，至今很多群众不知道抗美援朝是怎么回事。县农民训练班的一百七十人中，当问他们听讲过“抗美援朝”的有多少人时，举手的只有三人，其余的一百六十七人都未听说过。还有些人虽然也知道这件事，问他为什么抗美援朝却答不出。这些都说明我县对抗美援朝工作忽视到如何严重的程度。

为什么抗美援朝运动在我县没有广泛开展起来？主要原因是县级领导干部政治思想麻痹，对于影响全国人民政治生活的大事，漠不关心。可是他们却强调“工作太忙，干部太少”。我觉得这是很不对的。目前贵州省正进行反封建的群众运动和镇压反革命工作，这些工作和抗美援朝运动是分不开的。

目前经过检查，县领导干部已开始重视了这个问题。但深入开展抗美援朝运动，使抗美援朝的爱国教育在群众思想上扎根，还需要很大的努力。

中共贵州省惠水县委员会　蒋　化

2、1952年5月17日　第2版　经济简讯

贵州省惠水县涟江灌溉工程，已在五月一日举行落成放水典礼。这是贵州省今春修成的一处最大的灌溉工程。涟江发源于贵筑县，是贵州、广西两省交界处的盘江的一个小支流。涟江流入惠水县后，因河水面低，两岸田高，无法灌溉两岸的农田。解放前涟江灌溉工程就修过，费时五年，耗去一千一百万斤大米，但是始终未能修成。解放后，贵州省人民政府农林厅、水利局派员赴涟江勘察和缜密计划后，便决定重新整修。去年六月发动当地农民分段修建，到今年二月底就修成了。计修成各种建筑物二百八十三座，引水渠和干渠、支渠、分渠十八道（共长四十八公里左右），可灌溉农田二万二千亩。全渠受益农田每年可增产稻谷三百一十八万七千五百斤，惠水平川农民的旱灾顾虑从此永远消除。

3、1954年2月27日　第3版

高摆塝的春天

叶绍宾

高摆塝是贵州省惠水县布依族苗族自治区的山村，海拔约两千公尺。这里一年有三季都是大雾弥漫，细雨蒙蒙。

当春天来到，田里的积冰还未化完的时候，摆塝的苗家就开始春耕了。人们清楚地知道，在使用相当原始的木犁木耙耕作的情况下，要想增产是比较困难的。就拿贫农方路卡来说，去年他虽然使上了耕牛，改变了过去"人拉犁"和"锄挖田"的耕作法，劳动效率提高了一倍，但是，木犁木耙不能深耕、多耙，也不能用以精耕细作。为了扶助少数民族人民发展生产，人民政府曾在这里发放了大批铁质农具。在发放农具的那天晚上，好多人都兴奋得睡不着觉；第二天，各寨各组都自动进行了酝酿和讨论，普遍订出了爱国增产计划。石板寨的十几户苗族农民，还自动组织了两个临时互助组。

发放新农具后，苗家都不用木犁木耙耕作了。全摆塝仅犁、耙、锄等五种铁质大农具，就有三千一百五十四件；百分之八十的苗家都有了犁头、镰刀等成套的农具。

生产工具的初步改进，也给苗族妇女带来了幸福。历来，苗家妇女的劳动比男人还繁重，"勾腰薅秧"使她们身体畸形发展，许多妇女一上五十岁，大都成了驼背。现在，她们可以使用新农具，站立起来薅秧了。

生产改革将给山村里的苗家带来丰收，丰收又将给他们带来了幸福生活。人们坚信着：在毛主席温暖阳光的照耀下，生产将一年比一年好，日子将一天比一天强。

4、1954年5月31日　第2版

山区苗民得到了无偿农具

（新华社记者　刘扬深　杨炫之）

发放无偿农具的消息传来了。贵州省惠水县布依族苗族自治区甲坝乡正要下山开始春耕的二百多户苗民多么高兴啊！他们说：毛主席知道我们苗家缺少春耕农具，就给我们送来了！有了农具，今年增产有把握。

四月中旬，乡里贫苦的苗族农民从乡政府领到了犁、耙、锄头、镰刀、钉耙，一共一百二十多件。五十多岁的贫农陈么金从来是使用笨重的木耙，这次领到了一把崭新合用的铁耙。王桥宝好几年前就砍好了一个用白杨木做的犁架，可是没钱买犁铧，每年都要借用别人的犁，五六亩地犁了二十天还没犁完一遍，现在他也喜洋洋地领了个铁犁铧回家了。平寨村吴光林生产互助组五户农民去年都缺镰刀，春天别人忙着割嫩草肥田的时候，他们只能瞪着眼空着急，这一回他们五家各得了一把镰刀。

苗族农民得到了无偿农具后，生产热情很高。王四么在领到铁耙的第二天，一清早就上山去找了一根坚硬的木料回来做耙架，安好后马上到田里耙起来。下瓦窑村有九户农民领得农具后，冒着春雨犁田，接着往田里送粪，按计划完成了插秧前的准备工作。农民们十分喜爱新发下的铁质农具。陈玉林一边耙田一边说："去年用木耙，又费力气又耙不深，现在用铁耙耙两次，胜过去年用木耙耙四道。"吴光林互助组得到了两个犁铧，决定全部水田比去年多犁一次。去年他们花了近二十天才把全组二百九十八挑田犁完一遍，今年九天就犁了二百七十挑。现在，在山区的田野中，男子在犁田、耙田，妇女们在挑粪、整修田坎，谁也不愿落后一步。

5、1954年6月8日　第2版

山区的早晨

（新华社记者　刘扬深　杨炫之）

五月七日，天刚亮，贵州省惠水县布依族苗族自治区高摆塝乡的最高处杨家园村回荡着有节奏的石碓声，勤劳的苗家妇女正在舂米准备做早饭。雨后的梯田都积满了水，村子通往田野的路上静悄悄的，还没有出现新的人脚印和牛蹄迹。晨雾迷蒙，比这村子矮的一些山峰被浓雾笼罩得看不见了。

两三天前才参加杨老桥互助组的组员杨望么，清早就拉着牛赶去参加第一次集体劳动，给组员杨光宗家犁田。可是在预定的工作地点，早已有两个人在犁田了，那就是年青的互助组长杨老桥和他的弟弟。组员杨老五原来打算今早下山去赶场，后来想到还是先做好大家的活路要紧，他也比别的组员早到了。更使大家奇怪的是：脚背正在痛的杨老万也从那滑溜溜的田坎路上走来了，当他走到田边时，有的组员劝他回家休息，他回答说先把组里的田犁了再说。

不一会，七户苗族组员们都来齐了。在村子东边的那块大田里，杨光宗拉着自己那头象骆驼似的大牯牛走在最前面，领着六头牛、拖着铁犁把泥土翻了起来，接着，把田耙得匀匀净净的。十二岁的组员杨累四，人还没有牛高，也把裤子卷得高高的，拉着一头才学耕田的小牛在田里犁过来又犁过去。组员们愉快地耕作着，犁得深，耙得平，和做自己的活路一样认真。杨老万虽然犁得慢些，但他却仔细地把田里的一草一石拾起扔在田坎上。不到一个钟头，就完成了一犁一耙。

当男组员犁田的时候，女组员们便弯着腰在整修田坎，有的铲草，有的加固，不使田里有一滴水浪费。

太阳透过浓雾射到这海拔一千八百多公尺的山区，已将近十点钟了。互助组完成犁三亩耙五亩的工作以后，回家吃早饭。在回家的路上，老组员杨老万满意地向他的同伴们说出心头话：两个月前我还以为高摆塝的山高水冷，田土分散，参加互助组怕搞不好生产。现在看来，山里头也只有走互助合作的路才有好日子过。

6、1954年7月8日　头版　图文报道

贵州省各少数民族地区设有十二所民族中学。这是惠水县布依族苗族自治区惠水民族中学的布依族学生、青年团员班运秀。她在周会上发言，检查一周的学习情况。

7、1958年10月4日 第2版

冷风改热风 高炉好过冬
惠水县用土法制造热风炉

本报讯 贵州省惠水县河口铁厂在县委书记的直接领导下，把冷风炼铁改为热风炼铁，使日产量比过去提高了将近 倍。他们对用土法制造热风炉的经过进行了总结，从目前来看，这种办法是较好的，是使小高炉过冬的主要措施。

8、1963年11月7日 第2版

教育孩子有了文化不要忘本

贵州惠水县甲戎小学重视阶级教育，培养学生热爱集体热爱劳动的品德，加强珠算、应用文、农业生产知识和毛笔字的教学。几年来，近百名毕业生参加了山区建设，受到各族社员热烈欢迎。

新华社贵阳六日电

贵州惠水县甲戎人民公社甲戎小学教育学生从小热爱山区、热爱农业劳动，为山区建设培养了一批人才。最近几年来，这所小学一共有九十八名高小毕业生参加了山区生产建设。他们中间有的当了生产队长，有的当了会计或记分员，有的被评为“五好”社员。在全社四十三名生产队的会计中，有四十人都曾经是这所小学的学生。

甲戎小学设在离惠水县城六十华里的一个布依族、苗族和汉族杂居的山区。从一九五五年到一九五八年，这个学校共培养出五十四名高小毕业生，有四十三人回到了农业生产第一线。这种情况在当时曾经引起教师们的不安，他们有的埋怨学生家长“不关心”学生，家务事太多，影响了学习；有的责备一些学生“无大志”，埋怨他们毕业后连中学也不考就回家参加生产。他们的这种心情，常常在访问学生家庭的时候情不自禁地流露出来。然而出乎教师们的预料，贫农下中农却不这样看待问题，他们说，孩子考上中学，是一件高兴的事；如果回来参加生产更是欢迎。一位贫农语重心长地说：“我们这里，除了地主富农以外，没有几个识字的，学校要是不给我们教育出一些能写会算的人来，叫我们让地主富农当会计当保管，那怎么成？”这话提醒了教师们，给了他们很多启发。当教师们访问了干部，到生产队作了调查以后，更是深深感到农村需要一批热爱集体、热爱农业、又有一定文化科学知识和劳动技能的人才。明确了办学方向以后，他们便立即从各方面着手改进教学。

在人民公社成立以后，贫农下中农社员曾经对教学工作提出了不少具体建议和希望，他们最关心的一条是：要教育孩子热爱人民公社，热爱农业劳动，千万别叫他们“有了文化忘了本”。这使教师们认识到，在教育中一定要从政治思想上关心学生的成长。这个公社贫农、下中农占百分之八十以上，其中兄弟民族占百分之六十，他们在解放前所受的压迫十分深重。但是学校的学生都是在新社会里长大的，因此必须使孩子们从小懂得过去，热爱今天。学校很重视在课堂教学中向学生进行阶级教育，并且组织贫农下中农社员的子女访问自己的家长，举办座谈会。这些活动使学生们受到活的阶级教育，许多学生提高了政治思想觉悟，学习和劳动比以前更加努力。在进行阶级教育的同时，学校又根据山区需要和群众意见，加强了珠算、应用文、农业生产知识和毛笔字的教学。学校还开辟了一块山坡地，组织高年级学生参加农业劳动。每年秋天，教师都带领学生一同到山里帮助生产队小秋收，教师们利用这个机会，向学生介绍山区丰富的资源和人民公社的发展远景，激发了他们热爱公社、建设山区的感情。

在这样坚持不懈的教育下，一种热爱集体、热爱劳动的新风尚，在这所山区小学里逐步成长起来。每天清早和放学以后，有的学生为生产队放牛，有的学生在山上打柴，有的挑水。他们还利用星期日为生产队劳动。

甲戎小学面向山区办学，受到本地各族社员的热烈欢迎。当教师到学生家庭去访问的时候，许多学生家长拿出了最好的东西来款待。教师们看到自己培养出来的学生留在山区、建设山区，并且受到广大群众的称道，也都感到由衷的高兴，更加积极努力提高教学质量。

9、1967年5月31日　第2版　图文报道

贵州省广大贫下中农热烈响应毛主席“抓革命，促生产”的伟大号召，活学活用毛主席著作，在人民解放军的大力支持下，获得了夏季作物的丰收。图为解放军战士和惠水县赤土公社的社员在一起紧张地收割小麦。

10、1967年6月2日　头版　图文报道

人民解放军在贵州省惠水县赤土公社涟江大队和社员们一起收运小麦，力争做到丰产丰收。

新华社记者　张树源　摄

11、1978年6月5日　第4版　批评答复

读者来信：

我是苗族，家在贵州省惠水县雅水区。这些年来，苗家寨被“四人帮”破坏得不成样子。“四人帮”被粉碎后，流毒还远远没有肃清。今年一月，我回家看到有的贫下中农生活比较困难，没有养鸡。但有的人还让他们买鸡买鸡蛋交给国家。还说：“五天内不交，就是对华主席的态度问题。”这些做法，不知是哪层干部定的。许多苗家儿女不会汉语，引起了许多误会。苗家听说我从北京来，找我反映情况，希望替他们反映给中央。

海政歌舞团苗族演员　罗秀英

12、1978年7月18日　头版

落实华主席批示　狠抓政策兑现

华主席对一封反映贵州省惠水县执行政策和干部作风问题的来信作了重要批示。贵州省委雷厉风行，派出联合调查组前往处理，省委第一书记马力两次到惠水了解情况，具体指导。他们首先抓了群众最关心的夏收预分工作，推动了当前生产。省委决心推广惠水县经验，推动全省工作。

本报讯　记者张之遴报道：英明领袖华主席、党中央和各族人民心连心，深切关怀少数民族人民的疾苦，对《人民日报》内部刊物刊载的一封反映贵州省惠水县一些社队干部执行政策和工作作风问题的群众来信，作了重要批示。

批示和来信转到贵州后，给予各级干部深刻的教育，对落实农村经济政策起了促进作用。贵州省委认真贯彻落实英明领袖华主席对一封人民来信的批示，狠抓惠水县夏收分配的兑现，调动了民族山区广大社员群众大干社会主义的积极性，促进了农村各项工作的发展。

题为《请领导上派人去看看苗寨》的群众来信，在《人民日报》内部刊物刊出后，英明领袖华主席亲笔作了重要批示。李先念副主席和乌兰夫副委员长也作了批示和指示。当批示的信件转到贵州后，中共贵州省委极为重视，省委第一书记马力同志立即召集在机关的常委进行了认真的阅读和研究，并组成省、州、县三级联合调查组，分别深入到来信反映的雅水、摆金两个区的一些社队，进行调查处理。通过深入的调查，证实了罗秀英同志反映的情况基本属实，有些问题还相当严重。类似这样的情况，不仅雅水、摆金两个区的一些社队存在，这个县其它区和别的县的一些社队也程度不同地存在。从解剖麻雀中发现的问题，引起了贵州省委的高度重视，他们进一步认识到，对“四人帮”在贵州干扰破坏的严重性及其流毒和影响绝不能低估。他们决心通过狠抓雅水和摆金区这个典型，认真总结经验教训，进一步促进干部作风的转变，落实农村各项经济政策，推动全省的工作。经省委、黔南布依族苗族自治州委和惠水县委共同研究，派出一百多名干部组成的工作队，深入到这两个区问题比较多的甲浪、鸭绒、鸭寨和太阳四个公社，帮助各社队深入宣传学习新时期的总任务、新宪法，深入揭批“四人帮”，整党整风，认真解决存在的问题。马力同志两次到惠水，召开座谈会，听取汇报，对调查处理工作进行具体的指导。

这四个公社是民族聚居社，苗族、布依族占百分之八十五。近月来，工作队和区、社党委一起，首先解决了影响集体经济发展和社员生活改善，挫伤社员社会主义积极性的分配政策不落实的问题，抓了群众最关心的夏收预分工作。做到了户户进粮，队队分钱，丰产增收，真正落实了政策，教育了干部，鼓舞了群众的积极性，巩固了集体经济，推动了当前生产。人们兴高采烈地欢呼：“有华主席的英明领导，毛主席的政策又进布依山村苗家寨了！”

通过夏收预分，许多生产队从这次分配给社员的现金比较少的现实中，看到了单一经济带来的问题，更好地落实了以粮为纲，全面发展的方针；许多经营管理制度不健全的生产队，进一步建立健全了“三基本”等制度；不少生产队还制订了民主办队、勤俭办队的公约，建立和健全了民主理财的制度。政策兑了现，生产面貌变。现在，这四个公社广大社员参加集体生产劳动的热情空前高涨，劳动工效和出勤率都大为提高。

对于区、社、队各级干部中存在的作风问题，他们也根据不同情况，采取有力措施予以解决。如对只有一般超支挪用、多吃多占等问题的干部，通过搞好夏收预分和清钱、清粮、清物、清工分的“四清”，要他们主动清退超支挪用的现款，在社员大会上作深刻的检查，把问题说清，取得群众的谅解。对那些曾经定过“土政策”，并采取强迫命令的方式推行这些“土政策”的干部，组织他们认真学习党中央、国务院和省革委有关农副产品派购、收购的政策和规定，对照本地的实际情况，发动群众进行民主讨论，正确执行党的有关政策，坚决取消“土政策”。对查有实据的贪污盗窃、投机倒把分子和严重违法乱纪分子，通过整党整风或结合“双打”斗争，充分发动群众揭发批判，进行严肃处理。

最近，中共贵州省委召开了全省电话会议，请惠水县委的负责同志介绍他们以英明领袖华主席和中央领导同志的重要批示为动力，认真转变作风，落实农村经济政策，搞好夏收预分的经验。马力同志代表省委向全省农村社队发出号召，要求所有社队认真学习惠水县的经验。

13、1978年7月18日　头版　群众来信

请领导上派人去看看苗寨

今年一月，我回贵州省惠水县雅水区苗家山寨一个月。解放后，家乡确实有了很大的变化，但这些年来，被“四人帮”糟蹋得不成个样子。更值得注意的是，“四人帮”被粉碎后，流毒还远远没有肃清。例如，不少社员没有养鸡，但有的干部却让人家自己出钱买鸡和鸡蛋交给国家，并且说：五天内不交，就是对华主席的态度问题。许多苗家儿女没有文化，不懂汉语，所以引起了许多误会。贫下中农向我反映这些情况时，我当时就对他们说：华主席为首的党中央，很关心贫下中农的生活，不会让贫下中农自己出钱买鸡和鸡蛋来交。这些做法，不知是哪级的干部定的。另外，我到几户贫下中农家去看过，粮食分得少。不少贫下中农说，粮食分得少，是因为干部向上虚报。他们还说，国家发下来的补助粮食和棉布，都被社、队干部们分光了，贫下中农哪里见得到呢？苗家听说我从北京来，就来找我反映情况，希望我反映给中央，请中央派人去了解，狠狠打击歪风邪气，认真解决一下干部的作风问题。

海政歌舞团苗族演员　罗秀英

14、1978年8月2日　第4版

惠水县夏季预分兑现

社员高兴地说：“人民公社这个靠山靠得住了！”

编者按：中央批示的湘乡经验，受到了群众的热烈拥护，各地正一条一条地贯彻落实。认真搞好当前夏季预分工作，就是落实中央批示的具体表现。惠水县委狠抓夏季预分的兑现，决心大，方法对，教育了干部，鼓舞了群众，带动了各项工作。夏季预分，粮钱虽少，影响很大。各地都应当象惠水县那样狠抓一下，认真落实，取信于民。

本报讯　贵州省惠水县在学习、贯彻中央文件，落实党在农村的经济政策中，认真做好当前夏季预分兑现。到七月上旬，全县已有百分之九十六的生产队预分兑现。

多年来，由于林彪、“四人帮”的干扰破坏，惠水县许多生产队不仅不搞夏季预分，就是年终决算分配也没有很好兑现，严重挫伤了社员群众的社会主义积极性。中央批示和湘乡经验下达后，社员群众欢欣鼓舞，但又担心落实不了。县委决心用搞好夏季预分兑现的实际行动，批判“四人帮”，取信于民。他们针对部分社队干部、特别是生产队干部认为“夏收不多，分配很少，麻烦不小”的思想，举办了骨干训练班，学习有关文件，揭批“四人帮”，使大家认识到搞好夏季预分是关系到调动社员群众社会主义积极性的一件大事，增强了搞好夏季预分工作的自觉性。

由于多年未搞夏季预分，这个县有相当一部分社、队领导干部，特别是青年干部，缺乏实践经验，不会搞。为此，县委抽调了三百九十多名干部，由熟悉农村工作、懂得农村政策的领导同志带队，先在二百八十多个生产队试点，进行传、帮、带，然后总结经验，全面铺开，推动了全县夏季预分工作。夏季预分关系到千家万户，社员群众非常关心。工作队下去以后，依靠广大干部和社员群众，一块清理账

面，共同商量制订预分方案，纠正了过去那种“生产队会计算一算，公社秘书批方案”的做法，做到合理确定征购、提留和社员分配比例，克服了平均主义，按照政策解决夏季预分中的问题。

太阳公社有二十一个队没有现金收入，公社党委就帮助他们从积极完成国家木材收购计划、向供销部门领取一部分柞蚕预付金、清退少数干部贪污挪用款和机关单位拖欠款等，使全社队队都有现金收入。社员拿到了自己劳动所得，看到了县委落实政策的决心，高兴地说：“人民公社这个靠山靠得住了！”广大群众的劳动积极性大大提高。全县“双抢”中出勤率达百分之九十五以上，许多生产队出满勤，田间管理工效高，质量好。

15、1978年9月30日　第3版

送歌送舞寄深情——中央民族歌舞团乌兰牧骑演出队在贵州

本报特约记者　鲁　生

今年八月间，中央民族歌舞团乌兰牧骑演出队，前往贵州少数民族地区进行慰问演出，消息传到黔南惠水一带农村，各族人民都喜笑颜开，奔走相告。他们听说国家民族事务委员会派来的乌兰牧骑演出队，是由十二个兄弟民族组成的，其中还有当地苗族人民称为苗族的好女儿的罗秀英，都认为这是毛主席的民族政策又回来了。乌兰牧骑队员们每到一地，都被千千万万的苗族、布依族群众亲切地围拢起来。布依族人打着铜鼓吹着唢呐，苗族人吹起芦笙，青年姑娘们则唱起了她们新编的山歌：“万朵葵花向阳开，布（依族）苗（族）人民喜心怀，华主席派的亲人到，唱支山歌迎亲人”。歌声和鼓乐声汇成了一片雄壮欢乐的海洋。

乌兰牧骑演出队在惠水广场演出时，观众达七万人之多。有的是从八、九十里外坐班车赶来的，有的是提前几天就来到苗寨的亲朋家等候。在雅水公社广场演出前，聚集在广场上的上千上万苗族、布依族人民，都穿着鲜艳的民族服装，有的吹起芦笙跳起舞，有的吹着唢呐。许多苗族老人都笑得合不拢嘴，他们说：雅水是苗族聚居区，由于地方偏僻，从来没有剧团来过，这次乌兰牧骑到苗寨演出，是华主席为首的党中央粉碎了“四人帮”的结果。在鸭绒公社广场演出的消息传出以后，八、九十岁的老人拄着拐杖，由儿孙们搀扶着来观看。鸭绒公社鸭寨三队一位九十一岁的苗族老人吴乔发，前几天听说乌兰牧骑演出队到了县里，就天天到公社去打听什么时候到苗寨来。现在演出队来苗寨演出了，他心情很不平静，边走边说：“千山万水送戏来，华主席和苗家心连心。”

为了使少数年老体弱和腿脚不便的人看上节目，演出队组织三、五个人一组的小型演出队，携带乐器深入到一些社、队演出。在鸭寨公社一个生产队里，一位年已七十八岁名叫吴囡茂的苗族老大娘边听边说：“我腿脚不灵了，不能到广场上去，你们到我家院里来演唱，我一辈子都没见过这样的大好事，毛主席的民族政策又回来了，华主席领导真是好。”

在中央音乐学院学习的海政文工团苗族演员罗秀英，这次被邀请参加演出队回到贵州，受到当地各族人民格外热烈的欢迎。她每到一处，就有群众围拢来看她。因为人们从报纸上早看到了罗秀英曾代表贵州惠水地区苗族、布依族人民，给《人民日报》写信反映当地干部作风和执行政策中的问题，要求领导上派人去看看苗家寨。华主席对她的信作了重要批示，中共贵州省委立即落实了华主席的批示。因此，各族人民从心里感激罗秀英。这次罗秀英和演出队一起来到家乡慰问演出，又见到了苗族众乡亲。她用苗语热情地同乡亲们打招呼，许多苗族老人感动的流下了热泪。华昌一队一位苗族老人王保民握着罗秀英的手，无限深情地说："二十年了，你没有忘记苗话，没有忘记苗寨的贫下中农，这要感谢毛主席的民族政策，是毛主席、周总理把我们苗家的一个放牛娃，培养成了一个好演员。今天你回苗寨来给我们唱歌，全靠华主席领导的好。"各族群众把演出队当作华主席派来的亲人。演出队每到一地演出，都接待成百成千的群众。在一个月中，有上千上万人来找演出队、找罗秀英谈话，群众托演出队给华主席、党中央转的信达二百零五封，演出队变成了工作队。

乌兰牧骑演出队结束了在惠水县的演出，又在黔南、黔东南两个民族自治州的所在地和三都水族自治县进行了十多场的慰问演出。他们每到一地，都深入到各族人民群众的火热斗争中去，向各族人民学习，编写当地少数民族的歌曲，并立即演出，深深受到当地各族人民的热烈欢迎。

16、1982年12月27日　第4版　图文报道

贵州省黔南布依族苗族自治州惠水县摆榜公社重视普及教育，近年来，除进一步办好原有的一所民族小学外，又新办了十三所民办小学和业余夜校，儿童入学率大幅度提高。

新华社记者　田建之　摄

17、1986年4月16日　第4版　图文报道

在贵州省惠水县农村，苗族人民群众生活水平日益提高，民族传统活动丰富多彩。图为苗族男女青年汇聚贵州省惠水县银河花场，进行一年一度的跳花活动。

裴家瑞　摄

18、1987年1月29日　头版

喜气洋洋迎新春

——贵州农村见闻（节选）

（新华社记者　刘子富）

在惠水县有六十五个村庄、上万户布依族农民聚居的涟江大坝区，寨子里扫庭院、贴春联，杀鸡、宰鹅，以及撒网捕鱼的热闹情景到处可见。还有三千六百多农民在渠道上加紧施工，忙于搬石运土，砌石护堤。虽是冬寒时节，人们却干得热气腾腾。这个坝区的农民去年试行集约经营，尽管遭受自然灾害，农业总产值仍达二千一百八十八万元，比1985年增长9.4%，主产的水稻达二千零二十六万公斤，比上年增产13%。去年入冬以来，他们抓住水利这个影响粮食丰歉的关键环节，集资十七点七万元，计划整修四十公里长的渠道，已完工近二十公里，大家决心在3月份前使全部渠道通水。金石乡金石村布依族农民杨光英家不仅年货办齐了，而且准备好了地膜、磷肥、油饼和良种。她笑眯眯地说："节日要过好，生产也不能误，节后就转入积农家肥。"

19、1987年7月30日　第2版　经济

田地遭大旱　庭院一片绿
惠水县“四小”庭院经济生机勃勃

本报贵阳电　记者潘帝都报道：尽管今年遭遇罕见大旱，但贵州省惠水县由于积极推广和发展“四小”（小果园、小菜园、小牧场、小加工场）庭院经济，全县农村经济呈现一派生机勃勃景象。

随着农村经济体制改革的不断深入和商品经济的日益发展，许多农民根据自家的生产条件和市场的需求，把家庭剩余劳力和剩余劳动时间充分利用起来，想方设法在院落和房前屋后的空隙地上办起了小果园、小菜园、小牧场、小加工场，经济效益很明显。有的农户还在经营过程中不断扩大规模，使家庭逐渐变为具有相当规模的专业化商品生产单元。据有关部门统计，目前全县从事“四小”经济的农户已占农户总数的6.4%，其发展势头方兴未艾。

“四小”庭院经济的发展，给惠水县农村经济和农民的思想观念带来了深刻的变化，农民的商品观念增强了，农村市场更加繁荣活跃了。今年上半年全县乡、镇集市贸易的成交额比去年同期有较大幅度的增长。全县农村有各种工匠艺人1300多人，有小加工场1240多个，几乎所有工匠艺人都有了用武之地，不少人还带上了徒弟，向他们传授技艺。

20、1988年3月23日　第5版　读者来信

交通事故为啥多?

像图片上这辆汽车客货混装的现象，在贵州山区由来已久了。现在个人承包经营的车辆一天天增多，这种客货混装超载的现象更为严重。

我省气候无常，冬凌春雨，山区公路坡陡弯多，有经验的老驾驶员行车时即使专心致志，小心谨慎，也很难应付一些意外的紧急情况。现在的个人承包者许多都是开车时间不长的新手。不少人出车在外，只知捞钱，在满载货物之后，途中还不断增载旅客，不管乘车人的生命安全，这事有关部门不管行吗?

下图是长顺开往惠水的一辆长顺县新寨乡的货车（车号：贵州51—02457）。请看：车已满载超高，途中还在上人。

贵州惠水县　裴家瑞

裴家瑞　摄

21、1988年12月13日　第4版　政治·法律·社会

罚得好

12月3日，贵州省都匀汽车运输公司2103号客车，由长顺县开往都匀，擅自提高客运票价，在途经惠水

县时被物价局和检查站查出。车上36名乘客中，35人共被多收票款50.40元。惠水县物价局按规定，当场让售票员将多收的票款全部退给乘客，并给予罚款100元处理。乘客们高兴地说：罚得好！图为售票员（挂包者）正在与执勤人员核对退票名单。

22、1990年5月3日　头版　要闻

保护农民利益　制止滥征耕地
惠水建立农田保护区

刘子富　潘帝都

本报贵阳电　贵州省惠水县建立基本农田保护区，以遏止乱征耕地、随意改变耕地用途的行为。

人多地少的惠水县人均耕地仅0.8亩。可是，越权审批、征少用多、乱占滥用耕地的情况却很严重。去年7月初，惠水县抽出310多名干部下到农村，按照国家土地管理法的有关规定筹建基本农田保护区。全县列入保护区的耕地面积达26.3万亩，占总耕地面积的88.2%。其中，划入一级保护区的有86493亩。

县里制订了《基本农田保护区管理条例》，明确规定在一级保护区征地由县、州政府审核，报省政府批准，征收土地开发费的标准为常规征地费的5至6倍；在二级保护区征地由县政府审核，州政府审批，征收土地开发费标准为常规征地费的3至4倍；在三级保护区征地由县政府审批。

同时，还规定了不准随意变动保护区范围，不准占耕地建房，不准在耕地造林，不准在耕地挖沙取土、建砖瓦厂、挖鱼塘、葬坟等。

23、1998年11月18日　第10版　社会周刊·读者来信·信访窗口

惠水县检察院截留挪用国家税款

1996年，贵州惠水县人民检察院在办理一起涉税案件过程中，截留挪用国家税款78.4万元。其间，尽管有关部门就此曾作过调查，但检察院这种执法犯法的行为至今未予纠正。事情的经过是这样的：

惠水县商贸总公司于1995年1月8日至2月16日期间，非法取得进项抵扣增值税专用发票10份，价税合计金额8744万元，偷逃国家税款1270万元，并已在惠水县国税局全部抵扣。得到县国税局案情通告后，惠水县检察院及时拘捕了惠水县商贸总公司原法人代表周荣栋。同时，县国税局与县检察院联合成立了专案组，全力追缴偷逃税款。从1996年1月15日至4月18日，专案组共追回税款1270万元。县检察院在未与国税局协商的情况下，经请示原县委书记黄桂祥（现因经济案件已被拘押）同意，以加大追款力度为由，将收缴的税款1250万元以赃款名义存入该院账户，然后检察院按县委、县政府通知划拨入库。县国税局与收缴的税款“脱钩”，成为“局外人”。

截至1997年3月12日，县检察院赃款账户共划拨了1171.6万元税款入库，余下的78.4万元全部用于办案用车、办公用品和基建开支。78.4万元国家税款何日归入国库？我们强烈要求追究截留、挪用国家税款责任人的责任。

贵州黔南布依族苗族自治州国税局　李康飞　廖雄凡　韩爱民　李彦军

24、2000年3月7日　第12版　摄影报道

贵州惠水：有条“红领巾邮路”

白　荧　王　邻　摄影报道

从1971年斗篷小学建立第一个“红领巾义务捎转站”算起，贵州省惠水县的“红领巾邮路”扎根山乡已整整29年了。

惠水县境内的19条农村邮路，多年来仅靠10名邮递员负责投递。1987年，县邮政局和教育部门相互配合，推广斗篷小学经验，在全县所有中心小学创建“少先队义务投递站”，形成农村投递网

送信路上

大坡小学的5名“小邮递员”每天坚持投递党报党刊

“请您签收”，小邮递员一丝不苟

戴姗（中）是斗篷小学六年级的“小邮递员”，附近村村寨寨都有她的足迹

放假了，孩子们仍坚持每周两次返校取报刊信件

络，覆盖全部行政村和90%以上的村民组。

目前，惠水县已建立少先队义务投递站58个。寒来暑往，风里雨里，日复一日，全县436名“小邮递员”脚步走遍了村村寨寨，为千家万户传递着外面的消息和远方亲人的问候。

白荧　王邻　摄影报道

25、2001年11月7日　第5版　地方新闻

惠水成为生态示范教育基地

本报贵阳11月6日电　记者胡跃平报道：地处黔南的惠水县日前成为“中华绿色版图工程”首家生态示范教育基地。该工程由中华环境保护基金会主办，旨在逐步形成一个集宣传、教育、参与、实施、监督为一体的公益性事业。

近年来，贵州与深圳在惠水县建立了一批以生态旅游为主的综合开发项目，围绕“造一片绿色在珠江上游地区，还一江清水给珠江下游人民”的目标，投资千万元合作建立绿色生态示范基地，针对基地内石漠化问题进行重点治理，加速基地3.5万亩范围内的生态建设，为珠江流域绿色屏障的广泛实施提供示范推广经验，同时为全国青少年提供一个进行生态教育的理想课堂。

26、2003年11月21日　第11版　教育·科技·卫生·环境·简讯

格平绿色助学行动启动

本报讯　由中华环境保护基金会理事长曲格平亲自倡导并出资捐助、香港绿色力量资助的“格平绿色助学行动”启动及捐赠仪式，日前在贵州省黔南布依族苗族自治州惠水县百鸟河小学举行，首批受助的三十名贫困学生及家长获得了助学金及三十亩经济林地的管护证书。“格平绿色助学行动”是将资助贫困青少年求学与西部生态环境保护相结合的一项可持续发展的慈善行动。

（新宁）

27、2004年4月24日　第7版　教科文专页

月是故乡明

罗洪富

罗洪富，26岁，贵州惠水人，2001年中国农业大学毕业，报名参加中组部、团中央组织的“选拔高校毕业生到西部基层工作”，回到家乡工作，现任贵州省惠水县高镇镇政府办公室干部。

我从小生活在黔南的农村，是一个农民的儿子。家乡贫穷落后的面貌和父老乡亲艰苦卓绝的奋斗，在我心中打下了深深的印记。

时间过得飞快，转眼到了大四下半年。许多同学想留在北京工作，或者到其他大城市，但工作不好找，一种焦虑紧张的空气弥漫在校园。但是我心里很踏实，因为我始终没有改变想法，就是要回家乡工作。

回到阔别四年的家乡，经过调查，我发现这里的条件比较适合种植蔬菜。于是，我在同事的帮助下创办了农民蔬菜种植学校。我买了影碟机，又从母校买了许多农业科技方面的光盘。开学的那天晚上，一下子来了100多个农民，有的还是从10多公里外坐着农用车来的。我很感动，讲得非常起劲，农民们听得也特别认真，没有一个中途退场的。讲完课后还有10多位农民留下来和我交流到深夜。

但好景不长，来听课的农民越来越少。一天下课后，我问一位老乡为什么大家都不来听课了，他说："罗老师，你讲的东西挺好，可是下到地里就不会用了。"老乡的一番话让我明白了一个道理。要用事实说话。我决定自己出钱承包土地建大棚。2002年春节，我领了两个月的工资和年终奖金，再加上我向朋友借的2000块钱，建起了一座20米长、6米宽的塑料大棚。

我种植示范大棚获得成功，在农民当中引起了轰动。县科技协会从紧张的经费中给我提供了1万元的贷款，帮助我建立蔬菜示范基地。经过两年多的努力，原来的小示范园已经变成了近10亩的示范基地。在我的带动和帮助下，村民们种菜的积极性也逐渐高起来了。许多农民回到农民学校听我讲课了，还有许多人主动请我到他们的菜地作指导。

小小的成功，小小的荣誉，是我在家乡土地上两年多耕耘的收获。"月是故乡明"，我的脚下，是家乡的坚实土地。我的身边，是家乡的父老乡亲。

28、2005年2月12日　头版　要闻

苗乡的欢乐

本报记者　孙海涛　胡跃平

正月初三，记者来到贵州省贫困的苗族山乡——惠水县摆榜乡，感受苗乡年味。

走进石板村，到处充满了喜庆气氛。全村300多户人家，娶妻嫁女的就有20多家。记者应邀走进村民陈文章家。刚把儿媳迎进家门的陈文章乐得合不拢嘴，亲朋送来的贺礼腊肉、绒毯挂满了堂屋一面墙，四周还摆着衣柜、电视、打米机等贺礼。

摆榜，苗语意为高原的坝子。4年前，这里人均收入仅400来元，近一半农户一年里有半年缺粮。2001年，贵州省启动新阶段扶贫开发，摆榜被列入全省100个重点帮扶乡镇。与所有的重点帮扶乡镇一样，4年来，这里所有的村民组都有来自省、州党政机关的驻村干部，一家一户地帮助村民解决生产、生活困难。

记者4年前所见的茅草房现在已全部改建成砖混结构的新房，家家门前铺了水泥路，清泉引进了各家各户。陈文章说，他和儿子去年收入超过4000元，这在村里算是中等收入。据介绍，在驻村干部的帮扶下，畜牧业现已成为摆榜乡的经济支柱，乡里去年新建的牲畜市场成交牲畜7万多头，交易范围辐射到10多个乡镇近百平方公里。

乡场上，原先仅有的几间破旧木板房已被70多幢带有铺面的楼房替代，每个铺面里都摆满了各种装潢漂亮的食品礼盒。这些楼房的主人多半是从邻近乡镇迁来的。他们说，这几年摆榜乡的经济发展了，在这里有钱可赚。

鞭炮响起，唢呐阵阵，又是一队接新娘回娘家的队伍走过乡场，苗乡再次沉浸在欢乐之中。

29、2005年6月23日　第5版　视点新闻

罗景福：凿山开路14年（人生境界）

本报记者　汪志球

罗雪村　绘

初夏的一天，贵州惠水县太阳乡五星村，花甲老农罗景福独自对着五阳山中的一条砂石小道落泪。“好不容易弄出条勉强通车的山路，高兴劲儿还没缓过来，几场暴雨下来，看把路毁成个啥！”

一位历尽沧桑的花甲老人为一条路流泪，至于吗？太阳乡老党员张祖伦对记者说，这条6公里长、通往乡政府的山路是罗景福花了14年在岩壁上一锤一铲凿出来的，今年4月份才凑合着通车，现在路被毁了，咋能不伤心？

五星村四面被大山阻隔。两件事让罗景福铁了心要修路。1988年，五星村告别煤油火把用上电灯。架线用的5根电杆是罗景福带着五六个小伙子抬进村的。从乡政府到村里，一尺多宽的山间小道路况奇差。两天下来，电杆架起来了，罗景福却病倒了，落下面部神经瘫痪的后遗症；1991年秋，罗景福家插秧，化肥用完了，要到乡里卖粮食凑够钱再买化肥。一家人肩挑背扛，足足花了两天时间，累坏了不说，结果还是误了农时。

1993年，一条马车路连起了五星村和乡政府。村民们很开心，为修路已忙活了两年的罗景福却“异想天开”：要从五阳山上修一条路到乡政府，将3个小时的车程变成半个小时。

在五阳山上修路，要硬生生从山崖上凿出条道来，罗景福拉着弟弟甩开膀子在山上砸起石头来。这一砸就是14年。罗景福已记不清自己在修路上投了多少钱：买炸药、请石匠、请爆破员、请民工……为了修路，他放弃了烧砖这个赚钱的工作。为了修路，家里值钱的东西卖了，孩子们打工挣的钱也用上了，连大儿子的车祸补偿金也用光了。从山脚到山崖，从山崖再到山顶，路，一点一滴地向前。

如今，60岁的罗景福仍扛着钢钎铁锤，走在修路的征程上。看着村里越来越多的人开着摩托车从路上走过，罗景福心里还有更大的梦想：“这条路的弯道太急，有的地方地基不稳，还不算真正的公路。无论如何，我要在有生之年让这条路变成真正的公路！”

30、2005年8月15日　第14版　财经纵横

让农民兄弟买药用药方便实惠（节选）

“农村药品监督网络建设促进农村药品供应网络（两网）建设”实施一年多来，全国40多万个村完成了农村药品监督网建设，38万多个村实现了农村药品配送供应进村。近日，记者随国家食品药品监管局调研采访14个省区市的“两网”建设现状。这里撷取几个真实场景，与读者一起看看农民用药状况究竟得到怎样的改善，还有哪些问题亟待解决。

——编者

翁金村：买药要走很远的路

刘金跃

贵州铜仁地区印江土家族苗族自治县永义乡官寨村四面环山，交通不便，附近3个村只有一个卫生

室，坐落在山凹中一户农家院落，堂屋外挂着村卫生室的牌子，屋子不大，摆放着一张床和一个药柜，药柜干净卫生，药品摆放整齐。姓代的村医说，这个诊室在当地政府和有关部门帮助下已坚持6年了。特别是“两网”建设以来，药监局组织协调药品配送企业与卫生室签订药品配送协议，需要的药只要一个电话就及时送到，减轻了自己购药负担，药品质量有保证，成本也降低了，每月能有200元左右的纯收入，能正常运转。当地农民说：“药柜虽小，但是给山里人办的实在事，好！”

但在贵州的一些贫困县乡，农民看病吃药还很不方便，“两网”建设依然面临巨大困难。离贵阳市不远的惠水县摆金镇翁金村，看到的村卫生室完全是另外一番景象。

村卫生室是一间五六平方米的破旧小屋，门紧锁着，村医生不知去向。透过窗户，可以看到屋内凌乱地摆放着药瓶、药盒，室内满是灰尘。县药监局的同志说，他们两个月前来检查时，这个村卫生室还在经营，现在已人去楼空。

一个30来岁的村民告诉我们，这里土地贫瘠，连石缝里都栽着玉米，基本是靠天吃饭，农民非常穷，种的粮食只够填饱肚子，没有多余的现钱，根本买不起药，甚至连1元买药钱都拿不出来，病急了实在没办法就只有赊账或拿鸡蛋、母鸡换药。这样一来，村医也无力支撑村卫生室，只得关门外出打工谋生。

村卫生室关门了，村民有个大病小情的怎么办？这位农民说，现在村民看病买药要走很远的路，非常不方便，小病就拖，大病再说。由于村卫生室的倒闭，当地1000名村民已不能就近看病买药。

据当地人介绍，像翁金村这样，在农村初级卫生保健工作中建立起来的卫生室，有一些已经倒闭，还有一些勉强支撑也面临倒闭。这个村的条件在贵州只算中等，还不是最差的。贵州省的情况代表了当前西部贫困地区农民的用药状况。

31、2006年1月15日　第6版　新农村　图文报道

2005年贵州省进一步加大支农种粮力度，全省减免6.39亿元农业税，并以各种形式补贴农民，粮食喜获丰收。图为贵州省惠水县摆榜乡石板村农民王光祥在筛选稻谷。

喜获丰收

新华社记者　杨俊江　摄

32、2007年1月4日　头版　要闻　图文报道

贵州省黔南布依族苗族自治州对生存条件恶劣的深山区、石山区贫困人口实施易地搬迁，5年来共修建移民新村127个，移民8536户，解决了4万多贫困人口的居住问题，并帮助移民发展种植养殖业，使他们成功脱贫。图为日前两位苗族少女在惠水县摆榜乡移民新村外玩耍。

新华社记者　杨俊江　摄

33、2007年5月22日　第2版　国内要闻　图文报道

30公里路4年完不了工贵阳惠水公路成了“胡子工程”

贵阳青岩镇至惠水县的公路只有30公里，建了4年还是“胡子工程”。该路段坑洼不平，狭窄的道路经常堵车，30公里路程开车要走3个小时以上，有时耕牛也行走其间。

彭年　摄

34、2008年2月5日　第13版　党建周刊

暴雪、冻雨，寒潮肆虐。

连日来，面对罕见的雨雪冰冻灾害，广大基层党组织充分发挥战斗堡垒作用，广大党员充分发挥先锋模范作用，战斗在第一线，冲锋在最前面。抗灾救灾的队伍里，党旗最鲜艳！

情为民所系。在抢修电网的第一线，在冰封雪裹的高速路上，在人声鼎沸的火车站，在受灾的边远山寨，在城市的街道与社区……哪里有困难，哪里有险情，哪里就有共产党员的身影。

无数普普通通的共产党员，拼尽全力抗雨雪，责任时刻记心间。雨雪中，共产党员的身影，让人们温暖。

——编者

心连受灾村（节选）

本报记者　胡跃平

记者从贵阳出发，5个小时后，赶到30多公里外的惠水县城。两天两夜未合眼的县委书记向忠雄眼里布满血丝，他指着远去的车队说：你看，第三批救灾物资又往摆榜出发了。

摆榜乡是贵州省惠水县最边远的贫困乡，这里海拔1450多米，居住着11600多人，从1月12日起便陷入了冰雪的包裹之中。

“决不能冻死饿死一个人。”县里立即组织民政、交通等部门干部在凝冻着厚厚一层冰的盘山公路上凿冰开道，几乎连爬带滚，艰难地朝20多公里远的摆榜乡挺进，大家肩挑背驮，艰难地将煤球、柴油、米、饲料、药品等物资及时送到望眼欲穿的群众手中。

35、2009年6月19日　第33版　公告

全国诚实守信模范候选人

李泽英，女，32岁，贵州省惠水县高镇镇山后村村民。

16岁时，李泽英从家乡到贵阳一户人家当保姆，负责照顾刚刚满月的双胞胎姐妹。这对双胞胎姐妹是一卓姓女主人从贵阳医学院附属医院收养的有病弃婴。在卓家夫妇的多方医治和精心照顾下，两个孩子的病奇迹般地好了。但几年后的一天，卓家先是离婚，后又突然失踪，而且没有留下一分钱，在主人

李泽英

家照顾着小姐妹的李泽英顿时断绝了经济来源。自己吃饭都成了问题，何况还要带两个不到6岁的孩子。举目无亲的李泽英进行着激烈的思想斗争：走还是留？当回头看到嚎啕大哭的孩子，李泽英紧紧把她们搂在怀里，泪流满面地许下了一生的承诺："妈妈走了还有姐姐呢，姐姐永远不会丢下你们！"就这样，李泽英义无反顾地承担起了照顾孩子的责任，开始了艰辛漫长的打工哺养孩子之路。那年，李泽英不到22岁。

就在李泽英为了三口人的生计疲于奔命时，卓姓主人的单位又收回了李泽英寄住的房子。无助的李泽英只好带着两个孩子在城郊租了一间小屋居住。虽然生活的贫苦和艰难时时刻刻困扰着李泽英，但在她的精心照顾和呵护下，姐妹俩一天天健康长大。2000年9月，在她的努力下，姐妹俩到小学上学了。除了日常的生活开支，还要筹措学费，这使一"家"三口再度陷入困境。幸好此时李泽英的母亲得知了女儿的遭遇，不但没有责怪女儿，还给予了充分的理解和大力支持，让李泽英的妹妹来同她们一起生活，共同支撑这个特殊的家庭。2001年，在李泽英的努力和社区的帮助下，两个孩子享受了低保。

李泽英的事迹感动了贵阳市民，许多媒体都对这位"保姆妈妈"的感人故事进行了报道，李泽英也得到了来自全国各地的帮助和支持。她常说："我就是一个到城市打工的农村女孩，自己做的事情不过如此，却赢得这么多人的关心帮助，我很知足。"

如今，小姐妹已经升入初三，李泽英也在2002年结了婚。长期的劳累，使青春过早地从"保姆妈妈"的脸上消褪，但李泽英从不后悔。现在，她和丈夫带着姐妹俩和自己的孩子，依旧租住在城郊的小屋里，依旧用汗水和辛劳浇灌着这个温馨和谐的特殊家庭。

36、2011年9月23日　第12版　文化

贵州300名新生入读公益民办高职

本报贵阳9月22日电　（记者汪志球）贵州省第一所公益民办高等职业学院——贵州盛华职业学院22日正式在惠水县开学，首届招收300名学生，其中，86.1%的学生获得全额免学费资助，10.4%的学生获得半额免学费资助，全国政协副主席、台盟中央主席林文漪出席了开学仪式。

明年，学校还将开设民间手工艺品设计加工专业，招收有民间手工艺品设计加工基础的初中文凭学生，学制为5年，为民间手工艺品设计加工培养高学历高技术人才，为濒临失传的民族文化培养继承人。

37、2014年5月12日　第3版　要闻

中国水安全会议在贵州召开
倡议建设水生态文明城市

本报贵州惠水5月11日电（记者蒋雪婕）5月11日，第二届中国水安全会议在贵州省黔南布依族苗族自治州惠水县召开，会议的主题是"水生态文明城市建设促进经济社会发展"。百余位专家、学者和政府工作人员围绕水安全问题、水生态文明城市建设等相关议题进行了研讨交流。

全国政协常委、九三学社中央副主席赖明在主题报告中提到，目前水安全面临着水灾害加剧、水资源短缺、水环境恶化和水生态失衡等严峻形势，结构性、水质性、工程性和水源性缺水现象并存，必须转变传统的水利事业发展模式。

本次会议是继2013年在山东禹城举办的首届中国水安全论坛后的第二届，由中国生态文明研究与促进会主办，会上发布了《建设水生态文明城市倡议书》。

38、2015年2月17日　第9版　要闻

一路公益一路行（行进中国·精彩故事）

——“助学农民工”杨秀祥的新年愿望

本报记者　黄娴

2月9日7时，广州火车南站，D2802次列车缓缓驶出站台，这趟当天开往贵阳最早的列车，是以“青春号·创业范”命名的“农民工返乡专列”，500名在珠三角务工的黔籍青年，通过“晒奋斗故事、获网络点赞”的方式，获得了一张回家的免费高铁车票。

在列车的3号车厢，记者见到此次活动中第三位获得免费车票的农民工杨秀祥。这个身材不高的贵州小伙，因为高兴，提前穿上了为回家过年准备的枣红色棉衣，有点腼腆地向我们讲述起他的故事。

2005年，二十出头的贵州省惠水县雅水镇下兴村苗族青年杨秀祥中专毕业，因为家庭贫困，他踏上了前往深圳打工的征程。这一走就是10年，“打工生活很枯燥，每天工作10小时以上，几乎就是食堂—车间—宿舍三点一线的生活模式，能为需要的人提供一些服务，我觉得很开心。”从最初的为打发周末时间做公益到真正热爱做公益，杨秀祥渐渐找到了生活的目标和意义。

2009年起，杨秀祥利用每周仅有的一天休息时间参加深圳志愿者服务，从最初帮助自闭症儿童到后来参加一些大型活动的志愿服务，尽管平时上班又苦又累，可每个周日都是他最盼望的时光。杨秀祥清楚记得，当他辅导的一个自闭症儿童第一次叫出他的名字，那种洋溢在心间的快乐和满足。

打工赚钱很辛苦。杨秀祥在厂里的主要工作就是加工包装盒，最多的时候一天要加工2000多个包装盒，月收入3000多块。就这些收入，公益活动支出却几乎占到了1/3。

“虽然没啥积蓄，但我的精神世界很满足。”2011年，利用回乡的机会，杨秀祥第一次资助了村里的贫困儿童，也就是从这一刻起，他下定决心，要让家乡的贫困儿童读得起书！2013年10月，杨秀祥和两位朋友共同发起了“育鹰计划助学行动”，目前该组织参与者有100多人，其中八成为在外务工人员。截至目前，该行动已募集近5万元助学金，已资助惠水县山区57名贫困学生。

“大家的感谢和肯定，是我坚持下去的最大动力。”在杨秀祥这趟返乡行程中为数不多的行李里，一幅卷轴格外惹眼，这是一个月前深圳的一个朋友特意为他写的字：“赠人玫瑰，手留余香”。

就在踏上回家专列的前一天，公司在年会上为杨秀祥颁发了“特别贡献奖”和一个特别的“大礼包”：个人奖励1000元、公司集体募捐5000元、老板私人掏腰包资助1000元。“这说明我做的事情是得到认可的，公司还号召大家学习我的爱心呢！”

能坐上这趟免费专列，杨秀祥觉得这也是自己的爱心收到的回馈。2014年底贵州开通了首条高铁——贵广高铁。今年1月，共青团贵州省委启动“青春号·创业范”——接在外奋斗的贵州“小伙伴”回家活动，通过QQ、微信、客户端等新媒体平台，招募在珠三角地区奋斗打拼的贵州籍青年坐高铁返

乡，感受家乡变化、赢得创业支持。在微信朋友圈里看到这条信息，杨秀祥立刻上传自己的打工故事，很快就获得了几十个点赞，成为这项活动中第三个拿到车票的人。为他赢得点赞的，不是特别的打工经历，而是边打工边助学的善举。

中午12点半，历时5个半小时，列车缓缓驶入贵阳北站，杨秀祥急匆匆地下了车。刚走出站台，杨秀祥就受到车站春运志愿者“小橙子”们的热情迎接，在“小橙子”们的引导帮助下，杨秀祥坐上了回惠水的大巴车。谈起新年愿望，杨秀祥希望通过自己的行动，去影响和感染更多的人，参与到公益活动中来。

记者手记

在杨秀祥看来，做公益不在于一个人地位的高低、财富的多少、职业的贵贱，只要有一颗热爱公益的心，并为之付出努力，那你就是有爱心的人，就是对这个社会有贡献的人。

采访杨秀祥，感受到这个80后身上最大的特点就是“乐观”“开朗”“上进”，用他自己的话说，他在帮助别人的过程中找到了快乐和满足。他在父老乡亲眼里是一个“值得尊敬”的人，他的爱心事迹在乡邻间传颂。

现实中，人们往往觉得热心做公益的都是“高大上”的人物，农民工群体是等待着“被帮助”的一群，但热心公益的杨秀祥给我们做了一个好示范，不管你身在何处，从事何种职业，只要有心，就能帮助别人；只要有爱，世界就会变得更美好。

39、2015年5月18日　第11版　政治

贵州惠水县回应“工作人员自杀”案
涉案副镇长被停职调查

本报贵阳5月17日电（记者黄娴）近日，贵州惠水县好花红镇城建办工作人员余恩赏在家中自杀身亡，尸检发现其胃里有71枚硬币，引发关注。当地有关部门回应称，目前，惠水县纪委已对这名工作人员自杀引出的好花红镇经济问题进行立案调查，涉案副镇长已被立案停职调查。

据惠水县委宣传部介绍，死者余恩赏生前主要负责镇城建办出纳工作。4月18日清晨，余恩赏被其妻子、母亲发现因刎颈失血死于家中的卫生间内。

“通过尸检，我们发现他胃内有71枚硬币。但造成他死亡的原因主要还是颈部创伤，导致大出血死亡。”惠水县公安局办案人员说，通过对现场勘查、尸体检验、家属口述以及外围的调查取证，确认余恩赏系自杀身亡。

惠水县公安局为查明其自杀原因，通过调查核实，从余恩赏生前留下的相关录音和图片材料中调查发现，其生前工作的镇城建办存在财务账目混乱的问题，余恩赏的直接领导好花红镇副镇长蒋某涉嫌经济违纪。案件已移交惠水县纪委。

惠水县纪委办案人员称，根据警方提供的线索，惠水县纪委、检察院等部门已在4月27日成立联合调查组。目前，蒋某因经济问题已被停职，正在对其进行立案调查。

40、2016年11月18日　第16版　记者调查

贵州计划“十三五”易地扶贫搬迁162万人
搬出来，换个活法（人民眼·易地扶贫搬迁）

本报记者　郝迎灿

淅沥小雨，泥巴路是湿的，空气是湿的，眼眶是湿的。45岁的赵殿江背着半袋苞谷登车去了县城。

3辆中巴车，载着惠水县好花红镇水源村上冲组的18户老少，载着18户老少的细软家当，别了木耳山，下到苦李冲，顺着涟江河，从泥巴路颠上水泥路，又从水泥路驶上柏油路。

离家这天的日子是公历8月19日，农历七月十七，前两天，是中元节，当地叫“七月半”。照例，上冲组的男人们，提着纸钱，提着香烛，提着酒水，沉默着分头往山坡上的祖坟走去，人从来没有聚得这么齐过。

坟前点上香烛，燃着纸钱，洒过酒水，便一个个把额头砸在地上，再抬起来，有的满眼泪水，有的满脸欣慰，有的喃喃地跟仙逝已久的先人交流着什么。赵殿江面无表情，脑子里一遍遍过着小时候父亲背他走一个半小时的山路去水源上小学的画面，过着他自己年轻时候背三个儿子走一个半小时山路去水源上小学的画面。

“三个儿子都是从一年级背到二年级，一背就是六年呀！”在贵州黔南布依族苗族自治州惠水县经开区明田安置点的新居里，赵殿江点燃一支烟，神色有些许自豪，又有些许悲壮。

安土重迁，黎民之性。然而在中国历史上，大规模的人口迁徙从未停歇。贵州更是如此，即便在贵州大山深处生息繁衍数千年的苗族同胞，至今依然自认蚩尤后人，为躲避战乱而从中原迁徙至此；更不用提始于明朝洪武年间的“调北征南”；上世纪六七十年代，18万三线建设者入黔，揭开了贵州工业化发展的大幕。

时至今日，一场涉及数百万人命运的移民迁徙正在云贵高原腹地上演。与往昔由外而内移民不同的是，这次迁徙由内而外，搬出世居的大山，作别眷恋的土地。故园，不再是“肠断处”；山外，“日夜柳条新”。

生　存

搬有搬的好处，不搬有不搬的顾虑

“人这一辈子图个啥？养老送终，承祀香火。”

75岁的赵登银眯缝着眼自问自答，天阴起来，背后是黝黑的山峦。

上冲组的赵氏一族在贵州惠水县好花红镇水源村算不得名门，但却是名副其实的“旺”族。赵登银的父母养活了6个姊妹，而他这一辈兄弟又拉扯起来16个子侄，“和外姓人争地抢水，没落过下风。”

而这旺族的荣光从上世纪80年代末开始渐渐消退，随着务工热潮席卷大江南北，这个处于麻山边缘的小山村亦被裹挟其中。最先走出去的是头脑活泛的几个刘姓年轻人。起初，当这些外姓人衣着光鲜地回到村里大谈省城贵阳和东南沿海大都市的繁华陆离时，赵登银心里只是报之轻蔑的讽笑，“踏踏实实守着这几亩地，拉扯好子孙才是正途。”

才过几年光景，赵登银突然发现连这嘲讽的对象也渐渐失去了。见了世面、攒下钞票的年轻一辈陆续在县城、集镇购房，扶老携幼举家外迁，原本还嫌拥挤的寨子仿佛一下子就清静下来。到2010年左右，上冲组45户人家只剩下20户，其中17户姓赵。

与此同时，赵氏子弟也不甘后尘，从南京到广州，如果顺着他们的足迹在地图上画一条线，恰好平行于东南沿海海岸线。即便多数赵家人没有狠下心来与故土来个“断舍离”，他们的生计来源也早已从几亩坡耕地转到城市的工厂流水线。于是，上冲日益萧索下来，余下孤寂的老人和日渐倾圮的老屋。

驱使他们背井离乡的，无疑是贫困。时至今日，水源村仍是省级一类贫困村，而上冲留守的20户人家有18户是贫困户，人均年纯收入不足2000元。

两个外来媳妇这样讲述她们眼里的上冲——

赵登银的侄媳妇、赵殿龙的妻子宋老五1994年从贵州龙里县嫁到上冲，“晚上摸黑进的山，离了大路就闷头往上爬，爬到半夜才进家门，悔意当时就上来了，第二天清早起来却找不到来时的路了，后来才知道路被茅草掩着，就这么宽……”她边说边用两手的食指比划出两根筷子的长度。

赵登银的幺儿赵明刚在贵阳打工期间结识了“川妹子”毕小琼，两人于2006年领证结婚。虽然赵明刚早早给妻子“打了预防针”，但上冲的穷还是让毕小琼吃了一惊：“吃的是玉米磨成的面，住的是用木板搭的房子，四壁透风。第二年春节我生孩子，父母从四川老家赶过来，冻得他们一夜没睡着，第二天就商量要带我和孩子回宜宾，好说歹说才作罢。”

贵州穷，就穷在这一方山水。山地丘陵面积占全省国土总面积90%以上，其中两成以上又是石漠化严重的地区，兼之不沿边不沿海，长期守着大山，贫困人口达493万。

易地扶贫搬迁，成为贵州脱贫攻坚的“当头炮”。

“贵州是现有贫困人口最多的省份，年年扶贫年年贫，一方水土难养一方人。要想彻底拔穷根，不得不搬出深山，换个环境谋发展。”贵州省水库和生态移民局局长王应政说。

其实，早在2015年启动新一轮易地扶贫搬迁行动计划之前，贵州已经实施搬迁104万人，而在“十三五”期间，还要继续搬迁162万余人。前不久，国家发展改革委印发《全国“十三五”易地扶贫搬迁规划》，计划5年内对近千万建档立卡贫困人口实施易地扶贫搬迁。

“国家送房子给我们，哪个不愿搬，最起码到集上买个米方便。”已过不惑之年的赵明刚在听到消息的第二天就找到村委会主任刘祥，在搬迁协议书上歪歪扭扭签上了自己的大名，“搬出来，换个活法！”

“国家送房子”给贫困户，赵明刚说的并不夸张，按照易地扶贫搬迁现行政策，贫困户每人可得建房补助2万元，拆除旧房还有人均1.5万元的奖励。赵明刚这个六口之家总计可得补贴21万元，安置点的新居按照人均不超过25平方米的面积建造，这21万元不仅能覆盖建房成本，还有结余，由政府统一进行简装修和配置基本家具。

搬出来，换个活法。依托城镇、产业园区、旅游景区等安置地的承载能力，或商或工或农，已成为贵州各级党委政府斩断深山区、石山区穷根的共识。毕节市曾对407户1668名拟搬迁对象作调查，其中希望搬迁的有369户，占90.66%；21户不愿搬迁，仅占5.16%。而留守上冲的18户贫困户，只有两户仍然选择不离故土。

搬有搬的好处，不搬有不搬的顾虑。

最大的担忧仍然来自生存，“搬出去吃什么？”这几乎是每一个面对面动员群众搬迁的镇村干部需要解答的首要问题。

“下去没得活路，在这守着几亩土还能过生活。”赵登银83岁的堂哥赵登荣说。赵登荣不愿搬迁的另一层原因则出于对土地的眷恋，“守着祖宗的地，过着祖宗的生活”是他头脑里难易的观念。

生　路

以“有的吃”回应“搬出来吃什么”的疑虑

搬迁当日，赵殿江是临近中午11点在移民社区领的新房钥匙，他和媳妇吴启珍花了将近两个小时，才打量遍这套100平方米三室两厅的角角落落，而后瘫在松软的沙发上，像老牛反刍似的回味着眼下的一切。

将赵殿江从这股兴奋劲中拉回来的是“咕咕”叫的肚子，吴启珍朝着茶几旁从老家背来的半袋子玉米努努嘴，他摸了摸揣在内兜里的600多元钱，“搬出来吃什么”的乌云重又聚拢在头顶，莫大的沮丧顿时袭来。

拈出一张红票子到楼下平价超市买了少许米菜，好歹对付了午饭。碗筷还没收拾，社区干部罗海丽上门了，带来3个月的民政救助金和一张就业推荐安置表。一张红票子还没花完，赵殿江就到社区隔壁的长田国际家具产业园干起了搬运工，月工资3000元，管早中晚三顿饭。

同在家具产业园做搬运工的老表刘兴会，之前在贵阳的建筑工地干活，扛过50公斤一袋的水泥，冒着酷暑在楼顶打过钢架，一张黝黑的脸膛是风吹日晒的记录。刚过知天命之年的刘兴会已打定主意不再外出，“苦了大半辈子，现在安安稳稳是最好的结果。”

移民安置点的选址颇有深意。“安置点位于县经济开发区的中心位置，经开区目前已入驻近300家企业，可提供就业岗位2.6万余个，既能就地就近解决移民就业问题，又能解企业‘招工难’的燃眉之急，一举两得。一户有一个人稳定就业，就能基本实现全家脱贫。”惠水县水库和生态移民局局长花仁富说。

惠水县创新实施“迁企融合”模式，以就业岗位确定搬迁数量，同时对企业实行每安置一名搬迁群众给予10万元贷款贴息的扶持，确保每户搬迁家庭有一人以上实现转移就业。经开区安置点目前已入住205户909人，转移就业450人，实现户均2.2人就业。

“搬迁是手段，脱贫才是目的。”贵州省省长孙志刚说，“搬迁农户的就业问题是重中之重，科学选择安置地和方式是使搬迁群众‘稳得住、能致富’的第一前提。”

山多地少，人地矛盾突出，又处于工业化、城镇化快速发展期，贵州选择将大部分搬迁群众集中安置在有较强就业吸纳能力的县城、集镇、产业园区和旅游服务区，少数安置在中心村。省水库和生态移民局提供的数据显示，今年第一批搬迁的30万人中，县城安置占29.1%、集镇占46.5%、产业园区占9.8%、旅游服务区占5.7%、中心村占8.9%。

就业规划一盘棋，谁人进厂、谁人种养，沙盘上的推演往往可以做到天衣无缝，但当规划面对一个个活生生的搬迁户个体时，难免出现运转不灵的现象。“搬迁农户的就业问题理论上看似不难，实际上问题不少。”贵州省委书记陈敏尔说。

陈敏尔曾不点名指出：一家企业招进去31个，没干多久走了19个。主要原因可以归结为移民自身组织化程度较低、缺乏纪律约束意识。“工厂流水线上不能抽烟，一站就是几个小时；公司假期少，法定节假日也难得休息；更有部分人遇到红白喜事几天不来上班，遇上收谷子的季节，很多人又跑回老家忙农活去了……”惠水经开区一家加工制造企业负责人说。

“由政府协调安置就业的这部分人，大多是45岁以上、原本留守在村从事传统农业生产的移民，由以前的‘看天时’上山下地，突然转入‘朝九晚五’的上班族生活，再加上本身学历偏低、技能缺乏，难免产生诸多不适。”惠水县委书记万庆华说。

政府协调解决就业岗位，大多偏重于生计保障，“虽然勤务一类的工作工资偏低，但适合于50岁以上劳动能力较弱的人群，以‘有的吃’来回应他们对‘搬出来吃什么’的疑虑。”花仁富说。

对搬迁积极性较高的年轻人来说，他们更看重的是迁入地完善的基础设施和公共服务环境，至于生计，他们的胃口并未停留在“有的吃”上，而是更愿意趁着大好年华，到东部经济发达地区去“见见世面”。

记者在惠水经开区安置点450名转移就业人口的统计台账上看到，其中300多人远赴广东、浙江等地务工。“搬到县城以后，生活、看病、上学都方便，我就想活得精彩点。现在去广东打工主要是积累工作经验和技能，以后回来能有一个更高的平台。”刘兴会22岁的儿子刘明义说。

生 计

省委书记的心头之忧

赵登银老两口随赵明刚搬下来没半个月，卷起铺盖又回了上冲。“城里房子是好，但柴米油盐样样花钱，给孩子增加负担。”

由于土地资源缺乏，贵州搬迁群众的安置大部分以城镇、产业园区等无土安置为主，离开土地，生活开支的增加便不可避免。“大头是水电费和菜钱，平均每月增支在300元左右。”省水库和生态移民局规划计划处相关负责人表示。

不让增支抵了增收，贵州探索在安置点设立经营性公司，一方面为搬迁群众提供更好的配套设施和公共服务，另一方面以经营收入补贴群众水电、物业等开支。

在惠水县明田安置点，32个一层商铺门面统一由县扶贫开发投资公司运营，以低于市场价的优惠租金租给经营者和搬迁户开设平价超市、副食店、餐馆等，做到政府让利于公司、公司让利于住户。

中午12点半，新市民餐馆的老板罗小韦正忙不迭地招呼客人。记者一进门，他热情地递来一张菜单，西红柿炒鸡蛋、香菇炒肉、白菜豆腐汤……清一色家常菜，价格从十几元到二十几元不等。

罗小韦眼光独到，搬迁之前进城看房时就相中了位于社区卫生室左首的两个门面，“社区要安置4600多人，附近企业又这么多，生意肯定不愁。”开业不到半年，餐馆就入账近4万元。

“净利能有这个数吧？”移民局干部龚良会笑着伸出两根手指。罗小韦摇摇头，折下一根，“别的餐馆净利能占到一半，我这里来吃饭的都是移民兄弟，租金负担小，价格也定得低。”

陈敏尔说：“60岁左右这部分人的生计问题是我的心头之忧。”省委书记的担心不无道理，60岁左右的搬迁群众和部分特殊困难群体因为年龄和身体原因已逐渐失去正常谋生的能力，进厂无门，种地无路。

“一方面向内挖潜，开辟出社区保洁、保安等50个公益性岗位；另一方面向外拓源，在距安置点不到两公里处流转出70余亩土地开办‘微田园’，分配给50岁以上或者家有病人需长期照顾无法进厂务工的搬迁群众，帮他们解决蔬菜供应问题，尽可能降低其生活成本。”花仁富说。

与此同时，贵州还积极盘活搬迁群众位于迁出地的承包地、山林地、宅基地“三块地”。

“搬迁户退出后，在迁出地对原有承包地和复垦后的宅基地进行确权颁证，采取入股或流转方式，交由农民专业合作经济组织或龙头企业开发经营，确保原有山林田土发挥贫困搬迁群众‘生计保障款’的功能。”贵州省发改委副主任、省水库和生态移民局副局长张杰说。

在上冲组迁出之前，村主任刘祥就牵头成立了好红鑫养殖专业合作社，上冲18户搬迁户全部以原有承包地、复垦后的宅基地和5万元“特惠贷”入股种草养牛。“除了不定数额的经营分红，5万元股金每年可固定分得3000元红利，6亩地还有1500元的流转费，单这4500元就基本能对付一年的生活开销。”赵明刚说。

“三块地”的经营，其中难度最大的是宅基地复垦。根据政策，贫困群众搬迁后旧房必须拆除复垦，而且有人均1.5万元的奖励。

“大部分搬迁群众对今后生活前景不自信，担心适应不了城镇生活失去退路。”花仁富说，有的群众宁愿不要这1.5万元的奖励也不愿拆除旧房，“还有更加实际的考虑，有的地区以苗、侗、布依等少数民族群众为主，他们居住的房屋大都是木质结构吊脚楼，造价较高。”

旧房拆除与否，再次上升到了“进与退”的博弈。

不过，虽然在“十三五”期间实施的新一轮易地扶贫搬迁要求农户在搬迁之初就跟乡镇政府签订一份旧房拆除复垦协议，但贵州并没有硬推强拆，各地根据实际情况正尝试给搬迁群众留出“过渡期”。“原则上拿了拆迁费就必须拆迁，具体是一年还是两年拆，要从实际出发。”陈敏尔说。

这种博弈不仅体现在旧房的拆除上，还体现在户籍的变更上。上百万移民搬迁与贵州城镇化进程紧密联结在了一起，但记者在贵州多地调研发现，基本还没有搬迁农户主动将户口迁往迁入地。

“为啥不愿把户口迁到社区来，办个事不怕麻烦？”记者问刘兴会。

“户口迁走了，集体还不把我家的承包地收回去啊。”刘兴会头摇得像拨浪鼓。直到看见了省政府的文件，知道原有土地承包关系不变、原有各项支农政策补贴不变，他吊着的心才落到肚里。

生　活

“洗脚上楼”，不只是看起来很美

“咋分给我一间坏锁的屋子？”

搬来第一天，上冲组唯一的葛姓人、55岁的葛正学就怒气冲冲拍了社区办公室的服务台。罗海丽过去一瞧，啼笑皆非，“这是防盗门锁，把钥匙插进去拧一圈就锁上了。”

无独有偶，从老家排调镇高峰村搬到丹寨县城东湖安置点的头半年，61岁的楼长岑如州干得最多的事情，就是给负责联系安置点的干部吴玉飞打电话要求帮助疏通厕所。

“原来在老家的时候都是旱厕，下面挖个大坑上面搭几块木板就可以了，到这里变成了冲水的，剩饭剩菜、各种垃圾都往那个窟窿眼里塞，不堵才怪！”岑如州说。

堵一户，臭一楼。吴玉飞耐着脾性隔三差五往东湖跑，“楼道里就有管道维修工的电话，结果他们说找干部不花钱，为了帮助他们尽快适应新的生活环境，其实我们也是周瑜打黄盖——一个愿打一个愿挨。”

堵的次数多了，移民们也就慢慢吸取了教训。不能再上山砍柴，煮饭做菜换成了电饭煲和电磁炉。所幸，读过书、闯荡过大千世界的儿孙辈们和这现代化生活衔接起来毫不费力，在他们的带动下，老人们也乐意循序渐进。

葛正学、吴玉飞们的尴尬，为移民出山进城、“洗脚上楼”的经历增加了几丝喜感，然而生活方式的改变远不止表面看起来那么简单。

为最大程度消除搬迁群众新到安置点的陌生感，惠水县按照就近原则分配移民住房，18户上冲移民绝大部分住进了幸福楼6栋1单元，仍然和在老家一样比邻而居。在社区管理上，县水库和生态移民局通过面试从搬迁群众中挑选出3名有文化、热心公道的移民负责住房分配、就业意愿统计、政策宣讲和矛盾调处等日常工作，实现搬迁群众自主管理、自我服务。

20岁的社区干部罗海丽今年6月刚从职校毕业，她因小儿麻痹症腿上落有残疾，“在外面找工作难免碰壁，所以一毕业就到了社区这个岗位上。平时工作虽然繁琐，但做的这些事情感觉就是在给自家人服务，干起来劲头也足。”

而到今年年底，随着村级换届选举依次推开，明田安置点将单独设立一个新的建制村，届时会成立自己的居委会和党支部。

对于无土安置的移民而言，他们中的相当一部分在搬迁之前常住僻远农村，世世代代日出而作、日暮而归，是地地道道的农民。搬迁到一个完全陌生的、现代化的环境，他们必然会经历相当大的心理震荡，对传统的眷恋也在逐渐变淡，“到了城里大家各谋生路，忙忙碌碌地讨生活。”岑如州说，“爬坡节、姊妹节这些基本都不过了。”

“贵州大多数节日文化是农耕文化的表现，当绝大部分农民离开了土地，转而以另一种自己不擅长的生产方式来维持生计后，‘开秧门’‘吃新节’‘喊禾魂’这些生产性节日，面临衰颓和消失的命运。”贵州省发改委地区处的曾凡勤从更深层面上分析移民传统节日文化的变迁。

但每年到了“吃新节”“苗年”“牯藏节”这些苗族同胞的节日，岑如州和其他141户搬迁群众仍要穿戴齐整地回到高峰村的苗寨去，“吹芦笙、跳舞、斗牛、下田捉鱼，最重要的环节是祭祀，感恩这一年的丰收，祈祷来年风调雨顺。”虽然搬出来已有两年时间，但岑如州认为他们的根还在高峰。

如今，赵登银的重孙女快半岁了，老人终于圆了四世同堂梦。在南京打工多年的孙媳妇陈梦姣，不愿再用村里女人们多用的“琴”“珍”“艳”等字眼给孩子取名，翻着字典筛出十几个听起来“文雅”一些的字词。赵登银定了一个“橦”字，给重孙女取名赵语橦，“橦，是指木棉树，根深耐旱，不论到什么样的环境都能茁壮成长。”

41、2017年1月27日　第4版　要闻

新春走基层　神州日日新
贵州惠水
移民住进新楼房

本报记者　汪志球

走进贵州惠水县经开区明田移民新区，一串串红灯笼高高挂起，一副副对联喜庆贴开，处处洋溢着浓浓的年味。46岁的王阳花满面红光，和邻里们忙着打糍粑，筹备着搬进新家后的第一个春节。

去年3月，王阳花从长安乡的木板房搬到了安置点的新楼房。从那时开始，全县30多个“山旮旯”村寨陆续搬来了布依、苗、汉等各族贫困户893户3750人。在新春佳节到来之际，住进新房子的上千名移民群众聚在一起，集体过大年。

在小区的文化广场上，极富民族特色的唢呐吹奏、芦笙舞、山歌对唱等文艺表演节目一一上演；移民们以单元楼为单位，玩起了“扭扁担”“亲情接力”等充满浓浓亲情的趣味活动；绣织比赛等传统手工技艺比赛更是让妇女们一展所长，收获喝彩不断。

为了把年过得更热闹更喜庆，移民群众集中在一起打起了糍粑，“咚、咚、咚”，响彻整个移民新区。大家在糍粑上写上“家”“团圆”等红色大字，王阳花说，“对我们来说，不打糍粑就不算过年。今年这么多乡亲一起打，这个年肯定红火！”

夜色降临，广场中央摆起了“百桌宴”，上千名移民围坐在一起，吃起年夜饭。十几道菜肴荤素搭配，自家酿造的酒更是备受欢迎。“把大家聚在一起提前过年，吃年夜饭，就是为了让之前互不相识的移民们相互熟识，培养感情。”移民新区的支书罗应和说。

2016年来，惠水县在实施易地扶贫搬迁工作中，针对困难群众“搬出来后怎么办”这一最为关键的问题，努力实现让群众“一步住进新房子，快步过上好日子”的目标。明田易地扶贫搬迁安置点位于惠水县经济开发区内，是该县依托园区企业多、就业空间大等优势规划建设的园区产业型安置点，全部建成后，计划集中安置全县80%以上的搬迁对象。

42、2017年5月30日　头版　要闻　图文报道

五月二十九日，“多彩贵州·好花正红”中国·惠水国际龙舟名校赛暨惠水龙舟争霸赛在贵州惠水县举行。来自美国哈佛大学、德国汉堡联邦国防大学等九支国内外名校队伍和惠水县群众组成的二十三支队伍，一起在涟江河段展开了激烈角逐，丰富了端午传统节日活动。图为参赛选手在五百米直道逆水竞速比赛中。

本报记者　史家民　摄

43、2018年3月16日　第20版　民生周刊

帮孩子“拉齐”人生起跑线　贵州省惠水县长田乡龙泉村村民王艳——营养餐让儿子长高啦

本报记者　黄　娴

最近这一年，贵州省惠水县长田乡龙泉村村民王艳对4岁儿子有时提出的一些要求不太适应。比如春节放假期间，儿子突然跟她说：“妈妈，我要喝牛奶、吃苹果。”家里一时没有准备，儿子竟然嚷嚷着要回幼儿园。“学校都有，为什么家里没有？”儿子的问题让王艳哭笑不得。

这种不适应，来自儿子生活的变化。从2017年春季学期起，惠水县开始实施农村学前教育儿童营养改善计划，针对学前儿童身体发育成长需要，制定满足学生营养的午餐食谱，通过提供多种新鲜蔬菜、水果、鸡蛋、奶制品、肉类等食物，让孩子既能“吃得饱”，还能“吃得好”，提高营养健康水平。

儿子的变化让王艳打心眼里高兴。“个头长得比以往快，衣服很快就穿不下啦。”王艳笑道。

惠水县教育局营养办主任何玉祥说，以往农村孩子长期营养不良，孩子们身材偏瘦小，身高明显偏低，久而久之，健康状况令人担忧。“孩子们吃上营养餐，满足了营养需求，最直接的变化体现在脸上。”何玉祥说，“这一年下来，孩子们脸蛋都变得胖嘟嘟的。”

荔波县瑶山幼儿园园长覃亚丹告诉记者，自从营养改善计划实施后，学校也会不定期为家长传授如何搭配食物让营养更均衡的知识。“以前在家都是我们吃什么，孩子就跟着吃什么，但从未考虑过大人吃的到底适不适合孩子。”家长陆丽琴说，现在有了营养改善计划，自己也有了学习的机会，今后会更加注意孩子的营养搭配和均衡。

2016年10月，贵州省委、省政府在总结提升全省农村义务教育学生营养改善计划的基础上，下发了

《贵州省人民政府办公厅关于实施农村学前教育儿童营养改善计划的意见》，在全国率先出台政策，是年秋季学期，在集中连片特殊困难地区11个县及10个极贫乡镇14万农村学前教育儿童中，启动实施营养改善计划。

目前贵州省农村学前教育儿童营养改善计划已实现66个贫困县全覆盖，惠及农村学前儿童近70万人。该计划向在农村学前教育机构就读的儿童提供每人每天3元的营养膳食补助，以提高学前教育机构食堂供餐质量，改善贫困地区农村学前教育儿童营养健康水平。

“食谱一周一换，每餐三菜一汤，饭后一个水果，还有营养师专门制定食谱，我们很放心。”每天午餐时，王艳总会准时收到孩子们的用餐图片。为了让家长们放心，学校的老师每天都会将学生的饮食情况发在家长微信群内，以便家长监督。

44、2018年6月4日　第9版　要闻

布依族枫香染非遗传承人杨光成
传授老技艺　描绘新生活
（故事·百姓影像）

本报记者　程　焕

杨光成在绘制枫香染图案　王　煜　摄

贵州惠水县雅水镇播潭村，一个被群山环绕的布依族村寨。1951年出生的杨光成打记事起，祖辈父辈们就一直围着山上的老枫香树和院子里的染缸忙碌。13岁那年，父亲一句稀松平常的“你也来帮帮忙”，便把他和枫香染牢牢地绑到了一起。

枫香染，一项在当地流传了数百年的传统技艺。将枫香树脂混合牛油熬制成特殊涂料，用毛笔在棉布上绘出蝴蝶花鸟等精美图案，再经蓝靛浸染、沸水脱油等工序，一块普通白布就焕发出了青花瓷般的神韵。对布依族女子来说，如果能有一套枫香染制品陪嫁，在婆家人面前会显得更体面。长期以来，枫香染作为一种祖传绝技，只在家族内部秘密传承。

“当时还是小孩，只是觉得好玩，没想过责任如此重大。”入了门的杨光成才认识到，一向随和的父亲竟然还有严苛的一面，好在从小耳濡目染，他对枫香染一直抱有浓厚的兴趣。3年后，杨光成已经能独立完成整套工艺流程，逐渐成为父亲的得力助手。“每次赶集，都要牵两三匹马去驮白布回来加工，我的手艺就是这样练出来的。”

到上世纪90年代，大量物美价廉的轻工业产品涌进村寨，村民们对枫香染制品的热情不复是年。那几口染缸一步步被撂到墙角“安享晚年”，家里持续了上百年的祖业眼看着要关张了。“父亲临终前拉着我的手，叮嘱我无论如何要让枫香染传承下去。”杨光成说。

2006年，贵州省举办民间工艺评选活动，杨光成终于等来了机会，他重新拾起了老本行，精心制作一幅枫香染作品，并一举拿下全省十大民间工艺美术精品奖。不久后，枫香印染技艺还被收录进国家级非物质文化遗产名录，杨光成确定为代表性传承人。

“不能再藏着捂着，只有让枫香染走出家门，才能摆脱失传的危险。”杨光成打破“传内不传外，传男不传女”的祖训，将这项神秘的技艺带进了镇里的中小学课堂，传到了农村技能培训班……他还成立了枫香印染农民专业合作社，帮助老乡们通过学习这项工艺实现脱贫致富。“最欣慰的是，有不少年轻人愿意学，而且他们更懂得如何让枫香染得到创新发展。”去年，杨光成的女儿从贵阳回到老家，用自己的美术专业知识，设计出符合现代审美的背包、服装等枫香染制品。

“一位客商找到我家，一口气订600幅作品，要求3天内交货，我当即就拒绝了这笔生意。”杨光成说，虽然枫香染在逐步走向商业化模式，但决不意味着抛弃传统来将就市场。“枫香染需要全手工完成，如果使用化工原料和机器生产，那就是砸枫香染的招牌。”

目前，已有10多名弟子得到了杨光成的传授，枫香染技艺将在他们手中再现生机。“枫香染也是民族的和国家的，只要真心想学，我愿意无保留传授。”杨光成说，自己从不担心教会徒弟、饿死师傅，因为只有在竞争的环境下，枫香染才会在创新中实现传承。

45、2019年2月1日　第14版　政治　图文报道

新居新年味儿

1月31日，为迎接春节，贵州黔南布依族苗族自治州惠水县在易地扶贫搬迁社区开展2019年春节系列文化活动，4216户17670名易地扶贫搬迁民众欢聚一堂，同吃团圆饭。

小朋友在吃团圆饭。
张　晖　摄（新华社发）

迁入新居的人们欢聚一堂。
贺俊怡摄（影像中国）

46、2019年5月9日　第10版　经济　图文报道

画在布上的青花瓷

“枫香染”是贵州省黔南布依族苗族自治州惠水民间的一种染织工艺。其印染品颜色和花纹古朴、

雅致，被誉为“画在布上的青花瓷”。

2017年，来自惠水县的冉光津在黔南州都匀市创建“枫香染”工艺体验馆，设计实用时尚的服饰、手提包等“枫香染”产品并推向市场；同时给周边的学生和农村妇女免费传授“枫香染”制作技艺。

冉光津在整理工艺半成品

冉光津（右）在给工艺服饰染色。

冉光津（左一）在给学生示范“枫香染”绘制技巧

新华社记者 杨文斌 摄

47、2019年7月18日　第15版　公告

全国教书育人楷模候选人事迹简介

47　周贤怡

周贤怡，女，布依族，1979年1月生，中共党员，贵州省惠水县第四幼儿园教师。她坚守幼教一线21年，以顽强的意志与癌症病魔抗争并坚守岗位，以实际行动诠释了对教育事业的热爱。她耐心细致地引导教育苗乡幼儿，悉心呵护幼儿快乐成长。她夜以继日刻苦钻研业务，一次次实现教学上的突破，成长为推动全县幼教事业发展的骨干力量。她饱受病魔侵扰，依然不改初心，勇挑重担，帮带全县幼儿园建设发展，筹建帮扶“移民子女欢乐之家”，用生命不息、奋斗不止的坚毅行动彰显了人民教师时代风采。曾获全国模范教师、贵州省先进工作者等荣誉。

48、2019年9月20日　第12版　公告

2019年全国脱贫攻坚奖获奖者事迹简介
奋进奖

罗应和

男，苗族，41岁，中共党员。贵州省黔南布依族苗族自治州惠水县濛江街道新民社区党支部书记。

主要事迹

2016年，退伍军人罗应和当选为新民社区党支部书记。他坚持“群众利益无小事”，加强班子建设，提出“五个好”工作目标，制定“十问工作法”清单，着力解决易地扶贫搬迁后续帮扶问题。为帮助贫困群众实现家门口就业，他创建“移民夜校”，设立移民劳务服务公司，成功推荐1856人在经开区企业务工，123人加入劳务公司做保洁、保安工作，128人走上政府开发的公益性岗位，200多人在社区扶贫车间从事服装生产，社区所有劳动力累计2815余人全部就业，使贫困群众实现了家门口就业，真正做到了搬迁以后“稳得住、能致富”。他针对移民社区治理难点，积极开展移民社区治理和服务探索，建设移民子女“四点半课堂”、“工会维权”咨询服务窗口、“居家养老服务站”等。

（十五）2020年惠水县行政区划表

序号	名称	所辖村（居社区）数	村（居、社区）名
1	涟江街道	24	濛江社区、涟江社区、凤山社区、西山社区、星光、新城、惠明、大坡、杨番、大新、三合、高坪、龙井、甘昌、冗然、排楼、长征、山口、九龙、双坪、龙瓦、民中、幸福社区（2017年设立）、幸福移民社区（2018年设立）
2	濛江街道	27	高镇居委会、高镇、山后、长新、首创、司蒙、长岩、涟江、交椅、半坡、姚新、合兴、双庆、长田、山河、民河、上龙、光明、绿化、大保、板长、红星、新坝、新哨、兴章、富民社区（2017年设立）、同心社区（2018年设立）
3	明田街道	7	新民社区居委会（2016年设立）、利民社区、和谐社区（2017年设立）、龙泉社区（2018年设立）、赤土、桥洞、龙泉
4	好花红镇	28	三都、百鸟河、上衙、平地、金田、栗木、九门、小龙、好花红、崇学、满玉、兴涟、三联、新门、石头关、幺关、清水、弄苑、六马、翁金、龙上、水源、吉安、河坝、青河、青藤、枇杷、甲戎
5	断杉镇	20	木兴、新场、八大、摆惹、光荣、翁址、大坡、满贡、董朗、新民、花山、翁平、代京、上坝、抵塘、蛮纳、雅州、纳理、定理、青山
6	羡塘镇	14	三合、龙虎、红旗、甲奉、桃源、白硐、洛浩、西混、比纳、瑶山、英桥、和平、岗金、五星
7	王佑镇	17	昌明、王佑、冷水、平贡、红星、长腊、冉告、新华、新然、西南、伙塘、场坝、建华、和平、打永、团坡、董上
8	芦山镇	17	芦山居委会、芦山、硐口、羊马、水井坡、群中、响水、纳冗、摊绕、小石、麦旁、格我、花鱼、鱼湾、河心、民族、朝阳社区（2019年设立）
9	雅水镇	20	雅水、葡林、大龙、道力、新民、街上、下兴、摆炉、播潭、地关、旧寨、硐房、摆亚、公朋、摆王、摆俄、播哨、西牛、蓬路、洛平
10	摆金镇	31	摆金居委会、摆金、清水苑、杨茂、瓮金、马道、大华、扪摆、甲浪、单耙、关山、长新、立新、上田、大坪、水冲、花厂、谷把、毛栗、卜所、斗底、掌满、党古、旁才、白龙、冗拱、高寨、盘井、甲坝、石板、蛮河
11	岗度镇	12	岗度、黄土、本底、石烧、柏栗、火阳、宁旺、龙泉、龙塘、新摆、白水河、龙田
合计		217	

（十六）惠水县2017年旅游资源分级汇总表

景点名称	地址	旅游资源单体评级
海里大峡谷	断杉镇摆惹村	四级旅游资源
燕子洞	羡塘镇桃源村	四级旅游资源
海里大峡谷天生桥	断杉镇摆惹村	四级旅游资源
九龙寺	涟江街道九龙村	四级旅游资源
布依堂屋	好花镇好花红村	四级旅游资源
黑糯米	岗度镇新摆村	四级旅游资源
惠水布依族民歌《好花红》调	好花红镇	四级旅游资源
野梅岭森林公园	涟江街道长新村	四级旅游资源
银川洞	涟江街道高坪村	三级旅游资源
打鸡洞	涟江街道龙井村	三级旅游资源
枇杷石林	好花红镇枇杷村	三级旅游资源
鲤鱼奔滩	好花红镇青河村	三级旅游资源
东风大峡谷	好花红镇青河村	三级旅游资源
湾头大洞	好花红镇幺关村	三级旅游资源
单堡万峰林观景台	明田街道新民村	三级旅游资源
情缘谷景区	断杉镇雅州村	三级旅游资源
翁达洞	羡塘镇桃源村	三级旅游资源
翁达天坑	羡塘镇桃源村	三级旅游资源
黑洞	羡塘镇白硐村	三级旅游资源
摆郎河峡谷党古段	摆金镇旁才村	三级旅游资源
清水苑大洞	摆金镇清水苑村	三级旅游资源
油灌冲抽水硐	摆金镇上田村	三级旅游资源
宁旺下坝出水洞	岗度镇宁旺村	三级旅游资源
龙塘山	岗度镇龙塘村	三级旅游资源
抵腊洞	雅水镇洛平村	三级旅游资源
弄平串洞	雅水镇下兴村	三级旅游资源
元韦屯	雅水镇硐房村	三级旅游资源
摆郎河峡谷	雅水镇街上村	三级旅游资源

续表

景点名称	地址	旅游资源单体评级
青山河峡谷	王佑镇昌明村	三级旅游资源
杨番水文化博览园	涟江街道杨番村	三级旅游资源
百鸟河乡村生态谷	好花红镇百鸟河村	三级旅游资源
青河景区	好花红镇青河村	二级旅游资源
三岔河瀑布	断杉镇雅州村	三级旅游资源
涟江下游纳惯段	断杉镇董朗村	三级旅游资源
坝王河沿河风光	羡塘镇白硐村	三级旅游资源
董照河沿河风光	王佑镇和平村	三级旅游资源
金盆瀑布	摆金镇高寨村	三级旅游资源
九湾河	摆金镇清水苑村	三级旅游资源
石烧七一瀑布群	岗度镇石烧村	三级旅游资源
槟榔湖	雅水镇雅水村	三级旅游资源
恋爱双龙	芦山镇麦旁村	三级旅游资源
长新千年银杏树	摆金镇长新村	三级旅游资源
桔乡花海	好花红镇平地村	三级旅游资源
代京野生猕猴自然保护区	断杉镇代京村	三级旅游资源
灰坡寨古树群	断杉镇满贡村	三级旅游资源
毛草布依寨古树群	断杉镇定理村	三级旅游资源
洛木水淹坝	断杉镇比纳村	三级旅游资源
摆金三千年银杏古树	摆金镇摆金村	三级旅游资源
摆榜大草原	摆金镇新寨村	三级旅游资源
扪摆森林公园	摆金镇扪摆村	三级旅游资源
旁才原始森林	摆金镇旁才村	三级旅游资源
花厂重阳木	摆金镇花厂村	三级旅游资源
白水河原始森林	岗度镇白水河	三级旅游资源
千年楠木树	岗度镇柏栗村	三级旅游资源
龙泉祥摆古树群	岗度镇龙泉村	三级旅游资源
雅水千年青岩油杉	雅水镇雅水村	三级旅游资源
桂花树	雅水镇旧寨村	三级旅游资源
冷水千年冬青树	王佑镇冷水村	三级旅游资源
马蹄树森林	王佑镇新然村	三级旅游资源
长安白鹭天堂	王佑镇伙塘村	三级旅游资源

续表

景点名称	地址	旅游资源单体评级
独破脚岩画	涟江街道长征村	三级旅游资源
涟江公园	涟江街道涟江社区	三级旅游资源
卧龙桥	涟江街道杨番村	三级旅游资源
板长洞葬	濛江街道板长村	三级旅游资源
龙塘陈氏宗祠	濛江街道山后村	三级旅游资源
鱼梁水库（波云湖）	好花红镇小龙村	三级旅游资源
仙人桥洞葬	摆金镇长新村	三级旅游资源
摆榜苗族刺绣工艺	摆金镇摆榜社区	三级旅游资源
摆金苗族谷蔺锦制作技艺	摆金镇	三级旅游资源
摆金苗族银饰锻制技艺	摆金镇	三级旅游资源
惠水枫香染制作技艺	雅水镇播潭村	三级旅游资源
雅水布依族剪纸	雅水镇雅水镇	三级旅游资源
王佑依族土布扎染手工制作技艺	王佑镇	三级旅游资源
九龙苗族摔跤节	好花红九龙村	三级旅游资源
布依族六月六	惠水县	三级旅游资源
濛江苗族芦笙斗鸡舞	濛江街道	三级旅游资源
大坝批弓苗族斗牛节	濛江街道大坝社区	三级旅游资源
八音坐唱	羡塘镇桃源村	三级旅游资源
谷蔺秋坡节	摆金镇谷把村	三级旅游资源
摆榜苗族大年三十婚俗	摆金镇摆榜社区	三级旅游资源
花厂三月三	摆金镇花厂村	三级旅游资源
摆榜苗族大号演奏	摆金镇摆榜社区	三级旅游资源
花棍舞	雅水镇蓬路村	三级旅游资源
好花红乡村旅游区	好花红镇好花红村	三级旅游资源
硐口布依寨	雅水镇洛平村	三级旅游资源
洛平大坝	雅水镇洛平村	三级旅游资源
西牛布依寨	雅水镇西牛村	三级旅游资源
烈士陵园	涟江街道新城村	三级旅游资源
大保村斗牛场	濛江街道大保村	三级旅游资源
九龙寺雷劈破	涟江街道九龙村	二级旅游资源
莲花山	涟江街道龙井村	二级旅游资源
龙王洞	涟江街道龙井村	二级旅游资源

续表

景点名称	地址	旅游资源单体评级
八宝来龙	涟江街道山口村	二级旅游资源
啸天龙	涟江街道山口村	二级旅游资源
麒麟洞	涟江街道三合村	二级旅游资源
躲匪洞	涟江街道新坝村	二级旅游资源
兴章神仙洞	濛江街道兴章村	二级旅游资源
新哨天生桥	濛江街道新哨村	二级旅游资源
涨水洞	濛江街道板长村	二级旅游资源
野羊坡	濛江街道民河村	二级旅游资源
公鸡岩	濛江街道姚新村	二级旅游资源
新坝躲匪洞	涟江街道新坝村	二级旅游资源
青藤硝洞	好花红镇青藤村	二级旅游资源
忠义洞	好花红镇青藤村	二级旅游资源
水源神仙洞	好花红镇水源村	二级旅游资源
神源谷	好花红镇水源村	二级旅游资源
波云洞	好花红镇小龙村	二级旅游资源
蛮摇洞	好花红镇石头关村	二级旅游资源
翁金洞与翁金天坑	好花红镇翁金村	二级旅游资源
上坝石林	断杉镇上坝村	二级旅游资源
上坝万蝠洞	断杉镇上坝村	二级旅游资源
花山娇子山	断杉镇花山村	二级旅游资源
佛手崖	断杉镇纳里村	二级旅游资源
干龙洞	断杉镇董朗村	二级旅游资源
鸡啼雄鸡	断杉镇纳里村	二级旅游资源
巨笔峰	断杉镇翁址村	二级旅游资源
青山白洞	断杉镇青山村	二级旅游资源
翁址夫妻峰	断杉镇翁址村	二级旅游资源
西城天生桥、古树	断杉镇定理村	二级旅游资源
茶场峡谷	断杉镇大坡村	二级旅游资源
燕子洞观燕台	羡塘镇桃源村	二级旅游资源
桃源陈家洞	羡塘镇桃源村	二级旅游资源
乌木石伞与龙滩洞	羡塘镇桃源村	二级旅游资源
龙湾河与龙湾洞	羡塘镇桃源村	二级旅游资源

续表

景点名称	地址	旅游资源单体评级
容归山洞	羡塘镇桃源村	二级旅游资源
云盘山	羡塘镇桃源村	二级旅游资源
拉赖洞	羡塘镇比纳村	二级旅游资源
戎贯洞	羡塘镇比纳村	二级旅游资源
龙虎大窝凼	羡塘镇龙虎村	二级旅游资源
猫眼洞	羡塘镇龙虎村	二级旅游资源
上屯高坡	羡塘镇龙虎村	二级旅游资源
亮洞	羡塘镇白硐村	二级旅游资源
龙洞与硝洞	羡塘镇白硐村	二级旅游资源
吴家洞	羡塘镇白硐村	二级旅游资源
高家大洞	羡塘镇比纳村	二级旅游资源
两天洞	羡塘镇比纳村	二级旅游资源
岗金峡谷	羡塘镇岗金村	二级旅游资源
凉风洞	羡塘镇岗金村	二级旅游资源
核桃洞	羡塘镇甲奉村	二级旅游资源
眼睛洞	羡塘镇甲奉村	二级旅游资源
阴河洞	羡塘镇甲奉村	二级旅游资源
和仙洞	羡塘镇五星村	二级旅游资源
上苑背后洞	羡塘镇西混村	二级旅游资源
瓮金天坑	摆金镇瓮金村	二级旅游资源
滴水岩	摆金镇杨茂村	二级旅游资源
钟洞	摆金镇瓮金村	二级旅游资源
丛泥水洞	摆金镇蛮河村	二级旅游资源
党古躲匪洞	摆金镇党古村	二级旅游资源
土地关洞	摆金镇斗底村	二级旅游资源
山口洞	摆金镇毛栗村	二级旅游资源
本底躲匪洞	岗度镇本底村	二级旅游资源
躲兵洞	岗度镇石烧村	二级旅游资源
火阳背后山峡谷	岗度镇火阳村	二级旅游资源
宁旺下坝消水洞	岗度镇宁旺村	二级旅游资源
象王山	岗度镇本底村	二级旅游资源
新摆峰林	岗度镇新摆村	二级旅游资源

续表

景点名称	地址	旅游资源单体评级
八角庙	雅水镇洛平村	二级旅游资源
棒棒坡	雅水镇葡林村	二级旅游资源
长冲大洞	雅水镇道力村	二级旅游资源
北斗七星	芦山镇小石村	二级旅游资源
夫妻山	芦山镇麦旁村	二级旅游资源
麻冲出水洞	王佑镇平贡村	二级旅游资源
香火崖	王佑镇定团坡村	二级旅游资源
坝若洞	王佑镇平贡村	二级旅游资源
冷水河	涟江街道长征村	二级旅游资源
响水河	涟江街道甘昌村	二级旅游资源
大坡涟江水域风光	涟江街道大坡村	二级旅游资源
清溪吐珠	涟江街道新城村	二级旅游资源
小龙潭	濛江街道新哨村	二级旅游资源
赤土涟江河坝	明田街道赤土村	二级旅游资源
聪明泉	濛江街道司蒙村	二级旅游资源
滩口峡谷	濛江街道姚新村	二级旅游资源
濛江沿河风光	濛江街道长新村	二级旅游资源
响水关	好花红镇青河村	二级旅游资源
蛮聋暗河	好花红镇青河村	二级旅游资源
龙马潭	好花红镇水源村	二级旅游资源
涟江下游甲戎段	好花红镇河坝村	二级旅游资源
龙虎村河滨公园	羡塘镇龙虎村	二级旅游资源
黄土打鼓塘跌水	岗度镇黄土村	二级旅游资源
大沟瀑布	岗度镇白水河村	二级旅游资源
马夹沟	雅水镇摆俄村	二级旅游资源
摆郎河	雅水镇洛平村	二级旅游资源
冷水三岔河	王佑镇冷水村	二级旅游资源
王佑拉牛河	王佑镇王佑村	二级旅游资源
打梦河峡谷	王佑镇场坝村	二级旅游资源
九龙寺古银杏树	涟江街道办事处九龙村	二级旅游资源
龙尖坡草原	涟江街道办事长征村	二级旅游资源
桥洞枫香树	明田街道桥洞村	二级旅游资源

续表

景点名称	地址	旅游资源单体评级
红岩古皂角树	涟江街道三合村	二级旅游资源
磨石坝古树群	涟江街道三合村	二级旅游资源
后龙山古树林	王佑镇红星村	二级旅游资源
兴章千亩映山红花海	濛江街道兴章村	二级旅游资源
百年紫薇树	濛江街道红星村	二级旅游资源
千年香樟树	濛江街道新坝村	二级旅游资源
野鹿井森林	濛江街道姚新村	二级旅游资源
桥洞百年银杏	明田街道桥洞村	二级旅游资源
金钱橘林	好花红镇平地村	二级旅游资源
宝山银杏树	断杉镇摆惹村	二级旅游资源
播龙双树	断杉镇定理村	二级旅游资源
令当石抱树	断杉镇木兴村	二级旅游资源
内满寨古树群	断杉镇纳理村	二级旅游资源
戎瓮寨古树群	断杉镇青山村	二级旅游资源
双屯古树群	断杉镇定理村	二级旅游资源
翁址巨印	断杉镇翁址村	二级旅游资源
拉么古树群	羡塘镇龙虎村	二级旅游资源
播选银杏古树	羡塘镇甲奉村	二级旅游资源
骑马树	羡塘镇瑶山村	二级旅游资源
杨柳井森林	羡塘镇瑶山村	二级旅游资源
摆金古重阳树	摆金镇摆金村	二级旅游资源
摆金马鞍井原始森林	摆金镇立新村	二级旅游资源
马道枫树林	摆金镇马道村	二级旅游资源
千年金丝榔树	摆金镇杨茂村	二级旅游资源
摆榜百年红豆杉	摆金镇盘井村	二级旅游资源
党古古树	摆金镇党古村	二级旅游资源
党古古树群	摆金镇党古村	二级旅游资源
高寨草原	摆金镇高寨村	二级旅游资源
高寨古树群	摆金镇高寨村	二级旅游资源
夫妻古树群	岗度镇本底村	二级旅游资源
火阳古榉树	岗度镇火阳村	二级旅游资源
石烧千年古树	岗度镇石烧村	二级旅游资源

续表

景点名称	地址	旅游资源单体评级
千年重阳木	岗度镇石烧村	二级旅游资源
铁坚油杉	岗度镇石烧村	二级旅游资源
长寨古树群	岗度镇龙田村	二级旅游资源
雅水古枫香树	雅水镇雅水村	二级旅游资源
雅水红沙榔	雅水镇雅水村	二级旅游资源
冲窝楠木	雅水镇硐房村	二级旅游资源
播翁古枫香林	雅水镇街上村	二级旅游资源
古树石碑	芦山镇响水村	二级旅游资源
二月花	王佑镇红星村	二级旅游资源
红星黄连木	王佑镇红星村	二级旅游资源
盘井云山雾海	摆金镇盘井村	二级旅游资源
大斗篷寨旧址	涟江街道三合村	二级旅游资源
七关古道	好花红镇青藤村	二级旅游资源
向阳桥	羡塘镇和平村	二级旅游资源
播甲躲匪屯	雅水镇街上村	二级旅游资源
蓬路屯堡	雅水镇蓬路村	二级旅游资源
长官司衙门遗址	芦山镇芦山村	二级旅游资源
九龙摔跤场	涟江街道九龙村	二级旅游资源
惠水天主教堂	涟江街道凤山社区	二级旅游资源
凤山公园	涟江街道凤山社区	二级旅游资源
定慧寺	涟江街道新城村	二级旅游资源
东山三棵树观景台	涟江街道新城村	二级旅游资源
双龙井水库	涟江街道惠民村	二级旅游资源
濛江渡槽	濛江街道长新村	二级旅游资源
牛场桥	濛江街道长新村	二级旅游资源
大保斗牛碑	濛江街道大保村	二级旅游资源
毛南风情街	濛江街道交椅村	二级旅游资源
水溪龙潭（赤土水库）	濛江街道交椅村	二级旅游资源
陈德洋宅院	濛江街道山后村	二级旅游资源
陈全义宅院	濛江街道山后村	二级旅游资源
贺寿诗摩崖石刻	濛江街道山后村	二级旅游资源
文笔塔	濛江街道司蒙村	二级旅游资源

续表

景点名称	地址	旅游资源单体评级
水打桥水库	濛江街道绿化村	二级旅游资源
吟河桥	濛江街道合兴村	二级旅游资源
苗咕噜茶场	濛江街道长岩村	二级旅游资源
欢乐岛游乐园	濛江街道长新村	二级旅游资源
桥洞土桥	明田街道桥洞村	二级旅游资源
旧司龙番办公旧址（龙氏祠堂）	好花红镇百鸟河村	二级旅游资源
三七水库	好花红镇崇学村	二级旅游资源
二衙三合院	好花红镇九门村	二级旅游资源
龙德寿墓	好花红镇九门村	二级旅游资源
翔龙寺	好花红镇新门村	二级旅游资源
上坝观音庙	断杉镇上坝村	二级旅游资源
单堡花坟	断杉镇新民村	二级旅游资源
冗城布依寨	断杉镇纳里村	二级旅游资源
田家岩脚屯	断杉镇新民村	二级旅游资源
王家湾屯	断杉镇新民村	二级旅游资源
羊角屯观景台	羡塘镇比纳村	二级旅游资源
乓比古墓	断杉镇甲奉村	二级旅游资源
冯家桥水库	羡塘镇三合村	二级旅游资源
石头寨乐善桥	濛江街道长新村	二级旅游资源
高寨悠远桥	摆金镇清水苑村	二级旅游资源
敬宗奉示碑和百世恩碑	摆金清水苑村	二级旅游资源
苗族古屋	摆金镇甲浪村	二级旅游资源
斗底河	摆金镇斗底村	二级旅游资源
柏栗水库	岗度镇柏栗村	二级旅游资源
本底石拱桥	岗度镇本底村	二级旅游资源
高寨水库	岗度镇龙塘村	二级旅游资源
王立贞宅院	岗度镇本底村	二级旅游资源
王耀南宅院	岗度镇本底村	二级旅游资源
花冲水库	岗度镇龙泉村	二级旅游资源
卢氏宗祠	雅水镇摆俄村	二级旅游资源
卢治赋墓	雅水镇摆俄村	二级旅游资源
题字崖	雅水镇洛平村	二级旅游资源

续表

景点名称	地址	旅游资源单体评级
翁渣水库	雅水镇旧寨村	二级旅游资源
洋泗古桥	好花红镇大龙村	二级旅游资源
董朗大桥	芦山镇鱼湾村	二级旅游资源
卢承恩墓	芦山镇小石村	二级旅游资源
文昌阁	芦山镇芦山村	二级旅游资源
打场渡口	王佑镇打永村	二级旅游资源
神堡坡	王佑镇建华村	二级旅游资源
董上棺材洞	王佑镇董上村	二级旅游资源
桐木寨唢呐制作技艺	好花红镇	二级旅游资源
摆金谷蔺布制作技艺	摆金镇	二级旅游资源
娃娃鱼养殖基地	岗度镇白水河村	二级旅游资源
芦山手工土纸制作工艺	芦山镇	二级旅游资源
布依族挑花工艺	王佑镇长安社区	二级旅游资源
芦笙舞	涟江街道山口村	二级旅游资源
九龙苗族木鼓舞	涟江街道	二级旅游资源
布依族丧葬砍牛习俗	濛江街道	二级旅游资源
当唢(织布舞)	濛江街道	二级旅游资源
大坝板长苗族射花节	濛江街道	二级旅游资源
羡塘布依族七月半	羡塘镇	二级旅游资源
左定若定溜（粑棒舞）	羡塘镇	二级旅游资源
甘塘花厂	摆金镇大华村	二级旅游资源
摆榜苗族赛马节	摆金镇摆榜社区	二级旅游资源
姊妹箫	岗度镇石烧村	二级旅游资源
老兵前辈	岗度镇石烧村	二级旅游资源
下兴四月八花厂	雅水镇下兴村	二级旅游资源
雅水布依族“四月八”糯米坡歌会	雅水镇新民村	二级旅游资源
老鹰坡	王佑镇冉告村	二级旅游资源
布依古歌	长安社区	二级旅游资源
勒凶（马刀舞）	王佑镇	二级旅游资源
三槽布依族风情唢呐演奏	王佑镇长安社区	二级旅游资源
共青林苹果桃园	涟江街道九龙村	二级旅游资源
七里冲茶场	涟江街道惠明村	二级旅游资源

续表

景点名称	地址	旅游资源单体评级
大新毛南风情园	涟江街道大新村	二级旅游资源
雅杨布依寨	涟江街道杨番村	二级旅游资源
杨番花卉园艺基地	涟江街道杨番村	二级旅游资源
涟江坝子	涟江街道	二级旅游资源
米丹湿地公园	涟江街道山后村	二级旅游资源
平寨-红岩脚田园风光	涟江街道山后村	二级旅游资源
甲腊冲苗寨	濛江街道上龙村	二级旅游资源
上龙村乡村旅游	濛江街道上龙村	二级旅游资源
龙杠坡	濛江街道首创村	二级旅游资源
枇杷村苹果园	好花红镇枇杷村	二级旅游资源
偏坡田	好花红镇崇学村	二级旅游资源
董熬河山水田园	好花红镇三联村	二级旅游资源
所然河山水田园	好花红镇三联村	二级旅游资源
兴涟村莲藕种植基地	好花红镇兴涟村	二级旅游资源
翁吕大寨	断杉镇翁平村	二级旅游资源
播岭无花果园	断杉镇光荣村	二级旅游资源
龙泉田园风光	断杉镇八大村	二级旅游资源
雅州村田园风光	断杉镇雅州村	二级旅游资源
播选布依寨	羡塘镇甲奉村	二级旅游资源
定同山水田园	羡塘镇甲奉村	二级旅游资源
甲奉梯田	羡塘镇甲奉村	二级旅游资源
洛浩布依寨	羡塘镇洛浩村	二级旅游资源
羡塘镇生态农业产业园	羡塘镇三合村	二级旅游资源
摆榜梯田	摆金镇石板村	二级旅游资源
同改梯田	摆金镇高寨村	二级旅游资源
火阳营盘坡	岗度镇火阳村	二级旅游资源
龙塘布依寨	岗度镇龙塘村	二级旅游资源
清代古屋	岗度镇柏栗村	二级旅游资源
摆俄田园风光	雅水镇摆俄村	二级旅游资源
洋泗水碾	雅水镇大龙村	二级旅游资源
六妹梯田	雅水镇摆炉村	二级旅游资源
芒耶谷种植基地	雅水镇街上村	二级旅游资源

续表

景点名称	地址	旅游资源单体评级
蓬路田园风光	雅水镇蓬路村	二级旅游资源
西牛田园风光	雅水镇西牛村	二级旅游资源
纳冗生态园	芦山镇纳冗村	二级旅游资源
翁告布依寨	工佑镇西南村	二级旅游资源
拉茂水碾	王佑镇西南村	二级旅游资源
把两布依寨	王佑镇长腊村	二级旅游资源
芦山人民英雄纪念碑	芦山镇芦山村	二级旅游资源
红军烈士纪念碑	涟江街道新城村	二级旅游资源
百鸟河数字小镇	涟江街道百鸟河村	二级旅游资源
望郎回	涟江街道九龙村	一级旅游资源
雍然山谷旅游	涟江街道冗然村	一级旅游资源
神仙石	涟江街道山口村	一级旅游资源
八里关洞	涟江街道冗然村	一级旅游资源
大龙潭（天坑）	濛江街道新哨村	一级旅游资源
翁金高洞天坑	好花红镇翁金村	一级旅游资源
水溪大坡（赤土大坡）	濛江街道交椅村	一级旅游资源
白岩峡谷	濛江街道民河村	一级旅游资源
司蒙河沙坝	濛江街道司蒙村	一级旅游资源
从让洞	濛江街道大保村	一级旅游资源
大地躲匪洞	濛江街道长岩村	一级旅游资源
干坝门连洞	濛江街道大保村	一级旅游资源
半坡牛洞	濛江街道	一级旅游资源
鳄鱼晒阳	好花红镇青河村	一级旅游资源
父母山	好花红镇青河村	一级旅游资源
将军跪水	好花红镇青河村	一级旅游资源
石龟	好花红镇青河村	一级旅游资源
龙头山	好花红镇六马村	一级旅游资源
拉赖洞与双眼洞	好花红镇青藤村	一级旅游资源
马鞍山	好花红镇水源村	一级旅游资源
牵缘洞	好花红镇水源村	一级旅游资源
娘娘洞	好花红镇幺关村	一级旅游资源
上坝天生桥	断杉镇上坝村	一级旅游资源

续表

景点名称	地址	旅游资源单体评级
翁址凉风洞	断杉镇翁址村	一级旅游资源
青山凉风洞	好花红镇青山村	一级旅游资源
青山龙调洞	好花红镇青山村	一级旅游资源
青山母猪龙	好花红镇青山村	一级旅游资源
青山石膏洞	好花红镇青山村	一级旅游资源
石人	断杉镇新民村	一级旅游资源
象鼻山	断杉镇定理村	一级旅游资源
望窝溶洞	断杉镇抵塘村	一级旅游资源
三岔河牛洞	断杉镇雅州村	一级旅游资源
六指山	羡塘镇桃源村	一级旅游资源
金猫屯	羡塘镇龙虎村	一级旅游资源
拉猫凉风洞	羡塘镇龙虎村	一级旅游资源
龙泉洞	羡塘镇龙虎村	一级旅游资源
大坪穿洞	羡塘镇白硐村	一级旅游资源
当湾半坡洞	羡塘镇比纳村	一级旅游资源
顶灌洞	羡塘镇比纳村	一级旅游资源
万家洞	羡塘镇比纳村	一级旅游资源
姊妹洞	羡塘镇甲奉村	一级旅游资源
五指山	羡塘镇瑶山村	一级旅游资源
双鼻洞	摆金镇杨茂村	一级旅游资源
文笔峰	摆金镇杨茂村	一级旅游资源
小寨洞	摆金镇大华村	一级旅游资源
摆金蛮河凉风洞	摆金镇蛮河村	一级旅游资源
斗底躲匪洞	摆金镇斗底村	一级旅游资源
硝洞	摆金镇蛮河村	一级旅游资源
石人山	摆金镇冗拱村	一级旅游资源
水冲穿洞天生桥	摆金镇水冲村	一级旅游资源
黄土老鬼洞	岗度镇黄土村	一级旅游资源
火阳土匪洞	岗度镇火阳村	一级旅游资源
火阳象形石	岗度镇火阳村	一级旅游资源
井山下洞	岗度镇柏栗村	一级旅游资源
营盘山	岗度镇本底村	一级旅游资源

续表

景点名称	地址	旅游资源单体评级
白脸坡	岗度镇龙泉村	一级旅游资源
盘龙洞	岗度镇本底村	一级旅游资源
龙田神仙石	岗度镇龙田村	一级旅游资源
播莫大坡	雅水镇雅水村	一级旅游资源
大湾洞	雅水镇下兴村	一级旅游资源
栗木高洞	雅水镇雅水村	一级旅游资源
洛平凉风洞	雅水镇洛平村	一级旅游资源
三角坡	雅水镇播潭村	一级旅游资源
老熊洞	雅水镇街上村	一级旅游资源
老虎坡	雅水镇蓬路村	一级旅游资源
黎平陈家洞	雅水镇雅水村	一级旅游资源
地关轿子山峰丛	雅水镇地关村	一级旅游资源
公朋飞山庙仙人洞	雅水镇公朋村	一级旅游资源
火药洞	雅水镇下兴村	一级旅游资源
神仙石	芦山镇芦山村	一级旅游资源
观音岩	芦山镇水井坡村	一级旅游资源
河道洞	芦山镇河心村	一级旅游资源
落水洞	芦山镇水井坡村	一级旅游资源
冷水大黑山铜洞	王佑镇冷水村	一级旅游资源
王佑平贡凉风洞	王佑镇平贡村	一级旅游资源
王佑戎拉河峡谷	王佑镇王佑村	一级旅游资源
石马关	王佑镇打永村	一级旅游资源
昌明高洞	王佑镇昌明村	一级旅游资源
昌明牛洞	王佑镇昌明村	一级旅游资源
容边洞	王佑镇打永村	一级旅游资源
八字洞	王佑镇昌明村	一级旅游资源
董上公路	王佑镇董上村	一级旅游资源
大坪地下暗河	涟江街道双坪村	一级旅游资源
龙潭河	濛江街道红星村	一级旅游资源
小甲烈霸王河	濛江街道红星村	一级旅游资源
红星水牛桥观光河段	濛江街道红星村	一级旅游资源
河边寨小瀑布	濛江街道新哨村	一级旅游资源

续表

景点名称	地址	旅游资源单体评级
涟江沿河景观	濛江街道高镇	一级旅游资源
双庆河	濛江街道双庆村	一级旅游资源
兴涟村水域风光	好花红镇兴涟村	一级旅游资源
瓮纳望娘潭	断杉镇光荣村	一级旅游资源
白龙潭	羡塘镇龙虎村	一级旅游资源
硐口河	雅水镇洛平村	一级旅游资源
龙井湾冷泉	雅水镇蓬路村	一级旅游资源
者务小花溪	芦山镇河心村	一级旅游资源
打扒三岔河	芦山镇鱼湾村	一级旅游资源
花鱼下寨河	芦山镇花鱼村	一级旅游资源
芦山瀑布	芦山镇芦山村	一级旅游资源
新在河	芦山镇民族村	一级旅游资源
拉夜瀑布	王佑镇长腊村	一级旅游资源
响水洞瀑布	王佑镇西南村	一级旅游资源
喜龙瀑布	王佑镇新然村	一级旅游资源
长安河（曲水朝堂）	王佑镇冉告村	一级旅游资源
牡毛温泉	王佑镇冉告村	一级旅游资源
新华温泉	王佑镇新华村	一级旅游资源
好花红生态园	涟江街道三合村	一级旅游资源
下寨百年紫薇	涟江街道甘昌村	一级旅游资源
偏岩金丝榔树	涟江街道山口村	一级旅游资源
甘昌黄莲木	涟江街道甘昌村	一级旅游资源
黄连木	涟江街道新坝村	一级旅游资源
青冈树	涟江街道新坝村	一级旅游资源
大田堡映山红花海	涟江街道红星村	一级旅游资源
新哨村古枫香树	濛江街道新哨村	一级旅游资源
新哨村4组古树林	濛江街道新哨村	一级旅游资源
龙井–磨坪冲森林	好花红镇崇学村	一级旅游资源
山杨梅林	好花红镇河坝村	一级旅游资源
后龙山古树林	断杉镇花山村	一级旅游资源
鸳鸯树	断杉镇雅州村	一级旅游资源
摆金枫香树	摆金镇摆金村	一级旅游资源

续表

景点名称	地址	旅游资源单体评级
摆金蛮河桂花树	摆金镇蛮河村	一级旅游资源
单耙银杏树	摆金镇单耙村	一级旅游资源
水冲枫香树	摆金镇水冲村	一级旅游资源
水冲金丝榔树	摆金镇水冲村	一级旅游资源
岗度本底桂花树	岗度镇本底村	一级旅游资源
迎客松	岗度镇本底村	一级旅游资源
老寨古枫香树	雅水镇蓬路村	一级旅游资源
下兴古枫香树	雅水镇下兴村	一级旅游资源
米先古树	雅水镇下兴村	一级旅游资源
芦山枫香树	芦山镇芦山村	一级旅游资源
伙塘枫香树	王佑镇伙塘村	一级旅游资源
冉告藤缠树	王佑镇冉告村	一级旅游资源
昌明双黄	王佑镇昌明村	一级旅游资源
望城关遗址	涟江街道新城村	一级旅游资源
兴章躲匪洞	濛江街道兴章村	一级旅游资源
卧龙番旧衙门	好花红镇九门村	一级旅游资源
屯头	芦山镇群中村	一级旅游资源
土桥大寨寨门	明田街道桥洞村	一级旅游资源
龙篆墓	涟江街道大新村	一级旅游资源
星光创业园	涟江街道星光村	一级旅游资源
光明牛打场	濛江街道光明村	一级旅游资源
陈正法墓	好花红镇九门村	一级旅游资源
毛家祠堂	好花红镇新门村	一级旅游资源
格坨屯	断杉镇花山村	一级旅游资源
甲寨水库	断杉镇光荣村	一级旅游资源
新场龙头桥	断杉镇新场村	一级旅游资源
山岔河灌溉系统	断杉镇龙虎村	一级旅游资源
上赖坡观景台	断杉镇龙虎村	一级旅游资源
落星水库	羡塘镇三合村	一级旅游资源
甲价水库	摆金镇高寨村	一级旅游资源
甲坝观景台	摆金镇甲坝村	一级旅游资源
冗拱楼梯坡观景台	摆金镇冗拱村	一级旅游资源

续表

景点名称	地址	旅游资源单体评级
云盘屯堡	摆金镇盘井村	一级旅游资源
长满水库	摆金镇掌满村	一级旅游资源
龙塘白蛇桥	岗度镇龙塘村	一级旅游资源
岗度蛇场水库	岗度镇岗度村	一级旅游资源
大寨凉泉	濛江街道（现明田乡街道）龙泉村	一级旅游资源
甲壤积善桥	岗度镇宁旺村	一级旅游资源
甲壤水井	岗度镇宁旺村	一级旅游资源
达昌湾水库	雅水镇摆王村	一级旅游资源
同谷水库	雅水镇摆王村	一级旅游资源
岩头井	雅水镇洛平村	一级旅游资源
岩头屯	雅水镇洛平村	一级旅游资源
波荣古井	断杉镇新民村	一级旅游资源
摆亚水库	雅水镇摆亚村	一级旅游资源
芦山古戏楼	芦山镇芦山村	一级旅游资源
麦旁水井	芦山镇麦旁村	一级旅游资源
石板桥	芦山镇民族村	一级旅游资源
朱氏宗祠	芦山镇硐口村	一级旅游资源
翁闹水库	王佑镇长腊村	一级旅游资源
翁高水库	王佑镇西南村	一级旅游资源
岗陵佳城	王佑镇冉告村	一级旅游资源
州正堂示碑	王佑镇伙塘村	一级旅游资源
马鞍山水库	王佑镇红星村	一级旅游资源
母猪笼水库	断杉镇董朗村	一级旅游资源
惠水苗族接骨药炮制	涟江街道	一级旅游资源
织布机与纺花机	濛江街道新哨村	一级旅游资源
金线吊葫芦	好花红镇河坝村	一级旅游资源
羡塘竹编制作工艺	羡塘镇	一级旅游资源
豆腐圆子	芦山镇羊马村	一级旅游资源
惠水布依族砍牛歌	濛江街道	一级旅游资源
布依族灵堂画	濛江街道	一级旅游资源
布依族添粮补寿习俗	濛江街道	一级旅游资源
上马堡花灯（愿灯）	濛江街道	一级旅游资源

续表

景点名称	地址	旅游资源单体评级
苗族粑槽舞	好花红镇	一级旅游资源
断杉马场坡傩戏（傩舞）	断杉镇	一级旅游资源
羡塘布依铜鼓舞	羡塘镇	一级旅游资源
摆榜敲牛习俗	摆金镇摆榜社区	一级旅游资源
鸭绒苗族跳花场	摆金镇	一级旅游资源
鸭寨龙烛制作工艺	摆金镇	一级旅游资源
鸭寨苗族唢呐演奏	摆金镇	一级旅游资源
扭力比赛	岗度镇石烧村	一级旅游资源
更埃乃（做饭舞）	岗度镇	一级旅游资源
转状令（香花舞）	岗度镇	一级旅游资源
布依情歌	雅水镇	一级旅游资源
迷腊舞	雅水镇	一级旅游资源
甘昌核桃基地	涟江街道甘昌村	一级旅游资源
王子塘葡萄园	涟江街道排楼村	一级旅游资源
山口苗寨	涟江街道山口村	一级旅游资源
甘昌千亩有机蔬菜基地	涟江街道甘昌村	一级旅游资源
后寨樱桃园	涟江街道排楼村	一级旅游资源
十潭九堡	濛江街道新哨村	一级旅游资源
响水洼地	濛江街道山后村	一级旅游资源
金果园	好花红镇九门村	一级旅游资源
龙昂布依寨	好花红镇满玉村	一级旅游资源
新门无花果种植基地	好花红镇新门村	一级旅游资源
雅水古驿道	雅水镇雅水村	一级旅游资源
冗乍田坝	雅水镇旧寨村	一级旅游资源
百香果园	王佑镇伙塘村	一级旅游资源
跑马场	摆金镇甲坝村	一级旅游资源

注：该表为2017年惠水县旅游资源大普查成果之一

（十七）惠水县集市场期一览

赶场是民间自发形成的风俗，也叫赶集，指按照约定俗成的时间到固定地点进行买卖货物等商品交易活动。惠水集市场分固定场和甲子场（亦称转转场）。固定场是实行定期的贸易集市；甲子场是以中国古代历法中甲、乙、丙、丁、戊、己、庚、辛、壬、癸十天干和子、丑、寅、卯、辰、巳、午、未、申、酉、戌、亥十二地支依次相配，组成六十个天干地支属相日（如下所示）的贸易集市。

十二地支所对应的十二生肖属相关系分别为子（鼠）、丑（牛）、寅（虎）、卯（兔）、辰（龙）、巳（蛇）、午（马）、未（羊）、申（猴）、酉（鸡）、戌（狗）、亥（猪）。

20世纪50年代县内集市均实行赶甲子场，60年代改为分别赶固定场和甲子场，70年代初期所有地区集市场期改为半月赶一场；70年代末，恢复赶固定场和甲子场，至2020年未变。

惠水各镇（街道）集市场期

固定场：

星期日：涟江街道（县城主城区）、好花红镇三都

星期一：王佑镇

星期二：涟江街道大龙、王佑镇打引

星期三：摆金镇甲烈、芦山镇硐口

星期四：濛江街道高镇、好花红镇、好花红镇卧龙

星期五：芦山镇、摆金镇甲坝、濛江街道大坝

星期六：濛江街道长田

甲子场：

六十天干地支日：

甲子	乙丑	丙寅	丁卯	戊辰	己巳	庚午	辛未	壬申	癸酉
甲戌	乙亥	丙子	丁丑	戊寅	己卯	庚辰	辛巳	壬午	癸未
甲申	乙酉	丙戌	丁亥	戊子	己丑	庚寅	辛卯	壬辰	癸巳
甲午	乙未	丙申	丁酉	戊戌	己亥	庚子	辛丑	壬寅	癸卯
甲辰	乙巳	丙午	丁未	戊申	己酉	庚戌	辛亥	壬子	癸丑
甲寅	乙卯	丙辰	丁巳	戊午	己未	庚申	辛酉	壬戌	癸亥

鼠日（甲子、丙子、戊子、庚子、壬子）：断杉镇抵季、羡塘镇董照

牛日（乙丑、丁丑、己丑、辛丑、癸丑）：摆金镇鸭寨、雅水镇牛场、好花红镇甲戎

虎日（丙寅、戊寅、庚寅、壬寅、甲寅）：断杉镇

兔日（丁卯、己卯、辛卯、癸卯、乙卯）：断杉镇董朗、雅水镇

龙日（戊辰、庚辰、壬辰、甲辰、丙辰）：摆金镇鸭绒、岗度镇

蛇日（己巳、辛巳、癸巳、乙巳、丁巳）：摆金镇、羡塘镇、雅水镇太阳

马日（庚午、壬午、甲午、丙午、戊午）：断杉镇抵季、羡塘镇董照

羊日（辛未、癸未、乙未、丁未、己未）：摆金镇鸭寨、雅水镇牛场、好花红镇甲戎

猴日（壬申、甲申、丙申、戊申、庚申）：断杉镇

鸡日（癸酉、乙酉、丁酉、己酉、辛酉）：断杉镇董朗、雅水镇

狗日（甲戌、丙戌、戊戌、庚戌、壬戌）：摆金镇鸭绒、岗度镇

猪日（乙亥、丁亥、己亥、辛亥、癸亥）：摆金镇、羡塘镇、雅水镇太阳

四、文艺作品

（一）诗歌

高原石林

曾雁平

那么睡吧 黄昏 海潮已迫近死亡
鲸齿和帆隐落在远方 不再像发蓝的闪电
抓牢粗砺的世界和天空 桨声漂洗的渔歌
被黑色的羽尖扇动 落满上路的日轮
岛在萎缩 浪已封闭 弯弯曲曲的篝火
热红了智慧 成为旅途狡黠的响铃
崇高的安谧与和蔼 遍布陨石和星星

呵 夜在漂移 阳光和风
一代代的倒伏 垒满黑色的沉重和壮举

然而我 成了高原的长子 聚集着
岩石的呼吸和耸立的深情
欲望与大禹合谋 切开坚固的晚潮
哭泣已燃尽 肉体和世界都长成石头
心在返潮吗 梦的双唇
从我的岁月中触摸蔚蓝的胎记

呵 无数死亡与挤压的燃烧
烙就了顽强的血块和根 搏斗
像铜汁一样流着金子的光辉
文明和白昼不再驳脱 父亲
早把熊熊的遗嘱 注入我的颅腔
笑容 思考及爱情 丰满远古与
生命 铸起
亿万年沉默的疯狂 和一幢幢
石刻的宣言 把大地和欲望
讲给祖先一样温厚的天空

就这样：背影再长不出苔藓和浆果
诱惑兽蹄和太阳 彩釉般生动的面孔
走过 亲吻我凿满袈装的神话和灰烬
四季和道路
去主宰人生……

呵 石林 高原石林

（原载于《花溪》文学杂志1986年第1期，收录于2003年中国文联出版社《21世纪贵州21人诗选》）

幽　谷

曾雁平

一百多年前，惠水太阳、雅水交界土地关山谷中，一批抗租抗暴的少数民族同胞在这里被官府杀害。

——题记

深重的沉默已经流过一个世纪
我 抚摸岁月 埋藏巨大的呻吟
以燃烧的疑问 拒绝太阳的触摸

颤栗的风退去 黄昏闭上眼帘
永存的静寂打开吧 献给浓浓的夜
我恪守这远古的遗训
让死亡和叫喊 同时发芽
野性的文字
没有漏掉我斑驳的火焰

（血的绞索 一度把我勒紧
但我的四季
仍分娩默默的松果）

兀鹰 磷火 谣曲
吞食着厄运的草莓 用绝望
向我表白壮烈的情愫
幸福的苦难呵 被风雨注进英魂的格言

然而 罪恶不会腐烂
但倒下的 也决不是心的宫殿
短暂的一瞬被道路咀嚼 于是
幽深的峡谷 凝成透明的琥珀

比太阳更永恒的 比生命更神圣的
是我辉煌的痛苦和道路

哦……石化的灵魂
从这里走出
雕刻东方之火
冶炼高原和太阳

（我终于知道
我金子一样的呼吸
没有跪下
再不会白流和被无辜地掠夺）

（原载于《山花》文学杂志1987年第8期，转载于中国作家《2014年》第4期，收录于哈尔滨文艺出版社1988年版《沙龙诗选》，2003年中国文联出版社《21世纪贵州21人诗选》）

信息的金鸡在中国

胥忠国

这是一个小小的信息天地
枕边的半导体
不断捕捉着亢奋神经的频率
桌上的电视机
急遽地变换着五彩的主题
一组组飞越太空的电码
在他手中的电报纸上
愉快地跳着阿拉伯舞
排列成独特的旋律
而墙上的报纸
每天用十多种不同的口音
吵吵嚷嚷，争着向他讲述
各地行情的潮汐
这一切，都被存储进大脑
一部平凡而精密的高速计算机
去运算、去筛选、去分析
最后再去点燃汽车的火花塞
或者引导着山货的士兵
挤满宽大的车皮……

就是这些奇妙的数据
使他一次次小心翼翼地
绕开了失败设置的塌方
在拥挤的广交会大厅
找到了一把坐椅
哦！信息的金鸡
在一个中国农民的院墙上鸣啼
（载于《山花》文学杂志1984年第8期）

城市里的农民商店

胥忠国

在霓虹灯睥貌的
冷嘲热讽之中
在火柴盒堆积起来的
现代建筑旁边
他借着鞭炮传统而吉祥的祝愿
启开了一块块旧式的铺板
就这样
这个没带户口的农民
穿着的确良对襟衫的庄稼汉
成了商店的经理兼售货员
此刻，他那有些狡黠的眼神
正打量着一尘不染的营业执照
以及朝阳郑重地盖在上面
那鲜红的印鉴
——从此，他不再盘庄稼了
他的责任田
只出产古色古香的土陶罐

隔壁是一家经营塑料器皿
的竞争者
装潢华丽的时髦的广告
五颜六色的异形制品
弄不清，对顾客具有
多么强烈的诱惑
但他信奉“大路朝天、各走半边”
的民谚
坚信文物一样的茶叶罐、泡菜坛
坚信那传统的几何形式
和古朴素雅的图案
他是读过几天私塾的
相信自己的生意经
就象唐诗宋词
现在仍然有热心的读者
（载于《山花》文学杂志1984年第8期）

小村之夜

杨　凯

群山像一列列马队
经过一天跋涉 早已歇进
夜的栏栅

群山之上 夜露又起
夜露打湿了松明子纷飞的火星
隐隐约约几声犬吠
加深着墨色的沉寂

谁忽然想起山外的城市
胸腔挂满星星的眼睛
彩色霓虹倒映在广阔天庭
又是谁家窗户漏出微暗的光
在岁月的伤口缝、缝

夜色如期皮下一层绒毯
小村蜷曲着精瘦双腿
在大山里酣睡百年

柴火支起的故事讲过一遍又一遍
故事的开始总是在很久很久以前
夜游者 夜游者紧紧拎住
拎住第六根神经
匆匆摸到自家的门
（载于《民族作家》1990年第2期）

（二）小说

送 行

花应周

她天天到那个山谷里挖地。谷很宽，她总是挖不完。乏了，扔下锄头便躺在地上，叉起脚望着天空；饿了，便从竹篓里掏出自家的馍馍；渴了，就拿起葫芦咕一口凉水；热了，就跑到山谷口，一头扎进水里。有河从山谷口流过。日子像从一个模子里倒出来。这谷是她的谷。可是，有一天，一个庞然大物突然闯进了她的领地。一个高高的铁架，旁边搭着一个绿色的房子，像她家的牛棚一样，矮矮的。

她远远地瞅着它们，心里面怦怦地跳。她又看见一个人从绿房子里出来，挑着水桶向河边走去，不一会儿，又回来了。接着，绿房子里又钻出来几个人，在铁架下走动。她里更慌了。他们发现了她，便向她招手。她身子一弹，往后跑了一阵，才回过头，远远地瞅着。

一天又一天，她就这样远远地瞅着。心头说不出是渴慕，还是恼怒。她的地挖得很少，可她却没注意到。有一天，她突然想起他们喝的是河里的水。第二天，她便早早地，挑一挑井水，悄悄地搁在绿房子旁边，然后慌慌张张地逃走。第三天，她又来到原来站的地方。她突然呆住了：水桶就搁在她原来站的地方，周围的地却被挖了一大片。于是，那轰隆隆的声音，再也不叫她害怕了。一天又一天，她挑了一挑又一挑的水，她的地却被挖了一片又一片。她的水挑不尽，她的地却要被挖完了。有一天夜里，她梦见了那高高的铁架矮矮的绿房子，还梦见了他们，可梦里怎么也看不清他们的脸。第二天一早，她终于下定决心，走进那个绿房子里去见见他们。

她一路采了一束野花，又来到了山谷里。可是，她什么也见不到了。她急忙奔过去，只见那铁架子在的地方留下一口小水坑，水面上漂着一只提篮般大的小船儿。她拿起小船，又见到船上放着两张花花绿绿的小纸片儿。一她拿起第一张，看见上面站着五个小伙子，就站在这条河边，正在笑着向她招手。他们的身后，停着一只大船，跟她眼前这只小船一个模样。她又拿起第二张，仔细一瞧，原来照的就是她：幽幽的山谷里，有一位姑娘正挑着一挑水在匆匆地走着——她呆住了。

忽然，她仿佛明白了什么似的，匆匆地跑到河边、趟进水里，把那束美丽的鲜花系在小船上，然后把它放到河面。

小船儿载着鲜花远去的时候，她忍不住哭了。

（原载于《中原》文学杂志1990年第1期，获该杂志1990年全国微型小说大赛一等奖，载于《当代文学》2016年第1期）

大月亮·二月亮

花应周

一

那时候，隔壁的王婆婆天天在家门口摆摊摊，卖葵花籽。

月月四岁半，爸爸妈妈都在街道加工厂工作，除星期天，天天上班，只留下月月一个小女孩在家，十分的没趣。于是，就天天跑到王婆婆那儿玩耍。

王婆婆背有点驼，天天坐在竹椅上，两只眼儿什么时候都眯着，望天，望天尽头隐隐约约的群山，望对面隔着一场坝、遥遥相对的一溜矮房子，望小场坝东西两头窄窄的场口。渐渐的也会有厌的时候，便索性眯着眼，啥也不瞅。若有人来了，丢下一两毛钱，从簸箕上勺起一两杯葵花籽，在这节骨眼儿上，才收回目光，慈慈地眨两下，表示晓得了。尔后，又抬头，往后一靠，那驼背正好契进椅背凹陷的窝儿里。

于是，又恢复老样儿，似醒非醒，似睡非睡。月月坐在簸箕边，掷石子，吹小气球，或一溜烟跑到哪个角落里，噘噘嘴，四下里望望，终于晓得不会有啥新鲜的发现，又郁郁地返回来，见王婆婆姿态不改，神情依旧，不由地更加沮丧，小嘴也跟着撅得老长。王婆婆却浑然不觉，安然于这凝固般的时光中。月月不甘寂寞，小眼睛滴溜两下，便猫着腰，蹑手蹑脚地绕到王婆婆背后，慢慢伸出两只小手，嘣一下捂住王婆婆的眼，或挠王婆婆的腋，于是便引来一次小小的高潮，苍老而沙哑的笑声和银铃般清纯的童音一时里融成了一体。

晚上，月月吃了饭，便颠颠地溜出家，跑到王婆婆屋里，听她摆月亮姑姑，摆大灰狼，摆土司和甲金。王婆婆家没安电灯，晚上便点一盏煤油灯，幽暗的光线把屋子里简陋的陈设映得朦朦胧胧。王婆婆一边缝缝补补什么的，一边摇头晃脑有板有眼娓娓道来。月月就坐在王婆婆侧对面，两只小手支在膝盖上，托着两腮出神地听。

渐渐的，人也倦了，月月慢慢地往前倾去，伏在王婆婆膝上，睡去了。王婆婆这时候也乏了，见月月这模样，脖子一软，脑壳便朝一边耷去；也混沌了过去，手里正拿着的针线什么的便也无声地滑落下来，掉到了椅子一边。

夜愈来愈浓，粘粘稠稠的直向人劈头盖脸糊过来。让人不觉地往那幽暗的深处退去。于是这一团浓稠的雾障便把人围个密密实实，于是外边的世界便被远远地抛在脑后。这时候，屋子外边忽然传来月月妈的唤声：

——月月、月月哎。

小屋里依然静悄悄，一点动静也没有，连搁在山墙眼里的小煤油灯，这会儿也仿佛暗淡了许多。那唤声愈来愈尖厉：

——这鬼打的月月，你死啦，还不快点回来，小心我不教训你！

月月或许已经在那个混沌的世界里迷醉，而小屋里的宁静已化作一层厚实的茧。月月妈的唤声是契不进去的。王婆婆还悬在半空，依然似睡非睡似醒非醒。’冥冥中忽然听到——你死啦——便一愣怔，颤颤惊惊地回过神来，还以为是阎王爷叫她了呢。又听到：

——小心我不抽死你！

这时，她才晓得原来是活人在唤活人，大人在唤小孩，月月妈在唤月月。于是，她慌伸出手来摇摇那死死趴在她膝盖上的小身子，嘴里道：

——起来了，你妈叫了。不见动静，又摇摇，轻轻叫：

——月月，醒醒，你妈来了。

这么一来二去，月月倒是醒过来了。醒来时恰好听到这最后一句话，可又不甚清楚。揉揉眼，问道：

——大灰狼来了吗？

说着，又朝王婆婆怀里拱去。

二

月月醒过来，一只手不自觉地朝一边伸去。怎么？那里已经冷冷清清。原来，月月妈已经起床了。月月睁开眼，看见那边床头有她爸还在睡。月月望望那一具庞大身躯，在大床上突突兀兀地隆起，又埋头看看自己一副弱的身子，不由地十分的沮丧。

月月撑起身，在她的小枕头上讫蹴起来，两只小眼睛在一方空间里游来游去。窗外已经一片明亮，屋子里却没有从夜的沉闲里挣脱出来。这时候，月月妈走了进来，见月月光着身子坐在床上，惊了起来，一下子把她扯将过去，嘴里嘟囔着，三下两下给月月套上衣裤，方才撇开月月，走到床那头，冲着那小山梁吼了起来。

月月溜下大床，悄悄地走了出去。

一家人围着一张小方桌，呼噜噜地吃面条。月月吃得很慢，一副心不在焉的模样。她一忽儿歪过脸看妈妈，一忽儿又掉过头看爸爸，见他们都那样专心地吃，心里不由地愤愤不平，看看自己面前，见那碗里边依然隆起一团面条，油油黄黄的，还缀着一点点的绿葱叶抹，一想到这一油腻的东西将要被塞进她那本来就纤小的肚子里，不由地皱起了眉头，她歪过脸来看她妈。她妈依旧耷拉着眼，一下一下地搅着，油黄的面条被两支竹筷子夹着源源不断地往上滑，仿佛被一股力量牵引着，利利落落地钻进两片油黄的唇缝里。又掉过头看她爸。她爸面前的面碗比她妈的还要大？比她自己的更大，可那大瓷碗里面已经空空荡荡，只是碗底和碗壁上还沾着一层油辣儿，红红黄黄深深浅浅斑斑驳驳，月月不敢多看，忙收回目光：无可奈何地埋下眼，一下一下地数着没有上漆的桌面上清晰的木纹。

月月妈见月月碗里还剩下那么多，便哎哟哎哟叫起来，将那碗面又往月月面前推。月月却垂着眼，一副超然物外的模样。

“好，不吃不吃，等会儿又要跑到王婆婆那里死皮赖脸讨吃！”月月妈不耐烦地说。

月月弄不清她妈为啥这样说，她只能朦朦胧胧地猜测出那语气里所蕴含的意味。这时候她又想起了王婆婆锅里热腾腾的红薯稀饭，大花瓷盘里香喷喷的辣炒豆豉，还有簸箕里脆生生的葵花籽。

月月又看她爸一眼，他爸正在点一支香烟，肥脑壳微微往前倾，浓眉厚眼皮下一双眼球却往上翻着，煞有介事地盯着她。月月赶忙收回目光。她从她爸的目光里感到她是不会从她爸那里得到援助的。

吃好早餐，两个大人又出门去了，只留下月月。月月站在大门口，翻着白眼目送他们的背影，直到他们消失在那边另一条巷口了方才转过身，朝王婆婆的屋子跑过去。

三

王婆婆的屋子很矮，比月月家的要矮一半。月月家的是砖房，王婆婆的却是碎石墙。屋檐长长地翘着，遮阳，挡雨，这是王婆婆在外边摆摊子能风雨无阻的保证。

月月跑到王婆婆家门前，见门还关着，便踏上门槛前边的一块石阶梯，一只手朝门柱边的一口小洞子伸进去，闭上眼捣弄两下子，小木门．便吱一声，开了。

月月站在门口，冲着昏暗的屋子喊：

一婆婆。

不见回答，又喊一声：

——婆婆。

仍旧是一片沉寂，月月噘了噘嘴，呜哩哇啦叫着，朝屋里头蹦过去。

原来，王婆婆还没有起床，月月蹦到床边，撩一开帐子，王婆婆突然伸手一抱，把她抱进了帐子里。一刹时，小屋里便荡起了咯咯咯的笑声。

月月羞王婆婆道：——婆婆睡懒觉，婆婆是大懒虫，婆婆不乖。哎哟哟……

王婆婆挠着月月的腋，一边笑道：——月月才不睡懒觉，月月才不是大懒虫，月月才乖……

王婆婆一边笑着，一边起身，却被月月牢牢拉住，人老了气力不支，只好重新又倒在床上，长长地叹一口气。月月却不懂什么，一会儿用被子蒙住头，一会儿又掀开被子跳将起来。蹬蹬踢踢鼓鼓捣捣，没边没缘没完没了。王婆婆却任她玩，任她跳，自个儿靠着床头，笑眯眯瞅着，一时里竟如痴如醉，恍惚中，好象又回到了某个遥远的年代。

渐渐地又挨过了些时辰，王婆婆真要起床了，可月月就是不让。没了法子，王婆婆就跟月月说：——月月不让婆婆起来，下次婆婆不教月月唱歌了。这一着奏效了。月月立刻松开两手，说：——不，不，不，月月要婆婆起来，月月要婆婆教唱歌。

王婆婆一边穿衣服，一边念道：——红萝卜，咪咪甜，管他有钱无钱，讨个老婆来过年。

月月也红萝卜白萝卜地跟着念。

月月并不关心婆婆的这一串歌谣有啥意思，她只觉得它们都顺耳，上口，又好记。

王婆婆起了床，又张罗着摆摊儿，老小俩又是拎又是提，嬉戏笑闹忘乎所以

四

月月她爸和她妈又到加工厂加夜班去了，临走时叮嘱月月：好好睡觉，别再去打扰王婆婆了。月月那时候已经睡到了大床上。她爸和她妈双双站在那张大床前面，喋喋不休的。月月已经睡得迷迷糊糊，朦胧中正看见王婆婆蹒跚地向她走过来，梦呓中喊了一声：“王婆婆！”

——这鬼婆婆哟，把咱月月的魂都牵走了。

月月听见了，似懂非懂，问：

——魂什么牵？

——小娃些不懂，睡吧。她妈说了，便拉着她爸的胳膊，匆匆地走了出去。月月听到吁的关门声，又听到细碎的脚步声一点一点地溶化在夜的大染缸里。这时候，她却没有睡意了。她掀开被子，睁着两只眼，骨骨碌碌扫来扫去。心想：婆婆是大活人，怎么说婆婆是鬼呢？

夜异常的宁静，屋子一角立柜上的闹钟滴哒滴哒跳着，月月觉得它走得好慢好慢。远处传来隐约的机鸣，月月猜那一定是她爸她妈去的地方发出来的。她没去过那地方，这会儿只能胡乱猜想，可想来想去又想不出个眉目来。忽然间，她觉得这屋子好让人憋闷，觉得这里面的空气浊，重得叫人直喘粗气儿。‘她想出去，可又晓得她妈已经把房门关上了，不由嘤嘤地哭了起来她的哭声在一方空间里回荡。

不一会儿，月月便听到窗玻璃那儿传来砰砰地敲响声。她立即止住了哭泣，跳下大床，赤着一双小脚奔到窗子边，挪来一把椅子，爬上去便把窗户打开，隔着一排钢筋柱子，她瞅见了王婆婆甜滋滋的挤满皱纹的脸。

夜半的寒气一阵阵袭来，站在窗外边的王婆婆便一阵阵抖瑟。月月又回到大床上，盖上被子，只留一双眼睛望着婆婆。’

——婆婆不走。月月说。

——婆婆不走。婆婆说。

于是，夜在月月的心中，又变得十分的短促，十分的温馨。

五

这晚上月亮很圆，生生地吊在湛蓝的天空，瞅着瞅着仿佛就要掉下来似的。月月吃了晚饭，便迫不急待地溜了出来。王婆婆早就搬出竹椅，在白日里摆摊的地方坐下来了。

月月搬来小凳子，搁在王婆婆身边，便坐下了，小身子朝侧边一倾，便趴在王婆婆腿上，歪扭着脸，一双眼睛扑闪扑闪的，凝望着深蓝色的天空．月儿又明又亮，晶晶莹莹，仿佛一戮就破。

小场坝被月儿照得爽爽朗朗，乍望去，仿佛铺上了一层白霜。王婆婆木木地坐着。月月把耳朵贴在王婆婆瘦削的胸口上，她听到那深处传来咚咚咚咚咚的心跳，不由得十分惊讶，于是，伸手摸摸自己的胸口，却不曾觉出什么，便指着自己的胸口问王婆婆：

——婆婆，我这儿为啥不响呢?

王婆婆依旧木木地坐着，仿佛不曾听见一般。月月不甘心，又问，王婆婆这才回过神来，应道：不跳，月月细细听就出来了。

月月细细一听，果然听出来了。

——那是人的心，啥时候都跳。有一天，它累了，要歇歇，那样，这个人就死了。王婆婆靠在竹椅上，一边朝远方出神地望着，一边侃侃地说。

月月听不懂，因而也说不上什么。屏息静气挨过半个时辰，终于又不甘寂寞，便闹着要婆婆教她唱歌。王婆婆咂了咂嘴，颤颤地念将起来。

——月亮光光，

妹妹烧香．．

烧倒王大姐，

气死满姑娘…．

月月也一句跟着一句的照着念。一老一小，一个暗哑，一个清纯，抑抑扬扬，跌宕起伏。说不出念的是啥意思，也无心去深究，一心只问声韵节律。刹时里，人也无端地痴迷起来，过去的日子便轰轰然闯进心扉。放眼夜空，满眼繁星扑朔目不暇接，令人不禁砰然心跳。

停了一会儿，王婆婆又念道：

——大月亮，

二月亮，

哥哥起来做木匠……

六

日子这样淡淡地过，平静得如一泓塘水，淡淡的似一杯清酒，仿佛没什么可留连的。

王婆婆一日老似一日，月月也一天比一天懂事了。

月月家添了许多新鲜家具，摆得一屋满满实实。月月妈月月爸眉头都舒展开了。月月却高兴不起来。晚上，月月妈叫月月来看电视。那会儿月月正站在家门口，琢磨着要不要去王婆婆家，忽然听到她妈火火的叫声，嗯地应了一声，却不回屋里，反而朝王婆婆家一溜烟跑去。

王婆婆家门虚掩着，月月一推，门便缓缓地撕开，王婆婆正靠在火塘边，迷迷糊糊打着盹儿。

月月摇摇婆婆，急急地说：

——婆婆，不好啦。

——咋？咋不好啦

月月哭道：

——明天我家就要搬到城里去了。

——这是好事情，月月应该高兴才是。王婆婆说。

——月月再也见不到婆婆了。月月哽咽起米。

——好好好，有月月这样想婆婆，婆婆就满足了。王婆婆接着月月说。那声音颤颤的，仿佛说得极不容易。

于是，老小俩又念起那段熟悉的歌谣：一

——大月亮，

一二月亮……

（载于《夜郎文学》1991第2期，转载于《当代文学》2016年第1期）

（三）散文

晒　谷

陈占相

秋阳满地，有谷晒之。

老家四面环山，因村口有几棵古松而得“松场”之名，五十余户人家或并排或对望着。清晨，阳光从山顶慢慢下移，再朝着村西头的几户人家延伸，茂密的树林由原先的墨绿逐渐变得透亮。一袋烟的功夫，整个村子已被阳光浸满，东家的院子西家的篱笆，都沐浴在这透明清爽的晨辉里，狗儿猫儿鸡儿徜徉其间，翻腾找乐，尽享这秋日的舒畅。

抬头望天，碧空如洗，凭经验，便知一天晴朗，又是一个晒谷的好日子。于是，正午未到，整个村子就忙活起来了。

各家院子里，卷着的晒席一个接一个伸展铺开，大小、形状不一，轻巧便捷，各尽其用。打开满当当的谷仓，再用竹箩筐一箩箩肩扛和手提移运而出，然后任由谷粒从筐里倾泻而下，粒粒饱满，颗颗丰实，不一会儿，地上已铺上一片片金黄。在阳光的照射下，男人们古铜色的皮肤和金黄色的谷粒浑然一体，衬托并显摆出整个村庄的收获与希望。这个时候，大家似乎忘掉了耕耘时节的早出晚归，忘记了旱涝不定的自然界压力。一张张厚实而黑黢黢的脸上挂着炫耀似的笑容，丰收的喜悦和激动，完完全全毫不遮掩地流露在外，就连那含在嘴里的老烟斗，冒出的烟圈也比平时更为浓烈。

寨子中间的小晒坝最是热闹。因为有一层薄薄的水泥地面，这里平时是开群众会和集中宴席的主要场所，也是孩子们嬉戏玩乐之地。晒谷季节，这里却是另外一番景象。大家对地面一番清扫过后，用不着晒席，直接将谷粒倾倒而下，这家十箩，那家十筐，一整个坝子几乎全被铺满。也不知是从哪年开始，每家都有一个相对固定的区域，让晒谷因约定俗成而井然有序，这里也因此被叫做“晒坝”并延续至今。在阳光的照射下，稻谷很快便徐徐舒展开来，隐隐还传来“嚓嚓”之声，一股熟悉的味道随之而来——是稻谷和阳光融合一起才会有的味道，这味道让人瞬间又回到耕犁、插秧、收割等场景中。

一番忙碌过后，整个寨子除了菜园子，只要稍微平整的地块，几乎都铺上了一层稻谷，黄灿灿一片连着一片。此时一切又恢复了平静。大伙三三两两拢在一起，男的，随处一靠，坦胸露背，点燃烟斗，烟雾缭绕，毫无主题地随意摆谈起来，唾沫横飞，荤素搭配，雅俗不分，不时传来一阵哈哈大笑，此起彼伏，图的就是这一份畅快。女的，或补衣纳鞋，或家长里短，寨子的那些陈年旧事，被她们一件件翻倒出来，然后添油加醋，有根有据地反复加工，不断演绎成新的版本，不管有心无心，反正是闲着没事，话已出口，大不了风一吹也就走了。

话题扯得再远，东南西北够了，最终还是回到“稻谷”这个主题上来。丰收，对整个寨子来说是如此，但具体到每户人家就有区别了。谷子就在眼前，一年的收成已经毫无保留地晾了出来，大家都心知肚明，晒谷的同时也是在晒家底，是厚是薄一目了然一清二楚。谦虚的，说自己笨手笨脚，得此收成全仗老天的特殊照顾；爱显摆的，拍拍胸脯说自己是怎样的留心时节，起早贪黑，精心耕耘；细心的，总会走到别家的谷粒旁，捧起细看，反复琢磨，甚至还放到嘴里细细咀嚼，然后若有所思地点点头。也有甚者，倒在谷旁就睡，一翻身，满身的谷粒，满脸的惬意。

阳光愈来愈强烈，若是细听，便有“吱吱”的声音传来，那是谷粒的又一次蜕变，是青黄色的谷壳在散尽最后的水分。这其间，少不了小鸡麻雀的光临，它们可不客气，就在主人的眼皮底下叽叽喳喳地一顿饱餐，然后心满意足地离去，好不自在。也许它们压根就认为，粮食，一直就是属于万物生灵的，碰上饱食的机会可不能放过。对守谷的人们来说，疏忽大意是常有的事，比如说摆谈入迷、打了个盹、回屋子张罗其他事，或者说根本无需同这群小东西较真吧，很多时候就任其来去自如，尽情啄食。还好，谷粒看起来丝毫没有减少，只是日头渐渐偏西。

晒谷看似一份闲活，实则有诸多讲究。就说那满地的谷粒吧，如何把握好晾晒的时间，如何让其均匀适度地接收光热，都需要晒谷者的细细打理。即便是在唾沫横飞摆谈正酣中，大家也会留意晒谷场上的每一个细微变化。为使谷粒既透气又均匀地受晒，每隔半个时辰，大家都会暂放其他闲事忙活起来：有的拿起谷耙弓着腰，一进一退反复多次地翻动谷粒，发出一连串“唰唰唰”的响声，一颗颗谷粒紧跟着翻滚跳跃，爽爽地透了个气；有的索性赤着脚，用脚板代替谷耙，脚掌紧贴地面，在谷粒中来回“滑行”，划出一道道清晰而曲直不一的线条，在翻动谷粒的同时，让有些温润的地面受热升温。远远望去，整个晒谷场块状分明，线条纵横交错，宛如一幅着色未干的大型油画。

晒谷，是农家人最为舒畅的一件事。老人们常说，在过去的艰苦日子里，每一粒谷都来之不易，那时候丰收难得，粮贵如金。以至于今天，对待每一粒稻谷，他们都倍加地怜爱和珍惜。晒谷场上，他们总会躬下身子，小心翼翼地捧抓一把在手里，端详、抚摸，然后露出知足的笑容。

当最后一袭光线离开晒谷场，收谷时间就到了。这时候，上山劳作的人们也回来了，小孩子们把牛儿赶进圈后，也加入到收谷的行列。一时间，晒谷场上全是忙碌的身影，大家分工明确却又紧密配合，扫谷的人使劲挥舞着手中的扫帚，确保颗粒成堆；装箩的人小心谨慎，尽量不让一粒谷溢落；健硕的男人把满满的箩筐扛回屋，又顺顺溜溜地倒回仓里。这些谷粒，过段时间就会成为白生生的米饭，滋养着一个个勤劳质朴的家庭。

谷已归仓，黄昏慢慢覆盖整个村落，晒谷场逐渐归于平静。不时有凉爽的风从田垄那边习习吹来，夹杂着一股熟悉而沁脾的稻茬味道。这味道飘到每一个家庭的饭桌上，融进那正冒着热气的一碗碗米饭里。有人乘兴喝起米酒唱起山歌，毫无保留地释放内心的舒畅。大家都说，照这风清气朗，明天肯定又是一个晒谷的好天气。

（四）散文诗

梦境五章

吴大勇

一、涟江秋韵

涟江河畔的田野，透出谷黄色的光亮。晚风逐稻浪，与夕照的潮红汇流成妩媚的波光，千秋风景，就这么在你的绝色中把身影拉长。

盛夏的荷花已经隐入幕后。在水云间，它们用沁心的月色，抚慰着初秋的故乡。夜风清丽，民歌悠扬，相约水边，只为一世情缘。

而秋色中流淌着多少乡愁？我不知道，岁月把它们折叠在梦里，就是留待暮年时阅读。当田野空旷，万物的灵光便有了诗意。

古筝的谣曲掠过夜幕，彩色的潮水，在轻浣着女子们薄如蝉翼的衣裳。

好花红的韵律，也回响在这个秋季，而又似乎回响在千里之外。

二、羡塘燕子洞

涟江坝以南，我们的行程离河水很近，好花红的歌词混在人群中，广阔的蔚蓝如影随形。折入东南，便到了万洞之乡，眸子间的风景如同异曲，万千羽燕将桂林阳朔衔在嘴唇间，不小心弄丢于羡塘。旖旎的景色使河流不忍离去，它在坝子.上蜷曲着身体，弹出清凉水花，之后去向不明。

下了车往东步行，又有流水相依，它靓蓝的表情，让女子们颜容潮红，一江风景这样沁入人心。

一直傍水东去两千米，燕子洞惊入眼底，这便是万洞之乡万燕之洞。洞高似乎有60余米，有水曲清波自洞中而出，在洞口大惊失色，回旋留连，看天高云淡占领苍翠景色。

这里的燕子冬去春来，只在此间生存夏秋两季，如果你在其间的某日清晨倚山观风景，你会看见洞中的燕子纷繁而出，直至燕影如云，其景蔚为壮观，使人惊心动魄。

在燕子洞的左侧半山处，有一山洞，步入洞中穿行300余米，便是一个小山村。此地四面环山，有山泉清澈，滋养着这片田畈，春来桃红柳绿，秋来稻谷飘香，村舍间鸡犬相闻，炊烟袅袅，嫣然如世外桃源。这个山洞是此地人家与外边连接的唯一途径，因而此村，也名为桃源村。

三、百鸟河

在青山绿水之间，有百鸟飞越树梢，有河流藏着鸟儿的秘密。山野的风透着灵气，在河面上弹奏轻舒的韵律，有水鸟在翡翠间歌唱。

有情侣在扁舟上，尽享山的葱茏和水的妩媚，就象画家的油彩在素娟上流淌，好让这风景散发出芳菲。

这里的幽深和宁静，吸引着海峡那边的灵凤，一场善缘，让盛华职业学院扎根在这片热土，用阳光雨露养育无数鸟儿般的莘莘学子。山水相依，苍凉消逝得无影无踪，只有蓝蓝的天上白云飘飘。山那边的人来到这里，分不清哪是鸟鸣，哪是琅琅读书声，只道是天籁之音在风景中荡漾。

四、野梅岭，野梅花

腊月，寒冷的风吹过山坡。野草枯萎了，成群的鸟儿已经离开这里的林子，好象校园的儿童已经回家过年。

一座座山坡上，野梅花开得正艳。她们轻舞着嫩黄色的花朵，用淡淡的清香抚慰着山野的寂静。走在野梅花摇曳的山路上，我闻到一抹暗香，仿佛回到蜂飞蝶舞的季节，虽是腊味，却胜似暖春的鲜艳。

荒草丛中，闪烁着野梅花的惊艳和柔情，山野之间轻扬她们的风韵。这不单是旅客的风景，也是游子的乡愁。

聆听是一种风景。守望野梅花的忧郁，却是另一种隐喻的美。野梅岭象一幅画从远古中邮来，野梅花象一支恋曲，用韵律唤醒未来的时空。

五、龙塘山

龙塘山，原本只是浪得虚名的荒山野岭。没有山塘，也没有龙。

某一天，她卸下难以蔽体的童装，宛如山村少女，开始丰满亮丽。

蜿蜒的柏油路直.上云间。风电场，工厂区，如姊妹花开放。龙塘山，虽然高远，却如明珠在岁月的脊背熠熠发光。

巨型风车伫立山冈，挥舞着臂膀，把许多无形的力量抓在手上，让无数村庄和城市，温暖而又明亮。

荒野长出许多厂房，层峦叠嶂的山谷，贮藏着闪亮的未来。

龙塘山，你又长高了六十米。正锦衣玉食，内心从容，走向远方。

（载于《黔南日报》2014年12月30日副刊，原名《梦回惠水》）

（五）地名诗、联、赋

涟江三部曲之第一部——

涟江母亲河

曾雁平

一

谁也不知道 你为什么走进这片原野
像蜿蜒的玉带 缀满了五谷 村落和群山
像悠悠的节令 释放着繁茂和斑斓
更像一团火 耕播文明熠熠的光焰
奔流不息呀 分泌了多少际遇多少悲欢

涟江河 母亲河
流着情怀 流着营养 流着丰满

你把梦赐给根和土地
你把吻献给灯火渔船
你的乳汁和透明给了我
你将生命捧给日月与星汉

是的 你的质地与气色
你的身段与品格
总散发着无尽的内秀与和谐

但我成不了顺流的水车
无法感受你助推的恩泽
不是那荡漾的木叶
路遥艰辛仍有辽阔

我是谁 我是芦笛吗
奏不出你的呼吸与抒写
我是谁 我是蜡染吗
多少回 漂不出往事的靛蓝
那么 我是长风吗
没能梳好浪的可人和语言

我只能做一枚贝壳 依偎在你枕边
我愿做诚实的拱桥 同你走进黎明和星夜
其实 我是盘绕的平沙落雁
总舍不下对你的吟唱呵对你的痴恋

二

涟江河 母亲河 从此
我走遍你无尽的山地 果林和稻田
走遍城镇 走遍蓬勃与悠然
你的指纹是我的经纬线
我看到谷物的劳作已告别昨天
霓虹和进山的光缆 把片片日子点燃
雨季般的哲学 象翠岗一样繁衍
你正告诉我骨髓 告诉我籽和盐

就在这一天
刺藜花遍山的韵律 成了我追日的心脉
金桔果沿岸的气度 是我舒展的理念
头帕的倒影 在我的秋水里摇曳
木楼的错落 温润我的空间
那么多地里长出的乳名 飞满我的书页
农具和隐隐飘来的晚唱 涌动着我的血

是呵 石磨 油灯 马蹄 已经很远
但晚霞美拥的牧童 是我纯美的梦幻

织布的老人是我年轮的圣洁

家谱和风水树 正与我侃侃而谈
我在归来的白云下 读懂了古道和炊烟

从此 风和扬花不会在夜晚倒伏
纷至的四季将我深深地弥漫.....

三

涟江河 母亲河 我已懂得

金木水火土 是祖先认准的命理 开天的手册
十二生肖 是华夏独具的生动与绵延
你是其中的故事 营构人与自然
你是其中的长调 咏叹吱吱的岁月
我和这无尽的葱翠呵就是你的炽热
就是你的分娩

呵……用梦吮吸你的呼唤
用魂阅透你的根脉
让情溶化你的波折
才知道水 才晓得大地和高天

涟江河　母亲河

为什么走进这片原野
为什么这样殷切
你的深邃 干净与恬淡
以及穿越时空的刚柔
喂养我的时日 勃发慧根和灵感
而我的歌子呵 将从这里策马追帆
直到永远……

注：涟江，属珠江水系。流经贵州高原惠水境内百余千米。浩淼碧绿，千百年来润育着两岸文明，惠水人奉为母亲河。

（载于《惠水文史》2008年版、《民族文学周刊》2012年12月8日版、《好花红》文学季刊创刊号）

涟江三部曲之第二部——

走山走水走村落

——惠水地名抒情诗

曾雁平

都说清水在高山
大寨小寨很安然
那里的石头 竹林和茶山都有故事
就随竹村六妹 大山长坡行
探寻瑶山的画韵 苗冲的诗魂

我们越高坡大关
绕弯山长岩出石门
没让关门山拦住
上楠桥 下楠桥
云盘上 走过高桥天星桥
这是梦中的新桥彩虹桥呵
透迤六坡七里冲
穿越长岭跨八洞

这时单阳在坡顶很放肆
桥洞响水似哗哗的掌声
还不是大雁望南的播季
仍见大竹山竹子有云联
杉沟茶冲飞野鸡

我们上岭 下坝 风很薄
大庄小庄炊烟上绕
长田长地望着我们
沙沟沙关望着我们
松树坡象刚刚睡醒
栗木头吐木兴气韵
惜懂的松崽和栗秧张望着好奇

很久 茶林坡淹没着我们
穿过老林 诚恳的青藤总拉我们的手

调皮的茅草蚕草让我们痒痒的
平地黄花朗笑成开花冲
我们一路随花上湾 花下湾

前面 核桃冲 石榴冲和梅子关亮着雀鸣
隔坳的桃源 桃湾和桃子坪有隐约的歌声
葡萄枇杷正是青春期
满坝处子般的旺果
把我们方围 大围

一群水牛在岩脚弯塘洗滚
黄泥牛路隐在竹林蓬
黄田红塘的梦延伸着
长冲杉木表达着欲望
大冲桐木正忘情
都旺盛着白泥黄土
齐心而努力

此刻 龙绕龙望的白水河就在眼前
河口河道正抹阳
花鱼河中跳浪上
河边白杨随风语
好一派龙岗叠翠

都说这雅水水头很执拗
怀揣卧龙盘龙在龙滩龙坝的嘱咐
上坝 下湾 沿岸吟河
起伏着破岩成弯河玉带
欢入涟江濛江
把播荣播旺的生命和担当
给荒山荒坡 干河干坝 大田大地
随后长浪蛮浪直奔龙海汪洋
诗云：
三水潆亭绽花浪如清溪吐珠
九曲春涛涌蛮江随麒麟东引

我们终于来到关口岩上
花山青坡尽收眼底
只见良马平马走马道
雅羊野羊欢羊场
响铃不住上摆又下摆
叮叮嘴嘴尤听古景琴山逸响

就在这偏岩山口大树脚
我们捧饮双井龙泉
解下斗篷冷水冲
只见守林的翁棚在路边
棚上翁衣翁帽向我们招手
老翁搬来断杉让我们落座
谈笑中手指半坡黄岩大洞叙传奇：
据说这洞原是金银洞这山就是银宝山
洞边石板全摆金
大小金珠由洞口涌出
但被旧寨比王权王占有

那一年 八番先民在蛮关造反
他们举黄标歪刀 突下擦耳岩
点燃火绒喊黎光
紧随前锋牛角冲
他们攻大关 战同谷
最后七关破卡占旧场
有不少忠勇光荣在大沟大塆
白田变红田 黑岩成红岩
最终直捣旧衙旧司灭二王
在这青山营盘建起新寨新庄

他们栽铁牌为界牌
新开河沟河道引水源
围垦滥泥大坡造新田
层层荒田改良田
羊马繁遍松场高坪小木林
日子兴隆财富惠民布朝纲
白岩树华表
一块金石大匾新立牌坊边

岁岁平贡九龙寺
迎得大龙喜龙降吉安
传说现有九门后人已成新华尖才

不知不觉中 太阳下到西山坡
西关云顶成染红的绸绢
抚着尖坡团坡随我们合影……

渐渐地 风坡悄悄拉夜
月亮很羞 星光高亮
我们住进山后坝楼
围火塘 举杯听芦响
笑看满村排楼踏歌好花红
这真是民族兴安欢幸福
大华山河盛昌明

我的朋友 来享受大林高山水坝行吧
虽说不清小石大土的思绪和守望
蜂糖和森林会甜你翠你
青山青河会洗你滤你
大坝小坝会照你映你
你能感悟百鸟河的缤纷 波云洞的瑰奇
滴水岩的隐忍 水淹坝的狂性
凉伞坡的清新 天鹅坝的迷人
泡木冲的安心 店子冲的热腾
水碾房的音律 鸟落关的空寂
小独树的自信 野梅岭的纵情
落木林的淡定 大地关的霸气

更赏凤山春色的妩媚 松风汲瀑的快意
三宝连云的坚定 九岚拥寺的忠诚
听遍上寨下寨夜夜诵族谱
知道苦母的历史
知道水溪的呼吸
知道火石的肌理和路程
你的日子与生命会走进苏兴与合爱
合顺满意隐市井
是啊 长安永安溢满你高房门庭.....

（载于《惠水文史》2015年版、总第29期和《好花红》文学季刊）

涟江渔景

张安福

烟波漾臯泛秋光，
羽燕低飞剪血阳。
岚雾金蟾参北斗，
琴山玉瀑泻幽篁。
渔歌唱晚音悠远，
稻韵随风桂郁香。
踏浪扁舟揉碧水，
撑篙畅意画涟江。

（原载于《贵州诗联》2012年第4期）

羡塘燕子洞

董开平

鱼儿穿梭，吐珠似荼开福地；
燕子蔽日，排玉如黛洒洞天。

（载于《纪念贵州建省600年》系列丛书）

三叉河野梅岭

王道生

十二楼台，万树绿荫，映绿涟江水；
百千梅子，三坡白雪，染白滥坝田。

（载于《纪念贵州建省600年》系列丛书）

好花红赞

梁仕国

苍茫天宇，浩荡群峰，千山叠翠，万壑葱笼。天赋雄伟河山，史开文明一域；北枕避暑之都，爽爽的贵阳；东品云雾毛尖、游龙里草原，览山水桥城，国茶都匀；西接金竹夜郎，吉祥长顺；南临山水湖城，玉都罗甸，捧“玉水金盆”天书天坑天眼耀华光。

上古梁州域，春秋属牂牁，后期隶夜郎。唐朝为清兰，五代曰八番。明置程番府，隆庆迁贵阳。民国定番州县改惠水，至始沿袭，源远流长。

黔中腹地，历史悠久，氏族宗祠林立，文物古迹遍布；物华天宝，人杰地灵。最美教师周贤怡，苗家百灵罗秀英，山歌王冠金国香，枫香染匠杨通清。看我人文荟萃：武林雷石三昆仲，江南笔吏夏文炳。德寿怀远大将军，蓝天娇子程光辉，摔跤冠军王文明。史上贤俊辈出，万卷罄竹难彰。

一曲《好花红》，百年传唱，代代流芳。新中国华诞，北京献唱，至此名扬。

峰峦叠嶂，松涛阵阵千山秀；樟、杏、黄、柏、杉、枫、金丝榔。古树参天蔽日，益民安康。硅、钾、煤、铁、砷、锑、萤石矿。宝藏蕴山结梁，地发吉祥。

碧水迴漩，溪流潺潺万里长；民族村寨依山而居，楼亭风阁临水而傍。黔中大坝，江南水乡。万亩良田，首尾相望；炊烟舞影歌婉韵，八番美妙铺四厢。山秀田绿，橘园海洋。耕夫迎晨曦而作，渔樵伴落日吟唱。春照油菜花芳，夏至雅竹碧浪；秋日稻熟金黄，冬季品茗畅想。十二古景，引人入胜。琴山幽谷，水流逸响。听诸葛抚琴奏，观摩崖诗祝寿。九岚拥寺，梵钟悠扬。竹韵新寨：祭鼓踏歌掀惠风和畅，斗牛摔跤展精神盛旺。凤山书院孔子庙，诗书画艺溢馨香。旅游新景，任君前往。野梅怒放傲霜雪，峻岭迎春着素装。青河秀色，绿岛沙洲惹人醉；情侣相邀，荡舟几度不思回。雁荡抵季藏奇石，枫林花山人浪漫。鸡啼山峰偎伏儀，兄妹交婧造人繁。

至若！海里大峡谷，天星桥跨上。巍巍老豹山，神秘皇帝坪。布依之都，云蒸霞蔚。白鹭天堂，神奇火塘。天然布依民居博物馆，西孟白马卧滩呈瑞祥。最炫布依婚，古朴父母装。全猪席款待宾客，柴刀背“打”岳母娘。逢事斩鸡定，祸福卦中藏。天下奇观燕子洞，万羽候鸟栖宫房。十里竹廊，碧水青波绕羡塘；山中桃园，相映万洞绿色庄。七月过节，赛歌民俗俱特色；龙虎绸绢，粉丝织锦艳阳天。粑棒打千姿，竹杆舞美娘。犀牛摆朋屯，“路苗”古战场。雅韵枫香染，水秀槟榔湖，雅晶大米茫耶谷；布依灵堂画，太平军印田，八角庙宇居悬崖。岗度瀑布群，媲美黄果树。摆金商贾镇，名传歌舞乡。烟叶数一流，马肉满城香。铁锤抡千年，刀具万般钢。石头寨悬棺洞，苗族丧葬遗风。摆榜赛马选郎，除夕夜接新娘。苗女跳花场，俏哥摇马郎。谷蔺布精细，嘉庆美名扬。商贸旺地，芦山豆腐望郎回；屯脚衙门，古法造纸古戏楼。南下重镇：梦萦情缘谷，歌会董朗桥。石林屹蓝天，芳华恋浪哨。民族风情花烂漫，铜鼓笙歌舞翩跹。雅水糯米坡、鸭绒赶秋坡、三槽老鹰坡，坡坡联情。布依花棍舞、苗族芦笙舞、毛南狂欢舞，舞舞异彩。

嗟夫！神奇惠水，苍海田桑。一路走来，满目露伤。乙亥红军过惠水，己丑开颜迎解放。百废待兴，布局开张。完善工业基础，兴修水利堤防。三线建设粮为纲，红旗漫卷步康庄。改革春风拂大地，继往开来书华章。伟大复兴中国梦，涟江大地更跃强。恩达辉岩寨，“祝乡亲们生活好花红”；思民隽地标，“唱响好花红民族绚歌”。勤谋善政，创优争先。纬略经韬，纵横布局显妙招。易地搬迁，百姓称赞“五个三”。新区拓展，百业兴旺。老城改造：笋发琼楼玉宇，扮就凤翥霞装。

砥砺奋进，崛起涟江。惠借八面风，水润四时彩。龙游涟江：艺霖舞袖，衣袂飘荡刺梨花香。歌飞四海：宏伟亮嗓，美滋滋唱代代留芳。永红食品行天涯，金钱橘果溢华夏。涟江水利风景区，鱼梁波云连天际。花红广场：购物、餐饮、娱乐酣畅。涟水之滨：晨练、遛弯、栖息荡漾。脱贫攻坚，力奔小康；农业转型，工业做强。民殷景美兮！山水田园舞动：橘香花海醉游客，古寨唢呐音嘹亮。音乐小镇，神曲奏响。兰惠民生，花馨涟江。千户布依寨欣电子商务，第一堂屋农耕文化宣讲。布依大嘀（布依族唢呐），八音坐唱；叶辛书院，岁月回想。盛华学院，授技助百鸟飞翔；数字小镇，云上帷幄作导航。惠水大学城，鹿鸣似井喷。科技学院栖八番，龙塘山顶凤飞翔。涟江胜境，水体公园，上善若水，海晏河清。涟熙岛上品佳茗：惠水毛尖嫩翠芽，涟江古茶绽新花；黑糯米酒醉游客，琥珀红茶誉天下。登临望江阁，看千帆竞技，观水鸟逐洲；信步七星桥，思人在旅途，悟几度风流。奋进新时代，铸就新辉煌。一世长安兮！幸福龙船桥，生态大王佑。高旺文昌兮！金蟾献礼斗，庶子多及弟。旭日东山照：花团锦簇绽，朵朵向阳红。辉映寰宇耀天际，万民欢腾众国恭。民族绚歌，世人称赞！

长安颂

罗永荣

在贵州省惠水县西南边陲，有一个山清水秀的去处，那就是美丽的布依之乡——长安。

长安之美，自然天成，不在于巧夺天工，不需妙笔生花。老豹山巅俯瞰，茂林浅谷，佳境迭出，松涛徐徐，仙气翩然。一处处山丘有如滚滚春潮，又似云卷云舒，更像麦浪翻波。

“两口温泉沐不尽，四面青山当锦屏”是长安的真实写照。

长安是温泉之乡，据勘查境内从冉告村到新华村有一条4千米长南北走向的温泉带，现出露地表有两口，一口在牡毛，一口在翁耐，常年水温在28度，水质优良，清澈见底，四周森林郁郁葱葱，温泉周边小溪环绕，传统布依民居星罗棋布。沐浴过温泉的少男少女，不施粉黛，个个俊俏美丽。据考证，当地布依老人平均寿命90岁以上，具有很高的旅游开发价值。

长安是瀑布之乡，境内大小瀑布共99条，其中最为壮观的当数拉夜、西茂两条，鸟鸣柳间，情趣盎然，两岸绿树掩映。养在深闺人未识，含苞待放等人采。瀑布下浣纱的布依姑娘面似桃花，唇红齿白，宛如阳春白雪、出水芙蓉，身临其间，胜似人间仙境。

长安是民族文化之乡。勤劳勇敢的长安布依人，几经演化和传承，形成了当地独特的三槽布依民族文化，神秘、离奇。长安历史悠久，民风自然古朴，风霜寒暑，历史更叠，舒缓的生活节奏，独特的民风延续至今，贯穿古今的三槽文化，犹如历史走廊，浓缩着长安的沧桑变迁，蕴藉着长安的风物人情。如果你有幸欣赏到唢呐舞、散花舞、扎染舞，你会赞叹历史对长安的偏爱，酌一碗醇香的长安米酒，品尝那神秘的“鸡八块”，你简直不想再食人间佳肴。三槽文化是长安人永远沉醉不醒的梦，吸引着布依儿女前赴后继一次次扑进她的怀抱。

长安是多情之乡，一群群身穿扎染服饰的姑娘，像刚打扮出嫁的新娘伴娘，恍若繁星下凡，带你畅游梦幻世界，其乐融融。曾有汉族伙子到长安住上三月，被心中姑娘相中，得到阿爹阿妈认可，尽把小桥流水、小家碧玉、小鸟依人揽入怀中，流连忘返，乐不思蜀。如今汉族伙子上了年纪，已完全被布依族同化，醉一生，梦一生，乐一生，足矣。

斗转星移，沧桑巨变，改革的春风吹拂着神州大地，打工仔、打工妹应运而生，现代文明如酒、如歌、如潮，一次次涌来，一次次退去，周而复始，永不停歇。现代文明与传统文化如何和谐共生，？留守老人依然保持着古老的祥和宁静，人们依然秉承着传统，悠闲地度着晨昏，似乎并不在意外面的世界变化。远离城市的喧嚣与繁忙，置身其间，你会陶醉于长安的乡情、民风和歌谣；置身其间，你会忘掉外面的世界，听凭幽深的陌巷引你进民族丰富的内心，拾一份人与自然的和谐。

长安是温室，长安是闺房，长安是你休闲度假的好去处。

（载于2011年《贵州民族报》）

（六）民间故事

十二楼台山

（布依族　汉族）

惠水县著名的风景胜地十二楼台山，位于县城东面风光秀丽的涟江三岔河对岸。布依山区的普通山坡，为哪样会叫“十二楼台”呢？说起它的来历，真有意思。

一百多年以前，太平天国革命期间，翼王石达开在四川大渡河败亡后，他手下一个姓余的将领，带着部下，杀开一条血路退到贵州。同治二年（公元1863年）秋，余将军带领沿途招收的几千人马，从安顺经广顺，一举攻占了定番城（现在的惠水）杀贪官，诛老财，开仓救济百姓，真是大顺民心。

余将军是个武艺高强，足智多谋的人。他身材高大，长着满脸络腮胡子，所以得着外号叫“余胡子”。他手下有一员姓梁的副将，虽身材不高，但也很有本事，身轻如燕，能飞檐走壁，外号叫“仰天燕”。

那时候，清政府对布依人民残暴欺压，搞得民不聊生，怨声载道，不少布依青年参加了太平军，余将军一时声势浩大，威震省城。

省城贵阳的清军恐慌起来，忙派出提台“赵三阎王”带兵前往定番镇压。赵提台是个杀人不眨眼的刽子手，身材高大，赤脚草履，武艺过人，因他排行第三，所以人们叫他“赤脚三大王”。

太平军得到消息，严阵以待。余将军把部队拉开，从牛场坡一直到廖家坡沿涟江河岸五里安营扎寨。在廖家坡放起号火，满城皆见。太平军斗志旺盛，准备和清军决战。

当时各地农民起义烽火不断。清军四面楚歌，在贵阳重兵设防，没有众多的兵力给赵提台带来，相比之下，清军人数比太平军少，赵三阎王老奸巨猾、诡计多端。他在涟江三岔河对面山上安营扎寨，盘山挖了十二道台阶路，从山脚一直到坡顶，派出一队队官兵在台阶上出出入入，不断变换服装颜色，又在这一带的山坡小路上、树林里，插上各色旗帜，布下疑兵。一时，太平军也弄不清清兵来了多少人马。双方按兵不动，后来，赵三阎王又心生一计，他派人到附近寨子里捉来一些布依百姓。逼着他们打了无数只足有一尺三四寸长的草鞋，用石头捶烂丢在三岔河中。三岔河河宽水浅，秋来河水清澈见底，最深处只齐腰间，在河对岸，可见草鞋。赵三阎王还叫人出来放谣言，说：“赤脚三大王兵多将广，他们穿的草鞋都有一尺多长，人人高大无比，个个力大无穷。”不几天，谣言在太平军中传开了，有人夜间到河中捡来草鞋，将信将疑，有几个胆小的士兵吓得半夜开了小差。

余将军面临这种情况，头脑清醒，沉着镇定。他从来不信鬼神，更不相信“赤脚三大王”的兵是

"神兵"。一天清早，他叫人去捡来几只破草鞋，亲自查看，只见只只都有尺三四寸长，鞋底鞋里胡乱地涂上一些泥巴，不象是人穿的，又把草鞋拿来闻，没有脚汗臭味，再一细看，草鞋耳索崭新完好，单是鞋底破烂，显然是故意捶烂的。余将军心想这一定是清军玩的鬼把戏。恰巧这时，一个布依族老者前来求见，说有事相告，这个老者浑身鞭伤，衣衫被撕得筋筋绺绺的。余将军忙招呼老者坐下，脱下自己的外披，给老者披在身上。老者感动得两眼闪着泪花，把重要军事情报报告了余将军。

原来这个布依老者名叫王老更，就住在赵三阎王营房附近的青山寨里。太平军开仓济贫时，他还分到过粮食和衣物。前不久，王老更被清军抓去打草鞋，后来，清军又逼他帮喂马。经常挨清军的马鞭抽打。昨晚天快亮时，他才偷偷地绕小路跑出来，为的是报答太平军的恩情，把清军的鬼把戏报告给余将军。余将军一听，和自己估计的一样，心中大喜，当天晚上，又和王老更交谈了很久，详细了解了清军营房周围的地理情况，王老更路径熟悉，自告奋勇，愿给太平军带路。余将军看着浑身鞭伤的王老更，心中十分感动，把自己的一把宝剑送给了他。深夜，余将军难以入睡，经过周密的思考，定下了"将计就计"的破敌计谋。

第二天，余将军假称太平军害怕赵三阎王，故意对捉回来的逃兵看管不严，放过河去投降清军。然后，领兵拔营，仓皇从三岔河边退进城去。但却暗暗在城外"太平寺"一带设下埋伏，又派"仰天燕"梁副将带着一支精兵，跟着王老更偷偷过河，绕到清军老营后面的山林里，隐蔽下来，待机出击。

赵提台看着几个失魂落魄的降兵，又见太平军拔营而逃，哈哈大笑，十分得意，他下令杀了那几个降兵，立即带领清军过河，追杀过来，追到"太平寺"，只听得一声炮响，伏兵四起，清军没想到会遭埋伏，惊惊慌慌，乱了阵脚，抵挡不住，余将军又带一支人马从城东门冲杀出来，赵提台晓得中了计，无心恋战，只得败退到山岔河边。太平军追杀了过来，清军过河不及，被太平军杀得尸横遍野，血染涟江，无数死尸刚好倒在那些一尺多长的破草鞋上。赵提台退过河去，又听到自己叫人挖的十二道台阶上喊声连天，不由大吃一惊。原来是"仰天燕"梁副将率领偷偷过河的那支人马听见号炮，从望城关那边火速冲杀过来，正在收拾清军的老营。王老更手拿余将军赠送的宝剑，亲手杀了原先鞭打自己的清军看守，砸开清军老营的牢门，救出了被赵三阎王捉来打草鞋的众乡亲，太平军在清军老营放起火来。一时间，只见火光冲天，清兵鬼哭狼嚎，四处逃窜。十二道台阶路上都换上了太平军的旗号。赵提台只得带着残兵败将往北面逃走，妄想先逃到青岩去搬救兵。清军一口气逃了十几里，好不容易来到赤土坡脚，停下来喘一口气，清点人马，赵提台看自己的人马死的死，伤的伤，投降的投降，三股已不在了两股，心中好象黄连树上挂猪胆——苦上加苦。不到一杆烟功夫，又听到杀声阵阵，余将军率领太平军大队人马追杀过来。前面又是又高又陡的赤土坡，后面又是追兵，一贯恃勇骄横的赵提台又气又急，仓皇中只得回头与余将军接战。赵提台虽然骁勇，但见大势已去，心慌意乱，被余将军一剑劈下马来，太平军一拥而上，刀枪齐出，把这个罪大恶极的刽子手杀死在赤土坡下。剩余的清军残兵见主将已死，纷纷跪地投降，太平军大获全胜。

布依乡亲们抬着酒肉，成群结队地从村村寨寨赶来，慰问太平军。他们弹着月琴，吹起木叶，高高兴兴地唱道：

"官为官来民为民，
穷人为的是穷人，
仲家、客家[①]联合起，
杀完官兵享太平。"

从此人们就把涟江三岔河对岸、清军赵提台挖了十二道台阶路布疑兵的大山，叫做十二楼台山，为的是纪念太平军。

注①仲家、客家：过去，布依族自称仲家人，称汉族人为客家。

讲述者：王老勤（布依族，71岁，农民）
周炳生（汉族，80岁，退休职工）
流传地区：本县城关一带
搜集整理：黄达武

燕子洞与犀牛洞

（布依族）

距惠水县城七十多公里的羡塘，是一个风景迷人的布依山乡。这里山青水秀，素有黔南“小桂林”之称。尤其稀罕的是，羡塘拉力河源头，有一个称为“燕子洞”的巨大石洞，洞口高一百多米、宽四十多米，在洞顶石壁岩缝间，栖息着无数只燕子。每天清早，成千上万的燕子从洞中飞出，遮天挡日，十分好看。在燕子洞右侧山腰上，还有一个大石洞，名叫犀牛洞，洞内有巨大的卧龙石，形象逼真，令人叫绝。

关于燕子洞和犀牛洞，有一个古老的传说。

很久以前，羡塘一带连年灾荒，农家的生活十分贫苦，加上土司、老财的残酷压榨，农民的血泪就象拉力河水流不尽。河岸边住着一家姓罗的布依农户，夫妇俩勤劳憨厚，年到半百，身边只有一个十七岁的女儿，长得十分漂亮，而且勤劳善良。她犁田栽秧、织布绣花，样样能干。单讲她剪的围腰花，四方八面的人都称赞。因为她剪了一双飞燕绣在自家的围腰上，活灵活现，就象真的一样，所以，人们叫她燕妹。

这年，因为又遭了虫灾，农民户户欠收。到了冬天，各家各户都缺草料喂牛，一饿二冷，寨上的牛死了不少，燕妹家头大水牯也倒了冬。开春以后，无牛犁田，阿爹阿妈急得头发都白了一半。他们种的几亩田都是租土司老爷的。只好由阿爹扶犁，燕妹和阿妈在前手拉肩背，用人工来犁田。他们连干七天，才犁了一半田。这一天，太阳落坡后，爹妈累得先回家歇气去了。燕妹一人留下来铲田坎。月亮升起来了。燕妹还在田里。忽然，一阵低沉的牛叫声由远而近传来。叫声停后不久，一头健壮的大水牯来到燕妹身边，围着燕妹转，一边甩着尾巴，一边发出奇怪的叫声，好象在说：“拜过网！拜过网！”① 燕妹开始吓了一跳，后来胆大起来。她给大水牯架上犁绳，这牛就乖乖地犁起田来。它犁田快如飞，不大一刚，就把燕妹家剩下的田犁完了。燕妹高高兴兴地把牛牵回家。告诉爹妈，爹妈以为是哪家丢失的牛，就把它关在圈里，打算第二天还给人家。燕妹给大水牯打来一盆清水，它一下子就喝光了。燕妹家中没得草料，心头过意不去，就阴悄悄地把爹妈留给她吃的那点包谷稀饭喂了牛。第二天，麻麻亮，燕妹起来割草，一回到家，赶快去喂牛，哪晓得牛圈里空空的，大水牯不见了。燕妹去问爹妈，爹妈也不晓得。他们又到附近寨子打听，都没得哪家丢失过牛。晚上，燕妹又听到牛的叫声，跑到牛圈一看，大水牯不晓得哪刚回来了，发出“拜过网！拜过网！”的叫声。燕妹想到寨上好多人家没得牛犁田，就牵好大水牯，乘着月光，去帮乡亲们犁田。一连几天，白天大水牯无影无踪；晚上在燕妹家牛圈里出现。

燕妹费心费力地忙了几个晚上，把寨上没得犁过的田都犁了。这件事，很快在羡塘传开了。人们互相说，罗燕妹家跑来一头神牛，犁田又快又好。

这事被贪心的土司听到，起了坏心。一天深夜，他叫人偷偷地到燕妹家牛圈里，给大水牯换了一条漂亮的牛鼻索。随后，他带着家丁、打手来到燕妹家，硬说这条神牛是他家丢失的，若不信，大水牯鼻子上的穿鼻索就是证据。老实、憨厚的燕妹爹有口难言，工司便把神牛抢走了。当晚，土司高兴得眼睛眯成一条线，叫人把神牛关在土司府中，连夜看守。不料第二天早上，家丁慌慌张张地把土司从美梦中叫醒，说天刚一亮，只见闪过一道白光，神牛便不见了。土司气得鼻扭嘴歪，把看守牛的家丁打了一阵嘴巴，又叫家丁们赶快去四处寻找。他们找遍土司府，不见神牛；又出门到处找，走遍大小山岭，还是找不到。他们不敢回去见出土司，就钻进燕子洞右侧的那个大石洞内歇气。突然，他们见到洞底穿天孔下的平地上，有一条伏卧着的大水牛。上前细看，却是一块巨石，但这块巨石完全象牛一样，有头有背有尾，头上有角。再仔细查看，牛鼻还穿有鼻索，恰是土司家昨晚偷换上的那一条。家丁们吓了一跳，赶快跑回去报知土司。土司立马召集拢十多个家丁、打手，带上棍棒、绳索，妄图进洞捉牛。他们来到洞底，在穿天孔透进的光线照明下，围观石牛，越看越象，石牛的鼻孔还在出气呢！土司沉不住气，伸手就去拉牛鼻索，哪里拉得动？他又叫众人一起来拉。猛然间，只听得石牛发出“哞！”的一声怒吼，牛鼻索“蹦！”的一声给拉断了。土司他们一个个四脚朝天，摔倒在地，有的碰破了头，有的摔伤了腰。土司摸着脑壳上的大青包，气得哇哇大叫。他和众家丁挥起棍棒，朝石牛头上一阵乱打。“啪！”的一声响，石牛的角被打断了，断口处立即冒出大股水来。象山溪水一样止不住。片刻之间，石牛头下淌成一条水沟，众人都惊呆了。不晓得是哪个喊了一声：“神牛显圣了！”扭头就往洞外跑。土司和其他家丁更是心惊胆寒，也跟着拔腿就跑。他们一个个喊爹叫娘，屁滚尿流，再也不敢进洞去了。说来也怪，神牛被打断角后，再也不出洞为人们做好事，变成卧地的石牛。从此，人们就把这个洞取名为“神牛洞”。不晓得过了多少朝代，人们说走了嘴，把“神牛洞”叫成了现在的“犀牛洞”。

再说那一年，穷苦人家的田大都是神牛犁的，谷秧长得特别好，又粗又壮。可是到米包苔时，又遭了十分恼火的虫灾。谷秧的叶子卷了、黄了，农家的眼泪也掉完了。燕妹在田里捉虫、捉完东边，西边又有了，硬是无法，眼睛都急红了。这时又出了一件怪事：燕妹一急，使得她围腰上绣着的两只燕子飞了出来，帮着提虫子。只因田坝太大，尽管这两只燕子穿梭般地飞来飞去吃害虫，作用却不大。燕妹唉声叹气。这一叹气，两只飞燕又飞回围腰上不动了。

到了秋收，农家户户叫苦，种一斗才收五升，家家缺粮，日子难过，更交不齐土司的租米。凶狠的土司派家丁挨家挨户去催租逼债，闹得鸡飞狗跳墙。老色鬼土司看中燕妹漂亮，又听说她的针线做得很好，便亲自带人到燕妹家催逼租债。他饿痨痨地吼道：“你家明天若是交不齐租米，就拿燕妹去当丫头抵债！”阿爹阿妈向土司老爷苦苦求情，宁愿俩老都去土司家当牛做马，也不答应让女儿去给土司当丫头。土司两眼盯着如花似朵的燕妹，口水淌下三尺长，说死也不放松。

第二天一大早，土司就带着家丁前来要人。阿爹、阿妈急叫燕妹从后门逃走，两老拼死拼活在前门挡住土司。燕妹顺着拉力河跑啊跑啊，跑到了河水的源头，无路可走，就钻进了那个巨大的石洞里。洞内奇石密密麻麻，石笋石柱有的象人，有的象兽，遍地林立。燕妹进洞以后，再也没有出去。土司和家丁们在洞口守了三天三夜，不见动静，土司就逼着家丁进洞去找。家丁们刚刚进入洞内，一股冷风刮来，吹熄火把，又从洞顶传来“啾！啾！”的叫声。他们一个个吓得抖惊惊的，连滚带爬地出洞来。土司不甘心，一想到燕妹的美貌，就象鬼迷了心窍。他亲自带着家丁，又钻进洞去找。这次洞内刮起的冷风更大，一下子把所有的火把都吹熄了。接着又是一阵“啾！啾！”的叫声。一群黑影朝土司的脸猛扑过来。土司一惊，脚一滑、向后倒去，正好倒在一个石桩上，头破血流，一命归了天。家丁们一个个脸青色变，生拉活扯地把土司老爷拉出洞，抬着尸体急匆匆地回土司府报丧去了。

阿爹阿妈又在洞口守了三天三夜，哭得死去活来，头发全白了，也不见燕妹的影子。那“啾！啾！”的叫声山鸣谷应。说来奇怪，就从这一年起，羡塘一带的稻谷年年长得很好。因为有了大群大群的燕子，把田里的害虫吃光，到了秋收，家家都有收成，人人喜笑颜开。当地的人们也就立下一条规矩，不管是老是小，都从不伤害燕子。人们传说这些燕子就是美丽善良的燕妹进洞后变成的；又有人说燕妹在洞里临死之前，剪出好多好多的飞燕。所以，人们就把拉力河源头这个巨大石洞，取名叫燕子洞了。

注①：拜过网：布依语音译，意为去做活路。

讲述者：罗开明（布依族，58岁，农民）
流传地区：本县一带
搜集整理：黄达武

摆金和七十二摆地名的来历

（苗族）

摆金这块地方，自古是苗家居住。在摆金街的背后寨，有一块长一丈七、高一丈的大岩石，苗族群众十分崇敬，经常拿酒肉敬奉。

传说，过去摆金背后寨有一个名叫吴跨顷的苗族老人，家中很有钱，还有不少的金子，为了防备盗贼，只得拿罐子装好埋在地下。

有一年六月六，阳光很好，吴跨顷怕金子发霉，就挖出金子来摆在大岩石上晒，金子在阳光下闪闪发光，人们看后觉得稀奇，一传十，十传百。从这以后，人们就把这里取名为摆金寨。

不晓得是哪一年，花溪来了一个牛商，他很有钱，一回能贩一百头牛到摆金来卖。但有一回，牛商贩来的一百头牛遭瘟病死了九十九头，独独剩下一头，因无盘缠回家，牛商就将这头牛高价出卖，可是谁也买不起，一直脱不了手。牛商听说吴跨顷很有钱，前去试探。吴跨顷觉得牛商可怜。就拿一块金子把牛买了下来。吴跨顷找内行人来看，买来的竟然是一头犀牛，他很喜欢，就专门请了一个人来喂养。

有一年摆金发大水，水顺着消水洞淌入地下，将地底冲空，摆金田坝慢慢朝下沉，地面出现裂缝，一时间，房屋倒塌，人慌马乱。吴跨顷见牛圈棚东倒西歪，忙把牛放出来。那犀牛冲出圈后，对直对路地朝消水洞跑，顺洞钻进地下，用背和角顶往正在下沉的摆金田坝，还将大坝顶回原来的位置，避免了一场灾难。从此，摆金大坝的地底下就是空的。犀牛变成岩石一直支撑着摆金大坝。因为这头犀牛是摆金寨吴家的宝牛，后来，摆字就成了吉利和化险消灾的象征。摆金寨周围的村寨纷纷以摆字为头开寨名，于是，就形成了“七十二摆”，如摆榜、摆角、摆本、摆拱等。

讲述者：吴开荣（苗族，71岁）
流传地区：摆金区一带
搜集整理：赵崇友

阿水与阿花

（布依族）

每年农历六月六，黔南惠水县一带的布依族乡亲，都要聚集到拉林乡董朗河边唱歌。这就是布依族最欢乐的传统节日——六月六歌节。

关于这个歌节，还流传着一个动人的故事。传说在很久以前，董朗有个名叫阿水的布依族后生，他身材高大，长得英俊漂亮。可是，因为家中穷，快到三十岁了，还没能成亲。勤劳的阿水有副好歌喉，唱起歌来山鸣谷应，十分动听。在劳动过后，阿水就常常到董朗河边去唱歌解闷。一个名叫阿花的布依姑娘，传说她本是天上月神的六公主下到人间，长得眉清目秀，美貌非凡。她常常躲在河对岸去听阿水唱歌，心头暗暗地爱上了他。

一天，阿水在河边割草，快要装满挑篮的时候，他眼前一亮，看到路边有一个银手镯，阿水捡起亮闪闪的手镯，拿在手上，只觉得沉甸甸的。抬头一看，见前面不远的路上，有一位大嫂急匆匆地走着，连忙赶上前去，喊道："前面那个大嫂，你丢了东西没有？"大嫂回过头来，抬起手腕一看，说道：

"我赶路，一只银手镯不晓得哪时候掉了。"阿水把银手镯还给她。可是，她连声道谢的话也不说，又急急忙忙地往前走去。老实憨厚的阿水也不怪罪什么，又接着去割草了。

又有一天，阿水在河边钓鱼，看到水中出现一个人影，原来是一位变瘦的老阿奶，扛着一架柴，在岸边费力地走着。阿水撂下钓鱼竿，赶忙上前去接过柴架，说道："阿奶，我来帮你扛，您老人家住在哪里？我送您回家。"老阿奶用手往前一指，话也不说，就走到前面引路。阿水扛着柴，跟随老阿奶，走啊走啊，沿着河走过九弯八拐，累得上比气不接气，才看见河坎边上有一间茅草房，这就是老阿奶的家。阿水把柴放在门边，老阿奶谢也不谢，独自走进家。阿水也不计较，便转身回去了。走不远，回头一看，那间草房再也不见，阿水心头觉得很奇怪，呆呆地站了一刚，还以为是自己眼睛有毛病，也没多想什么，便转身到原处取鱼竿回家去了。

原来那丢失银手镯的大嫂和扛柴的老阿奶都是阿花变的，她是想试一试阿水的心肠。

以后，每当阿水来到河边唱歌，阿花就在河对岸和他对起歌来。阿水的歌声动人，阿花的曲调更美，两人隔水相望，情投意合，相爱起来。

有一次，阿水在和阿花对歌时唱道：

"情哥砍柴去深山，刺蓬扯破对襟衫，
情妹哪天帮我补，哪时哥有好衣穿。"

阿花不慌不忙地对唱道：

"情妹虽有好针线，心想帮哥过河难，
水深水浅妹不知，情哥性急为哪般？"

阿水听后，停了一下，接着又唱道：

"郎打单身好吃亏，得碗米来用罐煨，
手忙脚乱打破罐，鼻子眼睛都是灰。"

聪明的阿花听了，晓得阿水是有早日成双结伴的意思，但又不知阿水对爱情是否忠贞呢？阿花接着对唱道：

“心想成双也不难，要等明年对今天，
阿哥要是真有意，情妹等哥在河边。”

唱完，不等阿水答话，她就不见了。阿水心头很愁闷。但是，他牢牢记住这一天是六月初六。从那以后，阿水照常到河边来唱歌，却再也没有看到阿花。他把对阿花的思念深深埋在心底，更加勤劳吃苦，筹钱积粮，等待着阿花相约的日子。

有一天，阿水到山上砍柴，突然听到救命的喊声，他连忙朝着喊声的方向赶去，只见一个背着背篓的布依姑娘，手中抓着一棵小松树，挂在一堵悬岩上，情况十分危险。阿水连忙抛下柴绳，用力把姑娘拉上来。这个姑娘连声道谢，告诉阿水，因为她爬岩采药，不小心脚底板一滑掉在岩半腰，幸亏阿水赶来相救。这个姑娘年轻漂亮，情意绵绵，阿水却连句话也不说，就赶紧砍柴去了。说来奇怪，从那以后，每当阿水上山砍柴，总要遇到这个采药姑娘，姑娘向他唱起情歌，

多次表达相爱之情。憨厚老实的阿水告诉她，说他已经和河对岸的阿花相爱，不能再和她相爱。采药姑娘难过地说道：“董朗大河的水又深又急，哪能过得河去接亲？我和阿哥都在河这边，情愿陪伴阿哥一世，报答救命之恩。”阿水听后，红着脸说：“我的心只有阿花，哪怕山高水深也阻挡不了我们的爱情！”说完又急急忙忙地走了，以后，阿水干脆再也不到山那边砍柴，生怕再遇见那个采药姑娘。

原来，这个年轻漂亮的采药姑娘，也是阿花变的。她见阿水这样忠心，就更加放心了。

第二年六月初六这一天终于到了。阿水穿上自己辛勤劳动换来的新衣服，一早就来到河边。等啊等啊，不见阿花的身影，阿水耐心地等着，唱起了一首又一首情歌。一直唱到太阳快要落坡，才见对岸一亮，打扮得无比漂亮的阿花从树丛中现了出来。阿水激动地望着阿花，深情地唱道：

“隔河望妹象天仙，隔山隔水来不得，
哪个神仙搭条路，绕山绕水也要连。”

阿花笑眯眯地回唱道：

“好对金鸡隔大山，好对鲤鱼在深潭，
妹将纱帕搭座桥，接哥过河永相连。”

唱完，她把包在头上的纱帕取下来，往河上空一抛，落下来变成了一座美丽的彩桥。阿水高兴地走过桥去，和阿花坐在一起对歌。不久，他俩结成夫妻，过上美满幸福的生活。这事一传十，十传百，人人知晓。后来，每年“六月六”这天，后生姑娘们都来到河边，唱起优美的情歌，也希望在河对岸找到各自的意中人。就这样，一代传一代，发展成为今天的“六月六”歌节。

讲述者：罗廷光（布依族，73岁，农民）
流传地区：惠水董朗乡一带
搜集整理：黄达武

九龙山与古源和尚

（汉族　苗族）

惠水县城西北十五里，有九座连环山峰。山上绿叶迭翠，山下竹林掩映，山脚苗寨棋布、笙歌鸟啼，这就是有名的风景胜地——九龙山。

关于九龙山的得名，流传着一组古老的故事。

百龙倒海

很久很久以前，有一天夜里，九龙乡的马门山中突然飞来十条蛟龙王，每条蛟龙王各自领有九条小龙。它们商议后，分头潜于惠水地区的江河井潭中。每天早晨，这大小百条蛟龙从各处赶来，汇集于马门山下的“碧龙潭”中，操练“百龙倒海”的阵法。它们在龙潭中推波逐浪，吞石吐珠，搅得地动山摇。不一会，又纷纷冲出龙潭，在马门山中呼风唤雨，走石驱沙，闹得天昏地暗。百龙天天在马门操练有个野心：只等待六月初六日午时三刻一到，要移山倒海，引水进山，把惠水地区沦为汪洋大海。

这天，十个龙王聚首，商量推选龙主，多数推选马门山龙王作龙主；小龙河的龙王不同意，它要选涟江河龙王作龙主，多数不同意。小龙河的龙王年轻而又脾性暴烈，它一气之下，腾空向南飞去，一头扎进苑口的出水洞中。

从此，九条龙王在马门山中作恶，苗民们吃尽苦头。苗寨里的年轻人都逃走了，只剩下一些老年留下看守家园。人们天天烧香祈神，盼望哪天有个能人来制服恶龙。

也不知过了多久，有一天，马门山突然来了一个披黄袈裟的胖和尚，胖和尚左手端着个木鱼碗，右手拄着根龙头锡杖，腰挂一个空葫芦，脚踏一双麻草鞋。

和尚走进苗寨化斋，苗民们拿出充饥的蕨粑根，端出清水煮的野菜汤给他。和尚显出不高兴的神色说，“阿弥陀佛，贫僧远道而来，见你们这里是个五谷丰登、六畜兴旺的好地方，今向你们化碗米饭都舍不得，真是太小气了！”苗民们含着泪说：“师父息怒，你远道而来，不晓得我们的苦处，只因受恶龙坑害，寨里年轻人都逃走了，田园荒废，无法谋生，实在是无米饭奉送啊！”

和尚听苗民们诉出疾苦，忙合掌道歉：“罪过！罪过！贫僧有所不知，错怪父老，请问是何孽龙在此作恶？”

于是，苗民们就将百龙作恶之事告知和尚，正说着，那九条蛟龙率领着九十条小龙又飞出龙潭作恶了。

一瞬间，天昏地暗，飞沙走石，雷电风雨，地动山摇，吓得苗民们个个发抖，慌忙往屋里躲藏。和尚用锡杖拦住大家说：“诸位父老们别害怕，请看贫僧施法。”他将手中锡杖望空一丢，只见空中金光一闪，那锡杖化作一条腾空飞舞的金龙，刹时，空中金光闪闪，彩霞满天，那九十九条蛟龙慌忙潜入碧龙潭中。

和尚用手朝天一招，金龙在空中打个滚，仍化作一根锡杖，落在手中。苗民们见和尚有如此法力，喜得个个眉开眼笑，大家纷纷跪地磕头说：“菩萨下界，为民除害，我等不知，望菩萨恕罪。”和尚忙扶起众人，合掌说：“阿弥陀佛！贫僧惊扰父老，罪过！罪过！”苗民们感激地问他的姓名，和尚合掌道：“贫僧法号古源是也，今后恶龙如再来作孽，尔等可击木鱼呼吾法名三声，吾即来也。”

苗民们听了都说没有“木鱼”可击，古源和尚从袖中取出“木鱼”望空中一丢，那木鱼在空中转动着，突然“咚”的一声掉下来，变成一块几十吨重的大“木鱼石”，搁在马门山垭口上（如今九龙小学门前刻有“水不在深”字样的巨石即是）。

古源和尚领着众人来到木鱼石前，用锡杖敲了那“木鱼石”三次，“木鱼石”发出“呵！呵！呵！”的响声。随着响声，古源和尚转身拄杖，飘然而去。

从此，苗民们脸上有了喜色，苗寨里有了欢乐，逃出山去的青年人也陆续回家来了。

苗寨里开始有生气，传出悠扬的笙笛歌声，马门山中百鸟飞回啼鸣，荒废的田园五谷茁壮，人们心中感激着古源和尚。

再说“碧龙潭”中的蛟龙自那日被古源和尚的锡杖惊吓潜入龙潭以后，已不敢贸然出来作孽，只得盼等六月六日午时三刻到来，然后发动移山倒海之战。

转眼到了“六月六”。九个龙王率领九十条小龙汇集于马门山碧龙潭中，只等小龙河龙王前来凑足百条蛟龙。到那时任凭什么力量也阻止不了它们的神威啦。大家久等不见小龙王来，龙主就派双龙井的两条小乌龙去出水洞请小龙王。

二小龙来到苑口出水洞，将龙主的请柬呈给小龙王，小龙王傲气地说：“你们老龙请我有何事？”二小龙恭敬地说：“请十王爷前去凑足百龙之数，商量移山倒海之事。”小龙王高兴地说：“我早有此打算，要把这一带沦为汪洋大海，变为我们的乐园，只是我单枪匹马，难成大业，既然大王爷有此壮举，我愿助一臂之力，你们先回去告诉大王爷，说我马上就到。”两小龙告辞，转身出洞，回复众龙王去了。

恰巧，此时古源和尚正在苑口仙人洞打禅诵经，听到出水洞中水响，见两条小乌龙向马门山飞去，古源和尚屈指一算，明白此事。他抓起三把泥土搓成三碗斋粑，扯来三根茅草当香烧，然后望西方祷告如来佛祖，祈旨定夺。顷刻，地上显出旨文，“百龙倒海休逞凶，九龙化山守马门。”古源和尚急忙磕头谢旨，然后起身出洞，驾云向马门山而去。

古源和尚驾云来到九龙乡的野鹿井岩山上，见此处山势险恶，便按落云头，坐于石上观看。忽然阴风凄雨袭来，他大喝一声，“站住，孽障哪里去？”小龙王见是古源和尚挡道，大吃一惊，浑身发抖，壮着胆子说：“祖师，我久居龙潭，心胸烦闷，今日出来游玩山景，请祖师放行。”古源一听，知其撒谎，便怒喝道：“你这孽障明明前去作孽，还敢来哄我，放你不得！”小龙王知古源已晓得前去之事，料难过关，不由火起，就张开血口，摆动尾巴，张牙舞爪向古源扑来。古源仍坐在石山上不动，待小龙王来近，飞起手中的化斋木碗向龙头砸去，只听小龙王“哎哟”一声大叫，木碗变成一个石碗。

小龙王被古源和尚打下地来，痛得在地上打滚，它又顺势用龙尾卷起山石向古源打去，古源用手提起袈裟一拂，那些山石统统滚下来。小龙王又对着古源的面门喷出一股水柱，古源不由怒起，用手中锡杖打去，一下就将小龙王打死在山岩上。小龙王口里的水柱变成一滴滴的水珠，淌进那卡在半岩上的石碗内。（如今，那石碗内的水长年不涸，过往行人在此饮水，人们就把这石碗起名叫“一碗井”，小龙王的尸身化在岩石上，至今那山岩上还留着一条丈余长的龙纹图呢。）

再说马门山中的九十九条蛟龙久等小龙王不来，眼看午时三刻快到，不足百龙之数，神力不足，就搬不动山，移不来海。各路大小龙按捺不住，有的摆动龙尾，摇得山峰吱吱响；有的舞动龙爪，抓得山石横飞；有的呼风唤雨，搞得乌云翻滚，昏天黑地。

午时三刻已到，九个龙王率领九十条小龙发起神威，想要移山倒海，只见“碧龙潭”中的水哗啦啦往外涌出，向山地、苗寨奔腾漫去。

转眼间大水淹没土丘坡坎，坡坎上的苞谷消失了，刺蓬里的黄豆雀、竹林里的斑鸿、松林中的画眉、草丛中的野鸡都惊恐地飞走了。野兔吓得满山乱跑，山羊惊得向山顶乱窜。

洪水漫进了苗寨，墙倒屋塌，人们呼天喊地，磕头求神，眼看苗寨危在旦夕。

苗民们想起了古源和尚留在山垭口上的那块“木鱼石”，众人忙向山垭口爬去。大家用石块敲击“木鱼石”，齐呼：“古源和尚快来啊！”木鱼石发出的响声和人们的叫喊声震响山谷。

正在危急之时，忽听半空中传来一声：“阿弥陀佛！”众人抬头一望，见彩云上站着一个身披朱黄袈裟的胖和尚，人们认得正是古源，一齐磕头纳拜，“求祖师菩萨拯救众生！”古源降下云头，扶起众人说：“善哉，贫僧来迟，让父老们受惊，今日吾定为民除害，永保此方太平。”

眼看洪水就要漫进山垭口了，众苗民心里还在着急，古源和尚不慌不忙地脱下身上的袈裟，猛然向那汹涌的山洪撒去，只见袈裟盖在水面上，发出万道金光，“哗”一声巨响，那凶猛的山洪忽地一下退去了。

不一会，山坡上的苞谷露出来了，山地上的高粱冒出了头；斑鸠飞回竹林，山雀钻进刺蓬，画眉鸟欢呼歌唱，野兔高兴得跳舞，山羊仰首欢叫。

不一会，风停雨止，雾散云消，那九十九条蛟龙都被古源和尚的袈裟罩住，无法逃身。古源拄着龙头锡杖，立在马门山上喝道：“孽龙们听着，尔等残害生灵，罪重如山，今不悔罪，更待何时？”那些小龙早已吓破了胆，纷纷磕头求古源慈悲放生。九个龙王心里不服气，但被袈装罩住，动弹不得，只好假装悔罪。古源见孽龙们悔罪，有意网开一面，便用锡杖将袈裟挑起，金光隐去，那些小龙慌忙向四面八方窜去，钻进江、河、潭、井之中。

九个蛟龙王见古源和尚收法，它们并不离去，却一齐张开大口，舞爪摆尾向古源扑来。古源见恶龙无礼，又将手中锡杖向空中抛去，只见一道金光闪过，一条大金龙腾空翻扑，与九条恶龙站在一处。霎时间，打得龙鳞纷飞，山石飞扬，怎奈那九条恶龙十分凶狠，又都是拼死争斗，大金龙一时难于取胜。古源和尚忙摘下项上九颗佛珠向恶龙撒去，佛珠在空中旋转，化作九个金圈将众恶龙脚手套住。锡杖金龙乘势将九条恶龙打下地来。

九个恶龙王这才知道古源和尚佛法高深，料难取胜，慌忙俯首求饶。古源怒喝道，“孽龙！尔等屡次涂炭生灵，冒犯天规，我今奉旨讨伐，如愿归顺，化山垂古，如不服罪，毁尸灭迹。”九个恶龙王知在劫难逃，只好认罪。

古源见九条恶龙俯首认罪，急忙收法飞下山来，用龙头锡杖在众恶龙头上各点三下，然后揭起袈裟衣角向恶龙一扇，喝声“起！”九条恶龙急向空中腾去。古源解下宝葫芦，含一口圣水向九条恶龙喷去。那九个恶龙在空中翻了几个滚，先后落下地来，发出九声巨响，在马门山中化作九座怪石如鳞、峭峰如削的连环山峰。

九龙山恢复了宁静。

逃难的人们纷返回家园，苗寨里欢声雷动，男人吹芦笙，女人跳起苗舞……

从此，马门山风调雨顺，五谷丰登，六畜兴旺，人寿百年。那九座环抱的碧立山峰巍峨屹立，就象九条大蛟龙盘在马门山中。为了纪念古源和尚的功绩，让后人们知道九山峰的来历，人们就把马门山改名为——“九龙山”。

袈裟量地

古源和尚制服九个恶龙王，化为马门山之后，便驾着彩云飘逸四方。但他踏遍万山江河，游历五湖四海，总找不到一块称心如意的立足之地。

不知道过了多少年，古源和尚拨转云头，又飞回九龙来。他见九龙山比前番更壮丽富饶，决定在此建一座寺庙。

这时，九龙山归属小龙洞土司管辖。这小龙洞土司为人刁钻，爱财如命。山民百姓每年都要给他送贡品；哪家起房造屋、动用土地，都非得经他同意不可，否则，轻则坐牢，重则杀头。

古源决定去找土司化一块地盘建庙，他来到土司家大门口叩门，土司家的管家瞪着眼，恶狠狠地说：“你是哪里来的穷和尚？竟敢到土司老爷门上搅扰安宁。”古源说要求见土司，管家不肯放他进门，把大门关上，转身就走。管家刚一转身，只见古源已站在院子中间，双手合掌道：“阿弥陀佛！善哉！善哉！”管家忙上前拉古源说：“无斋！无斋！”不由分说，把古源拉出大门去。

管家又关好大门，转身急走。“阿弥陀佛！”突然石阶上又传来古源的声音。管家抬头一看，只见古源正站在堂屋门口的石阶上，惊得他出了一身冷汗。古源又合掌道：“罪过！罪过！”

这回管家变得乖巧了，他再次把古源推出门后，看着他向村外走远了，这才返身把大门关好，摇了摇门销，确信大门关牢后，转身跑上石阶。但他前脚刚踏进堂屋门坎，又听到一声“阿弥陀佛”吓得一屁股坐在门坎上啦。

古源不知什么时候又已站在堂屋中间，仍双手合掌说：“造孽！造孽！”这回，管家吓得抖兢兢地说：“不成过年，不成过年！”他再也不敢上前去碰古源和尚，赶忙爬起来梭到后堂去报知土司。

土司听说有一个和尚三次闯进家来，知道来者不是一般凡僧，慌忙亲临堂屋向古源请罪：“本官不知仙师驾到，家奴顶撞，恕罪，恕罪！请问仙师法号？”古源合掌还礼道：“贫僧古源是也。”土司一听是古源祖师，吓得连忙跪地磕头，忙请他去后厅书房喝茶。

叙谈一会，古源向土司提出要化一块地修建寺庙。土司心里舍不得，但又不敢直说，只好假惺惺地说：“祖师仙迹天下，福祥之地不少，下官管辖的只是一块不毛之地，恐污仙足，还是请祖师另寻福地吧。”古源知土司舍不得拨地，笑了笑说：“贫僧只要一袈裟之地足矣。”土司一听放下心来，原先土司担心古源会向他要半座城池，现在听说只要一袈裟之地，心想也不过丈把土地，于是装出慷慨的样子说：“祖师要这一块袈裟之地能建寺庙吗？”古源说：“足矣！足矣！不仅建寺庙，我还要做庄园呢！”土司觉得和尚的要求又奇怪又好笑，就问他怎样丈量土地。古源脱下袈裟说只要把袈裟丢向空中，袈裟的影子盖到哪里，他就要齐哪里。土司睁大眼瞧那袈裟，最多只有丈余方围，就满口答应了。

古源提起袈裟，拉着土司来到西门田坝，当时正值骄阳当空，他用龙头锡杖挑起袈裟，猛然向空中抛去。只见那袈裟在半空中飘浮如一朵彩云，初时只有簸箕大，慢慢地越变越大，后来变成一块大彩云。一瞬间，县城西北方圆十五里的田坝、村舍、山岭不见了阳光，被一块巨大的黑影覆盖着。土司见此情景，吓得目瞪口呆，好半天说不出话来，围观的百姓拍手称奇，齐声叫好。古源用锡杖沿着黑影边沿画起线来，土司见状只好自认晦气。

从此，县城西门外方圆十五里的地区归属九龙山，古源和尚就在山上建起庙来。

黄茶救火

一天，土司请古源和尚来家做佛事，念经超度他的父母。古源来到土司家，土司全家慌忙磕头迎接。土司请古源在堂屋坐定，吩咐管家倒茶，管家端来一杯黄澄澄的香茶，土司双手接过来，亲自捧递给古源。古源接过热腾腾的黄茶，只觉得一股芳香扑鼻，于是举杯欲饮。突然，古源双眉抖跳，大喊一声：不好！”随手把黄茶向室外泼去，口里不住声地念道：“阿弥陀佛，善哉！善哉！”

土司惊得不知所措，以为是管家倒错了茶，就“啪、啪”扇了管家两个大嘴巴：“该死的奴才，还不跪下向祖师请罪！”管家忙跪在地上磕头作揖，一再赔礼，古源仍是不睬不理。土司无法，只好把全家人叫来，全部跪在地下，听候古源发落。

大约过了一袋烟的功夫，古源和尚才睁开双眼，喊一声“阿弥陀佛”，伸手把土司扶起来。土司慌忙谢罪说：“家奴献茶不恭，茶淡无味，请祖师入座重新换茶。”古源哈哈大笑说：“误会！贫僧刚才泼茶，并非嫌茶无味，乃是借土司爷家的黄茶去救火啊！”土司莫名其妙地说：“请祖师示教，哪里失火？”

古源和尚重端茶在手，呷了一口茶说：“刚才贵阳府城的马旁街失火，满城官民吸干井水也难灭火势，恰巧管家献茶，贫僧一时救火心急，就借黄茶一杯化雨，将大火扑灭了。”土司半信半疑地问道：“贵阳府城离此地一百余里，祖师寸步未离，何以知贵阳失火？”古源答道：“施主不信，可速派快马前去查来。”

为了证实此事，土司踢一脚还跪在地上的管家说：“快骑我的快马去贵阳府马旁街，查看那里是否失火，速来回话。”管家爬起来急忙去了。

管家跨上白龙马，扬鞭飞腾而去。这白龙马原是龙坑海洞的一匹神马，日行千里，夜行八百，不到一个时辰，便进了贵阳府。管家来到马旁街，只见满街房倒屋塌，到处烟火飘绕，十分呛人，人们正在清理火场，街上还在流淌着黄雨水。管家上前连问几位老者，得知半个时辰前，马旁街突然失火，火势凶猛，蔓延极快，满城官民吸干了所有井水都无济于事。老人们呼天喊地，磕头作揖求菩萨保佑。正在危急之时，突然天空一声雷响，“哗啦啦”降下一阵黄雨，那雨如瓢泼，顷刻之间，将大火扑灭了。

管家查明情况，急忙拨转马头，不消半个时辰，回到土司家里，把亲眼所见、亲耳所闻的情况一五一十地向土司禀告。土司及众人听后，对古源和尚佩服得五体投地。

讲述者：胡伯衡（汉族，87岁，居民）
杨正和（苗族，53岁，农民）
流传地区：惠明乡、九龙乡一带
搜集整理：胡家和

卢大蒲扇的故事

（汉族）

大蒲扇得名小面馆

清朝嘉庆年间，定番州（今惠水县）有个秀才名叫卢志仁，他自幼聪明，喜爱诗文，对当时作为进身之阶的八股文章不感兴趣。为此，在考取秀才以后，虽然屡次上省城考举人，却总名落孙山。后来费了九牛二虎之力，好不容易才考得个贡生（清制学位，在秀才之上，举人之下）。从此，卢志仁心灰意冷，对仕途功名不再追求，在家靠教书过日子，并常常出入酒馆，放荡不羁。

个人坎坷的经历，加上长时间的冷静观察，卢志仁对官府的腐败和社会的弊病有了较深的了解。他对贫苦的老百姓常常尽力周济：对如狼似虎的贪官污吏十分憎恨，经常想方设法巧妙地对他们进行愚弄，替老百姓出气。因此，在定番州留下了许多关于他的传说和故事。

当时定番州，提起卢志仁，很少有人知道：但提起卢大蒲扇，却无人不知，无人不晓。原来，他的这个绰号还有个小小的来历。

卢志仁经常往返乡间，接触下层人民，虽是个贡生，却无文人架子。因此，在同一般群众的交往中也学会了不少地方俗语和歇后语。定番州有种俗语叫“转言子”就是说一句成语或俗语，往往只说前面的几个字，最后不讲出来的那个字才是自己要表达的意思。如说酒字，用“转言子”话来讲，只需讲“羊羔美”就行了。有一次，卢志仁到一家面馆吃面条，他坐下后，用言子话对堂倌说：“小二哥，请来一碗‘八面威’。”堂倌一听，知道他这个言子转错了，不由嘿嘿一笑，不动声色地到柜台上拿了一把大蒲扇，对着卢志仁大扇起来。当时已是秋末冬初，气候较冷，卢志仁连忙用袖子遮挡，一边说：“小二哥，不要开玩笑，请快来一碗‘八面威’”。堂倌边扇边笑着说：“卢先生，我给你的就是‘八面威’啊！”这时在一旁吃面的人都禁不住笑起来，卢志仁这才醒悟到自己讲错了，连忙笑着说：“小二哥，我讲错了，不要八面威（风），要的是四方八（面）。”

从此，卢志仁便得了个大蒲扇的绰号，随着他作弄贪官污吏的笑话流传，“卢大蒲扇”的名字越来越响，他的真名反而不大为人所知了。

戏权贵题对烈女祠

明末清初，定番州城北有座烈女祠，相传祠中供奉的烈女神像非常灵验，有求必应。到嘉庆年间，来烈女祠进香的人更是日盛一日，络绎不绝。

一天，卢大蒲扇从乡间回城，路过烈女祠，只见祠内香烟缭绕，供果齐备，一群善男信女正三拜九叩，口中念着祈求的事。他定睛一看，原来是本州县令率领着一群地方豪绅，携带家眷正在祈求烈女显圣，或求高官厚禄，或求荣华富贵，搞得乌烟瘴气。一群老百姓则远远观看，议论纷纷，卢大蒲扇心想这些人搜刮民膏民脂，鱼肉平民，真是良心黑透，坏事做绝。他们高坐公堂，享尽荣华，犹嫌纱帽小；他们残酷剥削，刮尽地皮，还说富贵差，真是无耻荒唐之至。我一定要教训一下这帮人。过了几天，卢大蒲扇请人制成一块匾额并雕刻一副对联，悬挂在烈女祠门口。匾额黑漆底子上填金字，写的是明朝于谦的“咏石灰”诗的最后一句，只是把‘要留清白在人间’改为‘只留清白在人间’。对联也是黑底金字，上联是“求我利求我名尚且君相无权何况女子”，下联是“任尔忠任尔孝果于国家有济才是丈夫”。匾额对联一挂上，整个定番城议论纷纷，大家都说，芦大蒲扇这块匾和对联，无论讲字体的秀丽、对联的工整、含意的深奥都很绝妙，给那些自命清白、实际梦想升官发财的老爷豪绅当头一棒。

后来，据说卢大蒲扇这么一搞以后，烈女祠就不那么灵验了，上烈女祠求名求利的官绅老爷也渐渐绝迹了。

黄胡子错染乌须药

新任定番州黄知州，是个贪财好色的家伙，上任不到半年，就搜刮民脂民膏近千两白银。一应官司，只要有钱行贿，无理也可以打赢；要买一个“秀才”只需花三百纹银即可。满城百姓，茶余饭后闲谈，一提起黄知州的“政绩”无不切齿痛恨。

一天，卢大蒲扇独坐家中，暗暗思索：这姓黄的家伙实在可恶，难道就这样让其无法无天不成？接着他又想：“这黄知州到任将近半年，连我都未曾见过一面，不如先假装到州府拜望，摸摸其底细，然后再设法愚弄。主意拿定，第二天清早，卢大蒲扇换了一身干净的衣服。拿着一张大清定番州贡生卢志仁”的名帖，就到州府去了。

这天，黄知州刚退衙回书房与钱粮师爷商量事情，忽看门差送来名帖：接过一看，见是卢志仁来拜访，不禁一怔，心想我黄某自到任以来，早已听说定番州有个卢志仁，绰号卢大蒲扇，诡计多端，专与官府作对，实属刁民，今日不请自来，一定是别有用心。遂回头对门差说：“传我的话，就说本官近日身体欠安，改日再来吧！”在一旁坐着的钱粮师爷立马站起来止住门差，回头对黄知州说：“老爷，治下有一句话不知妥当否？依小人之见，卢大蒲扇虽属刁民，但在定番州是个有影响的人物，弄不好就会引起事端，坏了大人的名誉，倒不如叫他进来，好言抚慰，伺机拉拢，以利大人治理本州黎民。”黄知州一听，觉得有道理，于是对门差说：“好吧！请卢贡生到书房相见。”不大一会，卢大蒲扇随着门差从侧门走来，他老远看见黄知州坐在书房里面，于是紧走几步，来到门口，马上躬身一揖，口称：“大老爷在上，学生卢贡生拜见。”黄知州坐着一动不动，只做了一个手势：“免礼！请用茶。”卢大蒲扇坐定，两眼不住地打量着黄知州，想从他身上找出话题来。但见黄知州身材矮胖，满脸横肉，长着一双茅草眼睛，最引人注目的是他那一口乱蓬蓬的络腮胡子，犹如黄狗尾巴。卢大蒲扇一想，心中不由暗喜道："有了！我就要在这黄胡子上做点文章。"互相寒暄几句以后，卢大蒲扇假装对黄知州到任半年来的"政绩"恭维一番，说得他眉开眼笑，随后，大蒲扇便单刀直入地说："父母官贵体康泰，乃是本州黎民洪福，只是大老爷这.....这口胡子。"黄知州一听提到他这胡子，立即现出一副懊丧的神色说："卢先生，不瞒你说，本官平生最不满意的就是这口黄胡子，官场中实在是有失大雅，但又有何办法呢？"一听这话，卢大蒲扇马上站起来，对着黄知州一揖，说道：学生家中，祖传下一棵好药，取根煎汁涂染须发，可乌黑发亮，永不褪色。如蒙大老爷不弃，学生回舍便连夜将药制好，明早给大老爷送进府来。"黄知州一听，不禁喜形于色，忙说："如有这等好药，可遂本官平生之愿矣！事成之后，必有重谢。好，不必要卢先生动步，明日本官派人到府上来取。"

声大蒲扇告辞回家后，当夜，便把一只装有东西的小碗用白纸盖好，放在堂屋正中香案上，并对其妻说："最近两天，府衡若派人来取乌须药，你就说我不在家，只把香案上的小碗端给来人就行了。"

第二天下午，黄知州处理完公事，猛想起卢大蒲扇所说的乌须药，便马上叫一个差役速到卢贡生家取药。不大一会，差役回报说乌须药已经取来，并将一个小碗交给黄知州，黄知州心里说不出的高兴，陪着姨太太吃晚饭时，得意地说："你看我这黄胡子，明天就要变成美髯公了。"吃罢晚饭，黄知州便对着镜子坐下，取出小碗装的乌须药，叫姨太太用小毛刷蘸药涂在他的黄胡子上。从左耳根直涂到右耳根，从鼻子直涂到颈子上。末了，他从姨太太手里接过小毛刷，重新用力涂抹，生怕漏掉一根黄胡须。整个脸腮果真黑糊糊、亮闪闪的了。

再说卢大蒲扇，听其妻讲官府来人取走乌须药后，心中不由暗暗高兴。他想，黄知州你这家伙，这回该你受受活罪了。第二天上午，卢大蒲扇起来漱洗完毕，就急急忙忙地到州府衙门，不等门差通报，径直向里面走去。快到书房门口，刚好见黄知州身穿便服，被钱粮师爷扶着走出门来，只见他脑壳肿得象个猪头，那又小又细的茅草眼简直无法睁开，昨天被乌须药涂染过的一口黄胡子硬得犹如铁块，立耸耸地栽在那又胖又圆的冬瓜脸上，边走边摇头。说时迟，那时快，卢大蒲扇马上跪在地上口称："请大老爷息怒，学生真是罪该万死！"黄知州已看不清来人，一听声音，知道是卢大蒲扇，便想大发雷霆，可惜脸上又痒又痛，嘴巴又被胡子粘住，开腔不得，真是有苦难言。卢大蒲扇头也不抬继续往下说："昨日，学生有事外出未归，今天一早才回来，听说昨天大老爷派人到家取乌须药，我那蠢妇将我漆家母棺木后剩下的生漆错给了大老爷，学生担心怕出事情，所以，还未歇脚就立马赶来，想不到大人已经用了，唉！都怪我那该死的蠢妇，我非把她打死不可！"说完，马上站起来，气势凶凶地做出象要打人的模样，奔出衙门去。在一旁扶着黄知州的钱粮师爷，觉得不妙，对黄知州说："大人，卢大蒲扇这一去，如若将那妇人打死，惹出命案来，这官司又与大人有关，那如何收场？依小人之见，不妨还是劝阻吧。"黄知州想了一下，只好忍气吞声微微将头点一下。随后，钱粮师爷急忙唤来两个人，把黄知州扶进室内；自己赶紧奔出衙门，劝阻卢大蒲扇去了。

第二天，定番城内百姓纷纷谈笑说："芦大蒲扇用生漆当乌须药送给知州染黄胡子，弄得满头漆疮，到省城医治去了。"

中巧计州官"占民妻"

黄知州自错染乌须药后，不到一年功夫，就调离定番州，到贵阳府补缺去了。接替他的是个姓朱的举人。他临行前，特意来拜访黄知州，了解定番州风土民情。黄知州便讲到了卢大蒲扇，说此人如何刁顽又如何诡计多端。朱举人台听，立马站起来，慷慨陈词地说："这还了得！竟敢愚弄堂堂朝廷命官，兄弟到任之后，非把卢大蒲扇拿来，狠狠治罪不可！"

过后几天，朱举人择了吉日离省赴任。定番州城内豪绅、大户，来到城北迎恩桥（即今牛场桥）恭候新任州官，卢大蒲扇也随同前来看个究竟。只见朱举人坐着大轿，前面几个差人扛着“新任定番州知州朱”和“回避”“肃静”等牌子，鸣锣开道，前呼后拥地走上桥来。行至桥中，朱知州叫轿夫停脚，并不下轿，又将头从轿窗探出来，问站在路旁恭迎的几个大户：“听说本州有个卢贡生，他今天来么？”卢大蒲扇一听问到自己，便在一旁行礼，口称：“学生在此恭候大人。”朱知府随即从轿中拿出一支斗笔提问：“你知道这是什么？”卢大蒲扇答，“学生知道，这是大人用来夺纱帽顶子的。”朱知州将笔收回，拿出一把木工用的推刨，又问卢大蒲扇：“你知道这是什么东西呢？”卢大蒲扇答道：“学生知道，这是大人用来推光棍、倒棱角的。”朱知州看他一眼，煞有介事地说：“好！知道就好。”遂叫轿夫起行，打道往州衙而去。

卢大蒲扇回到家里，心想：这新任知州，看来是专与我作对的了，这几天，我不妨回避一下，看他究竟要搞出些什么鬼名堂来。

再说朱知州，到任料理几天公务后，便想起卢大蒲扇，“这几天老是不见他露面，不如把他传来，找个口实，也才好下手。”第二天一早，朱知州便叫来一个差人，吩咐道：“你快把卢大蒲扇叫到衙门来，就说老爷有事找。”差人去不多时，回来禀告说：“卢大蒲扇说他是大清贡生出身，老爷是一州之主，又是举人，深知礼法，既然老爷有事找他，为何不用‘请’而用‘叫’呢？所以他不肯来。”朱知州听后，满脸怒容：“真是个不识抬举的刁民！好吧，我暂且稍作忍让，回头要你认得我朱某！”遂拿了一张有“大清举人定番州知州”的名帖扔给差人去请卢大蒲扇。过了一会，去请的差人又回来说，“启禀老爷，小人刚才拿着老爷的名帖去请卢贡生，他说“近日偶感风寒，不能出门吹风，请老爷拿轿子去接。”朱知州不听则罢，一听怒气冲天，骂道：“简直岂有此理！”但转念又想，对这种人不能硬来，还是把他弄进衙门后，再跟他算总账。遂对差人说：“传我的话：备轿接卢贡生进衙门议事。”

再说卢大蒲扇在差人第二次来请他后，立即把自己的妻子唤到内室，说：“如若知州不拿轿来接便罢，如拿轿来，你可如此如此，现在就收拾一下吧。”随即又拿过一张纸来，草草写成“知州强占良家妇女，官占民妻”的状词，再到后园马厂既里把马备好鞍子。他刚转身走出大门，见一乘轿子渐渐走了过来。轿子进入天井，早先来请的那个差人说道：“卢先生，小人奉知州老爷之命，来接你进衙门议事，请先生上轿。”卢大蒲扇说：“天井里风大，把轿帘放下来，把轿抬对堂屋门口，我在这里面上轿吧。”抬轿的只得将轿抬对堂屋大门，把个门口完全堵住。接着，门帘一动，进去一个人坐在轿子里面，仍把轿子门帘盖好。；几个抬轿的以为卢大蒲扇上了轿，抬起轿子就走，直到州衙门大轿才搁下。这时，朱知州从大堂下来，见轿帘一动，从轿子里走出一个妇人，头戴凤冠，身着霞帔，面遮乌云帕，腰间系着一面铜镜和一本万年历书（当时妇人出门的一种装束），迈着三寸金莲，向朱知州行个礼，娇声艳气地说：“请大老爷来拜堂。”顿时，朱知州不由一惊，直往后退，口中结结巴巴地说：“这还了得，这还了得！”但他立马醒悟过来，大叫道：“本官中了卢大蒲扇的诡计，快来人，与我快把卢大蒲扇抓来！”说完，气急败坏地向书房走去。不大一会，去捉拿卢大蒲扇的人回报说，他已骑马到贵阳府告老爷的状去了。朱知州一听，不禁气得两眼发直，垂头丧气地坐在椅子上。他左思右想：本官好容易才补得个知州肥缺，却想不到上任才几天，制卢大蒲扇不下，反被他制倒，一定得把他追回来，否则，传出这等丑事，本官一定乌纱难保。遂找几个师爷来议，决定由一个师爷带两百两银子，火速骑马去追赶卢大蒲扇。师爷和差人快马加鞭，直赶到青岩才把卢大蒲扇追上，拉到近处一家酒馆坐下来讲和。师爷说：“老爷恳请卢先生谅解，请切勿往省城告状，愿意敬献两百两白银。”说来说去，最后，卢大蒲扇才答应可以不往省城告状，但必须请知州大人答应两个条件：一是不许任意增派课税；二是本州事情应请本州父老共同协商办理。师爷代知州一一答应所提条件，并找来文房四宝，当面具结。卢大蒲扇这才同他们一起回定番城来。后来，卢大蒲扇将这两百两银子分别送给孤儿寡妇和一些贫民百姓。

此事不久，朱知州深感在定番为官实在困难，而且又捞不到多少油水，不到三个月就设法溜之大吉了。

讲述者：饶润庚（汉族，71岁，医生）
流传地区：本县城关一带
搜集整理：饶林昭　胥忠国

（载于《中国民间故事集成贵州省黔南布依族苗族自治州惠水县卷》）

（七）歌　曲

想涟江

1= ♭A $\frac{4}{4}$

深情优美地 ♩=62

词曲：王泽洲

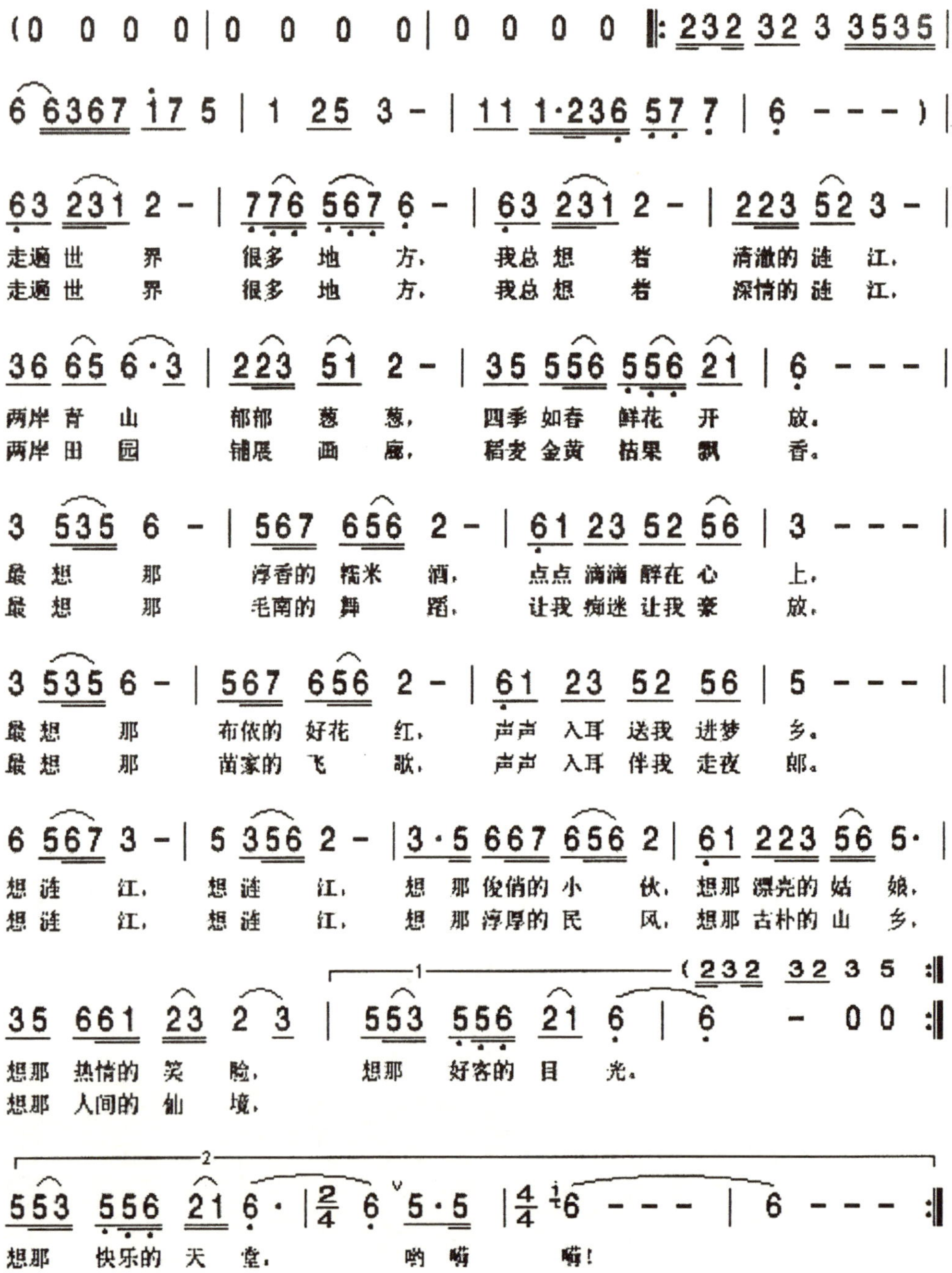

好花红的歌儿美滋滋的唱

词曲：李晓平

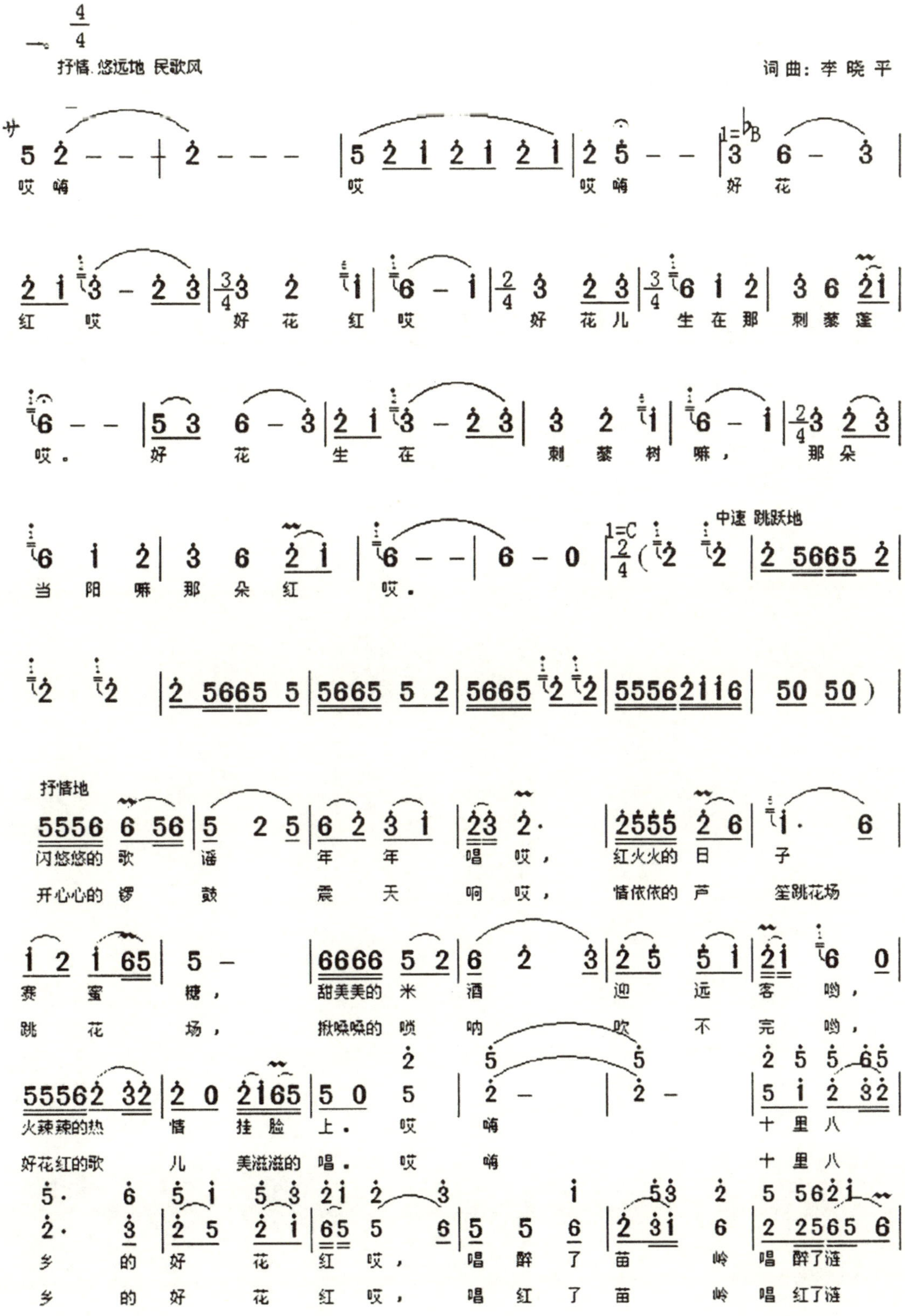

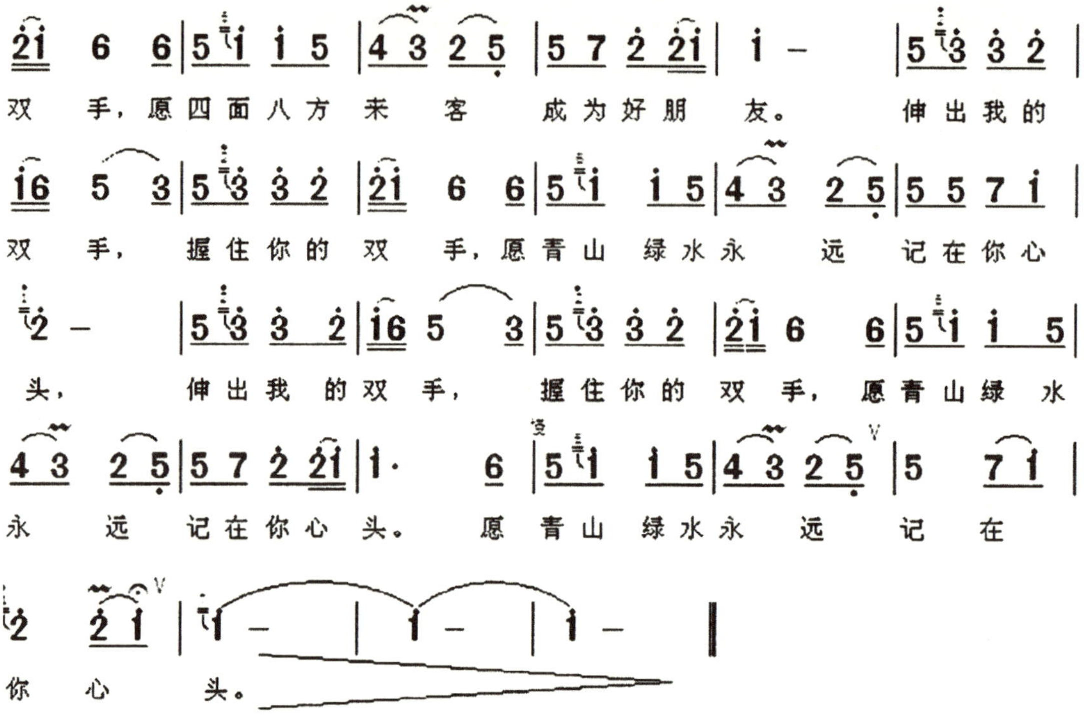
双 手，愿四面八方 来 客 成为好朋 友。 伸出我的
双 手， 握住你的 双 手，愿青山 绿水永 远 记在你心
头， 伸出我 的双 手， 握住你的 双 手，愿青山绿 水
永 远 记在你心 头。 愿 青山 绿水永 远 记 在
你 心 头。

欢迎您到惠水来

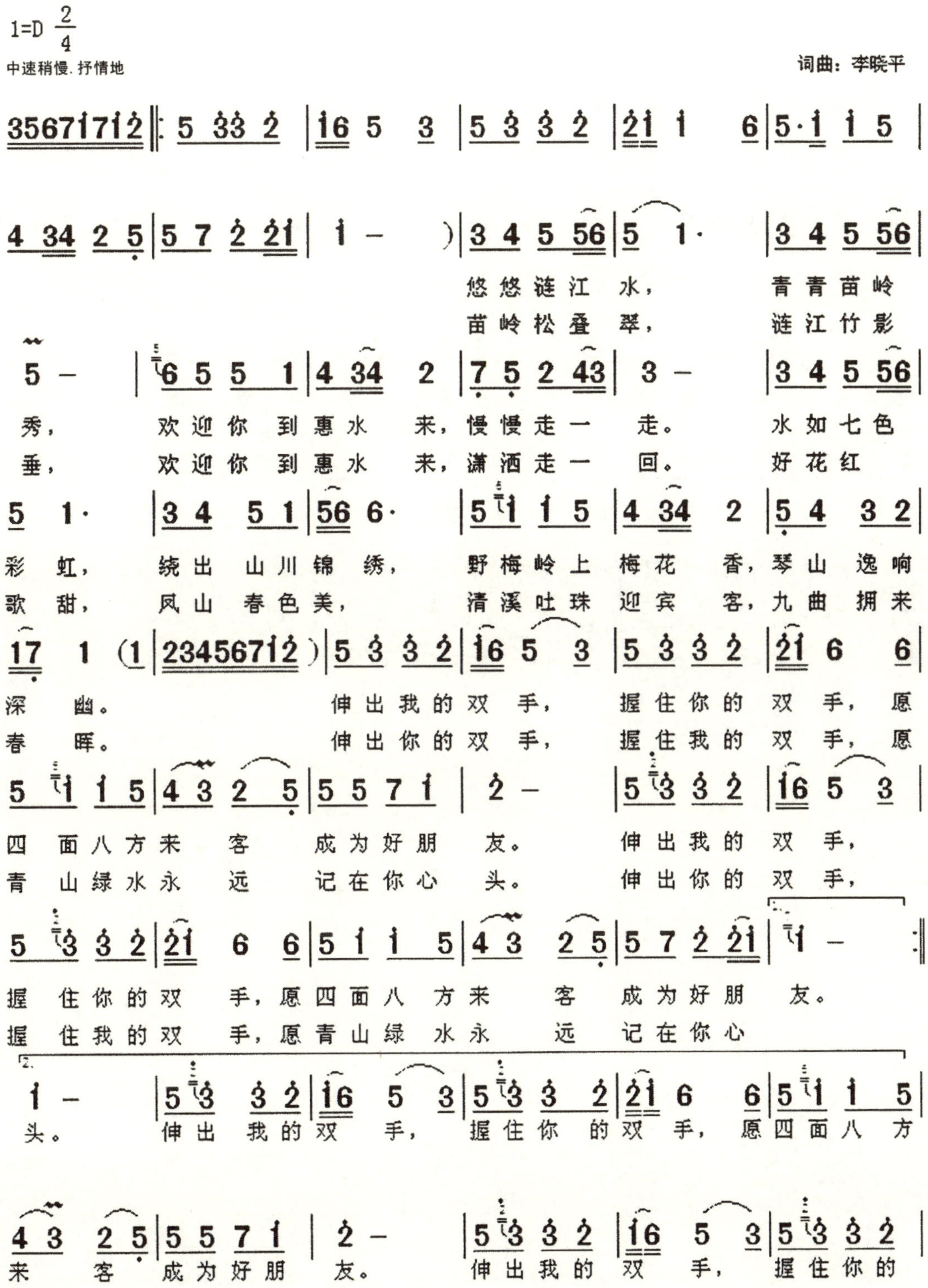
1=D 2/4
中速稍慢. 抒情地
词曲：李晓平
悠悠涟江水，青青苗岭
苗岭松叠翠，涟江竹影
秀，欢迎你到惠水来，慢慢走一走。水如七色
垂，欢迎你到惠水来，潇洒走一回。好花红
彩虹，绕出山川锦绣，野梅岭上梅花香，琴山逸响
歌甜，凤山春色美，清溪吐珠迎宾客，九曲拥来
深幽。伸出我的双手，握住你的双手，愿
春晖。伸出你的双手，握住我的双手，愿
四面八方来客成为好朋友。伸出我的双手，
青山绿水永远记在你心头。伸出你的双手，
握住你的双手，愿四面八方来客成为好朋友。
握住我的双手，愿青山绿水永远记在你心
头。伸出我的双手，握住你的双手，愿四面八方
来客成为好朋友。伸出我的双手，握住你的

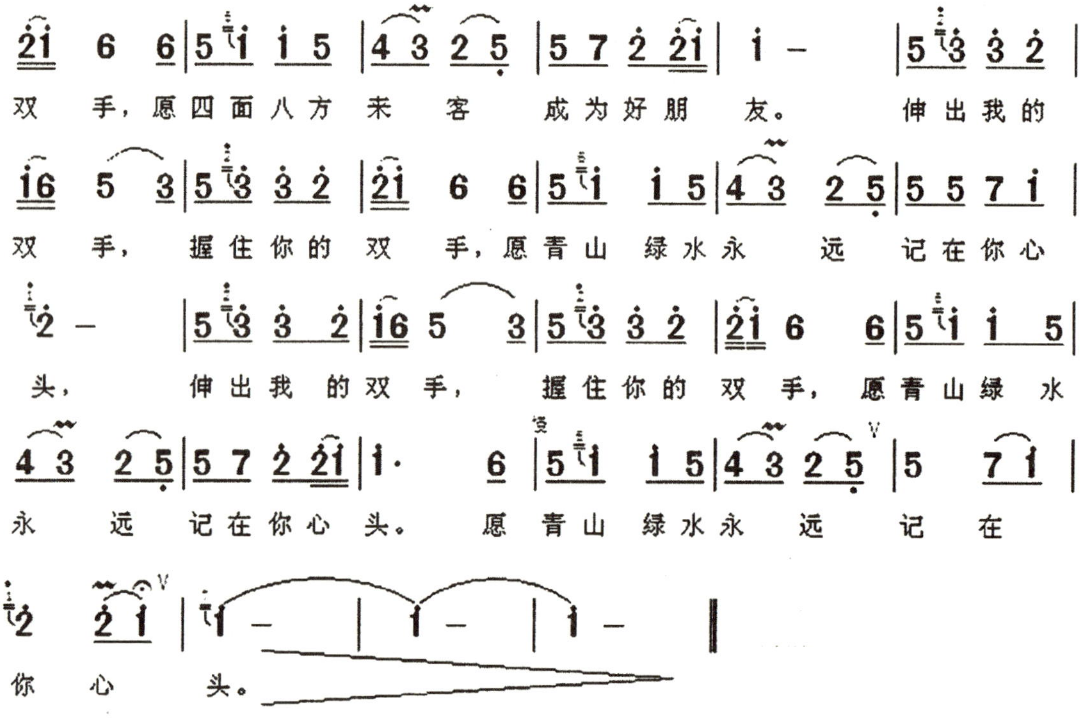
双 手，愿四面八方 来 客 成为好朋 友。 伸出我的
双 手， 握住你的 双 手，愿青山 绿水永 远 记在你心
头， 伸出我 的双 手， 握住你的 双 手， 愿青山绿 水
永 远 记在你心 头。 愿 青 山 绿水永 远 记 在
你 心 头。

请到我们山寨来

1=♭E $\frac{2}{4}$ 欢快、活泼地

词曲：唐绍禹

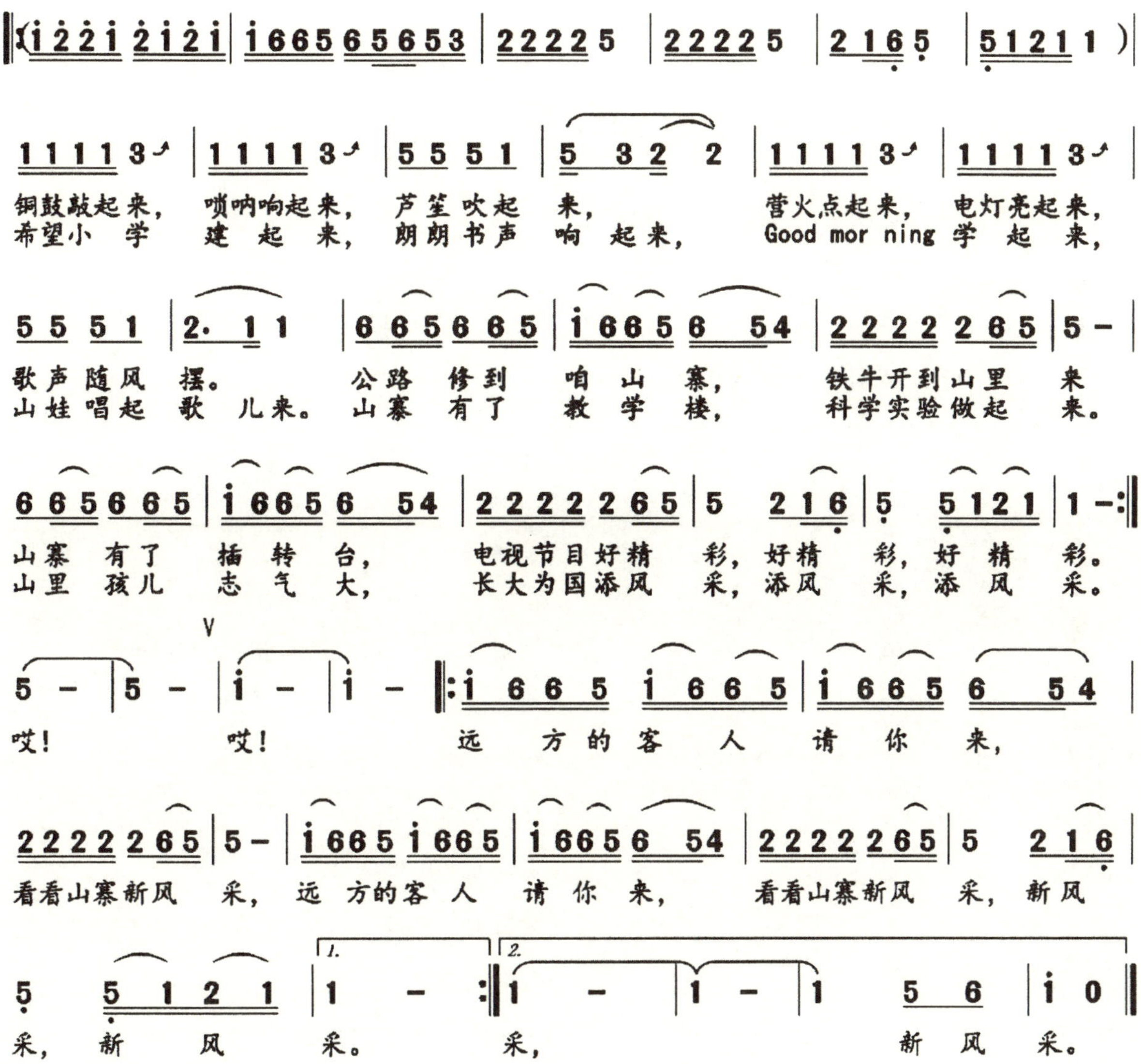

索 引

说 明

一、本索引采用主题分析方法编制。

二、本索引按主题词首字汉语拼音音序（同义词按音调）排列，若首字拼音相同时按第二字音序排列，以此类推，首字为阿拉伯数字或英文字母者，作“非音序”集中排列在本索引末。

A

B

C

D

F

G

H

J

K

L

M

N

P

Q

R

S

T

W

X

非音序

编后记

《惠水县志（1978—2015）》续修工作已顺利完成，即将出版。本志编修自2017年7月启动，至2020年5月，志稿先后通过县级初审、州级复审、省级终审、省级验收和方志出版社初审、复审、终审，2020年9月定稿付印，历时三载有余。

2002年，国务院颁发《地方志工作条例》，规定地方志书一般二十年左右编修一次。2003年，省地方志办公室要求全省各地启动地方志续修工作，并于2010年前全面完成。是年，惠水县史志办启动二轮县志续修工作，但修志工作直至2010年未实质性开展。2011年5月，惠水县实施县级机构改革，县档案局与县史志办职能整合，地方志工作职能划入新组建的惠水县档案史志局，原县史志办从事地方志工作的人员相继调离或退休，修志工作停滞。2012年，省、州要求惠水县启动二轮志书编修工作，并于2018年前完成。是年，县档案史志局局长申建民同志向县委、县政府分管领导作县志修编工作专题汇报，县政府决定启动《惠水县志（1978—2012）》编修工作。随后，县档案史志局组织地方志股工作人员赴瓮安县史志办学习县志编修工作经验，召开《惠水县志（1978—2012）》总纂篇目审定会，根据省州方志专家意见修订完善《惠水县志（1978—2012）》篇目设置，确定修志时限上限为1978年，下限为2012年。7月，县委、县政府成立《惠水县志（1978—2012）》工作委员会，县政府印发《惠水县二轮〈惠水县志〉（1978—2012）编纂工作实施方案》《第二轮〈惠水县志〉人物入志收录原则范围及标准》（惠府办发〔2012〕183号）等文件，将撰稿任务分解到县直各部门、各乡镇，由县档案史志局总体负责和协调并具体组织实施县志编修工作。经十七届县人民政府第10次常务会议研究同意，分别从和平镇、芦山镇、高镇镇抽调1人到县档案史志局参与县志编纂工作。2013年1月，惠水县召开第二轮县志编纂工作启动动员暨业务培训会，邀请省方志办业务四处处长伍启林和黔南州史志办方志科科长王素琴作业务培训；2月起，5名县志编纂人员开始收集各承编单位的资料长编，并到大方县、黔西县学习修志编纂工作经验，参加州史志办地方志编纂工作业务培训，提高编撰业务技能。10至12月，分批组织全县25个乡镇资料员到县档案史志局开展志稿资料收集编撰业务培训。2014至2015年，对金融系统和林业、水务、工信、民宗等重点部门或困难较大的单位，上门开展业务培训，帮助指导编撰，先后对全县80余个县直机关、企事业单位的修志工作进行督促。至2016年12月，共收到全县96个单位的志稿资料。由于各单位撰稿人都是首次接触修志工作，对志书编修业务不熟悉；部分单位对修志工作重视不够，撰稿人员更换频繁；县档案史志局年鉴编辑科人员每年还要承担县级综合年鉴编辑组稿工作，县志编修工作力量不足，除35个单位志稿体例基本符合要求外，其余单位志稿资料均不符合县志编纂体例要求，需要重新收集资料和编撰。期间，抽调参与修志工作的部分人员相继调离或转岗，县志编纂办公室没有对所收集的单位志稿进行审稿反馈和修改完善，没有对各单位编纂工作及时跟进对接和督促协调，修志工作启而不动，停留在起步阶段。

2017年3月，县委调整县档案史志局领导班子，由花应周同志担任局长，黄再婧、刘仕江二位同志担任副局长。新班子赴任后，为贯彻落实《全国地方志事业发展规划纲要（2015—2020）》（国办发〔2015〕64号），按时完成惠水“两全目标”（“到2020年，全面完成第二轮修志规划任务，实现省、市、县三级综合年鉴全覆盖”——《全国地方志事业发展规划纲要〈2015—2020〉》），针对惠水县修志工作严重滞后的实际，5月，组织本单位人员到罗甸县学习档案和修志工作经验，积极向县委、县政府请示重新启动县志编修工作。县委、县政府高度重视，同意重新启动惠水县二轮县志编修工作，同时，调整充实县志编纂委员会，加强对修志工作的领导。县志编纂委员下设办公室在县档案史志局，由花应周同志任办公室主任，具体负责惠水县二轮县志编修工作。

为全面记录和充分展现党的十一届三中全会至“十二五”期末38年间惠水政治建设、经济建设、文化建设、社会建设、生态建设等方面改革进程和发展成就，根据县委、县政府意见，并请示州史志办办公室和省地方志办公室同意，决定将本轮县志编修下限设为2015年。7月7日，县地方志编纂委员会主持召开全县县志工作推进会，启动《惠水县志（1978—2015）》编修工作。本志编修由花应周同志任主编，黄再婧、刘仕江二位同志任副主编，县志编纂办公室彭永刚、陈应明等同志任编辑。9月，副主编刘仕江同志抽调担任摆金镇斗底村“第一书记”，常年驻村开展脱贫攻坚和党建帮扶工作，不再参与县志编纂工作。同时，经请示县志编纂委员会同意，聘请雷霆、陈勋忠、陈全海三位退休同志分别担任执行主编和副主编，聘请卢安章同志为编辑。县志编纂班子组建后，全面启动《惠水县志（1978—2015）》编修工作。县志编纂办公室拟定《惠水县志（1978—2015）编纂工作实施方案》，以惠委办字〔2017〕61号文件印发全县，将撰稿任务分解到全县105个撰稿单位。为确保县志篇目设置更加符合惠水实际，更加科学合理，县志编纂办公室将拟定的《惠水县志（1978—2015）》篇目向全县各承编单位征求意见，收到28个单位回复，分别提出相关建议，为县志编纂办公室进一步完善县志篇目提供了参考。同时，将《惠水县志（1978—

2015）》篇目设置情况分别向省地方志办公室方志处和州史志办公室汇报，听取指导意见。至12月，县志编纂办公室安排并指导全县105个有撰稿任务的单位搜集资料，全县各承编单位105名撰稿人员（资料员）在搜集资料的基础上，开始撰写呈送稿。期间，县志编纂办公室与全县各承编单位加强对接协调工作，采取电话解答、当面交流和建“惠水县志讨论QQ群”搭建沟通交流平台等方式，及时解答各单位提出的志稿编纂业务问题100余次；县志编纂办公室应邀对金融系统志稿编纂工作进行专题培训；对18个修志困难较大的部门单位上门帮助指导编撰；对40个较早完成撰写报送任务的单位初稿进行审阅修改，并提出修改完善的意见建议，督促相关单位抓紧修改和返稿；对10个垂管部门，以月为单位开展上门督促工作。对各单位报送志稿存在的问题，县志编纂办公室分阶段多次召开县志编研会议进行专题讨论，提出解决问题的办法措施。为推进修志工作均衡开展，县档案史志局组织2个检查组对全县各承编单位开展地方志工作行政执法检查；两次提请并会同县督查考核局对全县20个修志工作难度大或工作滞后的单位进行重点检查和现场督办，及时解答修志工作中存在的业务难题，督促各修志单位领导班子进一步重视修志工作。为丰富县志内容，县志编纂办公室通过惠水县人民政府门户网站、惠水县电视台、《好花红风采》报、微信公众号好花红在线等媒体播放和在10个镇（街道）显要处张贴征稿启事等方式，向社会各界征集史料素材，向热心史志工作的退休老同志发放100余份纸质征稿启事，动员全社会各方面人士共同修志，集思广益，众手修志，共收到9篇来稿。至2017年12月，全县各承编单位全部完成初稿报送工作。期间，县志编纂办公室认真组织对各单位志稿进行审阅，逐一提出修改意见；对无法落实或无法完全落实承编单位的章节，安排县志编纂办公室工作人员负责资料搜集和编纂。至2018年2月，全县志稿资料基本收齐，约320万字。

2018年3至6月，县志编纂办公室对320万字的志稿资料进行分纂，采取分篇编纂和集中研讨相结合的方式，开展专章编纂工作，根据需要不定期召开编纂业务会议，研究确定分纂业务体例等问题。对拟入志人物资料，按惠委办字〔2017〕61号文件要求和标准，向全县各单位印发报送通知，收到33个单位报送的人物志材料。6月，完成志稿分纂工作。7月起，县志编纂班子对志稿进行总纂，8月完成总纂工作，形成242万字的县志初稿，并付印成册。9月12日，县志编纂委员会召开《惠水县志（1978—2015）》志稿县级评审会，志稿通过县级初审。10月，针对县级评审会提出县志志稿存在的突出问题，为统一志书编纂思路、结构布局和体例风格，由县档案史志局局长、县志编纂办公室主任花应周同志带队赴清镇市学习，借鉴参考该市修志经验。11月，县志编纂委员会调整县志编修班子，雷霆、陈全海、卢安章三位同志不再承担县志编纂执行主编、副主编和编辑工作。2018年12月至2020年9月，县志编纂工作继续由主编花应周同志主持，由执行副主编陈勋忠同志协助，新聘陈志国同志为编辑，与县志编纂办公室其他编辑和编务人员组成新编纂班子，继续开展县志编修工作。2018至2019年，惠水县脱贫攻坚工作进入攻坚克难决战决胜阶段，全县各部门、各镇（街道）承担县志撰稿任务的人员绝大多数被抽调驻村开展脱贫攻坚工作，不能及时按县志编纂办公室提出的审稿意见修改补充完善志稿。2018年，县志编纂工作班子部分同志因调离或驻村不再参与编纂工作，编纂人员严重缺乏。为确保县志编修工作不断档，县志编纂办公室加班加点对各单位志稿进行审阅和梳理，继续督促相关单位补充完善内容。同时，经请示州史志办公室同意，将《惠水县志（1978—2015）》州级复审延至2019年惠水县脱贫攻坚工作通过省政府验收后进行。

2019年，县级党政事业机构改革后，县委、县政府成立惠水县地方志编纂委员会，进一步加强对地方志工作的领导。县地方志编纂委员会先后召开三次县志编纂工作推进会，根据县地方志编纂办公室提供的单位志稿问题清单，对相关承编单位提出资料补充和修改完善要求，对相关单位志稿完善工作再督办、再安排、再要求。8月，县地方志办完成全县105个单位志稿第二次审阅修改工作，通过政府协同网向全县承编单位发放县志审稿意见表，要求各承编单位组织对本单位志稿进行审改，经单位负责人审核签字报县地方志编纂办公室，由县地方志编纂办公室再次审稿把关，确保志稿质量。11月，《惠水县志（1978—2015）》志稿通过州级复审，县地方志编纂办公室根据州复审意见对志稿进行修改补充完善。12月，《惠水县志（1978—2015）》志稿通过省级终审。

2020年1月，县地方志编纂委员会召开《惠水县志（1978—2015）》编纂工作第四次工作推进会，贯彻落实省级终审会提出的修改意见和要求，对需补充修改志稿的20个单位修志工作进行安排和要求。同时，成立《惠水县志（1978—2015）》志稿校审组，由四家班子办公室牵头，分别组织县直相关单位对志稿相关篇章进行校审。期间，受新冠肺炎疫情影响，原计划2020年3月报省验收工作推迟至4月进行。4月，县地方志编纂办公室将委托省第三测绘院制作的最新版惠水县行政区划图报州自然资源局审批，随后州自然资源局行文批复同意《惠水县志（1978—2015）》使用该版行政区划图。5月，志稿通过省级验收。随后，县地方志编纂办公室根据省地方志办公室验收意见和方志出版社初审、复审、终审意见，按照志书体例要求，结合县情实际，对志稿进行修改补充完善。6月，县地方志编纂办公室落实《惠水县志（1978—2015）》方志出版社书号，完成《惠水县志（1978—2015）》印刷招标工作，并与中标商昆明鹰达印刷有限公司签订印刷合同。7月，为最大限度减少差误，不留历史遗憾，县地方志编纂办公室印发《关于做好〈惠水县志（1978—2015）〉》出版前部门审稿工作的通知给全县各承编单位，要求各单位在志书出版前进行最后一次部门审稿，将审后志稿经单位主要负责人签字并加盖单位公章后，于8月10前报县地方志编纂办公室审改并存档。由于各承编单位领导班子重视程度和单位撰稿人员责任意识参差不齐，志稿修改完善进度缓慢，全县部门审稿工作进展不平衡。部分单位志稿仍然存在明显内容缺失或体例错误，而相关单位负责人依然签字盖章反馈，增加县地方志编纂办公室工作负担，导致部分章节至出版时仍然存在记述不完整、体例不周全等问题，留下历史遗憾。9月，县地方志编纂办公室将有关情况报请县委办公室对本次部门审稿工作开展专项督办，有效推进了工作。是月，县地方志编纂办公室将志稿送印刷公司校对设计、排版付印。至此，《惠水县志（1978—2015）》编纂工作全面收官。

《惠水县志（1978—2015）》为新中国成立后惠水县编纂的第二部县志，也是1989年版首部《惠水县志》的延续。本志记述了惠水县1978至2015年38年间全县建制、自然、政治、经济、文化、社会、生态、人物、风土等方面的历史与现状，志稿体例采用“章节体”；体裁以志为主，辅以述、记、传、图、表、录等，图文并茂；结构分篇、章、节、目，以节为单位。志稿以概述为首，作为总纲，总括县情，统领全志；次列大事记作为全志之经，贯通38年，简述大事要事；中间排各专志，作为全志主体，横排纵述，横不缺项，纵不断线。全志除序、概述、大事记、人物、附录外共17篇93章510节，约240万字；图照568张。

在整个编修过程中，主编花应周同志负责县地方志编纂办公室全面工作，对内统筹安排县志编修各个环节，对外协调对接县志编修各个方面，对全志谋篇布局、编纂风格等进行总体把握，对志书体例内容最终决策并总体负责，与执行副主编陈勋忠同志共同负责全志篇目设计、志稿总纂和政党、政权、政协、群团、经济综合管理、城乡建设、环境、人力资源、财政税务、金融、保险、商贸、公检法司、武装、文化、体育、旅游、档案方志、社会保障、民政等篇章及概述、凡例、大事记、附录等部分的编纂审改工作；副主编黄再婧同志协助花应周同志负责编纂办公室相关协调安排工作和部分篇章审改工作；彭永刚同志负责工业、农业、交通运输、邮政通讯等篇章编纂审改及编纂业务内部协调、编纂内容相关谋划等工作，协助主编开展相关对外业务对接协调工作；陈应明同志负责编纂审改区域、自然环境、县人大、县政府、好花红民族文化等篇章编纂工作；陈治国同志主要负责编纂审改大事记、社会、教育、科技、人物等篇章；雷霆、陈全海、卢安章等同志参加前期志稿篇目设计和大部分志稿篇章初审等工作；毛与艳、李程、张译元、黎静波、周芳怡、陈珊等同志先后参与全志的校对、订正等工作。同时，对全志各篇章审改校对工作，采取交叉互换方式综合推进，确保编纂质量。

本轮县志编修工作得到省州方志部门的关心和支持。省档案馆（省地方志办）副馆长（副主任）梁贵钢同志专程到惠水调研指导志书编纂工作；省方志办市县志工作处处长钟莉同志、黔南州史志编研专家白映泉同志对《惠水县志（1978—2015）》篇目设置提出指导意见和建议，中共黔南州委党史研究室主任胡智勇同志两次到惠水县调研指导县志编修，原州史志办主任陆兴和同志、韦武昌同志、副主任张慧玲同志也先后专程到惠水指导修志工作。

县委、县政府高度重视县志编修工作，中共惠水县第十三届129次常委（扩大）会议专题听取县志编修情况汇报，要求加快县志编修进度，提高县志编撰质量。县委、县政府有关领导同志对县志编修先后作出工作批示、进行安排部署、调研指导工作、召开会议推进、提出工作要求等，有力推进了本轮县志编修工作。州人大常委会副主任、县委书记万庆华同志多次对县志编纂工作作出批示要求；县委副书记、县人民政府县长王文旭同志对县志编修排版设计提出具体要求；县人大常委会主任王正祥同志亲自组织县人大志稿编纂工作，对县志编修工作提出指导意见，对县志编纂办和全县各承编单位修志工作提出工作要求。县志编纂委员会先后主持召开四次工作推进会，推进县志编纂工作。县委副书记陈宇、徐光信先后专题听取县地方志办县志编修工作情况汇报，协调解决编纂工作中的实际困难和问题；县委常委、县人民政府常务副县长罗国江，县委常委、县人民政府副县长曾辉方，县委常委、县委办公室主任刘惠江、王顺文，县人民政府副县长王龙菊等领导同志先后到县档案史志局（县地方志编纂办公室）开展县志编纂工作专题调研，研究推进县志编修工作方法措施。县委办公室多次对各单位志稿编撰报送工作开展专项督查，对编纂工作给予大力支持。张文玖、吴永福、龙燕祥、罗兴华、王品崇、罗先书、黄达武、周祚治等退休老同志为编纂工作提出了中肯的意见建议，提供相关参考史料。向自宜、曾宪文等老同志为编纂工作提出了宝贵建议。王颖同志参与县志先期资料收集工作。在此，谨向关心支持本志编修工作的各级领导和社会各界人士表示深深谢意。

三年多来，县地方志编纂办公室全体工作人员以修志为己任，围绕“两全目标”，积极投入修志，遵循志书体例，审慎查档取材，多方调查考证，潜心史海钩沉，默默埋头文案，探究部门业务，致力审稿作业，严把志书政治关、史实关、体例关、文字关，恪尽职守，兢兢业业，勤奋工作，力创精品佳志，几经十数易稿，终完成此项浩大文化工程。

由于本志上下限跨度过长，资料缺失多，寻访线索少，查档追溯难，编修时间短，编者水平有限，疏漏或错误之处在所难免，恳请广大读者批评指正，以期下轮修志时纠误补遗。

惠水县地方志编纂委员会办公室

2020年9月